le Guide du routard

Directeur de collect
Philippe GL

Cofonda
Philippe GLOAGUEN

Rédacteur
Pierre JC

Rédacteurs en chef adjoints
Amanda KERAVEL et Benoît LUCCHINI

Directrice de la coordination
Florence CHARMETANT

Directeur de routard.com
Yves COUPRIE

Rédaction
Olivier PAGE, Véronique de CHARDON,
Isabelle AL SUBAIHI, Anne-Caroline DUMAS,
Carole BORDES, Bénédicte BAZAILLE,
André PONCELET, Marie BURIN des ROZIERS,
Thierry BROUARD, Géraldine LEMAUF-BEAUVOIS,
Anne POINSOT, Mathilde de BOISGROLLIER,
Gavin's CLEMENTE-RUÏZ, Alain PALLIER
et Fiona DEBRABANDER

ANGLETERRE, PAYS DE GALLES

2005

Hachette

Avis aux hôteliers et aux restaurateurs

Les enquêteurs du *Guide du routard* travaillent dans le plus strict anonymat, afin de préserver leur indépendance et l'objectivité des guides. Aucune réduction, aucun avantage quelconque, aucune rétribution ne sont jamais demandés en contrepartie. Face aux aigrefins, la loi autorise les hôteliers et restaurateurs à porter plainte.

Hors-d'œuvre

Le *GDR,* ce n'est pas comme le bon vin, il vieillit mal. On ne veut pas pousser à la consommation, mais évitez de partir avec une édition ancienne. D'une année sur l'autre, les modifications atteignent et dépassent souvent les 40 %.

Spécial copinage

ON EN EST FIER : www.routard.com

Tout pour préparer votre voyage en ligne, de A comme argent à Z comme Zanzibar : des fiches pratiques sur 125 destinations (y compris les régions françaises), nos tuyaux perso pour voyager, des cartes et des photos sur chaque pays, des infos météo et santé, la possibilité de réserver en ligne son visa, son vol sec, son séjour, son hébergement ou sa voiture. En prime, *routard mag,* véritable magazine en ligne, propose interviews de voyageurs, reportages, carnets de route, événements culturels, dossiers pratiques, produits nomades, fêtes et infos du monde. Et bien sûr : des concours, des *chats,* des petites annonces, une boutique de produits de voyage...

Mille excuses, on ne peut plus répondre individuellement aux centaines de CV reçus chaque année.

Le contenu des annonces publicitaires insérées dans ce guide n'engage en rien la responsabilité de l'éditeur.

TABLE DES MATIÈRES

Remarque : Londres fait l'objet d'un guide à part.

COMMENT Y ALLER?

GÉNÉRALITÉS

AU SUD-EST ET AU SUD DE LONDRES

LE KENT

LE SUSSEX

HAMPSHIRE ET WILTSHIRE

THE WEST COUNTRY

LES CORNOUAILLES

AU NORD DES CORNOUAILLES

À L'OUEST DE LONDRES

LES COTSWOLDS

Balade dans les Cotswolds

LE NORD DE LONDRES

LE NORD DE L'ANGLETERRE

L'OUEST DU YORKSHIRE, VERS LEEDS

LE YORKSHIRE

THE LAKE DISTRICT

LE MUR D'HADRIEN

LE NORTHUMBERLAND

LE PAYS DE GALLES

LA VALLÉE DE LA WYE

LE PARC NATIONAL DES BRECON BEACONS MOUNTAINS

CARDIFF ET SA RÉGION

LA PÉNINSULE DE GOWER

PEMBROKESHIRE COAST NATIONAL PARK

EN REMONTANT VERS LE NORD

LE NORD DU PAYS DE GALLES

NOS NOUVEAUTÉS

BORDEAUX (mars 2005)

Ouf ! ça y est... Bordeaux a son tramway. Grande nouvelle pour les voyageurs qui retrouvent la ville débarrassée d'un chantier qui la défigurait, et aussi pour les Bordelais qui peuvent enfin profiter d'un superbe centre piéton. Car Bordeaux est une aristocrate du XVIIIe siècle que la voiture dérangeait. Elle offre au piéton des ruelles que parcourait déjà Montaigne, quand il en était le maire.

Passé la surprise des superbes façades des Chartrons, des allées de Tourny et du Grand Théâtre, vous irez à la recherche du Bordeaux populaire et mélangé. Vous irez faire la fête dans les zones industrielles portuaires réhabilitées, vous irez parler rugby place de la Victoire avec des étudiants à l'accent rugueux qui font de Bordeaux la vraie capitale du Sud-Ouest (pardon, d'Aquitaine).

Bordeaux est une aristocrate qui aime aussi s'encanailler. Elle aime ses aises, sa liberté, et ne cesse de regretter la victoire des Jacobins sur les Girondins.

Et le vin ? Il est partout et pas seulement le bordeaux, car ces gens sont chauvins, certes, mais aussi curieux, et puis ils considèrent, à juste titre, que tout vin du monde est fils de Bordeaux.

POLOGNE ET CAPITALES BALTES (avril 2005)

Depuis leur entrée au sein de la grande famille européenne, les anciens pays de l'Est suscitent beaucoup de curiosité. On connaissait déjà ce grand pays qu'est la Pologne, avec Cracovie, une vraie perle de culture ; Varsovie ; le massif des Tatras ; les rivages de la Baltique où s'échoue l'ambre fossilisé ; et les plaines encore sauvages de Mazurie où broutent les derniers bisons d'Europe. Mais que dire alors des pays que l'on nomme baltes ? Estonie, Lituanie, Lettonie... On les mélange encore un peu mais, très vite, on distingue leurs différences : Vilnius, la baroque au milieu de collines boisées, Tallinn et son lacis de rues dominées par les flèches des églises, Riga, sa forteresse face à la mer et ses édifices Art nouveau. Malgré les 50 ans de présence soviétique, vous serez surpris par la modernité de ces villes et par le dynamisme qui anime leurs habitants.

LES GUIDES DU ROUTARD 2005-2006

(dates de parution sur **www.routard.com**)

France

- Alpes
- Alsace, Vosges
- Aquitaine
- Ardèche, Drôme
- Auvergne, Limousin
- **Bordeaux (mars 2005)**
- Bourgogne
- Bretagne Nord
- Bretagne Sud
- Chambres d'hôtes en France
- Châteaux de la Loire
- Corse
- Côte d'Azur
- **Fermes-auberges en France (fév. 2005)**
- Franche-Comté
- Hôtels et restos en France
- Île-de-France
- Junior à Paris et ses environs
- Languedoc-Roussillon
- **Lille (mai 2005)**
- **Lot, Aveyron, Tarn (février 2005)**
- Lyon
- Marseille
- Montpellier
- Nice
- Nord-Pas-de-Calais
- Normandie
- Paris
- Paris balades
- Paris exotique
- Paris la nuit
- Paris sportif
- Paris à vélo
- Pays basque (France, Espagne)
- Pays de la Loire
- Petits restos des grands chefs
- Poitou-Charentes
- Provence
- **Pyrénées, Gascogne et pays toulousain (février 2005)**
- Restos et bistrots de Paris
- Le Routard des amoureux à Paris
- Toulouse
- Week-ends autour de Paris

Amériques

- Argentine
- Brésil
- Californie
- Canada Ouest et Ontario
- Chili et île de Pâques
- Cuba
- Équateur
- États-Unis, côte Est
- Floride, Louisiane
- Guadeloupe, Saint-Martin, Saint-Barth
- Martinique, Dominique, Sainte-Lucie
- Mexique, Belize, Guatemala
- New York
- Parcs nationaux de l'Ouest américain et Las Vegas
- Pérou, Bolivie
- Québec et Provinces maritimes
- Rép. dominicaine (Saint-Domingue)

Asie

- Birmanie
- Cambodge, Laos
- Chine (Sud, Pékin, Yunnan)
- Inde du Nord
- Inde du Sud
- Indonésie
- Israël
- Istanbul
- Jordanie, Syrie
- Malaisie, Singapour
- Népal, Tibet
- Sri Lanka (Ceylan)
- Thaïlande
- Turquie
- Vietnam

Europe

- Allemagne
- Amsterdam
- Andalousie
- Andorre, Catalogne
- Angleterre, pays de Galles
- Athènes et les îles grecques
- Autriche
- Baléares
- Barcelone
- Belgique
- Crète
- Croatie
- Écosse
- Espagne du Centre (Madrid)
- Espagne du Nord-Ouest (Galice, Asturies, Cantabrie)
- **Finlande (avril 2005)**
- **Florence (mars 2005)**
- Grèce continentale
- **Hongrie, République tchèque, Slovaquie (avril 2005)**
- Irlande
- **Islande (mars 2005)**
- Italie du Nord
- Italie du Sud
- Londres
- Malte
- Moscou, Saint-Pétersbourg
- Norvège, Suède, Danemark
- Piémont
- **Pologne et capitales baltes (avril 2005)**
- Portugal
- Prague
- Rome
- **Roumanie, Bulgarie (mars 2005)**
- Sicile
- Suisse
- Toscane, Ombrie
- Venise

Afrique

- Afrique noire
- **Afrique du Sud (nouveauté)**
- Égypte
- Île Maurice, Rodrigues
- Kenya, Tanzanie et Zanzibar
- Madagascar
- Maroc
- Marrakech et ses environs
- Réunion
- Sénégal, Gambie
- Tunisie

et bien sûr...

- Le Guide de l'expatrié
- Humanitaire

NOS NOUVEAUTÉS

NOS MEILLEURES FERMES-AUBERGES EN FRANCE (février 2005)

En ces périodes de doute alimentaire, quoi de plus rassurant que d'aller déguster des produits fabriqués sur place ? La ferme-auberge, c'est la garantie de retrouver sur la table les bons produits de la ferme. Ce guide propose une sélection des meilleures tables sur toute la France, ainsi qu'une sélection d'adresses où sont vendus des produits du terroir. Ici, pas d'intermédiaire, et on passe directement du producteur au consommateur. Pas d'étoile, pas de chefs renommés, mais une qualité de produits irréprochable. Des recettes traditionnelles, issues de la culture de nos grand-mères, vous feront découvrir la cuisine des régions de France. Au programme ? Pintade au chou, lapin au cidre, coq au vin, confit de canard, potée, aligot, ficelle picarde, canard aux navets... Bref, un véritable tour de France culinaire de notre bonne vieille campagne.

FINLANDE (avril 2005)

Des forêts, des lacs, des marais, des rivières, des forêts, des marais, des lacs, des forêts, des rennes, des lacs... et quelques villes perdues au milieu des lacs, des forêts, des rivières... Voici un pays guère comme les autres, farouchement indépendant, qui cultive sa différence et sa tranquillité. Coincée pendant des siècles entre deux États expansionnistes, la Finlande a longtemps eu du mal à asseoir sa souveraineté et à faire valoir sa culture. Or, depuis plus d'un demi-siècle, le pays accumule les succès. Il a construit une industrie flambant neuve, qui l'a hissé parmi les nations les plus développées. Tous ces progrès sont équilibrés par une qualité de vie exceptionnelle. La Finlande a bâti ses villes au milieu des forêts, au bord des lacs, dans des sites paisibles et aérés. Il faut visiter les villes bien sûr, elles vous aideront à comprendre ce mode de vie tranquille et c'est là que vous ferez des rencontres. Mais les vraies merveilles se trouvent dans la nature. Alors empruntez les chemins de traverse, créez votre itinéraire, explorez, laissez-vous fasciner par cette nature gigantesque, sauvage et sereine. Vous ne le regretterez pas.

Nous tenons à remercier tout particulièrement Loup-Maëlle Besançon, Thierry Bessou, Gérard Bouchu, François Chauvin, Grégory Dalex, Cédric Fischer, Carole Fouque, Michelle Georget, David Giason, Jean-Sébastien Petitdemange, Laurence Pinsard et Thomas Rivallain pour leur collaboration régulière.

Et pour cette chouette collection, plein d'amis nous ont aidés :

David Alon
Didier Angelo
Cédric Bodet
Philippe Bourget
Nathalie Boyer
Ellenore Bush
Florence Cavé
Raymond Chabaud
Alain Chaplais
Bénédicte Charmetant
Geneviève Clastres
Nathalie Coppis
Sandrine Couprie
Agnès Debiage
Célia Descarpentrie
Tovi et Ahmet Diler
Claire Diot
Émilie Droit
Sophie Duval
Pierre Fahys
Alain Fisch
Cécile Gauneau
Stéphanie Genin
Adrien Gloaguen
Clément Gloaguen
Stéphane Gourmelen
Isabelle Grégoire
Claudine de Gubernatis
Xavier Haudiquet
Lionel Husson
Catherine Jarrige
Lucien Jedwab
François et Sylvie Jouffa
Emmanuel Juste
Olga Krokhina
Florent Lamontagne
Vincent Launstorfer
Francis Lecompte
Benoît Legault
Jean-Claude et Florence Lemoine
Valérie Loth
Dorica Lucaci
Stéphanie Lucas
Philippe Melul
Kristell Menez
Xavier de Moulins
Jacques Muller
Alain Nierga et Cécile Fischer
Patrick de Panthou
Martine Partrat
Jean-Valéry Patin
Odile Paugam et Didier Jehanno
Xavier Ramon
Patrick Rémy
Céline Reuilly
Dominique Roland
Déborah Rudetzki et Philippe Martineau
Corinne Russo
Caroline Sabljak
Jean-Luc et Antigone Schilling
Brindha Seethanen
Abel Ségretin
Alexandra Sémon
Guillaume Soubrié
Régis Tettamanzi
Claudio Tombari
Christophe Trognon
Julien Vitry
Solange Vivier
Iris Yessad-Piorski

Direction : Cécile Boyer-Runge
Contrôle de gestion : Joséphine Veyres et Céline Déléris
Responsable de collection : Catherine Julhe
Édition : Matthieu Devaux, Stéphane Renard, Magali Vidal, Marine Barbier-Blin, Dorica Lucaci, Sophie de Maillard, Laure Méry, Amélie Renaut et Éric Marbeau
Secrétariat : Catherine Maîtrepierre
Préparation-lecture : Véronique Rauzy
Cartographie : Cyrille Suss et Aurélie Huot
Fabrication : Nathalie Lautout et Audrey Detournay
Couverture : conçue et réalisée par Thibault Reumaux
Direction marketing : Dominique Nouvel, Lydie Firmin et Juliette Caillaud
Direction partenariats : Jérôme Denoix et Dana Lichiardopol
Informatique éditoriale : Lionel Barth
Relations presse : Danielle Magne, Martine Levens et Maureen Browne
Régie publicitaire : Florence Brunel

NOS NOUVEAUTÉS

AFRIQUE DU SUD (paru)

Qui aurait dit que ce pays, longtemps mis à l'index des nations civilisées, parviendrait à chasser ses vieux démons et retrouverait les voies de la paix civile et la respectabilité ? Le régime de ségrégation raciale (l'apartheid), en vigueur depuis 1948, a été aboli le 30 juin 1991. En 1994 – c'était il y a 10 ans – les Sud-Africains participaient aux premières élections démocratiques et multiraciales jamais organisées dans leur pays. Après 26 années de détention, le prisonnier politique le plus célèbre du monde, Nelson Mandela, devenait le chef d'État le plus admiré de la planète. La mythique « Nation Arc-en-Ciel » connaissait un véritable état de grâce. Pendant un temps, le destin de l'Afrique du Sud fut entre les mains de trois prix Nobel. Le pays se rangea dans la voie de la réconciliation. Même si ce processus va encore demander du temps, une décennie après, l'Afrique du Sud, devenue une société multiraciale, continue d'étonner le monde.
L'Afrique du Sud n'a jamais été aussi captivante. Voilà un pays exceptionnel baigné par deux océans (Atlantique et Indien), avec d'époustouflants paysages africains.
Des quartiers branchés de Cape Town aux immenses avenues de Johannesburg, des musées de Pretoria à la route des Jardins, du macadam urbain à la brousse tropicale, ce voyage est un périple aventureux où tout est variété, vitalité, énergie ; où rien ne laisse indifférent. Des huttes du Zoulouland aux *lodges* des grands parcs, que de contrastes ! N'oubliez pas les bons vins de ce pays gourmand qui aime aussi la cuisine élaborée. Les plus aventureux exploreront la Namibie, plus vraie que nature, où un incroyable désert de sable se termine dans l'océan. Et ne négligez pas les petits royaumes hors du temps : le Swaziland et le Lesotho.

ISLANDE (mars 2005)

Terre des extrêmes et des contrastes, à la limite du cercle polaire, l'Islande est avant tout l'illustration d'une fabuleuse leçon de géologie. Volcans, glaciers, champs de lave, geysers composent des paysages sauvages qui, selon le temps et l'éclairage, évoquent le début ou la fin du monde. À l'image de son relief et de ses couleurs tranchées et crues, l'Islande ne peut inspirer que des sentiments entiers. Près de 300 000 habitants y vivent, dans de paisibles villages côtiers, fiers d'être ancrés à une île dont la découverte ne peut laisser indifférent. Fiers de descendre des Vikings, en ligne directe. Une destination unique donc (et on pèse nos mots) pour le routard amoureux de nature et de solitude, dans des paysages grandioses dont la mémoire conservera longtemps la trace après le retour.

Remerciements

Merci pour leur aide à Christiane Van Roelen du *BTA* en Belgique, Jennifer et Alice Kevern d'Exeter pour leur infos précieuses, Sylvie Laffont et Philippe Fouchard de l'agence *Agenda,* ainsi qu'à Florence Valette de l'Office de tourisme de Grande-Bretagne à Paris et aux offices de tourisme de Brixham, Plymouth et Truro.

LES QUESTIONS QU'ON SE POSE LE PLUS SOUVENT

➤ ***Quelle est la meilleure saison pour y aller ?***

En été, pour visiter au soleil. Hors saison, la pluie et le brouillard sont fréquents, mais les hordes de touristes plus rares.

➤ ***Quel est le décalage horaire ?***

Une heure de moins toute l'année par rapport à la France.

➤ ***Peut-on partir avec des enfants ?***

Globalement, pas de souci. Pensez juste aux bottes et aux cirés, on ne sait jamais... Au restaurant, pas de réels équipements pour les accueillir. Le soir, les moins de 18 ans n'entrent pas au pub, même accompagnés.

➤ ***La vie est-elle chère ?***

De 20 à 30 % plus chère qu'en France. Par contre, boire dehors coûte moins cher qu'en France et les musées nationaux sont gratuits.

➤ ***Est-il possible de loger en B & B sans réserver ?***

Pas de problème hors saison. À partir de Pâques, mieux vaut réserver dans les villes touristiques. Et attention aux festivals ou aux matchs de rugby qui peuvent faire grimper les prix du simple au double.

➤ ***Pourquoi les Anglais roulent-ils à gauche ?***

Cela remonte au Moyen Âge. Les cavaliers préféraient se tenir du côté gauche de la chaussée, parce qu'en cas d'attaques, il était plus facile de dégainer de la main droite en faisant face à l'adversaire. Élémentaire...

➤ ***Peut-on se baigner sur les plages ?***

Pourquoi pas, on se baigne bien en Bretagne... On trouve dans le sud du pays et sur les côtes galloises de superbes villes balnéaires très fréquentées l'été.

➤ ***Est-ce facile de voyager avec des animaux ?***

La quarantaine est levée officiellement. Mais officieusement, Médor doit montrer patte blanche, avec puce électronique et carnet de santé conforme aux règles britanniques.

➤ ***Les prises de courant sont-elles différentes des prises françaises ?***

Oui. Le courant est du 240 V. Les prises sont plus grosses et toutes munies de fusibles. N'oubliez pas votre adaptateur (en vente dans toutes les bonnes quincailleries).

➤ ***Les Anglais acceptent-ils l'euro ?***

Bien que l'euro n'ait pas encore traversé officiellement la Manche, certains offices de tourisme, restaurants et *B & B* l'ont déjà adopté. En revanche, les petits commerces n'acceptent que la livre sterling.

➤ ***Quel est le meilleur moyen de transport pour y aller ?***

L'*Eurostar* pour sa rapidité. Compter 2 h 35 de Paris à Londres, dont 20 mn pour traverser le tunnel sous la Manche. Arrêt possible à Ashford, ville du Kent, dans le sud. Les traversées en ferry sont plus longues, mais ont plus de charme (notamment auprès des gosses) et sont surtout moins chères !

COMMENT Y ALLER ?

EN TRAIN

En Eurostar

Avec 1 train toutes les heures, Eurostar relie directement ***Paris-gare du Nord*** à ***Londres-Waterloo International*** en 2 h 35, par le tunnel sous la Manche. IMPORTANT : se présenter à l'enregistrement au moins 30 mn avant le départ et présenter une carte nationale d'identité ou un passeport en cours de validité.
Eurostar relie aussi :
- ***Paris et Ashford*** (environ 7 allers-retours par jour ; 2 h de trajet).
- ***Lille et Londres*** (environ 9 allers-retours par jour ; 1 h 40 de trajet).
- ***Lille et Ashford*** (6 allers-retours par jour ; 1 h de trajet).
- ***Calais-Frethun et Londres*** (3 allers-retours par jour ; 1 h 25 de trajet).
- ***Bruxelles et Londres*** (8 allers-retours par jour ; 2 h 20 de trajet).

Pour vous rendre en Eurostar à Londres ou Ashford au départ de la province, rien de plus simple : Eurostar propose des prix comprenant le trajet en train jusqu'à Lille ou Paris, puis le voyage en Eurostar. Des promotions pour des voyages aller-retour sont proposées régulièrement au départ d'Angers, Avignon, Bordeaux, Lyon, Le Mans, Marseille, Montpellier, Nancy, Nantes, Reims, Rennes, Rouen, Strasbourg, Tours...

Les meilleurs prix

Au départ de Paris et de Lille, Londres est à seulement 70 €* l'aller-retour ! De nombreuses promotions sont proposées tout au long de l'année au départ de Paris et de Lille, aller et retour dans la journée, week-end, etc. Un tarif particulièrement avantageux vous est proposé si vous possédez une Carte 12-25. Renseignez-vous.
* Tarif soumis à conditions, sous réserve de disponibilités (prix au 01/06/04).

Pour préparer votre voyage

– ***Billet à domicile :*** commandez votre billet par téléphone, sur Internet ou par Minitel, la SNCF vous l'envoie gratuitement à domicile. Vous réglez par carte bancaire (pour un montant minimum de 1 € sous réserve de modifications ultérieures) au moins 4 jours avant le départ (7 jours si vous résidez à l'étranger).

Pour obtenir plus d'informations sur ces réductions et acheter vos billets

– ***Internet :*** • www.voyages-sncf.com •
– ***Téléphone :*** ☎ 36-35 (0,34 €/mn).
– ***Ligne directe :*** ☎ 0892-353-539 (0,34 €/mn).
– ***Minitel :*** 36-15 ou 36-16, code SNCF (0,21 €/mn).
– Également dans les gares, les boutiques SNCF et les agences de voyages agréées.

En train, puis bateau

Les lignes ferroviaires ne desservent plus les gares maritimes françaises. On conseille donc cette formule aux habitants du Nord, aux claustrophobes (sous le tunnel) et à ceux qui ont vraiment le temps. Dorénavant, il faut prendre le train pour Calais, Boulogne ou Dieppe. À l'arrivée, des navettes sont assurées avec les gares maritimes d'embarquement. Pour les traversées, se reporter à la rubrique « En bateau ». Côté britannique, de nombreux trains relient les villes portuaires à Londres.

EN VOITURE

Avec la navette Eurotunnel via le tunnel sous la Manche

Le terminal français est situé à Coquelles, sortie n° 13 sur l'autoroute de Calais, et connecté directement aux autoroutes A16, A26, A1 ; 50 km plus loin, le terminal anglais est à Folkestone, relié directement à l'autoroute M20 qui mène à Londres.
La liaison ***France-Angleterre*** est assurée par des navettes ferroviaires qui transportent les véhicules. Il vous suffit de rester au volant à lire votre guide préféré et, 35 mn plus tard, vous ressortez sur la terre ferme.
Fréquence : jusqu'à 4 navettes par heure aux périodes de fort trafic. Les navettes fonctionnent tous les jours et 24 h/24. Vous avez le choix : soit d'acheter votre billet directement à l'enregistrement le jour de votre voyage, soit de le réserver à l'avance. N'oubliez pas de vous présenter à l'enregistrement 30 mn avant l'heure de départ mentionnée sur votre billet.
Tarifs selon la saison, l'heure de votre passage et la durée de votre séjour, quel que soit le nombre de passagers par véhicule. Réservez à l'avance pour obtenir les meilleurs tarifs et bénéficiez de 3 € de réduction en réservant par Internet.
– ***Renseignements et réservations :*** auprès du centre d'appels Eurotunnel : ☎ 0801-630-304 (0,40 €/mn). Par Internet • www.eurotunnel.com • (3 € de réduction pour toute réservation en ligne). Par Minitel : 36-15, code EUROTUNNEL (0,33 €/mn) ou encore dans votre agence de voyages habituelle.

EN BATEAU

▲ BRITTANY FERRIES

Renseignements et réservations : ☎ 0825-828-828 ou 0825-829-829 (pour les groupes) (0,15 €/mn). Fax : 02-98-29-28-91 ou 02-98-29-26-82 (pour les groupes). • www.brittanyferries.com • ou dans les agences de voyages.
Quatre lignes directes vers le sud de l'Angleterre :
➢ *Roscoff – Plymouth :* 6 h de traversée ; jusqu'à 3 départs par jour. Un nouveau navire, le Pont Aven, plus rapide (4 h 45, 1 à 3 départs hebdomadaires).
➢ *Saint-Malo – Portsmouth :* 8 h 45 de traversée ; 1 départ par jour.
➢ *Cherbourg – Poole :* 4 h de traversée ; jusqu'à 2 départs par jour dont un plus rapide (2 h 15 de trajet).
➢ *Caen/Ouistreham – Portsmouth :* 6 h de traversée ; jusqu'à 3 départs par jour.
➢ *Cherbourg – Portsmouth :* 4 h 45 de traversée ; 1 départ par jour du lundi au jeudi.
À noter : Portsmouth – Londres, seulement 117 km par autoroute.
Propose aussi des séjours à Londres : *Bed and Breakfast,* hôtels et auberges de jeunesse ; la *Visitor's Travel Card* ; le bus (compagnie *National Express*).

▲ CONDOR FERRIES

– *Saint-Malo :* Gare maritime de la Bourse ou Terminal-Ferry du Naye, BP 99, 35412 Saint-Malo Cedex. ☎ 0825-160-300 (0,15 €/mn). Fax : 02-99-56-39-27. • www.condorferries.fr • Navires à grande vitesse, pouvant contenir plus de 750 passagers.

➢ *De Saint-Malo à Poole,* via Guernesey ou Jersey en 4 h 30 (1 départ le soir, et retour en début d'après-midi de mai à septembre).

➢ *De Saint-Malo à Weymouth* en 4 h 30. Départ et retour le matin.

▲ HOVERSPEED

– *Calais :* Hoverport International, BP 412, 62226. Renseignements et réservations : ☎ 00-800-12-11-12-11 (appel gratuit tous les jours). • www.hoverspeed.com •

➢ *De Calais à Douvres :* moins d'1 heure en *Seacat* ; jusqu'à 15 départs quotidiens.

➢ *De Dieppe à Newhaven :* en 2 h 15 en *Superseacat* ; 2 à 3 départs quotidiens de fin mars à fin septembre.

– Tarifs très avantageux pour des allers et retours dans la journée, pour piétons ou voitures, 3 ou 5 jours en voiture. Promotions fréquentes. Tarifs « réservations avancées » avant fin janvier ou fin mars. Se renseigner par téléphone.

▲ NORFOLK LINE

– *Dunkerque : c/o Flandre Artois Tourisme,* 57, bd Alexandre-III, BP 2089, 59376, Cedex 1. ☎ 03-28-59-01-01. Fax : 03-28-66-17-07. • www.norfolkline.com •

➢ Propose des liaisons entre *Dunkerque* et *Douvres* en 2 h, avec environ 7 départs par jour, en fonction de la saison. Uniquement passagers motorisés, pas de piétons ni bus.

▲ P&O FERRIES

– *Réservation centrale :* 41, pl. d'Armes, PB 888, 62225 Calais Cedex. ☎ 0825-120-156 (0,34 €/mn). • www.POferries.com •

P&O Ferries assure des traversées sur les lignes suivantes :

➢ Liaisons *Le Havre – Portsmouth, Caen (Ouistreham) – Portsmouth, et Calais – Douvres, Cherbourg et Le Havre* avec de très nombreux départs tous les jours pour une mini-croisière de 1 h 15 seulement, à bord de 7 *superferries* entièrement réaménagés. Départs toutes les 45 mn de Calais.

P&O Ferries Line propose également des aller et retour d'une journée pour *Londres* ou *Canterbury,* la pittoresque cité médiévale, à combiner avec la liaison Calais-Douvres.

▲ SEAFRANCE

– *Paris :* 1, av. de Flandre, 75019.
– *Calais :* 2, pl. d'Armes, 62100.
– *Lille :* 11, pl. du Théâtre, 59800.

Pour toute la France, renseignements et réservations ferries et séjours dans votre agence de voyages ou ☎ 0825-826-000 (n° Indigo ; 0,15 €/mn). • www.seafrance.com • Minitel : 36-15, code SEAFRANCE (0,34 €/mn).

SeaFrance est une compagnie de ferries qui assure la liaison entre Calais et Douvres (1 h 10 sur le SeaFrance Rodin, 1 h 30 sur les autres ferries) et qui propose jusqu'à 17 allers-retours quotidiens.

SeaFrance Voyages, c'est aussi un tour-opérateur qui propose des séjours en Grande-Bretagne, avec acheminement en ferry SeaFrance, Eurostar ou avion.

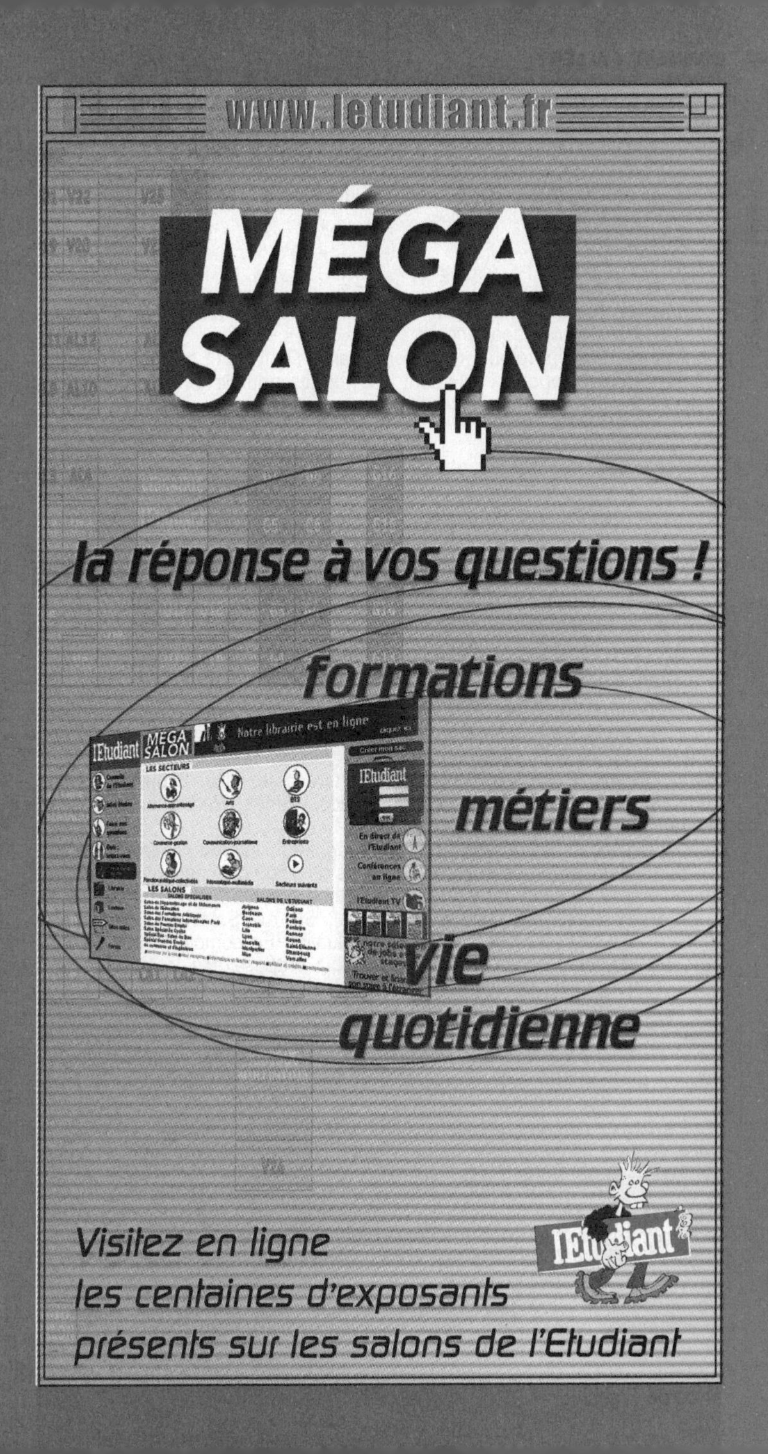

www.letudiant.fr
MÉGA SALON
la réponse à vos questions !
formations
métiers
vie quotidienne
Visitez en ligne
les centaines d'exposants
présents sur les salons de l'Etudiant
l'Etudiant

▲ **SPEED FERRIES**
• www.speedferries.com • Un *low cost* maritime, premier du genre, qui assure la liaison entre Boulogne et Douvres 5 fois par jour et en 50 mn. Plus vous réservez tôt, moins c'est cher. Uniquement pour les passagers avec véhicules et réservation sur Internet exclusivement.

En Belgique

▲ **SEAFRANCE**
– *Bruxelles :* rue de la Montagne, 52, BP 1420, 1000. ☎ 02-549-08-82. Fax : 02-513-41-37. • www.seafrance.fr •
➢ Assure 15 allers-retours quotidiens *Calais-Douvres* (1 h 30).
➢ *SeaFrance* propose également des forfaits pour la Grande-Bretagne, l'Irlande, les îles Anglo-Normandes (Jersey, Guernesey).

EN CAR

En car, puis en bateau

▲ **CLUB ALLIANCE**
– *Paris :* 33, rue de Fleurus, 75006. ☎ 01-45-48-89-53. Fax : 01-45-49-37-01. Ⓜ Notre-Dame-des-Champs. Ouvert du lundi au vendredi de 10 h 30 (13 h 30 le samedi) à 19 h. Spécialiste des week-ends à Londres, dans le Kent, en Cornouaille et dans le Yorkshire. Brochure gratuite sur demande.

▲ **EUROLINES**
☎ 08-92-89-90-91 (0,34 €/mn). • www.eurolines.fr • Vous trouverez également les services d'Eurolines sur • www.routard.com • et sur Minitel : 36-15, code EUROLINES (0,34 €/mn). Présents à Paris, Versailles, Avignon, Bordeaux, Calais, Clermont-Ferrand, Dijon, Grenoble, Lille, Lyon, Marseille, Metz, Montpellier, Mulhouse, Nantes, Nice, Nîmes, Perpignan, Rennes, Strasbourg, Toulouse et Tours.
Leader européen des voyages en lignes régulières internationales par autocar, Eurolines permet de voyager vers plus de 1 500 destinations en Europe au travers de 32 pays et de 80 points d'embarquement en France.
– *Eurolines Travel* (spécialiste du séjour) *:* 55, rue Saint-Jacques, 75005 Paris. ☎ 01-43-54-11-99. Ⓜ Maubert-Mutualité. En complément du transport, un véritable tour-opérateur intégré qui propose des formules transport + hébergement sur les principales capitales européennes.
– *Pass Eurolines :* pour un prix fixe valable 15, 30 ou 60 jours, vous voyagez autant que vous le désirez sur le réseau entre 35 villes européennes. Le *Pass Eurolines* est fait sur mesure pour les personnes autonomes qui veulent profiter d'un prix très attractif et désireuses de découvrir l'Europe sous toutes ses coutures.
– *Mini pass :* ce billet, valable 6 mois, permet de visiter deux métropoles européennes en toute liberté. Le voyage peut s'effectuer dans un sens comme dans un autre.

▲ **VOYAGES 4A**
– *Nancy :* 1 bis, rue de la Primatiale, 54000. Renseignements et réservations : ☎ 03-83-37-99-66. Fax : 03-83-37-65-99. • www.voyages4a.com • voyages4a@voyages4a.com •
Voyages 4A, des voyages en autocar sur lignes régulières à destination des grandes cités européennes, des séjours et circuits Europe durant les ponts et vacances, les grands festivals et expositions.
Formules tout public au départ de Paris, Lyon, Marseille et autres grandes villes de France.

En car via Eurotunnel

Toujours avec EUROLINES, voir ci-dessus.

EN AVION

Les compagnies régulières

▲ AIR FRANCE

Renseignements et réservations au ☎ 0820-820-820 (de 6 h 30 à 22 h). • www.airfrance.fr •, dans les agences Air France et dans toutes les agences de voyages.
– *Londres :* 10 Warwick St, 1er étage. ☎ 0845-0845-111. Ⓜ Piccadilly.
– *Manchester :* room 2044, terminal 2, Manchester Airport. Fax : (1614) 89-23-02.
➢ Vers ***Londres*** (Heathrow, Gatwick et London City), 18 à 20 vols quotidiens en moyenne, selon la saison, de 7 h 30 à 20 h au départ de Paris. D'autres vols directs chaque jour de Bordeaux, Nantes, Nice et Toulouse.
➢ La compagnie dessert aussi ***Manchester*** avec 6 vols par jour au départ de Roissy, ainsi que ***Newcastle*** 3 fois par jour du lundi au vendredi et une fois les samedi et dimanche. Vols aussi pour ***Southampton.***
Air France propose une gamme de tarifs attractifs accessibles à tous :
– « Évasion » : en France et vers l'Europe, Air France propose des réductions. « Plus vous achetez tôt, moins c'est cher ».
– « Semaine » : pour un voyage aller-retour pendant la semaine.
– « Évasion week-end » : pour des voyages autour du week-end avec des réservations jusqu'à la veille du départ.
Air France propose également, sur la France, des réductions jeunes, seniors, couples ou famille. Pour les moins de 25 ans, Air France propose une carte de fidélité gratuite et nominative « Fréquence Jeune » qui leur permet de cumuler des *miles* sur Air France ou sur les compagnies membres de Skyteam et de bénéficier de billets gratuits et d'avantages chez de nombreux partenaires.
Tous les mercredis dès 0 h, sur • www.airfrance.fr •, Air France propose les tarifs « Coup de cœur », une sélection de destinations en France pour des départs de dernière minute.
Sur Internet, possibilité de consulter les meilleurs tarifs du moment, rubrique « offres spéciales », « promotions ».

▲ BMI-BRITISH MIDLAND

Réservations : ☎ 01-41-91-87-04. • www.flybmi.com •
➢ Au départ de Paris (Roissy-Charles-de-Gaulle), 5 vols quotidiens pour Londres-Heathrow (2 le samedi), et 3 vols pour Leeds-Bradford (1 vol le week-end).
➢ Au départ de Nice, 2 vols par jour vers Londres-Heathrow et 1 vol depuis Toulouse vers Manchester.
Nombreuses correspondances à partir de Londres-Heathrow vers le reste de la Grande-Bretagne, l'Écosse et l'Irlande. Attention, horaires réduits le week-end.

▲ BRITISH AIRWAYS

☎ 0825-825-400 (0,15 €/mn). • www.ba.com •
➢ Au départ de Paris (Roissy-Charles-de-Gaulle), British Airways propose en moyenne 20 vols quotidiens à destination de Londres (Heathrow et Gatwick). Mais aussi Manchester et d'autres villes anglaises.

➢ British Airways dessert également Londres depuis 9 villes en province (Bastia, Bordeaux, Lyon, Marseille, Montpellier, Nantes, Nice, Toulon, Toulouse), Birmingham depuis Bordeaux, Lyon, Nice et Toulouse ; et Manchester depuis Lyon et Nice.
En complément d'un billet, British Airways propose aussi sur Londres et toute la Grande-Bretagne des séjours à la carte très compétitifs (du *B & B* aux 4 étoiles luxe, cartes de métro, location de voitures, spectacles, etc.).

▲ KLM

– *Paris :* Paris-Nord-2, BP 67190, Villepinte, 95974 Roissy CDG Cedex, ainsi qu'un comptoir à Roissy T2 F1. ☎ 0890-710-710 (0,15 €/mn). Fax : 0890-712-714. • www.klm.fr • Réservations du lundi au vendredi de 8 h à 20 h, le samedi de 8 h 30 à 18 h et les dimanche et jours fériés de 9 h à 18 h.
➢ KLM, en collaboration avec *KLM Cityhopper,* dessert Londres via Amsterdam-Schiphol. Plusieurs vols quotidiens au départ de Roissy-Charles-de-Gaulle 2, ainsi que de Bordeaux, Lyon, Marseille, Nice, Strasbourg et Toulouse. KLM dessert également 14 autres destinations au Royaume-Uni.

▲ SN BRUSSELS AIRLINES

Pour tous renseignements : ☎ 0826-101-818 depuis la France et ☎ 070-35-11-11 en Belgique. • www.flysn.com • La nouvelle compagnie aérienne reprend en partie le réseau de la défunte Sabena sur l'Europe, dont les liaisons à destination de Londres (aéroports de Heathrow et Gatwick) via Bruxelles depuis Paris, Strasbourg, Lyon, Marseille, Nice et Toulouse.

Les compagnies *low cost*

Ce sont des compagnies dites « à bas prix ». Une révolution dans le monde du transport aérien ! De nombreuses villes de province sont desservies, ainsi que les aéroports limitrophes des grandes villes. À bord, c'est service minimum. Réservation par Internet ou par téléphone (pas d'agence et pas de « billet-papier », juste un numéro de réservation). Quand les prix sont au plus bas, ça vaut vraiment le coup. Par contre, les pénalités en cas de changement d'horaires sont assez importantes et les taxes d'aéroport rarement incluses. Ne pas oublier non plus d'inclure le prix du bus pour se rendre à ces aéroports, souvent assez éloignés du centre-ville.

▲ BMI BABY

– Réservations : ☎ 0890-710-081 (0,15 €/mn). • www.bmibaby.com •
Bmi baby est une compagnie aérienne associée à *bmi* en formule bas tarifs. Cette compagnie a développé un réseau important à travers toute l'Europe.
➢ Vers l'East Midland (Derby-Nottingham-Leicester), plusieurs vols chaque semaine au départ de Bordeaux, Roissy-CDG, Nice, Toulouse. Pour Cardiff, 2 vols par jour depuis Roissy-CDG et 1 vol hebdomadaire depuis Toulouse. Vol quotidien pour Manchester depuis Paris et Bordeaux.

▲ EASYJET

☎ 0825-082-508 (0,15 €/mn). • www.easyjet.com •
➢ Nombreux départs de Paris-Roissy-CDG, Paris-Orly, Marseille, Nice et Toulouse pour Londres-Luton, Londres-Gatwick, Londres-Stansted, Newcastle et Liverpool. Réductions intéressantes pour toute réservation faite sur le site Internet.

▲ JET 2

☎ 0825-826-022 (0,15 €/mn). • www.jet2.com •
➢ Vols entre Nice et Leeds-Bradford.

▲ **RYANAIR**

☎ 0892-555-666 (0,34 €/mn). • www.ryanair.com •

➢ Billets à prix réduits avec des vols quotidiens et directs au départ de Bergerac, Biarritz, Carcassonne, Dinard, La Rochelle, Limoges, Montpellier, Nîmes, Pau, Perpignan, Poitiers, Rodez, Saint-Étienne et Tours. Depuis Londres-Stansted, connexions avec Ryanair vers Newquay (Cornouailles).

EN STOP

On précise qu'il est désormais plus simple de se rendre vers les ports de la Manche en stop. En effet, il y a l'autoroute A26, avec bifurcation sur Calais. Autrement, de Paris, s'arrêter à Cambrai puis prendre la N39 pour Boulogne ou la N43 vers Calais.
Inscrire « Please » sur sa pancarte, c'est augmenter substantiellement ses chances d'être pris.

LES ORGANISMES DE VOYAGES

– Ne pas croire que les vols à tarif réduit sont tous au même prix pour une même destination à une même époque : loin de là. On a déjà vu, dans un même avion partagé par deux organismes, des passagers qui avaient payé 40 % plus cher que les autres... Authentique ! De plus, une agence bon marché ne l'est pas forcément toute l'année (elle peut n'être compétitive qu'à certaines dates bien précises). Donc, contactez tous les organismes et jugez vous-même.
– Les organismes cités sont classés par ordre alphabétique, pour éviter les jalousies et les grincements de dents.

En France

▲ **ANYWAY.COM**

☎ 0892-892-612 (0,34 €/mn). Fax : 01-53-19-67-10. • www.anyway.com •
Du lundi au vendredi de 8 h à 20 h et le samedi de 9 h à 19 h.
Depuis 15 ans, Anyway.com se spécialise dans le vol sec et s'adresse à tous les routards en négociant des tarifs auprès de 500 compagnies aériennes et l'ensemble des vols charters pour garantir des prix toujours plus compétitifs.
Anyway.com, c'est aussi la possibilité de comparer les prix de quatre grands loueurs de voitures. On accède également à plus de 12000 hôtels du 2 au 5 étoiles, à des tarifs négociés pour toutes les destinations dans le monde. Ceux qui préfèrent repos et farniente retrouveront plus de 500 séjours et de week-ends tout inclus à des tarifs très compétitifs.

▲ **BENNETT VOYAGES**

– *Fontenay-sous-Bois :* 47, rue Émile-Roux, 94120. • www.bennett-voyages.fr • info@bennett-voyages.fr •
Ancienne agence parisienne (depuis 1918), spécialiste de la Scandinavie, de la Finlande, de l'Islande, de l'Irlande, de la Grande-Bretagne, ainsi que des îles Anglo-Normandes. Tarifs négociés sur vols réguliers et charters, itinéraires spéciaux pour automobilistes.
Bennett est aussi l'agent général des compagnies car-ferries : *Irish Ferries* (France-Irlande en direct ou via la Grande-Bretagne), *Fjord Line* (Danemark-Norvège, Angleterre-Norvège) et *Viking Line* (Suède-Finlande). Renseignements et réservations : ☎ 01-43-94-46-94. Fax : 01-53-99-56-39. • irishferries@bennett-voyages.fr • ferries@bennett-voyages.fr • Brochures disponibles gratuitement : Scandinavie, Irlande, Grande-Bretagne, Laponie.

▲ BOURSE DES VOLS / BOURSE DES VOYAGES

Les services de la Bourse des Vols présentent en permanence plus de 2 millions de tarifs aériens : vols réguliers, charters et vols dégriffés. Mise à jour en permanence, la Bourse des Vols couvre 500 destinations dans le monde au départ de 50 villes françaises et recense l'essentiel des tarifs aériens vers l'étranger. Ses services Web et Minitel offrent la possibilité de commander à distance, de régler en ligne et de se faire livrer le billet à domicile.
La Bourse des Voyages, accessible par le site • www.bdv.fr • et par Minitel : 36-17, code BDV, centralise également les offres de voyages d'une cinquantaine de tours-opérateurs. La recherche peut s'effectuer par type de produit (séjour, croisière, circuit...) ou encore par destination. Le site offre par ailleurs, des informations pratiques sur 180 pays pour préparer et réussir son voyage.
Par téléphone, pour connaître les derniers « Bons Plans » de la Bourse des Vols – Bourse des Voyages : ☎ 0892-888-949 (0,34 €/mn). Ce voyagiste est ouvert de 8 h 30 à 20 h du lundi au vendredi et de 9 h 30 à 18 h 30 le samedi.

▲ COMPTOIR DES PAYS CELTES

– *Paris :* 344, rue Saint-Jacques, 75005. ☎ 0892-239-039 (0,34 €/mn). Fax : 01-53-10-21-61. • www.comptoir.fr • Ⓜ Port-Royal. Ouvert du lundi au samedi de 10 h à 18 h 30.
L'authenticité, les mythes, les traditions et les couleurs de ces pays ne sont jamais bien loin lorsque ces professionnels vous aident à construire votre voyage. Voyages individuels, à la carte, circuits en petits groupes... Les propositions sont adaptées à tous les budgets. Comptoir des Pays celtes s'intègre à l'ensemble des comptoirs organisés autour de thématiques : Déserts, Afrique, Islande, États-Unis, Canada, Maroc, Terres extrêmes, Scandinavie et Italie.

▲ FUAJ

– *Paris :* antenne nationale, 9, rue de Brantôme, 75003. ☎ 01-48-04-70-40. Fax : 01-42-77-03-29. • www.fuaj.org • Ⓜ Châtelet-Les Halles, Hôtel-de-Ville ou Rambuteau. Renseignements dans toutes les auberges de jeunesse et les points d'information et de réservation en France.
La FUAJ (Fédération Unie des Auberges de Jeunesse) accueille ses adhérents dans 160 auberges de jeunesse en France. Seule association française membre de l'IYHF *(International Youth Hostel Federation),* elle est le maillon d'un réseau de 6000 auberges de jeunesse dans le monde. La FUAJ organise, pour ses adhérents, des activités sportives, culturelles et éducatives. Les adhérents de la FUAJ peuvent obtenir gratuitement les brochures *Go as you please, Activités été* et *Activités hiver, chantiers de volontaires, rencontres interculturelles,* le *Guide français* pour les hébergements. Les guides internationaux regroupent la liste de toutes les auberges de jeunesse dans le monde. Ils sont disponibles à la vente ou en consultation sur place.

▲ GAELAND ASHLING

– *Paris :* 4, quai des Célestins, 75004. ☎ 01-42-71-44-44. Fax : 01-42-71-45-45.
– *Toulouse :* 5, rue des Lois, 31000. ☎ 05-62-30-56-60. Fax : 05-62-30-56-69. Et dans toutes les agences de voyages.
• www.gaeland-ashling.com • resa@gaeland-ashling.com •
Trois destinations phares pour ce tour-opérateur spécialisé sur l'ouest de l'Europe (la Grande-Bretagne, l'Écosse et l'Irlande). L'équipe est composée de fanas de la Grande-Bretagne, qui connaissent très bien la destination. En Grande-Bretagne, sélection rigoureuse d'hôtels en Angleterre, au pays de Galles ou en Écosse. Du week-end à Londres (hôtels toutes catégories) aux *B & B* ou manoirs de charme dans le reste du pays, les hôtels ont été

sélectionnés en privilégiant le charme et la qualité, du plus familial au grand luxe.

▲ IDÉE NOMADE

– *Aix-en-Provence :* 58, rue des Cordeliers, 13100. ☎ 04-42-99-09-90. Fax : 04-42-99-09-92. • www.ideenomade.fr •
Idée Nomade est un tour-opérateur spécialisé dans les séjours et week-ends à travers l'Europe. Au programme, les plus belles villes européennes : Amsterdam, Barcelone, Florence, Londres, Prague... ; les grandes manifestations telles que le carnaval de Venise. Une fois sur place, chacun est libre d'organiser son séjour comme il le souhaite. Prix compétitifs. À travers le monde, formule séjours tout compris et à la carte, ainsi que des billets d'avion.

▲ LASTMINUTE.COM

Pour satisfaire une envie soudaine d'évasion, le groupe Lastminute.com propose des mois à l'avance ou au dernier moment des offres de séjours, des hôtels, des restaurants, des spectacles... dans le monde entier. L'ensemble de ces services est aussi bien accessible par Internet • www.lastminute.com • www.degriftour.com • www.travelprice.com • et par Minitel (36-15, code DT) et téléphone ☎ 0892-70-50-00 (0,34 €/mn).

▲ NOUVELLES FRONTIÈRES

– *Paris :* 87, bd de Grenelle, 75015. Ⓜ La Motte-Picquet-Grenelle.
– Renseignements et réservations dans toute la France : ☎ 0825-000-825 (0,15 €/mn). • www.nouvelles-frontieres.fr •
Plus de 30 ans d'existence, 1 800 000 clients par an, 250 destinations, une chaîne d'hôtels-clubs et de résidences *Paladien* et une compagnie aérienne, *Corsair.* Pas étonnant que Nouvelles Frontières soit devenu une référence incontournable, notamment en matière de tarifs. Le fait de réduire au maximum les intermédiaires permet d'offrir des prix « super-serrés ». Un choix illimité de formules vous est proposé : des vols sur la compagnie aérienne de Nouvelles Frontières au départ de Paris et de province, en classe Horizon ou Grand Large, et sur toutes les compagnies aériennes régulières, avec une gamme de tarifs selon confort et budget. Sont également proposés toutes sortes de circuits, aventure ou organisés ; des séjours en hôtels, en hôtels-clubs et en résidences, notamment dans les *Paladien,* les hôtels de Nouvelles Frontières avec « vue sur le monde » ; des week-ends, des formules à la carte (vol, nuits d'hôtel, excursions, location de voitures...), des séjours neige.
Avant le départ, des réunions d'information sont organisées. Les 12 brochures Nouvelles Frontières sont disponibles gratuitement dans les 200 agences du réseau, par téléphone et sur Internet. Intéressant : des brochures thématiques (plongée, rando, trek, thalasso).

▲ OTU VOYAGES

Informations : ☎ 0820-817-817 (0,12 €/mn). • www.otu.fr • infovente@otu.fr •
N'hésitez pas à consulter leur site pour obtenir adresse, plan d'accès, téléphone et e-mail de l'agence la plus proche de chez vous (26 agences OTU Voyages en France).
OTU Voyages propose tous les voyages jeunes et étudiants à des tarifs spéciaux particulièrement adaptés aux besoins et au budget de chacun. Les bons plans, services et réductions partout dans le monde avec la carte d'étudiant internationale *ISIC* (12 €). Les billets d'avion (Student Air, Air France...), train, bateau, bus, la location de voitures à des tarifs avantageux et souvent exclusifs, pour plus de liberté ! Des hôtels, des *city trips* pour découvrir le monde, des séjours ski et surf. Des séjours linguistiques, stages et jobs à l'étranger pour des vacances studieuses, ainsi que des assurances voyage.

▲ SEAFRANCE VOYAGES

– *Paris :* 1, av. de Flandre, 75019.
– *Calais :* 2, pl. d'Armes, 62100.
– *Lille :* 11, pl. du Théâtre, 59800.
Pour toute la France, renseignements et réservations ferries et séjours dans votre agence de voyages ou ☎ 0825-826-000 (nº Indigo ; 0,15 €/mn). • www.seafrance.com • Minitel : 36-15, code SEAFRANCE (0,34 €/mn).
Tour-opérateur spécialiste de la Grande-Bretagne, SeaFrance Voyages propose des séjours à Londres, en Angleterre, en Écosse : tous circuits, autotours forfaits en hôtels de 2 à 5 étoiles, *B & B,* manoirs, etc., avec acheminement en ferry SeaFrance, Eurostar ou avion.
SeaFrance propose également des forfaits pour la Grande-Bretagne et des traversées Landbridge pour rejoindre l'Irlande.
SeaFrance, c'est également la compagnie de ferries entre Calais-Douvres (1 h 30) qui assure jusqu'à 17 allers-retours quotidiens.

▲ VOYAGEURS EN IRLANDE ET DANS LES ÎLES BRITANNIQUES

Spécialiste du voyage en individuel sur mesure. • www.vdm.com •
Nouveau « Voyageurs du Monde Express » : des séjours « prêts à partir » sur des destinations mythiques. ☎ 0892-688-363 (0,34 €/mn).
– *Paris :* La Cité des Voyageurs, 55, rue Sainte-Anne, 75002. ☎ 0892-236-161 (0,34 €/mn). Fax : 01-42-86-16-28. Ⓜ Opéra ou Pyramides. Bureaux ouverts du lundi au samedi de 9 h 30 à 19 h.
– *Lyon :* 5, quai Jules-Courmont, 69002. ☎ 0892-231-261 (0,34 €/mn). Fax : 04-72-56-94-55.
– *Marseille :* 25, rue Fort-Notre-Dame (angle cours d'Estienne-d'Orves), 13001. ☎ 0892-233-633 (0,34 €/mn). Fax : 04-96-17-89-18.
– *Nice :* 4, rue du Maréchal-Joffre (angle rue de Longchamp), 06000. ☎ 0892-232-732 (0,34 €/mn). Fax : 04-97-03-64-60.
– *Rennes :* 2, rue Jules-Simon, BP 10206, 35102. ☎ 0892-230-530 (0,34 €/mn). Fax : 02-99-79-10-00.
– *Toulouse :* 26, rue des Marchands, 31000. ☎ 0892-232-632 (0,34 €/mn). Fax : 05-34-31-72-73. Ⓜ Esquirol.
En 2005, ouverture à :
– *Lille :* ☎ 0892-234-634 (0,34 €/mn).
– *Grenoble :* ☎ 0892-233-533 (0,34 €/mn).
– *Bordeaux :* ☎ 0892-234-834 (0,34 €/mn).
Sur les conseils d'un spécialiste de chaque pays, chacun peut construire un voyage à sa mesure...
Pour partir à la découverte de plus de 120 pays, 92 conseillers-voyageurs de près de 30 nationalités et grands spécialistes des destinations, donnent des conseils, étape par étape et à travers une collection de 25 brochures, pour élaborer son propre voyage en individuel. Des suggestions originales et adaptables, des prestations de qualité et des hébergements exclusifs.
Voyageurs du Monde propose également une large gamme de circuits accompagnés (Famille, Aventure, Routard...).
À la fois tour-opérateur et agence de voyages, Voyageurs du Monde a développé une politique de « vente directe » à ses clients, sans intermédiaire.
Dans chacune des *Cités des Voyageurs,* tout rappelle le voyage : librairies spécialisées, boutiques d'accessoires de voyages, restaurant des cuisines du monde, lounge-bar, expositions-ventes d'artisanat ou encore dîners et cocktails-conférences. Toute l'actualité de VDM à consulter sur leur site Internet.

▲ VOYAGES WASTEELS (JEUNES SANS FRONTIÈRE)

63 agences en France, 140 en Europe. Pour obtenir l'adresse et le numéro de téléphone de l'agence la plus proche de chez vous, rendez-vous sur • www.wasteels.fr •

Centre d'appels infos et ventes par téléphone : ☎ 0825-887-070 (0,15 €/mn).
Voyages Wasteels propose, pour tous, des séjours, des vacances à la carte, des croisières, des voyages en avion ou train et la location de voitures, au plus juste prix, parmi des milliers de destinations en France, en Europe et dans le Monde. Voyages Wasteels, c'est aussi tous les voyages jeunes et étudiants avec des tarifs réduits particulièrement adaptés aux besoins et au budget de chacun. Bons plans, services, réductions et nombreux avantages en France et dans le monde avec la carte d'étudiant internationale ISIC (12 €). Séjours sportifs, ski et surf, séjours linguistiques.

En Belgique

▲ JOKER

– *Bruxelles :* quai du commerce, 27, 1000. ☎ 02-502-19-37. Fax : 02-502-29-23. • brussel@joker.be •
– *Bruxelles :* av. Verdi, 23, 1083. ☎ 02-426-00-03. Fax : 02-426-03-60. • ganshoren@joker.be •
– Adresses également à *Anvers, Bruges, Courtrai/Harelbeke, Gand, Hasselt, Louvain, Malines, Schoten* et *Wilrijk.* • www.joker.be •
Joker est « le » spécialiste des voyages d'aventure et des billets d'avion à des prix très concurrentiels. Vols aller-retour au départ de Bruxelles, Paris, Francfort et Amsterdam. Voyages en petits groupes avec accompagnateur compétent. Circuits souples à la recherche de contacts humains authentiques, utilisant l'infrastructure locale et explorant le vrai pays.

▲ NOUVELLES FRONTIÈRES

– *Bruxelles* (siège) : bd Lemonnier, 2, 1000. ☎ 02-547-44-22. Fax : 02-547-44-99. • www.nouvelles-frontieres.be • mailbe@nouvelles-frontieres.be •
– Également d'autres agences à *Bruxelles, Charleroi, Liège, Mons, Namur, Waterloo, Wavre* et au *Luxembourg.*
30 ans d'existence, 250 destinations, une chaine d'hotels-clubs et de résidences *Paladien.* Pas étonnant que Nouvelles Frontières soit devenu une référence incontournable, notamment en matière de prix. Le fait de réduire au maximum les intermédiaires permet d'offrir des prix « super-serrés ».

En Suisse

▲ NOUVELLES FRONTIÈRES

– *Genève :* 10, rue Chantepoulet, 1201. ☎ 022-906-80-80. Fax : 022-906-80-90.
– *Lausanne :* 19, bd de Grancy, 1006. ☎ 021-616-88-91. Fax : 021-616-88-01.
Voir texte dans la partie « En France ».

▲ STA TRAVEL

– *Bienne :* General Dufour-Strasse 4, 2502. ☎ 032-328-11-11. Fax : 032-328-11-10.
– *Fribourg :* 24, rue de Lausanne, 1701. ☎ 026-322-06-55. Fax : 026-322-06-61.
– *Genève :* 3, rue Vignier, 1205. ☎ 022-329-97-34. Fax : 022-329-50-62.
– *Lausanne :* 20, bd de Grancy, 1006. ☎ 021-617-56-27. Fax : 021-616-50-77.
– *Lausanne :* à l'université, bâtiment BFSH2, 1015. ☎ 021-691-60-53. Fax : 021-691-60-59.
– *Montreux :* 25, av. des Alpes, 1820. ☎ 021-965-10-15. Fax : 021-965-10-19.

– *Neuchâtel :* Grand-Rue, 2, 2000. ☎ 032-724-64-08. Fax : 032-721-28-25.
– *Nyon :* 17, rue de la Gare, 1260. ☎ 022-990-92-00. Fax : 022-361-68-27.
Agences spécialisées dans les voyages pour jeunes et étudiants. Gros avantage en cas de problème : 150 bureaux STA et plus de 700 agents du même groupe répartis dans le monde entier sont là pour donner un coup de main *(Travel Help).*
STA propose des voyages très avantageux : vols secs *(Skybreaker),* billets Euro Train, hôtels, écoles de langues, voitures de location, etc. Délivre les cartes internationales d'étudiants et les cartes Jeunes Go 25.
STA est membre du fonds de garantie de la branche suisse du voyage ; les montants versés par les clients pour les voyages forfaitaires sont assurés.

Au Québec

▲ TOURS CHANTECLERC

Tours Chanteclerc publie différents catalogues de voyages : Europe, Amérique, Asie + Pacifique sud et Soleils de Méditerranée. Il se présente comme l'une des « références sur l'Europe » avec deux brochures : groupes (circuits guidés en français) et individuels. « Mosaïques Europe » s'adresse aux voyageurs indépendants (vacanciers ou gens d'affaires), qui réservent un billet d'avion, un hébergement (dans toute l'Europe), des excursions, une location de voiture. Spécialiste de Paris, le grossiste offre une vaste sélection d'hôtels et d'appartements dans la Ville-Lumière.

▲ VACANCES TRANSAT

Filiale du plus grand groupe de tourisme au Canada, Vacances Transat s'affirme comme le premier voyagiste canadien. Ses destinations : États-Unis, Mexique, Caraïbes, Amérique centrale et du sud, Europe. Le transport aérien est assuré par sa compagnie sœur, Air Transat. Pour l'Europe, Vacances Transat offre des vols vers Paris, les provinces françaises et les capitales européennes, ainsi qu'une bonne sélection d'hôtels, d'appartements et de *B & B* (Grande-Bretagne, Irlande, Irlande du nord et France). Sans oublier les passes de trains et les locations de voitures (simple ou en achat-rachat). À signaler : des forfaits intéressants pour Paris et Londres, incluant le vol, l'hôtel et les transferts. Vacances Transat est revendu dans toutes les agences du Québec, et notamment dans les réseaux affiliés : Club Voyages, Intervoyages. Site Internet : • www.vacancesairtransat.com •

GÉNÉRALITÉS

« Trois choses ne servent strictement à rien : les seins des hommes, la BBC, et la monarchie britannique. »

Sir Winston Churchill

La Grande-Bretagne n'est qu'à une trentaine de kilomètres de nos côtes mais, déjà, ce bras de mer prend des allures d'Atlantique. Le Français qui, telle Alice, débarque pour la première fois « de l'autre côté » est immanquablement dépaysé et surpris. Les paysages déclinent toute la palette des verts qui tranche avec le rouge du mobilier urbain ! Du faux feu qui décore les âtres aux gentilles dames qui vous appellent honey ou *darling,* tout mérite les qualificatifs *quaint and cosy* (vieillot et douillet).

Pelouses et trottoirs nets, maisons bichonnées, il n'y a que le ciel que les Britanniques ont oublié de repeindre. Chacun a de l'espace pour vivre, même si la population britannique, aussi nombreuse que la population française, dispose de moitié moins de surface totale. Laissez-vous charmer par un tout autre art de vivre.

Dans ce pays traditionaliste, la jeunesse britannique a fait craquer – voici plus de trente ans (eh oui !) – l'austérité victorienne et la respectabilité qui l'enserraient depuis plus d'un siècle. En faisant cohabiter la minijupe et le chapeau melon, la Grande-Bretagne a bien évolué. Beaucoup de choses ont changé et rien n'a complètement disparu. Ce pays considère déjà que les Beatles, tout comme l'empire des Indes, appartiennent à son histoire ancienne. Mais au collège d'Eton, les enfants vont toujours à l'école en queue-de-pie.

CARTE D'IDENTITÉ

L'Angleterre et le pays de Galles font partie du Royaume-Uni. Voici quelques chiffres concernant le Royaume-Uni dans son ensemble qui, comme personne ne l'ignore, comprend aussi l'Écosse et l'Irlande du Nord.

- ***Superficie :*** 244 046 km^2.
- ***Capitale :*** Londres.
- ***Population :*** 59 415 000 habitants.
- ***Densité :*** 243,5 hab./km^2.
- ***Espérance de vie :*** 77 ans.
- ***Langues :*** anglais (officielle), gallois.
- ***Monnaie :*** la livre sterling (£), 1 £ = environ 1,48 € (valeur en 2004).
- ***Nature de l'État :*** monarchie constitutionnelle (chef de l'État : la reine Élisabeth II).
- ***Régime politique :*** démocratie parlementaire. Chef du gouvernement : le Premier ministre, Tony Blair.
- ***Taux de chômage :*** 5,1 %.
- ***Devise :*** « Honni soit qui mal y pense. »

- ***Sites classés au patrimoine de l'Unesco*** (cités dans le *GDR*) **:** cathédrale et château de Durham ; Stonehenge ; Avebury et sites associés ; palais de Blenheim ; Bath ; le mur d'Hadrien ; la cathédrale, l'abbaye Saint-Augustin et l'église Saint-Martin à Canterbury ; le paysage industriel de Blaenavon ; le littoral du Dorset et à l'est du Devon.

AVANT LE DÉPART

Adresses utiles

En France

■ ***Office de tourisme de Grande-Bretagne :*** BP 154-08, 75363 Paris Cedex. Pas d'accueil au public, informations par téléphone, fax ou Internet uniquement. ☎ 01-58-36-50-50. Fax : 01-58-36-50-51. • www.visitbritain.com/fr • gbinfo@visitbritain.org • Envoi de documentation. Très pro, plein d'infos à disposition et la publication *Excursions en Grande-Bretagne* (une mine d'idées de circuits et de séjours originaux). Un site Internet très riche avec des thématiques de découvertes du pays (jardins, sites de tournage de films, etc.).

■ ***Consulat de Grande-Bretagne :*** 16, rue d'Anjou, 75008 Paris. ☎ 01-44-51-33-01. Fax : 01-44-51-31-28. • www.amb-grandebretagne.fr • Ⓜ Concorde. Ouvert du lundi au vendredi de 9 h à 12 h. Informations générales de 14 h 30 à 17 h.

■ ***Ambassade de Grande-Bretagne :*** 35, rue du Fbg-Saint-Honoré, 75008 Paris. ☎ 01-44-51-31-00. • www.amb-grandebretagne.fr •

■ ***The British Council :*** 11, rue de Constantine, 75007 Paris. ☎ 01-49-55-73-00. • www.britishcouncil.fr • Ⓜ Invalides. Ouvert du lundi au vendredi de 11 h à 18 h. Pour son atmosphère feutrée et aimable, très britannique. Journaux, livres, références. Discothèque de prêt. Une mine d'idées, notamment pour les séjours linguistiques.

Transports

■ ***Britcities :*** toutes les cartes de transport, les *passes* (le *London Pass*) et la fameuse *Visitor Travel Card* (à Londres), les transferts aéroports et la carte *English Heritage* uniquement sur Internet • www.britcities.com/fr • Très compétent et rapide. Réductions immédiates en tapant le code « ROUTAR » lors de votre commande.

■ ***HMS Voyages :*** 81, rue de Miromesnil, 75008 Paris. ☎ 01-44-69-97-40. Fax : 01-53-04-04-09. • www.hms-voyages.com • Ⓜ Villiers ou Miromesnil. Agence de voyages spécialisée sur la destination : *Eurostar* (• www.eurostar.co.uk •), *Eurotunnel, Hoverspeed,* avion, transports londoniens, hébergements en *B & B,* manoirs, auberges, billets touristiques, le fameux *London Pass* et *passes* ferroviaires britanniques.

■ ***BMS Voyages :*** 99, bd Haussmann, 75008 Paris. ☎ 01-42-66-07-07. Fax : 01-42-66-07-17. • www.bms-travelshop.com • Vente de billets *Eurostar, Brittany Ferries,* hébergements en hôtels, *passes* de transport et billets de bus et de train. Billetterie de spectacles et d'attractions touristiques.

■ ***Sites Internet :*** plusieurs sites vous aideront dans vos démarches pour préparer votre voyage. Voir la rubrique « Sites Internet ».

En Belgique

i ***Office de tourisme britannique – Visit Britain Centre :*** av. Louise, 140, Bruxelles 1050. ☎ 02-646-35-10. Fax : 02-646-39-86. • www.visitbritain.com/be2 • Ouvert du lundi au vendredi de 9 h à 17 h (16 h le vendredi). Vous y trouverez les dernières brochures, une librairie bien approvisionnée, une bibliothèque avec guides et vidéos, un *cyber corner* avec une très bonne sélection de sites britanniques, des *Visitor Travel Cards* (transport Londres), le *Great British Heritage Pass* (châteaux, jardins et manoirs en Grande-Bretagne) et les infos sur les tickets pour les spectacles à Londres.

■ ***Ambassade et consulat de Grande-Bretagne :*** rue d'Arlon, 85, Bruxelles 1040. ☎ 02-287-62-11. Service des visas : ☎ 02-287-63-43. Service consulaire : ☎ 02-287-62-32. Ouvert de 9 h 30 à 12 h 30 et de 14 h 30 à 17 h 30.

■ ***British Council :*** rue du Trône, 108, Bruxelles 1050. ☎ 02-227-08-41. Fax : 02-227-08-49. • www.britishcouncil.be • Informations sur les cours d'anglais dans les écoles privées en Grande-Bretagne et en Belgique. Donne également des adresses d'organismes pour partir au pair ou trouver un job.

En Suisse

i ***Office de tourisme britannique (Visit Britain) :*** Badenerstrasse, 21, 8004 Zurich. ☎ 043-322-20-00. Fax : 043-322-20-01. • www.visitbritain.com • Ouvert du lundi au vendredi de 9 h à 16 h.

■ ***Consulat de Grande-Bretagne :*** 37-39, rue de Vermont, 1211 Genève, 20. ☎ 022-918-24-00. Demandes de visa uniquement de 8 h 30 à 11 h 30.

Au Québec

■ ***Consulat de Grande-Bretagne :*** 1000, rue de la Gauchetière Ouest, Suite 4200, Montréal, Québec, H3B-4W5. ☎ (514) 866-58-63. Fax : (514) 866-02-02. Ne délivre pas de visa. Pour cela, les ressortissants étrangers doivent se rendre à Ottawa auprès du *Haut Commissariat de la Grande-Bretagne* : 80 Elgin Street, Ottawa, Ontario, K1P-5K7. Toutes les démarches d'obtention de visa sont possibles sur le site Internet • www.britainincanada.org •

Ambassades et consulat en Angleterre

■ ***Consulat de France :*** 21 Cromwell Rd, SW7 2EN, Londres.

– *Service des visas :* 6a Cromwell Place, en face du musée d'Histoire naturelle. ☎ 0207-073-12-00. Fax : 0207-073-12-01. Ⓜ South Kensington. Ouvert du lundi au jeudi de 8 h 45 à 12 h (11 h 30 le vendredi).

– *Service culturel :* 23 Cromwell Rd. Le consulat peut, en cas de difficultés financières, vous indiquer la meilleure solution pour que des proches puissent vous faire parvenir de l'argent, ou encore vous assister juridiquement en cas de problèmes.

■ ***Ambassade de France :*** 58 Knightsbridge, mais entrée au 1 Albert Gate, SW1X 7JT, Londres. ☎ 0207-073-10-00. Fax : 0207-201-10-04. • www.ambafrance-uk.org • Ⓜ Knightsbridge.

■ ***Ambassade de Belgique :*** 103 Eaton Square, SW1 W9AB, Londres. ☎ 0207-470-37-00. Fax : 0207-470-37-10. • www.diplobel.org/uk • Ⓜ Victoria. Ouvert du lundi au vendredi de 9 h à 11 h pour les visas.

■ ***Ambassade de Suisse :*** 16-18 Montague Place, W1, Londres. ☎ 0207-616-60-00. Ⓜ Baker Station. Ouvert du lundi au vendredi de 9 h à 12 h.

Formalités

– ***Passeport*** ou ***carte nationale d'identité*** en cours de validité (un permis de séjour en France ne suffit pas) et, pour les mineurs, un passeport en cours de validité et l'autorisation parentale de sortie du territoire, s'ils ne possèdent que la carte d'identité.
Attention : pour rappel, la Grande-Bretagne ne fait pas partie de l'*espace Shengen,* donc formalités, contrôles et tracasseries habituelles qui n'ont heureusement plus cours dans le reste de l'Europe.
– ***Pour la voiture :*** permis de conduire national, carte grise, carte verte et n'oubliez pas le F (le B ou le CH) à l'arrière du véhicule.
– ***Attention : les ressortissants hors Union européenne*** doivent se renseigner au service des visas du consulat de Grande-Bretagne (voir plus haut) et à leur propre consulat... En cas d'urgence, s'adresser au consulat de Grande-Bretagne dans les ports.
– ***La légendaire quarantaine des animaux*** a été abolie en 2000. Malgré tout, votre Médor ou votre Féline adorés devront montrer patte blanche. Il faut avant tout faire implanter une puce (indolore) sous la peau de votre animal, puis refaire tous les vaccins nécessaires, notamment contre la rage (plus de renseignements auprès de votre véto), et ce IMPÉRATIVEMENT 6 mois avant le départ, ainsi qu'une prise de sang. Une attestation antipuces et antitiques effectuée 24 à 48 h avant le départ vous sera également demandée. L'entrée des animaux en Grande-Bretagne n'est autorisée que par les voitures, soit à bord des ferries, soit via le tunnel sous la Manche ; elle est donc interdite par l'*Eurostar.* Pour tout renseignement complémentaire, consulter le site Internet du consulat de Grande-Bretagne (voir plus haut) ou appeler le ☎ 01-44-51-31-40.

Carte internationale d'étudiant (ISIC)

Elle prouve le statut d'étudiant dans le monde entier et permet de bénéficier de tous les avantages, services, réductions étudiants du monde, soit plus de 30000 avantages concernant les transports, dont plus de 7000 en France, concernant les hébergements, la culture, les loisirs... C'est la clé de la mobilité étudiante !
La carte ISIC donne aussi accès à des avantages exclusifs sur le voyage (billets d'avion spéciaux, assurances de voyage, carte de téléphone internationale, location de voitures, navette aéroport...).
Pour plus d'informations sur la carte ISIC : • www.isic.fr • ou ☎ 01-49 96-96-49.

Pour l'obtenir en France

Se présenter dans l'une des agences des organismes mentionnés ci-dessous avec :
– une preuve du statut d'étudiant (carte d'étudiant, certificat de scolarité...) ;
– une photo d'identité ;
– 12 ou 13 € par correspondance, incluant les frais d'envoi des documents d'information sur la carte ; émission immédiate.

■ ***OTU Voyages :*** ☎ 0820-817-817. • www.otu.fr • pour connaître l'agence la plus proche de vous.

■ ***Voyages Wasteels :*** ☎ 08-25-88-70-70 (0,15 €/mn). • www.wasteels.fr •

En Belgique

Elle coûte 9 € et s'obtient sur présentation de la carte d'identité, de la carte d'étudiant et d'une photo auprès de :
■ ***Connections :*** renseignements au ☎ 02-550-01-00.

En Suisse

Dans toutes les agences STA Travel, sur présentation de la carte d'étudiant, d'une photo et de 20 Fs.

- ***STA Travel :*** 3, rue Vignier, 1205 Genève. ☎ 022-329-97-34.
- ***STA Travel :*** 20, bd de Grancy, 1006 Lausanne. ☎ 021-617-56-27.

Il est également possible de la commander en ligne sur le site • www.carte isic.com •

Carte FUAJ internationale des auberges de jeunesse

Cette carte, valable dans 60 pays, permet de bénéficier des 4200 auberges de jeunesse du réseau *Hostelling International* réparties dans le monde entier. Les périodes d'ouverture varient selon les pays et les AJ. À noter, la carte AJ est surtout intéressante en Europe, aux États-Unis, au Canada, au Moyen-Orient et en Extrême-Orient (Japon...).

Pour adhérer à la FUAJ et s'inscrire

Par correspondance

- ***Fédération unie des auberges de jeunesse (FUAJ) :*** 27, rue Pajol, 75018 Paris. Bureaux fermés au public.

Envoyer une photocopie recto verso d'une pièce d'identité et un chèque correspondant au montant de l'adhésion (ajouter 1,20 € pour les frais d'envoi de la FUAJ). Une autorisation des parents est nécessaire pour les moins de 18 ans.

Sur place

- ***FUAJ, antenne nationale :*** 9, rue de Brantôme, 75003 Paris. ☎ 01-48-04-70-40. Fax : 01-42-77-03-29. Ⓜ Rambuteau ; RER A : Les Halles.

Présenter une pièce d'identité et 10,70 € pour la carte moins de 26 ans, 15,25 € pour les plus de 26 ans (tarifs 2004).
Inscriptions possibles également dans toutes les auberges de jeunesse, points d'information et de réservation FUAJ en France. • www.fuaj.org •
On conseille d'acheter la carte en France, car elle est moins chère qu'à l'étranger.
– La FUAJ propose aussi une carte d'adhésion « Famille », à 22,90 €, valable pour les familles de deux adultes ayant un ou plusieurs enfants âgés de moins de 14 ans. Fournir une copie du livret de famille.
– La carte donne également droit à des réductions sur les transports, les musées et les attractions touristiques de plus de 60 pays, mais ces avantages varient d'un pays à l'autre, ce qui n'empêche pas de la présenter à chaque occasion, cela peut toujours marcher.

En Belgique

Le prix de la carte varie selon l'âge : entre 3 et 15 ans, 3 € ; entre 16 et 25 ans, 9 € ; après 25 ans, 15 €. Renseignements et inscriptions :

■ ***À Bruxelles :*** LAJ, rue de la Sablonnière, 28, 1000. ☎ 02-219-56-76. Fax : 02-219-14-51. • www.laj.be • info@laj.be •

■ ***À Anvers :*** Vlaamse Jeugdherbergcentrale (VJH), Van Stralenstraat, 40, Antwerpen B 2060. ☎ 03-232-72-18. Fax : 03-231-81-26. • www.vjh.be • info@vjh.be •

– Les résidents flamands qui achètent une carte en Flandre obtiennent 8 € de réduction dans les auberges flamandes et 4 € en Wallonie. Le même principe existe pour les habitants wallons.

En Suisse (SJH)

Le prix de la carte dépend de l'âge : 22 Fs pour les moins de 18 ans, 33 Fs pour les adultes et 44 Fs pour une famille avec des enfants de moins de 18 ans. Renseignements et inscriptions :

■ ***Schweizer Jugendherbergen (SH) :*** service des membres, Schaffhauserstr, 14, Postfach 161, 8042 Zurich. ☎ 01-360-14-14. Fax : 01-360-14-60. • www.youthhostel.ch • marketing@youthhostel.ch •

Au Canada

Elle coûte 35 $Ca pour une durée de 16 à 26 mois (tarif 2004) et 175 $Ca à vie. Gratuit pour les enfants de moins de 18 ans qui accompagnent leurs parents. Pour les mineurs voyageant seuls, compter 12 $Ca. Ajouter systématiquement les taxes.

■ ***Tourisme Jeunesse :***
– *À Montréal :* 205, av. du Mont-Royal Est, Montréal (Québec) H2T IP4. ☎ (514) 844-02-87. Fax : (514) 844-52-46.
– *À Québec :* 94, bd René-Lévesque Ouest, Québec (Québec) G1R 2A4. ☎ (418) 522-2552. Fax : (418) 522-2455.

■ ***Canadian Hostelling Association :*** 205 Catherine St, bureau 400, Ottawa, Ontario, Canada K2P-1C3. ☎ (613) 237-78-84. Fax : (613) 237-78-68. • www.hihostels.ca • info@hihostels.ca •

ARGENT, BANQUES, CHANGE

La Grande-Bretagne est un des pays de l'Europe, mais au rayon des monnaies, les Britanniques font encore partie des réfractaires et s'accrochent à leur *sterling pound.* En attendant, la livre sterling est divisée en 100 pence. Pièces de : 50 p, 20 p, 10 p, 5 p et 1 penny, et pièces de 1 livre et de 2 livres de plusieurs dessins différents symbolisant les composants de la Grande-Bretagne.
En 2004, le cours de la livre sterling atteignait 1,48 €, 2,26 Fs et 2,45 $Ca.
– On peut ***changer*** de l'argent dans les banques mais aussi dans certaines agences de voyages et offices de tourisme ou, en dépannage, dans les grands hôtels. Bien sûr, les banques offrent généralement un taux plus avantageux. Pour changer des chèques de voyage, prévoir des grosses coupures, car une taxe importante est perçue à l'encaissement par les banques britanniques.
– ***Les banques*** sont ouvertes du lundi au vendredi de 9 h 30 à 16 h 30 (15 h 30 au pays de Galles et en Irlande du Nord) ; la plupart ouvrent également le samedi matin.
– En cas de ***besoin urgent d'argent liquide*** (perte ou vol de billets, chèques de voyage, cartes de paiement), vous pouvez être dépanné en quelques minutes grâce au système *Western Union Transfert d'argent.* Pour

PLANS ET CARTES EN COULEURS

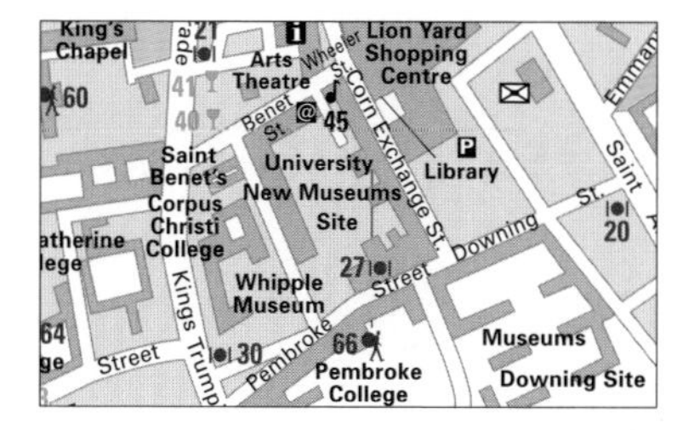

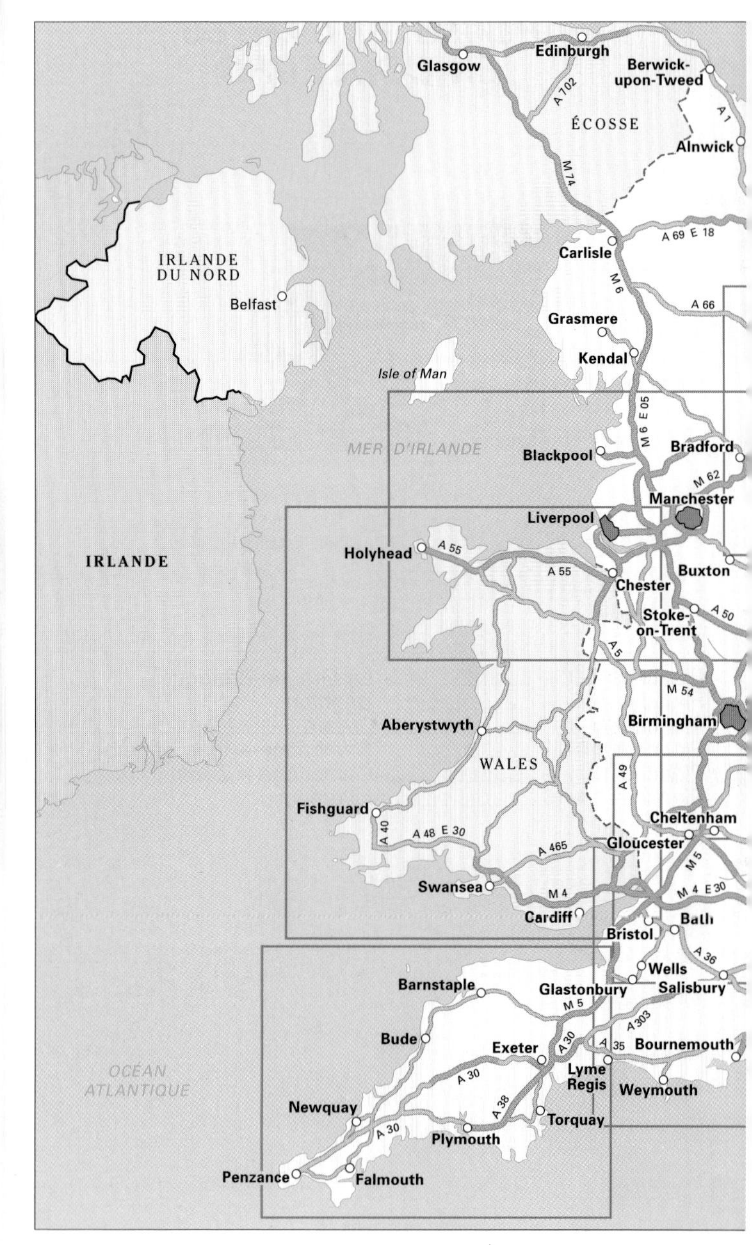
Edinburgh
Glasgow
Berwick-upon-Tweed
A 702
ÉCOSSE
A 1
Alnwick
M 74
Carlisle
A 69 E 18
IRLANDE DU NORD
M 6
Belfast
A 66
Grasmere
Kendal
Isle of Man
M 6 E 05
MER D'IRLANDE
Blackpool
Bradford
M 62
Manchester
Liverpool
Holyhead
A 55
IRLANDE
A 55
Buxton
Chester
Stoke-on-Trent
A 50
A 5
M 54
Birmingham
Aberystwyth
WALES
A 49
Fishguard
Cheltenham
A 40
A 48 E 30
Gloucester
A 465
M 5
Swansea
M 4
M 4 E 30
Cardiff
Bath
Bristol
A 36
Wells
Barnstaple
Glastonbury
Salisbury
M 5
A 303
Bude
A 35
Bournemouth
Exeter
A 30
OCÉAN ATLANTIQUE
A 30
Lyme Regis
Weymouth
A 38
Newquay
Torquay
A 30
Plymouth
Penzance
Falmouth

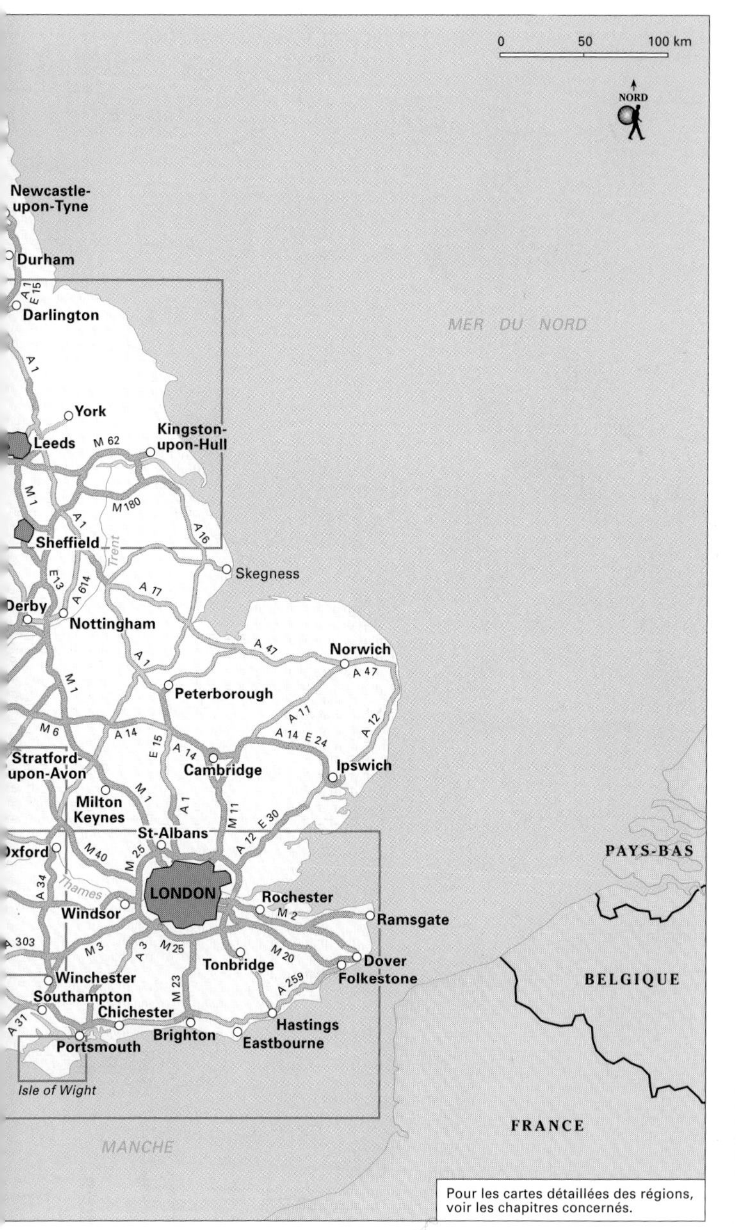

LA GRANDE-BRETAGNE

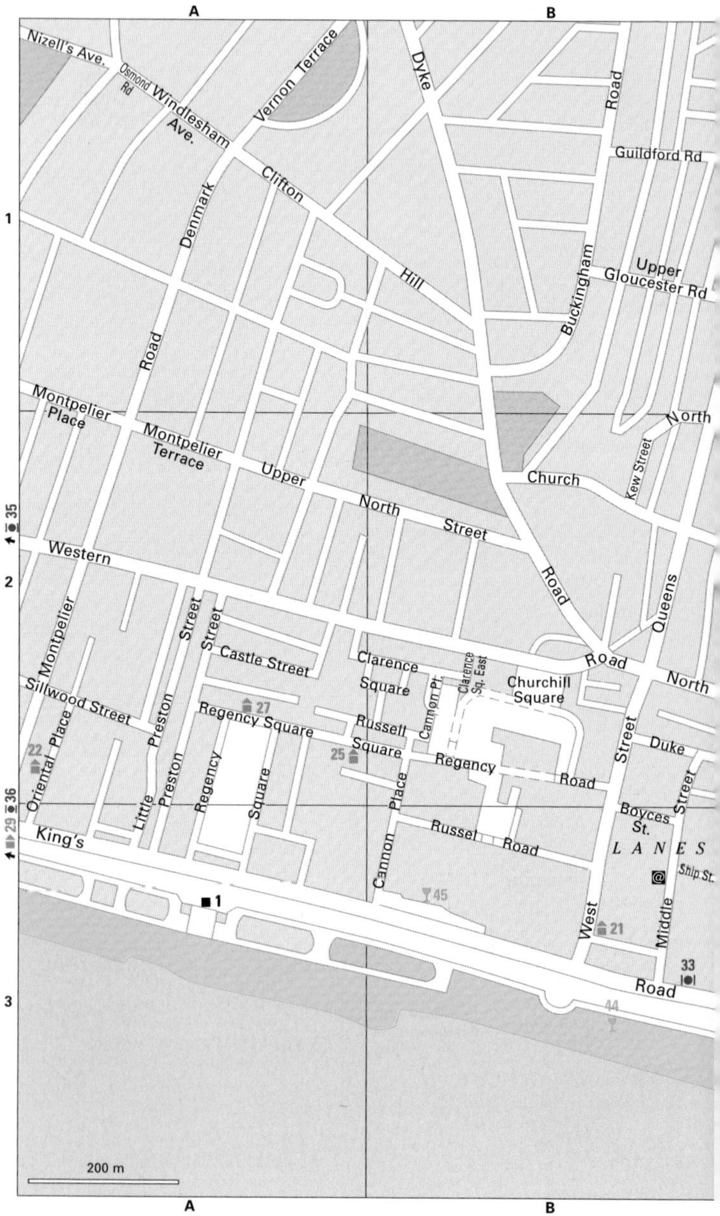
A
B
1
2
3
Nizell's Ave.
Osmond Rd
Windlesham Ave.
Vernon Terrace
Clifton
Hill
Denmark
Road
Dyke
Road
Guildford Rd
Buckingham
Upper Gloucester Rd
Montpelier Place
Montpelier Terrace
Upper
North
Street
North
Church
Kew Street
Western
Road
Queens
Montpelier
Street
Street
Castle Street
Clarence
Square
Cannon Pl.
Clarence Sq. East
Churchill Square
North
Sillwood Street
Oriental Place
Preston
Little
Preston
Regency Square
Regency
Square
Russell
Square
Regency
Road
Duke
Street
Street
Boyces St.
Place
Cannon
Russel
Road
LANES
Ship St.
King's
Road
West
Middle
1
21
22
25
27
29
33
35
36
44
45
200 m

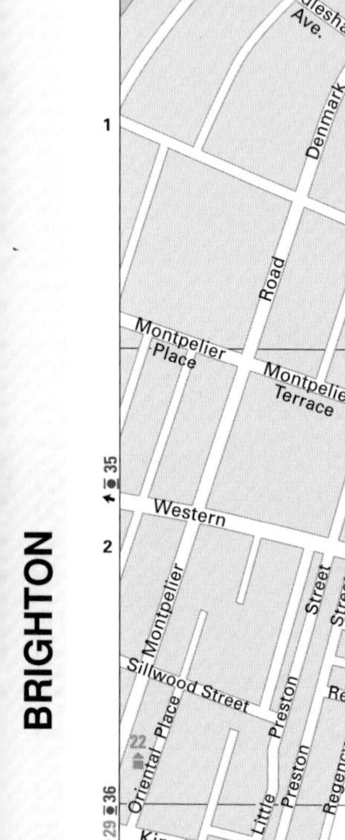

C
D
NORD
Terminus Road
Cheapside
St. Peter's Place
Richmond Terrace
Waterloo Place
Whitecross St.
York Place
Richmond Place
Street
Albion
Belgrave St.
Trafalgar
Street
Road
Tidy Street
Sydney Street
Hill
Albion
Grove Hill
Gloucester
Gloucester Street
Richmond Parade
Road
Upr. Gardner St.
Kensington Gardens
Kensington St.
Gloucester Place
Gardens
Ashton
Grand Parade
Morley Street
NORTH LAINE
Road
Rise
Sussex Street
Orange Row
Gardner Street
Regent Street
Marlborough Place
Victoria
Grand
Street
Kingswood Street
Street
Carlton
Hill
Bond Street
New Road
John
Pavilion Parade
Edward
Royal Pavilion
Street
Lewis's Bldgs St.
Street
Duke's Lane
Union St.
Pavilion Bldgs
George Street
Dorset Gardens
Brighton Pl.
Market St.
Palace Pl.
Castle Sq.
Prince Albert St.
Market St.
St.
Steine Lane
Steine
Old Steine
Black Lion Lane
Regent Arc.
East
Bartes Avenue
Saint
James's
Street
Ship
Black Lion St.
Bartholomews Square
Little East Street
East Street
Pool Pass
Old
Steine
Madeira Pl.
New Steine
King's Road
Valley
Marine
Grand Junction Road
Madeira
Drive
Parade
Palace Pier
1
2
3
BRIGHTON
30
31
32
37
38
39
40
41
42
43
46
47
50
20
23
24

BRIGHTON

Adresses utiles

- Brighton & Hove Visitor Information Centre
- Post Office
- Gare ferroviaire
- Gare routière
- 1 Location de vélos
- Curve Internet
- Sumo

Où dormir ?

- 20 Strawberry Fields
- 21 Walkabout Hostel
- 22 Baggies Backpackers
- 23 Sea Spray
- 24 Aquarium Guesthouse
- 25 Valentine House Hotel
- 27 Regency Hotel
- 29 The Iron Duke Hotel

Où manger ?

- 30 Bombay Aloo
- 31 The Dorset
- 32 Wai Kika Moo Kau
- 33 Buddies
- 35 Harry's English Restaurant
- 36 The Meeting Place
- 37 Ha ! Ha ! Canteen
- 38 Terre à terre
- 39 Food for friends

Où boire un thé ?

- 45 The Grand Hotel
- 47 The Mock Turtle

Où boire un verre ? Où écouter de la musique ?

- 40 Font & Firkin
- 41 Pump House
- 42 King and Queen
- 43 Amsterdam
- 44 Fortunes of War
- 46 The Mash Tun

À voir

- 50 The Royal Pavilion

REPORTS DU PLAN DE BRIGHTON

Adresses utiles

- 1 Oxford Information Centre (Broad St)
- 2 Tourist Information Centre (gare)
- Postes
- Gare ferroviaire
- Gare routière
- Mices (Internet)
- 2 Location de bateaux
- 3 Honeys (journaux)

Où dormir ?

- 10 Oxford Backpackers Hostel
- 11 Chez Mr and Mrs Williams
- 12 The Walton Guesthouse
- 13 St Michael's Guesthouse
- 14 Becket House

Où manger ?

- 21 Quod Bar & Grill
- 22 Bangkok House
- 23 Old School House
- 25 Georgina's & Brothers
- 26 Al-Salam
- 27 Turf Tavern
- 29 Meltz
- 30 Chutneys Indian Brasserie
- 31 The Gulf of Siam
- 32 Café Ma Belle

Où déjeuner sur le pouce ?

- 24 La Croissanterie
- 33 Caffé Nero
- 34 Heroes

Où acheter des cookies ?
Où manger une glace ?

- 25 Ben's Cookies
- 28 George & Davis'

Où boire un verre ?

- 42 The Bear Inn
- 44 Yate's
- 45 The Eagle & Child
- 46 The Cock & Camel
- 47 Goose
- 50 King's Arms

Où écouter de la musique ?
Où applaudir des humoristes ?

- 41 The Old Fire Station
- 48 Jongleurs Comedy Club

Où danser ?

- 43 Purple Turtle Union Bar
- 49 The Park End Club

À voir

- 60 Carfax Tower
- 61 Christ Church
- 62 Jesus College
- 63 Radcliffe Camera
- 64 The Sheldonian Theatre
- 65 New College
- 66 St Edmund Hall
- 68 Magdalen College
- 69 Merton College
- 70 Corpus Christi College
- 71 Queen's College
- 72 All Souls College
- 73 Covered Market
- 74 Ashmolean Museum
- 75 Museum of Modern Art (MoMA)
- 76 Oxford University Museum and Natural History
- 77 Museum of Oxford

REPORTS DU PLAN D'OXFORD

OXFORD

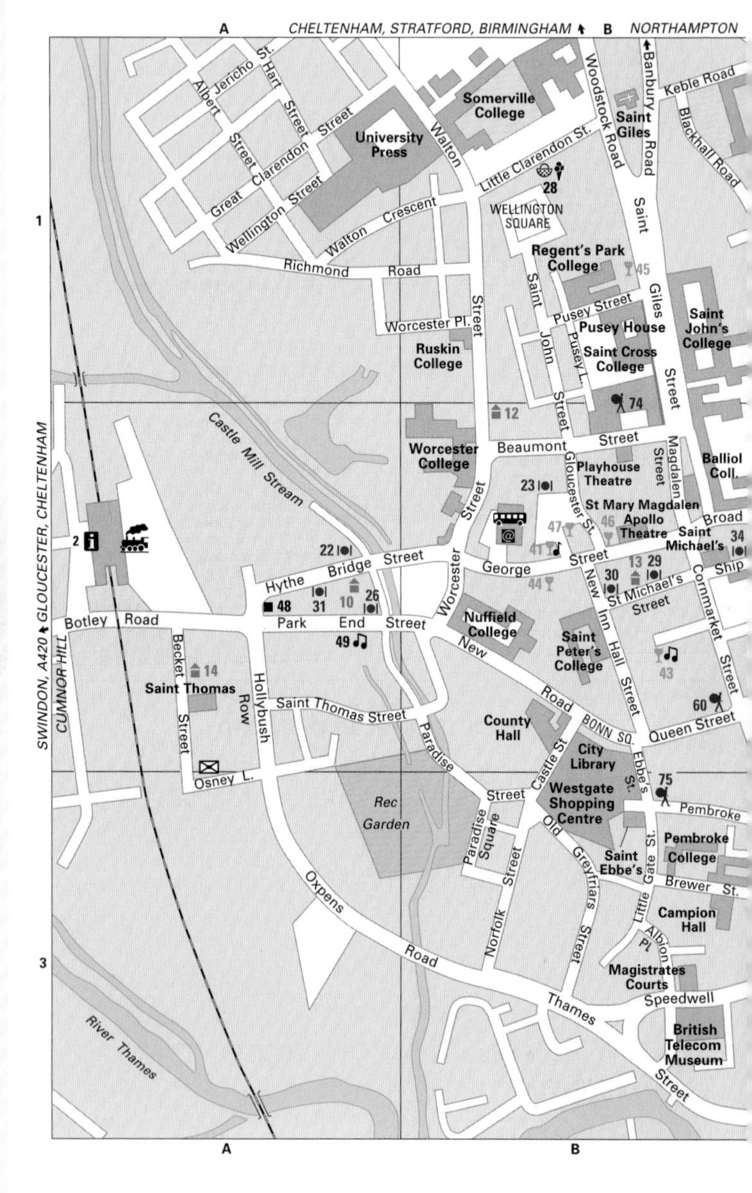
A
CHELTENHAM, STRATFORD, BIRMINGHAM
B
NORTHAMPTON
1
3
SWINDON, A420 GLOUCESTER, CHELTENHAM
CUMNOR HILL
Jericho St.
Hart Street
Albert Street
Great Clarendon Street
Wellington Street
Walton Crescent
Walton Street
University Press
Somerville College
Woodstock Road
Banbury Road
Keble Road
Saint Giles
Blackhall Road
Little Clarendon St.
28
WELLINGTON SQUARE
Regent's Park College
45
Richmond Road
Worcester Pl.
Ruskin College
Saint John Street
Pusey Street
Pusey House
Pusey L.
Saint Cross College
Saint Giles Street
Saint John's College
74
12
Castle Mill Stream
Worcester College
Beaumont Street
Playhouse Theatre
Magdalen Street
Balliol Coll.
23
Gloucester St.
St Mary Magdalen
Apollo Theatre
Broad
47
46
Saint Michael's
34
2
22
41
George Street
13
29
Ship
Hythe Bridge Street
44
30
New Inn Hall Street
St Michael's Street
Cornmarket Street
48
31
10
26
Worcester Street
Botley Road
Park End Street
Nuffield College
49
New Road
Saint Peter's College
Becket Street
14
Saint Thomas
Row
Hollybush
43
Saint Thomas Street
County Hall
60
Paradise
BONN SQ.
Queen Street
Castle St
City Library
Ebbe's St.
Osney L.
Rec Garden
Street
Westgate Shopping Centre
75
Pembroke
Paradise Square
Old Greyfriars Street
Saint Ebbe's
Pembroke College
Gate St.
Brewer St.
Oxpens Road
Norfolk Street
Little Albion Pl
Campion Hall
Magistrates Courts
Thames Street
Speedwell
British Telecom Museum
River Thames
A
B

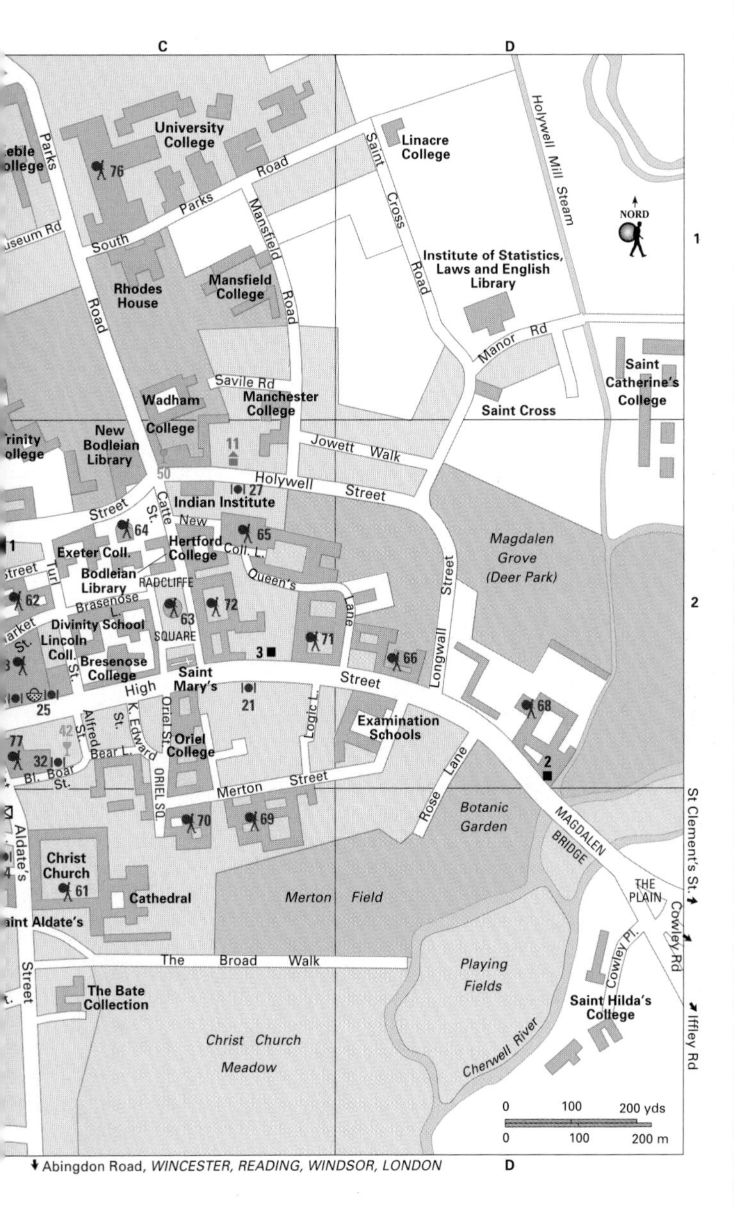
C
D
University College
Linacre College
Parks Road
South Parks Road
Mansfield Road
Saint Cross Road
Holywell Mill Steam
NORD
1
Institute of Statistics, Laws and English Library
Rhodes House
Mansfield College
Manor Rd
Saint Catherine's College
Savile Rd
Wadham College
Manchester College
Saint Cross
New Bodleian Library
Jowett Walk
Holywell Street
Indian Institute
Catte St.
New Coll. L.
Exeter Coll.
Hertford College
Magdalen Grove (Deer Park)
Bodleian Library
RADCLIFFE SQUARE
Queen's Lane
Longwall Street
2
Brasenose L.
Divinity School
Lincoln Coll.
Bresenose College
Saint Mary's
High Street
Examination Schools
Alfred St.
K. Edward St.
Oriel St.
Oriel College
Logic L.
Bear L.
Bl. Boar St.
Merton Street
ORIEL SQ.
Rose Lane
Botanic Garden
MAGDALEN BRIDGE
St Clement's St.
Christ Church
Cathedral
Merton Field
THE PLAIN
Cowley Rd
Saint Aldate's
The Broad Walk
Playing Fields
Cowley Pl.
The Bate Collection
Saint Hilda's College
Iffley Rd
Christ Church Meadow
Cherwell River
0 100 200 yds
0 100 200 m
Abingdon Road, WINCESTER, READING, WINDSOR, LONDON
OXFORD

CAMBRIDGE – PLAN GÉNÉRAL

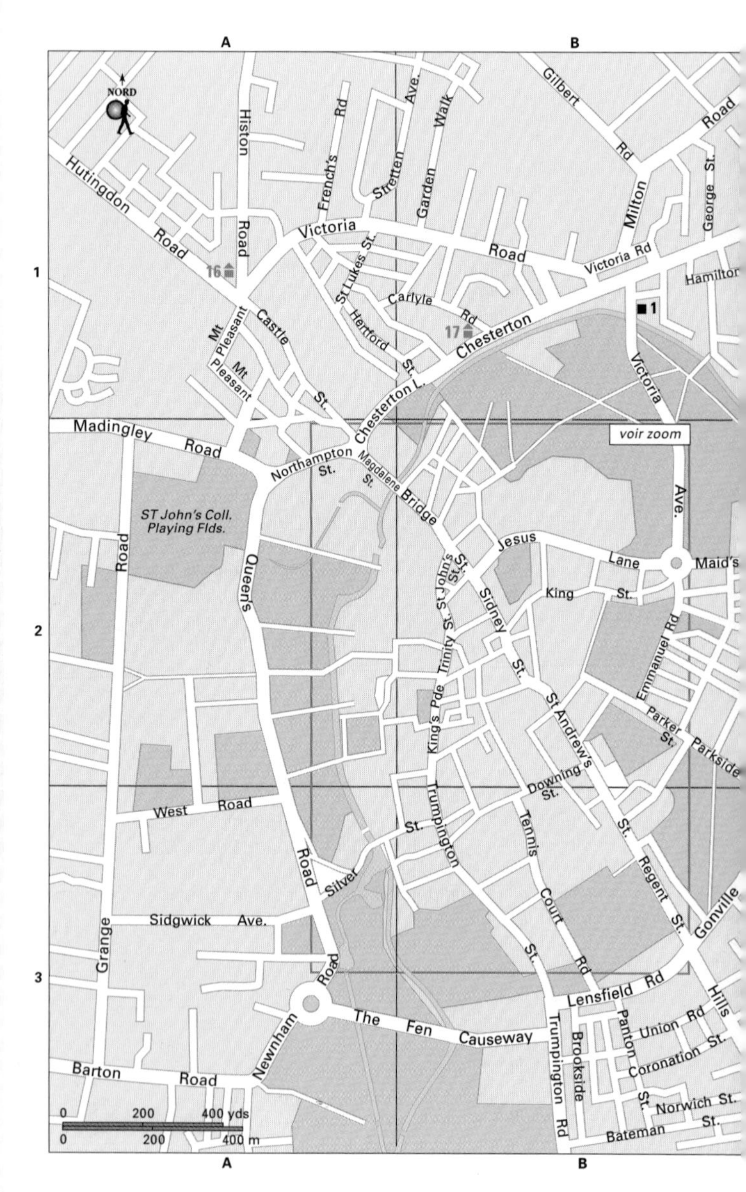
A
B
1
2
3
NORD
Huntingdon Road
Histon Road
French's Rd
Stretten Ave.
Garden Walk
Gilbert Rd
Milton Road
George St.
Victoria Road
Victoria Rd
Hamilton
16
17
1
St Lukes St.
Carlyle Rd
Hertford St.
Chesterton Road
Chesterton L.
Castle St.
Mt Pleasant
Mt Pleasant
Victoria Ave.
voir zoom
Madingley Road
Northampton St.
Magdalene St.
Bridge St.
ST John's Coll. Playing Flds.
Queen's Road
Jesus Lane
Maid's
St John's St.
King St.
Sidney St.
Trinity St.
Emmanuel Rd
King's Pde
St Andrew's St.
Parker St.
Parkside
Downing St.
West Road
Trumpington St.
Tennis Court Rd
Silver St.
Regent St.
Gonville
Sidgwick Ave.
Grange Road
Lensfield Rd
Hills
The Fen Causeway
Newnham Road
Trumpington Rd
Brookside
Panton St.
Union Rd
Coronation St.
Barton Road
Norwich St.
Bateman St.
0
200
400 yds
0
200
400 m
A
B

CAMBRIDGE – PLAN GÉNÉRAL

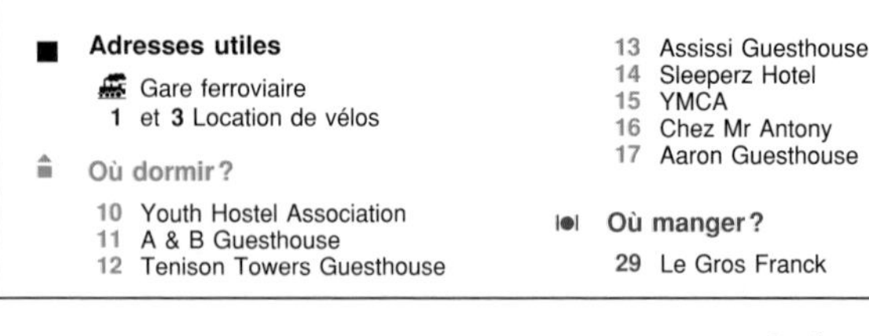

Adresses utiles

- Gare ferroviaire
- **1** et **3** Location de vélos

Où dormir ?

- 10 Youth Hostel Association
- 11 A & B Guesthouse
- 12 Tenison Towers Guesthouse
- 13 Assissi Guesthouse
- 14 Sleeperz Hotel
- 15 YMCA
- 16 Chez Mr Antony
- 17 Aaron Guesthouse

Où manger ?

- **29** Le Gros Franck

CAMBRIDGE – REPORTS DU PLAN GÉNÉRAL

Adresses utiles

-  Tourist Information Centre
- Poste
- Gare routière
- Internet Telecom Cafe
- **2** et **4** Location de *punts*

Où manger ?

- 20 Varsity Restaurant
- 21 N° 1 King's Parade
- 22 Ugly Duckling
- 23 Gallería
- 24 Cazimir
- 25 The Gulshan
- 26 Than Binh
- 32 Dojo Noodle Bar
- 35 Clown's Café Bar

Pâtisseries et sandwichs

- 27 Trokel, Ulman und Freunde
- 28 Tatties
- 30 Fitzbillies
- 33 O'Brien's Sandwich Bar

Où prendre le thé ?

- 41 The Cooper Kettle
- 48 The Little Tea-Room

Où boire un verre ?

- 40 The Eagle
- 42 The Granta
- 43 The Anchor
- 44 Henry's Cafe Bar
- 46 The B Bar

Où écouter de la musique ? Où danser ?

- **45** Cambridge Corn Exchange
- **47** The Fez Club

À voir

- 60 King's College
- 61 Clare College
- 62 Trinity Hall
- 63 Trinity College
- 64 Queens College
- 65 Christ's College
- 66 Pembroke College
- 67 Magdalene College
- 68 Holy Sepulchre Church
- 69 Fitzwilliam Museum
- 70 St John's College

CAMBRIDGE – REPORTS DU ZOOM

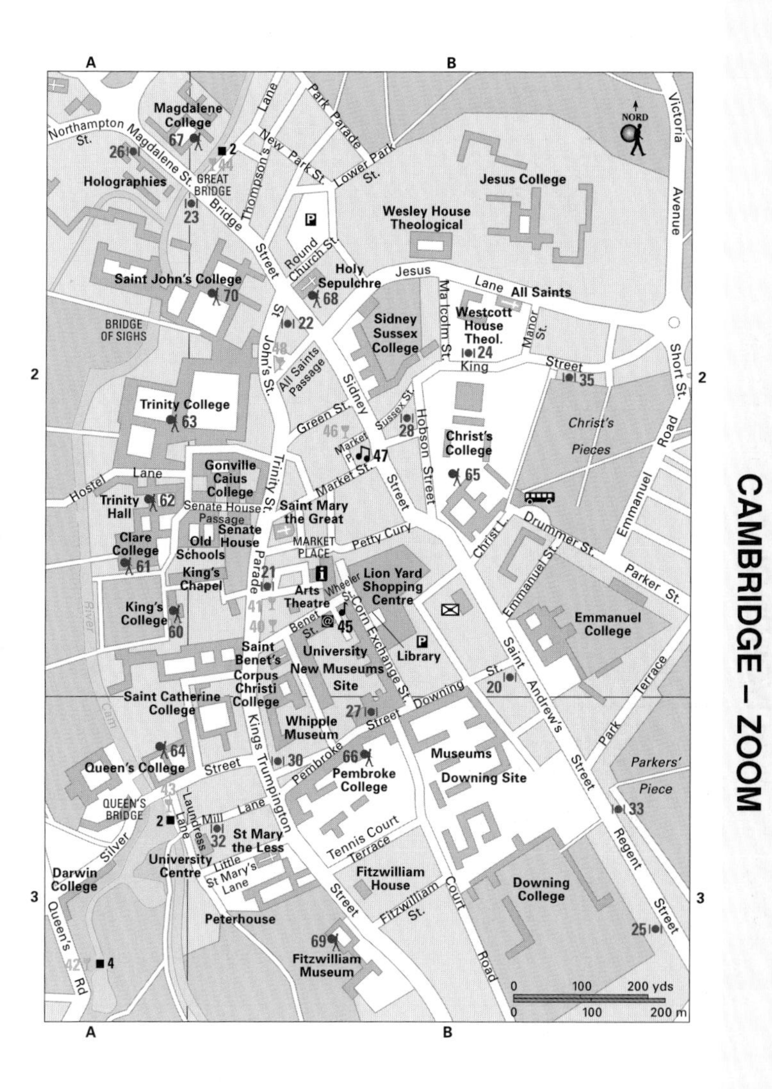

CAMBRIDGE – ZOOM

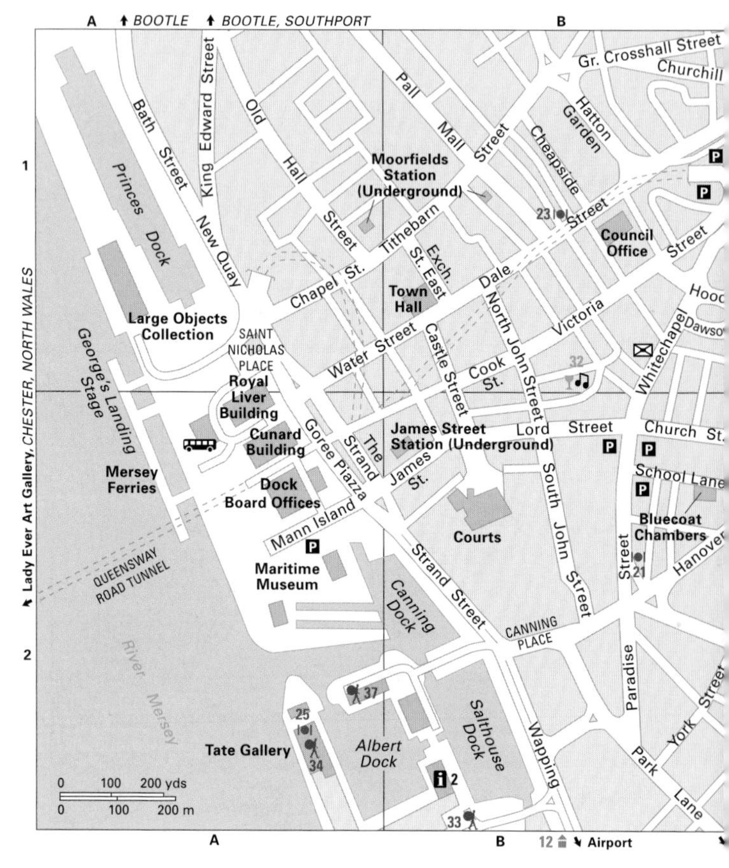
A
↑ BOOTLE
↑ BOOTLE, SOUTHPORT
B
1
2
Gr. Crosshall Street
Churchill
Bath Street
King Edward Street
Old Hall Street
Pall Mall
Street
Hatton Garden
Cheapside
Princes Dock
Moorfields Station (Underground)
23
Street
Council Office
Street
New Quay
Tithebarn
Exch. St. East
Chapel St.
Town Hall
Dale
North John Street
Victoria
Hood
Dawson
Large Objects Collection
SAINT NICHOLAS PLACE
Water Street
Castle Street
Cook St.
32
Whitechapel
George's Landing Stage
Royal Liver Building
Cunard Building
Goree Piazza
The Strand
James Street Station (Underground)
Lord Street
Church St.
James St.
South John Street
School Lane
Mersey Ferries
Dock Board Offices
Courts
Bluecoat Chambers
Mann Island
Maritime Museum
Strand Street
Street
21
Hanover
Lady Ever Art Gallery, CHESTER, NORTH WALES
QUEENSWAY ROAD TUNNEL
Canning Dock
CANNING PLACE
River Mersey
Paradise Street
37
Salthouse Dock
Wapping
25
Tate Gallery
34
Albert Dock
2
York Street
Park Lane
0 100 200 yds
0 100 200 m
33
A
B
12 Airport

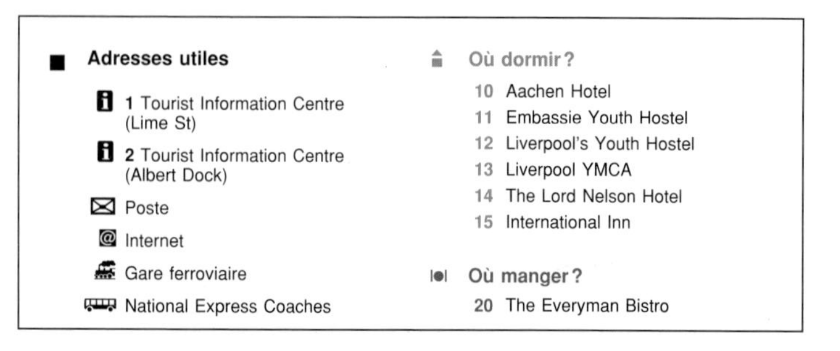
Adresses utiles
1 Tourist Information Centre (Lime St)
2 Tourist Information Centre (Albert Dock)
Poste
Internet
Gare ferroviaire
National Express Coaches
Où dormir ?
10 Aachen Hotel
11 Embassie Youth Hostel
12 Liverpool's Youth Hostel
13 Liverpool YMCA
14 The Lord Nelson Hotel
15 International Inn
Où manger ?
20 The Everyman Bistro

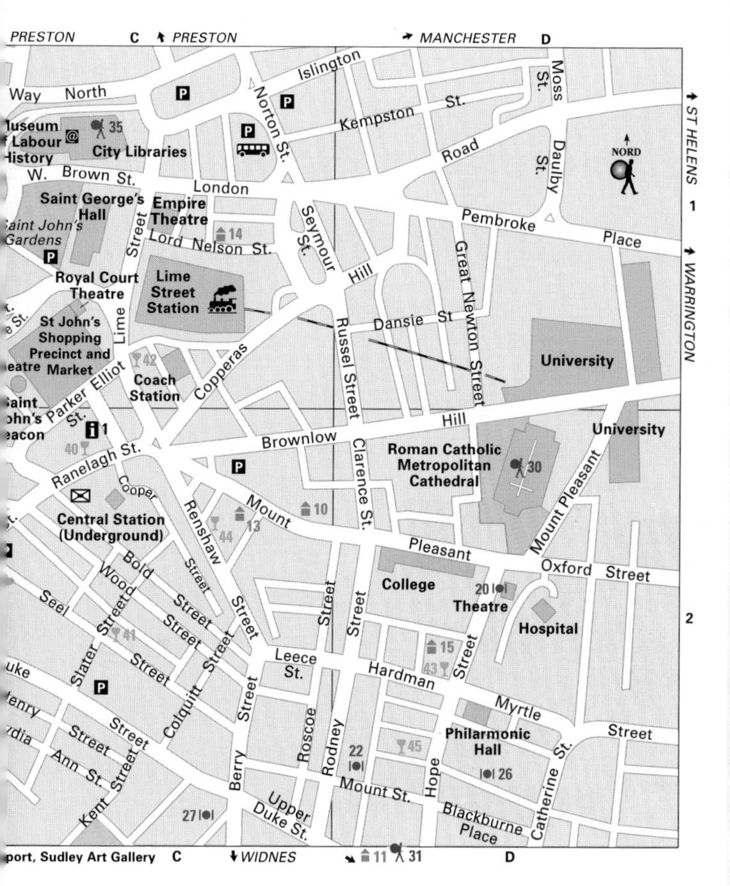

LIVERPOOL

21 Richie's Butty Bar
22 The Pilgrim
23 Vernon Arms
25 Café Tate Gallery
26 Number Seven Café
27 Chinatown

Où boire un verre ? Les pubs

40 The Central
42 The Florin and Firkin – Crown Hotel
43 The Philharmonic Pub
44 Barcelona Tapa's Bar
45 Ye Cracke

Où sortir ? Où danser ?

32 Secteur de Mathew Street Cavern Quarter
41 Jacaranda

À voir

30 Metropolitan Cathedral of Christ the King
31 Anglican Cathedral
33 The Beatles Story Experience
34 Tate Gallery
35 Walker Art Gallery
37 Merseyside Maritime Museum

cela, demandez à quelqu'un de vous déposer de l'argent en euros dans l'un des bureaux *Western Union.* Les correspondants en France sont *La Poste* (fermée le samedi après-midi, n'oubliez pas! ☎ 0825-009-898; 0,15 €/mn), le *Crédit commercial de France* (ouvert tous les jours de 9 h à 18 h, ☎ 01-40-51-28-46). En Angleterre, ☎ 0800-833-833. L'argent est transféré en moins d'une heure en Angleterre. La commission, assez élevée, est payée par l'expéditeur.

Cartes de paiement

– On peut retirer de l'argent avec une carte de paiement à certains ***distributeurs,*** mais pas à tous. *Attention,* il y a un plafond autorisé et une commission fixe à chaque retrait. Évitez de retirer 10 £ (14,80 €) tous les jours, ça finirait par vous revenir cher! Et n'oubliez pas de vous renseigner auprès de votre banque pour connaître le montant maximum autorisé de vos retraits hebdomadaires. Il vaut mieux disposer en suffisance de liquide ou de chèques de voyage.
– *Attention,* dans certaines boutiques, les ***achats par carte de paiement*** entraînent une majoration d'environ 5 % sur le prix de vente. Idem si l'on paie avec la carte dans certains *B & B.*
– La carte ***Eurocard-MasterCard*** permet à son détenteur et à sa famille (si elle l'accompagne) de bénéficier de l'assistance médicale rapatriement. En cas de problème, contacter immédiatement le : ☎ 00-33-1-45-16-65-65. En cas de perte ou de vol (24 h/24), composer le : ☎ 00-33-1-45-67-84-84 en France (PCV accepté) pour faire opposition 24 h/24 et 7 jours/7. À noter que ce numéro est aussi valable pour les cartes *Visa* émises par le *Crédit Agricole* et le *Crédit Mutuel.* • www.mastercardfrance.com •
– Pour la carte ***American Express,*** téléphoner en cas de pépin au : ☎ 01-47-77-72-00. Numéro accessible 24 h/24, 7 jours/7. PCV accepté en cas de perte ou de vol.
– Pour la carte ***Visa,*** contacter le numéro communiqué par votre banque.
– Pour toutes les cartes émises par *La Poste,* composer le ☎ 0825-809-803 (24 h/24).
– Également un numéro d'appel valable quelle que soit votre carte de paiement : ☎ 0892-705-705 (serveur vocal à 0,34 €/mn).

ACHATS

Quelques indispensables à rapporter

– *Duchy Originals :* ce sont des gâteaux, mais aussi des confitures pour maman ou du miel pour papa. L'entreprise est gérée directement par le prince Charles et tous les bénéfices sont versés à des associations caritatives. Plus d'infos sur • www.duchyoriginals.com • Fabrication écolo. Rien d'étonnant puisque il paraît que Charles aime parler aux légumes de son potager!
– Disques, gadgets culinaires et scolaires au prix du tout-venant.
– Ne pas oublier que la hi-fi est un peu moins chère qu'en France.
– Scotch et whisky traditionnels, les fameux bonbons *Quality Street* ou chocolats *After Eight,* les *toffees* bien moelleux et tout un tas de sucreries multicolores, la marmelade et le *lemon curd,* les sauces à la menthe ou barbecue (mais aussi tous les produits indiens), le thé *of course.*
– L'imperméable *Barbour :* constitué d'un col de velours côtelé et d'un coton traité avec de la cire et de l'huile; il est indémodable et inusable, mais cher.
– Les parapluies, élégants et de belle facture (grande spécialité britannique, mais fallait-il le préciser?).

– Toutes sortes d'objets originaux ou classiques et pas trop chers dans les boutiques du *National Trust*; recherchez-les pour la qualité mais aussi pour la BA; c'est une organisation publique où chacun s'associe pour préserver l'héritage britannique, sauver des châteaux, des villages, des sentiers côtiers...

Un peu de vocabulaire

En allant en Angleterre, vous vérifierez que *shopping* est bien un mot anglais.
– Au *shop assistant* qui vous demande *Can I help you?,* on peut répondre *(no), I'm just looking,* à moins qu'on ne demande sa taille : *Have you got my size (in blue)?* Pour éviter de demander *What's my size?* (prononcer « saïze »), voici quelques correspondances :
– taille 10 = 38 français = *bust 32 i* (32 inches);
– taille 12 = 40 français = *bust 34 i* (34 inches).
Et ainsi de suite, en allant comme en France de 2 en 2. Le *small,* ou petit, est notre taille 1, le *medium* est notre 2, le *large,* ou *tall,* est notre 3. (Se reporter au tableau ci-dessous.)
Marks and Spencer est réputé pour sa lingerie pas chère et de qualité; faites donc vos réserves là-bas... car il n'y a plus qu'en Angleterre que vous trouverez des magasins de cette chaîne qui a tant fait parler d'elle! Petite culotte se dit *knickers* ou *panties,* et *slip* signifie combinaison. Quand on ne dit pas *lingerie,* on dit *underwear.*

Tailles

Vêtements pour femmes

France	38	40	42	44	46
Grande-Bretagne robes	10	12	14	16	18
Grande-Bretagne pulls	32	34	36	38	40

Vêtements pour hommes (pulls et chemises)

France	39	40	41	42	43
Grande-Bretagne	15,5	16	16,5	17	17,5

Pour les pantalons, les tailles sont celles que vous connaissez sur les jeans.

Chaussures

France	37	38	39	40	41	42	43
Grande-Bretagne	4	5	6	7	8	9	10

Pour les enfants

Stature en centimètres	100	125	155
Âge	3-4	7-8	12
Stature en inches	40	50	60

Horaires des boutiques

Les boutiques sont en général ouvertes du lundi au samedi jusqu'à 17 h 30; exceptions multiples pour les épiceries qui font du non-stop de 9 h à 22 h. Les supermarchés ouvrent généralement jusqu'à 22 h, parfois 24 h/24. Pendant la période des soldes *(sales)* – de fin décembre à fin janvier et début juillet –, les magasins des quartiers commerçants sont ouverts jusqu'à 20 h, voire 21 h.
Se reporter également à la rubrique « Fêtes et jours fériés ».

BOISSONS

Les amateurs de vin seront contents : on trouve de plus en plus de *wine-bars,* mais attention, c'est cher. On trouve aussi du vin au verre dans les pubs, où l'on peut même parfois apporter sa bouteille. Que ceux qui supportent mal l'alcool demandent un *babycham,* un jus de fruits (souvent plus cher que l'alcool), ou même un café. Pour un demi, commander *half a pint* (prononcer « affepaïnte »); *a pint* (50 cl) coûte proportionnellement moins cher, mais demande un certain entraînement. *A shandy* est un panaché.
Pour les non-amateurs de bière : la *ginger ale* vous séduira peut-être. On trouve partout du cidre *(cider)* qu'on commande *dry, medium* ou *sweet,* comme le xérès *(sherry),* délicieux et pas très cher; très apprécié des vieilles dames. Essayez aussi le porto *(port).* Les alcools forts n'allégeront pas trop votre bourse non plus. Le stock de *whiskies* est impressionnant, à choisir parmi les whiskeys irlandais et les bourbons américains. Si vous aimez les liqueurs douces, goûtez le *Drambuie,* au whisky, ou l'*Irish cream,* au café. Si vous préférez les mélanges, essayez un *dry martini* (pas du tout ce que vous attendez) ou une *vodka and lime* (prononcer « laïme ») pour faire anglais. Au pays de Galles, goûtez le *chwisgi,* un whisky local. Autrement, en été, autour d'un BBQ ou dans les hauts lieux aristocratiques, on sirote un *Pimm's* (rien à voir avec les gâteaux), boisson créée en 1820 par Mr Pimm, mélange tonique à base de quinine et d'herbes, très rafraîchissant!
Dans toutes les grandes villes, des *coffee bars* proposent une variété de cafés italiens : espresso, cappuccino... Pas toujours réussis mais salvateurs pour les accros à la caféine et les Anglais de plus en plus friands de café. Tout change! Si vous venez pour déguster le fameux thé anglais, vous risquez d'être déçu : Twinings et Lipton sont passés par là et il est difficile de boire du thé autrement qu'en sachet. Les Anglais en consomment à toute heure, servi dans des *mugs,* avec un nuage de lait (relire ses classiques, à savoir *Astérix chez les Bretons* !). Il serait dommage de quitter ce pays sans sacrifier au rituel du *tea time,* dans un salon de thé. Moment assez magique et délicieux, avec les *scones* recouverts d'une épaisse couche de *clotted cream* et marmelade, les *muffins* et les *crumpets.*

Conseils du même tonneau (de bière)

Bon, maintenant un petit topo sur les bières britanniques, mais accrochez-vous bien car ce n'est pas simple. Il y a trois sortes de bières :
– ***la bière en bouteille.*** *Light* ou *pale ale :* bière blonde qui est un peu la boisson nationale; *brown ale :* bière brune, mais douce; *stout :* très sombre. La *strong lager* se sert aussi en bouteille.
Le mot *ale* n'a rien à voir avec « servi en bouteille » ou « à la pression ». Il désignait autrefois une bière sans houblon. Actuellement, *ale* et *beer* désignent la même chose. Même si vous n'aimez pas la bière en France, goûtez ce nectar qu'est le *real ale.*
– ***La bière tirée au tonneau,*** *draught,* à la pompe traditionnelle, servie à la température ambiante. La *bitter,* blonde amère, est sans conteste la plus populaire, la *pale ale* est plus douce. La *mild* est un peu sucrée et brune. La *porter* se range ici mais, en dehors de Dublin, vous aurez du mal à en trouver.
– ***La bière à la pression,*** ou *keg,* en général blonde, gazeuse, et servie froide. On trouve aussi des *lager* qui correspondent à la bière française, et des *stout* (par exemple la fameuse *Guinness*) en bouteille et à la pression. Selon Gault et Millau, la *Whitbread Gold Label* a le privilège d'être la plus forte bière anglaise. Il s'agit en fait d'un « barley wine », ou vin d'orge non pasteurisé, autrefois destiné à l'exportation vers la Sainte Russie : le long voyage et les rudes hivers justifiaient le degré alcoolique exceptionnel de ces bières (plus de 10°).

Les pubs

De tradition typiquement britannique, le pub est le lieu de rencontre par excellence. On y vient avec ses collègues, ses amis, ou tout simplement en famille pour y passer un joyeux moment de détente et de discussion. En général, le pub offre plusieurs salons dont les différences sont de moins en moins sensibles : *public bar, lounge bar, saloon bar, private bar* (ce dernier est réservé à un club). On pratique une activité tellement peu française dans les pubs que le mot n'existe même pas dans notre langue : on « socialise ».
On parle de tout et de rien dans une extraordinaire atmosphère de fusion des classes. Ici, on laisse son origine sociale au vestiaire et on fraie avec l'ennemi. Au coude à coude, vous trouverez le *cockney* (titi londonien), le jeune cadre gominé, l'ouvrier lisant *Tribune* (journal de la gauche du *Labour Party*), la dactylo enjouée et... le touriste français, l'air béat de celui qui découvre une autre façon de vivre.

Un peu d'histoire

Cercles paroissiaux durant le Moyen Âge, lieux de réunion des ouvriers qui commencent à se syndiquer au XIXe siècle, les pubs ont souvent conservé leur vitrine en verre dépoli, de vieilles boiseries noircies et patinées, des lumières faiblardes comme au temps de la bougie et de beaux cuivres.
Les amateurs perspicaces remarqueront que certains noms de pubs reviennent souvent. Parmi ceux-ci, *King's Head* en souvenir de Charles Ier que Cromwell fit décapiter, *Red Lion* qui rappelle les guerres coloniales, *Royal Oak* qui commémore la victoire de Cromwell sur Charles II (qui se réfugia sur un chêne !). Fin de l'intermède culturel.
La vague de modernisme a frappé durement et les *posh-pubs* (littéralement : pubs luxueux) se sont multipliés. Des propriétaires peu respectueux du passé ont remplacé la patine du temps, la sciure, les vieilles pompes à bière à manche de porcelaine par du clinquant, faux acajou, velours rouge, cuivre et barmen impec. Évidemment, les comportements ne sont plus les mêmes dans un environnement aussi moderne, et l'âme du pub a, dans ce cas, bel et bien trépassé. Les pubs que nous indiquons ont tous quelque chose qui les distingue de la masse. Cadre authentique, atmosphère originale, bonnes bières, tenanciers hors du commun, situation géographique, bouffe correcte et pas chère, musique... Parfois presque tout à la fois. Vous en trouverez encore avec des compartiments à porte ou des boxes, afin que les dames boivent sans honte, d'autres avec des tableaux à numéros au-dessus du comptoir qui indiquaient quelles tables ou quels boxes étaient assoiffés lorsque le consommateur tirait sur un cordon.

Horaires d'ouverture

Les pubs sont ouverts de 11 h à 23 h (22 h 30 le week-end) et, depuis 2001, un certain nombre peuvent rester ouverts plus tard, moyennant l'octroi d'une licence. La Grande-Bretagne perd là encore une de ses particularités. Un projet de loi prévoit même l'autorisation d'ouvrir 24 h/24 !
Jusqu'à la Première Guerre mondiale, les pubs étaient ouverts l'après-midi. Les ouvriers, qui n'avaient jusque-là connu que la pauvreté la plus abjecte, pour la première fois de leur vie, gagnèrent un peu d'argent, à cause de la fabrication d'armes en masse. Profitant de cette aubaine, ils allèrent au seul endroit procurant du plaisir à cette époque : le pub. Ils prirent l'habitude d'y rester la plus grande partie du week-end et d'être complètement « raides » le lundi matin. Le gouvernement alors légiféra, achetant tous les pubs (les nationalisant) et les frappant d'heures réglementaires. Résultat : les Britanniques devinrent le peuple le plus rapide du monde pour ingurgiter des quantités impressionnantes de bière en un temps record !

Le gouvernement prit également le contrôle de la bière et engendra les lois de licence *(licensing laws),* encore en application et que les étrangers trouvent si bizarres. Le contrôle des pubs par l'État dura jusqu'aux années 1970, où ils furent revendus à des particuliers.

Pubs et coutumes

Outre le fait que l'on boive souvent sa bière sur le trottoir quel que soit le temps, les Anglais pratiquent beaucoup le *pub crawling.* Lorsqu'ils sortent à plusieurs, le premier paie une tournée dans un premier pub, le deuxième en paie une autre dans un pub différent et ainsi de suite.
Règle n° 1 dans tout pub qui se respecte : on va directement chercher sa consommation au comptoir et l'on paie de suite. Pas de contestation de fin de beuverie sur le nombre de tournées à payer : sitôt reçu, sitôt payé! Quand le gosier est de nouveau à sec, il faut retourner au bar pour commander. Ne restez pas assis, vous pourriez attendre longtemps votre verre!
Par tradition, et sûrement par goût, les hommes commandent toujours une *pint* (un demi-litre) et les femmes *half a pint* parce que « it's more socially acceptable », mais on ne les empêche pas d'en commander deux fois plus. C'est ça aussi, l'égalité des sexes!
Entre 14 et 18 ans, admission à la discrétion du patron (ils arrivent à faire la différence), mais interdiction cependant de consommer des boissons alcoolisées. En dessous, *sorry,* pas d'admission, même en compagnie des parents. Exception faite pour les *family pubs* qui indiquent clairement « children welcome » dès l'entrée.

BUDGET

Se loger en Angleterre écorne sérieusement un budget vacances, même si l'on trouve encore des adresses relativement abordables dans les petites villes et à la campagne.
Les *B & B* restent la manière la plus agréable et la plus conviviale pour découvrir le *British way of life.* Parfois vieillots ou décorés façon Laura Ashley du sol au plafond, ils restent toujours charmants. Si l'on veut un peu plus de confort, on s'arrêtera dans les *guest-houses* pour partager la table des hôtes. Les hôtels sont relativement plus chers, sauf s'il s'agit de chambres au-dessus des pubs.

Hébergement

– ***Vraiment bon marché :*** par personne, compter moins de 15 £ (22,20 €). Dortoirs. Et propreté très variable tant en AJ qu'en *Backpackers Hostels.*
Sinon, 4 catégories : ces prix correspondent à celui d'une chambre double, petit déjeuner compris.
– ***Bon marché :*** moins de 40 £ (59,20 €).
– ***Prix moyens :*** de 40 à 60 £ (59,20 à 88,80 €).
– ***Plus chic :*** de 60 à 80 £ (88,80 à 118,40 €).
– ***Vraiment plus chic :*** plus de 80 £ (118,40 €).

Restaurants

Nous avons classé les restaurants en 4 catégories : ces prix correspondent à un repas pour une personne avec entrée, plat et dessert, sans la boisson. Pour les fauchés, ne pas hésiter à faire le plein dans les supermarchés.
– ***Bon marché :*** moins de 8 £ (11,80 €).
– ***Prix moyens :*** de 8 à 15 £ (11,80 à 22,20 €).
– ***Plus chic :*** de 15 à 20 £ (22,20 à 29,60 €).
– ***Très chic :*** plus de 20 £ (29,60 €).

CLIMAT

De tous les pays situés sous la même latitude, c'est la Grande-Bretagne qui a, dans l'ensemble, la température la plus égale. Comme on l'imagine, celle-ci est rarement torride. Les mauvaises langues prétendent qu'il n'y a ici que deux saisons, celle du parapluie et celle de l'imperméable. Les chutes de pluie à Londres restent inférieures à 604 mm pour l'année entière (525 mm à Paris) et elles ne sont que légèrement supérieures à Édimbourg. Cependant, cirés ou grandes capes de pluie seront parfois plus appréciés que le K-way. Prévoir également petites laines et chaussures de demi-saison.
En été (juin-août), la moyenne des températures maximales atteint près de 21 °C dans la majeure partie du sud-est de l'Angleterre ; elle est d'environ 15 °C dans les régions les plus lointaines du nord et du nord-ouest de l'Écosse. Au printemps et pour les vacances de Pâques, le temps est souvent clément, frais mais sec, et la campagne superbe.

CUISINE

– Les heures des repas ne sont pas les mêmes qu'en France. Il est en effet parfois difficile de se faire servir un dîner après 19 h dans les petites villes et 22 h dans les grandes. Dans les petites villes, il est également conseillé de prendre son déjeuner avant 14 h, sous peine d'être réduit à manger ses derniers biscuits. Cependant, dans beaucoup de pubs, des sandwichs, pizzas et autres snacks sont servis toute la journée.
– Le *full English breakfast* (petit déjeuner traditionnel) comprend le plus souvent un plat de *cereal* (*corn flakes,* muësli) ou de *porridge* (bouillie d'avoine au lait) et un jus de fruits. Viennent ensuite, le plus souvent au choix, des œufs, du bacon, des saucisses, des *baked beans* (haricots en sauce) *on toast,* parfois des champignons ou du poisson (du *kipper* ou du *haddock*). Enfin, pour terminer, des toasts beurrés et accompagnés de marmelade d'orange. Comme boisson, thé ou café au lait. Avec un tel bombardement au lever, on peut même oublier le déjeuner ! Cela dit, il semblerait que les Anglais ne soient plus que 10 % à préparer ce véritable repas quotidiennement. Mais le week-end, la tradition demeure dans de nombreuses familles.
– Les célèbres ***fish and chips*** permettent de manger sur le pouce pour vraiment pas cher, même si parfois ça sent un peu le graillon.
– Les supermarchés sont aussi une solution très pratique si vous fréquentez les campings ou les AJ (on peut y faire sa cuisine).
– Dans les boulangeries, voyez les *rolls* fourrés pour trois fois rien et les *pies* (tartes salées) à la viande ou aux légumes.
– Les ***pubs,*** bien sûr, pour déguster leur *pub grub* traditionnel (littéralement « boustifaille ») : à midi, on trouve presque toujours au menu la *soup of the day,* les *jacket potatoes* (grosses pommes de terre garnies au choix) et une variété de sandwichs. C'est d'ailleurs un Anglais, sir John Montagu, comte de Sandwich, qui est à l'origine du mot. En 1762, refusant d'interrompre une partie de carte, il se fit servir de la viande froide et du fromage entre deux tranches de pain, de manière à ne pas se salir les mains, ni à graisser les cartes. Dans les pubs, ils servent aussi des plats très bons et abordables, dont le *ploughman's lunch* (plusieurs fromages servis avec du pain frais, des oignons, du *chutney* et de la salade) et le *shepherd's pie* (hachis parmentier). Partout vous trouverez des saucisses et *mashed potatoes* (ces dernières accompagnent quasi tous les plats). Le dimanche, essayez également le *Carvery lunch* ou le *roast dinner* traditionnels, avec du *roast beef* ou d'autres viandes rôties, des *roast potatoes,* divers légumes généralement très peu cuits et parfois du *Yorkshire pudding.*
– Les ***restaurants chinois et japonais*** pratiquent des prix relativement modérés. Ils offrent une cuisine de qualité inégale, comme partout, mais les

meilleurs d'entre eux sont dignes d'éloges. Ils présentent l'avantage d'avoir des horaires d'ouverture plus souples.
– Il serait criminel de passer du temps au Royaume-Uni sans avoir goûté la ***cuisine indienne*** (ou pakistanaise). C'est une cuisine épicée – dans le sens riche en épices et non pas « arrache-gueule » –, qui permet de faire un bon repas pour pas trop cher. Le poulet *tandoori,* mariné dans du jus de citron et cuit au four, recouvert d'épices rouges, est une valeur sûre, de même que les currys, les riz safranés ou basmati, mais aussi les différentes galettes de pain (*naan, papadam* et *chapati*) et bien sûr les plats de légumes.
– Il ne faut pas oublier qu'en Grande-Bretagne, les deux choses les plus importantes (avant le football et la musique) sont la famille royale et les animaux. En conséquence, 10 % de la population est ***végétarienne.*** Certes, il est admis qu'au Royaume-Uni on ne sait pas faire cuire la viande, mais en ce qui concerne les légumes et les épices (héritage des anciennes colonies indiennes), ils peuvent en apprendre aux fins gourmets. D'ailleurs, les restaurants proposent systématiquement un menu végétarien – généralement moins cher.
– La vraie cuisine britannique, vous la connaîtrez en famille ou en commandant le dîner au ***B & B.*** Un repas traditionnel se compose d'une viande préparée en cocotte accompagnée de *greens,* avec une prédilection pour les pois étrangement verts et le *cabbage* (chou), *and potatoes* arrosés avec la sauce de la viande *(gravy).* Il est précédé de soupe ou d'une *pie* et invariablement suivi d'un dessert cuisiné, parfois abominable – la *jelly* multicolore qui entre dans la composition du *trifle* – mais généralement délicieux : *apple-pie and custard* ou *clotted cream, crumble, chocolate cake, carrot-cake,* glaces... Ah ! nous allions oublier le *cheese-cake* dont la base est du biscuit sur lequel on ajoute une sorte de mousse au fromage blanc et à la crème, recouvert d'un coulis de fruits. Hmm !
Nous reprochons généralement aux Britanniques de trop aimer le bouilli (jamais de viande saignante, qui se dit *underdone*) et des associations qui nous semblent étranges, style sauce à la menthe ou aux pommes sur du salé. La *Cumberland sauce* (orange, citron, poudre de moutarde, gingembre, vin rouge, porto et gelée de groseille) pourra aussi vous effrayer. Essayez sans préjugé : vous reviendrez conquis mais lesté par l'abus de sucreries. Un autre grand classique qui revient à la mode : le *Lancashire hot pot.* Tenez-vous bien : côtelettes d'agneau aux rognons, huîtres et champignons. Détonnant non ?
– Dans les familles où l'on prend le *tea* ou *high tea* à la place du dîner, on vous fera goûter une lente torture délicieuse, allant des *crumpets, buns* et *scones,* aux gâteaux crémeux. Sans oublier les fameux *cucumber sandwichs.*
– Le fromage (généralement à pâte cuite) existe bien, on vous le servira... après le dessert. Essayez le cheddar ou mieux, le *stilton* en sirotant un verre de porto (mais oui !) et accompagné d'une branche de céleri.
– Au pays de Galles, on vous proposera quelques spécialités comme le *cawl cennin,* une épaisse soupe de poireaux, ainsi qu'une soixantaine de variétés de *buns* (commençant toutes par le mot *bara*). Une autre spécialité est le *Welsh Rarebit,* du fromage fondu dans la bière mélangé à du beurre et de la moutarde et passé au four.
Même si la cuisine anglaise a beaucoup évolué ces dernières années (quelques excellents chefs comme Jamie Oliver et sa *Rock'n'roll cuisine* aux éditions Hachette Pratique et de fameux œnologues commencent à faire parler d'eux), les Britanniques ne se font guère d'illusions sur leur potentiel gastronomique. Une blague circule sur le paradis, version Europe : c'est un endroit où l'accueil est confié aux Anglais, la cuisine aux Français, l'organisation aux Allemands et la rigolade aux Italiens. Et l'enfer ? L'accueil y est confié aux Français, la cuisine aux Anglais, la rigolade aux Allemands et l'organisation aux Italiens.

DANGERS ET ENQUIQUINEMENTS

– ***Drogue :*** les Britanniques ne sont pas vraiment coulants avec ce genre de pratique. Si vous vous faites prendre avec de la drogue, qu'importe que vous ne soyez pas sujet de Sa Majesté, vous serez soumis aux lois du pays. Vous encourrez une peine de prison allant de 5 à 14 ans.
– Ne pas se trimbaler avec une ***bombe lacrymogène*** dans sa voiture ou, à plus forte raison, sur soi. Ici, c'est un délit et vous risquez la prison et une amende pour port d'arme dangereux : c'est arrivé à une lectrice ; la police n'a pas été tendre avec elle. À bon entendeur...

DÉCALAGE HORAIRE

La Grande-Bretagne est à l'heure du méridien de Greenwich (quoi de plus normal ?) de fin octobre à fin mars, puis GMT + 1. Pendant ce temps en France, il est GMT + 1, puis GMT + 2. En clair, on a toujours 1 h d'avance sur eux. Ce n'est pas qu'ils veulent nous embêter à tout prix, mais leur ouest est vraiment plus à l'ouest. Qui parle d'un pur esprit de contradiction ?

DROITS DE L'HOMME

Publié en janvier 2004, le rapport – très controversé – du juge Hutton a finalement totalement blanchi Tony Blair de sa responsabilité dans le suicide de David Kelly. Cet expert en armement et informateur de la BBC dans le dossier des armes de destructions massives (ADM) s'était donné la mort en juillet 2003, à la suite d'une polémique opposant la radio-télévision publique au gouvernement qui la sommait de divulguer ses sources. Depuis, le directeur de la BBC, jugé responsable par le juge Hutton d'avoir diffusé des « allégations mensongères », a démissionné, et tout serait rentré définitivement dans l'ordre pour le Premier ministre, si les scandales concernant l'engagement militaire en Irak ne s'étaient multipliés. En effet, le 26 février 2004, Claire Short, ex-ministre du gouvernement Blair, a affirmé à la BBC que les services de renseignements britanniques avaient mis sur écoute des hauts responsables de l'ONU, dont le secrétaire général Koffi Annan. Par ailleurs, des allégations d'abus à l'égard de prisonniers irakiens ont été confirmées par Amnesty, qui a également fait état d'assassinats de civils par les troupes britanniques en Irak, dans un rapport publié en mai 2004. L'organisation fait en outre état d'informations selon lesquelles des membres de l'armée de sa Gracieuse Majesté basés au Kenya se seraient rendus coupables de centaines de viols sur des Kenyanes depuis au moins 35 ans (rapport annuel 2004). Sur le territoire britannique, les atteintes aux droits fondamentaux se sont également multipliées depuis l'adoption de mesures sécuritaires liées aux attentats du 11 septembre 2001. La « loi relative à la sécurité » a notamment été très critiquée par la FIDH, qui a saisi en 2002 le Comité pour l'élimination de la discrimination raciale de l'ONU. En décembre 2003, un comité composé de membres du « Conseil privé » de la couronne a recommandé l'abrogation immédiate des dispositions prévoyant la détention des étrangers pendant une durée illimitée. Liberty, affiliée à la FIDH en Grande-Bretagne, s'inquiète en outre des menaces qui pèsent sur la liberté d'expression et de réunion, et est en outre préoccupée par les nouveaux projets de lois en matière d'immigration. Les conditions d'entrée et de demande de l'asile politique avaient déjà été restreintes par une loi sur l'immigration entrée en vigueur en janvier 2003, et dont certaines mesures ont été jugées incompatibles avec la Convention européenne des Droits de l'homme, récemment incorporée dans le droit britannique. Selon certaines associations, ces mesures ont avant tout pour but de satisfaire un électorat de plus en plus gagné par un sentiment xénophobe. Sans atteindre les scores obtenus par son homologue d'outre-manche le « Froggie National », le British National Party (BNP) a en effet encore progressé lors des euro-

péennes de juin 2004. Mais c'est surtout la percée du United Kingdom Independence Party (UKIP), qui a fait le plein des voix à cette occasion. Europhobe, et au discours volontiers hostile à l'immigration, ce parti est aujourd'hui devenu la troisième force politique du pays. Enfin, un projet de loi est à l'étude pour lutter contre la violence domestique, responsable en moyenne du décès de huit femmes chaque mois en Grande-Bretagne.
Pour en savoir plus, contactez :

■ ***Fédération internationale des droits de l'homme (FIDH) :*** 17, passage de la Main-d'Or, 75011 Paris. ☎ 01-43-55-25-18. Fax : 01-43-55-18-80. • www.fidh.org • fidh@fidh.org • Ⓜ Ledru-Rollin.

■ ***Amnesty International*** *(section française)* **:** 76, bd de la Villette, 75940 Paris Cedex 19. ☎ 01-53-38-65-65. Fax : 01-53-38-55-00. • www.amnesty.asso.fr • info@amnesty.asso.fr • Ⓜ Belleville ou Colonel-Fabien.

N'oublions pas qu'en France aussi les organisations de défense des Droits de l'homme continuent de se battre contre les discriminations, le racisme et en faveur de l'intégration des plus démunis.

ÉCONOMIE

Avec un PIB de 1 460 milliards de US$ en 2002, soit 24 700 US$ par habitant, le Royaume-Uni se trouve bien sûr dans le clan très fermé des membres du G8, le club des pays les plus riches du monde. La richesse n'est toutefois pas équitablement répartie, loin de là. Onze années de thatchérisme ont laissé le secteur de la santé et des équipements collectifs en piteux état et le dynamisme de la City ne peut masquer le marasme du Nord, toujours en pleine reconversion industrielle douloureuse. Les Anglais attendaient beaucoup de l'arrivée des travaillistes avec Tony Blair en 1997, notamment pour les services publics et le secteur de la santé. Pas mal de mesures ont été prises dans ce sens, en augmentant notamment les impôts, mais les Anglais attendent toujours les résultats.
Principales activités : banque et finance, acier, équipements pour le transport, pétrole et gaz, tourisme.
Principaux partenaires : Union européenne et États-Unis.

ÉLECTRICITÉ

240 V. Les prises sont différentes, plus grosses et toutes munies de fusibles. Adaptateurs peu encombrants, assez faciles à trouver. En acheter sur les bateaux pendant la traversée ou à l'aéroport.

FÊTES ET JOURS FÉRIÉS

Fêtes et festivals

– ***Llangollen International Musical Eisteddfod :*** mi-juillet. Célébration de l'âme galloise à Llangollen (pays de Galles). Musique, concerts et animation de rues.
– ***Courses de chevaux d'Ascot (Berkshire) :*** à Ascot ! Fin juillet principalement, pour le « Diamond Day », la course préférée de la reine.
– ***Bath Literature Festival :*** début mars. • www.bathlitfest.org.uk • Tous les plus grands écrivains anglo-saxons y sont passés ou y passeront.
– ***Oxford and Cambridge Boat Race :*** le 1er samedi d'avril à Londres. • www.theboatrace.org • La fameuse course d'avirons entre les universités

mythiques et rivales du nord de la capitale. Départ de Putney Bridge et arrivée avant Chiswick Bridge.
– ***Brighton Festival :*** 3 semaines en mai. • www.brighton-festival.org.uk • L'un des plus grands festivals d'art en Angleterre. Parades, pièces de théâtre, concerts de musique.
– ***Trooping the Colour :*** le 14 juin à Londres. La garde royale se plie en quatre et brique ses lustres pour fêter l'anniversaire de la reine.
– ***Newcastle Hoppings :*** la dernière semaine de juin. La plus grande fête foraine d'Europe.
– ***Cardiff Festival :*** en juillet et août. Toutes les musiques sont célébrées, du jazz au folk en passant par la pop.
– ***Sidmouth Festival :*** une semaine autour du 1er vendredi d'août. • www.sidmouthfestival.com • Rassemble tous les amateurs de musique folk, rock, mais aussi world. Très prisé dans tout le sud-ouest.
Et puis dans chaque ville, vous trouverez d'autres fêtes et festivals.

Jours fériés *(Bank holidays)*

1er janvier *(New Year's Day),* Vendredi saint *(Good Friday),* lundi de Pâques *(Easter Monday),* 1er lundi de mai *(May Day),* dernier lundi de mai *(Spring Bank Holiday),* avant-dernier week-end de juin (anniversaire de la reine), dernier lundi d'août *(Summer Bank Holiday),* 25 décembre *(Christmas Day)* et 26 décembre *(Boxing Day).*
Les administrations sont fermées, les transports fonctionnent au ralenti. La plupart des musées ferment.

GÉOGRAPHIE

L'île par excellence : l'insularité est le propre de la Grande-Bretagne, tant du point de vue géographique qu'humain. 1 000 km du nord au sud, aucun point à plus de 120 km d'une côte, d'où un climat océanique humide qui assure une bonne alimentation des rivières et procure aux herbages ce vert incomparable. Une très grande variété de paysages, des vieux massifs cambriens des monts Pennine ou du pays de Galles aux littoraux rocheux (Cornouailles), découpés profondément et pénétrés par des bras de mer aux larges estuaires, comme celui de la Tamise. La plus grande partie de la population (urbanisée à 92 %) se concentre dans le sud, qualifié de « jardin de l'Angleterre », là où on trouve les sols les plus productifs. Au sud, également, des côtes plus rectilignes bordées de falaises calcaires et qui ont donné à l'Angleterre le surnom d'Albion (du latin *albus,* blanc). En dehors de l'Écosse, le point culminant est le mont Snowdon avec 1 085 m.

HARRY POTTER

On peut affirmer sans trop se mouiller que tout le monde a entendu parler de Harry Potter, héros d'une saga romanesque dont les livres ont été vendus à plus de 250 millions d'exemplaires et traduits en 60 langues. L'histoire est d'autant plus belle que l'écrivain, J.-K. Rowling, semble elle-même tout droit sortie de la légende de Cendrillon. Jeune mère célibataire au chômage, c'est dans les brumes d'un pub d'Édimbourg que lui est apparu le célèbre petit magicien (comme quoi, les pubs servent à tout !). Elle est aujourd'hui plus riche que la Reine d'Angleterre *herself.* Les films ont suivi, élargissant encore le public amateur de Quidditch, et les lieux de tournage se sont transformés en lieux de pèlerinage. Alors profitez de votre voyage en Angleterre pour faire un peu mieux connaissance avec le monde merveilleux de Harry Potter...

À Londres

– ***La gare de King's Cross.*** C'est là que se situe le fameux quai « 9-3/4 ». Le véritable mur en arc brisé se trouve entre les quais 4 et 5. La banque de Gringotts est en réalité « l'Australian High Commission ». Fermée au public mais on peut en avoir un aperçu à partir de Melbourne Place. ***Charing Cross Road*** s'est transformé pour l'occasion en Chemin de Traverse, où les magiciens font leurs emplettes.
– ***Le terrarium pour reptiles*** au zoo de Londres est l'endroit où Harry libère un python, flanquant une frousse mémorable à Dudley.

À Gloucester

– ***La cathédrale gothique.*** Ouverte de 7 h 30 à 18 h. Quelques scènes ont été filmées dans le cloître dont les fondations datent de 681. Tout d'abord l'entrée vers la salle commune de Gryffondor, la « maison » de Harry, Ron et Hermione, gardée par la Grosse Dame. Et puis la scène de l'inondation du couloir dans *La Chambre des Secrets.* C'est aussi là que se manifeste le fantôme de Mimi Geignarde.

À Oxford

– ***Le Christ Church College*** a été le décor de l'arrivée des premières années avec le Pr. Mc Gonagall.
On peut visiter vers 10 h 30 le réfectoire qui date de 1529 et qui compte 300 couverts. Une copie en a été construite dans les studios Leavesden car il ne pouvait contenir que 3 tablées alors que les *Harry Potter* en nécessitent 4 pour représenter Gryffondor, Serpentard, Serdaigle et Poufsouffle.
– ***La bibliothèque Bodleian*** (7 millions de livres) a servi de modèle pour réaliser les escaliers mobiles des films et les scènes de l'infirmerie ont été shootées à l'intérieur de la « Divinity School ».
Accessoirement, Christ Church doit sa réputation à Lewis Carroll, professeur de mathématiques.

À Lacock

Bourgade médiévale du Wiltshire qui a vu naître Taalbot, pionnier de la photo, éclipsé désormais par Dumbledore, dont le bureau a été installé dans l'abbaye. L'ancienne salle capitulaire du cloître recèle le miroir du Risèd que Harry découvre dans *L'École des sorciers.*

Ailleurs en Angleterre

– Les vues extérieures de Poudlard et les parties de Quidditch ont été réalisées dans le nord de l'Angleterre à ***Alnwick Castle.*** Le château est ouvert aux visiteurs au printemps et en été.
– Les scènes du Poudlard Express ont été jouées dans un train touristique dans le ***« North York Moors National Park »,*** l'une des lignes historiques de chemin de fer à vapeur. La gare de Pré-au-Lard est celle de ***Goathland,*** qui n'a pas changé d'un iota depuis son ouverture en 1865.
– ***Virgina Water,*** petit village du XVIIIe siècle, dans le Surrey, a été le décor des scènes de lac lorsque Harry lance son fameux *« Expecto Patronum »* pour éloigner un Détraqueur.
– Connu comme le village du poète Coleridge, ***Oterry St Mary*** (ville jumelée avec Pont-l'Evêque en France !), dans le Devon, a été transformé en Ottery St Catchpole, le lieu d'habitation des Weasley.
– Pour voir la chouette Hedwige, compagne de Harry, rendez-vous à la ***Mary Arden's House,*** à 3 miles de Stratford-upon-Avon. Par la même occa-

sion, vous pourriez aller à la rencontre de cet autre écrivain, sir William, qui nous a aussi légué quelques écrits pas mal du tout !
Le phénomène Harry Potter devant se décliner en 7 tomes, l'Angleterre va certainement voir s'embraser le « tourisme magique ». *Lumos !*
Les sites • www.beyondboundariestravel.com • et • www.britishtours.com • proposent des « Harry Potter tours ».

HÉBERGEMENT

Avant tout, il faut savoir qu'une chambre *en-suite* est une chambre avec salle de bains.

Les auberges de jeunesse *(youth hostels)*

La Grande-Bretagne fait partie des pays qui détiennent le record mondial de densité des AJ. Toujours (relativement) propres et confortables, celles-ci sont souvent situées dans de grandes maisons bourgeoises, voire des châteaux. Pour ces dernières, comptez sur nous, on les mentionne. Les AJ acceptent les automobilistes, mais les marcheurs et les cyclistes ont priorité. La carte internationale des AJ est conseillée, sinon, vous paierez un supplément. Limite de séjour : 4 jours consécutifs, sauf dans certaines AJ qui proposent des séjours à la semaine et même des bungalows pour les familles. Hébergement en dortoirs ; avis aux amoureux (et aux autres), pas de dortoirs mixtes. Possibilité de faire sa cuisine (matériel fourni, parfois même quelques provisions). Le sac de couchage est toujours interdit, mais les AJ anglaises et galloises fournissent le sac à viande pour le prix de la nuitée.
Les tarifs varient de 2 à 3 £ (3 à 4,40 €) selon des critères qui nous échappent. Supplément pour ceux qui ne possèdent pas la carte de membre. L'été, supplément pour tous (charmant !). L'avantage, c'est la propreté et la sécurité, pas les prix. La plupart des AJ restent ouvertes dans la journée, ce qui est bien pratique pour faire une sieste quand on s'est couché tard. Chambres de 3 ou 4, parfois plus. Demander s'il y a des doubles, ça arrive. Pour les gens seuls, l'AJ représente la meilleure solution. Les prix oscillent entre 12 et 18 £ (17,80 à 26,60 €) par personne, sans le petit dej'.
Pour plus d'infos sur la FUAJ en France, en Belgique et en Suisse, voir plus haut la rubrique « Carte FUAJ internationale des auberges de jeunesse ».
En Angleterre :

■ ***Central Booking Office YHA :*** Trevelyan House, Dimple Rd, Matlock, Derbyshire, DE4 3YH. ☎ 0162-959-26-00. • www.yha.org.uk • Chaque *youth hostel* dispose d'un numéro de téléphone commençant par « 0870 » et d'un numéro traditionnel. Deux numéros, donc, pour chaque AJ !

Les *backpackers hostels*

Nouvelle génération d'auberges de jeunesse indépendantes, parfois citadines, souvent liées à des activités sportives, et organisées en dortoirs *(bunkhouses)*, mais aussi quelquefois en chambres doubles ; la carte de membre n'est pas requise et les réglementations sont moins contraignantes. Généralement, accueil très relax, mais aussi parfois un certain laisser-aller question propreté ; bref, qualité très variable. Un guide des *Independent Hostels* (payant, environ 4 £, soit 5,90 €) peut être obtenu en écrivant à : Backpackers Press Rockview Cottages, Matlock Bath DE4 3PG. ☎ et fax : (01629) 58-04-27.
Prix : les *AJ officielles* coûtent entre 10 et 14 € par personne, les *AJ indépendantes* entre 13 et 19 €.

Les *YMCA* et *YWCA*

D'obédience chrétienne, ce sont des foyers de jeunes travailleurs qui ont souvent quelques chambres pour les hôtes de passage. Plus impersonnels que les AJ et surtout plus chers. Certaines *YMCA* pratiquent les mêmes prix que les *Bed & Breakfast*.
Prix variant entre 23 et 40 € par personne.

Les *homes* universitaires

Une formule intéressante pendant les vacances scolaires si l'on est étudiant. Prix souvent inférieur à 13 € si l'on dispose de son propre sac de couchage. S'y prendre à temps pour réserver sur les prestigieux campus d'Oxford ou de Cambridge.

Les *Bed & Breakfast (B & B)*

Moins chers que les hôtels, sans que ce soit vraiment donné, les *B & B* sont des chambres louées chez des particuliers. Très intéressant pour connaître la mentalité britannique et parler la langue. Le petit déjeuner est, comme le nom l'indique, compris dans le tarif. Les ***guesthouses*** sont aussi des *B & B*. Une petite pancarte avec la mention « Bed & Breakfast » est apposée devant les maisons disposant de chambres. Au fin fond des campagnes, certaines fermes font *B & B*.
Attention, dans certains *B & B* bon marché, il faut mettre une pièce pour que le radiateur électrique fonctionne.
Prix pour 2 personnes : les prix oscillent entre 40 et 60 € pour des maisons classiques et entre 75 et 150 € pour les *B & B* de charme. Copieux petit déjeuner compris, heureusement.
– Il est toujours utile de s'adresser au *Tourist Information Centre* de la ville, qui remet des listes de *B & B*. Certains d'entre eux effectuent les réservations, moyennant une commission, pour le jour même ou pour l'étape suivante, *book-a-bed-ahead,* particulièrement pratique aux veilles de vacances. Sinon, réservations de *B & B* avec au moins 1 semaine d'avance.
– L'organisation ***Bed & Breakfast,*** quant à elle, permet de réserver des lits et petits déjeuners dans toute la Grande-Bretagne, à la date de votre choix. Paiement en France avant le départ, ce qui simplifie les formalités quotidiennes sur place. Pour obtenir la brochure, appeler :

■ ***Bed & Breakfast GB :*** ☎ 0208-956-23-90. Fax : 0208-956-23-91. • www.bedbreak.com • Représentés en France par ***B & B,*** ☎ 01-42-01-34-34. Fax : 01-42-01-34-35. 5 % de réduction si vous venez de la part du *Guide du routard* et 10 % si vous réservez sur Internet.

– ***Bed & Breakfast pour les amoureux des jardins :*** eh oui, il n'y a qu'en Grande-Bretagne que l'on trouve pareille proposition ! Une association s'est créée pour regrouper ces adresses où l'on peut savourer l'indicible charme des jardins anglais et même profiter de son séjour pour participer à l'entretien des massifs de gardénias ou bouturer des rosiers avec ses charmants hôtes. Matériel fourni sur place, *of course !* Alors, si vous avez les doigts verts et le sécateur qui vous démange, une seule adresse pour recevoir la brochure :

■ ***BBGL :*** The Home Farm Stables, Barrow Court Lane, Barrow Gurney, Bristol, BS48 3RW. ☎ 00-44-1275-46-48-91. Fax : 00-44-1275-46-48-87. • www.bbgl.co.uk • Un guide de tous leurs *B & B* au prix de 15 £ (22,20 €) est en vente par correspondance ou sur Internet.

Logement chez l'habitant dans des manoirs et des presbytères

Une association, la *Wolsey Lodge,* propose une trentaine d'adresses de vieux manoirs, d'anciens presbytères, dont les proprios accueillent des hôtes payants pour une ou plusieurs nuits. Prix raisonnables. Fantômes non garantis. Une façon originale de séjourner en Angleterre. Brochures envoyées sur demande, écrire à :

■ ***Wolsey Lodge Ltd :*** 9 Market Place, Hadleigh, Ipswich, Suffolk IP75DL. ☎ (01473) 822-058. Fax : (01473) 827-444. • www.wolsey-lodges.co.uk •

Logement en auberges de campagne

Dépaysement garanti. Poutres noircies par le temps et grand feu de cheminée. Beaucoup de ces auberges, réparties dans toute la Grande-Bretagne, datent des XVIIe et XVIIIe siècles. Renseignements à l'office de tourisme de Grande-Bretagne.

Dormir dans un phare

Dans le sud de l'Angleterre surtout. Une douzaine de phares sont à louer. Plus d'infos sur • www.ruralretreats.co.uk •

Échange d'appartements

Il s'agit, pour ceux qui possèdent une maison, un appartement ou un studio, d'échanger leur logement avec un adhérent de l'organisme du pays de leur choix, pendant la période des vacances. Cette formule offre l'avantage de passer des vacances à l'étranger à moindres frais, plus spécialement pour les couples avec enfants.

■ ***Intervac :*** 230, bd Voltaire, 75011 Paris. ☎ 01-43-70-21-22. Fax : 01-43-70-73-35. • www.intervac.com • Ⓜ Rue-des-Boulets. Publie 2 catalogues par an ; l'inscription (100 € pour l'étranger) donne droit à l'insertion d'une annonce et aux catalogues.

■ ***Homelink International :*** 19, cours des Arts-et-Métiers, 13100 Aix-en-Provence. ☎ 04-42-27-14-14. Fax : 04-42-38-95-66. • www.homelink.fr •

Les hôtels britanniques

Rares et chers, même les plus minables. Peu de Britanniques y dorment. Essayez également, au moins une fois, une *inn,* auberge au-dessus de l'un de ces superbes pubs anciens, pour goûter pleinement à l'atmosphère des lieux.

– ***Un tuyau pour les hôtels :*** les offices de tourisme peuvent vous être très utiles. En effet, la plupart revendent les chambres invendues des hôteliers, à des prix défiant toute concurrence. Cela peut être jusqu'à 4 fois moins cher... Et un 4 étoiles à ce prix-là, ça devient intéressant ! L'idéal est de se présenter à l'office vers 16 h ou 16 h 30, juste avant la fermeture... et à vous les petites affaires !

Les campings

Il n'y en a pas partout et ils sont assez mal indiqués. Prix très variables d'un camping à l'autre. Souvent éloignés des villes ou villages. Être bien renseigné sur la distance à parcourir. Renseignements auprès des offices de

tourisme. Quelques (rares) terrains n'acceptent pas les tentes mais uniquement les caravanes et camping-cars. Enfin, il est parfois possible de louer une caravane pour la nuit sur certains terrains de camping. On y dort à plusieurs et c'est souvent moins cher qu'en *B & B.*
Le *camping sauvage* est très bien accepté, à condition de demander l'autorisation au propriétaire du terrain.
Prix : pas donnés, mais éventail de prix assez large. Compter de 6 à 12 € pour 2 avec une tente et une voiture.

Spécial handicapés

Pour tous renseignements et conseils concernant l'hébergement pour les handicapés :

■ ***Holiday Care Service :*** ☎ 0845-124-99-71. • www.holidaycare.org.uk •

HISTOIRE

La préhistoire et les Romains

Il y a environ 9000 ans av. J.-C., la Grande-Bretagne n'était pas encore une île. La Manche n'avait pas tout à fait recouvert la bande de terre reliant les territoires qui formèrent par la suite la France et la Grande-Bretagne, favorisant le passage de quelques hordes préhistoriques. Ainsi, c'est une peuplade d'origine ibérique qui érigea vers le IIIe millénaire av. J.-C. des mégalithes sur les côtes sud et ouest de l'archipel britannique, lequel abritait déjà plusieurs peuples individualisés.
Un des monuments préhistoriques les plus connus en Europe se trouve d'ailleurs dans le sud de la Grande-Bretagne, à *Stonehenge,* dans le Wiltshire. Édifié à partir de 2500 av. J.-C., ce gigantesque assemblage de pierres dressées représente un travail de construction comparable à celui des pyramides par les difficultés qu'il a fallu surmonter pour sa réalisation. Stonehenge fut par la suite un haut lieu religieux, et un ordre druidique y célèbre encore aujourd'hui certaines cérémonies !
Avant l'arrivée des Romains, la Grande-Bretagne était connue sous le nom de *Pretani,* un mot dérivé du gallois qui signifie « pays des hommes peints ». C'est suite à un malentendu que César débaptisa Pretani pour *Britannia,* qu'il avait cru colonisée par une tribu gauloise (les *Britannii*) originaire de Boulogne ! Les Romains considéraient Britannia comme le bout du monde, et c'est plutôt pour le prestige que César organisera des expéditions en 55 et 54 av. J.-C. Ce n'est qu'en 43 apr. J.-C. que la vraie invasion eut lieu, sous Claudius. La conquête romaine, qui se heurta aux Gallois (ne pas confondre avec les Gaulois...) retranchés dans leurs collines, ne traversa pas la mer d'Irlande et s'arrêta net au pied des Highlands.
Exaspéré par les hordes insoumises d'Écossais qui pillaient sans relâche les plaines fertiles du nord de l'Angleterre, l'empereur Hadrien – après une visite en 122 apr. J.-C. – tenta de les contenir en construisant le fameux mur qui porte son nom. Il s'étendait sur 117 km d'une côte à l'autre, de Wallsend à Bownesson-Solway. Mais en comparaison avec la Grande Muraille de Chine, il fait à peine figure de ralentisseur. En 407, les derniers Romains quittèrent l'Angleterre, chassés par des révoltes de plus en plus fréquentes. Des peuplades germaniques – les Angles (Hollande), les Saxons (Allemagne) et les Jutes (Danemark) – débarquèrent à leur tour puis, après des luttes féroces, parvinrent à créer 7 royaumes au centre et dans l'est du pays. Les populations celtes furent repoussées vers les Cornouailles et le pays de Galles, certaines traversant même la mer pour échouer en Irlande ou en Armorique (nos Bretons viennent donc de... Grande-Bretagne). Les Anglo-

Saxons se convertirent au christianisme dès la fin du VIe siècle et saint Augustin – alors missionnaire envoyé par Rome – devint archevêque de Canterbury. Ce titre désigne encore aujourd'hui le plus haut prélat de l'Église anglicane (c'est sous le règne d'Henri VIII, en 1534 – Rome ne voulant pas annuler son premier mariage avec Catherine d'Aragon – que la rupture avec le catholicisme se produisit).

Guillaume le Conquérant et l'influence normande

La dernière invasion de l'île fut celle de 1066 par Guillaume le Conquérant, alors duc de Normandie et vassal du roi de France. Le roi anglais Édouard le Confesseur (1042-1066) avait nommé comme successeur son cousin Guillaume, mais il changea d'avis sur son lit de mort et approuva le choix du Conseil : Harold Godwineson (son beau-frère). Guillaume, hors de lui, leva une armée de 6000 hommes et partit de Dives-sur-Mer, près de Cabourg, pour l'Angleterre. Les deux armées se rencontrèrent à Hastings, où Harold fut vaincu et tué. Guillaume fut couronné le jour de Noël sous le nom de William. De là viendrait, dit-on, le long antagonisme franco-britannique. Alors que l'Angleterre fut conquise par des Français, jamais l'inverse ne se vérifia complètement.

Deux siècles d'influence normande allaient marquer l'Angleterre. Le système féodal importé du continent fut vite instauré et, en 1086, fut rédigé le *Domesday Book*. Ce livre-cadastre, en 2 volumes écrits en latin, était unique à l'époque et montrait la sophistication de l'organisation de cette nouvelle monarchie. Il contenait la liste de tous les propriétaires terriens et l'état du pays, afin d'établir le montant de l'impôt direct sur des relevés précis. Son nom vient de *Doomsday* (jour du Jugement dernier) car il faisait penser aux « comptes » qui seraient exigés par Dieu ce jour-là.

William I (Guillaume Ier), tout comme ses successeurs, passa le plus clair de son temps en France. Richard Ier Cœur de Lion (1189-1199) resta à peine 6 mois en Angleterre, consacrant le reste de son temps aux querelles internes françaises, puis à la IIIe croisade en Terre sainte. Son nom est souvent associé à *Robin Hood* (Robin des Bois) et à la forêt de Sherwood grâce aux scénaristes d'Hollywood. La vérité historique demeure en fait très confuse. La première référence écrite attestant l'existence d'un Robin se trouve dans *Piers Plowman* de William Langland, publié en 1377. Il est vraisemblable que le héros volait aux riches pour donner aux pauvres – tout en se servant au passage –, car, pour avoir traversé les siècles avec tant de panache, il faut un fond de vérité. Mais, curieusement, les ballades sur Robin des Bois, pièces de théâtre et histoires datant du XVe siècle, ne font aucune allusion à Richard Ier, ni à un quelconque rôle « politico-social » dans la résistance à la suprématie et à la tyrannie normandes...

La naissance d'une sensibilité nationale

Petit à petit – et surtout à cause d'une coutume répandue dans la noblesse selon laquelle les pères avaient tendance à léguer les terres normandes à un fils et les terres anglaises à un autre –, la séparation avec la France s'accentua et un sentiment nationaliste « anglais » se profila. Le roi de France Philippe II put ainsi récupérer la Normandie parce que le centre de gravité de la couronne anglaise s'était recentré sur l'île, et non plus en Normandie même.

Suite à une révolte des barons et du clergé contre les abus du roi John (Jean sans Terre, 1199-1216), la *Magna Carta* (Grande Charte) fut signée en 1215. Ce document, dont il existe encore 4 exemplaires originaux, est un pas important dans la longue marche vers la démocratie : il limite les pouvoirs du roi et établit des bases pour une véritable justice. Une des clauses, par

exemple, est la suivante : « Aucun homme ne saurait être emprisonné sans être jugé et condamné selon la loi du pays... ». Certains passages furent même repris dans la déclaration d'indépendance américaine de 1776. Ce document contient l'expression d'une nation se démarquant du continent. Henri III (1216-1272) fut le premier roi anglais à donner des noms anglais à ses fils : Edouard et Edmond.
Puis Édouard III, couronné en 1327, voulut faire valoir ses droits sur le royaume de France, et une guerre éclata entre les deux pays en 1337, qui allait durer plus de cent ans (bien plus : l'Angleterre attendra le début du XIXe siècle pour renoncer solennellement à tout droit sur la France !) pour ne s'achever qu'en 1453, l'Angleterre perdant toutes ses possessions françaises sauf Calais. Durant cette période, l'influence culturelle française connut un net recul, qui eut pour conséquence l'élaboration d'une « vraie » langue anglaise écrite au XIVe siècle.
La paix entraîna dans son sillage une grave crise économique et politique : la guerre des Deux-Roses. Ce conflit, dont l'enjeu était la Couronne anglaise, opposait la maison d'York (dont l'emblème était la rose blanche) à la maison de Lancaster (la rose rouge), toutes deux issues de la dynastie des Plantagenêts. Cette crise complexe, entraînant les familles les plus puissantes du royaume dans une lutte sanglante et fratricide, fut déclenchée par les échecs successifs du roi Henri VI (rose rouge). Il avait déjà perdu la guerre de Cent Ans contre la France, s'était fait rouler diplomatiquement et, pour ne rien arranger, ses finances étaient dans un état chaotique. Peu étonnant si l'on sait qu'il était aussi la proie de fréquentes crises de folie... En toute bonne justice, son adversaire, le roi de France, Charles VI, était fou lui aussi. La maison d'York (rose blanche) vit là une opportunité de s'emparer du trône détenu depuis toujours par la maison de Lancaster.
Dans la pièce *Henri VI* de Shakespeare, on voit d'ailleurs les nobles signifier leur appartenance à un bord ou à l'autre en cueillant des roses soit rouges, soit blanches. Mais il est malheureux que Shakespeare ait été obligé – sous la pression des Tudors (rouge et blanc), finalement vainqueurs – de produire pour la postérité une version de la guerre des Roses peu objective. Dans *Richard III,* il raconte cependant un épisode véridique et décisif de cette guerre : l'assassinat (pour accéder au trône) des « enfants d'Édouard », deux petits princes enfermés dans la tour de Londres (Édouard V et le duc d'York) par leur oncle Richard III, alors qu'il avait promis de les protéger.

La Couronne anglaise face au pays de Galles et à l'Écosse

Le sentiment nationaliste exprimé dans la *Magna Carta* eut une autre conséquence : le fils d'Henri III, Édouard Ier (1272-1307), tourna son attention vers le pays de Galles et l'Écosse. L'impact normand sur le pays de Galles fut immédiat, et une courte campagne – de 1276 à 1284 – eut raison de la résistance galloise, d'autant plus que Henri III avait reconnu le petit-fils de Llywelyn le Grand, Llywelyn ap Gruffudd, comme prince de Galles (titre porté par la suite par tous les fils aînés de la Couronne britannique). Les *Laws in Wales Acts* de 1536 et 1542 annexèrent définitivement le pays de Galles à l'Angleterre.
Les rapports entre celle-ci et l'Écosse furent, eux, très ambigus. Les *Lowlands* (Basses-Terres, partie sud de l'Écosse limitrophe avec l'Angleterre) subirent l'influence normande, mais les *Highlands* (Hautes-Terres) restèrent résolument celtes. Édouard Ier arracha la reconnaissance de sa suzeraineté à 13 chefs de clan en 1296 et tenta de conquérir l'Écosse sous ce prétexte, sans grand succès. De son côté, la monarchie écossaise avait déjà du mal à réunifier et à dominer tout le territoire, et l'étendue de sa puissance dépen-

dait en fait de son efficacité. Pour comprendre les difficultés que rencontrèrent tous ceux qui voulurent soumettre les Écossais, il faut se souvenir que leur pays, ou tout au moins les Highlands, est une terre austère et ingrate. C'est un univers de montagnes pelées battues par les vents, avec des vallées étroites, des lacs profonds et un nombre incalculable d'îles. Son système de clans – lesquels se battaient régulièrement entre eux – et la puissance de la noblesse (chefs de clan) ne facilitaient pas la domination des rois écossais sur ce peuple belliqueux.
Puis vint James Stuart VI (1567-1625), roi d'Écosse (du clan Stewart) qui hérita du trône anglais par son arrière-grand-mère, fille d'Henri VII. Par le biais d'une succession de 2 reines et d'un roi sans enfant, la Couronne anglaise se retrouva donc sur la tête d'un roi écossais ! James VI d'Écosse prit le nom de Jacques d'Angleterre, où il établit sa cour. Désormais, l'Écosse eut toujours ses rois domiciliés en Angleterre, lesquels considéraient donc leur royaume d'un œil très « anglais » et le traitaient comme une province indisciplinée. En 1707, l'Écosse et l'Angleterre furent définitivement réunies par le très impopulaire *Act of Union* qui ramena néanmoins une certaine sérénité.

L'autre île : l'Irlande...

Épisode mal connu, c'est le pape Adrien IV (un Anglais !) qui aurait reconnu à Henri II (1154-1189) la souveraineté de l'Irlande en 1154 ou 1155. Mais l'Angleterre n'entreprit la conquête de l'île qu'à partir de 1170. Toutefois, il faudra attendre le règne des Tudors pour que l'influence anglaise s'étende à toute l'île. Henri VIII fut « promu » roi d'Irlande en 1541, mais ce pays ne céda qu'après une conquête sanglante en bonne et due forme. De 1608 à 1612, les Anglais ont jeté les bases d'une situation qui fait encore la une de nos journaux : l'implantation massive de protestants écossais en Ulster, ce morceau d'Irlande toujours sous domination britannique. Puis, petit à petit, les propriétaires irlandais furent expulsés de leurs terres dans tout le pays et, en 1703, ils ne représentaient plus que 14 % du « domaine ». Vint ensuite ce terrible passage du Code pénal qui stipulait, entre autres, que la loi ne reconnaissait pas un homme qui se disait irlandais et catholique.
La suite de l'histoire irlandaise n'est que tragédies, allant d'oppressions en révoltes et de révoltes en répressions, traversant 2 grandes famines entre 1847 et 1851 (suite à une maladie des pommes de terre) qui décimèrent les Irlandais. La population tomba de 11 à 4 millions d'habitants, la plupart victimes de la faim ou de maladie, que ce soit sur place ou dans les sinistres « bateaux-cercueils » en partance pour le Nouveau Monde. La Grande-Bretagne a ainsi signé les pages les plus noires et les plus honteuses de son histoire, sous les yeux indifférents de l'Europe.
En 1921, l'Irlande obtint – dans un bain de sang – le statut de *Irish Free State,* un « dominion » au sein de l'Empire britannique, puis devint une république en 1937 et quitta définitivement le Commonwealth en 1949. Mais l'Ulster, au nord du pays, reste britannique, avec sa majorité de protestants écossais...

L'ère élisabéthaine

Élisabeth Ire, fille d'Henri VIII et d'Anne Boleyn (décapitée par son Barbe-Bleue de mari !), fut une grande reine (1558-1603). Elle plaça l'Angleterre sur une voie qui la mènera à l'hégémonie mondiale. À la mort de Marie Tudor en 1558, la France tenta de placer Marie Stuart – fille du roi d'Écosse – sur le trône anglais afin de conserver l'influence catholique des Tudors. Mais, depuis la scission avec Rome sous Henri VIII, cette nouvelle influence catholique ne trouvait pas de résonance dans le pays. Élisabeth écarta Marie

Stuart et s'imposa, résistant aux revendications de la France et de l'Espagne – dont elle brisera la puissance en détruisant sa flotte (avec l'aide de la tempête, ce que les Anglais oublient souvent), l'Invincible Armada, en 1588. En plus d'avoir épanoui les élégances et les arts (Shakespeare), son règne fut une époque de prospérité économique et culturelle, et le commerce maritime connut un véritable essor. La Virginie (ainsi nommée d'après un surnom de la reine), première colonie anglaise en Amérique du Nord, naquit en 1584, et la Compagnie des Indes orientales fut fondée en 1600.
En 1605 se produisit un événement qui est encore fêté en Grande-Bretagne de nos jours. Un certain Guy Fawkes, fervent catholique scandalisé par l'oppression subie par les siens sous le règne du nouveau roi Jacques (l'Écossais), décida avec des complices de faire sauter le Parlement le 5 novembre, lors d'une séance où seraient présents le roi et ses ministres. L'attentat échoua et Guy Fawkes fut exécuté devant le Parlement le 31 janvier 1606. Depuis, les enfants britanniques fabriquent des effigies de Fawkes qu'ils promènent dans les rues en quêtant de l'argent aux passants. Le soir venu, l'effigie est brûlée à grand renfort de pétards et de feux d'artifice, des pommes de terre sont cuites dans les cendres et tout le monde mange dehors.

La guerre civile et Oliver Cromwell

Les rois et les reines se succèdent mais ne se ressemblent pas. Avec l'avènement de Charles Ier (1625-1649), l'Angleterre et le pays de Galles allaient connaître une guerre civile, puis une quasi-dictature militaire avec, à sa tête, Oliver Cromwell. Charles essaya de gouverner en bravant le Parlement, les rapports entre ce dernier et la Couronne s'étant déjà détériorés sous le règne de Jacques Ier. Le conflit politique dégénéra en guerre civile avec, d'un côté, l'armée du Parlement menée par Cromwell et, de l'autre, celle de Charles Ier, soutenu par l'Écosse. De 1642 à 1651, les combats firent rage et se soldèrent par l'exécution de Charles Ier le 30 janvier 1649. L'Angleterre devint ainsi le premier État européen moderne à avoir décapité son roi et à avoir proclamé la suprématie des droits parlementaires sur un pouvoir délégué par le Ciel. Cromwell prit alors le titre de Lord Protector ! Les Irlandais ont gardé de lui un souvenir particulièrement terrible : il étouffa une rébellion en massacrant 2500 personnes à Drogheda. Il lança une phrase devenue célèbre : « To hell or Conaught » (« Allez en enfer ou au Connemara »)... Le Connemara est effectivement d'une beauté spectaculaire mais pauvre, austère et aride.
Les Écossais, partisans de l'héritier de Charles Ier, Charles II, donnèrent aussi du fil à retordre à Cromwell en 1650 et 1651. En 1653, celui-ci fit publier l'*Instrument of Government,* qui fut la première Constitution écrite du pays. Cinq ans plus tard, à la mort de Cromwell, en 1658, son fils le remplaça brièvement avant la restauration de la monarchie, en 1660, avec le retour du roi Charles II. Une justice *post mortem* fut rendue et les corps de Cromwell et de deux de ses compagnons furent exhumés, puis pendus comme traîtres à Tyburn, dans Hyde Park, à Londres. Tyburn était le lieu des exécutions entre 1388 et 1783 – un peu comme notre place de Grève – et, à l'époque, la croyance populaire conférait au corps d'un pendu des propriétés médicales. Les jours d'exécution étaient fériés, et des foules énormes s'y rassemblaient afin de profiter du spectacle mais aussi, éventuellement, de pouvoir toucher le corps ! L'emplacement du gibet est aujourd'hui marqué par une pierre à l'angle nord-est de Hyde Park, sur une borne de carrefour.
Fort du souvenir du sort de son père, Charles II gouverna avec sagesse, manipulant le pouvoir plutôt que de risquer des chocs frontaux avec le Parlement. Son successeur, en 1685, Jacques II, tenta une nouvelle fois de remettre en question l'autorité du Parlement. Cette politique ne tarda pas à

provoquer une nouvelle rébellion et, 3 ans plus tard, le souverain fut tout simplement déposé. Le Parlement choisit alors d'appeler Guillaume III qui était à la fois neveu et gendre de Jacques Ier et *stathouder* des Provinces-Unies ! Guillaume III, docile, signa le *Bill of Rights* en 1689, un acte qui limitait officiellement les prérogatives du roi. Ce document est très important dans l'histoire de la Grande-Bretagne et, à partir de cette date, la monarchie britannique ne remit plus jamais en question l'autorité du Parlement. Au cours du XVIIIe siècle, elle était toujours présente lors des débats, mais petit à petit son pouvoir déclina ou fut transmis entre les mains des ministres.
Avec l'apparition, au XIXe siècle, de partis politiques puissants, l'espace de manœuvre des successeurs au trône se réduisit encore. La reine Victoria (1837-1901) se vit ainsi totalement écartée du jeu politique, et la monarchie fut désormais considérée comme purement représentative, cérémonielle et traditionnelle. Mais, en réalité, elle dispose encore de pouvoirs « théoriques » considérés comme une arme de sauvegarde en cas d'une décision anticonstitutionnelle prise par le Parlement ou par le gouvernement.

Les autres îles

Les îles Anglo-Normandes furent la seule partie du duché de Normandie de Guillaume le Conquérant que Philippe II de France ne reprit pas en 1204. Ces îles ne font pas vraiment partie du Royaume-Uni car elles ont leur propre gouvernement : State of Deliberation pour Guernesey dont dépendent aussi les îles de Sark (Sercq), Herm et Alderney (Aurigny), et State of Jersey avec les Minquiers et les Écrehou Rocks. Ces îles ont aussi leur propre monnaie et leurs services postaux. Leur système législatif porte encore de petites traces du féodalisme et diffère légèrement des systèmes britanniques. Sur l'île de Sark, le chef de l'île s'intitule Seigneur ou Dame, il n'y a ni impôt sur le revenu ni, en accord avec la défunte Dame Hathaway, automobiles ! En théorie, l'anglais et le français sont langues officielles et, même si l'anglais prédomine largement, les étudiants en droit de l'île doivent passer un an dans une université en France, les documents se rapportant à la loi étant encore rédigés en français !
Dans la mer d'Irlande se trouve une autre île, renommée pour ses courses de motos (le « Tourist Trophy ») et ses chats sans queue : l'île de Man. L'Angleterre et l'Écosse se disputèrent longtemps cette île, puis Édouard III d'Angleterre eut finalement le dernier mot. En 1406, le titre de « roi de Man » fut octroyé par la Couronne anglaise à John Stanley. Ses descendants, les comtes de Derby, l'ont gouvernée pendant les 350 années suivantes, puis l'île fut de nouveau rendue à l'Angleterre en 1765.

L'Empire britannique

Au début du XXe siècle, l'Empire britannique représentait un cinquième de la surface du globe, ce qui permettait d'en parler comme d'un « Empire sur lequel le soleil ne se couche jamais ». Aujourd'hui, il en reste quelques miettes comme les îles Falkland (Malouines), les îles Macquaries et la Géorgie du Sud (non loin des côtes de l'Antarctique), Gibraltar (qui a rejeté en 2003 la cosouveraineté de l'Angleterre avec l'Espagne) et les Bermudes (Hong Kong a été rendue aux Chinois fin juin 1997). En revanche, il est intéressant de noter que la plupart des anciennes colonies font partie du Commonwealth, dont les 53 pays membres (y compris l'Inde) – qui représentent près d'un milliard de personnes à travers le monde – reconnaissent la reine comme souveraine symbolique, mais pas la république d'Irlande. Quant à l'Australie, où l'Angleterre envoyait ses bagnards, elle s'achemina vers un retrait pur et simple. À chaque visite officielle, la reine y est tout juste traitée comme une vieille copine.

De toutes les colonies, la perte des Indes en 1947 fut certainement la plus douloureuse économiquement mais aussi sentimentalement. Un Anglais sur trois tirait ses revenus directement ou indirectement des Indes. Mais, malgré la période de colonisation puis l'indépendance qui ne s'est pas passée sans heurts, il existait en filigrane une admiration et une fascination réciproques. La langue anglaise a hérité de plus d'une centaine de mots indiens, dont certains exportés aussi en France comme « bungalow », « pyjama » pour n'en citer que quelques-uns.
Si bon nombre d'écrivains britanniques furent profondément inspirés par le sous-continent indien (Rudyard Kipling avec, entre autres, son *Livre de la jungle*), la société indienne – comme celle du Pakistan et du Bangladesh – porte encore beaucoup de stigmates britanniques. L'armée pakistanaise, par exemple, possède de fabuleux orchestres de *bagpipes*. Et dans les cercles huppés de Bombay, le *tea-time* et la moustache britannique ne sont pas passés de mode. Aujourd'hui, la Grande-Bretagne compte plus d'1 million d'immigrés provenant de l'ancienne colonie qui, hormis les problèmes de racisme sous-jacents, constituent une source d'enrichissement culturel extraordinaire. Et, contrairement à beaucoup d'immigrés issus d'autres ex-colonies, les Indo-Pakistanais ont tendance à être plus anglais que les Anglais ! Une blague illustre bien cette relation ambiguë : après s'être fait confectionner un complet très *British* à Savile Row, un Indien s'effondre en larmes sur l'épaule du tailleur en déclarant : « N'est-il pas dommage que nous ayons perdu les Indes ? »

L'Angleterre face à l'Europe...

Il est vrai que dans l'esprit des Anglais, quand ils vont outre-mer, ils visitent le Commonwealth ; mais quand ils traversent la Manche, ils vont à l'étranger. Et de ce fait, l'idée d'être un pays parmi d'autres au sein de la communauté européenne est difficilement acceptable pour eux. La nécessité économique de l'Union européenne est évidente, mais le cœur a ses raisons qui sont incompatibles avec le bon sens. Donc les Anglais y viennent... en marche arrière ! En gros, les Européens rêvent « d'États-Unis » d'Europe, et les Anglais pensent qu'il serait intéressant d'inclure l'Europe dans le Commonwealth ! Mais il ne faut pas désespérer...
Dans un autre registre, le tunnel sous la Manche fut une idée de Napoléon en 1802. Les premiers travaux de percement par 2 compagnies privées des deux côtés débutèrent dans les années 1880, puis plus rien. Un autre projet fut examiné en 1964 et abandonné au début des années 1970. Aujourd'hui, c'est enfin chose faite, mais le tunnel est malgré tout perçu comme un viol par nos voisins insulaires.
Churchill déjà, dans un discours en 1940, déclarait à l'intention des Allemands : « Nous attendons toujours une quelconque invasion promise de longue date... Les poissons aussi. » Phrase qui tenait plus du bluff que d'autre chose. Car, de juin 1940 à juin 1941, date de l'attaque allemande contre l'Union soviétique, la Grande-Bretagne se retrouva seule face à la puissance du IIIe Reich, et personne ne donnait cher de sa capacité de résistance. La bataille d'Angleterre (août-octobre 1940) fut un tournant décisif dans l'histoire de la Seconde Guerre mondiale, tant moralement que stratégiquement. Et c'est en pesant ses mots que Churchill déclara après la victoire : « Jamais dans un conflit armé tant de gens n'ont été redevables à un si petit nombre. »
La Grande-Bretagne nous a montré, à travers son histoire, son esprit d'indépendance, sa force de vaincre même, et surtout lorsque les enjeux sont contre elle. Ses excentricités, son fair-play – qui ne l'est pas toujours... – et son esprit singulièrement insulaire font d'elle un voisin et un partenaire singulier ! Mais avant de laisser une quelconque anglophobie (ou misanglomanie) se déchaîner, laissons-nous porter par l'humour et la fantaisie de ce kaléidoscope ethnique et culturel qui s'abrite sous l'*Union Jack*.

Principales dates historiques

– ***55 av. J.-C. :*** Jules César débarque en Grande-Bretagne. Colonisation romaine.
– ***410 :*** début des invasions anglo-saxonnes.
– ***Fin du IXe siècle :*** raids des Vikings.
– ***1066 :*** débarquement de Guillaume le Conquérant, duc de Normandie, en Angleterre. Bataille de Hastings, où il est vainqueur. En quelques années, les Normands vont achever la conquête de l'Angleterre.
– ***1215 :*** *Magna Carta,* obtenue du pouvoir royal par les seigneurs normands et saxons coalisés.
– ***1284 :*** le pays de Galles est intégré au royaume d'Angleterre sous le règne d'Édouard Ier.
– ***1337-1453 :*** guerre de Cent Ans.
– ***1534 :*** Henri VIII, devant le refus du pape d'annuler son mariage, force l'Église d'Angleterre à le reconnaître pour chef.
– ***1542 :*** la deuxième *Laws in Wales Acts* (la première a été signée en 1536) annexe définitivement le pays de Galles à l'Angleterre.
– ***1563 :*** une « confession de foi » instaure définitivement l'anglicanisme.
– ***1587 :*** exécution de Marie Stuart, héritière du trône d'Angleterre, accusée de complot contre la reine Élisabeth Ire.
– ***1600 :*** création de la Compagnie des Indes orientales.
– ***1606 :*** union des Couronnes d'Angleterre et d'Écosse sous le règne de James VI (Jacques Ier d'Angleterre).
– ***1649 :*** le roi Charles Ier est décapité à la hache (M. Guillotin n'avait pas encore inventé sa machine).
– ***1650-1651 :*** l'Écosse est rattachée au nouveau régime du Commonwealth, suite à la guerre victorieuse menée par Cromwell.
– ***1666 :*** incendie de Londres, dont Wren entreprend la reconstruction.
– ***1679 :*** vote par le Parlement de l'*Habeas Corpus* qui garantit les citoyens contre toute arrestation arbitraire.
– ***1689 :*** déclaration des droits.
– ***1707 :*** acte d'Union. Les deux royaumes d'Angleterre et d'Écosse sont définitivement réunis.
– ***1713 :*** la paix d'Utrecht consacre l'hégémonie maritime de l'Angleterre.
– ***Début du XIXe siècle :*** révoltes populaires durement réprimées.
– ***1801 :*** union de l'Angleterre, du pays de Galles, de l'Écosse et de l'Irlande pour former le Royaume-Uni.
– ***1837 :*** avènement de la reine Victoria. Naissance du mouvement chartiste qui demande le droit de vote pour tous, revendication soutenue par Disraeli.
– ***1876 :*** Victoria est proclamée impératrice des Indes.
– ***1884 :*** réforme électorale. Le droit de vote est accordé aux hommes de toutes les classes du pays.
– ***1900 :*** fondation du Labour Party.
– ***1904 :*** Entente cordiale avec la France.
– ***1914 :*** le gouvernement britannique se range aux côtés de la France contre l'Empire germanique.
– ***1918 :*** les femmes de plus de 30 ans obtiennent le droit de vote.
– ***1921 :*** création de l'État libre d'Irlande, qui obtient le statut de dominion.
– ***1928 :*** les hommes et les femmes de plus de 21 ans ont le droit de vote.
– ***Septembre 1939 :*** la France et la Grande-Bretagne déclarent conjointement la guerre à Hitler.
– ***1940 :*** Winston Churchill succède à Chamberlain.
– ***1945 à 1951 :*** gouvernement travailliste d'Attlee, marqué par des nationalisations et des mesures sociales.
– ***1947 :*** l'Inde obtient l'indépendance. Le Pakistan aussi... Les Britanniques s'étant retirés sur la pointe des pieds, tout ce monde se massacre.

– ***1952 :*** avènement de la reine Élisabeth II.
– ***1958 :*** émeutes raciales dues à l'immigration massive de gens du Commonwealth.
– ***1973 :*** adhésion de la Grande-Bretagne au Marché commun.
– ***1974-1979 :*** gouvernement travailliste.
– ***1979 :*** gouvernement conservateur de Margaret Thatcher.
– ***1981 :*** émeutes sociales à Brixton, et émeutes d'immigrés et de chômeurs à Londres. Dénationalisation partielle dans plusieurs secteurs de l'économie.
– ***1982 :*** guerre des Malouines (Falkland).
– ***1984 :*** grève des mineurs.
– ***1985 :*** émeutes à Birmingham.
– ***1986 :*** 11,7 % de la population active est au chômage.
– ***1987 :*** pour la troisième fois, le parti conservateur, sous la houlette de Margaret Thatcher, remporte les élections législatives.
– ***1990 :*** lors des élections de novembre, n'ayant pas obtenu la majorité absolue de son parti, Margaret Thatcher démissionne, après 11 années d'exercice du pouvoir. John Major, chancelier de l'Échiquier du précédent gouvernement, est choisi par le parti conservateur pour la remplacer.
– ***1991 :*** John Major et le parti conservateur remportent les élections à la Chambre des communes. La Grande-Bretagne, avec quelques réserves, signe le traité européen de Maastricht.
– ***1994 :*** ouverture du tunnel sous la Manche.
– ***1997 :*** l'élection de Tony Blair, leader du parti travailliste, met fin à 18 ans de pouvoir conservateur. Dans la nuit du 30 au 31 août, la princesse Diana de Galles (Lady Di) meurt dans un accident de voiture à Paris. Une émotion nationale sans précédent bouleverse le pays.
Les Écossais, dans un référendum organisé le 11 septembre, plébiscitent à 74 % la création d'un parlement autonome, doté de pouvoirs fiscaux limités. Une semaine après le « oui » massif des Écossais, 50,3 % des Gallois se sont prononcés, lors d'un référendum, en faveur de la création d'une assemblée galloise. Mais celle-ci aura des pouvoirs beaucoup plus limités que la chambre écossaise. D'autre part, le petit « oui » des Gallois révèle que ceux-ci sont encore loin de l'indépendance et de l'autonomie, si chères aux Écossais.
– ***1999 :*** mise en place des parlements écossais et gallois, à la suite des premières élections autonomes.
– ***2000 :*** la monarchie fête les 100 ans de « Queen Mum ».
– ***Début 2001 :*** les campagnes anglaises, se relevant à peine des problèmes posés par la crise de la maladie dite de la « vache folle », se voient infestées d'une épidémie de fièvre aphteuse. Des mesures draconiennes sont prises par le gouvernement et les cas se font de moins en moins nombreux.
– ***Juin 2001 :*** Tony Blair et le parti travailliste *(Labour Party)* sont réélus les doigts dans le nez ! Émeutes raciales à Bradford dans le nord de l'Angleterre.
– ***Avril 2002 :*** *Queen Mum* tire sa révérence. Une queue de plus de 3 km part de Westminster pour se recueillir sur sa dépouille.
– ***Juin 2002 :*** parmi les nombreuses manifestations organisées à l'occasion du jubilé de la reine, des concerts en son honneur dans les jardins de Buckingham (jamais ouverts au public) devant 12000 personnes tirées au sort. Et une semaine de vacances à Balmoral (l'un des châteaux de la reine) proposée sur un site Internet de vente aux enchères, au profit d'une association caritative. *God Save the Queen !* Savez-vous d'ailleurs d'où vient cette expression ? D'une chanson composée par Lully en 1685 pour son cher roi Louis XIV malade, légèrement transposée par la suite de l'autre côté du Channel.

– ***2003 :*** Tony Blair engage militairement l'Angleterre dans le conflit irakien, aux côtés des États-Unis, malgré une vive opposition du peuple britannique et la démission de membres de son gouvernement. Le suicide de l'expert britannique David Kelly, expert en armes nucléaires, provoque un séisme politique.
– ***2004 :*** la France et l'Angleterre fêtent les 100 ans de l'Entente cordiale entre les deux pays.

INFOS EN FRANÇAIS SUR TV5

La chaîne TV5 est reçue dans la plupart des hôtels du pays. Pour ceux qui souhaitent s'installer plus longtemps ou qui voyagent avec leur antenne parabolique, TV5 est reçue par satellite en réception directe via les satellites Hotbird 1, 13° Est en analogique clair, Astra, 19,2° Est et Hotbird 6, 13° Est en numérique clair, ainsi que sur le bouquet numérique BskyB et sur les réseaux câblés Telewest et NTL.
Les principaux rendez-vous infos sont toujours à heures rondes où que vous soyez dans le monde, mais vous pouvez surfer sur leur site • www.tv5.org • pour les programmes détaillés ou l'actu en direct, des rubriques voyages, découvertes...

LANGUE ANGLAISE

Pour le gallois, se reporter au chapitre consacré au pays de Galles.

Français	***Anglais***
je - moi	*I* (aïe) - *me*
tu - toi, vous	*you*
il - lui	*he - him*
elle - la	*she - her*
nous	*we - us*
ils, elles, les, eux	*they - them*
hier	*yesterday*
aujourd'hui	*today*
demain	*tomorrow*
maintenant	*now*
plus tard	*later*
bonjour (le matin)	*good morning* ou *hello*
bonjour (l'après-midi)	*good afternoon* ou *hello*
bonsoir	*good evening*
bonne nuit	*good night*
au revoir	*goodbye* ou *bye*
s'il vous plaît	*please*
merci	*thank you* ou *thanks*
pardon	*sorry*
je ne comprends pas	*I don't understand*
pouvez-vous répéter ?	*can you repeat ?*
pouvez-vous expliquer ?	*can you explain ?*
où ?	*where ?*
combien ?	*how much ? how many ?*
quand ?	*at what time ? when ?*
qui ?	*who ?*
avez-vous l'heure ?	*what time is it ?*
qu'est-ce qui se passe ?	*what's the matter ? What's going on ?*
pourquoi ?	*why ?*
pouvez-vous m'indiquer comment aller à... ?	*could you tell me the way to... ?*
à gauche	*on the left*
à droite	*on the right*

arrêtez	*stop*
trop cher	*too expensive*
hôtel	*hotel*
auberge de jeunesse	*youth hostel*
restaurant	*restaurant*
boire	*to drink*
manger	*to eat*
dormir	*to sleep*
assez	*enough*
plus	*more*
eau	*water*
eau plate	*still water*
café	*coffee (black coffee)*
thé	*tea*
lait	*milk*
pain	*bread*
froid	*cold*
chaud	*hot*
bon	*good*
mauvais	*bad*
service compris	*service charge included*
téléphoner en PCV	*to make a reverse-charge call*
bureau de tourisme	*tourist information centre*
gare	*railway station*
station de bus	*bus stop*
un aller simple	*a single (ticket)*
un aller-retour	*a return (ticket)*
poste	*post office*
police	*police*
banque	*bank*
auto-stop	*hitch-hiking*
disque	*record*
discothèque	*disco*
costume	*suit*
jupe	*skirt*
cravate	*tie*
un	*one*
deux	*two*
trois	*three*
quatre	*four*
cinq	*five*
six	*six*
sept	*seven*
huit	*eight*
neuf	*nine*
dix	*ten*
onze	*eleven*
douze	*twelve*
treize	*thirteen*
quatorze	*fourteen*
quinze	*fifteen*
vingt	*twenty*
trente	*thirty*
quarante	*forty*
cinquante	*fifty*
soixante	*sixty*
soixante-dix	*seventy*
quatre-vingts	*eighty*

quatre-vingt-dix	*ninety*
cent	*one hundred*
mille	*one thousand*
3243	*three thousand two hundred and forty three*

Au téléphone, si vous voulez parler à quelqu'un d'autre : *Could I speak to... ?* Pour laisser un message : *Can I leave a message ?* Mais préparez-le. Pour demander de ne pas quitter : *Hold on.*
Une autre expression utile chez les Anglais, qui laissent les landaus dehors en décembre pour endurcir les enfants dès l'âge le plus tendre : *I'm afraid I'm a bit cold,* pour signaler que vous gelez, et *Could I have another blanket ?* pour avoir une couverture en rab.

LIVRES DE ROUTE

– ***Guignol's Band I et II,*** (1944 et 1964), de Louis-Ferdinand Céline, Gallimard, coll. « Folio », n° 2112. Que peut faire Ferdinand à Londres en 1915, alors que la guerre fait rage de l'autre côté du Channel ? Il a trouvé refuge auprès de la faune interlope de Leicester Square. Ce livre, qui grouille de trouvailles stylistiques, est un hymne lyrique au grand port que Céline adorait, pour avoir bien connu lui-même ce demi-monde londonien.
– ***Les Dix Petits Nègres,*** (1932), d'Agatha Christie, Livre de Poche, n° 954.
– ***Samedi soir, dimanche matin,*** (1961), d'Allan Sillitoe, Éditions du Seuil, coll. « Points-Roman », n° 287. Arthur Seaton n'a connu qu'un univers, celui de l'usine de bicyclettes où, embauché comme garçon de courses à 15 ans, il est maintenant ouvrier à la pièce. Approche anarcho-réaliste de la condition ouvrière anglaise, de ses aspirations, de ses mutations dans les années 1950, ce roman très autobiographique d'Allan Sillitoe est un classique outre-Manche.
– ***Journal d'un écrivain,*** (1953), de Virginia Woolf, 10/18, n° 3225. Le journal de Virginia Woolf est à la fois le témoignage d'un grand écrivain sur la littérature et un document irremplaçable sur l'Angleterre de l'entre-deux-guerres, sur la vie sociale et culturelle de Londres et, en particulier, du quartier de Bloomsbury, haut lieu de l'intelligentsia britannique.
– ***Sarah et le lieutenant français,*** (1969), de John Fowles, Éditions du Seuil, coll. « Points-Roman », n° 529. Dans l'atmosphère conservatrice de l'époque victorienne, Charles Smithson, rentier et collectionneur de fossiles marins, tombe amoureux de Sarah Woodruff, une jeune éducatrice déshonorée, selon ses dires, par un lieutenant français (car un jeune Anglais, bien sûr, n'aurait jamais agi ainsi !).
– ***Les Jumeaux de Black Hill,*** (1984), de Bruce Chatwin, Grasset, coll. « Les Cahiers Rouges », n° 171. Lewis et Benjamin Jones sont des frères jumeaux nés au début du XXe siècle sur la terre galloise. Une gémellité si parfaite les unit que leur lien résistera à toutes les fractures pour se renouer, au soir de leur vie, dans le souvenir de la seule femme qu'ils s'accordent à partager, leur mère.
– ***Trois hommes dans un bateau,*** (1889), de Jerome K. Jerome, Pocket, n° 3494. Trois amis londoniens décident de remonter la Tamise en canot jusqu'à Oxford, puis de revenir à Londres. Ce qui fit le succès du livre, ce sont les anecdotes humoristiques qui émaillent cette équipée fluviale.
– ***Harry Potter,*** de J. K. Rowling, Gallimard Jeunesse. Il existe déjà 5 tomes narrant les aventures de ce malicieux apprenti sorcier, aujourd'hui star mondiale. De son enfance tristoune chez son méchant oncle dans une banlieue anglaise à sa « scolarité » fantasque au collège Poudlard, on suit avec jubilation les tribulations du petit Harry. L'univers fantastique empreint de réalité *so British* décrit par Rowling changera votre regard sur l'Angleterre... En plus, on peut maintenant visiter les lieux qui ont inspiré l'écrivain !

– ***Anarchie au Royaume-Uni,*** (2002), de Nik Cohn, Éditions de l'Olivier, n° 40. Une analyse au vitriol qui se lit comme un roman par un critique rock. Explosive, cette vision des années Thatcher nous estomaque. Visite dans les bas-fonds anglais avec tous les damnés de la prospérité. Une écriture incisive et loin des bonnes manières. Décapant.
– ***Les Carnets du major Thompson,*** (1954), de Pierre Daninos, Plon. L'image typique du Français, faible en géographie et grand amateur de pain, ne saurait suffire ! Il faut donc la compléter par la vision ironique et attendrie que porte le major William Marmaduke Thompson sur nos concitoyens.
– ***Soho à la dérive,*** (1961), de Colin Wilson, Gallimard, coll. « Folio », n° 1307. À la fin des années 1950, le jeune Preston s'installe à Londres pour écrire le livre qui lui apportera gloire et fortune : erreur typique et que bien d'autres ont commise ! Ses rêves ne résistent pas longtemps aux filles et aux bistrots, compagnons de la dèche. Il croise une foule de personnages sympathiques et bigarrés. Le Soho d'autrefois avait bien du charme, même si d'autres quartiers ont aujourd'hui pris la relève.
– ***Ces corps vils,*** (1930), d'Evelyn Waugh, 10/18, n° 1538. Dans le Mayfair des années 1920, un petit groupe d'aristocrates vit dans la frivolité. Intrigues amoureuses, couples qui se cherchent sans se trouver ; pas mal d'ironie et de petites phrases aussi acides qu'un crachin anglais, on s'amuse beaucoup, même si parfois il y a des victimes, des exclus.
– ***Voyage excentrique et ferroviaire autour du Royaume-Uni,*** (1983), de Paul Theroux, Grasset, coll. « Les Cahiers Rouges », n° 182. Américain vivant à Londres, Paul Theroux entreprend en 1983 un voyage le long des côtes de la Grande-Bretagne et de l'Ulster, en vue de visiter son pays d'accueil. Principe de ce voyage : pas de tourisme, pas de visite imposée, mais une découverte de la vie quotidienne.

MÉDIAS

Presse

Tous les patrons de presse français restent pantois quand ils regardent les tirages des journaux anglais. Les Anglais lisent énormément, vous en aurez la preuve partout dans le pays. Il faut reconnaître qu'ils ont le choix. Le quotidien le plus célèbre et peut-être le plus sérieux est le *Times*. Si vous avez l'occasion, jetez un coup d'œil sur le courrier des lecteurs, ça vaut le coup. La presse dite « sérieuse », avec le *Guardian,* le *Daily Telegraph, The Independent,* le *Daily Express* et le *Daily Mail,* offre un large panorama des différentes tendances politiques du pays. Le *Financial Times,* imprimé sur papier saumon, est l'outil indispensable des businessmen de la City. À côté, il y a les tabloïds ; le *Mirror* et le *Sun* en tête d'affiche. Ils disent rarement du bien de qui que ce soit et sont fermement anti-européens. Traditionnellement antitravailliste, comme le *Mirror,* le *Sun* a apporté un soutien surprise à Tony Blair, leader du *Labour Party,* lors des élections du printemps 1997. Ragots, scandales tournant souvent autour de la famille royale, mannequins aux seins nus, c'est le menu quotidien de cette presse populaire aux tirages impressionnants. On citera pour mémoire la une du *Sun* alors que Jacques Delors faisait un discours au Parlement européen sur l'imminence de la monnaie unique : « On va te foutre Delors » ; ou, plus récemment, pendant la guerre en Irak, la une du *Sun* représentant Jacques Chirac en ver de terre. Il faut aussi dire que les prix des journaux sont 2 à 3 fois moins élevés qu'en France, cela explique sûrement le fait que 4 millions de personnes achètent le *Sun* chaque jour.

Radio

Il y a bien évidemment la BBC • www.bbc.co.uk • (la *Beeb*) avec ses 6 programmes différents, dont un destiné aux enfants (Radio 5 sur 693 et 909 AM), et le World Service qui lance toutes les heures le fameux *This is*

London... En tout, 120 millions d'auditeurs dans le monde écoutent des émissions diffusées en 35 langues.

Télévision

Sans conteste la télévision européenne qui s'exporte le mieux dans le monde, capable de produire le *Monty Python Flying Circus* comme les documentaires les plus sérieux. Deux chaînes pour la BBC. La première chaîne programme des séries, des variétés et du sport, la deuxième est plus culturelle. ITV et Channel 4 sont des chaînes hertziennes privées. Si vous pouvez regarder la télévision, ne ratez pas l'émission totalement délirante du matin *(The Big Breakfast)* sur Channel 4, ça met en forme. L'émission *Panorama* est aussi un excellent programme pour décrypter l'actualité britannique, sous forme de documentaire quotidien.

MESURES

Même si la Grande-Bretagne est maintenant *metric,* nos problèmes, eux, sont loin d'être résolus.

Longueur

– 1 pouce = 1 *inch* = 2,54 cm.
– 1 pied = 1 *foot* = 12 *inches* = 30,48 cm.
– 1 *yard* = 3 *feet* = 91,44 cm.
– 1 *mile* = 1,6 km environ (pour convertir les kilomètres en miles, multiplier par 0,62).
– 1 mètre = 39,37 *inches.*

Poids

– 1 *ounce* = 1 *oz* = 28,35 g.
– 1 *pound* (livre) = 1 *lb* (libra) = 0,454 kg.
– 1 *stone* = 14 *lbs* = 6,35 kg.
– 1 kg = 2,205 *lbs.*

Températures

0 °C = 32 °F ; température du corps = 98.4 °F (et le thermomètre se met sous le bras ou dans la bouche) ; 100 °C = 212 °F.

Équivalence gallons / litres

Petit rappel : la virgule du système métrique correspond au point chez les Britanniques. Ainsi « 2,5 » = « 2.5 ». Tandis que « 3000 » s'écrira « 3,000 » chez nos voisins.

Gallons	*Litres*	*Gallons*	*Litres*
0,220	1	6	27,276
0,440	2	8	36,368
0,880	4	10	45,460

PATRIMOINE CULTUREL

Les musées

Souvent exceptionnels, de conception fréquemment originale, jamais compassés, pourvus de tout ce qu'il faut pour intéresser les enfants, les musées britanniques vont peut-être réconcilier le grand public avec la culture bon enfant. En plus, l'accès aux musées nationaux est gratuit. Puisse toute l'Europe s'inspirer de cette initiative !

Tarifs réduits

– N'oubliez pas votre carte d'étudiant.
– L'association *English Heritage,* qui patronne de nombreux musées et monuments, propose pour les passionnés d'histoire le *Great British Heritage Pass* qui donne libre accès à plus de 500 châteaux, manoirs et jardins existant en Grande-Bretagne. Cette carte, valable 4 jours (30 €), 7 jours (50 €), 15 jours (65 €) ou 1 mois (85 €), est en vente auprès de *HMS Voyages* et *BMS Voyages.* Une autre carte, l'*English Heritage Overseas Pass,* permet de découvrir les vestiges anglais, d'abbayes ou de châteaux. Carte pour 7 ou 14 jours : 23,50 ou 29,50 € par personne ; réductions. En vente auprès de • www.britcities.com/fr •

PERSONNAGES

Anglais et Gallois célèbres sont légion, et bien souvent leur notoriété a franchi le Channel. Beaucoup aussi (surtout au cinéma) se sont exilés aux États-Unis et ont acquis chez l'oncle Sam les lettres de noblesse que leur ingrate patrie leur refusait dans un premier temps, quitte à les anoblir pour de bon par la suite. On pourrait vous en noircir quelques feuillets bien denses, mais on risque d'en oublier et non des moindres. Alors dans chaque activité, *let's go* pour un petit florilège des gloires britanniques.

Royauté et politique

De Richard Cœur de Lion à Élisabeth II, retrouvez toutes les stars royales dans la rubrique « Histoire ».

Les scientifiques et les explorateurs

Lord Bacon, dès le début du XVIIe siècle, mit au point une nouvelle méthodologie d'observation des phénomènes. Mais ce sont ***Newton,*** découvreur génial de l'attraction universelle (avec l'aide de sa fameuse pomme), et l'astronome ***Haley,*** observant la comète du même nom, qui propulsèrent le pays dans la modernité scientifique. De ***Darwin*** (la théorie de l'évolution) à ***Faraday,*** inventeur de l'électromagnétisme, et ***Hawking*** avec sa *Brève Histoire du temps,* en passant par ***Dunlop*** (le pneumatique), ***Stephenson*** (la locomotive), ***Fleming*** (la pénicilline), l'Angleterre a offert au monde quelques-uns de ses plus grands chercheurs.
Parallèlement, des navigateurs aventuriers sillonnèrent les mers : le capitaine ***Cook,*** en explorant le Pacifique, atteignit les îles Marquises, l'archipel de la Polynésie, la Nouvelle-Zélande et l'Australie. ***Livingstone*** parcourut le continent africain en bon missionnaire et plus près de nous, ***Scott,*** commandant du *Discovery,* entreprit les premières expéditions dans l'Antarctique.

Les peintres et les sculpteurs

Jusqu'à la fin du XVIIIe siècle, la peinture anglaise resta dominée par le genre des portraits conventionnels et flatteurs. ***Hogarth*** fut le premier à leur donner une dimension critique. Mais l'originalité picturale britannique est à chercher dans l'art du paysage : les scènes de chasse et de sport si chères à ***Stubbs,*** la passion pastorale de ***Gainsborough,*** l'accomplissement du romantisme vibrant et lumineux de ***Constable,*** de ***Turner*** et de ***Sisley,*** pionniers de l'impressionnisme. À la même époque, ***Fuseli*** et ***William Blake*** peignirent leurs visions oniriques, qui inspirèrent les surréalistes. Le XIXe siècle fut marqué par le mouvement des préraphaélites, avec à sa tête ***Rossetti,*** qui revint aux modèles du classicisme italien. Plus novateur, ***Morris*** révolu-

tionna les conceptions esthétiques du design et préfigura l'Art nouveau. Dès les années 1950, ***Francis Bacon,*** l'angoissé, peignit des toiles obsessionnelles et morbides. Les sixties virent émerger ***David Hockney,*** célèbre pour ses immenses toiles du grand canyon américain, et les incroyables ***Gilbert and George,*** parfaits excentriques *british.*
Depuis le début du siècle dernier, l'art sculptural anglais, grâce à ***Epstein*** et à ***Moore,*** s'est affranchi de l'anthropomorphisme. S'inspirant de sources « primitives », ***Barbara Hepworth*** chercha l'abstraction pure. Aujourd'hui, ***Craig*** et ***Woodrow*** conceptualisent l'objet dans des installations où s'exprime l'âme anglaise, entre réalisme et poésie.

Les écrivains, les poètes et les dramaturges

Le poète médiéval ***Geoffroy Chaucer*** doit sa renommée à ses *Contes de Canterbury,* dont certains furent qualifiés de grivois, avant que Pasolini n'en fasse des classiques du cinéma mondial. Vint ensuite l'illustre ***Shakespeare,*** dont l'éclat universel éclipsa quelque peu le talent de ses contemporains tel le fascinant ***Marlowe.*** Le XVIIIe siècle apporta une touche gothique notamment avec ***Ann Radcliffe.***
Mais c'est surtout le romantique XIXe siècle qui sonna l'heure de gloire des femmes. ***Jane Austen*** *(Emma, Orgueil et préjugés)* célébra la femme indépendante. Les sœurs ***Brontë*** lui emboîtèrent le pas avec *Les Hauts de Hurlevent* ou *Jane Eyre.* Suivirent ***George Eliot*** qui décrivit la vie de province, ***Mary Shelley*** et son monstre Frankenstein et ***Virginia Woolf*** au destin tragique (lire le superbe *The Hours* de M. Cunningham, Pocket). Parmi les hommes, ***Byron*** et ***Keats*** s'adonnèrent au lyrisme romantique.
Citons aussi les grands poètes épiques ***Coleridge*** et ***T. S. Eliot. Dickens*** fit pleurer la terre entière avec *David Copperfield.* ***Lewis Carroll*** inventa le pays des merveilles et Alice s'y glissa. ***Stevenson*** nous enchanta avec des récits d'aventures comme *L'Île aux trésors* ou terrifiants tel *Docteur Jekyll et Mister Hyde.* ***Thomas Hardy*** avec *Tess* restera dans l'histoire, ***Kipling*** fit la part belle aux lointaines colonies. ***Oscar Wilde*** bouscula la société victorienne avec son *Portrait de Dorian Gray* et égratigna la bonne bourgeoisie avec *L'Importance d'être constant.* Au début du XXe siècle, ***D. H. Lawrence*** la scandalisa avec *L'Amant de Lady Chatterley.* Les préjugés de classes furent brillamment mis au pilori par ***George Bernard Shaw*** dans *Pygmalion.* ***Conrad*** est aujourd'hui surtout connu pour l'adaptation cinématographique de son livre *Au Cœur des ténèbres* par Coppola *(Apocalypse Now).* ***William Golding,*** qui voyait partout le mal en l'homme, le symbolisa dans *Sa Majesté des mouches.* Dans *Chambre avec vue,* ***E. M. Forster*** s'inspira de ses voyages en Italie. Un autre grand écrivain voyageur, ***Somerset Maugham,*** joua l'agent secret pendant la Première Guerre mondiale tandis que ***Graham Greene*** fut correspondant de guerre aux quatre coins du monde. D'autres écrivains explorèrent le temps : ***Huxley*** nous prédit le *Meilleur des mondes* et ***Orwell*** une année *1984* cauchemardesque.
Puis vint le temps des romans à énigme avec ***Conan Doyle*** et son célèbre Sherlock Holmes qui connut d'innombrables émules, avant qu'***Agatha Christie*** (80 romans dits policiers à son actif) ne rende le Devon, Miss Marple et Hercule Poirot célèbres dans le monde entier. De la tasse de thé au verre de whisky, il n'y avait qu'un pas. ***John Le Carré*** rendit populaire le roman d'espionnage mais c'est ***Ian Fleming,*** en inventant James Bond, qui allait faire de l'espion anglais un véritable héros, sur grand écran encore plus que sur le papier. Les romancières ***Ruth Rendell*** (passée du policier à suspense au roman psychologique), ***P. D. James*** (romancière au sens noble et à la belle écriture), ***Elizabeth George*** – qui, bien qu'américaine, décrit merveilleusement la *british way of life* – font partie des nouvelles reines du crime, tandis que d'autres, comme ***Ellis Peters,*** nous replongent dans le

passé, au gré d'enquêtes dans l'Angleterre moyenâgeuse. ***P. G. Woodhouse*** représente l'humour anglais comme on l'aime, ce qu'on ne peut dire du célèbre dramaturge ***Harold Pinter*** *(L'Amant, Le Retour)*. Au théâtre toujours, ***John Osborne*** reçut le surnom de « jeune homme en colère » pour ses critiques de l'*establishment*.
Et puis est arrivée la célèbre prodige : ***J. K. Rowling,*** qui vend à coups de millions d'exemplaires les aventures de son jeune magicien, champion de Quiddich, Harry Potter, faisant ainsi concurrence, par-delà le temps, à son regretté compatriote ***J. R. R. Tolkien*** et son merveilleux *Seigneur des anneaux*. Récemment, la Grande-Bretagne se dota d'un prix Nobel de plus avec ***V. S. Naipaul,*** Anglo-Indien né aux Caraïbes et couronné en 2001.

Les musiciens et les chanteurs

On ne peut évoquer la musique baroque anglaise sans penser à l'audace harmonique de ***Purcell.*** Il faudra attendre un siècle pour retrouver un tel génie chez ***Haendel,*** et encore, celui-ci était-il originaire de Saxe... La musique typiquement anglaise ne ressuscita qu'avec le romantisme de ***sir Edward Elgar,*** soutenu par la reine Victoria *herself*. Quant à la musique contemporaine, elle a consacré ***Sir Benjamin Britten,*** dont l'œuvre lyrique et mélodique est considérable.
Si l'impact de la musique « savante » anglaise est assez limité sur le reste du monde, la « pop music » donne en revanche le ton à toute la planète : la folie commença par le *Love me do* d'un quatuor de Liverpool, (les ***Beatles*** quoi !) et le feu d'artifice se poursuivit avec les infatigables ***Rolling Stones,*** les ***Who*** et les ***Animals. Eric Clapton,*** le « guitar hero », le crooner ***Tom Jones,*** les planants ***Pink Floyd,*** le délirant ***David Bowie, Joe Cocker*** le rocker, l'indémodable ***Phil Collins*** et son alter ego ***Peter Gabriel, Queen*** et son regretté Freddie, ***Roxy Music*** ou ***Eurythmics*** firent danser la terre entière. De la *disco* au *punk* ***(Sex Pistols)*** en passant par le *new wave* ***(Police),*** les *groups* ont toujours été en tête des *charts,* et les grandes stars ***(Sting, Elton John, George Michael, Mark Knopfler...)*** sont toujours au top.
Aujourd'hui, aucun *teen* ne sortirait sans écouter ***Blur, Oasis, Radiohead, Robbie Williams, Fatboy Slim...*** sur son baladeur MP3.

Les grands noms du cinéma

Au premier rang, le plus prodigieux de tous, à la fois acteur, réalisateur et génie tout court : ***sir Charlie Chaplin,*** qui dut pourtant s'exiler aux États-Unis pour faire reconnaître son talent, tout comme le grand ***Alfred Hitchcock. Carol Reed*** *(Le Troisième Homme)*, ***David Lean*** (*Lawrence d'Arabie* avec ***Peter O'Toole***) et un peu plus tard ***Richard Lester*** *(Le Knack)* signèrent des films oscarisés et palmisés. ***Terence Fischer*** tourna une saga des *Frankenstein.* Les années 1970 ont ri avec les ***Monty Python*** (dont s'est détaché Terry Gilliam) et le toujours déroutant ***Peter Greenaway.*** John Boorman passa avec brio de *Délivrance* à *Excalibur.* Dans les années 1980,le cinéma britannique connut un fulgurant essor avec ***Hugh Hudson*** (4 oscars pour *Les Chariots de feu*) et ***sir Richard Attenborough*** (8 pour *Gandhi*). Récemment, ***Stephen Frears, Ken Loach*** et ***Mike Leigh*** nous firent découvrir un cinéma « social » tandis que ***Kenneth Branagh*** revisitait Shakespeare. Heureusement que d'autres nous font rire avec *The Full Monty, Snatch, 4 Mariages et un enterrement, Petits meurtres entre amis,* ou encore *Shooting Fish* !
Sur les écrans, ***Vivien Leigh*** incarna une inoubliable Scarlett, ***Vanessa Redgrave*** obtint plusieurs fois l'Oscar. ***Jacqueline Bisset, Jane Birkin*** et ***Kristin Scott-Thomas*** s'installèrent en France. ***Emma Thompson*** joua

avec ***sir Anthony Hopkins*** dans *Retour à Howards End* et *Les Vestiges du jour.* Parmi les acteurs, plusieurs autres se firent anoblir : ***sir Laurence Olivier*** *(Hamlet, Le Limier),* ***sir Alec Guinness*** (Obi-Wan Kenobi dans *Star Wars),* ***sir Sean Connery*** *(my name is Bond).* ***Christopher Lee*** interpréta Dracula à 11 reprises et fut le gentil magicien du *Seigneur des anneaux,* ***Richard Burton*** eut peur de *Virginia Woolf,* ***David Niven*** forma une fine équipe avec ***Peter Sellers*** dans *Les Panthères roses,* ***Peter Ustinov*** devint Hercule Poirot et l'éclectique ***Terence Stamp*** joua les drag-queens *(Priscilla folle du désert).* Citons aussi en vrac : ***Jeremy Irons, Hugh Grant, Robert Carlysle*** *(Hot Stuffffff!),* ***Ewan Mc Gregor, Alan Rickman, Tim Roth, Daniel Day-Lewis, Helena Bonham Carter...***

Les sportifs

Les Anglais ont inventé de nombreux sports, normal qu'ils s'y soient toujours distingués : le foot (***David Beckham*** la star), le rugby (***Wilkinson,*** le héros du XV de la rose), la boxe – anglaise évidemment – avec ***Lennox Lewis,*** l'actuel champion du monde des poids lourds. À noter aussi ***Christopher Boardman,*** plusieurs fois recordman de l'heure à vélo.

Et d'autres célébrités

Citons en vrac : ***Jack l'Éventreur, Ronald Biggs,*** le génial voleur du train Glasgow-Londres ; ***Philby, Burgess*** et ***Mc Lean,*** les maîtres-espions vendus aux Soviétiques ; ***Alec Isogonis,*** le concepteur de la Mini ; le décorateur ***Terence Conran*** ; l'architecte ***Norman Foster.*** Dans la mode, ***George Brummel,*** le premier dandy, ***Mary Quant*** qui inventa la minijupe, les stylistes ***John Galliano, Stella Mc Cartney*** et ***Vivienne Westwood.***
On ne pourra aussi ignorer ***Lara Croft,*** l'héroïne du jeu vidéo *Tomb Raider,* fantasme bien réel pour beaucoup d'ados fanatiques.

POSTE

– ***Ouverture des bureaux de poste :*** du lundi au vendredi de 9 h à 17 h 30 et le samedi jusqu'à 12 h. Fermés le dimanche.
– ***Poste restante :*** voici ce qu'il faut écrire sur la lettre : votre nom et la mention « Poste restante », et, en dessous, l'adresse de la *Central Post Office* de la ville concernée. Gratuit. Conserve les lettres pendant un mois. Apporter une pièce d'identité.

RELIGIONS ET CROYANCES

En fondant en 1534 l'église anglicane, Henri VIII rompt avec Rome car le pape Clément VII refuse d'annuler son mariage avec Catherine d'Aragon. La nouvelle liturgie sera d'inspiration calviniste et sa doctrine énoncée dans le *prayer book* en 1549. Les protestants d'influence luthérienne trouvèrent le culte anglican encore trop proche du catholicisme. Durant la guerre civile de 1642 à 1649, les *Puritains* destituèrent les évêques, mais au retour des Stuarts sur le trône, ils furent contraints de s'exiler et partirent en majorité fonder des colonies en Amérique. Voilà pourquoi une majorité d'Américains conservent une foi proche du puritanisme. Depuis, la plupart des Anglais sont de confession anglicane. La reine est le chef de l'église, diacres, prêtres et évêques peuvent se marier et prêtent serment d'allégeance à la Couronne. Les femmes peuvent être ordonnées prêtres. 60 % des Anglais reçoivent le baptême anglican. On considère que 45 % sont pratiquants. L'Angleterre compte également des catholiques, des épiscopaliens, des

presbytériens, des méthodistes (les fondateurs de l'Armée du Salut) et des baptistes.
Les ressortissants du Commonwealth ont installé leurs lieux de culte en grand nombre : *gudwaris* des sikhs, temples hindous, mosquées musulmanes, synagogues juives, temples bouddhistes, etc.

SANTÉ

Consultations gratuites si vous venez de l'Union européenne, à condition que vous alliez chez votre GP (*general practitioner* : médecin généraliste), celui du quartier où vous habitez ou étudiez. Demandez ses coordonnées à quelqu'un du quartier ou à l'opératrice téléphonique. On peut également aller dans les services d'urgence des hôpitaux tôt le matin (il y a moins de monde) et surtout la nuit. Ce service est gratuit et on vous donnera les médicaments nécessaires pour tenir jusqu'au lendemain, ainsi qu'une ordonnance pour le reste.
En cas de grippe pendant une épidémie, aller dans les grandes pharmacies du centre-ville, les pharmacies de quartier étant vite en rupture de stock.
Les médicaments sont maintenant payants. Il faut souvent prendre rendez-vous à l'avance à la *surgery* (consultation) : insistez sur l'urgence pour que l'on ne vous soigne pas la semaine prochaine votre rhume d'aujourd'hui.
Sachez qu'en matière d'alimentation, les Britanniques détiennent le record du monde des infections alimentaires par *salmonella enteridis,* bactérie très agressive transmise par les œufs et leurs dérivés non industriellement contrôlés (mayonnaise et diverses sauces maison).
Si vous vous faites mordre par un chien, vous n'avez aucun risque de rage, les îles Britanniques étant un des rares pays officiellement indemnes de cette maladie. Par contre, la méningite à méningocoque C est un grave problème de santé publique : de vastes campagnes de vaccination ont eu lieu dans toute la Grande-Bretagne. Si vous devez séjourner longtemps dans ce pays, nous vous recommandons de faire de même.
– ***Services de secours :*** ☎ 999. C'est gratuit et ça continue de fonctionner même si le poste est cassé.
Même avec votre carte de santé européenne (qui remplace le formulaire E111), disponible auprès de votre centre de Sécurité sociale ou sur le site Internet de votre centre (encore plus rapide !), il est conseillé de prendre une assurance complémentaire.

SAVOIR-VIVRE ET COUTUMES

Être ou ne pas être britannique... ou généralités sur quelques différences...

Mais qui sont-ils ? L'ennemi héréditaire, la Perfide Albion, surnommée ainsi en raison de ses falaises blanches (*albus* signifie blanc en latin), a toujours eu le don d'irriter les continentaux. Son flegme dédaigneux a engendré chez les autres peuples à travers les âges un sentiment de méfiance, voire de comportement agressif (qui a dit Napoléon en premier ?). Pour leur part, nos voisins ont tendance à penser que le monde tourne autour des îles Britanniques, même si... malheureusement... le reste de l'humanité a tendance à l'oublier depuis « la perte de l'Empire ». Comme l'illustre si bien ce titre plein d'humour d'un grand quotidien à la fin des années 1950, suite à une vague de brouillard très dense sur tout le pays : « Le continent est isolé... » !
Ignorer la réalité pour imposer sa propre vision du monde est un pilier de la philosophie anglaise. Dur dur dans ces conditions de s'accorder avec les autres pays de l'Union européenne (la France en tête, *of course !*) sur la

monnaie unique par exemple ou, plus récemment, sur le conflit irakien. Les Français cultivent l'art de vivre, la table, les bons vins, la haute couture, et plus une chose est raffinée et sophistiquée, plus ils s'y identifient. Les Britanniques aiment à cultiver l'absurde et l'irrationnel. C'est tout de même dans l'un des pays les plus pluvieux de l'Europe qu'on a non seulement produit le plus de voitures décapotables, mais aussi commercialisé la voiture « découverte », c'est-à-dire sans capote du tout !

Enfin, le Britannique est réputé pour son flegme, mais, tout comme les barbes qui ne sont là que pour cacher un défaut de menton, il ne faut pas trop gratter le vernis pour réveiller la fougue qui sommeille dessous. Aussi ne prenez pas sa place. Faire la queue est une institution sacrée. Il faut la respecter, bien qu'il soit parfois difficile de savoir où il convient de la faire. On fait la queue pour prendre le bus ou le train, aux guichets des cinémas et des théâtres, mais pas au bar à l'entracte. Somme toute, il faut bien observer la situation, puis décider s'il y a lieu d'être patient ou de défendre âprement sa place.

L'humour anglais

Les racines culturelles de ces comportements peuvent être recherchées jusque dans les légendes arthuriennes. La sublimation, la quête du Sacré Graal, le roi Arthur et ses chevaliers de la Table ronde... Tout ça représente encore aujourd'hui les aspirations profondes de la noblesse anglaise et, par ricochet, celles de l'homme de la rue. Être mieux que ce qu'on est, le *fair play,* lutter contre ses sentiments, bref, les Britanniques pensent qu'à force de faire semblant d'être plus généreux et plus chevaleresque, on finit bien par le devenir ! Du conflit entre les petites mesquineries quotidiennes et les grandes envolées lyriques est né le goût de la dérision, et ce n'est pas sans raison que les Monty Python se sont attaqué au mythe arthurien dans leur premier film.

Du coup, les Britanniques adorent être « vannés ». La seule vraie insulte que vous pouvez leur faire est de leur dire qu'ils n'ont pas le sens de l'humour. Un des plus grands succès de librairie outre-Manche (trente éditions !) fut un livre extrêmement drôle et méchant sur le comportement anglais : *How to be an alien (Penguin),* écrit par Georges Mikes, un Hongrois. Il commence son livre ainsi : « Les continentaux pensent que la vie est un jeu ; les Anglais, eux, pensent que le cricket est un jeu ! ». Et le reste à l'avenant...

La France aux Français ? Mais de quel droit ?

Si les Britanniques éprouvent une véritable passion pour la France (ce sont eux qui ont découvert et « colonisé » la Côte d'Azur ; quant aux vins de Bordeaux, on peut dire qu'ils font partie intégrante de leur culture), en revanche, le peuple français leur inspire plutôt des sentiments de méfiance. Les discussions politiques de comptoir en France remplissent d'effroi le cœur du touriste britannique. Comment faire confiance à cette nation où chacun croit savoir tout sur tous les sujets, à ce pays qui se prend pour le centre du monde (alors que chacun sait, *of course !,* que c'est la Grande-Bretagne) ?

En gros, les Britanniques pensent que Dieu, dans un moment lyrique, a créé le plus beau pays du monde : la France ; puis que, pour rétablir un juste équilibre vis-à-vis des autres, il y a mis... le peuple français, des gens frivoles sur lesquels on ne peut compter, des hommes gonflés de leur propre importance – comme Napoléon ! – et, pire encore, des révolutionnaires !

Vers une Révolution anglaise ?

Cela dit, aujourd'hui la société britannique semble en pleine mutation. Avec Mrs Thatcher, le pays a appris qu'il était au bord de la faillite, et avec l'arrivée massive d'immigrés en provenance des anciennes colonies, il a dû apprendre à gérer une société multiculturelle. Les barrières, autrefois insurmontables, commencent à s'effriter, et le côté caricatural de la société victorienne à se diluer. D'ailleurs, la très chic *Manorial Society of Great Britain* met en vente les titres de noblesse des aristocrates fauchés. Tout fout le camp!

Un exemple parmi d'autres d'une situation très *british* qui pourrait bien évoluer : la mainmise quasi ancestrale de l'aristocratie sur les terres. Songez que 70 % du territoire appartient à seulement 6000 personnes, dont la Couronne bien sûr. Le calcul est vite fait : 24 millions de foyers « entassés » sur à peine 8 % du territoire, une surenchère du prix du terrain à bâtir (qui représente jusqu'aux deux tiers du coût d'une maison) et des impôts fonciers prohibitifs qui servent à financer la *landed gentry,* les grands propriétaires agricoles. En gros, sans complexe, les pauvres paient pour les riches!

En bon Robin des Bois, Tony Blair a entrepris des réformes radicales, notamment du côté de la chambre des Lords, organe institutionnel par excellence de l'aristocratie britannique où l'on roupille pas mal sous les perruques, sauf quand il s'agit de bloquer un projet de loi sur... le recensement des terres justement (encore très incomplet à ce jour!). Le nombre de pairs héréditaires, les *hereditary peers,* a été réduit au profit des pairs désignés, les *life peers.* Prochaine étape : l'élection plutôt que la nomination de tout ce petit monde. Une véritable révolution à l'anglaise qui vise à mettre fin au royaume dans le royaume. Quant à la chasse aux renards, on parle tout simplement de l'interdire. *Good lord!*

Mais aussi radicaux que pourront être les changements, l'excentricité restera une caractéristique nationale. Car c'est bien dans ce pays encombré de petites maisons alignées et toutes pareilles que le droit à la différence est vraiment une réalité. Que ce soient les modes extravagantes de la jeunesse britannique – qui jaillissent comme des geysers en éclaboussant le reste du monde – ou les allures de ces vieux aristocrates qui siègent à la chambre des Lords avec leurs cheveux coiffés en queue de cheval et qui prônent la polygamie... le fait est là : la Grande-Bretagne aime l'excentricité. Le droit d'*être différent,* que ce soit à titre individuel ou en tant que nation, fait partie de l'héritage culturel de ce pays...

Toilettes publiques

C'est une institution qui provoque la jalousie du reste du monde civilisé. On en trouve dans tous les lieux publics, à proximité des gares, des marchés, des hôpitaux, des rues commerçantes, etc. Elles sont en plus gratuites, plutôt bien entretenues et souvent parfumées. Elles datent de l'époque victorienne, où les principes de l'hygiène étaient érigés au rang des vertus civiques. Hélas, rien n'est éternel, certaines ont dû fermer, faute de crédits pour les entretenir ou les rénover, certaines se sont retrouvées converties en galerie d'art ou en bar. Quand vous irez vous soulager dans un de ces hauts lieux de la civilisation britannique sans devoir rentrer dans un pub et consommer pour éliminer (ce qui renouvellera invariablement le problème une demi-heure plus tard), vous aurez une petite pensée émue pour la *BTA (British toilet association)* qui milite pour faire adopter par le Parlement une loi qui imposera des quotas d'aménagement de toilettes publiques par tranche de 1 000 habitants, et si vous y constatez en plus la présence de fleurs, c'est que votre petit endroit d'adoption participe au concours annuel des plus belles toilettes du pays, diplôme à la clé.

SITES INTERNET

Peu ou pas de sites en français. Il va falloir réviser ses classiques pour surfer...

Pratique

• ***www.routard.com*** • Tout pour préparer votre périple, des fiches pratiques, des cartes, des infos météo et santé, la possibilité de réserver vos prestations en ligne. Sans oublier *Routard mag,* véritable magazine avec, entre autres, ses carnets de route et ses infos du monde pour mieux vous informer avant votre départ.
• ***www.amb-grandebretagne.fr*** • Le riche site de l'ambassade de Grande-Bretagne en France. Qu'ai-je le droit d'emmener? Que signifie le drapeau britannique? Pourquoi la reine a-t-elle 2 anniversaires? Très complet. Et en français!
• ***www.visitbritain.com/fr*** • Le site officiel du tourisme en Grande-Bretagne. Nombreux liens.
• ***www.londonfreelist.com*** • Entrées gratuites ou à moins de 3 £ (4,40 €).
• ***www.eyp.co.uk*** • Les Pages jaunes.
• ***www.bbc.co.uk/weather*** • Les prévisions météo.
• ***www.timeout.com*** • *Time Out,* le magazine indispensable.
• ***www.thetimes.co.uk*** • *The Times,* le prestigieux quotidien.
• ***www.bbc.co.uk*** • Site de la BBC.
• ***www2.britishcouncil.org/fr/France.htm*** • Site en français du British Council qui encourage aux échanges culturels franco-anglais.

Régions

• ***www.gosouth.co.uk*** • Nombreux liens avec les différentes régions du sud, ses plages et ses jardins. En anglais et parfois en français.
• ***www.visitwales.com*** • Tout le pays de Galles, ses manifestations et ses hauts lieux touristiques.
• ***www.londontown.com*** • Restos, boîtes, événements à ne pas louper. Un incontournable avant votre départ pour la capitale. En anglais.
• ***www.visitheartofengland.com*** • La région des Cotswolds et celle qui vit naître Shakespeare. En anglais.
• ***www.golakes.co.uk*** • Site en anglais sur la région des Grands Lacs (Lake District).
• ***www.ntb.org.uk*** • Le Northumberland, une des régions d'inspiration de Harry Potter! En anglais.
• ***www.ytb.org.uk*** • Site en anglais sur la région de York, ses parcs nationaux et sa côte sauvage.

Sites historiques

• ***www.english-heritage.org.uk*** • Le site pas très folichon du patrimoine architectural et archéologique.
• ***www.stonehenge.co.uk*** • Le site préhistorique de Stonehenge.
• ***www.bl.uk*** • La British Library.

Loisirs

• ***www.ticketweb.co.uk*** • Le programme des concerts de musique pop.
• ***www.bfi.org.uk*** • Le *British Film Institute.*
• ***www.harrods.co.uk*** • Shopping *online* obligatoire.
• ***www.officiallondontheatre.co.uk*** • Les programmes de comédies musicales.
• ***www.thebeatles.com*** • Le site officiel des Beatles.
• ***www.royal.gov.uk*** • Site officiel sur la famille royale.
• ***www.visitbritain.com/moviemap*** • Permet de visiter l'Angleterre à travers vos films préférés.

• ***perso.wanadoo.fr/hercule-poirot*** • Site en français très riche en infos pour les fondus de la reine du crime.

Transports

• ***www.nationalexpress.com*** • Tous les transports par bus, à prix très avantageux avec les grandes compagnies nationales.
• ***www.southwestrains.co.uk*** • Les trains, mais dans le sud-ouest du pays seulement.
• ***www.thetrainline.com*** • Site privé mais bien fait. Horaires, prix et tout le toutim.
• ***www.networkrail.co.uk*** • Les transports ferroviaires. Tous les horaires et liens avec les principales gares du pays.

SPORTS ET LOISIRS

Les Anglais aiment à croire qu'ils ont inventé tous les sports, ce qui est – il faut l'avouer – presque vrai (à l'exception notable du polo, mis au point, comme chacun l'ignore, dans les montagnes du Pakistan). Il y a, par contre, beaucoup de sports que les Britanniques n'ont jamais réussi à exporter, tel le roulage de fromage par exemple, qui se pratique sur la colline de Cooper's Hill depuis le XVIe siècle. Il y en a bien d'autres du même tonneau, et nous ne parlerons pas du lancer de troncs d'arbres puisqu'il s'agit d'un jeu écossais...
Parlons du cricket par exemple, ce sport désespérément immobile, aux subtilités du jeu imperceptibles et aux règles obscures aux yeux des étrangers. Un match peut durer sur plusieurs jours ! Les anciennes colonies de l'Empire s'y sont mises et constituent des adversaires sérieux. La compétition internationale opposant l'Australie à l'Angleterre s'appelle d'ailleurs très officiellement *The Ashes* (les Cendres) car, en 1882, l'Australie remporta pour la première fois ce tournoi, et un critique sportif écrivit le lendemain que « les cendres du cricket anglais furent enterrées ce jour-là... ».
Autre sport national : les paris sur tout et n'importe quoi. Les *bookmakers* – une institution privée en Grande-Bretagne – prennent des paris sur le sexe du prochain enfant royal à naître, sur le pays qui accueillera les prochains JO, ou tout simplement sur le temps du lendemain.

Les fléchettes *(darts)*

Au pub, plus personne ne crache dans la sciure ou les crachoirs comme avant, en revanche, on joue toujours aux fléchettes. Le jeu remonterait à la guerre de Cent Ans. La légende veut qu'un jour où il faisait un temps de chien, les archers anglais, abrités sous une grange, s'amusèrent à lancer des flèches sur la tranche d'un billot de bois ; ils en vinrent à raccourcir leurs projectiles jusqu'à obtenir des *darts* (le mot est français), proches des fléchettes actuelles. Les divisions en secteurs de la cible moderne s'inspireraient des veines du bois. Ainsi naquit ce jeu célèbre aux règles compliquées, dont voici les grandes lignes.
On peut jouer individuellement ou par équipes. Le but du jeu est de partir d'un chiffre donné (301 à deux joueurs, 501 à deux équipes) et d'arriver le premier à zéro, en déduisant à chaque fois les points obtenus. N'oubliez pas votre calculette. Chaque joueur dispose de 3 fléchettes et tente de les placer dans la cible posée à 1,70 m du sol et située à 2,75 m d'une ligne appelée « hockey line ». Cette cible ressemble à une grosse tarte coupée en 20 secteurs. Elle était autrefois en bois d'orme et, pour la conserver, on la plongeait chaque soir dans un tonneau de bière. On utilise aujourd'hui le sisal, une fibre végétale compressée et cerclée de fer. Chaque fléchette marque les

points correspondant au point d'impact. Le cercle extérieur double les points, celui du milieu les triple, le centre (*bull eye,* de couleur rouge ou noire) vaut 5 points et le petit cercle autour, 25 points. Les fléchettes qui se plantent mais finissent par retomber ne comptent pas. Au 301, il faut toujours débuter par un double pour pouvoir continuer (la partie est dite *double-in*). La fin est souvent héroïque ! Il ne faut pas dépasser le zéro et recommencer tant qu'on ne l'a pas atteint précisément. Encore faut-il terminer sur un double ! Mais prenez patience, même les plus grands champions ont du mal à finir... Et si vous ne vous y retrouvez pas parmi les nombreuses variantes propres à chaque pub, ne soyez pas mauvais joueur puisque, de toute façon, cela se termine toujours par une pinte de bière.

La folie du bingo !

Les femmes sont dingues du *bingo,* surtout les vieilles dames. Ce jeu qui ressemble au Loto est typique de l'Angleterre, tout comme le cricket ou la Rolls. Chaque ville a le sien. Il faut absolument y faire un tour (à la fin de la journée) pour y rencontrer la Grande-Bretagne profonde. Chaque joueur dispose d'une carte et, dans un grand silence, le *caller* annonce des numéros. Le gagnant est celui qui a tous ses numéros annoncés. Les autres se consolent en dépensant leurs dernières piécettes dans les *slot machines* dont vous apprécierez la variété avant que l'on passe à l'électronique, sur les *piers* (jetées) et dans les *amusement arcades.* On appelle la boîte à jackpot la *fruit machine* ou le *one-armed bandit.* Dans certains pubs, on gagne seulement des jetons à boire sur place...

Marche et randonnées

Pour les fanas du *hiking,* un site Internet pour préparer ses itinéraires : • www.ramblers.org.uk •
Les fans de marche se régaleront. Le Devon, la Cornouaille, le nord entre Sheffield et Manchester, le Yorkshire ou encore la région des lacs sont autant de lieux de randos sympas. Le balisage est jaune ou bleu, on traverse parfois des champs, des fermes, mais quand c'est interdit, le balisage est rouge. Demander dans les offices de tourisme les brochures rando très bien faites le plus souvent.

TÉLÉPHONE ET TÉLÉCOMS

– ***Réductions :*** le téléphone est moins cher du vendredi 18 h au lundi 8 h et du lundi au vendredi de 20 h à 6 h.
– Pour téléphoner d'une ***cabine publique,*** mettez les pièces, puis composez votre numéro. Si le bip-bip est lent, la ligne est occupée. Vous pouvez vous procurer des télécartes *(phone cards)* comme en France, ce qui est commode pour appeler l'étranger. Sinon, pensez à avoir suffisamment de pièces car on vous coupe la ligne sans crier gare. Vous remarquerez qu'il existe 2 types de cabines. La plupart appartiennent à *BT (British Telecom)* et acceptent les cartes téléphoniques vendues par *BT.* Certaines prennent les pièces et les cartes de paiement. On trouve aussi des cabines *Mercury.*
– Pour téléphoner sans souci depuis l'étranger, vous pouvez vous procurer la carte téléphonique du *Routard* avant votre départ. Développée en partenariat avec TISCALI, elle est utilisable depuis 30 pays (entre autres : États-Unis, Canada, Allemagne, Belgique, Espagne, Irlande, Italie, Pays-bas, Portugal, et bien sûr le Royaume-Uni...). D'une valeur de 20 €, elle vous permet de joindre vos correspondants en France et dans le monde entier.
Simple d'utilisation, sans abonnement et rechargeable par simple carte bancaire, elle permet d'appeler depuis un poste à touches (cabine téléphonique,

hôtel, aéroport) en bénéficiant de tarifs très avantageux. Elle offre l'avantage de pouvoir terminer ses minutes non consommées à son retour en France. Comment vous la procurer ? Une seule adresse : • www.routard.com • Votre carte sera envoyée directement à votre domicile (frais de port offerts).

– ***Pour téléphoner en France en PCV*** *(reverse-charge call),* composer le ☎ 155. Les opérateurs parlent souvent le français. Ils composent pour vous le numéro. On peut aussi appeler le ☎ 0500-89-00-33, c'est le service *France Direct.* Là aussi, on compose le numéro pour vous. Attention, ce service est très pratique, mais il faut savoir qu'il en coûtera à votre correspondant un minimum de 3 mn de communication plus un forfait de 7,40 €. À utiliser avec modération.

– ***Grande-Bretagne → Grande-Bretagne :*** pour téléphoner d'un endroit à l'autre à l'intérieur du pays, il faut avoir l'*area code* précédé du 0 (zéro). Pour l'obtenir, composer le 192 (appel gratuit à partir des cabines) afin d'être renseigné par l'opératrice. Le code et le numéro de téléphone sont épelés chiffre par chiffre, et le zéro se prononce comme la lettre « o ». Ainsi 20 se dira « two o » et non « twenty ».

– ***Grande-Bretagne → France :*** 00 + 33 + numéro du correspondant à 9 chiffres (ne pas composer le 0 initial).

– ***France → Grande-Bretagne :*** 00 (tonalité) + 44 + indicatif de la ville (mais sans le « 0 », qui n'est utilisé que pour les communications à l'intérieur de la Grande-Bretagne) + numéro du correspondant.

Indicatifs des villes

Birmingham	0121
Brighton	01273
Bristol	0117
Cambridge	01223
Cardiff	029
Guernesey	01481
Jersey	01534
Leicester	0116
Liverpool	0151
Londres	0207 (centre) ou 0208 (banlieue)
Manchester	0161
Newcastle/Tyne	0191
Oxford	01865
Plymouth	01752
Sheffield	0114
Southampton	023

TRANSPORTS INTÉRIEURS

La route

– Vous devez être en possession du ***permis de conduire*** français, de la carte grise et de la carte verte d'assurance.

– ***Le réseau routier*** est excellent. Routes parfois étroites en Cornouailles, dans le nord de l'Angleterre (Lake District, North York Moors National Park...) et au pays de Galles.

– ***Les autoroutes*** sont gratuites.

– L'essence est désormais vendue au litre, Union européenne oblige. On vous conseille de faire le plein avant de partir. Carburant plus cher (change défavorable aidant) que sur le continent, surtout le diesel.

– ATTENTION, la ***priorité*** à droite n'existe pas : donc, à chaque carrefour, un stop ou des lignes peintes sur la chaussée indiquent qui a la priorité. À rouler nez en l'air, on perd vite ses 2 ailes (de voiture).

– Aux ***ronds-points*** *(roundabouts),* à prendre dans le sens des aiguilles d'une montre, les automobilistes déjà engagés sont prioritaires.
– ***Les piétons*** engagés sont toujours prioritaires. Faites-y particulièrement attention, ainsi qu'aux *pelican-crossings,* visuels et sonores, et aux *zebra-crossings* signalés par des boules jaunes lumineuses.
– On ne badine pas avec les ***limitations de vitesse :***
➢ en ville : 30 miles per hour (48 km/h) ;
➢ sur route : 60 miles per hour (97 km/h) ;
➢ sur les autoroutes *(motorways),* gratuites, et routes à 2 voies séparées *(dual carriageways)* : 70 miles per hour (113 km/h).
On s'habitue à cette conduite pépère et vous verrez vite qu'il ne sert à rien de pousser, ralenti qu'on est par les nombreux *roundabouts.* Et de toute façon, l'île n'est pas bien grande ! Par ailleurs, les caméras de surveillance émaillent l'ensemble du réseau routier anglais. On en trouve même sur les routes de campagne les plus anodines. Vous n'êtes d'ailleurs pas pris en traître, elles sont signalées partout.
– Un détour pour prendre une ***autoroute,*** même éloignée, vous fait souvent gagner un temps considérable. Les autoroutes sont gratuites, ça mérite d'être répété !
– Les Britanniques sont très courtois sur la route. Il est par exemple possible de faire demi-tour en centre-ville, forçant ceux qui sont derrière soi à s'arrêter, sans provoquer un concert de klaxons. C'est seulement quand on essaie de faire la même chose de retour en France que cette différence de comportement au volant saute aux yeux.
– Comment éviter les ***bouchons*** *(traffic-jams)*? Il y en a 10 tristement célèbres : dépliants gratuits dans la plupart des stations-service *(Leaflets to avoid traffic-jams).*

Table de conversion

L'unité de longueur est le mile.
1 kilomètre = 0,621 mile et 1 mile = 1,609 km.

La conduite à gauche

Ce n'est finalement pas si difficile de conduire à gauche à condition de vous servir de votre rétroviseur de droite et surtout si le passager vous aide dans les dépassements. Le plus difficile est de changer les vitesses de la main gauche si vous louez une voiture, mais on s'y fait vite !
Connaissez-vous l'origine de la conduite à gauche ? Dès le Moyen Âge, les cavaliers avaient compris l'avantage de se tenir à gauche de la chaussée. En effet, en cas d'attaque de brigands, il était bien plus facile de se défendre : l'épée dans la main droite, on faisait face à l'adversaire. Ce fut Napoléon qui imposa la conduite à droite dans tous les pays qu'il conquit. Il n'en fallut pas plus pour que les Anglais conservent leur conduite à gauche.

Un peu de vocabulaire

Le plein, s'il vous plaît	*fill the tank* (le réservoir), *please*
Essence	*petrol*
Sans plomb	*unleaded*
Pneu	*tyre* (prononcer « taïe »)
Huile	*oil* (4 star, c'est-à-dire 97 octanes)
Pare-brise	*windscreen*
Essuie-glace	*wipers* (prononcer « ouaïpeuz »)
Coffre	*boot*
Outils	*tools*
Moteur	*engine*
Batterie	*battery*

Distance en km	Aberdeen	Birmingham	Brighton	Bristol	Cambridge	Canterbury	Chester	Douvres	Édimbourg	Exeter	Glasgow	Gloucester	Holyhead	John o'Groats
Aberdeen		675	913	811	728	925	586	948	205	908	250	749	725	392
Birmingham	675		264	134	173	276	120	299	470	261	466	82	248	955
Brighton	913	264		227	177	153	384	135	708	298	731	256	512	1 193
Bristol	811	134	227		255	295	238	318	596	127	592	52	393	1 081
Cambridge	738	173	177	255		189	293	212	535	382	544	232	442	1 020
Canterbury	925	276	153	295	189		394	26	720	387	743	270	524	1 205
Chester	586	120	384	238	293	394		427	381	365	376	186	139	866
Douvres	948	299	135	318	212	26	427		743	410	766	293	547	1 228
Édimbourg	205	470	708	596	535	720	381	743		703	68	544	520	485
Exeter	908	261	298	127	382	387	365	410	709		719	179	520	1 188
Glasgow	250	466	731	592	544	743	375	766	68	719		540	514	508
Gloucester	749	82	256	52	232	270	186	293	544	179	540		306	1 029
Holyhead	725	248	512	393	442	524	139	547	520	520	514	306		1 105
John o'Groats	392	955	1 193	1 081	1 020	1 205	866	1 228	485	1 188	508	1 029	1 005	
Leeds	529	175	391	309	204	403	136	426	324	436	340	257	275	800
Leicester	784	64	246	198	130	258	145	281	479	325	495	146	312	964
Lincoln	622	143	299	277	131	321	208	344	417	404	452	225	347	902
Liverpool	553	151	413	269	316	425	31	448	348	396	344	217	170	833
Londres	825	176	88	195	89	100	294	123	620	287	643	170	424	1 105
Manchester	533	139	386	273	270	398	72	421	348	400	344	221	211	833
Oxford	793	98	178	129	126	190	218	213	588	256	564	78	384	1 073
Polymouth	978	331	368	197	452	457	435	480	773	70	789	257	590	1 258
Portsmouth	946	233	78	159	210	221	353	210	741	230	694	196	452	1 226
St David's	999	320	491	624	489	555	413	578	794	391	788	285	295	1 279
Southampton	950	201	100	127	214	225	321	235	745	198	667	164	420	1 230
Stranraer	387	499	767	625	577	776	418	799	205	752	137	573	547	645
Swansea	877	198	369	142	367	433	291	456	672	269	668	163	347	1 137
York	512	282	403	368	240	415	175	438	307	495	348	316	314	792

Leeds	Leicester	Lincoln	Liverpool	Londres	Manchester	Oxford	Plymouth	Portsmouth	St David's	Southamptor	Stranraer	Swansea	York	
529	784	622	553	825	553	793	978	946	999	950	387	877	512	Aberdeen
175	64	143	151	176	139	98	331	233	320	201	499	198	282	Birmingham
391	246	299	413	88	386	178	368	78	491	100	767	369	403	Brighton
309	198	277	269	195	273	129	197	159	264	127	625	142	368	Bristol
204	130	131	316	89	270	126	452	210	489	214	577	367	240	Cambridge
403	258	321	425	100	398	190	457	221	555	225	776	433	415	Canterbury
436	145	208	31	294	72	218	435	353	413	321	418	291	175	Chester
426	281	344	448	123	421	213	480	210	578	235	799	456	438	Douvres
824	479	417	348	620	348	588	773	741	794	745	205	672	307	Édimbourg
436	325	404	396	287	400	256	70	230	391	198	752	269	495	Exeter
840	495	452	344	643	344	564	789	694	788	667	137	668	348	Glasgow
257	146	225	217	170	221	78	257	196	285	164	573	163	316	Gloucester
275	312	347	170	424	211	384	590	452	295	420	547	347	314	Holyhead
809	964	902	833	1105	833	1073	1258	1226	1279	1230	645	1157	792	John o'Groats
	155	112	100	303	64	273	506	424	547	488	373	427	39	Leeds
155		87	176	158	140	109	395	244	384	212	528	262	170	Leicester
112	87		179	221	133	196	474	348	471	316	485	349	120	Lincoln
100	176	179		325	46	249	466	384	444	252	377	322	149	Liverpool
303	158	221	325		298	90	357	121	455	125	676	333	315	Londres
64	140	133	46	298		237	470	372	485	340	377	363	103	Manchester
273	109	196	249	90	237		326	152	363	103	597	241	279	Oxford
506	395	474	466	357	470	326		300	461	268	822	339	565	Plymouth
424	244	348	384	121	372	152	300		422	32	727	312	431	Portsmouth
547	384	471	444	455	485	363	461	422		391	821	122	588	St David's
428	212	316	352	125	340	103	268	32	391		700	269	382	Southampton
373	528	485	377	676	377	597	822	727	821	700		701	528	Stranraer
426	262	349	322	333	363	241	339	312	122	269	701		466	Swansea
39	170	120	149	315	103	279	565	431	588	382	528	466		York

Bougies	*lights* (prononcer « laïts »)
Clé de contact	*ignition key*
Réparer	*to mend*
Vérifier	*to check*
Changer	*to change*
Enlever	*to remove*
Nettoyer	*to clean*
(Dé)visser	*to (un)screw*
Louer	*to rent*
Permis de conduire	*driving licence*

Location de voitures

– Toutes les compagnies de location de voitures comme *Hertz* (☎ 0825-861-861 ; 0,15 €/mn), *Avis* (☎ 0820-05-05-05; 0,12 €/mn) ou *Budget* (☎ 0825-00-35-64 ; 0,15 €/mn) sont disponibles depuis la France pour l'Angleterre.

■ ***Auto Escape :*** cette agence réserve auprès des loueurs de gros volumes de location, ce qui garantit des tarifs très compétitifs. N° gratuit : ☎ 0800-920-940. ☎ 04-90-09-28-28. Fax : 04-90-09-51-87. • www.autoescape.com • info@autoescape.com • Réduction de 5 % aux lecteurs du *Guide du routard* sur l'ensemble des destinations. Il est recommandé de réserver à l'avance. Vous trouverez également les services d'Auto Escape sur • www.routard.com •

Auto-stop *(hitch-hiking)*

Grâce à l'amabilité des Britanniques, le stop est relativement facile. Les routiers british sont encore plus sympas que leurs homologues français, et le stop semble plus normal parce que les étudiants vont traditionnellement étudier dans une ville éloignée de chez leurs parents. Des restrictions cependant :

– pendant les week-ends, du fait que beaucoup sortent en famille, il est tout à fait compréhensible qu'ils ne veuillent pas s'encombrer d'un étranger ;

– la côte sud en été est fréquentée par une majorité de touristes avec des voitures hyper chargées.

Sur les autoroutes, faire du stop de *services* en *services*. Ce sont des restoroutes. De plus, ils sont entourés de champs où l'on peut passer la nuit. Par ailleurs, vous risquez une amende si vous pratiquez le stop sur les voies d'accès autoroutières.

Pour demander à se faire conduire à : *Could you give me a lift to... ?* Encore un excellent moyen de *brush up your rusty English !*

Bicyclettes *(bikes)* et mobylette *(mopeds)*

– Dans les petites villes et les villages, il est souvent possible de ***louer une bicyclette*** *(rent a bike)* à la semaine, à un prix très abordable.

Presque tous les trains ont des fourgons qui permettent d'embarquer votre vélo sans autre formalité. Vérifiez tout de même les horaires à la gare en demandant le système : *bike it by train.*

– Rappelez-vous qu'il est interdit de mettre les ***mobylettes*** sur le trottoir. La plupart des parkings ont un espace réservé.

– *Si vous arrivez avec votre mobylette,* les formalités d'entrée sont les mêmes que pour un véhicule, c'est-à-dire :

➢ un permis de conduire national, international ou britannique ;

➢ une carte verte d'assurance que votre compagnie peut vous délivrer ;

BORDERS
BOOKS MUSIC AND CAFE
1-5 DAVYGATE
YORK, ENGLAND
YO1 8QR

STORE: 0353 REG: 01/76 TRAN#: 1825
SALE 16/09/2005 EMP: 12186

SIDELINES

	SL T	.20
1 Item	Total	.20
	CASH	.20

16/09/2005 01:32PM

THANK YOU FOR SHOPPING AT BORDERS
PLEASE ASK ABOUT OUR SPECIAL EVENTS

GB VAT No. 650072371

➢ une immatriculation, même pour les moins de 50 cm^3. S'adresser au service des cartes grises de la préfecture de police. Pour Paris : 1, rue de Lutèce, 75004. ☎ 01-53-71-39-00. Ⓜ Cité.

– Des pneus de première qualité sont indispensables, et la loi exige des freins en parfait état. Les règlements concernant l'éclairage sont également stricts. Le port du casque est OBLIGATOIRE, ne l'oubliez pas ! *Attention,* les roues de 700-28 n'existent pas en Grande-Bretagne !

Il est obligatoire, pour embarquer, d'avoir une étiquette avec nom, adresse et destination. La préparer avant le départ, plastifiée, nettement plus pratique. Il n'existe pas de pompe avec mélange. Donc, prévoir un doseur d'huile.

– *La location de mobylettes :* relativement difficile pour des questions d'assurance, et il faut être âgé de 18 ans minimum et posséder son permis depuis au moins un an. Le nombre de compagnies louant des mobylettes est limité, la mob étant rare en Grande-Bretagne.

L'autocar

Il existe des compagnies privées qui organisent des circuits et excursions. Cependant, les autocars en Grande-Bretagne parcourent tout le pays et offrent des tarifs généralement beaucoup plus avantageux que le train. Il faut distinguer les *Country Buses* qui ne desservent que le comté, en général peu confortables, vieux, lents et chers, et les ***National Express Coaches*** qui sillonnent tout le pays et sont très confortables. Leurs prix sont inférieurs de 30 à 50 % à ceux du train.

Il est possible pour tout le monde de se procurer un *Pass Hobo* à partir de 70 £ (103,60 €) qui donne accès sur 7 jours à toutes les lignes de la *National Express.* D'autres *passes* : *Foot Loose* (14 jours) pour 120 £ (177,60 €) et *Rolling Stone* pour 190 £ (281,20 €). Sur présentation de leur carte internationale, les étudiants entre 16 et 25 ans peuvent obtenir jusqu'à 30 % de réduction sur les autocars *National Express* après s'être procuré la *Discount Coach Card* (10 £ soit 14,80 € valable 1 an ou 19 £ soit 28,10 € pour 3 ans). Mêmes prix pour la ***carte senior plus de 50 ans.*** Par ailleurs, la ***Family Card*** (16 £, soit 23,70 €) valable pour 2 adultes et 2 enfants permet d'obtenir les mêmes réductions. Les plus de 60 ans paient demi-tarif (demander le tarif *Routesixty*).

■ Renseignements centralisés en Grande-Bretagne au ☎ (00-44) 8705-80-80-80. • www.nationalexpress.com • Ou en France à ***Eurolines :*** 22, av. du Général-de-Gaulle, 93177 Bagnolet Cedex, Ⓜ Gallieni. ☎ 0892-899-091 (0,34 €/mn) ou 75, bd de Clichy, 75009 Paris. ☎ 01-44-63-00-66. Et enfin 55, rue Saint-Jacques, 75005 Paris. Ⓜ Maubert-Mutualité. • www.eurolines.fr •

Le train

Prendre le train en Angleterre est une expérience (difficile) à vivre. Il y a de quoi perdre son flegme britannique ! Depuis la privatisation réalisée au début des années 1990, 30 compagnies ferroviaires se partagent le réseau ferré dans l'anarchie la plus totale : retards se répercutant en chaîne au gré des connexions, annonces contradictoires, confort parfois limite limite, etc. À cela s'ajoutent les nombreux travaux entrepris depuis les accidents meurtriers de ces dernières années. Au final, un train sur trois est en retard. Bref, si vous prévoyez de voyager en train en Grande-Bretagne, armez-vous de patience... Sachez enfin que le train est bien plus cher que le bus. Renseignements auprès de ***National Rail Enquires :*** ☎ (00-44) 8457-48-49-50. • www.networkrail.co.uk • Des bons plans transports également sur • www.uktheguide.com • ou sur • www.thetrainline.com • D'autres infos aussi sur • www.southwestrains.co.uk •

Quelques forfaits intéressants pour les routards

– *Britrail Pass :* trajets illimités procurant une plus grande économie sur la totalité du voyage sur tout le réseau ferroviaire d'Angleterre, d'Écosse et du pays de Galles, pendant 4, 8, 15, 22 jours ou 1 mois consécutifs. Le *Britrail Pass* est valable sur tous les trains et permet une réduction sur l'Eurostar. Prix adulte entre 144 et 695 €.
Réductions, en 1re classe, pour les seniors de plus de 60 ans. Pour les jeunes de 16 à 25 ans, réduction en 2e classe. Enfants de 5 à 15 ans : 50 % de réduction. Gratuit pour les enfants de moins de 5 ans.
– *Britrail FlexiPass :* ce *pass* apporte une grande flexibilité dans l'organisation de votre voyage. Valable 3, 4, 8 ou 15 jours répartis sur 1 mois. Prix : de 150 à 595 €.
Réductions, en 1re classe, pour les seniors de plus de 60 ans. Pour les jeunes de 16 à 25 ans, réduction en 2e classe. Enfants de 5 à 15 ans, 50 % de réduction. Gratuit pour les enfants de moins de 5 ans.
– *Britrail Days Out from London Pass :* permet d'effectuer un kilométrage illimité dans un rayon de 300 km autour de Londres. Avec cette carte, il est possible d'explorer tout le sud-est de l'Angleterre (Oxford, Cambridge, Brighton, Eastbourne, Exeter...). Ce *pass* est proposé sous la forme de 2 et 4 jours de voyage non consécutifs à utiliser pendant une période de 8 jours, et 7 jours de voyage pour une période de 15 jours.
ATTENTION, ces forfaits ne sont pas vendus en Grande-Bretagne, il est indispensable de les acheter avant votre départ.
Voir ***HMS Voyages*** et ***BMS Voyages*** dans les « Adresses utiles » plus haut. Pour infos générales • www.britrail.net • ainsi que les horaires complets de tout le réseau ferroviaire britannique.
– Ticket à prix réduit *(off-peak ticket)* : comme son nom l'indique, c'est un billet à n'utiliser qu'en dehors des heures de pointe. Valable à partir de 9 h 30.
– Billet *Tourist return* : l'aller-retour en 2e classe à prix réduit. À acheter en France. Valable 2 mois sans aucune restriction d'utilisation. Réduction de 30 % pour les groupes à partir de 6 adultes.
– À partir de 6 personnes, 25 % de réduction.

Formules intéressantes de la SNCF

– Avec la carte *Inter-Rail,* quel que soit votre âge, vous pouvez circuler librement en 2e classe dans 29 pays d'Europe. Ces pays sont regroupés en 8 zones dont une (la zone A) englobe la Grande-Bretagne, l'Eire et l'Irlande du Nord. Réduction de 50 % sur le trajet à l'aller en fonction des places disponibles.
– Avec la carte *Inter-Rail,* vous bénéficiez aussi de réductions sur *Eurostar, Thalys* et sur certaines traversées.
– Autre possibilité : le *Pass Eurodomino* permet de circuler librement en Grande-Bretagne (1re ou 2e classe) pendant 3 jours minimum et jusqu'à 8 jours et offre en plus des réductions sur *Eurostar.* L'*Eurodomino* Grande-Bretagne coûte 158 € pour 3 jours et 52 € par jour supplémentaire. Les jeunes de moins de 26 ans ont une réduction sur le prix du *Pass Eurodomino* d'environ 25 % mais circulent en 2e classe seulement.

Quelques tuyaux

– *Single* signifie aller simple ; *day return :* aller-retour dans la journée.
– Si vous arrivez par Heathrow ou Gatwick et si vous ne voulez pas passer par Londres, les 2 aéroports sont reliés au train directement par la gare de Reading. Très intéressant pour l'ouest et le nord (Salisbury, Oxford, Bath, Bristol, Exeter, Penzance, Cardiff, Birmingham...). La navette vous conduit à la gare de Reading en 1 h.

L'avion

British Airways propose des liaisons aériennes entre plusieurs villes du Royaume-Uni. Pas toujours très intéressant au niveau des tarifs mais ça peut faire gagner du temps sur des vols Londres-Newcastle-upon-Tyne (pas si cher que ça, si ce n'était la taxe d'aéroport à rajouter, de presque 30 £ soit plus de 44 €) ou Londres-Leeds par exemple. Air Wales propose des prix plus raisonnables pour les vols entre l'Angleterre et le pays de Galles ainsi qu'entre Newcastle et Plymouth et des connexions avec l'Irlande (• www.airwales.co.uk •). Pour vous renseigner sur toutes les possibilités de vols intérieurs, allez sur le site • www.flightmapping.com/maps/uk-ireland.swf • Hyper-pratique : vous cliquez sur la ville de départ de votre choix et vous avez toutes les liaisons possibles par toutes les compagnies aériennes possibles, ainsi que les alternatives en train par exemple.

TRAVAIL EN GRANDE-BRETAGNE

Joignez l'utile à l'agréable (?) et travaillez. Voici quelques conseils pour bien s'installer. Enfin – et sans vouloir faire de pub – n'oubliez pas de consulter notre *Guide de l'expatrié !*

Les papiers

Bonne nouvelle : venant d'Europe, vous n'avez pas de restriction particulière pour travailler dans le royaume de sa majesté. Seule une carte d'identité ou un passeport en cours de validité vous sera demandé pour séjourner et travailler en Angleterre.
Les ressortissants vivant hors de l'Union européenne devront, quant à eux, obtenir visa et permis de travail. Se renseigner à l'ambassade de Grande-Bretagne du pays d'origine avant de partir.

Et mes valises, j'en fais quoi ?

Lorsqu'on part pour quelques mois, voire pour plus de temps, on a forcément besoin d'un peu plus d'affaires. Problème : on a du mal à se séparer des chaussures préférées, de la jupe offerte par Tatie ou du pull fétiche de la communion... Comment faire un choix ? Ou ne pas en faire... Du coup, on emporte plein de choses et on fait appel à un groupeur en transport international, qui peut aussi faire fonction d'emballeur. Attention à ne pas oublier de régler les questions d'assurance : pensez à être couvert tous risques, à prendre les coordonnées de l'agent d'assurance local pour les avaries, etc.

■ ***Allship Worldwide Moving :*** 18, av. Bosquet, 75007 Paris. ☎ 01-47-05-14-71. Fax : 01-45-56-98-75. • francis_allship@hotmail.com •
■ ***AGS Paris :*** 61, rue de la Bongarde, 92230 Gennevilliers. ☎ et fax : 01-40-80-20-20. Fax : 01-40-80-20-00 • www.ags-demenagement.com •
• ***www.travelexpat.com*** • Un site intéressant qui propose pas mal de conseils et d'adresses pour vous aider dans vos démarches.

Maintenant, au boulot !

Chaque année, des dizaines de milliers de Français se rendent en Grande-Bretagne pour se lancer à la recherche de jobs ou de stages. Si là-bas le pourcentage de chômage est presque 2 fois moins élevé qu'en France, la concurrence est rude ! Qu'on se le dise, vous ne tomberez pas immédiatement sur le super job, mais par contre vous trouverez sans problème un petit boulot de serveur dans un bar, un resto ou une sandwicherie. Les ***salaires*** ne sont pas élevés : 4,10 £ (6,10 €) brut de l'heure. Mais l'impôt est directement prélevé à la source... Tentez votre chance, les parcours atypiques sont bien mieux considérés qu'en France. Très important : n'oubliez pas d'emporter avec vous quelques ***lettres de recommandation*** de vos anciens employeurs. Cela donnera un peu plus de relief à votre candidature.

Pour vous aider dans vos recherches

– Avant de partir, contacter la ***Maison des Français de l'étranger :*** 30-34, rue La-Pérouse, 75775 Paris Cedex 76. ☎ 01-43-17-60-79. Fax : 01-43-17-70-03. • www.expatries.org • Un service du ministère des Affaires étrangères. Des infos sur le pays, des petites annonces, des conseils et des astuces sur les filières liées à votre profil et à vos envies. Très utile.
– N'oubliez pas non plus ***L'Espace emploi international,*** émanant de l'ANPE : 48, bd de la Bastille, 75012 Paris. ☎ 01-53-02-25-50. Fax : 01-53-02-25-95. • www.emploi-international.org • Fermé le mardi. Pour les annonces et les renseignements d'ordre social.
– Une fois en Angleterre, vous pouvez vous adresser à l'ambassade de France à Londres, qui dispose parfois de bonnes annonces, ou aux ***job-centres,*** équivalents de notre ANPE, qui sont gérés par le ministère du Travail britannique. Les services sont gratuits. Liste complète sur • www.employmentservice.gov.uk •
– Sur Oxford Street, à Londres, vous trouverez pas mal de ***temp agencies*** (agences de travail temporaire). Aucun frais d'inscription n'est obligé. Mais attention, ce n'est pas là que vous dénicherez le job de vos rêves mais bien plutôt de la manutention.
– Autre possibilité, consulter la ***presse,*** surtout à Londres : le *Loot* • www.loot.com • ou l'*Evening Standard* (5 éditions par jour, celle du matin est la plus riche, assurément) par exemple. N'hésitez pas à éplucher également *The Guardian, The Independent, The Daily Telegraph,* le *Sunday Times,* l'*Observer,* l'*Overseas Job Express, Ici Londres, Metro* ou encore *Bonjour ! Londres.*
– De nombreuses offres sont disponibles sur ***Internet.*** • www.jobx.com • www.stepstone.fr •
– Si vous cherchez un stage à Londres, vous pouvez vous adresser au ***British Council :*** voir les « Adresses utiles » au début des « Généralités ». Ou au ***centre Charles-Péguy :*** 16 Leicester Square, WC2, London. ☎ 0207-437-83-39. • www.ceifrenchcentre.com • Ⓜ Leicester Square. Ouvert du lundi au vendredi de 10 h à 16 h 30 (18 h le jeudi). Une association qui met à votre service infos en tout genre, aussi bien pour trouver un job rapidement ou un stage que pour vous inscrire à la Sécu. Bémol : adhésion chère de 50 £ (74 €). Par ailleurs, les jobs seront souvent dans des restos qui recherchent la « *french touch* » et les apparts pleins de compatriotes francophones... Sympa pour prendre ses marques, mais les débrouillards s'en passeront.

Et la santé dans tout ça ?

Une question qu'on oublie facilement. Votre job en poche, vous pouvez et devez demander une attestation de travail à votre employeur (même avant de décrocher un contrat définitif). Vous devez ensuite vous rendre au *Department of Social Security* ou à la *Benefit Agency* (• www.dss.gov.uk •) de votre lieu de résidence pour obtenir un numéro de sécurité sociale *(National Insurance Number)*. Une fois encore, en attendant votre numéro définitif, demandez un numéro temporaire, ce qui vous permettra d'être moins prélevé sur votre salaire et d'avoir aussi accès en cas de besoin aux urgences anglaises sans payer. Attention, ce système est en train de changer en Angleterre sous l'impulsion de Tony Blair. Renseignez-vous avant votre départ au consulat de France à Londres (voir « Avant le départ »).

Pour dormir, on fait comment?

Plusieurs possibilités s'offrent à vous. Tout d'abord, si vous souhaitez louer un appartement, sachez que les loyers sont TRÈS chers et que le délai pour en trouver un est de 2 à 3 semaines. Galère!
Ici on paye en général son loyer d'avance, très souvent à la semaine (d'où un *turn over* plus important qu'en France). Un dépôt de garantie est exigé (en moyenne 6 semaines) et les baux ne dépassent pas un an.
La majorité des locations se font en meublé. Pour trouver votre bonheur, et si vous n'avez pas de relations à Londres, vous pouvez consulter les agences immobilières des quartiers qui vous intéressent ainsi que les petites annonces sur les journaux et le web. Pensez aussi au partage d'appartements *(flatsharing)*, beaucoup plus développé à Londres que chez nous, l'idéal étant de trouver des *flatmates* anglais, bien sûr! N'oubliez pas • www.routard.com • Des petites annonces, des forums pour échanger vos tuyaux, et tout ça, gratuit! On compte aussi quelques sites spécialisés dans ce domaine : • www.intolondon.com/flatshare • pour les futurs Londoniens, • www.canalexpat.com •
Enfin, certaines adresses « Bon marché » du guide peuvent aussi vous dépanner en attendant de trouver votre *home sweet home.*

Et mon compte en banque alors?

Ouvrir un compte en banque en Angleterre s'avère plus compliqué qu'en France. On demande beaucoup de garanties. Il est plus facile d'ouvrir un compte épargne *(saving account)* qu'un compte courant qui donne droit à une carte de paiement. Tout d'abord, vous aurez besoin d'une pièce d'identité, de préférence votre passeport, mais aussi d'une lettre de votre banque en France et d'une attestation du lieu de résidence (une facture de téléphone suffit ou même une lettre de votre hôtel). Enfin, on peut vous demander une attestation de votre employeur, ce qui facilite souvent l'ouverture du compte. En fait, les modalités peuvent différer d'une banque à l'autre, certaines sont moins exigeantes. Oubliez vite les banques françaises, qui ne s'occupent que des grandes entreprises. Quelques grandes banques anglaises auxquelles vous pouvez vous adresser : *Barclays, Lloyds, Midlands...*
En Angleterre, il existe 2 types de cartes de paiement : la carte de débit *(Debit Card)*, avec laquelle le débit est immédiat, et la carte de crédit (*Credit Card*, logique!), qui permet un débit différé. Petit truc : lorsque vous tirez de l'argent liquide à un distributeur, veillez à utiliser ceux des agences affiliés à votre banque (sinon, on pourrait vous prélever une commission!).

Comment garder le contact *(to keep in touch)*?

Les téléphones portables français proposent la fameuse option « Monde » qui vous permet d'appeler d'où vous voulez. Mais cela coûte très cher. En Grande-Bretagne, les opérateurs proposent l'équivalent de nos portables à cartes du type *Pay as you talk* (ou *as you go*) ou des cartes prépayées. Tous les kiosquiers proposent des cartes téléphoniques prépayées assez avantageuses, utilisables partout. Enfin, n'oubliez pas les vertus du Net pour joindre papa maman. Ils seront ravis de s'y mettre aussi! Maintenant, c'est à vous de jouer...

AU SUD-EST ET AU SUD DE LONDRES

Que ce soit à l'est ou à l'ouest, voici 2 sites Internet qui vous aideront dans la préparation de votre voyage : • www.southeastengland.uk.com • pour le sud-est et • www.visitsouthwest.co.uk • pour le sud-ouest.

LE KENT

L'histoire est bien représentée dans ce comté si verdoyant, si anglais, mais qui doit pourtant beaucoup aux influences (certes, pas toujours amicales) du voisin français. On y trouve donc un grand nombre de châteaux forts, qui accueillent aujourd'hui les nombreux visiteurs pacifiques débarquant du continent, comme on aime à l'appeler ici. La côte est d'ailleurs constituée de ports où transitent près de 20 millions de passagers par an et de l'arrivée du tunnel (sous la Manche) qui permet le débarquement d'un peu plus de 2 millions de voitures de tourisme. On trouve également sur cette côte peu distante de Londres des stations balnéaires ayant connu de meilleures heures. Le nord-ouest du comté est effectivement la banlieue de Londres. Et si Canterbury est le joyau du Kent, Tunbridge Wells, plus à l'ouest, offre au visiteur le charme tranquille d'une ville d'eau.
– Site incontournable : • www.kenttourism.co.uk •

ROCHESTER

24 000 hab. IND. TÉL. : 01634

Rochester servit à surveiller l'entrée de la rivière Medway, d'où la présence d'un impressionnant château fort datant du XIIe siècle. Ce fut aussi une ville fréquentée par Charles Dickens, qui y situa nombre de ses livres. Et la princesse Pocahontas (oui ! elle a existé !) fut la première Indienne d'Amérique à être enterrée sur des rives non loin de Rochester, à Gravesend. Ajoutez à cela une histoire navale et une force d'intervention durant la Seconde Guerre mondiale, dont la « petite sœur » de la ville, Chatham, retrace toute l'histoire. Rochester se présente comme une étape bien sympathique et variée sur votre parcours.

Comment y aller ?

➢ Par l'A2 depuis Londres ou la M2 depuis Canterbury, sorties 2 et 4 et suivre l'A289 en passant le Medway Tunnel. Également 5 trains par heure depuis Londres, et 2 depuis Douvres et Canterbury. Compter 1 h de trajet dans chaque cas.

Adresses utiles

ℹ ***Visitor Information Centre :*** 95 High St, ME1 1LX. ☎ 84-36-66. Fax : 84-78-91. Ouvert tous les jours de 10 h (10 h 30 le dimanche) à 17 h. Demander la brochure en français *Une promenade en ville*, très bien faite et ludique. Accueil très aimable et coopérant.

🚂 ***Gare :*** High St, dans le prolongement de la partie centrale, en s'éloignant du château. Renseignements : ☎ 08457-48-49-50.

Où dormir ?

Bon marché

🏠 ***Youth Hostel :*** à Chatham, Capstone Rd, Gillingham, ME7 3JE. ☎ 40-07-88. Fax : 40-07-94. • medway@yha.org.uk • Pour y aller, suivre la direction « Ski Centre ». En bus, depuis la gare routière de Chatham, prendre l'Arriva 114 et s'arrêter à la station Hale Public House. Réception à partir de 17 h. Quatre chambres doubles autour de 20 £ (29,60 €). Possibilité de dormir en dortoir. Dans une ancienne houblonnerie, une adresse calme et pas chère. Toilettes sur le palier. Machines à laver.

🏠 ***St Ouen B & B :*** 98 Borstal Rd, ME1 3BD. ☎ 84-35-28. • m.s.beggs@98borstal.freeserve.co.uk • Chambre double autour de 32 £ (47,40 €). Grande maison victorienne à 1 km du centre, au bord de la rivière Medway. Salle de bains en commun, très propre. Jardin. Demander à la proprio de vous parler des ponts de Paris. Adresse non-fumeurs.

Prix moyens

🏠 ***Grayling House :*** 54 St Margaret's St, ME1 1TU. ☎ 82-65-93. Prendre la rue entre la cathédrale et le château, puis celle à gauche. Chambre double de 40 à 50 £ (59,20 à 74 €). La plus chère, superbe, a un jacuzzi. Noter que chaque chambre est décorée de *teddy bears*. Attention au chat qui file entre les jambes. Adresse sympa.

Où manger ?

|●| ***A Taste of Two Cities :*** 106 High St. ☎ 84-13-27. Fermé le jeudi. Plats copieux entre 4 et 8 £ (5,90 et 11,80 €). Accepte les cartes de paiement. Resto indien où vous dégusterez votre poulet ou votre riz suivant vos envies « géographiques », comme à Madras, Dansak, Vindaloo, Rangoon, etc. Possibilité d'emporter vos plats.

|●| ***Elizabeth's of Eastgate :*** 154 High St. ☎ 84-34-72. Ouvert tous les jours. Fermé le dimanche midi. Plats autour de 11 £ (16,30 €). Le resto chic et sympa de la ville. Caché derrière les rideaux, on apprécie une cuisine traditionnelle, sans grande originalité mais dans un cadre convivial.

Où déguster une pâtisserie ?

|●| ***Morley's of Rochester :*** 125 High St. Vous ne pourrez que succomber en passant devant cette vitrine alléchante. Goûter à la traditionnelle *apple pie*. Sandwichs à emporter, vraiment bons et pas chers.

Où boire un verre ?

🍸 ***The Two Brewers :*** 113 High St. ☎ 81-24-48. Le plus petit pub de la ville. Gravures sur les murs et histoires des deux brasseurs fondateurs du pub au XVIIe siècle (pas facile de transporter la bière en ces temps-là !). Patronne sympa et tous les derniers tubes d'Abba pour vous accompagner en musique. On aime !

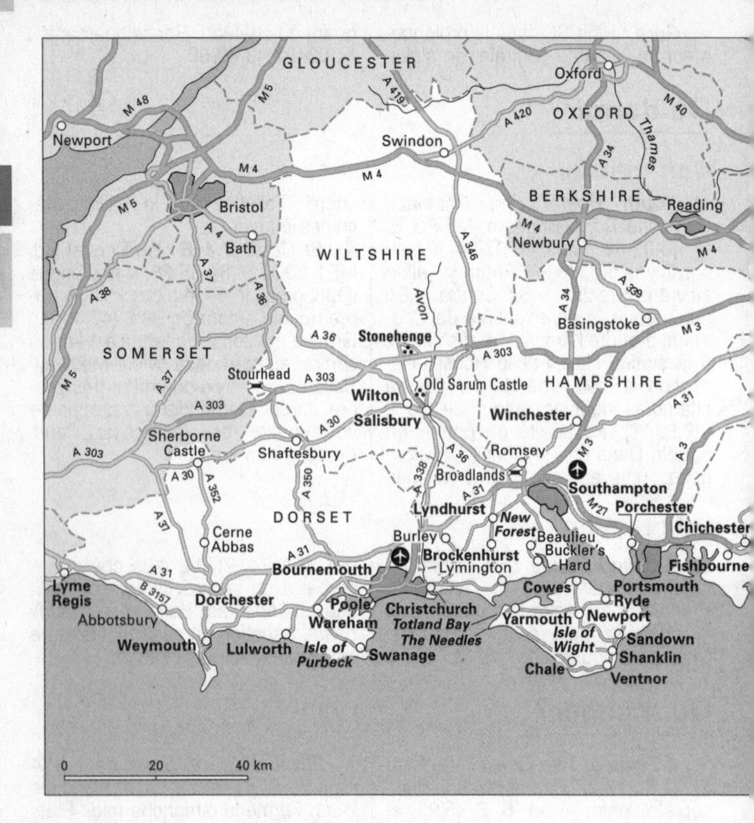

À voir

Charles Dickens Centre : High St. Ouvert tous les jours de 10 h à 17 h 30 (dernière admission à 16 h 45). Fermé à Noël. Entrée : 3,50 £ (5,20 €) ; réductions familles. Audioguide (payant) en français. Dans Eastgate House, une maison plusieurs fois mentionnée dans l'œuvre du romancier. Toute la vie de Dickens racontée à travers la mise en scène de ses romans principaux, sans oublier ses personnages truculents (l'horrible Mr Quilp !). Ludique. Dans le jardin, le chalet dans lequel l'écrivain a rédigé ses derniers mots en 1870.

La cathédrale : au bout de High St. ☎ 40-13-01. Ouvert tous les jours. Entrée gratuite. La deuxième plus ancienne cathédrale d'Angleterre, fondée en 604 par l'évêque Justus. On peut aujourd'hui observer les résultats des travaux entrepris entre les XIIe et XIVe siècles. Sur la façade ouest, face au château, noter l'architecture romane mais surtout les statues du roi Salomon et de la reine de Saba (Henri Ier et la reine Mathilde ?). La nef, après la construction de 2 travées, ne fut jamais terminée. Près du chœur, une intéressante peinture du XIIIe siècle qui vous laissera songeur, représentant *la Roue de la Fortune*. Notre vie, quoi. C'est pas gai tout ça ! Espérons que les

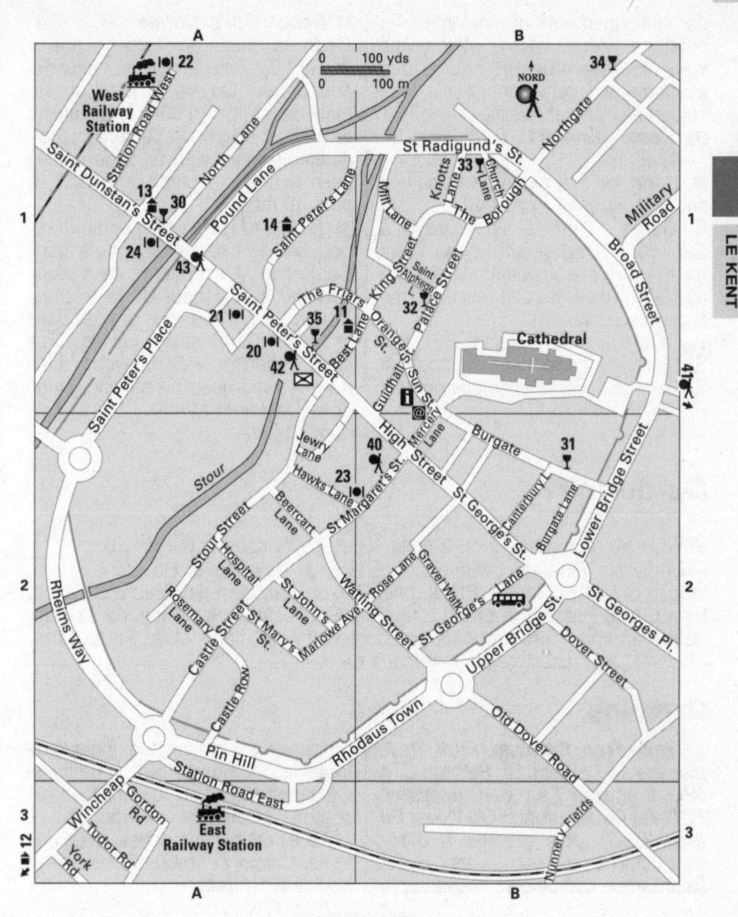

CANTERBURY

Adresses utiles

- Canterbury Information Centre
- Poste
- Gare routière
- Gares ferroviaires
- Debenham's Coffee Shop

Où dormir ?

11 The Tudor House
12 Clare Ellen Guesthouse
13 The Falstaff Hotel
14 The White House

Où manger ?

20 Marlowe's
21 Café Saint Pierre
22 The Goods Shed
23 Custard Tart
24 Le café des amis du Mexique et Raj Venue

Où boire un verre ?

30 et **31** Pubs Wetherspoon
32 Canterbury Environment Centre
33 Simple Simon's
34 Penny Theatre
35 The Old Weaver's

À voir

40 The Canterbury Tales
41 Saint Augustine's Abbey
42 Hospital of Saint Thomas the Martyr
43 West Gate

de stationnement) et également la brochure *What Where When,* qui vous donnera dates et heures des événements à venir dans la ville. Personnel aimable et qualifié.

✉ **Poste** *(plan A1)* **:** 28 High St. ☎ 47-20-82.

■ **Banques :** la plupart se trouvent sur High St et St Peter's St.

Gares : l'arrivée est possible à Canterbury East *(plan A3)* ou West *(plan A1)*. Renseignements : ☎ (08457) 48-49-50. Toutes les deux sont à 10 mn à pied du centre-ville.

Gare routière *(plan B2)* **:** à St George's Lane (tout au bout de St George's St). Renseignements : ☎ (08702) 43-37-11.

@ **Debenham's Coffee Shop** *(plan B1-2)* **:** à l'angle de Mercery Lane et de Sun St, juste à côté de *l'Information Centre*. Ouvert du lundi au samedi de 9 h à 17 h 30 et le dimanche de 10 h 30 à 16 h 30. Seulement 2 ordinateurs mais bien pratique car en plein centre. Compter 1,50 £ (2,20 €) pour 30 mn.

■ **Park and Ride :** il est presque impossible de circuler en voiture dans Canterbury. Un système de parking surveillé à l'extérieur de la ville est disponible. Un bus vous dépose dans le centre-ville et vous y reprend. Pas cher. Attention ! Garez-vous bien dans les marques de parking, sinon *ticket* (amende) assuré. Et on sait de quoi on parle !

Où dormir ?

Si vous ne restez que 1 ou 2 nuits, logez plutôt dans le centre-ville.
– De façon générale, préférez les *B & B* de New Dover Rd (dans le prolongement de St George Place, *plan B3*), qui jouissent d'un cadre plus vert. Sinon, n'hésitez pas à prendre un *B & B* à l'écart, voire à loger à la campagne où vous aurez un plus grand confort pour moins cher. En tout cas, réservez à l'avance : il y a beaucoup de touristes.

Camping

Yew Tree Caravan Park *(hors plan par B3)* **:** Stone St, Petham CT4 5PL ; à environ 7 km de Canterbury. ☎ 70-03-06. Emprunter Old Dover Rd *(plan B2-3),* puis prendre à droite juste après le pub, vers Hythe (B2068). Le camping se trouve sur la droite après 5 km environ. Indiqué de toute façon. Bus n° 620 à partir de Canterbury. Ouvert de mars à fin octobre. Compter environ 12 £ (17,8 €) pour 2 personnes, avec une tente. Calme et ombragé. Piscine et boutique. Correct.

Bon marché

Youth Hostel *(hors plan par B2)* **:** Ellerslie, 54 New Dover Rd, CT1 3DT. ☎ 46-29-11. Fax : 47-07-52. • canterbury@yha.org.uk • Dans le prolongement de St George Place, à 10 mn à pied du centre. Réception de 7 h 30 à 10 h et de 13 h à 23 h. Fermé en janvier. Compter 16,40 £ (24,30 €) par personne en dortoirs de 2 à 10 lits. AJ spacieuse (68 lits) mais vite remplie. Propre et assez claire. Seulement 2 chambres doubles. Réservation conseillée. Équipe sympathique.

Kipps Independent Hostel *(hors plan par B3)* **:** 40 Nunnery Fields, CT1 3JT. ☎ 78-61-21. Fax : 76-69-92. • www.kipps-hostel.com • À 10 mn à pied de East Railway Station et de la cathédrale. Réception de 8 h à 23 h en été. Horaires restreints hors saison, mieux vaut téléphoner. Prévoir 13 £ (19,30 €) par personne en dortoir. La formule « alternative » à l'AJ dans une vieille et belle maison, avec un salon accueillant. Trente-cinq lits dans des dortoirs de 4 à 7 lits, avec salle de bains pour certains. Quelques doubles. Esprit routard. Accès Internet. Réduction de 10 % sur le prix de la première nuit sur présentation du *Guide du routard.*

Prix moyens

The Tudor House *(plan A1,* ***11****) :* 6 Best Lane, CT1 2JB. ☎ 76-56-50. Ouvert toute l'année. Chambres doubles avec ou sans salle de bains de 45 à 52 £ (66,60 à 77 €), selon le confort. Adorable maison de plus de 5 siècles, avec un joli jardin donnant sur la rivière, en plein centre. L'escalier, d'époque, fait la fierté de la propriétaire ! Éviter la chambre du haut, humide et froide. Très bon petit dej'.

Chaucer Lodge *(hors plan par B3) :* 62 New Dover Rd, Canterbury CT1 3DT. ☎ et fax : 45-91-41. • www.thechaucerlodge.co.uk • Compter autour de 45 £ (66,60 €) la chambre double. Dans un quartier plus tranquille que le centre effervescent. Toutes les chambres sont *en-suite,* avec frigo. Préférer celles donnant sur le jardin. Confortable et très bon accueil par un couple de retraités bien sympathiques. Réduction de 10 % sur présentation du *GDR.*

Clare Ellen Guesthouse *(hors plan par A3,* ***12****) :* 9 Victoria Rd, CT1 3SG (un peu à l'écart de Wincheap, près de la gare Est, à environ 15 mn à pied du centre). ☎ 76-02-05. Fax : 78-44-82. • www.clareellenguesthouse.co.uk • Compter de 50 à 58 £ (74 à 85,80 €) la chambre double. Accepte les cartes de paiement. Chambres claires et très *british-cosy,* gentiment kitsch. Propriétaire sympathique et parking gratuit.

The White House *(plan A1,* ***14****) :* 6 St Peter's Lane, CT1 2BP. ☎ 76-18-36. • www.canterburybreaks.co.uk • Chambre double de 55 à 60 £ (81,40 à 88,80 €). Dans une petite rue calme, bien qu'en plein centre. Rien d'inoubliable côté déco mais tout à fait confortable et idéalement situé. Bon accueil et excellent petit dej'.

De plus chic à vraiment plus chic

Ebury Hotel *(hors plan par B3) :* 65-67 New Dover Rd, CT1 3DX. ☎ 76-84-33. Fax : 45-91-87. • www.ebury-hotel.co.uk • À 15 mn à pied du centre, dans le prolongement de Old Dover Rd. Chambre double entre 75 et 95 £ (111 et 140,60 €). Déco soignée, mais ensemble un peu froid. Genre hôtel pour commerciaux de passage. Grand jardin avec piscine couverte. Demandez les chambres côté jardin de préférence. Parking gratuit.

The Falstaff Hotel *(plan A1,* ***13****) :* 8-10 St Dunstan's St, CT2 8AF. ☎ 46-21-38. Fax : 46-35-25. • www.corushotels.co.uk/falstaff • Ouvert toute l'année. Prévoir de 100 à 125 £ (148 à 185 €) pour une double. À côté de West Gate, dans le centre. Dans un bâtiment vieux de 600 ans. Plusieurs des chambres (avec mezzanine) se situent dans une annexe moderne. Parking privé (salutaire dans cette ville). Accueil de qualité et une ambiance familiale dans ce dédale de couloirs avec ses nombreuses cheminées d'époque. Restaurant réputé et petit dej' soigné. On imagine aisément Falstaff, en bon personnage de Shakespeare, apparaître de derrière une porte avec son épée et son plumet pour nous déclamer une belle tirade en ancien anglais.

Où manger ?

Toutes les cuisines sont représentées, avec toutefois une prédominance de restaurants italiens. Du côté des remparts, des restos chinois et indiens où les étudiants emportent des plats en *take-away.* Dans St Peter's St et High St, en revanche, côté restauration, ça tient plus de la cour des miracles. Il y a à prendre et à laisser. Sinon, plusieurs pubs servent des plats de qualité mais arrêtent le service de bonne heure le soir. Les prix se tiennent, clientèle estudiantine oblige.

Bon marché

🍽 ***Café Saint Pierre*** *(plan A1, **21**) :* 41 St Peter's St, CT1 2BG. ☎ 45-67-91. Ouvert du lundi au samedi de 8 h à 18 h et le dimanche de 9 h à 17 h. Sandwichs autour de 3 £ (4,40 €). Si le mal du pays vous gagne et juste avant d'aller visiter la cathédrale. L'idéal pour un petit café sur le pouce. Propose aussi une formule « baguette », un sandwich bien garni. Le tout servi dans le jardin en été.

🍽 ***The Custard Tart*** *(plan A-B2, **23**) :* 32a St Margaret's St. ☎ 78-51-78. Fax : 76-80-80. Des sandwichs à guère plus de 2 £ (3 €) et des viennoiseries à prix modiques. Petite boulangerie à la devanture alléchante. Fait aussi resto avec des spécialités de pâtes. Réduction de 10 % sur l'addition (sur place ou à emporter) sur présentation du *Guide du routard.*

Prix moyens

🍽 ***Le café des amis du Mexique*** *(plan A1, **24**) :* 93-95 St Dunstan's St. ☎ 46-43-90. Ouvert tous les jours de midi à 22 h. Plats autour de 10 £ (14,80 €). Un très bon resto aux accents latins, juste en face de West Gate. On est accueilli par une belle collection de poissons globuleux et d'iguanes joyeux en papier mâché. Dans la salle, faune plutôt familiale à midi et plus estudiantine le soir. Dans l'assiette, du mexicain, bien sûr : *quesadillas, fajitas* et *guacamole,* mais aussi paella à déguster entre amis. Plats copieux, service rapide et souriant, tandis que la musique se balade entre l'Andalousie et Cuba. Très sympa.

🍽 ***The Goods Shed*** *(plan A1, **22**) :* Station Road West. ☎ 45-91-53. Plats allant de 6 à 20 £ (8,90 à 29,60 €). Le marché est ouvert toute la journée mais les repas sont servis uniquement de midi à 15 h et de 18 h à 21 h 30 (16 h le dimanche). Fermé le lundi. À côté de West Mainline Station. Un drôle d'endroit, à la fois marché bio et resto, installé dans un ancien entrepôt de la gare, avec de larges baies vitrées donnant sur les voies. Sur la mezzanine, de grandes tables en bois accueillent une cuisine bio (mais pas spécialement végétarienne), pas triste du tout, voire particulièrement savoureuse et inventive. Une de nos adresses préférées à Canterbury, autant pour la qualité des plats que pour l'ambiance.

🍽 ***Marlowe's*** *(plan A1, **20**) :* 55 St Peter's St. ☎ 46-21-94. Plats allant de 6,50 à 10 £ (9,60 à 14,80 €). Mex mais pas tex, plus de nombreux plats difficiles à classer. À vous de juger. Les 2 étages ne désemplissent pas. Déco chaleureuse, dédiée au cinéma et aux comédies musicales new-yorkaises. Une occasion rêvée de partager la table avec Frank Sinatra ou Claudia Cardinale !

🍽 ***Raj Venue*** *(plan A1, **24**) :* 92 St Dunstan's St. ☎ 46-26-53. Ouvert tous les jours de 12 h à 14 h et de 18 h à tard. Spécialités népalaises et indiennes de 5,50 à 11 £ (8,10 à 16,30 €). Un buffet intéressant à 7 £ (10,40 €) le dimanche midi. Déco moderne aux couleurs psychédéliques. Ambiance un peu froide, mais les assiettes sont bien remplies.

Où boire un verre ?

Vous n'avez que l'embarras du choix. Tout le plaisir consiste à parcourir les ruelles médiévales et à faire plusieurs pubs selon votre inspiration. Les plus jeunes se retrouvent essentiellement dans les bars et restos branchés de St Margaret's St. Même en plein hiver, la longueur des jupes est aussi courte que l'ambiance est chaude !

Simple Simon's *(plan B1,* ***33****)* **:** 3-9 Church Lane. Un de ces vieux pubs bas de plafonds (et marron de nicotine !), feu dans la cheminée et parquets patinés. Superbe salle de restaurant au 1er étage, sous une charpente du XIVe siècle absolument magnifique, Agréable cour à l'arrière en été. Propose de la musique live plusieurs fois par semaine : jazz, blues, folk, funk...

Canterbury Environment Centre *(plan B1,* ***32****)* **:** dans St Alphege St. Horaires restreints. Un centre d'information sur la ville, installé dans une ancienne église. On n'y boit que du bio, évidemment.

Penny Theatre *(plan B1,* ***34****)* **:** Pub jeune pour jeunes. Grand choix de cafés, du *ristretto* au *mocha.* Tous les soirs, alternance entre DJ et matchs de foot sur écran géant.

The Old Weaver's *(plan A1,* ***35****)* **:** 1 St Peter's St. ☎ 46-46-60. Sympa de s'y arrêter prendre un verre ou un thé car cette bâtisse datant de 1500, au bord de la rivière, est une pure merveille. Hélas, la déco intérieure n'est pas à la hauteur du lieu. Quant à la cuisine... mieux vaut éviter !

Les ***pubs Wetherspoon*** **:** l'un est face à West Gate, *(plan A1,* ***30****)* et l'autre près de East Gate, *(plan B2,* ***31****).* Pas de décor traditionnel séduisant, mais ambiance simple et bon enfant, loin des boîtes à touristes. Ces pubs sont connus pour être moins chers que les autres. Formules snack intéressantes et bonne sélection de bières.

À voir

La cathédrale *(plan B1)* **:** renseignements au ☎ 76-28-62. Ouvert du lundi au samedi de 9 h à 18 h 30 (17 h d'octobre à Pâques) et le dimanche de 12 h 30 à 14 h 30 et de 16 h 30 à 17 h 30. Entrée : 4,50 £ (6,70 €) ; réductions. Presque les mêmes prix pour la visite guidée. C'est pour la bonne cause : saviez-vous que les frais d'exploitation de la cathédrale sont de 9000 £ (13320 €) par jour ? Si vous ne voulez pas payer, sachez que l'entrée est gratuite 30 mn avant la fermeture ou bien tentez votre chance lors des célébrations. Renseignez-vous pour les horaires fluctuants des *Even songs* (messe chantée par un chœur d'enfants).

Construite à partir de 1070, terminée 5 siècles plus tard. C'est là que réside l'archevêque primat, demi-patron de l'anglicanisme avec la reine ; l'Église et l'État ne sont pas séparés. Et tous les styles fusionnent étrangement (voyez, par exemple, les 2 niveaux en duplex et la crypte romane). Il faut aussi voir la chapelle de saint Jean l'Évangéliste, avec les visages épanouis de la délivrance sur les vitraux. Au fait, avec un peu de chance, si vous traînez dans la cathédrale au moment des offices, vous pourrez apercevoir quelques-unes des nombreuses femmes qui ont été ordonnées. Tous les dimanches à 15 h est célébré un culte en français, dans la chapelle du Prince Noir (sous la cathédrale), où trouvèrent refuge des protestants *Frenchies* après le massacre de la Saint-Barthélemy.

Par ailleurs, ne manquez pas l'étonnant hommage à Thomas Becket, archevêque assassiné dans la cathédrale même, au XIIe siècle, par les hommes de Henri II. Décidément gênant même après sa mort, ses reliques furent détruites par Henri VIII quelques siècles plus tard, lors du schisme.

– Au nord de l'édifice, la ***King's school*** occupe des bâtiments adjacents de la même époque, autour d'un espace dégagé d'où l'on a la meilleure vue sur la cathédrale. Visite intérieure possible sur rendez-vous.

The Canterbury Tales *(plan B2,* ***40****)* **:** dans l'église St Margaret, dans le centre-ville. ☎ 47-92-27. • www.canterburytales.org.uk • Ouvert tous les jours de 9 h 30 à 17 h 30 en été, 10 h à 16 h 30 en hiver. Entrée : 7 £ (10,40 €) ; réductions. Un retour au Moyen Âge, un casque audio sur les oreilles (en français), tout en suivant le pèlerinage parmi collines et vallées, évoquant les scènes tirées de Chaucer, poète du XIVe siècle auteur des

Contes de Canterbury. Tout y est, même les odeurs nauséabondes dans les rues pavées. Attention où vous mettez les pieds ! Bien sûr, le pèlerinage est l'image terrestre du difficile voyage initiatique de l'âme...

Saint Augustine's Abbey *(hors plan par B1,* ***41****)* **:** Longport, CT1 1TF. ☎ 76-73-45. • www.english-heritage.org.uk • Ouvert toute l'année de 10 h à 18 h (17 h en octobre et 16 h en hiver). Entrée : environ 3,50 £ (5,20 €) ; réductions. Juste à l'extérieur des remparts, les ruines de l'une des abbayes les plus anciennes du pays (598) construite pour convertir les païens au christianisme. 1 000 ans plus tard, la scission de l'Église anglicane sonna le glas de l'abbaye. Quelques tombes et des vestiges de l'architecture romane. Audioguide disponible en français.

The hospital of Saint Thomas the Martyr *(plan A1,* ***42****)* **:** 25 High St. ☎ 76-12-72. • www.eastbridgehospital.org.uk • Ouvert du lundi au samedi de 10 h à 17 h. Entrée : 1 £ (1,50 €). Ancien hôpital et maison d'hôtes pour les pèlerins au Moyen Âge, comprenant 2 jolies chapelles et un réfectoire. Intéressantes peintures du XIIIe siècle. Aujourd'hui y vit encore une petite communauté chrétienne.

West Gate *(plan A1,* ***43****)* **:** St Peter's St. ☎ 45-27-47. • www.canterbury-museums.co.uk • Ouvert du lundi au samedi de 11 h à 15 h 30. Entrée : 1 £ (1,50 €). Seule porte médiévale de la ville encore debout. On peut aussi se promener le long des remparts ou s'accorder une pause dans les jardins avoisinants, en bord de rivière et loin du tumulte de la ville. Tranquille et bucolique avant d'attaquer la cathédrale ou pour pique-niquer.

À faire

Randonnée pédestre

➢ ***Visite guidée :*** tour de la ville à pied, d'1 h 30 environ, entre avril et fin octobre uniquement. • www.canterbury-walks.co.uk • Billets et départ au *Canterbury Information Centre*. Compter un peu moins de 4 £ (5,90 €). En prévenant à l'avance, possibilité d'avoir un guide parlant le français. Canterbury est une ville qui ne peut se visiter qu'à pied. Cette balade permet d'accéder aux coins les plus cachés, tout en découvrant l'histoire et l'architecture si particulières à cette ville. Et comme on est en Angleterre, le guide ne manquera pas de vous conter quelques histoires de fantômes, *of course !* Très sympa et instructif.

➢ ***Promenade en barque :*** billets à prendre au *Canterbury Information Centre*. Une autre façon de découvrir la ville, particulièrement délicieuse par beau temps. Entre autres choses, près du pub *Old Weavers,* vous verrez une drôle de chaise suspendue au-dessus de l'eau. On y mettait les femmes qui parlaient trop (!) ainsi que les sorcières. Si ces dernières survivaient aux immersions répétées, on y voyait une preuve irréfutable de leur possession par le diable, donc on finissait par les brûler... De toute façon, elles n'avaient aucune chance de s'en sortir vivantes !

Festivals

– ***Canterbury Festival :*** 2 semaines en octobre. Les arts en grande pompe : musique, théâtre, expos, etc. Informations et réservations auprès du *Canterbury Information Centre*.

➤ *DANS LES ENVIRONS DE CANTERBURY*

Chilham : à environ 10 km entre Canterbury et Ashford. Jolie place bordée d'antiquaires et de maisons du XVe siècle, flanquée d'une vieille église et d'un château plus récent, hélas à présent fermé au public.

BROADSTAIRS

31 600 hab. IND. TÉL. : 01843

S'il vous faut absolument voir la mer et marcher sur une plage de sable, allez à Broadstairs, endroit plus charmant que les autres stations balnéaires de la presqu'île de Thanet, à 30 km à l'est de Canterbury. Cette ville, autrefois station balnéaire à succès, est aujourd'hui peu à peu délaissée pour les côtes ibériques, ce qui lui donne un petit charme désuet. Le grand fantôme de la ville, Dickens, y a vécu (mais où n'a t-il pas vécu dans le sud, nous direz-vous !), et Broadstairs et ses habitants s'en souviennent encore.

Adresse utile

Tourist Information Centre : 6B High St, CT10 1LH. ☎ 58-33-34. Fax : 86-83-73. • www.tourism.thanet.gov.uk • Quasi en bas de la rue, près du port. Horaires d'ouverture très flexibles et peu fiables.

Où dormir ?

La plupart des *B & B* se trouvent en plein centre, au sud de High St et de l'office de tourisme. Essayer notamment dans Queens Rd, Belvedere Rd et Granville Rd.

Bon marché

Youth Hostel : Thistle Lodge, 3 Osborne Rd, CT10 2AE. ☎ et fax : 60-41-21. • broadstairs@yha.org.uk • Ouvert de début avril à fin octobre. Réception à partir de 17 h. Compter 11 £ (16,30 €) par personne en dortoirs de 2 à 6 lits. Villa de style victorien avec un jardin. Agréable et pas loin du centre (10 mn à pied). Réservation indispensable.

Très chic

Royal Albion Hotel : Albion St, CT10 1AN. ☎ 86-80-71. Fax : 86-15-09. • albion@broadstairs.co.uk • En plein centre. Compter entre 100 et 110 £ (148 et 162,80 €) la chambre double. Vieil hôtel un peu défraîchi mais dont les chambres avec vue sur la mer offrent un panorama unique. Pour le prix, ce n'est pas le grand luxe. Mais on reste là pour la mouette postée devant sa fenêtre, un œil tourné vers l'horizon. Patron sympa. Atmosphère unique.

Où manger ? Où boire un verre ?

The Pavilion : sur la plage. ☎ 60-09-99. Plats simples autour de 7 £ (10,40 €). Vaste pub de vacances un peu vieillot mais au charme indéniable. Les innombrables clients s'installent sur la grande terrasse ou dans le jardin pour manger les classiques *fish & chips* ou des plats italiens, mexicains, etc. Pas de la grande gastronomie mais une institution toute britannique... Personnel très sympathique malgré la foule.

À voir

Bleak House : Fort Rd, face à la mer. ☎ 86-22-24. Ouvert de mars à mi-décembre, de 10 h à 18 h (21 h les mois d'été). Entrée : 3 £ (4,40 €) ; réductions. Résidence secondaire de Charles Dickens qui abrite aussi le *maritime museum*, le musée de la Contrebande et un magasin aux allures de caverne d'Ali Baba. Quelques pièces avec du mobilier qui a appartenu à l'écrivain. Le tout aurait besoin d'une sérieuse rénovation.

Dickens House Museum : 2 Victoria Parade, CT10 1QS. ☎ 86-43-53. Ouvert uniquement l'après-midi en saison. Compter 2 £ (3 €) ; réductions. Pour ceux qui en redemandent. La propriétaire des lieux inspira le personnage de Miss Trotwood dans *David Copperfield*.

SANDWICH

5000 hab. IND. TÉL. : 01304

Petite ville tranquille au sud de Broadstairs sur la route de Douvres, qui ne semble pas avoir changé depuis 400 ans. Sandwich fut longtemps le principal port d'Angleterre et partie intégrante des « Cinque Ports » chargés de protéger l'île. Difficile d'imaginer qu'ici il y avait une ville au bord de l'eau, maintenant que la mer s'est retirée. Difficile aussi de déceler les cicatrices des nombreuses invasions et attaques dont la ville fut autrefois la cible.
Pour la petite histoire, Sandwich est jumelée avec Honfleur (en Normandie), pourtant responsable de la destruction quasi intégrale de la ville au XVe siècle. Enfin, ce n'est pas ici que naquit le sandwich. Ce concept si particulier fut inventé par le duc de Sandwich au XVIIIe siècle : joueur invétéré, il ne voulait pas interrompre sa partie de cartes ni tacher celles-ci avec de la graisse !

Adresse utile

Tourist Information Centre : The Guildhall, CT16 1JA. ☎ 61-35-65. Ouvert de mai à septembre, de 10 h à 16 h. En hiver, contacter l'office de tourisme de Deal au ☎ 36-95-76. • www.tourism.thanet.gov.uk • Personnel aimable et compétent. Demander la brochure *Sandwich Historic Town Trail* en français. Elle vous donnera tous les centres d'intérêt de la ville.

Où dormir ?

Très peu de choix. Moralité, prenez vos précautions en anticipant et en réservant.

Camping

Sandwich Sports and Leisure Centre : Deal Rd, CT13 0B4. ☎ 61-49-47. Fax : 61-49-56. • www.coastandcountryleisure.com • À la sortie ouest de la ville, juste après la voie ferrée, vers Woodnesborough. Compter 12,50 £ (18,50 €) la nuit. Dépassé l'effrayant alignement de caravanes et les palmiers (ce n'est pas une blague), l'espace pour les tentes s'avère très agréable et spacieux. Bloc sanitaire tout neuf. Tout ce qu'il faut pour prendre des calories au bar et les brûler dans la même journée.

Bon marché

- **_Eillen & Peter Rogers :_** 57 St George's Rd, CT13 9LE. ☎ 61-27-72. À 10 mn à pied de la place centrale. Compter de 36 à 40 £ (53,30 à 59,20 €) la chambre double. N'accepte pas les cartes de paiement. Eillen et Peter vous accueillent très chaleureusement dans un intérieur douillet, avec des édredons et des couettes bien emplumés. Le tout d'une propreté remarquable. Eillen vous offrira certainement l'un de ses gâteaux faits maison.

Plus chic

- **_Fleur de Lis :_** 6-8 Delf St. ☎ 61-11-31. Fax : 61-11-99. • www.verinitaverns.co.uk • Auberge-hôtel-pub dans le centre. Chambre double *en-suite* à partir de 70 £ (103,60 €). Du classique, sans grande personnalité mais confortable.

DOUVRES (DOVER)

34000 hab. IND. TÉL. : 01304

Historique « porte blindée » de l'Angleterre en guerre, Douvres est aujourd'hui un port plutôt laid où l'on ne traîne guère. Premier port passager du monde, et ce malgré la concurrence du tunnel sous la Manche. La pointe de Douvres constitue l'endroit d'Angleterre le plus proche de la France. L'imposante forteresse qui domine la ville mérite une visite : elle est tellement bien conçue et située qu'elle n'a cessé d'être en activité du XIIe siècle à la Seconde Guerre mondiale. L'ensemble est d'ailleurs doté d'un impressionnant réseau de galeries souterraines situées sous les hautes falaises blanches qui dominent le port. En revanche, les bombardements allemands ont eu raison du centre de Douvres. Aujourd'hui rénové, il regroupe toutes les enseignes britanniques, des banques, des boutiques...

Comment y aller de Calais ?

➢ **_En ferry :_** à un peu plus de 1 h de Calais, ça tourne 24 h/24 (tunnel oblige). Un départ toutes les heures. Deux compagnies : *P&O* (durée : environ 1 h 15) ; ☎ (08705) 02-00-20 (en Angleterre). *Seafrance* (durée : de 1 h 10 à 1 h 30) ; ☎ (08705) 71-17-11 (en Angleterre).

➢ **_En catamaran :_** jusqu'à 12 départs quotidiens en saison avec *Hoverspeed* (durée : 1 h) ; ☎ (08705) 24-02-41 (en Angleterre).

➢ **_Avec Eurotunnel :_** uniquement en voiture (pas de piétons) ; ☎ (08705) 35-35-35 (en Angleterre).

Comment y aller de Boulogne ?

La compagnie *Speed ferries* • www.speedferries.com • assure 5 liaisons par jour. Voir « Comment y aller ? » au début du *GDR.*

Adresses utiles

- **_Tourist Information Centre :_** The Old Town Goal, Biggin St, Dover CT16 1DL. ☎ 20-51-08. Fax : 24-54-09. • www.whitecliffscountry.org.uk • Horaires assez tarabiscotés mais, en gros, ouvert du lundi au vendredi de 9 h à 17 h 30 et le week-end de 10 h à 16 h. Sympa et coopératif. Peuvent prendre vos réservations pour les ferries, les bus et les hôtels. Cela simplifie forcément la vie !

Post Office : sur Pencester Rd. Fait également le change.

■ *Banques :* sur Market Square.

■ *Bureaux de change :* sur Townwall St, dans Burlington House (sur les quais). Ouvert tard le soir.

Gare : renseignements au ☎ (08457) 48-49-50 ; ou directement à la Dover Priory Station. Deux trains par heure pour Londres.

Port : renseignements au ☎ 24-04-00 et 24-14-27.

Gare routière : au port et sur Pencester Rd (dans le centre). Renseignements au ☎ 24-00-24.

■ *Location de voitures :* 3 agences au port et 2 sur Snargate St. Ouvrent tôt le matin. Renseignements disponibles à l'office de tourisme.

Où dormir ?

Vous n'êtes pas tenu d'y passer la nuit, d'autant que les ferries opèrent 24 h/24 et que le tunnel n'est pas très loin. Évitez les *B & B* de Folkestone Rd (genre je compte les camions pour m'endormir) et préférez ceux placés dans les rues qui montent vers le château, plus au calme.

Camping

Hawthorn Farm : Station Rd, à Martin Mill, CT15 5LA. ☎ 85-26-58. • www.keatfarm.co.uk • À 3 miles au nord-est de Douvres. Suivre l'A2/A258 vers Deal-Douvres. Réception ouverte de 8 h 30 à 13 h et de 14 h à 17 h 30. Prévoir environ 12 £ (17,80 €) pour 2 avec une tente, voiture comprise. Bien équipé et très propre, mais assez bruyant car proche de la voie rapide et de l'aérodrome. Mieux vaut choisir celui de Folkestone.

Bon marché

Youth Hostel : 306 London Rd, CT17 0SY. ☎ 20-13-14. Fax : 20-22-36. • www.yha.org.uk • Pas très loin de la gare, tout au bout de High St, une adresse reconnaissable au perron à colonnades blanches. Ouvert toute l'année. Réception de 7 h à 23 h. Environ 11 £ (16,30 €) la nuit. Peu de chambres doubles, 68 lits. Pas très neuf mais propre et assez confortable.

Youth Hostel : 14 Godwyne Rd. Plus près du centre. Du port, remonter Maison Dieu Rd et prendre à droite. AJ de 64 lits ouverte seulement quand l'autre est complète, car essentiellement réservée aux groupes. S'enregistrer de toute façon à la première. Quartier calme.

Prix moyens

Blériot's B & B : Belper House, 47 Park Avenue, Dover CT16 1HE. ☎ 21-13-94. Chambre double de 44 à 52 £ (65,10 à 77 €) ; réductions pour les familles. Cartes de paiement acceptées, mais avec 5 % de frais. Du port, prendre Maison Dieu Rd, puis une rue sur la droite, en côte sévère. Le *B & B* se trouve tout en haut sur la gauche, dans une maison victorienne cossue. Neuf, propre et toutes les chambres sont *en-suite.* On apprécie le clin d'œil à celui qui a traversé la Manche pour la première fois en avion, au début du XXe siècle. Une stèle commémorant l'événement peut d'ailleurs être vue près du château. Accueil chaleureux.

Blakes of Dover : 52 Castle St, CT16 1PJ. ☎ et fax : 20-21-94. • www.blakesofdover.com • En plein centre, à deux pas de Market Square.

Fermé le dimanche. Chambre double à partir de 40 £ (59,20 €) sans le petit dej'. Banal mais correct. Sous les toits, également un petit appartement tout équipé pour une famille, pour environ 70 £ (103,60 €). En bas, bon restaurant et *wine-bar*.

Victoria Guesthouse : 1 Laureston Place, CT16 1QX. ☎ et fax : 20-51-40. • www.dover-victoria-guesthouse.co.uk • Ouvert toute l'année. Fermé pendant les fêtes de Noël. Chambre double entre 40 et 56 £ (59,20 et 82,90 €). Intérieur cosy et propriétaires sympathiques. Belle chambre familiale. Celle avec le balcon est superbe et spacieuse. Parking gratuit. Une réduction de 10 % est offerte à nos lecteurs.

Où manger ?

Bon marché

Dovorian : 1-3 Priory Place. Au rond-point du centre, pas loin de l'AJ. Ouvert du lundi au samedi de 11 h à 19 h. *Cod'n'chips* (du cabillaud) pour 3 £ (4,40 €). Déco noire et blanche pour une pause cafet' à l'anglaise ou un *breakfast*. Pas très fin mais nourrissant.

Prix moyens

Blakes of Dover : 52 Castle St. ☎ 20-21-94. En plein centre, près de Market Square. Plats allant de 7 à 15 £ (10,40 à 22,20 €). Qualité des viandes, pêche du jour et une sélection de 52 *malts* sont au rendez-vous. Pour oublier que vous êtes à Douvres ou pour fêter dignement votre départ de l'île.

Curry Garden : High St (les Champs-Élysées du coin). Plats dans une fourchette de 6 à 10 £ (8,90 à 14,80 €). Ah, les restaurants indiens d'Angleterre ! Le premier ou le dernier, selon qu'on arrive ou que l'on part. Bon rapport qualité-prix. En revanche, peu d'ambiance et déco vraiment ringarde.

À voir

Le château de Douvres : à Castle Hill. ☎ 21-10-67. • www.english-heritage.org.uk • Ouvert de 10 h à 18 h (16 h de novembre à mars). Fermé le mardi et le mercredi en hiver. Entrée : 8,50 £ (12,60 €) ; réductions. Forteresse qui permet de découvrir par beau temps les côtes françaises, distantes seulement de 35 km. Durant la dernière guerre mondiale, les galeries souterraines abritèrent les salles de contrôle de l'opération Dynamo, QG du contrôle anti-aérien. C'est d'ici que Churchill surveilla le déroulement de la bataille d'Angleterre. Vous avez de là-haut une superbe vue sur l'ensemble du trafic portuaire, et croyez-nous, ça bouge. À noter, le phare romain d'époque.

Dover Museum : Market Square (en plein centre), Dover CT16 1PB. ☎ 20-10-66. Fax : 24-11-86. • www.dovermuseum.co.uk • Ouvert tous les jours de 10 h à 18 h d'avril à octobre, 17 h 30 le reste de l'année. Entrée : 2 £ (3 €) ; réductions. L'histoire de Douvres, de la préhistoire jusqu'à la Seconde Guerre mondiale. Arrêtez-vous à l'âge du bronze pour admirer le bateau vieux de 3600 ans retrouvé lors d'un chantier dans le centre-ville. Incroyablement bien conservé. Il aurait servi à traverser la Manche, à l'époque où Moïse en était encore à implorer le ciel pour franchir la mer Rouge. Admirez aussi la collection de dés à coudre retrouvés par la très sérieuse association des chercheurs de métal. Sachez que vous pouvez leur faire appel si vous perdez vos clés de voiture au pied de la falaise !

Gateway to the White Cliffs : Langdon Cliffs, 500 m après le château. ☎ 20-27-56. • www.whitecliffscountry.org.uk • Ouvert de 10 h à 17 h de mars à octobre, de 11 h à 16 h de novembre à avril. On ne paie que le parking : 1,50 £ (2,20 €). Un centre dédié aux falaises, idéalement situé pour la vue sur la France (notamment en fin d'après-midi). Plein d'infos passionnantes sur la faune et la flore, ainsi que des itinéraires de randonnées. Une marche de 3,5 km au départ du centre vous mènera jusqu'au phare de South Foreland, d'où eut lieu la première transmission radio vers la France en 1898. Sinon, on peut descendre au pied de la falaise si la marée s'y prête. Sujets au vertige, s'abstenir !

À faire

Randonnée pédestre

➢ ***Les falaises de craie de St Margaret's :*** 9 km, 3 h aller-retour sans arrêts. En boucle du parking de St Margaret's Bay (à environ 8 km, sur la route de Dean). Balisage : flèche jaune sur disque vert. À faire par beau temps, avec un coupe-vent. Référence : « PR du Comté du Kent », éd. FFRP. Carte anglaise au 1/125 000 : TR 2434. D'immenses falaises de craie blanches, telles que les ont perçues les émigrés venant de France. On entend les cris des oiseaux migrateurs, quand ils passent par ici. Ces falaises, véritables reflets de lumière, sont faites de restes d'organismes marins. Au pied, des sycomores ont été modelés par les vents marins. Un décor romantique, facile à parcourir. Les panoramas sur la Manche et le Thanet au nord plongent entre St Margaret's-at-Cliffe et Kingsdown, à une dizaine de kilomètres au nord de Douvres. La randonnée commence au parking de St Margaret's Bay. De là, montez sur les falaises en suivant les marches de *Saxon Shore Way*. Tout en haut, vous vous retournerez pour admirer le paysage sur la baie. Continuez par un sentier ombragé vers le panneau du National Trust indiquant « Les Prés ». Le sentier longe le sommet de la falaise. Attention, le rebord demande quelques précautions jusqu'à Riffle Range et Oldstairs Bay ; ne vous en approchez pas. Dirigez-vous vers le village de Kingsdown. Reprenez la direction sud-ouest par un chemin crayeux bordé de haies. Dirigez-vous vers la ferme et les bocages de Bockill et revenez à St Margaret's Bay par *The Leas* et l'escalier du départ.

FOLKESTONE

46 000 hab. IND. TÉL. : 01303

À seulement une quinzaine de kilomètres de Douvres et malgré le terminal anglais de tunnel à proximité, Folkestone semble traverser une récession, comme cela peut se voir dans le centre-ville. Pas folichon. *The Leas* constitue néanmoins une belle promenade qui domine la mer et d'où l'on aperçoit la France par temps clair, à l'ouest du port.

Comment y aller ?

➢ ***De Boulogne*** toujours, mais par le *Shuttle*. En 35 mn, avec votre voiture, vous êtes de l'autre côté de la Manche. Depuis Calais, prendre l'A16, sortie n° 13. Renseignements *Eurostar* : ☎ 0892-353-539.

Adresses utiles

ℹ ***Folkestone Visitor Centre :*** Harbour St (sur la place, près du port, au pied de Old High St). ☎ 25-85-94. Fax : 25-97-54. • www.discoverfolkestone.co.uk • Ouvert tous les jours de 9 h à 17 h 30.

✉ ***Post Office :*** Bouverie Place.
■ ***Banques :*** une dizaine sur Sandgate Rd, dans le centre sur les hauteurs.
Gare : Folkestone Central, près de Cheriton Rd. ☎ (08457) 48-49-50 (en Angleterre). Deux trains par heure pour Londres (durée : 1 h 30).
Gare routière : Bouverie Square, à côté de la poste. Renseignements : ☎ 43-37-11. Pour Canterbury, bus nos 16, 17 et 116. Un par heure (durée : 1 h) et 5 pour Londres.

Où dormir ?

En raison de la crise que connaît Folkestone, il y a de bonnes affaires à saisir, avec des hôtels au charme rétro, au pied de la falaise notamment. Sinon, dirigez-vous vers *The Leas,* où se trouvent les grandes demeures au style victorien.

Camping

Little Switzerland : Wear Bay Rd. ☎ 25-21-68. • www.caravancampingsites.co.uk • À 2 km du centre. Du port, prendre la M20 ou l'A20 dans la direction de Country Park. Ouvert de mars à fin octobre. Compter autour de 10 £ (14,80 €) pour 2 personnes avec une tente. Superbe camping dans un très beau site, avec une vue incroyable sur la mer. Calme, bien équipé, et point de départ idéal pour les balades sur les falaises. Resto avec petit jardin et terrasse, vue magnifique.

Prix moyens

The Beaumont Hotel : 5 Marine Terrace, Folkestone CT2 1PZ. ☎ 25-27-40. • www.beaumont.com • Compter de 40 à 50 £ (59,20 à 74 €) la nuit. Quasi sur le port, dans une rue adjacente. Chambres modestes mais propres et un accueil sympathique de Trudy et Mick. Petit dej' à toute heure, même tôt le matin. Fumeurs s'abstenir.

Westward Ho! : 13 Clifton Crescent. ☎ 22-15-15. • www.westwardhohotel.co.uk • Compter 40 £ (59,20 €) la double, avec TV et salle de bains. Déco très banale... Dommage car la maison est vraiment belle, avec quelques chambres donnant sur la mer.

De plus chic à très chic

Southcliff Hotel : 20-22 The Leas, CT20 2DY. ☎ 85-00-75. Chambre double à partir de 67 £ (99,20 €). Hôtel balayé par les vents marins. Légèrement défraîchi, pas le grand luxe, mais plein de charme et central. Demandez, tant qu'à faire, une chambre avec vue.

The Clifton Hotel : The Leas, CT20 2EB. ☎ 85-12-31. Fax : 22-39-49. • reservations@thecliftonhotel.com • Prévoir (oui, là, il faut prévoir) au moins 85 £ (125,80 €) pour une chambre double. Du grand hôtel cossu à prix très compétitif. Classe mais pas snob. Quasi tout le personnel parle le français.

Où manger ?

Sorti du haut de gamme, c'est pas la joie.

🍴 ***Café Ganmac :*** 121 Sandgate Rd. ☎ 25-57-10. Plats à environ 3,50 £ (5,20 €). Salon de thé-self-snack. Simple, propre et pas mauvais. Aucun charme particulier mais *english breakfast* copieux servi toute la journée. Ça cale !

À voir

East Cliff : promenade de 3 km sur les hauteurs, le long de la falaise. La vue est splendide. Accès possible par le *Cliff Lift,* l'un des rares téléphériques à eau encore utilisés. De Pâques à octobre, tous les jours de 9 h à 18 h ; le reste de l'année, le dimanche seulement.

East Cliff & Warren Country Park : en continuant après East Cliff, on parvient à cette réserve naturelle, qui, abritée par les falaises, accueille 150 espèces d'oiseaux migrateurs. ☎ et fax : (01304) 24-18-06. On peut aussi visiter une tour Martello. Attention cependant aux marées et aux sentiers glissants (certains fermés l'hiver). Bien se renseigner avant.

ASHFORD

55000 hab. IND. TÉL. : 01233

Ville doublement stratégique : l'*Eurostar* s'y arrête sur la route de Londres, et c'est au cœur du Kent, à 20 mn de la côte et de Canterbury, et à 45 mn de Royal Tunbridge Wells. Ashford serait donc, en théorie, un bon point de départ pour découvrir le Kent. Hélas, rien de folichon côté hébergement. De plus, la circulation en voiture y est cauchemardesque, avec un système de sens uniques à devenir fou ! Vous l'aurez compris, mieux vaut dormir ailleurs.

Comment y aller ?

➢ ***De Paris :*** à 2 h de la gare du Nord par l'*Eurostar.* Huit arrêts par jour. *Renseignements SNCF :* ☎ 0892-35-35-39 (depuis la France).

Adresses utiles

ℹ ***Tourist Information Centre :*** 18 The Churchyard, TN23 1QG. ☎ 62-91-65. Fax : 63-91-66. • www.ashford.gov.uk • Au pied de l'église aux 4 clochetons. Ouvert du lundi au samedi de 9 h 30 à 17 h (17 h 30 d'avril à octobre).

ℹ Également, le ***Visitor Information Centre,*** installé dans le nouveau centre d'activités à 5 mn à pied de la gare *Eurostar* (on ne peut pas le manquer avec ses tentes blanches au milieu de la plaine) : Mac Arthurglen Designer Outlet, TN24 OSD. ☎ 62-81-81. Fax : 66-39-48. Ouvert du lundi au vendredi de 9 h 30 à 18 h (20 h le jeudi), le samedi de 9 h à 18 h et le dimanche de 10 h 30 à 17 h. Dans ce gigantesque complexe se trouvent aussi des dizaines de boutiques proposant de nombreuses marques de fringues connues, à des prix intéressants.

■ ***Banques :*** sur l'artère piétonne du centre.

🚆 ***Ashford International :*** à 5 mn du centre-ville. Dessert Londres et l'ensemble du Kent, ainsi que Paris. ☎ (08457) 48-49-50 (en Angleterre).

■ ***Location de voitures :*** tous les loueurs sont présents à la gare. Le plus simple est de réserver votre voiture depuis votre point de départ.

Où dormir ?

The George Hotel : 6-8 High St, TN24 8TB. ☎ 62-55-12. Compter 46 £ (68,10 €) la double. En plein centre. Très simple mais propre et idéalement situé. En bas, pub-restaurant sans caractère particulier.

Hayesbank B&B : 18 Canterbury Rd, TN24 8JX. ☎ 62-75-73. Compter 40 £ (59,20 €) la double. Une grande maison proche du centre et de la gare, tenue par un jeune portugais parlant parfaitement le français. Rien de bien gai là non plus, confort très modeste et déco inexistante.

The Locomotive Inn : 65-67 Beaver Rd, TN23 7SF. ☎ 62-07-41. Compter entre 30 et 50 £ (44,40 et 74 €), avec salle de bains sur le palier. Auberge (à savoir hôtel et pub servant à manger) qui a le seul avantage d'être proche de la gare. Accueil antipathique. Pas de petit dej'. Vraiment quand on est coincé.

DANS LES ENVIRONS D'ASHFORD

Leeds Castle : à 6 km au sud-est de Maidstone, en bordure de la M20 (sortie 8). ☎ (08706) 00-88-80. • www.leeds-castle.com • Il existe une navette qui relie le château (parking) à la gare de Bearstead, sur la ligne London-Ramsgate. De mars à octobre, ouvert de 10 h à 17 h ; de novembre à février, de 10 h à 15 h ; dernière admission 1 h avant. Fermeture 2 h après pour le parc et les jardins. Entrée : 12,50 £ (18,50 €) au printemps et en été, 10,50 £ (15,50 €) le reste de l'année ; réductions. Certes, c'est cher, mais la beauté – du type conte de fées – du château vaut d'être vue ; certains le qualifient de plus joli château du monde. L'intérieur est moins saisissant, mais la présence dans chaque pièce d'une personne vous racontant l'histoire est un atout. Cela rend la visite vivante et vous permet d'aller à votre rythme. Notez, dans la bibliothèque, l'édition des *Français peints par eux-mêmes* ! (notre modestie est sans limite). Sachez aussi qu'il s'y tient conférences et séminaires, et que les chambres (une vingtaine) sont encore utilisées pour ces occasions. Le traité de Camp David entre Israéliens et Égyptiens y fut ratifié, le château offrant l'intimité et la sécurité requises (lorsqu'il est fermé, bien entendu).

Possibilité d'accéder au parc gratuitement en empruntant les *Public Footpaths* (sentiers centenaires de droit public), mais dans ce cas, la fondation qui gère le patrimoine serait privée d'une de ses principales ressources : votre obole. Allons, un bon geste ! À noter dans ce superbe parc, pour les amateurs de casse-tête (et pieds), le très réussi labyrinthe *(maze)*.

TUNBRIDGE WELLS

35000 hab. IND. TÉL. : 01892

Élégance, verdure, villégiature à l'anglaise caractérisent cette sympathique ville d'eau, à la mode du Londres chic depuis que les propriétés médicinales de sa source furent découvertes en 1606. Le cœur en est bien évidemment la source, où l'on peut toujours boire. Celle-ci se trouve aux *Pantiles,* place aux colonnades et aux façades georgiennes. Depuis, la ville s'est harmonieusement développée le long de son impressionnant *common* de 70 ha (bout de nature, ni tout à fait champ ni tout à fait parc, que les Anglais aiment à préserver dans leurs villages).

À ne pas confondre avec Tonbridge, distant de seulement quelques kilomètres.

Adresses utiles

Tourist Information Centre : The Old Fishmarket, TN2 5TN (aux Pantiles). ☎ 51-56-75. Fax : 53-46-60. Ouvert tous les jours ; de mai à septembre, de 9 h à 18 h (de 10 h à 17 h le dimanche) ; le reste de l'année, de 9 h à 17 h (de 10 h à 16 h le dimanche). Équipe très aimable, qui recommande aux personnes voulant un hébergement de s'y prendre à l'avance (particulièrement les Français !), au risque de n'avoir rien à leur offrir. Demander la brochure *A Town Walk,* qui vous aide à visiter agréablement la ville.

✉ **Post Office :** vous trouverez un bureau aux Pantiles, face au *Tourist Information Centre,* et un autre dans le supermarché *Safeway,* en face de la gare.

Banques : sur Mount Pleasant Rd et Calverey Rd.

Gare : au pied de Mount Pleasant Rd. Plusieurs trains par heure pour Londres (durée : 45 mn). ☎ 03-45-48-49-50.

Où dormir ?

Attention, hébergements chers et très demandés. En outre, les adresses sont parfois difficiles à trouver en raison du relief de la ville. Réserver à l'avance par l'intermédiaire du TIC.

YMCA : St John's Centre, St John's Rd. ☎ 54-88-23.

Où manger ?

Bon marché

Flippers : 9 High St. ☎ 51-74-95. Fermé les dimanche et lundi et la 3e semaine de septembre. Un *cod 'n'ships* à environ 5 £ (7,40 €). *Fish & Chips Shop of the Year.*

The Rusty Pelican : 37 Mount Ephraim. ☎ 52-01-21. Plats allant de 5 à 9 £ (7,40 à 13,30 €). Resto à la mode italo-tex-mex servant burgers, pizzas, *pasta, fajitas, cajun-chicken...* Essayez le *deep fried-camembert* à la sauce d'airelles, variante de la fameuse recette au brie et aux groseilles ! Dites-nous ce que vous en avez pensé.

Prix moyens

The Barn : 1 Londsdale Gardens (impasse sur la gauche en remontant Mount Pleasant depuis la gare). ☎ 51-04-24. Ouvert du lundi au samedi de 12 h à 14 h et de 18 h à 22 h, et le dimanche de 12 h à 22 h 30. Plats moyens autour de 10 £ (14,80 €). Pub-grange en plein centre-ville, avec un très chouette jardin et plein de formules attractives.

Graceland Palace : 3 Cumberland Walk. ☎ 54-07-54. À côté de Neville St. Le midi, menu à 6 £ (8,90 €). « Elvis Menu » pour environ 18 £ (26,60 €). Restaurant chinois à la carte interminable et aux nombreux menus intéressants. Le plus remarquable, c'est le patron, Mr (Elvis) Chan. Il joue le rôle d'Elvis chaque vendredi et samedi soir. Ou bien le King n'est pas mort, ou bien il est ressuscité. *God save the King !*

Sankeys Cellar Wine Bar : 39 Mount Ephraim. ☎ 51-14-22. Bien descendre en bas sur la droite. Plateau de fruits de mer (on en a pour son argent) autour de 14 £ (20,70 €), plat de poisson pour 5 £ (7,40 €). Même chef réputé pour ses fruits de mer que le restaurant du haut, mais cadre et prix plus relax. Produits frais et délicieux. Personnel très sympa.

À voir

A day at the Wells : Corn Exchange, dans le centre commercial près des Pantiles. Ouvert de 10 h à 17 h (16 h de novembre à mars). Entrée : 5 £ (7,40 €). Projeté 2 siècles en arrière, à l'époque où George II d'Angleterre venait ici en villégiature, on assiste à un spectacle bien sympa. Six mises en scène grandeur nature avec costumes, occupations, mais surtout sons et odeurs (!) d'époque.

The Pantiles : le centre commercial de la ville. Belles colonnades, antiquaires, marchands de tableaux. Cadre sympa l'été pour boire un thé à la terrasse d'un café. On parle de « pantiles » parce que le dallage, posé à la demande de la princesse Anne vers 1700, était fait, selon l'un de nos lecteurs, de tuiles cuites pour ne pas qu'elle glisse.

Fêtes

Nombreuses animations l'été, et particulièrement le ***Georgian Festival,*** qui a lieu fin juillet-début août, ainsi que ***Scandals at the Spa.*** On retourne 200 cents ans en arrière, les Pantiles s'emballent et se déguisent. Amusant.

➤ DANS LES ENVIRONS DE TUNBRIDGE WELLS

Chartwell : suivre l'A21 vers Sevenoaks et prendre ensuite l'A25 vers Westerham. ☎ (01732) 86-63-68. • www.nationaltrust.org.uk • Attention aux heures d'ouverture : de mars à octobre, visite de la maison et du jardin du mercredi (mardi en juillet et août) au dimanche de 11 h à 17 h. Fermé de novembre à février. Entrée : 7 £ (10,40 €). Pour les fans de Winston Churchill. Visite de sa maison, de l'atelier (qui contient pas mal de ses œuvres) et du jardin.

Knole : prendre l'A225 juste avant Sevenoaks. ☎ (01732) 45-06-08. • www.nationaltrust.org.uk • Ouvert de début mars à fin octobre, du mercredi au dimanche de 11 h à 16 h. Entrée : 6 £ (8,90 €). Une des plus grandes demeures privées d'Angleterre, datant du XVe siècle, et l'une des plus fascinantes. En effet, la symbolique des chiffres y est plus que présente. Les 7 cours représentent les 7 jours de la semaine ; les 52 escaliers, les 52 semaines, et les 365 pièces, les 365 jours de l'année. Par ailleurs, la demeure a une riche histoire où se mêlent allègrement rois, reines, ducs et archevêques. Vous y trouverez aussi des portraits signés Gainsborough ou Van Dyck.

Ightam Mote : sur l'A227, à l'est de Sevenoaks et au nord de Tonbridge. ☎ (01732) 81-11-45. Ouvert de début mars à fin octobre, de 11 h à 17 h 30. Fermé le mardi et le samedi. Entrée : 6,50 £ (9,60 €) ; réductions. Beau manoir médiéval, entouré d'une douve et de jolis jardins. Ce bâtiment a fait l'objet du plus grand programme de conservation jamais entrepris par le *National Trust.*

LE SUSSEX

Région qui s'étend de Rye à Portsmouth, à moins de 100 km au sud de Londres. À présent scindée en East & West Sussex, elle présente plusieurs stations balnéaires qui ont connu leurs heures de gloire au XIXe siècle. La coupure se situe au niveau de Brighton, ville éminemment sympathique qui bouge bien.

RYE

4000 hab. IND. TÉL. : 01797

Située en bordure du Kent et dernier maillon de la chaîne des « Cinque Ports » protégeant l'Angleterre, Rye connut une histoire mouvementée, intimement liée à celle des Français, qu'il s'agisse du commerce ou des conflits guerriers. C'est aujourd'hui l'une des plus jolies petites villes du Royaume, car elle a su conserver son aspect médiéval. Assez touristique donc, mais néanmoins très agréable.

Adresses utiles

Tourist Information Centre : The Heritage Centre, Strand Quay, TN31 7AY. ☎ 22-66-96. Fax : 22-34-60. • www.visitrye.co.uk • et • www.ryeheritage.co.uk • À noter, une version en français très bien faite sur ces 2 sites. Ouvert tous les jours de l'année : de mi-mars à octobre, de 9 h 30 à 17 h ; de novembre à mi-mars, de 10 h à 16 h. Équipe très sympathique, malgré la foule des visiteurs.

Banques : sur High St, comme l'essentiel des commerces.

Gare : Station Approach (à 150 m au nord de Cinque Ports St). ☎ 08457-48-49-50 (en Angleterre). Sur la ligne Hastings (20 mn) - Ashford (25 mn), environ 1 train par heure.

Gare routière : au même endroit que la gare ferroviaire. Bus vers la côte jusqu'à Brighton et Folkestone (bus nos 711 ou 710), et vers le nord vers Ashford et Tunbridge Wells (bus no 400).

County Library : Lion St. Dans le centre. Fermé le mardi et le dimanche.

Où dormir ?

Tout ce qui est dans le centre de la vieille ville est plus cher mais plus romantique et plus classe. Sinon, plein de ***B & B*** au calme sur Military.

Campings

Hare & Hounds : Rye Foreign. ☎ 23-04-83. Prévoir 10 £ (14,80 €) la nuit pour 4. À côté d'un pub, à 4,5 km environ. Pour s'y rendre, emprunter l'A268 (London Rd) vers Peasmarsh.

S'il n'y a plus de place, vous avez une deuxième chance avec ***The Cock Horse :*** Main St, Peasmarsh. Un peu plus loin, sur la droite. ☎ 22-63-40. Ouvert de mars à octobre seulement. Compter de 10 à 12 £ (14,80 à 17,80 €) la nuit.

Prix moyens

Glencoe Farm : West Undercliff, TN31 7DX. ☎ 22-43-47. • glencoe-farm@amserve.net • Traverser la voie ferrée par Udimore Rd, puis sur votre gauche à 500 m. Compter 40 £ (59,20 €) la chambre double. N'accepte pas les cartes de paiement... ni les fumeurs ! Vraiment tout près, et pourtant on est déjà dans les champs, avec vue sur la mare aux canards. Un petit sentier, longeant la rivière, permet de rejoindre le centre en 5 mn. Chambres assez neutres et pas bien grandes mais parfaitement confortables. Parking gratuit.

Cliff Farm : Military Rd, Iden Lock, TN31 7QE. ☎ et fax : 28-03-31. • www.cliff-farm.co.uk • À 2 miles au nord-ouest, en prenant la 1re à droite après le passage à niveau de l'A268. Entrée facilement reconnaissable au bidon de lait. Ouvert de mars à octobre. Chambre double à partir de 40 £ (59,20 €). Accueil charmant de Pat et de Geoff Sullivan, dans une déco rustique de goût (Geoff est ébéniste) et un calme olympien. Vraiment bien pour le prix.

Regent Motel : 42 Cinque Ports St, TN31 7AN. ☎ et fax : 22-58-84. • www.regentmotel.co.uk • Dans le centre, à côté du poste de police et de la gare. Fermé du 21 décembre au 3 janvier. Chambre double à partir de 40 £ (59,20 €) sans le petit dej'. Pas de panique, les chambres sont beaucoup plus agréables que la réception ne le laisse supposer. Pas de petit dej' mais thé et café à disposition dans chaque chambre et de nombreuses possibilités tout autour. Accueil détendu et parking gratuit. Prix très intéressants à certaines périodes et pour 2 nuits consécutives, en réservant à l'avance.

Culpeppers : 15 Love Lane, Rye, TN31 7NE. ☎ et fax : 22-44-11. • www.culpeppers-rye.com • À 500 m du centre. De Cinque Ports St, prendre l'A268, tourner à gauche sur Rope Walk, passer la voie ferrée et prendre la 1re à gauche. Compter 56 £ (82,90 €) en chambre double. N'accepte pas les cartes de paiement. Situé dans un quartier très calme et tenu par une adorable lady. Une caricature de ce que peut être un intérieur *very cosy-british...* tout y est ! Dommage qu'il n'y ait qu'une chambre double, mais quelle chambre ! Les amateurs de déco épurée peuvent d'emblée chercher une autre adresse. Aussi, 2 *singles* minuscules mais mignonnettes, une rose pour les filles et une bleue pour les garçons. Joli jardin.

The Windmill Guesthouse : off Ferry Rd, TN31 7DW. ☎ 22-40-27. Fax : 22-72-12. • www.ryewindmill.co.uk • Facile à trouver, c'est juste sous le moulin. Prévoir de 50 à 60 £ (74 à 88,80 €) pour une chambre double, selon le confort. Prestations un peu décevantes pour le prix.

The Queen's Head : 19 Land Gate, Rye, TN31 72H. ☎ et fax : 22-21-81. • www.queensheadrye.co.uk • À la sortie nord-ouest du village, avant la voie ferrée. Chambre double à partir de 50 £ (74 €) en basse saison, 60 £ (88,80 €) le reste de l'année. Une superbe auberge du XVIIe siècle qui fait aussi pub et resto. Chambres correctes mais petites pour le prix et juste au-dessus du pub ! Cela dit, il n'y a que les marches à monter en cas d'abus.

Plus chic

The Old Borough Arms Hotel : The Strand, TN31 7DB. ☎ et fax : 22-21-28. • www.oldborougharms.co.uk • Chambres doubles confortables avec TV de 70 à 95 £ (103,60 à 140,60 €). Sur les quais côté ouest, à l'angle de Mermaid St, dans une auberge où se retrouvaient les contrebandiers, voleurs et voyageurs de la malle-poste. Splendide bâtiment de 1720. Jolies chambres bien décorées, avec salles de bains impeccables. Demander à en voir plusieurs, certaines étant assez exiguës.

Où manger ?

Rye offre une bonne sélection de restaurants plutôt haut de gamme, donc plutôt chers. Les nombreux salons de thé et les pubs sont une alternative pour déjeuner avec, évidemment, une cuisine moins raffinée.

Prix moyens

Ypres Inn : Gun Gardens. ☎ 22-32-48. • www.rye-tourism.co.uk • Dîner servi de 18 h 30 à 21 h. Ouvert toute l'année. Fermé le dimanche soir (et le mardi en hiver). Plats copieux entre 11 et 15 £ (16,30 et 22,20 €). Un pub avec un chef, mélange rare qui vaut la peine d'être encouragé. Il sert de l'agneau, des escalopes, de la baudroie, ou de la

LE SUSSEX

morue macérée dans la bière. Sans oublier le super jardin, à même les remparts d'Ypres Tower. Musique live le vendredi. Un café offert sur présentation du *Guide du routard.*

Très chic

|●| ***The Flushing Inn Restaurant :*** 4 Market St, TN31 7LA. ☎ 22-32-92. Menus à partir de 18,50 £ (27,40 €) le midi. Sinon, compter autour de 30 £ (44,40 €) à la carte. Des viandes raffinées, des produits de la mer et quelques délices pour les végétariens. Le haut de gamme de Rye, dans une maison du XVe siècle où service et nourriture se révèlent irréprochables. Le restaurant renferme une fresque vieille de 600 ans que le serveur se fera un plaisir de vous commenter. La cave voûtée, quant à elle, date du XIIe siècle et les bouteilles profitent bien de sa température idéale. On en oublierait de manger. Et pourtant, quel délice !

Où boire un verre ?

🍸 ***The Hope Anchor :*** Watch Bell St. ☎ 22-22-16. L'endroit idéal pour une petite halte sur les hauteurs du superbe quartier médiéval, avec une bien jolie vue sur la région. Fait aussi hôtel et restaurant, chic et cher.

À voir

Outre remonter le temps dans les ruelles de Rye :
– le *Tourist Information Centre* propose un très chouette ***son et lumière*** autour d'une remarquable maquette de la ville au 1/100, réalisée par un couple de passionnés. L'histoire animée de Rye toutes les demi-heures, en français si nécessaire (voir horaires au TIC). Entrée : 2,50 £ (3,70 €).
– Le *Tourist Information Centre,* encore lui, vous propose un audioguide en français et un plan de la ville où figurent 25 points pour une véritable ***visite guidée.*** Là aussi, c'est payant (2,50 £, soit 3,70 €), mais vous avez la journée ou la nuit entière (très sympa car les rues sont désertes et résonnent du bruit de vos pas). Éventuellement, essayez de négocier un prix combiné avec la maquette.

🏛🏛🏛 ***L'église Sainte-Marie :*** sur Church Square. Cette élégante église du XIIe siècle, située en plein cœur du quartier médiéval, mérite vraiment une visite. On peut monter en haut du clocher pour une vue de la ville et des environs. Au passage, on voit les cloches dont certaines, volées par les Français qui brûlèrent la ville en 1377, furent reprises un an plus tard au cours d'une expédition punitive. Attention, la montée est très étroite et glissante. En bas, le pendulaire de l'horloge qui est, paraît-il, l'une des plus vieilles d'Angleterre, se balance au beau milieu du plafond de l'église.

🏛🏛 ***Mermaid Inn :*** dans Mermaid St, une rue pavée très escarpée. Auberge construite en 1420 et toujours en activité (très cher). Allez toutefois y boire un verre (accès par la cour) et admirer la gigantesque cheminée.

🏛 ***The Lamb House :*** West St ; en montant vers l'église. Ouvert d'avril à octobre, les mercredi et samedi seulement, de 14 h à 18 h. Entrée : 2,75 £ (4,10 €) ; réductions. Maison du romancier américain Henry James au début du XXe siècle.

🏛🏛 ***The Mint :*** rue traditionnelle commerçante, splendide le soir, à la tombée de la nuit, car le soleil se couche dans son axe. Charme des devantures, fleurs suspendues aux maisons comme s'il en pleuvait. À voir absolument.

Un peu plus de 1 km à pied dans les prés, ***Camber Castle,*** construit en 1539-1543 et abandonné un siècle plus tard car la mer s'était, entre-temps, retirée. À proximité, direction est, un observatoire caché permet de regarder les oiseaux de ce milieu humide.

Fêtes et manifestations

– ***La fête du maire :*** en mai. Le maire jette des pièces de monnaie, fraîchement frappées et encore chaudes, dans la rue. Objectif : commémorer le privilège dont jouissait Rye du temps où la ville était l'un des « Cinque Ports ».
– ***Le week-end médiéval :*** en juillet ou en août, selon les années. En costumes d'époque. Comprend la fameuse *Silly Race* (littéralement « course stupide ») qui consiste à boire un verre dans les quelque 20 pubs de la ville. C'est ouvert à tous, et le record est de 17 pubs en 23 mn ! Marché médiéval le dimanche, sur High St.
– ***Rye Festival :*** en septembre. Arts et littérature. À noter que de nombreux écrivains ont, à un moment ou un autre, vécu à Rye. Animations pour petits et grands.

HASTINGS

84 000 hab. IND. TÉL. : 01424

À une vingtaine de kilomètres de Rye, sur la route d'Eastbourne. Grande station balnéaire avec quelques atouts mais qui ne sait pas les utiliser au mieux. Surtout connue pour la plus célèbre bataille britannique menée en 1066 par Guillaume le Conquérant. Au premier abord, ce n'est qu'une longue façade de maisons et d'hôtels collés à la plage et adossés à des collines abruptes. Heureusement, il y a plus : la vieille ville d'abord, du côté du port, pleine de charme et de surprises, qui a su conserver un air de village avec ses petites maisons et boutiques. Le front de mer a, quant à lui, sérieusement besoin d'être rénové. Enfin, on découvre le haut de Hastings, en pleine reconstruction « à l'américaine », avec de grands centres commerciaux et où se concentre désormais l'essentiel de l'activité.

Adresses utiles

Tourist Information Centre : Queens Square, face au *Priory Meadow.* ☎ 78-11-11. Fax : 78-11-86. • www.hastings.gov.uk • Ouvert toute l'année du lundi au vendredi de 9 h 30 à 18 h 15, le samedi de 9 h à 17 h et le dimanche de 10 h à 16 h 30. Vend des tickets de bus. Compte tenu de l'attitude « fonctionnaire » du personnel, voir l'autre bureau d'information à l'entrée du port, ouvert le week-end toute l'année et tous les jours sauf le lundi de 10 h à 17 h de début juin à fin août. Pas plus aimable pour autant.

Post Office : 16 Cambridge Rd. ☎ 0845-72-23-44.

Banques et bureaux de change : sur Robertson St et Queens Rd.

Gare : 11 Station Approach. Renseignements : ☎ (08457) 48-49-50.

Laverie : Whiterock, sur l'esplanade, près du Pier. ☎ 43-22-21. Ouvert de 7 h 30 à 20 h (18 h le dimanche).

Mahavi's : 31 Whiterock (à 100 m du Pier, en bord de mer). ☎ 20-49-55. Ouvert du lundi au vendredi de 9 h à 23 h. Compter 4 £ (5,90 €) l'heure.

Où dormir ?

Bon marché

■ ***Pissarro's Hotel :*** 10 South Terrace, TN34 1SA. ☎ 42-13-63. Fax : 72-92-64. • www.pissarros.co.uk • Juste en face du centre commercial Priory Meadow. Chambres doubles à partir de 35 £ (51,80 €). Confort de base et chambres inégales, mais ce n'est pas très cher et l'accueil compense largement. En plus, on y vénère Pissarro qui vécut à Hastings et qui avait l'impression que « la France n'est pas si loin ». Aussi bon en peinture qu'en géographie ! Dommage que les reproductions vieillottes au mur ne soient pas de lui. *Breakfast* extra, inclus dans le prix.

■ ***Waldorf Hotel :*** 4 Carlisle Parade, TN34 1JG. ☎ et fax : 42-21-85. Sur le front de mer, près du centre. Compter 22 £ (32,60 €) par personne, en dortoirs. Fonctionne comme une AJ, uniquement pour les étudiants. Façade moins rutilante que les hôtels voisins. Déco kitsch. Propreté limite. En restauration lors de notre passage.

Prix moyens

■ ***Lavender & Lace :*** 106 All Saints St, TN34 3BE. ☎ 71-62-90. Chambre double autour de 40 £ (59,20 €). *B & B* avec 3 chambres dans une adorable maison du XVIe siècle, tout en poutres apparentes (attention à la tête), située dans la plus vieille rue de la ville, à l'extrémité est du centre. Pas de vue sur la mer, mais tellement de caractère ! Propriétaires charmants.

■ ***The Jenny Lind Hotel :*** 69 High St, Old Town, TN34 3EW. ☎ 42-13-92. Dans le cœur de la vieille ville, à côté du Old Town Hall Museum. Chambre double à partir de 80 £ (118,40 €). Auberge-restaurant très clean. Trois chambres de standing. Internet à dispo.

■ ***Senlac Guesthouse :*** 47 Cambridge Gardens, TN34 1EN. ☎ 43-00-80. • www.1066-country.com/senlac • Central, derrière la gare. Chambres doubles de 46 à 50 £ (68,10 à 74 €). Cartes de paiement acceptées. Cette petite rue au nom trompeur regroupe quelques *B & B*. Bien tenu. À voir la déco, il faut croire que Mrs Weeden aime le rose... Bonne adresse.

■ ***Lansdowne Hotel :*** 1-2 Robertson Terrace, TN34 1JE. ☎ et fax : 42-96-05. • www.lansdowne.hotel.btinternet.co.uk • Compter entre 50 et 60 £ (74 et 88,80 €) la chambre double, avec le petit dej'. Cartes de paiement acceptées. Bel hôtel, chambres propres (un peu tristounettes) et petits biscuits à l'arrivée. Préférer les chambres avec vue, tant qu'à faire. Mais peut vite devenir insoutenable lors des grandes chaleurs (pas de clim').

Où dormir dans les environs ?

Campings

▲ ***Shear Barn Holiday Park :*** sur Barley Lane, TN35 5DX. ☎ 42-35-83. Fax : 71-87-40. • www.shearbarn.co.uk • À 45 mn à pied de la gare de Hastings et à 3,5 km, sur les hauteurs, à l'extrême est. En haute saison, compter 15 £ (22,20 €) pour 2 avec une tente. Moins cher sans la voiture. On trouve tout ce qu'il faut sur place.

▲ ***Crowhurst Park :*** à Battle, à 7 km au nord-ouest, sur l'A2100. ☎ 77-33-44. • www.crowhurstpark.co.uk • Location à la semaine. Compter 450 £ (666 €) pour le plus petit des bungalows. Ils sont luxueux, de style scandinave, avec tout le confort moderne. Large terrain pour les caravanes. Manoir du XVIIe siècle qui fait bar-restaurant et piscine. Bref, un endroit bien sympa pour se reposer.

Bon marché

☗ ***Hastings Youth Hostel :*** Guestling Hall, Rye Rd, Guestling TN35 4LP. ☎ 81-23-73. Fax : 81-42-73. • www.yha.org.uk • À 7 km à l'est de Hastings, sur la route de Rye. Prendre le bus *Stagecoach* n° 711 sur la ligne Brighton-Douvres ou le bus Coastal n° 346. Ouvert toute l'année sauf du 1er novembre au 13 février. Fermé les dimanche et lundi. Réception à partir de 17 h. Compter de 10 à 35 £ (14,80 à 51,80 €) par personne. 52 lits répartis en 11 chambres, du dortoir à la chambre plus privée. C'est un ancien manoir, avec sa forêt et une sorte de plan d'eau. Si ce n'est pas l'idéal pour Hastings même, c'est une bonne base pour rayonner, avec Rye à l'est et de la très belle campagne, ainsi que de jolies plages tout près.

Où manger ?

Bon marché

I●I ***Jempsons :*** 18-20 Wellington Place. À deux pas de la plage, dans le centre. Bons sandwichs à prix modiques pour 2 £ (3 €). Cadre agréable avec terrasse. Goûter les gâteaux à la crème (si, si c'est bon).

I●I ***Fagins Diner :*** 73 George St. ☎ 43-93-19. À l'angle de High St et en face du parking en bout de quai. Ouvert tous les jours. Du snack à partir de 6 £ (8,90 €) et salon de thé. Menus à 9,50 et 13,60 £ (14,10 et 20,10 €). Tenu par 3 jeunes femmes adorables. Pratique pour les horaires. Petite réduc' pour nos lecteurs.

De bon marché à prix moyens

I●I ***Harpers :*** 4 Claremont. ☎ 71-85-00. Tout près de la base de Robertson St. Plats pour toutes les bourses : de 5 à 13 £ (7,40 à 19,20 €), repas complet à partir de 11 £ (16,3 €). On y mange bien. Cuisine originale dédiée à l'Amérique. Le sous-sol est un bar à l'excellente ambiance. Musique presque tous les soirs jusque tard.

I●I ***Restaurant 27 :*** 27 George St. ☎ 42-00-60. À côté du *West Hill lift*. Ouvert à partir de 19 h. Fermé le lundi. Prix des plats variant de 5 £ (7,40 €) pour une petite fringale à 16,50 £ (24,40 €) pour une pure folie. Cuisine dite continentale.

Où boire un verre ?

🍸 ***Cinque Ports Arms :*** 105 All Saints St, Old Town. ☎ 44-47-58. Très vieux pub à l'ambiance chaleureuse, notamment le soir. Il y a même un piano sur lequel vous êtes cordialement invité à jouer.

À voir

➢ Prendre ***West Hill Cliff Railway*** pour faire les 2 visites suivantes ou y aller à pied (seulement à 10 mn, mais ça grimpe dur !). Renseignements : ☎ 78-11-11. Ouvert tous les jours ; d'avril à octobre, de 10 h à 17 h 30 ; de novembre à mars, de 11 h à 16 h. Entrée : environ 1 £ (1,50 €). C'est encore un autre Hastings (vert) qu'on découvre là-haut, étonnamment plus proche de la mer. Un peu plus loin, le petit frère : l'*East Hill Cliff Railway.* ☎ 78-11-11. Sensiblement les mêmes horaires et tarifs. Déconseillé aux sujets à vertige, mais superbe vue, bien sûr.

Commencez par les ***ruines du château de Guillaume le Conquérant :*** Castle Hill Rd. Renseignements : ☎ 78-11-11. Ouvert tous les jours, de 11 h à 15 h 30 en hiver et de 10 h à 17 h en été. En dehors de ces horaires, inutile de grimper, le site est fermé de façon à ce que l'on ne voit rien ! Entrée : 3,50 £ (5,20 €). En 1066, le roi Harold succède à Édouard le Confesseur à la couronne du royaume d'Angleterre. Guillaume, duc de Normandie et cousin d'Édouard, considère cette succession illégitime, prétextant son lien de sang avec feu le cousin. Il part donc à la conquête de ce pays, bien décidé à le contrôler lui-même. Il profite de l'éloignement d'Harold, qui combat dans le nord, pour débarquer avec ses troupes sur les côtes anglaises. Harold rejoint Guillaume, et les 2 rivaux s'affrontent lors de la célèbre bataille de Hastings. Affaibli par son précédent conflit, Harold est tué et Guillaume, vainqueur, est alors doublement baptisé William I, roi d'Angleterre, et Guillaume le Conquérant. Après Hastings, le royaume d'Angleterre se réveilla un peu moins anglo-saxon, et un peu plus francophone ! À l'intérieur des ruines, « the 1066 Story ». Son et lumière sous une tente médiévale, qui explique tout sur le débarquement de Guillaume le Conquérant en 1066. Possibilité de se faire projeter la version en français le matin si c'est calme ou si vous êtes en groupe. Téléphonez avant.

Les caves de Saint-Clément (Smugglers Adventure) : West Hill. ☎ 42-29-64. • www.smugglersadventure.co.uk • Ouvertes toute l'année ; de Pâques à septembre, de 10 h à 17 h 30 ; d'octobre à Pâques, de 11 h à 16 h 30. Entrée : 5 £ (7,40 €) ; réductions. Musée des Contrebandiers, situé dans un fabuleux labyrinthe souterrain dans la falaise, qui permettait de trafiquer (plus ou moins) tranquillement. C'est en fait très vivant, et le mot aventure est à peine exagéré. À la fois impressionnant et amusant.

Old Town Hall Museum : High St, au pied du château. ☎ 78-11-66. • oldtownmuseum@hastings.gov.uk • Ouvert tous les jours, de 10 h à 17 h d'avril à septembre et de 11 h à 16 h d'octobre à mars. Entrée gratuite. Petit musée original qui fonctionne comme une machine à remonter le temps. Plus vous montez, plus vous découvrez les origines de la ville de Hastings. Ainsi, vous passez des modèles réduits des bateaux qui accostaient au XIXe siècle aux vœux de la ville adressés à George III pour le féliciter d'avoir retrouvé toute sa tête ! Très intéressant.

Le port : ce port de pêche est devenu à présent la plage où sont tirées les embarcations des pêcheurs. À marée haute, il faut les remettre à l'eau : intéressant à voir.

The Old Town : agréable réseau de ruelles en pente. L'autre aspect de Hastings, qui lui donne du caractère.

Underwaterworld : Rock-a-Nore Rd. ☎ 71-87-76. • www.underwaterworld-hastings.co.uk • Ouvert tous les jours, de 10 h à 17 h d'avril à septembre et de 11 h à 16 h le reste de l'année. Entrée : 5,50 £ (8,10 €) ; réductions et possibilité de ticket combiné avec le château et les caves de Saint-Clément. Des méduses comme s'il en pleuvait. À voir : la nurserie avec le développement artificiel de requins et de raies. Vous passez sous un impressionnant tunnel de 110 tonnes d'eau !

The Hastings Museum and Art Gallery : John's Place, Bohemia Rd. ☎ 78-11-55. Fax : 78-11-65. Tout près de la gare, à l'est du centre-ville (5 mn à pied). Ouvert du lundi au samedi de 10 h à 17 h et le dimanche de 15 h à 17 h. Entrée gratuite. Un patchwork d'expos consacrées aux personnages remarquables de la ville, dont Grey Owl qui révolutionna les principes de la conservation de la nature et John Logie qui inventa la télévision (ne manquez pas les quelques ancêtres aux allures de cyclopes). Également, quelques dinosaures égarés au pied de la falaise et une belle collection de tableaux sur la région.

➤ DANS LES ENVIRONS DE HASTINGS

👁👁 ***Battle Abbey :*** à 7 km au nord-ouest. ☎ 77-37-92. • www.battletown.co.uk • Suivre l'A2100. *Eastbourne bus* n° 19 pour Battle ou bus n°s 4 et 5 avec *Local rider* depuis Hastings. Sinon, 2 trains par heure depuis Hastings et Londres. Ouvert tous les jours, de 10 h à 18 h du 1er avril au 30 septembre, jusqu'à 17 h en octobre et de 10 h à 16 h du 1er novembre au 31 mars. Entrée : 4,30 £ (6,40 €) ; réductions. Belle promenade autour du site de la bataille de Hastings, mais décevant car il n'y a rien à voir aujourd'hui. Vestiges de l'abbaye construite par Guillaume le Conquérant. On ne pénètre pas dans le College, sauf durant l'été. Possibilité de disposer gratuitement d'un audioguide qui retrace les préparatifs de la bataille suivant trois points de vue.

👁👁 ***Yesterday's World :*** High St, en face de la Battle Abbey. ☎ 77-53-78 ou 77-42-69. • www.yesterdaysworld.co.uk • Ouvert toute l'année de 10 h à 18 h. Entrée : 4,75 £ (7 €) ; réductions. Extraordinaire maison à remonter le temps. Tout y est répertorié : de l'ancienne gare à la chambre noire du photographe, en passant par les différents commerces de l'époque. Le tout accompagné par des odeurs (le chocolat, les bonbons, les gâteaux... hmm !). Pour les enfants, un village miniature où ils pourront prendre le thé avec la reine Victoria ou bien même se marier en toute intimité.

👁👁 ***Batemans :*** à environ 1 km de Burwash et 25 km au nord de Hastings, par l'A21. ☎ (01435) 88-23-02. Ouvert de Pâques à fin octobre de 11 h à 17 h (fermeture des portes à 16 h 30). Fermé les jeudi et vendredi. Entrée : 5,50 £ (8,10 €). La maison du célèbre écrivain Kipling, où il vécut, écrivit et mourut. Sa femme l'a léguée telle quelle, c'est donc plus intime et plus personnel qu'un musée. C'est aussi très joli, perdu dans les champs avec néanmoins un superbe jardin... à l'anglaise. Voyez le bureau de Kipling, avec tous ses livres, surtout des livres d'histoire, et l'intégrale de R. L. Stevenson.

👁 ***Bodiam Castle :*** suivre l'A21 vers Royal Tunbrige Wells, et bifurquer sur la B2244, à hauteur de Salehurst. À une vingtaine de kilomètres. ☎ (01580) 83-04-36. • www.nationaltrust.org.uk • Ouvert de février à novembre de 10 h à 18 h (uniquement jusqu'à 16 h le week-end, le reste de l'année). Entrée : 4,20 £ (6,20 €). Vous l'avez fait, et les enfants continuent de le faire aujourd'hui sur les plages de sable : un beau château. Avec sa dizaine de tours rondes et carrées et son énorme douve pleine d'eau, c'est une demeure grandiose. C'est aussi étonnamment petit si l'on imagine 150 personnes y vivant, entre le seigneur, sa famille, les invités de marque, les soldats, les serviteurs, etc. Et il est surprenant de constater que Bodiam n'a jamais joué de rôle important dans cette région pourtant chargée d'histoire.

EASTBOURNE

91 000 hab. IND. TÉL. : 01323

Station balnéaire au charme désuet, qui continue sur sa lancée victorienne, sans complexe. Et les vacanciers affluent toujours. Il faut reconnaître que la balade du front de mer ne manque pas d'allure avec ces vieux hôtels chics et imposants. C'est d'ailleurs dans l'un d'eux que Debussy composa *La Mer*.

Adresses et infos utiles

- ***Tourist Information Centre :*** Cornfield Rd, BN21 4QL. ☎ 41-14-00. Fax : 64-95-74. • www.eastbourne.org • En haute saison, ouvert du lundi au samedi de 9 h à 17 h 30 et le dimanche de 10 h à 13 h; hors saison, ouvert le samedi de 9 h à 16 h, fermé le dimanche.
- ***Post Office :*** sur Terminus Rd. ☎ 22-33-44.
- ***Banques et tous commerces :*** Terminus Rd.
- ***Gare :*** Station Parade. Trains pour Londres au nord, Brighton à l'ouest et Hastings à l'est. Renseignements : ☎ (08457) 48-49-50 (en Angleterre).
- ***Gare routière :*** sur Terminus Rd. Pour la compagnie *Eastbourne Buses,* renseignements : ☎ 41-64-16. Bus n°s 710 et 711 pour Hastings et Rye. Départ toutes les heures. Bus n°s 710, 712 et 713 pour Brighton & Hove. Pour la compagnie *Waterhouse Travel* (excursions d'une journée, y compris à Londres), renseignements : ☎ 64-13-15.

Où dormir?

Bon marché

- ***Youth Hostel :*** East Dean Rd, BN20 8ES. ☎ et fax : 72-10-81. Suivre l'A259 vers Brighton; ou bus pour Brighton & Hove n°s 710, 712 et 713, qui s'arrêtent juste devant. Lors de notre passage, cette AJ était fermée pour travaux, après un incendie. À suivre...

Prix moyens

- ***The Guest House :*** 10 Elms Ave, BN21 3DN. ☎ 72-73-76. • www.theguesthouse-eastbourne.co.uk • Sur Marine Parade, au niveau du *pier* (la jetée), prendre la petite rue qui part en oblique. Compter de 35 à 45 £ (51,80 à 66,60 €) pour une chambre double, en fonction du confort et de la saison. Keith et Willie ont mis toutes leurs économies dans l'aménagement et la déco de leur jolie maison. Le résultat est parfait, raffiné et élégant. La moquette s'enfonce sous les pieds, le confort est douillet, l'accueil et le petit dej' généreux. Une super adresse à prix tout doux... chapeau!
- ***Cromwell Hotel :*** 23 Cavendish Place, BN21 3EJ. ☎ et fax : 72-52-88. • www.cromwell-hotel.co.uk • Dans une rue perpendiculaire à Marine Parade, juste en face du *pier* (la jetée). Compter de 48 à 52 £ (71 à 77 €) pour une chambre double, selon la saison. Dans une maison victorienne tenue par la très charmante Liz, propriétaire des lieux. En prévenant le matin, elle vous préparera un dîner avec amour. Chambres agréables, confortables et joyeuses.
- ***Devonia Hotel :*** 74 Royal Parade, BN22 7AQ. ☎ et fax : 72-00-59. • johnblackfox@aol.com • Juste en face du Military Museum. Compter 60 £ (88,80 €) en été et 50 £ (74 €) le reste de l'année pour une chambre double. Dans une maison victorienne du bord de mer, quelques chambres un peu fades mais tout confort. Possibilité d'y dîner. N'accepte pas les cartes de paiement et préfère les non-fumeurs.

Où manger?

Bon marché

- ***The Pavilion Tea-Rooms :*** Royal Parade (la promenade en bord de mer). ☎ 41-03-74. Ouvert tous les jours de 10 h à 18 h (17 h en hiver). Le thé à partir de 2 £ (3 €). Une institution. Chic et pas cher. Un pianiste joue l'après-midi et le soir. On entend même les cuillères tintinnabuler. Délicieux. Bien situé et jolie terrasse. On peut s'initier au *croquet* sur la pelouse.

De bon marché à prix moyens

|●| ***Maxims :*** 53 South St. ☎ 72-17-23. Ouvert tous les jours jusque très tard. Plats moyens entre 4 et 7 £ (5,90 et 10,40 €). De tout sur la carte : viande, poisson, snacks, pizzas, ainsi qu'une sélection de *tapas* appétissantes. Bar dans la cave, où se produisent des groupes. L'accès est payant à partir de 22 h. On y entre alors par West St (rue parallèle au nord de South St). Jazz le dimanche soir.

|●| ***The Lamb Inn :*** 36 High St, Old Town. ☎ 72-05-45. En face de Manor Gardens, à 5 mn à pied du centre-ville. Un plat à partir de 7 £ (10,40 €). Vieille auberge, plutôt grande, datant du Moyen Âge. Les caves sont du XIIe siècle et on vous les fera visiter si vous le demandez gentiment (mais pas en plein boum, évidemment). Il paraît qu'on y faisait du trafic de contrebande. Revenez en haut et prenez place dans l'un des quelques fauteuils de seigneur ou autres antiquités, et dégustez une bière du cru. Au menu, pas de la haute gastronomie, mais la carte n'est pas mal fournie et les prix sont raisonnables. Goûter au *home-made steak pie,* servi avec une sauce à la bière brune. Bon mais pas très copieux.

|●| ***The Ranch :*** 42 Seaside Rd. ☎ 43-02-51. Ouvert tous les jours, midi et soir en saison, le soir seulement hors saison. Plats compris entre 5 et 12 £ (7,40 et 17,80 €). Tex-mex chaleureux proposant des plats généreux et plutôt bons. Également quelques plats italiens, histoire d'étoffer la carte déjà longue comme le bras...

|●| ***Cosmo :*** 113-115 Seaside Rd. ☎ 75-88-33. Ouvert tous les jours. Formule buffet à volonté à 5,90 £ (8,70 €) le midi et 10 £ (14,80 €) le soir ; 12 £ (17,80 €) le week-end. Un restaurant asiatique tout clinquant, proposant une trentaine de plats (chinois, thaïs, indiens, malais, etc) le midi et une cinquantaine le soir. Rien de bien raffiné mais de quoi satisfaire les grosses fringales, sans se ruiner.

Plus chic

|●| ***Fishy Business :*** 2-4 Grand Parade. ☎ 64-95-44. Juste en face du *pier.* Ouvert de midi à 14 h 30 et de 19 h à 22 h (jusqu'à 17 h le dimanche). Fermé le lundi. Plats autour de 8 £ (11,80 €). Compter autour de 20 £ (29,60 €) pour un repas complet. Comme son nom l'indique, ici on s'occupe de poisson mais avec, pour les allergiques, quelques propositions carnées et végétariennes. Peut-être un tantinet prétentieux mais on est très loin du *fish & chips* du coin de la rue !

À voir

Towner Art Gallery : High St, Old Town (dans les Manor Gardens). ☎ 41-16-88. • www.eastbourne.org • Ouvert de 12 h à 17 h (16 h de novembre à mars, sauf le dimanche). Fermé le lundi. Galerie d'art et musée local. Gratuit. Des anecdotes intéressantes sur Eastbourne au XIXe siècle. Également des expos temporaires et une cave à vins du XVIIIe siècle pleine de... bouteilles vides.

Musique

– ***The Bandstands :*** Grande parade. Tous les jours l'été, un peu moins régulièrement en juin et septembre. Orchestres jouant en plein air, sur le bord de mer, de la musique classique et des marches militaires. En principe, une représentation par jour, l'après-midi. Payant : 2 £ (3 €) si vous prenez un transat.

– Les mercredi et vendredi soir d'été, à l'une des Martello Towers (construites tout au long de la côte pour prévenir une éventuelle attaque de Napoléon !), on joue de la musique militaire, puis classique, avant de lancer un feu d'artifice.

➤ *DANS LES ENVIRONS D'EASTBOURNE*

BEACHY HEAD

Des falaises, très hautes, 150 m en chute libre. C'est d'ailleurs le point le plus célèbre pour se suicider en Angleterre. On y vient de loin (mais on n'en revient pas !). Seul le Golden Gate Bridge de San Francisco est plus populaire sur notre petite planète. Ah, tour Eiffel ! qu'es-tu devenue ? Bref, faites la queue et admirez la beauté du site. À noter, il y a une cabine téléphonique tout près, avec le numéro de téléphone des *Samaritans,* une association d'entraide (une sorte de SOS Suicide). Cela dit, le coin est vraiment superbe. D'ailleurs, regardez la forme des arbres... ils suivent le sens du vent. Ah, romantisme, quand tu nous tiens !

Où dormir ? Où manger ? Où boire un verre ?

Birling Gap Hotel : Seven Sisters Cliffs, East Dean. ☎ 42-31-97. Fax : 42-30-30. • info@birlinggaphotel.co.uk • Quitter l'A259, suivre la direction « Beachy Head ». Chambres doubles de 50 à 60 £ (74 à 88,80 €). Emplacement impayable et pas de concurrence. Littéralement en haut d'une falaise... qui recule d'un mètre par an ! Vite !

The Tiger Inn : pub de campagne plein de caractère, sur la route de Seaford/Brighton (A259). Bondé l'été.

ALFRISTON

Très joli petit village, joyau des Downs, à une quinzaine de kilomètres d'Eastbourne et à 4,5 km de Seaford. Idéal comme point de départ ou comme étape pour marcheurs. Pour s'y rendre en bus depuis Eastbourne, prendre le n° 126, 5 liaisons par jour (sauf le dimanche).

Où dormir ? Où manger ? Où boire un verre ?

Youth Hostel : Frog Firle, Alfriston, Polegate BN26 5TT. ☎ 87-04-23. Fax : 87-06-15. • www.yha.org.uk • À 1 km au sud du village. Fermé de mi-décembre à mi-février. Réception à partir de 17 h. Compter 11,60 £ (17,20 €) par personne, en dortoir de 2 à 10 lits (uniquement 3 chambres doubles). Superbe vieille demeure du XVIe siècle, en pleine campagne vallonnée, dans un coin magnifique. Repas et casse-croûte. Connexion Internet.

The Sussex Ox : Milton St, Alfriston (à 2 km au nord du village, sur la rive est de la Cuckmere). ☎ 87-08-40. Pub proposant une très bonne cuisine, avec des produits frais et goûteux. D'ailleurs, les habitués n'hésitent pas à faire plusieurs kilomètres pour s'y retrouver en fin de semaine. Derrière, dans un grand pré qui domine la campagne, possibilité de piquer sa tente pour 3 £ (4,40 €). Pas d'équipements mais l'endroit est vraiment bien sympa. Aire de jeux pour les enfants.

Alfriston possède quelques pubs de rêve : ***Ye Olde Smugglers-Market Inn, The Star Inn, The George Inn.*** Tous sont situés sur la rue principale et offrent des bières au coin du feu.

QUITTER EASTBOURNE

➢ Prendre l'A259 pour rejoindre ***Brighton.*** La route est vraiment charmante : nombreuses vallées envahies de moutons.

BRIGHTON

240 000 hab. IND. TÉL. : 01273

Pour le plan de Brighton, voir le cahier couleur.

Brighton est une ville qu'on aime beaucoup. Elle fut « lancée » par George IV (que l'on pourrait appeler *Crazy George*) et lui est restée fidèle dans l'esprit : aussi anglaise que ce roi put l'être. Avec, en même temps, une tendance décadente. C'est aujourd'hui plus qu'une station balnéaire, bel et bien une ville cosmopolite où cohabitent Londoniens en villégiature, « Brightoniens » travaillant à Londres, étudiants des Beaux-Arts ou de l'une des deux universités de la ville, ou encore étudiants en linguistique venus du monde entier; ajoutez à ce tableau des petites communautés « new-baba-cool-squatteurs » et aussi la plus grande population gay du pays, sans oublier vacanciers et quelques retraités.
N'ayons pas peur de le dire, voilà enfin une ville qui n'a ni château fort ni cathédrale mais qui peut se flatter de posséder une sorte de grand « palais des jeux », plus de 450 restaurants et une large promenade bientôt réaménagée par Franck Gehry (le créateur du musée Guggenheim à Bilbao) et ce pour 30 millions de livres sterling (44,40 millions d'euros). Dans cette ville à l'ambiance particulière et ouverte d'esprit, vous êtes autorisé, on vous l'assure, à vous habiller comme vous le voulez avec ce que vous voulez. Et pour faire branché, vous devez désormais dire *Brighton & Hove* car les 2 villes mitoyennes ont fusionné en 1999.

Adresses et infos utiles

ℹ ***Brighton & Hove Visitor Information Centre*** *(plan couleur C3)* **:** 10 Bartholomew Square. ☎ 29-25-92. • www.visitbrighton.com • Ouvert tous les jours; en saison, du lundi au vendredi de 9 h à 17 h 30, le samedi de 10 h à 17 h (16 h le dimanche); en hiver, ferme 1 h plus tôt et le dimanche de novembre à février. Un bon conseil : se garer au parking *The Lanes.* Carte de la ville gratuite et bon accueil.

✉ ***Post Office*** *(plan couleur C2)* **:** sur Ship St.

■ ***Banques*** *(plan couleur C2-3)* **:** sur Pavilion Buildings et North St.

Gare *(plan couleur C1)* **:** à l'angle de Queens Rd et de Trafalgar St. Renseignements : ☎ (08457) 48-49-50. Trois trains par heure au départ de Londres (50 mn de trajet en moyenne). Sinon, bon service côtier d'est en ouest.

Gare routière *(plan couleur C3)* **:** sur Pool Valley, au début d'Old Steine, lorsqu'on vient de la promenade. Renseignements : ☎ 88-62-00. • www.buses.co.uk • Abusez-en, car on peut se faire toute la ville en une journée en bus pour pratiquement rien et Londres Victoria en 2 h.

■ ***Location de vélos*** *(plan couleur A3, 1)* **:** *Sunrise Cycle Hire.* À l'entrée du West Pier, sur la promenade. ☎ 74-88-81. En saison, tous les jours jusqu'à 18 h-19 h. En hiver, s'adresser à *Planet Cycle Hire (plan couleur D3) :* Madeira Drive. ☎ 69-57-55. Ouvert de 10 h à 17 h. Location à l'heure (3 £, soit 4,40 €) ou à la journée (12 £, soit 17,80 €). Possibilité de louer à la semaine ou au mois.

@ ***Curve Internet*** *(plan couleur C2) :* 45 Gardner St. ☎ 60-30-31. Ouvert du dimanche au vendredi de 10 h à 23 h et le samedi de 11 h à 21 h. Compter 1,50 £ (2,20 €) l'heure. Pratique pour les horaires, pas trop cher et en plein quartier de North Laine.

@ Également, possibilité de se connecter chez ***Sumo*** *(plan couleur B3) :* The Brighton Media Centre, 9-12 Middle St. ☎ 74-94-65. Ouvert du lundi au samedi de 12 h à 21 h et le dimanche de 12 h à 22 h 30. 4 £ (5,90 €) l'heure. Moins cher si l'on achète une boisson. Central et près des AJ.

@ Enfin, une autre possibilité chez ***Dart Scooter Hire,*** à la gare routière *(plan couleur C3).*

Où dormir ?

Les hôtels sont chers à Brighton et les prix grimpent fort en fin de semaine.

Camping

▲ ***Sheepcote Valley Caravan Club Site*** *(hors plan couleur par D3) :* East Brighton Park, BN2 5TS. ☎ 62-65-46. Fax : 68-26-00. • www.caravanclub.co.uk • À peine à 2 km à l'est du Palace Pier, en retrait de la Marina ; très bien indiqué. Ouvert toute l'année. Réception de 8 h à 20 h (17 h en hiver). Compter 12 £ (17,80 €) pour 2 personnes avec une tente. Grand, moderne, propre et pas cher. Seul bémol : le coin tentes, quoique spacieux, est un peu en pente.

Bon marché

🏠 ***Baggies Backpackers*** *(plan couleur A2, **22**) :* 33 Oriental Place, BN1 2LL. ☎ 73-37-40. À 50 m de la mer. Chambre double autour de 35 £ (51,80 €) et nuit en dortoir à partir de 13 £ (19,20 €) par personne. Réservation recommandée. Dans un quartier plutôt résidentiel, où l'on respire. Belle maison qui joue aussi la formule auberge internationale, et c'est très réussi. Deux salons, l'un plutôt TV-vidéo, l'autre musique avec chaîne et guitares. L'équipe, très sympathique, vous accueille un peu chez elle. Un double dortoir mixte, un pour femmes les soirs où l'AJ n'est pas complète, un de 6 lits pour groupes et 2 chambres tranquilles pour couples, voire petite famille. Quatre douches dont 3 conviviales ! Cuisine propre et pratique, thé et café à volonté. Inutile de préciser qu'il n'y a pas de couvre-feu.

🏠 ***Youth Hostel*** *(hors plan couleur par D1) :* Patcham Place, London Rd, BN1 8YD. ☎ et fax : 55-61-96. • brighton@yha.org.uk • Au nord-ouest de la ville, à 5 km du centre et 25 mn à pied de la gare de Preston Park, au pied de l'A27. Bus réguliers (nos 5, 5A, 107, 770 et 771) à partir de Churchill Square ou de Royal Pavilion. Réception à partir de 13 h. Fermé en janvier et partiellement en février. Nuit en dortoir à partir de 13,50 £ (20 €). Vaste bâtisse offrant 84 lits relativement à l'étroit. Grands dortoirs. On sert à dîner dans une salle à manger à vous couper l'appétit. Tant pis. Toute petite cuisine pour ceux faisant leur propre popote. Salle de jeux équipée d'un baby-foot. Casiers. On se rattrape un peu côté services puisque l'auberge peut vous réserver vos tickets *National Express* (dont les bus passent devant). Vaste parking et parc pour vous détendre juste en face.

🏠 ***Walkabout Hostel*** *(plan couleur B3, **21**) :* 79-81 West St. ☎ 77-02-32. • backpackers@walkabout.weststreet • Entrée par South St. Réception ouverte de 8 h 30 à 19 h 30. Compter 26 £ (38,50 €) pour une chambre double et 11 £ (16,30 €) par personne en dortoir. En tout, 24 chambres conçues dans un style australien. Tout ce qu'il faut pour préparer son petit dej' ou cuisiner un (petit) dîner entre amis. W.-C. et salles de bains sur le palier. Pub avec écran géant sur place. Bien situé mais propreté un peu limite. Pas de parking.

Prix moyens

■ ***The Iron Duke Hotel*** *(hors plan couleur par A3,* ***29****)* **:** 3 Waterloo St, Hove, BN3 1AQ. ☎ 73-48-06. Fax : 73-29-70. Dans une rue perpendiculaire à King's Rd, à 50 m de la mer et à 10 mn à pied du centre. Compter de 40 à 60 £ (59,20 à 88,80 €) la double selon le confort, la saison et le jour. Chambres impeccables et confortables mais sans w.-c. (sur le palier). Certaines disposent d'une salle de bains. Les prix pratiqués sont moins élevés qu'à Brighton (nous sommes à Hove !) et peuvent être particulièrement intéressants en semaine. En bas, un pub de quartier à la clientèle hétéroclite. Excellent rapport qualité-prix. Comme nous ne sommes pas les seuls à le penser... il est préférable de réserver.

■ ***Valentine House Hotel*** *(plan couleur A2,* ***25****)* **:** 38 Russell Square, BN1 2EF. ☎ 70-08-00. Compter de 45 à 60 £ (66,60 à 88,80 €). Jolie maison fleurie donnant sur un square, en centre-ville, près de la mer. Les chambres n°s 2, 4, 6 et 7, spacieuses, offrent la plus belle vue de l'hôtel. Accueil un peu méfiant.

■ ***Aquarium Guesthouse*** *(plan couleur D3,* ***24****)* **:** 13 Madeira Place, BN2 ITN. ☎ 60-57-61. À Kemp Town, le quartier à l'est du Palace Pier. Ouvert toute l'année. Prévoir entre 40 et 56 £ (59,20 et 82,90 €) pour une chambre double. Une adresse, parmi les nombreuses du quartier, d'un bon rapport qualité-prix. Les chambres sont petites mais claires, nettes et plaisantes. W.-C. et douche à l'entre-étage.

Plus chic

■ ***Sea Spray*** *(plan couleur D3,* ***23****)* **:** 25 New Steine, BN2 IPD. ☎ 68-03-32. • www.seaspraybrighton.co.uk • Ouvert toute l'année. En semaine, prévoir de 60 à 90 £ (88,80 à 133,20 €) et de 85 à 120 £ (125,80 à 177,60 €) le week-end. Chambres à thèmes allant de Dali au boudoir rose à plumes. Très confortable, mais la déco ne fera pas l'unanimité... mauvais goût pour certains, un must du kitsch pour d'autres. À vous de juger.

■ ***Strawberry Fields*** *(plan couleur D3,* ***20****)* **:** 6-7 New Steine, BN2 IPB. ☎ 68-15-76. Fax : 69-33-97. • strawberry-fields-hotel.com • Ouvert toute l'année. Compter de 50 à 80 £ (74 à 118,40 €) la double en fonction de la saison et du confort. La cage d'escalier, sombre et déprimante, ne donne pas vraiment envie de voir les chambres. Étonnamment, elles sont plutôt souriantes et confortables, bien qu'assez banales.

Vraiment plus chic

■ ***Regency Hotel*** *(plan couleur A2,* ***27****)* **:** 28 Regency Square, BN1 2FH. ☎ 20-26-90. Fax : 22-04-38. • regencybrighton.co.uk • Chambres doubles de 85 à 95 £ (125,80 à 140,60 €). Beau et fier (l'ancienne demeure de l'arrière grand-mère de Winston Churchill !), dans le prolongement du West Pier (celui qui est détruit). Chambres décorées avec goût, toutes différentes et parfaitement cosy. Celles du haut sont plus modernes. Très bonne adresse.

Où dormir dans les environs ?

■ ***B & B The Squirrels*** **:** Henfield Rd, Woodmancote, Henfield BN5 9BH. ☎ 49-27-61. De Brighton, prendre la B2118 (sur l'A23), puis la B2116 direction Henfield ; suivre ensuite la direction « Albourne Rd ». Chambre double avec TV à partir de 40 £ (59,20 €). Ouvert toute l'année, tous les jours. Certes, c'est un peu loin, mais cela en vaut la peine. Vous adorerez le calme de ce lieu perdu au fin fond de la campagne, le vieux cheval dans les prés, les œufs brouillés de Mr Pound et les confitures de sa femme. Autant de raisons pour leur rendre une petite visite. Et puis, ce n'est pas loin de Gatwick. Notre coup de cœur.

The Old Coach House : Cuilfail, Lewes BN7 2BE. ☎ et fax : 47-89-43. • www.lewes-area-bed-and-breakfast.com • À 15 km à l'ouest de Brighton, par l'A27. Compter 60 £ (88,80 €). Très beau cottage à flanc de coteau, avec une vue imprenable sur la cité médiévale. Deux grandes chambres standard. Très bien tenu par Jo Elvery, une hôtesse passionnée de littérature. Impératif de téléphoner à l'avance.

Où manger ?

Plus de 400 restaurants à Brighton. Dans Preston Street *(plan couleur A2)*, de nombreux restos cosmopolites. Y aller au feeling.

Bon marché

The Meeting Place *(hors plan couleur par A3, **36**) :* sur la promenade, là où commencent les grandes pelouses de Hove, peu après le West Pier. Snack-terrasse en bord de plage... très anglais.

Bombay Aloo *(plan couleur C2, **30**) :* 39 Ship St. ☎ 77-60-38. Quasi face à la poste. Indien végétarien ouvert de midi à 23 h (minuit le vendredi et le samedi). Formule buffet à volonté géniale pour 5 £ (7,40 €). Entre 15 h 15 et 17 h 15, le prix tombe à 3,50 £ (5,20 €), un record ! Très bon et café offert sur présentation du *Guide du routard.*

Buddies *(plan couleur B3, **33**) :* 46-48 Kings Rd. ☎ 32-36-00. Les atouts : ouvert 24 h/24 et près des AJ, dans le quartier des boîtes et du bord de mer. Réduction de 20 % sur présentation de la carte étudiant (du lundi au jeudi). Pas de la grande cuisine mais des hamburgers, des omelettes, des poissons... quand la faim vous tient.

Prix moyens

Food for friends *(plan couleur C3, **39**) :* 18 Prince Albert St, dans le coin de l'office de tourisme. ☎ 20-23-10. Ouvert tous les jours de 11 h 30 à 22 h. Des menus « bio » pas chers ou des salades simplement (la *medium* fait largement l'affaire). Que de l'authentique : la soupe à la carotte, le pudding à la rhubarbe et les fraises existeraient donc toujours ? Déco à l'image de la salade composée, fraîche et légère. Vraiment très bien et pas cher. Réduction de 10 % sur présentation du *Guide du routard* du lundi au vendredi.

Ha ! Ha ! Canteen *(plan couleur C3, **37**) :* juste à l'entrée du Royal Pavilion. ☎ 73-70-80. Ouvert tous les jours de 11 h à 22 h. Cuisine épicée, mâtinée de tex et de beaucoup de mex. Canapés en cuir confortables dans une déco teck et bois lustré. Le tout sur les rythmes lancinants de Fat Boy Slim (originaire de Brighton !).

Wai Kika Moo Kau *(plan couleur C1, **32**) :* 11A Kensington Gardens. ☎ 67-11-17. Ouvert de 11 h à 18 h (23 h le week-end). Végétarien artistique très clean, servant des portions généreuses. Un autre au 42 Meeting House Lane *(plan C3)*, plus près de la mer ; ☎ 32-38-24.

Harry's English Restaurant *(hors plan couleur par A2, **35**) :* 41 Church Rd, Hove. À 10 mn à pied du centre. ☎ 72-74-10. Ouvert de 9 h à 22 h 30 (de 9 h 30 à 21 h 30 le dimanche). Bistrot qui sert de la cuisine traditionnelle anglaise revue et corrigée pour le meilleur. Grand choix de puddings, notamment, avec de la bonne *custard* chaude. Déco postmoderne avec toutefois une touche d'intimité.

|●| ***The Dorset*** *(plan couleur C2,* ***31****) :* 28 North Rd. ☎ 60-54-23. Juste après Marlborough Place. Ouvert tous les jours de 9 h à 23 h. Pub à l'ambiance enfumée de jeunes en permission ! Bonne musique et spécialités de poisson et de moules. Carte assez diversifiée, mêlant les cuisines anglaise et française. D'ailleurs, ils aiment bien la France et ça se voit sur la carte et la déco.

Plus chic

|●| ***Terre à Terre*** *(plan couleur C3,* ***38****) :* 71 East St. ☎ 72-90-51. Plats à partir de 6 £ (8,80 €). Compter autour de 25 £ (37 €) pour un repas complet. Un végétarien remarquable, connu pour être le meilleur d'Angleterre. D'ailleurs, impossible d'y aller sans avoir réservé, c'est dire ! Ambiance gentiment chic mais pas guindée pour autant, murs colorés, cuisine inventive et délicieuse. Bref, de quoi séduire les plus réticents.

Où boire un thé ?

🍸 ***The Mock Turtle*** *(plan couleur C3,* ***47****) :* 4 Pool Valley. ☎ 32-73-80. Ouvert tous les jours. Un petit bijou de salon de thé, exposant fièrement ses gâteaux crémeux et colorés en vitrine. Une vraie image d'Épinal ! Quelques tables au milieu des *cakes* et *puddings* en bas et, au sous-sol, une autre salle à l'ambiance et à la déco surannées. Possibilité de s'installer dehors par beau temps. Y prendre un *cream tea* dans la pure tradition, avec *scones,* crème épaisse comme du beurre et confiture-maison.

🍸 ***The Grand Hotel*** *(plan couleur B3,* ***45****) :* King's Rd. L'*English tea* dans toute sa splendeur pour environ 13 £ (19,20 €). Il fera parfaitement l'affaire si vous recherchez un *tea-room* avec un peu de cachet. Pour la petite histoire, pendant que vous dégustez une tasse accompagnée de *scones,* de gâteaux ou de *toasted-tea cakes,* voire la totale, c'est-à-dire *the afternoon tea* avec sandwichs au concombre et au saumon, sachez que c'est ici même que l'IRA tenta d'éliminer Margaret Thatcher et tout son état-major du parti conservateur en faisant sauter l'hôtel. Les terroristes ne parvinrent même pas à égratigner la Dame de Fer, mais ils causèrent bien des dégâts. L'hôtel ferma quelques années et en profita pour se faire un lifting. Maggie vint par surprise à l'inauguration, prouvant, s'il était besoin, qu'elle n'était pas du genre à se laisser impressionner.

Où boire un verre ? Où écouter de la musique ?

🍸 ♩ ***Font & Firkin*** *(plan couleur C2,* ***40****) :* Union St. Ancienne église reconvertie en pub, fier de sa nouvelle devise : « Boire à en mourir »... On est fixé ! Chaude ambiance et faune bigarrée.

🍸 ***Pump House*** *(plan couleur C3,* ***41****) :* 46 Market St (sur la place). Situé dans une clairière, au cœur du quartier des Lanes. Ouvert de 11 h à 23 h. Pub assez classe, mais pas snob pour autant. Admirez les tableaux au plafond.

🍸 ***Fortunes of War*** *(plan couleur B3,* ***44****) :* 157 King's Rd Arches. Ouvert de 11 h à 23 h. Sur la plage. Une déco de cale de navire assez réussie, mais on n'en profite pas vraiment vu le monde et la musique trop forte. En revanche, on peut prendre son verre et aller le boire sur la plage comme des dizaines, voire des centaines d'autres. Sympa, le soir, de voir tous ces jeunes qui débutent ici la soirée.

🍸 ***The Mash Tun*** *(plan couleur C2,* ***46****) :* à l'angle de New Rd et Church St. ☎ 68-49-51. Pub hippie animé, tendance Beaux-Arts. Tous les styles s'y retrouvent. Surtout dans les toilettes : un vrai son et lumière rustique.

🍸 ***Amsterdam*** *(plan couleur D3, **43**)* **:** 11-12 Marine Parade. ☎ 68-88-25. Repaire très très gay de Brighton. Une ambiance du tonnerre en fin d'après-midi. Surplombe la mer. Fait aussi sauna (exclusivement masculin, ça va sans dire) à partir de 16 h.

🍸 ♪ ***King and Queen*** *(plan couleur C2, **42**)* **:** 13 Marlborough Place. ☎ 60-72-07. Ouvert tous les jours. Maison à colombages et en brique rouge. Vieux pub datant du XVIIIe siècle (construit en l'honneur de George III et de la reine Charlotte), qui s'est converti en karaoké le mardi soir. Attention, âge minimum : 18 ans. Billard.

Où danser ?

L'office de tourisme propose gratuitement le *Brighton Source,* un magazine mensuel qui recense tous les endroits *in* du moment et leurs promos. Brighton est un lieu de fête bien connu. Le nombre de boîtes par habitant y reste le plus élevé du pays, le *West End* de Londres mis à part. Les prix varient de 2 £ (3 €) en semaine jusqu'à 10 £ (14,80 €) le week-end. Voici les plus fameuses :

♫ ***Zap Club*** *(plan couleur B3)* **:** King's Rd Arches. ☎ 82-15-88. Dans des entrepôts-caveaux, face à la mer. Tout le monde connaît. Pas mal de funk.

♫ ***Escape Club*** *(plan couleur D3)* **:** 10 Marine Parade. ☎ 60-69-06. La boîte qui ne se démode jamais : la preuve, la queue pour y entrer, quel que soit le temps. Y aller un peu avant la fermeture des pubs ou carrément plus tard. Genre *groove, garage* et parfois disco le week-end ! On ne se refuse rien. À côté, la référence du moment : ***Concorde 2.***

♫ ***Creation :*** West St. ☎ 32-16-28. Et ***The Event II*** *(plan couleur B3)* **:** West St également. ☎ 73-26-27. Deux grosses boîtes à la mode. Très gay les lundi et mardi. Musiques dignes de *Radio 1* le samedi.

♫ ***Casablanca*** *(plan couleur B3)* **:** 3 Middle St (face au *Brighton Backpackers*). ☎ 32-18-17. Prix d'entrée autour de 20 £ (29,60 €). En cas d'overdose de soirées house et techno, un club de jazz tout rénové proposant souvent des soirées *latino* et des concerts. Consulter le programme.

♫ ***Honey Club*** *(plan couleur C3)* **:** 214 King's Rd Arches. ☎ 20-28-07. Très sympa et plus intime. Musique techno-house.

À voir

👁👁👁 ***The Royal Pavilion*** *(plan couleur C2-3, **50**)* **:** renseignements, ☎ 29-09-00. • www.nyalpavilion.org.uk • Ouvert d'avril à septembre de 9 h 30 à 17 h 45 et d'octobre à mars de 10 h à 17 h 15. Entrée : 5,95 £ (8,80 €) ; réductions. Dernière admission 45 mn avant la fermeture. Incroyable extravagance architecturale qui mélange les styles arabe, chinois et moghol (des Indes). Résidence du prince de Galles, futur George IV, qui incarnait le dandysme le plus britannique. L'intérieur mérite aussi une visite : décors orientaux travaillés à outrance. On y rigolait bien. Le prince faisait d'immenses fêtes paillardes. Un escalier reliait directement les appartements du roi à la chambre de sa maîtresse. Évidemment, ce n'était pas du goût de la reine Victoria, qui laissa à l'abandon ce lieu hanté par le péché où elle avait pourtant séjourné avant d'accéder au trône. En fait, on retrouve dans cette demeure princière l'origine de ce modernisme d'esprit tolérant qui caractérise le pays, ainsi que le si naturel mélange des gens et des genres qui fait le charme de Brighton.

The Brighton Pier *(plan couleur C3)* **:** centre de jeux en tout genre, éclairé par 13000 ampoules. Précisons qu'il est orphelin depuis que le deuxième Pier s'est écroulé sous l'effet de vagues fin 2002. Tout un symbole de la ville anéanti !

The Lanes *(plan couleur BC-2)* **:** entre North St, West St, King's Rd et East St. Ce lacis de ruelles, parfois très étroites et bien protégées du vent, constitue le cœur ancien de Brighton, du temps où celui-ci n'était qu'un village de pêcheurs. Aujourd'hui, on y trouve boutiques de mode, restaurants, bars et pubs en tout genre. Et quelques boîtes de nuit, côté mer.

The North Laine *(plan couleur C1-2)* **:** le quartier plutôt bohème, entre Trafalgar St, Queen's Rd, North St et Kensington St. Ambiance puces réussie et boutiques les plus extravagantes, *of course !* L'idéal est de partir de Church St, de traverser Kensington Gardens et de s'arrêter à Sydney Rd.

Fêtes

– **Brigthon Festival :** le plus grand festival d'arts de Grande-Bretagne, pendant 1 mois entier (en mai), dans les rues, les cafés, les théâtres...
– **Gay Pride :** mi-août. Départ de Preston Park.

À faire

– **Roller-blade** *(plan couleur A3, 1)* **:** à l'entrée du West Pier. ☎ 72-79-62. • www.oddballs.co.uk • Tous les jours en saison, de 10 h à 19 h (horaires toutefois flexibles).

– **Golf :** « minigolf » ici veut dire un véritable parcours de 1 h 30 à 2 h avec 2 clubs (cannes), un pour les coups longs (fer 7 ou 8) et un pour « pousser » la balle dans le trou *(putt).* Très informel et une excellente initiation, fort peu coûteuse de surcroît.

■ **Roedean Miniature Golf** *(hors plan couleur par D3)* **:** Marine Drive, au-dessus de la Marina (bus nos 14, 14b, 711 ou 712). ☎ 68-48-38. Ouvert tous les jours de l'aube au crépuscule.

■ **Rottingdean** *(hors plan couleur par D3)* **:** à l'entrée du village par la route du bord de mer en venant de Brighton. ☎ 30-21-27. Chouette parcours surplombant la mer et dominé par un moulin. Mêmes horaires de fonctionnement que le précédent.

➤ DANS LES ENVIRONS DE BRIGHTON

Lewes : à une quinzaine de kilomètres à l'est de Brighton, sur l'A27. Depuis Brighton, préférez le train (15 mn de trajet) aux bus nos 20, 28, 129 et 729 (plusieurs par heure). Sympathique petite ville bâtie sur une butte aux ruelles et aux maisons charmantes, mais où la circulation et le stationnement sont difficiles. C'est le siège administratif du comté de l'East Sussex et un pôle pour les amateurs d'antiquités. C'est aussi la ville de *Harvey's,* le dernier brasseur en activité du Sussex.
– Le *château,* sans grand intérêt, se visite tous les jours de 10 h à 17 h 30 environ. On peut acheter un billet combiné avec le musée-*maison d'Anne de Clèves,* 5e femme d'Henri VIII (environ 6 £, soit 8,90 €). De Pâques à octobre, ouvert tous les jours ; en hiver, ouvert les mardi, jeudi et samedi. Anne de Clèves ne vécut pas là, mais elle obtint, entre autres choses, cette vieille maison à colombages remarquablement conservée en échange d'un divorce à l'amiable.

– Lewes sort de ses gonds le 5 novembre, lors de la fête nationale aux pétards (chacun la sienne) dite de *Guy Fawkes,* terroriste qui tenta de faire sauter le parlement anglais en 1605. Ici, fait unique, plusieurs processions et des milliers d'hérétiques brûlent des effigies du pape de l'époque et d'ennemis emblématiques (comme la fièvre aphteuse) en commémoration des 17 martyrs protestants brûlés à Lewes par Marie Tudor.
Vous ne manquerez pas, en vous promenant, *Keere St,* jolie ruelle en pente pas très douce, que George IV, le décadent inventeur de Brighton, dévala en calèche tirée par 4 chevaux, pour honorer un pari.
Enfin, il ne reste que des ruines de l'énorme prieuré cluniste que l'on peut voir (notamment depuis le train) mais pas visiter. Avant sa destruction par Cromwell sur ordre d'Henri VIII, on récupéra les pierres de taille (de Caen) pour construire *The Grange* sur Keere St, belle demeure avec de beaux jardins publics.

i *Tourist Information Centre :* 187 High St. ☎ 48-34-48. • www.lewes-town.co.uk • En saison, ouvert tous les jours jusqu'à 17 h (horaires réduits le week-end) ; en hiver, fermé le dimanche et samedi après-midi.

**** *Rottingdean :*** à 5 km à peine à l'est de Brighton, sur le bord de mer. Accès possible par le *Under Cliff Walk* depuis la Marina (chemin au pied des falaises de craie) ou en bus : n°s 14, 14b, 711 ou 712. Rottingdean est un petit village au creux des falaises. Les maisons y sont pratiquement toutes construites avec des galets de silex. Mais on y trouve un remarquable ensemble de maisons Tudor à colombages datant du début du XVIe siècle, avec des encorbellements sculptés. Ces maisons privées (ne se visitent donc pas) sont visibles sur Dean Court Rd, près de l'église Saint-Margareth, et aussi depuis le cimetière, derrière et à gauche de ladite église.
Rudyard Kipling vécut ici quelques années et y écrivit quelques-unes de ses œuvres. Il y a d'ailleurs une maison-musée face aux *Kipling Gardens,* joli jardin anglais à l'abri de murs de silex. Peut-être y verrez-vous des joueurs de croquet en pleine partie (ce jeu – plus que sport – d'origine française n'a rien à voir avec le cricket et tient plutôt d'un mélange de pétanque et de golf !). On vous conseille surtout d'y aller en fin d'après-midi pour voir le soleil se coucher sur le moulin au milieu des roses. Unique.
Enfin, ne quittez pas Rottingdean sans avoir goûté les meilleurs *scones* du pays dans un salon de thé comme on les aime (avec jardin fleuri en plus) : *The Olde Cottage.*

**** *Steyning :*** joli village, anciennement grande ville et port, avec des maisons à colombages, une vieille église et une vieille auberge. Yeats y écrivit bon nombre de ses œuvres. Si vous passez, saluez Nathalie Naylor, Flint House, 8 Church St. Elle est française, interprète, et connaît bien Steyning. Son mari, lui, ne parle pas le français. Demander à voir la maison, ou comment créer de l'espace neuf dans du vieux.

QUITTER BRIGHTON

➢ ***Pour Worthing par Wellington Rd :*** on longe la côte. Le long du front de mer, petites maisons blanches qui font penser à La Baule-les-Pins. Plages de galets avec ventes de poisson. Pour les non-motorisés, bus n° 702. À partir de Worthing, suivre l'A27, direction Portsmouth, et s'arrêter 15 km plus loin à Arundel.
➢ ***Pour Londres :*** 3 trains par heure, 50 mn de trajet. Pour un aller-retour dans la journée, billet *South Central Day Saver* pour 10 £ (14,80 €) à prendre au *Visitor Information Centre.* Moins cher qu'à la gare.

ARUNDEL

2400 hab. IND. TÉL. : 01903

À 40 km de Brighton sur l'A27, village très touristique, blotti au pied de son imposant château d'allure féodale et d'une petite cathédrale récente, plus saisissante de loin que de près.

Adresses utiles

Visitor Information Centre : 61 High St, BN18 9AJ. ☎ 88-22-68. • www.sussexbythesea.com • En saison, ouvert tous les jours de 10 h à 18 h (16 h le dimanche) ; en hiver, horaires plus réduits et variables, avec une fermeture généralement vers 15 h.

Banque : _Lloyds,_ dans High St.

Gare : un peu à l'écart du centre, à 1,5 km. ☎ (08457) 48-49-50. Pas de bus pour rejoindre le centre, 15 mn de marche.

Où dormir ?

Arundel n'est pas un arrêt obligé pour la nuit. Cela dit, voici quand même des adresses au cas où...

Campings

Beaucoup de campings dans la région, de tous styles. Liste disponible au _Visitor Information Centre._ Le plus proche se trouve à Crossbush, mais voici notre préféré :

Ship & Anchor Marina Camping : à Ford, BN18 0BJ, tout près de Ford Station (l'autre gare), pas loin de Littlehampton et à 3,5 km d'Arundel. ☎ (01243) 55-12-62. Fax : (01243) 55-52-56. Compter environ 12 £ (17,80 €) pour 2 avec une tente. Calme le long de l'Arun. Un peu rustique mais spacieux et économique. S'il ne fait pas beau (ça arrive), faites comme tout le monde : rendez-vous au pub sympa du camping pour goûter à l'_Arundel Castle Beer._ Remise de 10 % offerte sur présentation du _Guide du routard._

Bon marché

Youth Hostel : Warningcamp, BN18 9QY. ☎ 88-22-04 ou (08707) 70-56-76. Fax : 88-27-76. • www.yha.org.uk • Perdu dans la campagne, à 2 km d'Arundel (un peu moins de la gare) ; suivre les panneaux « YHA » sur la petite route de Warningcamp. Bus _Stagecoach Coastline_ n° 702 entre Chichester et Brighton, mais qui dépose dans le centre d'Arundel seulement. En saison, ouvert tous les soirs sauf le dimanche ; en hiver, généralement ouvert les vendredi et samedi (renseignez-vous avant quand même, et souvenez-vous que le château est, hélas, fermé le samedi). Réception à partir de 17 h. Compter 13,40 £ (19,80 €) par personne en dortoir et 31 £ (45,90 €) pour une chambre double. Parfait si vous voulez être au vert. Fait également camping, avec accès aux services de l'auberge.

Prix moyens

Arden Guesthouse : 4 Queens Lane, BN18 9JN. ☎ 88-25-44. Au bout de High St, passer le pont ; c'est juste derrière la station-service, à droite. Chambres doubles de 48 à 52 £ (71 à 77 €), avec ou sans salle de bains. Une maison labyrinthique bien tenue mais sans charme particulier. Chambres plus ou moins grandes. Demander à en voir plusieurs. Bien pour une nuit en dépannage.

Plus chic

🏠 ***The Town House Hotel*** **:** 65 High St, BN18 9AJ. ☎ 88-38-47. • www.thetownhouse.co.uk • Compter 65 £ (96,20 €) pour une chambre double, jusqu'à 100 £ (148 €) pour la suite majestueuse. Charmant et romantique à souhait. C'est également un restaurant sympathique, avec un superbe plafond italien en bois. Accueil chaleureux dans la langue de Molière, sauce Shakespeare. Réduction de 10 % sur les courts séjours sur présentation du *Guide du routard.*

Où manger ?

|●| ***Copper Kettle :*** ☎ 88-36-79. Un *tea-room* traditionnel qui propose aussi des plats de snack autour de 6 £ (8,90 €). Deux belles salles avec poutres au plafond, de la dentelle sur les tables et des *sets* représentant des calèches d'autrefois. Plus anglais, on ne fait pas ! Remarquez à l'entrée la photo d'école typique : des élèves et profs en costume (ici, environ 400 garçons uniquement) bien alignés sur 50 cm de cliché. Celle-là date de 1950, mais de nos jours la tradition perdure, en couleur.

– Plusieurs autres adresses très recommandables dans la même rue : ***Tudor Rose, Belindas...*** Des restos et *tea-rooms,* mais souvent fermés le lundi.

À voir

👁👁 Pas grand-chose hormis le ***château.*** Renseignements : ☎ 88-31-36 ou 88-21-73. • www.arundelcastle.org • Ouvert de début avril au dernier vendredi d'octobre, de 12 h à 17 h. Fermé le samedi. Entrée : 9,50 £ (14,10 €) ; réductions. On peut se contenter des jardins pour 4,50 £ (6,70 €). Très impressionnant, comparé aux petites maisons d'Arundel. Il appartient au duché de Norfolk, et en est la demeure familiale. Ayant toujours été habité, il a peu à peu perdu toute trace historique au profit de ravalements et d'aménagements divers. La partie ouverte au public possède un côté très seigneurial, mais fortement mâtiné de religieux. En effet, en dehors de la splendide bibliothèque de bois et de velours, on a l'impression que toutes les pièces ont ou ont eu une fonction religieuse. Ce n'est pas un hasard si le duc de Norfolk occupe des fonctions importantes au sein de l'Église catholique. C'est sa famille qui a financé la construction de la cathédrale de la ville en 1869-1873.

👁👁 ***L'église Saint-Nicolas*** (côté ville) ***et la chapelle Fitzolan*** (côté château) ***:*** ce bâtiment du XIVe siècle est un rare exemple de cohabitation religieuse puisque l'église est anglicane d'un côté et catholique de l'autre ! La famille Norfolk jouissait déjà de ce droit privé sous Henri VIII. Les deux sections, autrefois séparées par un mur puis par un portail, sont à présent séparées par une vitre.

👁 ***La cathédrale Saint-Philippe :*** à côté du château. Construite au XIXe siècle, mais dans le style roman. Tous les ans, 60 jours après Pâques, s'y déroule « the carpet of flowers ». On recouvre la nef de fleurs, d'après une tradition italienne que le duc Henry de Norfolk aurait observée lors d'un voyage en 1877.

CHICHESTER

26 000 hab. IND. TÉL. : 01243

Petite ville qui fut en son temps une importante base romaine, lors de la conquête de l'île. Située entre Portsmouth (à 32 km) et Brighton (à 46 km), elle possède une imposante cathédrale. En Angleterre, c'est même la seule visible depuis la mer. Il est très facile de s'orienter dans Chichester grâce au *Market Cross,* petit monument d'où partent 4 rues : North, East, South et West... Logiques les Romains, contrairement à ce que raconte Obélix !
En juillet s'y déroule un festival de musique réputé qui draine les amateurs de classique et de jazz vers la cathédrale. Des troupes de théâtre se produisent dans les rues.

Adresses utiles

Tourist Information Centre : 29a South St. ☎ 77-58-88. Fax : 53-94-49. • www.chichester.gov.uk • Ouvert du lundi au samedi de 9 h 15 à 17 h 15 et le dimanche (d'avril à septembre uniquement) de 11 h à 15 h 30. Accueil peu aimable mais leur petite carte (gratuite) de la ville et des parkings est bien pratique.

✉ **_Post Office :_** en face de la cathédrale.

■ **_Banques :_** sur South St, East St et North St.

Gare : à South Gate. ☎ (0845) 48-49-50.

Gare routière : à South Gate, tout près de la gare. ☎ 53-99-53. Attention, le bus met jusqu'à 3 fois plus de temps pour se rendre à Londres que le train.

@ **_Internet Jonction :_** 2 Southdown Buildings (au terminal des bus, face à la gare). ☎ 77-66-44. • www.internet-junction.com • Ouvert du lundi au samedi de 10 h à 21 h et le dimanche de 11 h à 18 h 30. Prévoir 3 £ (4,40 €) l'heure.

Où dormir ?

Camping

Southern Leisure : Vinnetrow Rd, Chichester PO20 6LB. ☎ 78-77-15. • www.cplholidays.com • Ouvert toute l'année. Quelques kilomètres au sud de Chichester, indiqué à partir du rond-point dit de « Bognor Rd ». Il vous en coûtera environ 17 £ (25,20 €) la nuit. Grand confort. Les pêcheurs s'en donneront à cœur joie puisque le site compte une douzaine de petits lacs. Des balades, des jeux pour les enfants, magasins et laveries. Rien à redire.

Prix moyens

University College Chichester : College Lane, Chichester, PO19 4PE. ☎ 81-60-70. • www.ucc.ac.uk • Au nord de la ville, à 5 mn à pied. Uniquement l'été. Des chambres d'étudiants pour une personne, de 24 à 32 £ (35,50 à 47,40 €). Pratique pour les solitaires car trouver une chambre *single* pas trop chère en ville relève du parcours du combattant !

B & B Riverside Lodge : 7 Market Avenue, PN19 1JU. ☎ 78-31-64. • www.riverside-lodge-chichester.co.uk • Sur le « périphérique », côté est. Chambre double autour de 50 £ (74 €). Trois chambres coquettes avec grand lit et salle de bains, dans une maison traditionnelle de brique. Un ruisseau coule dans le jardin.

Anna's B & B : 27 Westhampnett Rd, PO19 4HW. ☎ 78-85-22. Fax : 78-31-35. • www.annasofchichester.co.uk • À 1 km au nord-est, dans le prolongement de St Pan-

LE SUSSEX

cras Rd, juste à côté d'un concessionnaire automobile. Compter entre 50 et 60 £ (74 et 88,80 €) la double, selon le confort. Dans une maisonnette où, visiblement, chiens et oiseaux font bon ménage. Quatre chambres proprettes, sans plus. Demander les 2 *en-suite*, elles ne donnent pas sur la route passagère. Possibilité de se garer derrière la maison.

Où manger ?

De bon marché à prix moyens

Café Rouge : 30 South St. ☎ 78-17-51. Ouvert tous les jours de 10 h à 23 h. Plats allant de 8 à 14 £ (11,80 à 20,70 €). En Grande-Bretagne, le concept est devenu une chaîne : une brasserie comme à Montmartre, avec une déco parisienne, plus vraie que nature. Des petites tables serrées, des serveurs sanglés dans leurs longs tabliers et un zinc astiqué devant une étagère de Ricard. Ils n'ont tout de même pas osé installer des w.-c. à pédales ! Goûter au bœuf bourguignon ou au brie au four (servi avec de la marmelade à l'oignon). Pas très copieux, plutôt genre nouvelle cuisine. À essayer pour l'ambiance, moins pour la bombance.

Wests : West St ; juste en face de l'entrée de la cathédrale. ☎ 53-96-37. Ouvert de 11 h à 23 h (22 h 30 le dimanche). Plats simples à partir de 5 £ (7,40 €). Dans une église désaffectée, un pub étonnant. Les nouveaux enfants de chœur se retrouvent autour du comptoir pour commander à manger et à boire. Ambiance musclée les soirs de matches de foot, retransmis sur écran géant. Parfait pour la grand-messe !

The Buttery : 12 South St. ☎ 53-70-33. Ouvert de 8 h à 17 h jusqu'au samedi et de 10 h à 16 h le dimanche. Plats autour de 6 £ (8,90 €). Dommage que la déco de cette belle salle aux voûtes gothiques se limite à quelques bouquets de fleurs artificielles. Dans l'assiette, des plats classiques anglais, copieux mais sans imagination. Desserts un peu plus élaborés.

The Nags Head : 3 St Pancras Rd. ☎ 78-58-23. Ouvert de midi à 23 h. Plats de 5 à 16 £ (7,40 à 23,70 €). Un immense pub composé de plusieurs salles aux ambiances différentes, avec la possibilité de s'installer dehors quand le temps le permet. Très bonne cuisine pour un pub et remarquable *roast dinner* sous forme de buffet à volonté, servi tous les jours, midi et soir, pour 9 £ (13,30 €).

À voir

La cathédrale : ouverte tous les jours, de 7 h 30 à 19 h (18 h en hiver). • www.chichestercathedral.org.uk • Donation de 3 £ (4,40 €) conseillée. En principe, visite guidée à 11 h 15 et à 14 h 30 de Pâques à fin octobre. L'histoire de la cathédrale commence avec un évêque nommé Luffa et des Normands fraîchement débarqués. On se mit au travail en 1091 et, moins de 100 ans plus tard, l'édifice était terminé. Entre-temps, les goûts avaient évolué : voilà pourquoi la nef est romane, les porches, l'arrière-chœur et les fenêtres participent du gothique primitif, la tour et la chapelle du gothique « décoré », tandis que le clocher, sa flèche et le cloître sont en gothique dit « perpendiculaire ». L'intérieur montre également un mélange de styles allant jusqu'à l'art moderne du XXe siècle. Comme les chandeliers autour de l'autel, la tapisserie de John Piper (tissée en France), les tableaux de Graham Sutherland et le vitrail de Marc Chagall d'un rouge étincelant. Pour admirer ce dernier, aller du côté gauche de la cathédrale, au-delà du transept nord. On peut voir également une mosaïque romaine découverte lors de travaux sur les fondations (celle-ci est mise en évidence et protégée par une plaque de verre sur l'allée droite).

LE SUSSEX

Le quartier des Pallants : il est constitué d'un ensemble de façades georgiennes du XVIIIe siècle (époque de la splendeur marchande de la ville). Le centre est piéton. Laissez votre voiture dans un parking à l'extérieur.

Pallant House : 9 North Pallant, PO19 1TJ. ☎ 77-45-57. • www.pallan.org.uk • Fermé pour travaux lors de notre passage.

Festival

– **Chichester Festivities :** les 2 premières semaines de juillet. Musique et théâtre envahissent l'ensemble de la ville, carnaval le premier jour. Renseignements à l'office de tourisme. Aussi, pour infos : • www.chifest.org.uk •

➤ DANS LES ENVIRONS DE CHICHESTER

Fishbourne Roman Palace and Museum : Salthill Rd, à Fishbourne. ☎ 78-58-59. • www.sussexpast.co.uk • À 3,5 km à l'ouest de Chichester. Suivre la route de Portsmouth, c'est indiqué. Ouvert de début février à mi-décembre ; tous les jours de 10 h à 17 h de mars à octobre, de 10 h à 16 h en février, en novembre et les 15 premiers jours de décembre. Entrée : 5,20 £ (7,70 €) ; réductions. Parking gratuit. Au cours des années 1960, des fouilles ont mis en évidence un véritable palais romain, unique en Angleterre. Celui-ci avait été construit pour le seigneur local (non romain) en échange de ses bons et loyaux services, permettant ainsi aux Romains d'avoir un port sûr d'où conquérir l'ouest de l'île. Les fouilles continuent dans les environs pour trouver des traces plus « militaires ». Le palais était pavé de mosaïques que l'on peut (encore) admirer grâce à un ingénieux système de rampes permettant de survoler toutes les pièces mises au jour. Notez un splendide *Cupidon sur un dauphin.* Tout est expliqué en français et un petit film met en scène l'ensemble des personnages découverts et ceux qui les ont mis au jour. Original, non ?
– Pour les amateurs, il existe un autre site de villa romaine à **Bignor,** au nord-est de Chichester, au nord d'Arundel (A284). ☎ (01798) 86-92-59. • bignorromanvilla@care4free.net • Ouvert tous les jours jusqu'à 18 h en saison, tous les jours sauf le lundi et jusqu'à 17 h en mi-saison. Fermé de novembre à début mars. On y voit une des plus belles mosaïques du pays, longue de 24 m.

Bosham Church : à Bosham. Prendre le bus n° 86 pour s'y rendre de Chichester. Église saxonne fondée par un moine irlandais dont la partie originale date du IXe siècle. Le roi Canut la fréquentait, tandis que plus tard le roi Harold y pria avant sa défaite contre les Normands à Hastings. L'église figure d'ailleurs sur la tapisserie de Bayeux sous le nom « Bosham ». Détails intéressants, hormis les traits d'architecture saxonne : des croix gravées par les croisés à leur retour des croisades près de la porte d'entrée, des étoiles de David dans le chœur et, à l'extérieur, une pierre tombale sculptée d'un marin noyé en 1759.

Tangmere Aviation Museum : à 5 km à l'est de Chichester. Fléchage sur l'A27, vers Arundel. ☎ 77-52-23. Ouvert de début mars à fin octobre de 10 h à 17 h 30 ; en février et en novembre de 10 h à 16 h 30. Entrée : 5 £ (7,40 €) ; réductions. En tant que base de chasse de la Royal Air Force, Tangmere a joué un rôle important lors de la furieuse bataille d'Angleterre en 1940. Les escadrilles sortaient plusieurs fois par jour pour s'opposer aux chasseurs et bombardiers de la Luftwaffe. Le musée restitue parfaitement la fébrile activité de cette période, avec une foule de détails (opérations clandestines, rôle des auxiliaires féminines...).

Une curiosité : le plan d'invasion de l'Angleterre conçu par Hitler. À remarquer également, l'hommage aux aviateurs allemands abattus : on se battait férocement mais entre gentlemen ! La preuve : l'histoire du héros local, Douglas Bader, pilote combattant avec une jambe artificielle et abattu au-dessus de la France tandis que sa prothèse restait coincée dans le cockpit ! Les Allemands permirent que ses copains anglais lui parachutent une jambe de rechange. Dans un hangar, quelques spécimens d'avions de légende comme le *Spitfire,* le *Meteor,* le *Hurricane* et le *Hawker Hunter* et plusieurs *Marine Swifts.* Tangmere est dirigé par des vétérans qui expliquent avec plaisir aux enfants le rôle qu'ils jouaient pendant la guerre avec chacun de ces avions grandeur nature. Un devoir de mémoire ludique et émouvant.

HAMPSHIRE ET WILTSHIRE

La côte, de Portsmouth à Southampton, est fortement marquée par l'histoire. Façade maritime ouverte sur les océans, elle a produit des générations de marins tandis qu'elle renforçait la défense de ses ports. Plus à l'ouest, la grande station balnéaire de Bournemouth attire chaque année des millions de Britanniques... version Côte d'Azur à l'anglaise ! La préhistoire est omniprésente dans la plaine de Salisbury, avec les fascinants mégalithes de Stonehenge. La New Forest abrite encore des communautés d'animaux et d'humains vivant selon des règles héritées du XIe siècle. L'île de Wight accueille vacanciers et plaisanciers en quête de douceur et de tranquillité.

PORTSMOUTH

190000 hab. IND. TÉL. : 02392

L'un des plus grands ports britanniques, qui a déjà fêté son 800e anniversaire. À première vue, ville d'un intérêt moyen, enlaidie par les reconstructions de l'après-guerre, mais qui peut devenir passionnante si l'on s'intéresse à l'histoire navale et militaire. Après tout, toute cette côte sud de l'Angleterre a vécu durant des siècles, depuis la menace de l'Invincible Armada de Philippe II, dans la crainte d'une invasion depuis le continent. Les projets de débarquement de Napoléon et Hitler n'ont rien fait pour rassurer les populations.

Dès lors, le facteur militaire n'a jamais cessé de jouer un grand rôle dans les mentalités et le mode de vie, façonnant l'architecture et l'aménagement du littoral. La permanence de garnisons de régiments prêts à embarquer sur les navires pour assurer la prééminence de Sa Gracieuse Majesté sur toutes les mers du globe a fini par créer une mythologie guerrière qui ne séduit pas que les nostalgiques de l'Empire. Une ville comme Portsmouth a toujours vécu grâce aux chantiers navals et a formé une caste de travailleurs spécialisés, fiers de leur contribution à la gloire de leur nation.

C'est de Portsmouth et des villes voisines que sont partis, ne l'oublions pas, les centaines de milliers de *Tommies* et de *GIs,* une certaine nuit précédant le 6 juin 1944, pour sauver la liberté et la démocratie en Europe. Le *musée du D-Day* nous restitue tout cela avec beaucoup d'émotion. Ceux qui le souhaitent peuvent facilement consacrer une journée à faire le tour de ces souvenirs maritimes, à commencer par le *HMS Victory,* navire de l'amiral Nelson avec lequel les Anglais gagnèrent la célèbre bataille de Trafalgar contre Napoléon au large de l'Espagne. Sur le même site, le *HMS Warrior,* premier navire cuirassé de l'époque victorienne, et le fameux *Mary-Rose,* navire anglais qui coula au XVIe siècle et qui fut miraculeusement renfloué.

Comment y aller ?

➢ ***Du Havre :*** avec *P & O Porthsmouth,* quai de Southampton. ☎ (08702) 42-49-99 (en Angleterre). Environ trois traversées par jour (durée : de 5 h 30 à 6 h 30 de jour et de 8 h à 9 h 30 de nuit).
➢ ***De Cherbourg :*** avec *P & O Portsmouth,* Wharf Rd *(plan général),* près de Continental Ferry Port. ☎ (08702) 42-49-99 (en Angleterre). Trois à cinq traversées quotidiennes (durée : 5 h de jour et 8 h de nuit). Et avec *Condor Ferries,* gare maritime. ☎ (01305) 76-15-51. Seulement de mi-juillet à début septembre, le dimanche (5 h de traversée).
➢ ***De Saint-Malo :*** avec *Brittany Ferries,* Wharf Rd *(plan général),* près de Continental Ferry Port. ☎ (08705) 36-03-60 (en Angleterre). Une traversée par jour (durée : 9 h).
➢ ***De Caen-Ouistreham :*** avec *Brittany Ferries.* ☎ (08705) 36-03-60 (en Angleterre). 2 à 3 traversées par jour (durée : 6 h).
Les ferries venant de France accostent au ***Continental Ferry Port*** *(plan général A2,* ***3****),* au nord de la ville.

Adresses utiles

Tourist Information Centre *(zoom A2,* ***1****)* ***:*** The Hard. ☎ 82-67-22. Fax : 82-75-19. • www.visitportsmouth.co.uk • Sur le port même, pas loin des « historic ships ». Ouvert tous les jours de 9 h 30 à 17 h 45 (17 h 15 en hiver).
Un autre bureau est ouvert sur Clarence Esplanade *(zoom A3,* ***2****)* au *Pyramids Resort Centre.* Même numéro de téléphone et mêmes horaires, mais ferme à 16 h 15 en hiver.
✉ ***Poste :*** Palmerston Rd *(zoom A3).*
■ ***Banques :*** sur Palmerston Rd *(zoom A3)* et Commercial Rd *(zoom, A2).*
Bus *(zoom A2)* ***:*** The Hard. Renseignements : ☎ (01216) 25-11-22 ou (02392) 86-24-12 (bus locaux). Bus pour Heathrow, Londres Victoria (des allers-retours journaliers autour de 12 £, soit 17,80 €), Bristol, Bournemouth et Plymouth.
Gare : s'arrêter sur Commercial Rd *(zoom A2)* pour aller dans le centre et à The Hard *(zoom A2)* pour le ferry de l'île de Wight. Renseignements : ☎ (08457) 48-49-50. Plusieurs trains par heure pour Londres Waterloo et Victoria Station. Largement plus rapide que le bus (environ 1 h 30).
Centres commerciaux : sur Palmerston Rd *(zoom A3),* Commercial Rd *(zoom A2)* et Gunwharf Quays *(zoom A2).*
■ ***Waterbus :*** Broad St. ☎ (07889) 40-81-37 ou (07710) 16-25-07. Compter 4 £ (5,90 €). Pour visiter le port en bateau ou le traverser, avec 4 arrêts possibles entre *historical dockyards* et Gosport (de l'autre côté de la rade). Départ toutes les heures à partir de 10 h 15.
@ Internet à ***Online Café,*** 163 Elm Grove *(zoom A2).*

Où dormir ?

La plupart des *B & B* sont groupés à Southsea, le long des « Parade » et dans les rues parallèles au front de mer.

Camping

Southsea Caravan Park *(plan général B2,* ***13****)* ***:*** Melville Rd, PO4 9TB. ☎ 73-50-70. Fax : 82-13-02. • www.southsealeisurepark.com • Ouvert toute l'année. Prévoir 10 £ (14,80 €) environ pour 2 personnes avec une tente. Camping bien situé au grand air, face à la mer, à l'est de l'esplanade. Équipement complet : w.-c. douches, laverie et boutique.

Bon marché

Youth Hostel *(plan général B1, **10**)* **:** Wymering Manor, Old Wymering Lane, Cosham P06 3NL. ☎ 37-56-61. Fax : 21-41-77. • portsmouth @yha.org.uk • À 4 km du port. Suivre l'A3 en direction de Londres et de Cosham ; longer Medina Rd ; c'est juste après l'église. Bus *First* n° 27 ; arrêt juste en face. Fermé en janvier, et les dimanche et lundi en hiver. Compter 20 £ (29,60 €) environ pour une chambre double (il y en a peu !). 64 lits. Réception à partir de 17 h. Le manoir Tudor est splendide, c'est l'endroit idéal pour passer une bonne nuit après une traversée en ferry.

Portsmouth and Southsea (Backpackers) Lodge *(plan général A3, **11**)* **:** 4 Florence Rd, PO5 2NE. ☎ et fax : 83-24-95. • www.portsmouthbackpackers.co.uk • À 2 mn du front de mer, dans le quartier des pubs et de l'animation nocturne. Arrêt des bus n°s 5, 6, 40 et 41 sur Clarendon Rd, à 300 m du *lodge*. Autour de 12 £ (17,80 €) par personne en dortoir de 4 ou 8 lits (non-fumeurs) ; 29 £ (42,90 €) pour une chambre double. 50 lits. Cuisine, laverie, salle de jeux et billard. Peter se fera un devoir de vous renseigner sur les bons plans resto dans les environs. Cartes de paiement refusées. Accès Internet : 1 £ (1,50 €) pour 30 mn. Sur présentation du *Guide du routard,* 7 nuits pour le prix de 6. Une très bonne adresse pour routards.

Oakleigh Guest House *(plan général B3, **12**)* **:** 48 Festing Grove, Hants, PO4 9QD. ☎ 81-22-76. Chambres doubles de 32 à 38 £ (47,40 à 56,20 €), selon le confort. Dans une maisonnette mignonnette. L'intérieur est modeste mais bien tenu. Les chambres les plus chères disposent d'une minuscule salle de bains, style cabine de caravane. Mais pour le prix, c'est pas mal du tout. Quelques chambres pour célibataires, particulièrement économiques. Souvent plein, mieux vaut réserver.

Adresses utiles

- 1 Office de tourisme, The Hard *(zoom)*
- 2 Office de tourisme, Clarence Esplanade *(zoom)*
- Gare ferroviaire *(zoom)*
- Gare routière *(zoom)*
- Poste *(zoom)*
- 3 Continental Ferry Port *(plan général)*
- 4 Ferry et catamaran vers l'île de Wight *(plan général)*
- 5 Hovercraft vers l'île de Wight *(plan général)*
- Online Café *(zoom)*

Où dormir ?

- **10** Youth Hostel *(plan général)*
- **11** Portsmouth and Southsea (Backpackers) Lodge et Gainsborough House *(plan général)*
- **12** Oakleigh Guest House *(plan général)*
- **13** Southsea Caravan Park *(plan général)*
- **14** The Pembroke Park Hotel *(zoom)*
- **15** Fortitude Cottage *(zoom)*
- **16** Eskvale *(plan général)*
- **17** Rees Hall *(zoom)*

Où manger ?

- **20** Town House *(zoom)*
- **21** China Garden et Bistro Montparnasse *(zoom)*
- **22** The Still & West Country House et The Spice Island Inn *(zoom)*

À voir

- **30** Portsmouth Historic Dockyard *(zoom)*
- **31** Royal Navy Submarine Museum *(zoom)*
- **32** D-Day Museum *(zoom)*
- **33** Southsea Castle *(plan général)*
- **34** Royal Marines Museum *(plan général)*
- **35** The Blue Reef Aquarium *(zoom)*
- **36** Charles Dickens Birth Place *(plan général)*
- **37** Porchester Castle *(plan général)*
- **38** Fort Nelson, museum of Artillery *(plan général)*
- **39** Explosion ! Museum of Naval Firepower *(plan général)*

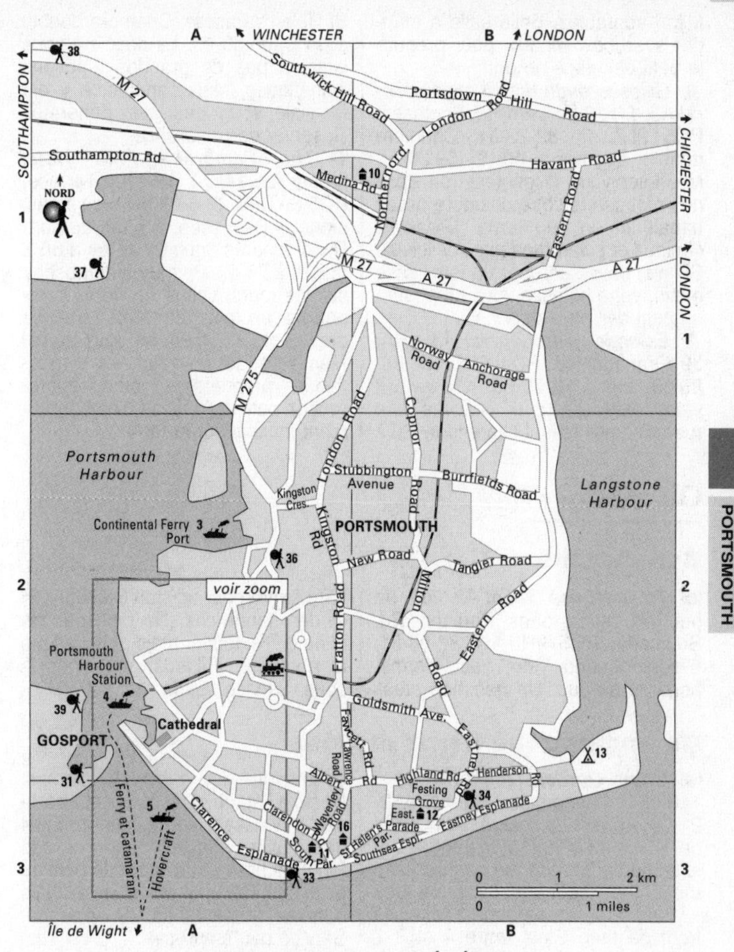

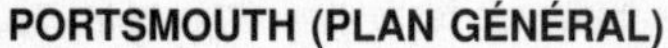
PORTSMOUTH (PLAN GÉNÉRAL)

Prix moyens

Rees Hall *(zoom A2-3,* ***17****) :* Southsea Terrasse, PO5 3AP. ☎ 84-48-84. • www.port.ac.uk/holidays • Chambre double à 45 £ (66,60 €) et simple à 20 £ (29,60 €), petit dej' compris, toutes avec salle de bains. Une gigantesque résidence pour étudiants dans un immeuble moderne, ouverte aux non-résidents en juillet et en août uniquement. Les chambres sont simples et petites, mais propres et fonctionnelles. Certaines jouissent même d'une vue sur la mer... le luxe ! Réduction intéressante à partir de 7 nuits, à condition de réserver à l'avance.

Fortitude Cottage *(zoom A2,* ***15****) :* 51 Broad St, PO1 2JD. ☎ et fax : 82-37-48. • www.fortitudecot tage.co.uk • Fermé à Noël. Juste à l'entrée du vieux port. Compter entre 55 et 65 £ (81,40 et 96,20 €) la chambre double. Seulement 4 chambres. Un peu plus cher que la moyenne, mais qualité supérieure. Cottage très bien tenu par Maggie et

Mike, adorables. Belle salle à manger avec bow-window pour prendre le petit dej', face au port.

🏠 ***Gainsborough House*** *(plan général A3, **11**)* **:** 9 Malvern Rd, Southsea, PO5 2LZ. ☎ 82-26-04. Chambre double à environ 40 £ (59,20 €). Mrs Filer vous diligentera (on pèse nos mots) vers votre chambre assez banale et un peu terne. *Breakfast* copieux et *scrambled eggs* délicieux. Si vous devez attraper un ferry tôt le matin, votre hôtesse vous proposera un petit déj' plus léger.

🏠 ***Eskvale*** *(plan général A3, **16**)* **:** 39 Granada Rd, PO4 0RD. ☎ 86-26-39. Fax : 35-55-89. • www.eskvaleguesthouse.co.uk • Dans une rue tranquille reliant Clarendon Rd à St Helen's Parade. Chambre double à 45 £ (66,60 €). La déco ne vous laissera pas de grandes émotions esthétiques, mais l'ambiance y est familiale et le petit dej' généreux. Réserver de préférence.

🏠 ***The Pembroke Park Hotel*** *(zoom A2, **14**)* **:** 1 Bellevue Terrace, PO5 3AT. ☎ 29-68-17. • www.hotel.uk.net • Bien situé, à 5 mn du port. Dix chambres doubles de 44 à 50 £ (65,10 à 74 €). Peintures au pochoir sur les murs, tissus fleuris et pots-pourris un peu partout... pas de doute, on est bien en Angleterre ! Même très tôt le matin, les sympathiques propriétaires vous prépareront un petit déj' en cas d'embarquement matinal sur le ferry.

Où manger ?

Bon marché

🍽 ***Town House*** *(zoom A3, **20**)* **:** un peu en retrait dans Portland Rd, Southsea, PO5 9HL. ☎ 82-08-81. L'idéal quand tout est fermé, horaires de pub. Un *gammon steak* (lard fumé) pour environ 6 £ (8,90 €) et des sandwichs. Ne paie pas de mine de l'extérieur mais gigantesque à l'intérieur. Billards, machines à sous. Service rapide.

De bon marché à prix moyens

🍽 ***China Garden*** *(zoom A3, **21**)* **:** 110-114 Palmerston Rd. ☎ 82-21-00. Ouvert de midi à 14 h 30 et de 17 h à 23 h 30 (1 h le vendredi et le samedi). Grande rue de Southsea menant du centre commercial aux « Parade » et perpendiculaire au front de mer. Plats entre 4 et 9 £ (5,90 et 13,30 €). Un immense resto chinois parfaitement impersonnel et froid mais où l'on peut caler une fringale sans se ruiner.

🍽 ***The Still & West Country House*** *(zoom A2, **22**)* **:** Bath Square, Old Portsmouth. ☎ 82-15-67. Snacks de 4 à 7 £ (5,90 à 10,40 €), sinon menu complet à 16 £ (23,70 €). Pub depuis 1733 dans le vieux port, là où grouillaient les bars et tavernes il y a bien longtemps. Resto à l'étage, d'où l'on peut apprécier l'incessant et fascinant ballet des navires passant au ras des fenêtres pour entrer dans le port ou en sortir. Carte assez banale, mais bonnes préparations de poisson. Service peu empressé.

🍽 ***The Spice Island Inn*** *(zoom A2, **22**)* **:** ☎ 87-05-43. Ouvert tous les jours. Un peu plus cher que son voisin *The Still & West Country House*. Compter environ 10 £ (14,80 €) pour un plat. Poisson frais et carte des vins faisant la part belle aux crus australiens et californiens, mais aussi un côtes-du-ventoux bien de chez nous !

Très chic

🍽 ***Bistro Montparnasse*** *(zoom A3, **21**)* **:** 103 Palmerston Rd. ☎ 81-67-54. Fermé les dimanche et lundi. Menus le midi entre 12 et 15 £ (17,80 et 22,20 €) ; autres menus allant de 18,50 à 23,50 £ (27,40 à

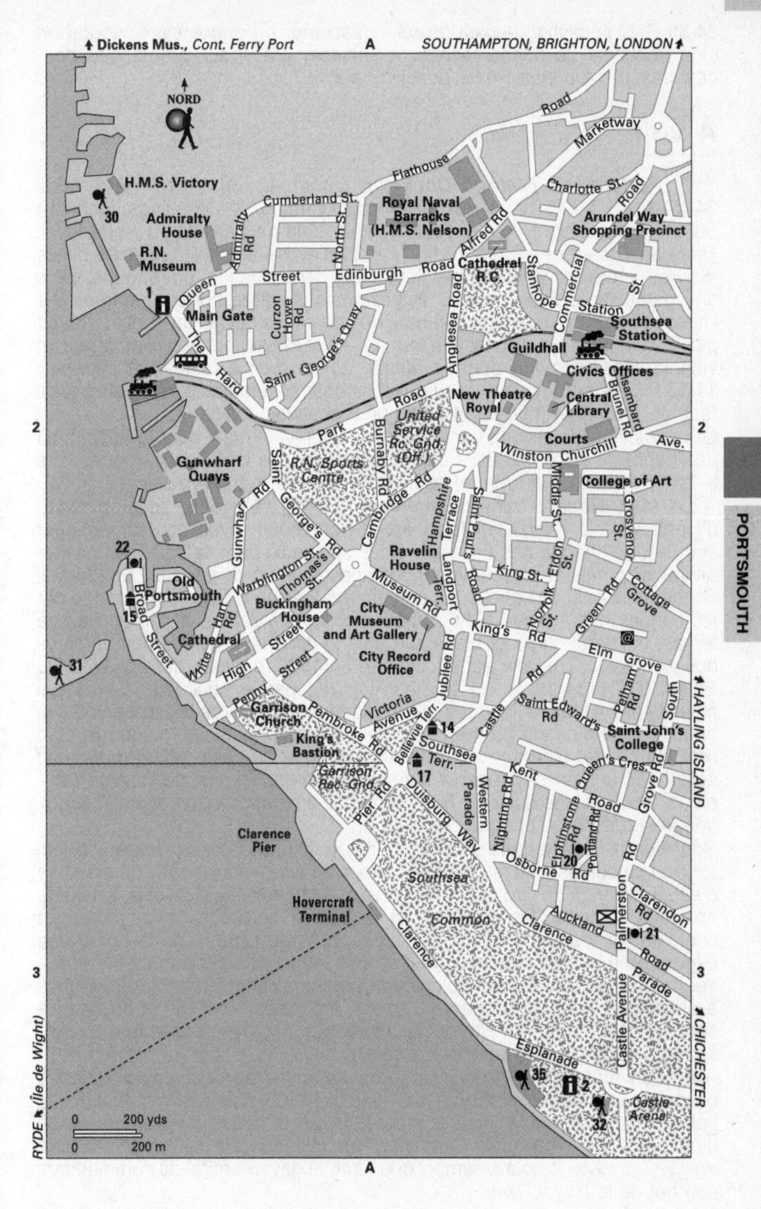

PORTSMOUTH (ZOOM)

34,80 €). Il se distingue par une cuisine française de bonne facture, à des prix pas donnés, mais qualité assurée et atmosphère douce et intime, grâce aux lueurs des bougies.

À voir

¶¶¶ ***Portsmouth Historic Dockyard*** *(zoom A2,* ***30****)* **:** The Hard. Infos 24 h/24 : ☎ 86-15-12. • www.historicdockyard.co.uk • Parkings fléchés à 300 m (mais chers !). Accès également en train en s'arrêtant à *Portsmouth Harbour.* Ouvert de 10 h à 17 h (17 h 30 d'avril à octobre) ; derniers billets délivrés 1 h avant la fermeture. Sous cette dénomination, on retrouve, dans une partie de la base navale, un ensemble d'« attractions » centrées sur l'histoire maritime britannique et celle des chantiers navals de la ville. Prévoir plusieurs heures pour en faire le tour. Le *All-in Passeport,* très avantageux et valable sans limitation dans le temps, donne droit à toutes les entrées : 14,85 £ (22 €). Vous pouvez aussi vous contenter d'entrées partielles mais il faut alors compter 9,50 £ (14,10 €) pour chacune d'elles.
Les attractions se visitent dans l'ordre que l'on veut (sauf pour le *Victory,* où une heure de visite fixe vous est attribuée). En cas d'affluence, foncez vers le hall d'exposition du *Mary-Rose,* avant de revenir sur vos pas.
– ***Le Mary-Rose*** **:** transportons-nous le 19 juillet 1545, sous le règne d'Henri VIII ; le roi d'Angleterre est à Portsmouth avec son armée pour contrer une attaque des Français. Sous ses yeux, dans la baie, son navire-amiral s'apprête à manœuvrer pour riposter à un tir ennemi. Soudain, il donne de la gîte, se couche sur son tribord, vraisemblablement entraîné par les canons mal arrimés qui ont roulé d'un bord à l'autre, et, en un rien de temps, disparaît corps et biens. On entend du rivage les cris des hommes qui se noient... L'épave est découverte en 1960, engluée dans la vase du Solent. Un programme de fouilles, soutenu par le prince de Galles qui n'hésite pas à jouer à l'homme-grenouille pour encourager les archéologues, aboutit au renflouage en 1982. Moment d'émotion intense lorsque le bord droit du navire, bien conservé dans sa gangue de vase, émerge de l'eau après 437 ans passés à servir d'abri aux crabes. En plus de l'exploit technique, le sauvetage du *Mary-Rose* contribue à fournir un exceptionnel témoignage sur la vie à l'époque des Tudors.
Vous verrez l'épave dans un hangar, tout au fond de la base, derrière le *Victory,* où ce qui reste de la coque est arrosé en permanence avec un mélange d'eau additionné de cire pour éviter un dessèchement fatal du bois. En 2010, on pourra couper les robinets, et laisser la carcasse à l'air libre. En complément, dans un bâtiment à droite, près de l'entrée de la base, une exposition très bien faite avec tout ce que les fouilles ont permis de retrouver. Un véritable trésor archéologique : superbes canons (parmi les premiers à être embarqués sur un navire), armes, monnaies, vaisselle et objets personnels des marins. Un film de 15 mn retrace l'incroyable aventure du renflouage. Audioguide gratuit en français.
– Le trois-mâts ***HMS Victory*** est le navire-amiral de Lord Nelson. C'est à bord de ce bateau qu'il infligea, le 21 octobre 1805, une cuisante défaite à la flotte franco-espagnole, mais il y perdit la vie et acquit ainsi la dimension d'un héros de l'Antiquité. Le *Victory* fut mis en cale sèche et restauré en 1922. Il reste toujours, symboliquement, le navire-amiral du commandant en chef de la Royal Navy.
La visite, à l'heure programmée dès l'entrée de la base, dure 45 mn et se fait en compagnie d'un guide qui vous remettra un commentaire traduit en français, si votre compréhension de l'anglais n'est pas assez affûtée (le vocabulaire de marine est bourré de termes techniques). On apprend beaucoup sur la vie des marins à bord des navires de Sa Majesté ; le recrutement à la sortie des tavernes, la discipline de fer, les châtiments disciplinaires, les condi-

tions de vie spartiates et la promiscuité des 800 marins vivant dans l'espace confiné situé entre les 104 canons répartis en 3 ponts. On distingue encore aux poutres les crochets pour les hamacs. On imagine facilement que la distribution du quart de rhum quotidien était vécue comme une récréation bienvenue, car les marins étaient accablés de tâches et de corvées. Si les animaux embarqués étaient réservés aux officiers (les marins se contentant d'une nourriture avariée et d'une eau croupie), il faut savoir que le coffre suspendu qui leur servait de couche pouvait aussi faire office de cercueil en cas de décès en mer. Au combat, l'ingénieuse organisation au feu utilisant 12 hommes à chaque batterie et des « powder monkeys » (gamins agiles employés à descendre et remonter en voltige de la cale pour réapprovisionner en poudre) permettait une salve toutes les 90 secondes, contre 4 à 5 minutes pour les adversaires. On peut voir sur le sol les boulets à chaîne et à barre, destinés à provoquer le démâtage des navires ennemis.
Sur le pont, près de la barre, manœuvrée par plusieurs hommes, la plaque de cuivre marquant l'endroit où Nelson s'effondra, frappé par le tir d'un « sniper » français. Il mourut 3 h plus tard, dans l'entrepont, rassuré sur l'issue victorieuse de la bataille. Comme il ne voulait pas être immergé, on conserva son corps dans un tonneau de brandy tout au long des 6 semaines du voyage de retour. Il fut enseveli à la cathédrale Saint-Paul de Londres.
– Le ***HMS Warrior,*** au mouillage du côté gauche de l'entrée de la base, fut qualifié par Napoléon III de « serpent noir au milieu des lapins ». Le plus formidable vaisseau de son époque, construit en 1860, innovait par son profilage bas sur l'eau et par le blindage en métal de sa coque. Voguant à la voile et à la vapeur, il a encore toutes les caractéristiques des voiliers, avec une immense mâture qui lui permettait de filer à 10 nœuds. On visite ses 4 immenses ponts où des mises en scène illustrent les aspects de la vie à bord. Sept cents officiers et hommes d'équipage s'y côtoyaient dans une discipline rigoureuse. Le carré des officiers, où sont rangées les armes à feu (craignait-on les mutineries ?), est luxueusement meublé, alors que les ponts offraient aux matelots un cadre de vie austère entre les impressionnantes pièces d'artillerie de marine. On plonge dans les entrailles du vaisseau pour découvrir les soutes, la salle des machines et les cuisines, bien isolées pour éviter les incendies. Et on ressort tout imprégné des souvenirs de la grandeur de la marine de la reine Victoria. Paradoxalement, le *Warrior* (le « Guerrier ») n'a jamais connu le combat.
– Le ***Royal Naval Museum*** complète idéalement la visite par une succession de bâtiments (commencer par l'extrémité, côté *Victory*) consacrés à l'histoire de la Royal Navy depuis 1485. Dans une muséologie agréable et chronologique, quantité de maquettes, scènes de batailles, uniformes, documents photographiques et d'objets émouvants (des lettres de marins à leurs épouses) évoquant tous les aspects de la plus formidable marine de tous les temps. Depuis l'époque élisabéthaine et la navigation à voile jusqu'aux sous-marins atomiques et la guerre des Malouines. Nouvelle section consacrée à Nelson et à ses amours avec Lady Hamilton ainsi que *The Sailing Navy,* une expo permanente qui relate d'une manière interactive la vie des marins au service de Sa Gracieuse Majesté. Dioramas de batailles et collection de médailles navales complètent le tableau.
– Pour finir, en passant par les inévitables boutiques à souvenirs, au Boathouse n° 7, à côté du restaurant self-service, une non moins intéressante exposition, ***Dockyard Apprentice.*** Acoustiguide en français pour 3,50 £ (5,20 €). Un conseil : contentez-vous d'acheter le journal à la caisse pour 1 £ (1,50 €), dans ce cas l'audioguide est gratuit ! Expo consacrée aux chantiers navals (le complexe industriel le plus important du monde en 1850 !) qui donnaient du travail à toute une ville. Ils furent rudement mis à contribution lors des deux guerres mondiales. Base arrière d'une importance vitale pour le maintien de la puissance maritime britannique ; bombardés à plusieurs reprises, ils employaient, en 1918, pas moins de 23000 personnes se

relayant jour et nuit. Tous les métiers de la construction navale sont évoqués par des mannequins et une ambiance sonore de circonstance. Remarquer les nombreux chats nourris par les ouvriers pour faire la chasse aux rats. Touchant : la confection des drapeaux embarqués était un travail réservé aux veuves de marins. Si vous le souhaitez, toutes les heures partent des minicroisières faisant en 45 mn le tour de la base et des vaisseaux qui y sont mouillés. Renseignements auprès des hôtesses de l'entrée.

– ***Action stations :*** le dernier-né du site. Un musée « actif » à la gloire de la Royal Navy, constitué uniquement de simulateurs et de films sur écran géant. On s'amuse à piloter un hélicoptère, à escalader une paroi mobile ou à intercepter un Exocet ennemi. La justification pédagogique de tout cela semble parfois discutable, mais après tout, le site entier des docks n'est-il pas consacré à expliquer comment on fait la guerre depuis des siècles ? En tout cas, pour les mordus, des écrans attractifs révèlent tout sur la procédure pour devenir *marines*...

À Gosport, de l'autre côté de la rade...

Accès en empruntant le petit ferry à côté de la gare. Départ toutes les 15 mn. Billet : 1,20 £ (1,80 €) l'aller-retour. Autre possibilité : les bus n°s 29 et 30 qui partent depuis la gare. Sur place, navette gratuite toutes les 30 mn entre le débarcadère, le sous-marin et le musée de l'explosif (en principe, seulement le week-end en hiver ; le reste de la semaine, il vous faudra marcher, mais la balade est sympa).

¶¶¶ ***Royal Navy Submarine Museum*** *(plan général et zoom, A2,* ***31****) :* Haslar Jetty Rd. ☎ 52-92-17. Ouvert tous les jours de 10 h à 16 h 30 (17 h 30 de début avril à fin octobre). Entrée : 5 £ (7,40 €) ; réductions. Une autre formule possible à 7,50 £ (11,10 €), combinée avec le *Museum of Naval Firepower* (voir ci-dessous). Brochure en français. On repère facilement le museau noir du sous-marin au milieu des bateaux de plaisance. Si vous n'êtes pas saturé par l'ambiance martiale des vaisseaux de la Royal Navy, après une petite intro audiovisuelle, vous plongerez dans les entrailles d'un vrai sous-marin à propulsion diesel classique, le *HMS Alliance,* lancé en 1945.

On ne peut s'empêcher, malgré la taille du submersible, d'être impressionné par l'étroitesse des lieux et imaginer la solidarité indispensable à l'équipage pour supporter des conditions de vie précaires et le stress généré par la navigation en plongée. Aucun confort, chaque aménagement est calculé au centimètre près. Et que dire des 3 toilettes pour 60 hommes et de l'interdiction de se laver pendant 5 semaines ! En cas de pépin grave, l'équipage avait 20 secondes pour enfiler une combinaison de survie et se faire évacuer au-dehors par 100 m de fond. Brrr !

À visiter également (seulement par groupes de 5), le premier sous-marin anglais, le *Holland I,* sauvé des fonds marins de Plymouth en 1982 et conservé dans un hangar déshumidifié en permanence (un vrai challenge dans ces contrées !).

Dans le même complexe, des torpilles, des sous-marins de poche, un petit musée du scaphandre et un plus grand, avec force maquettes et photos de l'histoire du sous-marin, depuis les ancêtres à pédales jusqu'aux monstres nucléaires contemporains. L'ennemi y est encore toujours qualifié de « soviétique » et on découvre que les *submarines* ne sont pas tous *yellow* !

¶¶ ***Explosion ! Museum of Naval Firepower*** *(plan général A2,* ***39****) :* Priddy's Hard, Gosport PO12 4LE. ☎ 50-56-00. • www.explosion.org.uk • Entrée : 5 £ (7,40 €). Une autre formule possible à 7,50 £ (11,10 €), combinée avec le *Royal Navy Submarine Museum.* Un pur produit *Millenium* (mais le très beau pont d'accès ne tangue pas comme à Londres !). Comme son nom l'indique, le musée est consacré aux explosifs de guerre et à la poudrerie de Portsmouth active de 1777 à 1989. On y fait l'éloge des femmes qui, en temps de conflit, remplissaient minutieusement les cartouches de toutes tailles, barils et bombes. Tout y passe : torpilles, mines flottantes, mitraillettes... le paradis de Rambo, quoi ! Un film interactif et d'impressionnantes reconstitutions vous entraînent sur le pont d'un navire par temps fort, où vous pourrez compter le nombre de roquettes chargées en une minute. Le musée a déjà remporté plusieurs prix... à croire que la guerre fait toujours recette !

Clarence Esplanade

*** ***D-Day Museum*** *(zoom A3, **32**) :* Clarence Esplanade Southsea. ☎ 82-72-61. • www.portsmouthmuseums.co.uk • Ouvert tous les jours de 10 h à 17 h 30 (17 h de début novembre à fin mars). Entrée : 5 £ (7,40 €). Audioguide en français. Film d'introduction de 15 mn, racontant le *Blitz* de 1940, ainsi que l'organisation et la solidarité de la population britannique pendant ces 4 années où ils furent presque seuls à affronter les nazis. On apprend ainsi comment lancer la grenade, on réécoute les standards du jazz de l'époque, totalement baigné dans cette atmosphère. À la sortie de l'auditorium, une immense tapisserie circulaire en 34 panneaux, qui, à la manière de la tapisserie de Bayeux, raconte 1940-1945 et les préparatifs du Débarquement. Le musée proprement dit vous balade tout au long d'un itinéraire émaillé de tableaux vivants et de vitrines fourmillant de détails sur les préparatifs logistiques de l'opération Overlord. Passionnantes explications sur les leurres, les trucs et les astuces destinés à égarer les Allemands sur les projets réels du site du Débarquement. Grosse exposition du matériel de transport utilisé.

* ***Southsea Castle*** *(plan général A3, **33**) :* Clarence Esplanade, à côté du D-Day Museum. ☎ 82-72-61. De début avril à fin octobre, ouvert de 10 h à 17 h 30. Entrée : 2,50 £ (3,70 €) ; réductions. Audioguide en français. Fort bâti par Henri VIII en 1544, dans la crainte d'une invasion française. C'est de là que le roi vit sombrer le *Mary-Rose*. Remparts, tunnels, panoramas marins et expositions retraçant l'histoire militaire de la région et les stratégies en vigueur dans une pareille forteresse.

* ***Royal Marines Museum*** *(plan général B3, **34**) :* à l'extrémité est de l'Esplanade. ☎ 81-93-85. • www.royalmarinesmuseum.co.uk • Ouvert de 10 h à 16 h 30 (17 h de juin à septembre). Entrée : 4,75 £ (7 €) ; réductions. Pour ceux que le militarisme ne rebute pas trop, un musée nickel consacré à un corps d'élite fondé en 1664, qui s'est distingué dans toutes les campagnes du British Empire. Lord Louis Mountbatten (dernier vice-roi des Indes) en était le colonel en chef. Plein de choses à voir, avec un goût certain pour la mise en scène et les aspects pittoresques : ainsi, les péripéties de l'exploration du Pacifique par le capitaine Cook. Et aussi cet épisode incroyable où Anna Scull s'engagea et combattit. Sa féminité ne fut découverte que lorsqu'elle dut subir un châtiment corporel... Gibraltar, Trafalgar, la Chine, la Crimée, le Soudan, le Zoulouland, les Dardanelles, Zeebrugge, les commandos, la Normandie, la Birmanie, la Malaisie, Bornéo et les Malouines (*sorry,* les Falkland), voilà tous les théâtres d'opération où les Royal Marines se distinguèrent. Présentation vivante, pas du tout ennuyeuse ou grandiloquente.

* ***The Blue Reef Aquarium*** *(zoom A3, **35**) :* Clarence Esplanade. ☎ 87-52-22. • www.bluereefaquarium.co.uk • Ouvert tous les jours de 10 h à 17 h. Entrée : 6 £ (8,90 €) ; réductions. Très bel aquarium, sans bombardiers ou autres engins guerriers (ça fait du bien !) de 4,50 m de profondeur, accueillant plus de 300 espèces. Spectaculaire tunnel sous-marin (et toujours pas militaire !). À côté, une anfractuosité permet aux visiteurs de saisir des anémones de mer.

Le centre historique

Le vieux Portsmouth : il ne reste plus grand-chose du centre historique autrefois entièrement cerné par les remparts. La *Luftwaffe* est passée par là en 1940-1945. Néanmoins, autour de la cathédrale Saint-Thomas subsiste un noyau de la vieille ville : quelques remparts et 2 tours, une ronde et une carrée, à proximité de Broad St.
À l'extrémité de celle-ci : *The Point,* petite esplanade avec des bancs où on peut passer des heures à contempler le trafic des bateaux.

Portsmouth, c'est également le lieu de naissance et de mort de ***Charles Dickens.*** On peut d'ailleurs visiter sa maison natale et son énième musée *(plan général A2, **36**) :* 393 Old Commercial Rd. ☎ 82-72-61. Ouvert d'avril à octobre, tous les jours de 10 h à 17 h. Entrée : 2,50 £ (3,70 €).

➤ DANS LES ENVIRONS DE PORTSMOUTH

Porchester Castle *(plan général A1, **37**)* **:** à 8 km au nord par la M27 ou bus nos 1A, 1B ou 5; gare de Porchester à 1 km. ☎ 37-82-91. Ouvert de fin mars à fin septembre de 10 h à 18 h (17 h en octobre et 16 h le reste de l'année). Entrée : 3,50 £ (5,20 €); réductions. Au nord de la baie de Portsmouth, une formidable forteresse entourée par la mer, dont l'enceinte principale, aux murs épais de 3 m, date des Romains. Occupée et modifiée par les Saxons, elle fut améliorée par Henri Ier au XIIe siècle (donjon) et servit de base de départ à l'armée d'Henri V avant la bataille d'Azincourt (1415). Un prieuré put s'installer dans sa vaste enceinte de 3,5 ha où furent parqués 4000 prisonniers français des guerres napoléoniennes. Belle vue sur la baie de Solent depuis les remparts.

Fort Nelson, museum of Artillery *(plan général A1, **38**)* **:** entre Portsmouth et Southampton par la M27, sortie n° 11. ☎ 23-37-34. De Pâques à fin octobre, ouvert tous les jours de 10 h à 17 h; le reste de l'année, du jeudi au dimanche de 10 h 30 à 16 h. Gratuit. Le musée le plus bruyant des îles, consacré à l'histoire de l'artillerie, dans l'un des forts édifiés à l'époque victorienne dans la crainte d'une invasion française. Présentation audiovisuelle et visite, accompagnée d'un acoustiguide tout au long des salles, des casemates-tunnels enfouis sous la forteresse. Tous les canons, mortiers et obusiers du monde, depuis la bombarde turque des Dardanelles de 1464 jusqu'au « super canon » irakien de la guerre du Golfe, s'y trouvent exposés et font régulièrement frissonner les visiteurs en faisant tonner leurs bouches à feu. De fréquentes reconstitutions historiques s'y déroulent, au grand plaisir des Anglais qui en sont très friands. On peut même y organiser sa réception de mariage !

L'ÎLE DE WIGHT

120000 hab.

Un des endroits les plus charmants d'Angleterre, avec ses petits *cottages* aux toits de chaume et son climat particulièrement doux. De nombreux Anglais, comme les Beatles, rêvent d'ailleurs d'y passer leur retraite (réécoutez *When I'm sixty-four*). L'île de Wight, c'est aussi le souvenir de ce mois d'août 1970 où 600000 personnes se retrouvèrent pour célébrer un ultime festival après 3 étés mémorables. Toute la génération *hippie* a rêvé (et plané !) en écoutant John Baez chanter *a cappella,* ou encore Bob Dylan, les Who, Joe Cocker et autres figures emblématiques de la musique des *sixties...* de quoi retourner dans sa tombe la reine Victoria qui y passait ses congés payés et y mourut ! Avant cela, l'endroit fut la résidence de Charles Ier

qui attendait que ses sujets lui coupent la tête. Enfin, les rivages abrités de l'île ont rassemblé les forces armées qui participèrent au Débarquement.
On s'y rendra pour passer quelques jours de repos au bord d'une des agréables plages de l'est ou pour parcourir le superbe *Coastal Path* qui va de Ventnor à la pointe ouest de l'île gardée par les Needles, ces pointes rocheuses surgissant de la mer à proximité des impressionnantes falaises d'Alum Bay. La plupart des possibilités hôtelières sont concentrées à l'est et au sud de l'île. Mais attention, l'hébergement est cher !

Comment y aller ?

➢ ***De Portsmouth :*** avec *Wightlink Isle Of Wight Ferries.* ☎ (08705) 82-77-44. Fax : (02392) 85-52-57. • www.wightlink.co.uk • Départ 24 h/24 de Old Portsmouth, arrivée à Fishbourne pour les voitures (toutes les 30 mn ; durée : 35 mn en car-ferry) et à Ryde pour les piétons (durée : 15 mn en catamaran de Portsmouth Harbour Train Station).
➢ ***De Southsea :*** avec *Hovertravel.* ☎ 81-10-00. • www.hovertravel.co.uk • Service hovercraft pour piétons uniquement. Arrivée à Ryde. De 7 h à 20 h 30 ; durée : 10 mn. Service de bus directs entre Southsea et Portsmouth.
➢ ***De Southampton :*** avec *Red Funnel Ferries.* ☎ (08704) 44-88-98. • www.redfunnel.co.uk • Départ toutes les 30 mn. Arrivée à West Cowes pour les piétons (de 6 h 30 à 21 h ; durée : 20 mn en *Hi-Speed*) et East Cowes pour piétons et automobiles, 24 h/24 ; durée : 1 h en car-ferry.
➢ ***De Lymington :*** avec *Wightlink.* ☎ (0870) 82-77-44. • www.wightlink.co.uk • Arrêt à Yarmouth pour véhicules et piétons (de 6 h à 21 h ; durée : 30 mn en car-ferry).
Attention, les tarifs peuvent être élevés : en 2004, entre 35 et 95 £ (51,80 et 140,60 €) suivant l'heure, le jour et la saison (aller-retour) pour embarquer votre auto (conducteur et 3 passagers), et autour de 10 £ (14,80 €) pour 1 piéton. De plus, en haute saison, malgré la fréquence des traversées, il est hautement recommandé de réserver, sous peine de poireauter plusieurs heures en attendant son tour.

Transports intérieurs

➢ Une compagnie de ***bus,*** la *Southern Vectis Omnibus,* sillonne toute l'île et propose le « Rover ticket » (billet pour la journée, 2 jours consécutifs, la semaine ou 28 jours) qui permet de visiter l'île de A à Z. Renseignements à Newport, sur Nelson Rd, ou ☎ 53-23-73.
➢ Une ligne de ***train*** permet d'aller de Ryde à Shanklin. Avant Brading, à Smallbrook Junction, une petite voie réaffectée permet à un train touristique à vapeur de rejoindre Wootton. Renseignements sur les tarifs et horaires : *Island Line,* ☎ (08457) 48-49-50.
➢ ***Auto-stop :*** assez difficile car l'île est le royaume des autocars de tourisme. Donc, à moins d'en trouver un sympa...
➢ ***Location de voitures :*** à Ryde, *Esplanade Car Hire,* 9-11 George St. ☎ 56-23-22. À 2 mn du ferry.
➢ ***À vélo :*** attention aux distances assez trompeuses et au relief, loin d'être tout plat. Réduire donc les estimations journalières. Un petit guide très bien fait et illustré (en vente dans tous les *Tourist Information Centre*) propose une douzaine de circuits superbes. Plusieurs loueurs sur l'île.
➢ ***À cheval :*** moyen original pour parcourir l'île. Pour tous renseignements : ☎ 52-54-67, ☎ 84-02-58 et ☎ 87-22-60.

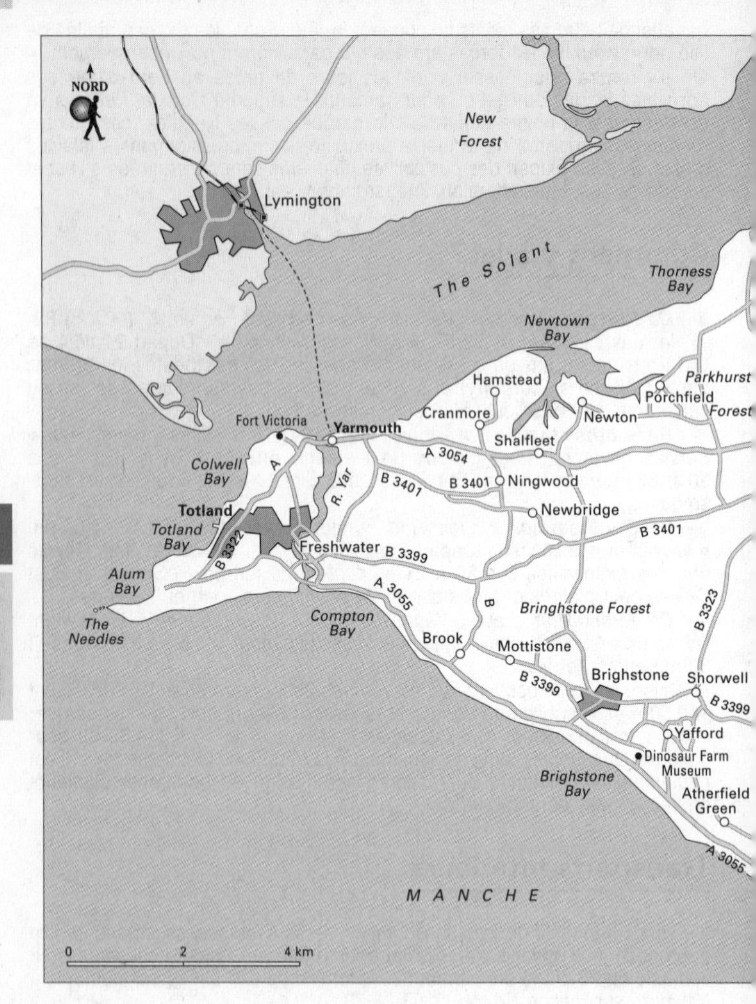

➢ Pour visiter Wight, l'idéal est de partir de Cowes, au nord, et d'effectuer le tour de l'île dans le sens des aiguilles d'une montre, pour aboutir à Newport.
➢ Nombreux ***sentiers de grande randonnée*** très bien indiqués. Les itinéraires précis peuvent s'acheter dans les offices de tourisme locaux.

COWES *(IND. TÉL. : 01983)*

L'endroit idéal pour pratiquer le yachting. Divisé en 2 parties distinctes. ***East Cowes*** est le point d'arrivée du ferry et le point de départ des visites vers Osborne House et Barton Manor. Beaucoup plus traditionnel que ***West Cowes,*** qui est sans doute le port de plaisance le plus célèbre et excelle

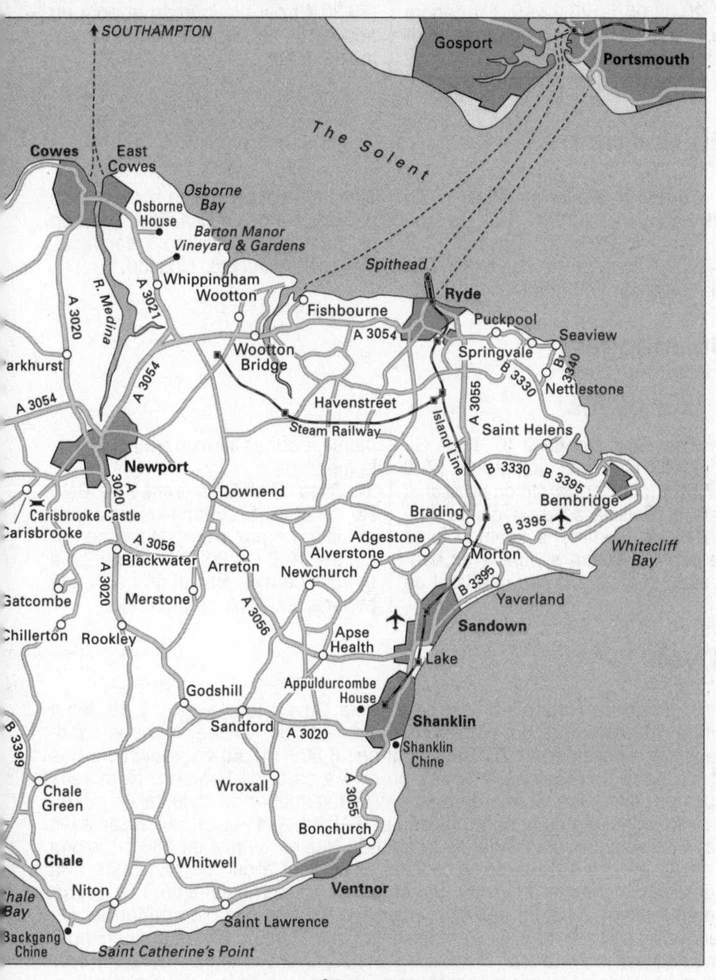

L'ÎLE DE WIGHT

dans l'organisation de régates et de rassemblements de toutes sortes. Il abrite également le très sélect *Royal Yacht Squadron Club* depuis 1854. Les 2 parties sont reliées par un pont flottant, tracté par des chaînes. Payant pour les voitures (autour de 2 £, soit 3 €), gratuit pour les piétons.

Adresses utiles

- ***Tourist Information Centre :*** 9 The Arcade. ☎ 81-38-18. • www.islandbreaks.co.uk • et • www.iwight.com • Au bord de l'eau, à côté de l'embarcadère pour Southampton.
- ***Gare routière :*** Carvel Lane. ☎ 82-70-05.
- ***Location de vélos :*** *Funation,*

☎ 20-03-00 et 20-22-99. En dehors de la ville. Il faut téléphoner et votre vélo vous sera amené là où vous vous trouvez. Compter environ 11 £ (16,30 €) pour la journée et pour un adulte, 35 £ (51,80 €) pour la semaine. Loue aussi des scooters.

Où dormir ?

⛺ ***Camping Waverley Park :*** Old Rd, East Cowes, PO31 8NJ. En face du ferry. ☎ 29-34-52. Environ 12 £ (17,80 €) pour 2 avec une tente. Terrain ombragé, en pente douce, qui offre un super panorama sur le port de plaisance. Piscine chauffée. Location de caravanes (minimum 1 semaine). Magasins. Douches. Lingerie.

Où manger ?

Prix moyens

🍴 ***The Red Duster :*** 37 High St. ☎ 29-03-11. Plats autour de 12 £ (17,80 €). Le spécialiste du poisson à Cowes. Cuisine assez originale, fine et délicate, comme le saumon fumé au paprika. Cadre sympa avec banquettes en bois. Un peu cher tout de même. Pour se faire un petit plaisir de la mer.

🍴 ***Baan Thai Restaurant :*** 10 Bath Rd. ☎ 29-19-17. Fermé les dimanche et lundi. Le prix d'un plat tourne autour de 10 £ (14,80 €). Cuisine thaïe et fruits de mer. Bon et fin : sole à la banane, rouleaux de thon, etc.

À voir

★★★ ***Osborne House :*** à l'est de Cowes. Ouvert tous les jours de début avril à fin septembre de 10 h à 18 h. Le reste de l'année, horaires capricieux ; se renseigner. ☎ 20-00-22. Entrée : 8,50 £ (12,60 €) ; réduction. Bus n° 4 à partir de Ryde-East Cowes ou n° 5 à partir de Newport. Nombreux touristes ; éviter les heures de pointe. Vaste demeure de style italien qui fut la résidence d'été de la reine Victoria et d'Albert, son époux, qui dessina les plans en souvenir d'une villa de la baie de Naples. Veuve en 1861, Victoria y passa encore 40 ans de vacances, en veillant à ce que tout reste à la même place comme du vivant de son prince consort bien-aimé. Les appartements privés reflètent leur goût pour une vie familiale bien tranquille. On peut noter par exemple, et c'est essentiel, que la reine aimait à se changer cinq fois par jour. Le tsar Nicolas II y était souvent invité. La *Durbar Room* est une étonnante salle décorée comme dans un palais de maharadjah, avec tous les présents reçus en hommage par l'impératrice des Indes. Victoria y mourut en 1901 ; on se recueille devant sa dernière couche. Dans le parc, le *Swiss Cottage* construit à l'intention des enfants royaux. C'est ici qu'ils apprenaient à cuisiner et à jardiner. Aussi, un petit musée où sont rassemblés les objets rapportés de voyages par les membres de la famille royale. Superbe.

– ***Les régates de Cowes :*** fin juillet-début août. Les plus célèbres et les plus huppées d'Angleterre.

RYDE *(IND. TÉL. : 01983)*

Malgré les 10 km de plages ininterrompues, pas grand-chose à voir de ce côté. Mieux vaut ne pas traîner et prendre l'A3055 vers Sandown, ou encore la route côtière vers Bembridge.

Adresses utiles

- ***Tourist Information Centre :*** Western Esplanade. ☎ 81-38-18. Ouvert du lundi au samedi de 9 h 30 à 17 h 30 (16 h 30 en hiver) et le dimanche de 10 h à 16 h.
- ***Gare routière :*** Esplanade. ☎ 56-22-64.
- ***Banque*** et ***poste*** sur Union St.
- ***Location de vélos :*** *Autovogue,* 140 High St. ☎ 81-29-89, ainsi que *Battersbys,* 2 Hill St. ☎ 56-20-39. Compter autour de 12 £ (17,80 €) la journée.

Où dormir dans les environs ?

Pondwell Camping Holidays : à 3 km à l'est de Ryde, direction Seaview, PN34 5AQ. ☎ 61-23-30. Fax : 61-35-11. • www.isleofwightselfcatering.co.uk • Ouvert de mars à octobre. Pour 2 adultes avec une tente, prévoir 10 £ (14,80 €). Pas loin de la mer, la quiétude au milieu d'un grand parc vallonné, agrémenté de bungalows. Douches, laverie, boutique et pub. Il est recommandé de réserver !

B & B M.V. Newclose and M.V. Seawasp : John Gallop. ☎ 52-57-28 ou 88-23-15. À Wootton Bridge, sur l'A3054 entre Cowes et Ryde. Venant de Cowes, prendre la 3e rue à gauche après *The Sloop Inn* et le pont, sur Barge Lane ; elle se termine en cul-de-sac. Compter entre 40 et 44 £ (59,20 et 65,10 €) environ pour une petite cabine de 2 personnes. Là, dans la baie, sont amarrés 2 bateaux aménagés pour accueillir des hôtes. Dans le premier, 10 minuscules cabines pour 2 personnes et une légèrement plus grande pour 4. Salle pour le *breakfast,* douches et toilettes communes. Dans l'autre, un peu plus cher et un tantinet plus « confortable », 5 cabines dont une pour 4 personnes et un pont pour prendre le soleil. La formule est originale mais le confort et la déco manquent de générosité... dommage.

Xoron Floatel : Embankment Rd, PO35 5NS. ☎ 87-45-96. • www.geocities.com/xoronfloatel • Dans la petite baie du port de Bembridge, sur la B3395 (sur le trajet du bus no 1), à 5 mn de la plage, une barge qui participa au débarquement de Normandie, à présent aménagée en *B & B.* Prévoir 50 £ environ (74 €) la chambre double. Trois petites cabines presque coquettes (dont une familiale pour 3 personnes) et *lounge* avec TV. Confort limité.

Où manger dans les environs ?

Sloop Inn : à Wootton Bridge, sur l'A3054 entre Cowes et Ryde. Plats à partir de 7 £ (10,40 €). Un pub-restaurant où les familles se retrouvent, plus pour le lieu que pour la qualité de la cuisine (!). L'endroit, au bord de l'eau, est effectivement très agréable, surtout quand on peut s'installer dans le grand jardin. Parfait pour y boire une bonne bière, avec un sandwich.

À voir dans les environs

Morton Manor : à Brading. ☎ 40-61-68. Ouvert du 1er dimanche d'avril à fin octobre, de 10 h à 17 h 30. Fermé le samedi. Entrée : 4,50 £ (6,70 €). Histoire de voir un manoir familial, entouré de vignes et de sublimes jardins, primés par des magazines français, ce qui fait la fierté du propriétaire. Il se fera un plaisir de partager avec vous ses rudiments de français. Dégustation de la récolte après la visite dans des verres aussi larges que des dés à coudre.

Brading Roman Villa : au sud de Brading, sur la route de Sandown. ☎ 52-97-20. Ouvert de début avril à fin octobre, de 9 h 30 à 17 h (dernière admission à 16 h 30). Entrée : 3 £ (4,40 €) ; réductions. Une des 2 villas romaines de l'île, avec de superbes mosaïques au sol, dont une tête de Méduse et des évocations liées au culte bachique. Également les vestiges d'une installation de chauffage central, bien nécessaire sous ces latitudes.

Maritime Museum : Sherbourne St, dans le joli village de ***Bembridge.*** ☎ 87-22-23. Ouvert de mars à fin octobre, de 10 h à 17 h. Entrée : 3,25 £ (4,80 €). Petit musée amusant, un peu bric-à-brac d'antiquaire, où sont rassemblées toutes les trouvailles sous-marines d'un plongeur impénitent, Martin Woodward, ainsi que les vestiges recueillis lors des naufrages autour de l'île. Et ils furent nombreux : il y eut même un sous-marin égaré dans le brouillard ! Petit film sur la vie des marins.

SANDOWN *(IND. TÉL. : 01983)*

Sœur jumelle de Shanklin, un brin moins chic et coin le plus fréquenté de l'île. Vaste plage familiale et belle promenade sur le pourtour de la baie. On atteint *Culver Cliff* (à 5 km au nord-ouest) en longeant la crête des falaises. Sandown possède la seule jetée *(pier)* de l'île, avec arcades, cafétérias et théâtre. Dommage que le front de mer soit si surchargé en été...

Adresses utiles

Tourist Information Centre : 8 High St. ☎ 81-38-18.

Gare routière : Post Office, 9 Beachfield Rd. ☎ 40-64-41.

Où dormir ?

Camping

Adgestone Camping Park : Lower Adgestone Rd, PO36 0HL. ☎ 40-34-32. Fax : 40-49-55. • www.campingandcaravanningclub.co.uk • Prévoir 15 £ (22,20 €) pour 2 personnes avec une tente. Le nirvana local des campeurs, environnement campagnard proche de la ville et des plages (2 km). Toutes les facilités : douches gratuites, piscine chauffée, boutique.

Bon marché

Youth Hostel : The Firs, Fitzroy St, PO36 8JH. ☎ 40-26-51. Fax : 40-35-65. Derrière l'office de tourisme, prendre St John's Rd et tourner à gauche ; c'est à l'angle de Leeds St et de Fitzroy St. Fermé de début octobre à la 1re semaine d'avril. Réception à partir de 17 h. Compter 24,50 £ (36,30 €) pour une chambre double. Deux maisons réunies en une. 47 lits. Petit jardin. Proche de la plage.

De prix moyens à plus chic

Southwood House : 26 Albert Rd, PO36 8AW. ☎ 40-72-97. • www.southwoodhouse@aol.com • Dans une petite rue reliant High St à Victoria Rd, à 2 mn de la plage et du centre. Chambres doubles de 38 à 48 £ (56,20 à 71 €) selon la saison. Une vraie bonne adresse. Nigel est un hôte à la fois discret et attentionné qui a aménagé sa maison avec beaucoup de goût et de délicatesse. Les chambres sont fraîches, paisibles et gaies. De plus, possibilité d'utiliser gratuitement la piscine de l'hôtel d'en face. Pas génial, ça? Chez Nigel, seuls les fumeurs et les animaux ne sont pas les bienvenus...

Bertram Lodge : 3 Leed St, PO36 9DA. ☎ 40-25-51. À 5 mn de la plage. Chambres doubles de 46 à 52 £ (68,10 à 77 €). Maison de musiciens. D'ailleurs, en juillet et en août, musique live 2 fois par semaine, dans le salon... mais, pas de panique, tout le monde range son instrument à 23 h ! Chambres confortables et assez grandes, toutes avec salle de bains.

The Parkbury Hotel : 31 Broadway, PO36 9BB. ☎ 40-25-08. Fax : 40-44-71. • www.parkburyhotel.co.uk • À l'angle de Winchester Park Rd. Chambres doubles de 64 à 84 £ (94,70 à 124,30 €) en fonction de la saison. Grosse bâtisse victorienne qui a dû connaître des jours meilleurs. Cela dit, les chambres sont parfaitement confortables, faute d'être charmantes comme on l'attendrait dans ce genre d'établissement. Piscine et sauna.

Où manger?

Une brochette bien serrée de restos touristiques sur le front de mer mais les bonnes adresses se font rares.

Kings House Bar Café : High St. ☎ 40-64-45. Ouvert tous les jours de 11 h à 23 h (de midi à 23 h 30 le dimanche). Plats autour de 5 £ (7,40 €). Repas servis dans le bar aux couleurs vives ou sous la véranda, ou encore en terrasse avec vue sur la mer. Plats simples et sains, dans un cadre plaisant et joyeux. Notre adresse préférée à Sandown.

Old Manor House : Lake Hill, en direction de Shanklin. ☎ 40-35-58. Ouvert tous les jours. Compter 10 £ (14,80 €) pour une bonne pièce de bœuf. Le patron est sympa et ses viandes (les « manor steaks ») sont délicieuses. Concerts tous les soirs.

À voir

Dinosaur Isle : Culver Parade, sur la B3395 qui longe la côte. ☎ 40-43-44. Fax : 40-75-02. • www.dinosaurisle.com • Ouvert de 10 h à 18 h (16 h en hiver). Entrée : 4,60 £ (6,80 €) ; réductions. Un musée interactif récent et très bien fait, pour un bond en arrière de 125 millions d'années, au temps des... dinosaures, bravo ! Entre autres trouvailles attractives, un laboratoire ouvert au public où on peut questionner les chercheurs sur leurs travaux ou encore les voir gratouiller les derniers fossiles découverts (en quantité sur l'île de Wight). Très sympa et inattendu.

SHANKLIN _(IND. TÉL. : 01983)_

Sœur de la précédente et même style de front de mer, avec des plages de sable blond reliées au haut par un funiculaire. Beaucoup de monde en été. Au sud, un embryon de « Old Village » aux maisons coiffées de chaume. Curiosité locale : les _chine,_ sortes de mini-gorges avec cascades, créées par un ruisseau dévalant de la falaise, couvertes d'une végétation luxuriante et joliment éclairées le soir. Pour les marcheurs, très belle balade entre Shanklin et Ventnor, sur la falaise.

Adresses utiles

Tourist Information Centre : 67 High St, PO37 7NP. ☎ 81-38-18.

Gare routière : 49 Regent St. ☎ 86-22-24.

Où dormir ?

⛺ ***Landguard Camping Park :*** Landguard Manor Rd, PO37 7PJ. ☎ 86-70-28. À 2 km du centre. Compter 12 £ (17,80 €) pour 2 avec une tente. À côté d'un complexe de vacances à bungalows comprenant piscine chauffée et club de loisirs. Douches chaudes gratuites, boutique et laverie.

Hazelwood Guesthouse : 14 Clarence Rd, PO37 7BH. ☎ et fax : 86-28-24. Chambres doubles de 40 à 45 £ (59,20 à 66,60 €). C'est la seule maison de la rue peinte en blanc et bleu ciel, vous ne pouvez pas la rater. À l'intérieur, tout est beaucoup plus classique, voire banal, mais correct pour le prix. Propriétaires charmants.

Malton House Hotel : 8 Park Rd, PO37 6AY. ☎ 86-50-07. Fax : 86-55-76. Chambre double à 50 £ (74 €). Une élégante maison victorienne, à quelques minutes à pied de la mer et du centre. Salon, bar et chambres confortables dont certaines bénéficient d'une timide vue sur la mer. Rien d'inoubliable, un brin tristounet, mais très correct pour le prix.

Où manger ?

The Crab Inn : High St. ☎ 86-23-63. Au centre du « Old Village ». Plats allant de 4 à 10 £ (5,90 à 14,80 €). Pub traditionnel du XVIIIe siècle, au toit de chaume. Le patron aux moustaches dans le vent est fier de son crabe superbement servi sur un lit de salade. Sympa.

Fisherman's Cottage : Western Esplanade. ☎ 86-38-82. Ouvert uniquement en été. Au pied de la falaise, les pieds dans l'eau, à côté du « Shanklin Chine ». Plats autour de 6 £ (8,90 €). Pub à l'ambiance familiale, où on peut manger simplement en profitant des animations nocturnes régulières.

À voir dans les environs

Appuldurcombe House : de Shanklin, prendre la direction Newport, puis c'est fléché. Ouvert de 10 h à 18 h (16 h en hiver). Entrée : 2,50 £ (3,70 €). Une ancienne demeure baroque, maintenant en ruine, toujours gérée par la famille Worsley, et ce depuis 300 ans. Un conseil : allez-y dès l'ouverture. Vous promener au milieu de ces vieilles pierres encore dans la brume vous fera frémir... Jardin splendide dessiné par Capability Brown, l'un des plus grands paysagistes. Si l'envie vous dit, l'actuel Mr Worsley a créé The Falconry Centre, juste à côté. Trois fois par jour, le propriétaire fait une démonstration avec ses faucons. Impressionnant. Possibilité de prendre un ticket groupé avec la visite de la maison.

Godshill : à 8 km à l'ouest, joli village dont les *cottages* aux toits de chaume sont groupés autour d'une église gothique. Vraiment superbe, mais beaucoup de touristes. À l'intérieur de l'église, on peut voir une copie de Rubens.
Juste avant l'église, *The Model Village,* tenu par un groupe de femmes fort sympathiques et souriantes. Ouvert tous les jours d'avril à octobre. Entrée : 2,95 £ (4,40 €). Tout le village en miniature à l'échelle 1/10. Et pour une fois, c'est bien fait et divertissant.

Royal Essex Cottage : ☎ 84-23-32. Fermé le lundi et de janvier à mars. Restaurant et *tea-room* depuis 1852, patronné par la reine Victoria. *Cakes, pies,* et tout le rituel immuable du « five o'clock tea ». Snacks et *lunches* en plus. Parking à l'arrière. Café offert sur présentation du *Guide du routard.*

VENTNOR *(IND. TÉL. : 01983)*

Avec ses villages voisins de Bonchurch et de Saint Lawrence, une petite cité de pêcheurs aux maisons étagées en terrasses. Beaucoup plus calme que les précédentes et plus authentique. Ça sent presque la Méditerranée...

Adresses utiles

Tourist Information Centre : Coastal Visitor Centre, Salisbury Gardens, Dudley Rd. ☎ 81-38-18.

Gare routière : en fait, pas vraiment de gare routière mais 2 arrêts : un sur Albert St (en arrivant de l'est de l'île), l'autre sur High St (en arrivant du centre et de l'ouest). Dans les 2 cas, en plein centre.

Où dormir ?

Cornerways : 8539 Madeira Rd, PO38 1QS. ☎ 85-23-23. • www.cornerwaysventnor.co.uk • Chambres doubles de 46 à 56 £ (68,10 à 82,90 €). À 10 mn à pied du centre, dans un coin tranquille. Une belle et grande maison victorienne, avec des tapis épais, de hauts plafonds, un salon intime et accueillant, des chambres superbes, toutes avec une jolie vue sur la mer ou la végétation... le rêve ! Une de ces adresses qui donnent envie de se poser et dont on a du mal à repartir... Mieux vaut réserver.

Harbour View Hotel : sur l'Esplanade. ☎ 85-22-85. Fax : 85-66-30. • www.harbourviewhotel.co.uk • Chambres doubles entre 61 et 72 £ (90,30 et 106,60 €), selon la saison et le confort. Solide et belle demeure accrochée à la colline, en face de la plage... fière allure ! Terrasse et véranda pour prendre le petit dej', face à la mer. Cher mais assez magique.

Où manger ?

De bon marché à prix moyens

The Thistle Café : 30 Pier St. ☎ 85-26-81. En allant vers la mer. Plats copieux autour de 5 £ (7,40 €). Cuisine traditionnelle anglaise sans fantaisie mais bon marché, fraîche et copieuse. Petite salle avec tables en bois et nappes cirées et personnel adorable.

The Spyglass Inn : sur l'Esplanade. ☎ 85-53-38. Tout au bout de la digue, à droite. Accès assez raide. Plats à partir de 7 £ (10,40 €). Si vous ne deviez voir qu'un pub en Angleterre, ce pourrait être celui-là. Le site d'abord, avec son immense terrasse donnant directement sur la mer, tel un pont de navire. Puis l'intérieur, indescriptible, très bas de plafond, des petites pièces dans tous les sens, de vieilles photos et antiquités marines partout... ça sent bon la flibuste ! Dans l'assiette, homards et crabes, ainsi que quelques plats végétariens appétissants. Musique le soir. Assez touristique évidemment, mais quelques personnages locaux hauts en couleur également. Quelques chambres disponibles.

Plus chic

Rex : Church St. ☎ 85-33-55. Menu à 13 £ (19,20 €) le midi. Sinon, plats à partir de 7 £ (10,40 €). Installé dans un étonnant immeuble Art déco, un resto résolument moderne et élégant, avec de larges baies vitrées et terrasses surplombant la mer. Les prix sont un peu plus élevés qu'ailleurs, mais on peut se contenter d'une salade composée croquante et goûteuse, sans risque d'être déçu. La carte est en français, le comble du chic, avec une séduisante carte des vins. Normal, la propriétaire est française d'origine hongroise. Le soir, piano-bar et bougies. Idéal pour un p'tit luxe en amoureux !

À voir

☞☞ ***Ventnor Botanical Gardens :*** The Undercliff Drive. ☎ 85-53-97. Ouvert de 10 h à 18 h. Entrée gratuite. Une des plus importantes collections de faune et de flore du sud-est de l'Angleterre. Végétation subtropicale, en provenance d'Australie, d'Asie et d'Afrique du Sud. Herbes aromatiques et plantes médicinales. Un havre de paix d'une grande beauté.

☞ ***Smuggling Museum :*** dans l'enceinte des jardins, à côté du parking. Ouvert de Pâques à fin octobre, de 10 h à 15 h. Entrée : 2,80 £ (4,10 €). Petit musée consacré à la peu avouable activité nocturne de la contrebande, du temps où les habitants de la localité vivaient en bonnes relations avec leurs complices français d'en face...

☞ ***Saint Catherine Lighthouse :*** phare ouvert au public de Pâques à mi-septembre, tous les jours sauf le dimanche et le lundi, de 13 h à 16 h 30. Entrée : 2 £ (3 €). Surprenant contraste entre le vert des pâturages, le bleu de la mer et la blancheur du phare. C'est aussi le point de départ de notre partie préférée de l'île, avec de jolies maisons aux toits de chaume et une nature intacte.

☞ Entre Niton et Chale, sur les hauteurs, le ***Saint Catherine Oratotry,*** familièrement appelé le « Pepper Pot » (moulin à poivre), est en fait un phare médiéval, remontant au XIVe siècle.

CHALE (IND. TÉL. : 01983)

Tout petit village sur le côté le moins fréquenté de l'île. Idéal pour faire un break.

Où dormir ? Où manger ?

The Wight Mouse Inn : ☎ 73-04-31. Chambre double à 78 £ (115,40 €), réductions négociables hors saison. Grand pub-auberge du XVIIe siècle avec beaucoup de passage. Certaines chambres sont décorées de jolis meubles anciens, d'autres bénéficient d'une vue sur la mer avec de superbes couchers du soleil. Grand jardin et aire de jeux très bien faite pour les enfants. Une halte qui conviendra surtout aux familles.

À voir

☞ ***Blackgang Chine :*** ouvert de Pâques à fin octobre, de 10 h à 17 h (22 h de mai à septembre). • www.blackgangchine.com • Entrée : 7,50 £ (11,10 €). Vallée encaissée garnie de jardins paysagers transformés en parc à thème avec des attractions du genre « Dinosaurland », village des contrebandiers et fort des pirates. Pour distraire les enfants si le temps est maussade.

☞ ***La route côtière*** qui va de Saint Catherine's Point jusqu'à la pointe des Needles offre la perspective linéaire d'un rivage presque désert, ponctué à l'ouest par les falaises de Compton Bay. Idéal, donc, pour des balades le long du « footpath ». La baignade n'y est pas trop recommandée en raison des courants. C'est aussi sur ce rivage que l'on a découvert des fossiles de dinosaures.

Dinosaur Farm Museum : avant Brightstone, sur la Military Rd A3055. ☎ 74-08-44. • www.dinosaurfarm.co.uk • Ouvert de fin mars à fin septembre les jeudi et dimanche de 10 h à 17 h ; en juillet et août, les mardi et vendredi en plus. Entrée : 2,50 £ (3,70 €) ; réductions. On y expose le squelette d'un brachyosaure géant (souvenez-vous, dans *Jurassic Park,* c'est le grand herbivore qui éternue), découvert dans le sol des collines où il était enfoui depuis 120 millions d'années. Pour les amateurs, une chasse aux fossiles est organisée à partir de là. Réservation souhaitée.

TOTLAND BAY *(IND. TÉL. : 01983)*

Faubourg balnéaire de Freshwater, Totland est un endroit de rêve avec une superbe plage de sable et de galets. Idéal pour barboter et naviguer.

Où dormir ?

Youth Hostel : Hurst Hill, Totland Bay PO39 0HD. ☎ 75-21-65. Fax : 75-64-43. Tout près de la plage. Du mémorial de la guerre, prendre à gauche Weston Rd ; en haut de la colline, prendre la 2e à gauche, à l'opposé de l'église. Bus nos 7, 7A, 17 et 42 de Yarmouth. Fermé de novembre à février. Réception à partir de 17 h. Chambre double autour de 19 £ (28,10 €). 62 lits. Accueil chaleureux. Douches, laveries et petite boutique.

Chart House : Madeira Rd, PO39 0BJ. ☎ 75-50-91. Dans la rue juste en face de la poste. Chambres doubles de 52 à 54 £ (77 à 79,90 €), selon la saison. Voilà une bien douce adresse, une de nos préférées. Belle maison douillette et joyeuse, dans un joli jardin. Les chambres sont mignonnes comme tout, impeccables et lumineuses, avec des rideaux fleuris et froufrouteux. Total look british ! Salle de bains minuscules, comme ailleurs. Sue se fera un plaisir de vous préparer un bon dîner, avec des produits frais (elle en est fière !), à condition de la prévenir à l'avance. Maison exclusivement non-fumeurs et sans enfants.

Littledene Lodge Hotel : Granville Rd, PO39 0AX. ☎ 75-24-11. Dans la 1re rue à droite après le rond-point, en venant de Yarmouth. Chambres doubles entre 42 et 50 £ (62,20 et 74 €), selon la saison. Accepte les cartes de paiement. Petite *guest-house* pas très engageante mais les chambres sont claires et propres. Demander à en voir plusieurs car certaines sont nettement plus souriantes que d'autres.

À voir

The Needles : spectaculaires « aiguilles » qui ont fait et qui font toujours le malheur de bien des marins. C'est la carte de visite de l'île. Une balade s'impose, vers les falaises, d'Alum Bay aux strates polychromes entourées de murailles de craie. De l'argile des falaises, on extrayait autrefois l'alun. Au bout des aiguilles, Marconi installa, en 1897, le premier poste émetteur de télégraphie sans fil des îles Britanniques. Malheureusement, le site a perdu sa virginité naturelle à cause de l'implantation d'un parc d'attractions *(Needles Pleasure Park),* avec télésiège jusqu'au sommet de la falaise, aussi ringard qu'inutile. Néanmoins, de là partent des embarcations qui font le tour des Needles.

The Old Battery : ouvert de fin mars à fin octobre, du dimanche au jeudi (tous les jours en juillet et août), de 10 h 30 à 17 h. Géré par le *National Trust,* c'est un fort construit en 1860 pour parer à la menace d'une invasion française (décidément, on leur faisait peur !). On peut y voir une expo dans l'ancienne poudrière, des canons d'époque, et parcourir un long tunnel débouchant sur un surplomb au-dessus des Needles.

Le poète *Tennyson* affectionnait ce coin de l'île. Sur l'une des Freshwater Cliffs, on a érigé une croix celtique de 12 m de haut en sa mémoire.

YARMOUTH *(IND. TÉL. : 01983)*

Charmante bourgade paisible, à l'embouchure de la rivière Yar et à l'arrivée du ferry de Lymington. À côté de l'*hôtel George,* les vestiges d'un fort défensif bâti sous Henri VIII.

Adresses utiles

Office de tourisme : The Quay. ☎ 81-38-18. Ouvert tous les jours de 9 h 30 à 17 h 30.

Location de vélos : *Isle Cycle Hire.* Se renseigner chez *Wavell's Fine Foods,* Delicatessen, The Square. ☎ 76-02-19. Compter autour de 12 £ (17,80 €) par jour.

Où dormir ?

Jireh Guesthouse : St James Square, PO41 0NP. ☎ 76-05-13. Chambres doubles entre 52 et 62 £ (77 et 91,80 €). Adorable ancienne demeure de pierre faisant également salon de thé et restaurant. Les chambres sont un peu exiguës pour le prix, mais l'ensemble reste cosy et plaisant. En été, possibilité d'y dîner en prévenant à l'avance.

The Bugle Coaching Inn : The Square, PO41 0NS. ☎ 76-02-72. Fax : 76-08-83. Chambres standard à partir de 84 £ (124,30 €). Auberge traditionnelle avec façade à colombages. Jolies chambres, mais minuscules salles de bains. Un peu cher tout de même pour le confort proposé. Dans le pub, 2 bars servant des plats sans relief dans une chaude ambiance le soir.

George Hotel : Quay St, PO41 0PE. ☎ 76-03-31. Fax : 76-04-25. • www.thegeorge.co.uk • Chambres doubles à partir de 175 £ (259 €) et jusqu'à 235 £ (347,80 €) pour les routards riches. Une des adresses de charme et de luxe de l'île. Ancienne résidence du gouverneur, où descendit, en toute simplicité, le roi Charles II, il y a 3 siècles. Ameublement d'époque, chambres au confort incomparable, table réputée pour le dîner et salle de petit dej' (très bien) tout en jaune et bois de pin raviront des lecteurs en quête d'une touche de « British way of high life ». Portefeuille bien garni de rigueur !

Où dormir dans les environs ?

Camping

The Orchards Caravan and Camping Park : à Newbridge, à l'est de Yarmouth. Sur la route de Yarmouth à Newport, tourner à droite au niveau du pub *The Horse & Groom.* ☎ 53-13-31. Fax : 53-16-66. • www.orchards-holiday-park.co.uk • Ouvert de Pâques à fin octobre. À partir de 12 £ (17,80 €) la nuit pour 2 avec une tente. Vues panora-

L'ÎLE DE WIGHT

miques sur les collines et le Solent. Un des meilleurs campings de l'île, avec double piscine chauffée, cafétéria, bar, boutique et toutes les prestations de sa catégorie. Également quelques caravanes à louer.

Où manger ?

Bon marché

🍴 ***Mariner Coffee-House :*** The Square. ☎ 76-10-21. Le « five o'clock tea » pour 3 £ (4,40 €). Charmante petite adresse pour savourer un *breakfast* ou avaler un sandwich sur le pouce à prix modérés.

🍴 ***The Gossip's Café :*** au bout de The Square. ☎ 76-06-46. Vue imprenable sur le port. Plats autour de 4,50 £ (6,70 €). Ici, on cancane en buvant tranquillement son thé ou sa bière tout en attendant de reprendre le ferry. Cuisine originale aux accents méditerranéens et mexicains. Propose aussi tous les classiques anglais. Sympa.

Prix moyens

🍴 ***Salty's :*** à côté du bureau de *Wightlink,* sur le port, à l'étage. ☎ 76-15-50. Fermé le lundi. Plats de 9 à 12 £ (13,30 à 17,80 €). Le roi du poisson frais, sans oublier les moules et les fruits de mer. On choisit soi-même son poisson. Décor à l'avenant. Souvent bondé, donc utile de réserver.

À voir dans les environs

Fort Victoria : Westhill Lane, à l'ouest de Yarmouth. ☎ 76-02-83. Ouvert de fin mars à fin octobre, de 10 h à 18 h. Complexe touristique proposant (séparément) un planétarium, un aquarium, un petit musée océanographique et une maquette géante de trains miniatures. Le genre de ceux que tous les pères ont toujours rêvé de s'offrir pour leur fils !

Calbourne Mill : sur la B3399, à mi-distance entre Freshwater et Newport. ☎ 53-12-27. • www.calbournewatermill.co.uk • Ouvert de juin à octobre de 10 h à 17 h 30 et jusqu'à 17 h le reste de l'année. Compter 5 £ (7,40 €) pour un adulte. Moulin à eau du XVIIe siècle toujours en activité (tous les jours à 15 h, sauf le samedi) dans un musée de la vie rurale. Belle promenade à travers le parc.

NEWPORT (IND. TÉL. : 01983)

Capitale au centre de l'île, aux airs de bourgade de province commerçante. Maisons assez banales et ambiance un peu terne.

Adresse utile

ℹ ***Tourist Information Centre :*** South St. ☎ 82-33-66. En été, ouvert tous les jours de 9 h 30 à 17 h 30 ; hors saison, ouvert du lundi au samedi de 10 h à 16 h 30.

Où dormir ?

Très peu de choix. De toute façon, pas grand intérêt de passer la nuit ici, mieux vaut dormir en bord de mer. Voici néanmoins 2 adresses, au cas où...

Wheatsheaf Hotel : St Thomas Square, PO30 1SG. ☎ 52-38-65. Fax : 52-82-55. • www.wheatsheaf-iw.fsnet.co.uk • Compter 65 £ (96,20 €) la chambre double. Dans une belle bâtisse du XVIIe siècle, quelques chambres très inégales. Certaines sont assez charmantes et romantiques, d'autres sans caractère particulier. En bas, un pub fait de coins et de recoins sert des plats simples mais corrects.

The Newport Quay Hotel : Quay St, PO30 5BA. ☎ 52-85-44. Fax : 52-71-43. Chambres doubles entre 70 et 78 £ (103,60 et 115,40 €). L'entrée est prometteuse avec son salon cosy, ses gros fauteuils moelleux et ses airs d'hôtel cossu. Hélas, ce petit luxe s'arrête à la porte des chambres, petites et mal insonorisées. Certaines sont toutefois mieux que d'autres. Essayez d'en voir plusieurs avant de vous installer.

Où manger ?

Bon marché

French Francks : St Thomas Square. ☎ 82-16-85. Crêpes, *pancakes,* hamburgers ou *brie à la banane...* Pourquoi pas ? Prix modiques. Salle à l'étage.

Prix moyens

God's Providence House : 12 St Thomas Square. ☎ 52-20-85. Fermé le dimanche. Compter 6 £ (8,90 €) pour un plat moyen. Maison georgienne avec un superbe bow-window. Plusieurs salles intimes et douces, avec une jolie collection d'assiettes au mur. Les serveuses, habillées de noir et de tabliers blancs, prennent les commandes et vous servent à pas feutrés. Ambiance d'un autre âge. Parfait pour grignoter quiches et autres plats simples, ou pour un *cream tea* accompagné de *scones* aux fruits.

Joe Daflo's : 20 High St. ☎ 53-22-20. Ouvert du lundi au samedi de 10 h à 23 h et le dimanche de 11 h à 22 h 30. Compter entre 5 et 13 £ (7,40 et 19,20 €). Version contemporaine du pub-restaurant : salle immense et lumineuse, tableaux colorés, plantes vertes... bref, à l'opposé du pub traditionnel. Les plats, d'inspiration française et italienne, sont absolument délicieux, généralement proposés en 2 tailles. Attention, les portions dites « normales » sont déjà très copieuses. Longue carte des vins et bonnes bières.

À voir dans les environs

Carisbrooke Castle : à 3 km au sud-ouest de Newport. Accès mal fléché, ne pas dépasser le village. ☎ 52-21-07. Ouvert tous les jours, d'avril à septembre de 10 h à 18 h et d'octobre à mars de 10 h à 16 h. Entrée : 5 £ (7,40 €) pour un adulte ; ticket familial. C'est le seul château médiéval de l'île de Wight. Il est célèbre parce que Cromwell y enferma Charles Ier avant de le ramener à Londres pour lui raccourcir le col. Petit musée historique dans le grand hall. Voir le *Well House* : l'eau de ce puits, profond d'environ 50 m, est amenée par l'intermédiaire d'une roue à aubes actionnée par un âne. Ne vous y trompez pas, si l'âne se tue à cette tâche imbécile (à l'époque des pompes électriques), c'est pour satisfaire les touristes. Du haut du donjon normand, joli panorama sur les environs.

SOUTHAMPTON

214 000 hab. IND. TÉL. : 02380

Un port industriel sans beaucoup de charme, mais il est vrai que les dégâts de la dernière guerre n'ont pas laissé grand-chose debout. 30 000 bombes y ont détruit 4 000 maisons. Quelques traces du passé médiéval subsistent, miraculeusement égarées au milieu d'un environnement moderne agressif. C'est de Southampton que sont partis, le 15 août 1620, les pèlerins du *Mayflower* en route pour le Nouveau Monde. C'est aussi à partir de Southampton qu'en 1944 transitèrent 3,5 millions de soldats et 15 millions de tonnes de matériel vers les plages normandes.

Adresses et infos utiles

Southampton Tourist Information : 9 Civic Centre Rd, SO14 7FJ. ☎ 83-33-33. Fax : 83-33-81. • www.southampton.gov.uk • Ouvert du lundi au samedi à partir de 9 h 30. Fermé le dimanche. Se garer au parking *Marlands*. Demander la brochure *Southampton Titanic Walk* (eh oui ! c'est d'ici qu'il est parti), illustrée de photos, pour visiter les sites importants de la ville jusqu'au port d'embarquement.

Poste : dans High St (centre-ville) ou London Rd au nord de la ville.

Banques : *Lloyds TSB* dans Above Bar St et *HSBC* dans High St (en plein centre) ainsi qu'au supermarché ASDA, juste à côté de la station de bus.

Gare routière : *National Express Coach,* Harbour Parade. ☎ (08705) 80-80-80. Bus n° 032 pour Portsmouth. Pour Londres, bus n°s 032, 303, 304 et 035.

Gare : Blechynden Terrace. Renseignements : ☎ (08457) 48-49-50. Trains pour Bath, The New Forest, Brighton et Bournemouth. Pour Londres, plusieurs trains par heure.

Aéroport : à 8 km du centre. Navette d'autobus pour le centre en 25 mn. Prix : 1 £ (1,50 €). Sinon, tous les trains de Londres s'arrêtent à l'aéroport (toutes les 30 mn) et c'est plus rapide.

Internet Exchange : au sous-sol de Bargate shopping centre (à côté du monument du même nom). Ouvert de 9 h à 21 h en semaine et de 10 h à 18 h le dimanche. Pratique pour les horaires. À partir de 3 £ (4,40 €) l'heure.

Où dormir ?

Landguard Lodge : 21 Landguard Rd, SO15 5DL. ☎ 63-69-04. Fax : 63-22-58. • www.landguardlodge.co.uk • Un des nombreux *B & B* de cette rue, situé non loin de la gare de chemin de fer ; 3e rue à gauche en prenant Hill Lane. Compter 55 £ (81,40 €) la chambre double. Accepte les cartes de paiement. Assez impersonnel et banal. On n'y passerait pas ses vacances mais pour une nuit...

Ashelee Lodge : 36 Atherley Rd, SO15 5DQ. ☎ et fax : 22-20-95. Fermé pendant les fêtes de Noël. Près de la gare, par Hill Lane, 3e à gauche puis 1re à droite. Chambres doubles avec TV et câble entre 40 et 46 £ (59,20 et 68,10 €) ; propose aussi une formule familiale. Là aussi, rien d'inoubliable mais correct et confortable pour le prix. Petite piscine dans le jardin.

Claremont : 33-35 The Polygon, SO15 2BP. ☎ 22-53-34. Un peu à l'écart du centre animé, sur les hauteurs. Prendre Morris Rd face à la gare, puis la 1re rue à droite. Prévoir de 50 à 54 £ (74 à 79,90 €) la chambre double. Chambres pas bien grandes mais récemment modernisées, (très) colorées et plaisantes.

Linden Guesthouse : 51-53 The Polygon, SO15 2BP. ☎ 22-56-53. Fax : 63-08-08. De l'ordre de 40 à 50 £ (59,20 à 74 €). Une dizaine de chambres avec ou sans salle de bains, ne débordant pas de charme mais propres. Tricia est une hôtesse adorable.

Où manger?

Duke of Wellington : 38 Bugle St. ☎ 33-92-92. Près des remparts. Snacks entre 3 et 7 £ (4,40 et 10,40 €). Pub historique aux boiseries patinées. On y sert de savoureux sandwichs et des *jacket potatoes*.

The Red Lion : 55 High St, SO14. ☎ 33-35-95. Pour un plat principal, compter autour de 7 £ (10,40 €). Un autre vieux pub de la ville, au pied de Bargate. Déco du Moyen Âge avec des étendards et une armure en pied. Du balcon aurait été ourdie une conspiration contre Henri V en 1415. Et ce n'est pas au comptoir que les coupables démasqués ont payé leurs agissements.

Kuti's Brasserie : 39 Oxford St. ☎ 22-15-85. Du côté des docks. Ouvert de 12 h à 14 h 30 et de 18 h à minuit. Plats de 7 à 15 £ (10,40 à 22,20 €) et formule buffet à 8,50 £ (12,60 €) le midi. Un resto indien, bengali pour être précis, chic et excellent. Ici, tout est mauve, de la moquette aux nappes, en passant par les chaises et la lumière... excessif, mais rigolo.

The Grapes : Oxford St. ☎ 33-32-20. De bons plats chauds autour de 6 £ (8,90 €). La carte est simple et l'ambiance n'a guère changé depuis 1912, date à laquelle l'équipage du *Titanic* s'est rincé ici une dernière fois avant le grand départ. Beaucoup de monde une pinte à la main, de la fumée, la cheminée qui crépite et les photos nostalgiques du paquebot et des disparus.

SOUTHAMPTON ET WINCHESTER

À voir

The City Art Gallery : Northguild Building, Commercial Rd. ☎ 83-22-77. • www.southampton.gov.uk/art • Ouvert du mardi au samedi de 10 h à 17 h et le dimanche de 13 h à 16 h. Fermé le lundi. Entrée gratuite. Une collection de l'école anglaise des XVIIIe et XIXe siècles (Gainsborough, Turner et Reynolds), ainsi que quelques Italiens, Hollandais et impressionnistes français. Quelques belles galeries d'art contemporain sont disséminées dans la ville, comme la très belle *John Hansard Gallery* (☎ 59-21-58) à l'université de Southampton et la *Millais Gallery* (☎ 31-99-16), au bord de l'East Park, dans Southampton Institute.

Maritime Museum : The Wool House, Town Quay. ☎ 22-39-41. • www.southampton.gov.uk • Ouvert du mardi au vendredi de 10 h à 13 h et de 14 h à 17 h, le samedi jusqu'à 16 h et le dimanche de 14 h à 17 h. Entrée gratuite. Dans cet entrepôt remontant au XIVe siècle et ayant servi de prison aux soldats français des guerres napoléoniennes, une évocation du passé maritime de Southampton, depuis les puritains du *Mayflower* jusqu'à 1930, avec une maquette de la ville et de ses installations à cette date. À l'étage, la reconstitution de la tragédie du *Titanic,* qui quitta Southampton le 10 avril 1912 pour son premier et dernier voyage...

The Hall of Aviation : Albert Rd South, près de Ocean Village. ☎ 63-58-30. • www.spitfireonline.co.uk • Ouvert de 10 h à 17 h. Fermé le lundi et le dimanche matin. Entrée : 4 £ (5,90 €) ; réductions. Quelques beaux spécimens de machines volantes, dont le prototype de ce qui allait devenir le célèbre *Spitfire* et un géant de l'air (pour l'époque), le *Sandringham Flying Boat.*

Les docks : agréable promenade pour voir défiler quelques belles coques prêtes à s'adonner aux plaisirs de la voile dans le Solent. Pour suivre de plus près leurs ébats nautiques : *Blue Funnel Cruises,* ☎ 22-32-78. • www.bluefunnel.co.uk • Autre curiosité : le *SS Shieldhall,* cargo à vapeur qu'on peut visiter à quai, quand il n'est pas en mer. ☎ 22-58-53.

Le « vieux Southampton » a encore quelques beaux restes qui détonnent dans le décor urbain ultramoderne. Une promenade s'impose à partir de l'impressionnante *Bargate,* une porte flanquée de ses tours massives, et en poursuivant par les remparts de l'enceinte ouest jusqu'au monument du *Mayflower.* Un fragment de l'enceinte est subsiste de l'autre côté de High St et comprend *God's House Tower,* qui servit d'hébergement dès le XIIe siècle aux pèlerins se rendant à Winchester et à Canterbury. La petite *St Julian Chapel* fut donnée par la reine Élisabeth aux réfugiés huguenots de Wallonie fuyant, au XVIe siècle, l'Inquisition espagnole.

Tudor House Museum : Bugle St. ☎ 33-25-13. • www.southampton.gov.uk • Fermé pour travaux lors de notre passage. Un des vestiges médiévaux du passé de la ville, en face de St Michael's Church. Belle demeure en encorbellement, qui date de 1518 et abrite un petit musée d'objets et de documents retraçant la vie quotidienne du XVe au XVIIe siècle. Au fond du jardin, adossée au rempart normand, une maison de marchands qui remonte au XIIe siècle.

Medieval Merchant's House : 58 French St. ☎ 22-15-03. • www.english-heritage.org.uk • Ouvert d'avril à septembre tous les jours de 10 h à 18 h (17 h en octobre). Entrée : 2,50 £ (3,70 €) ; réductions. Avec un gros tonneau se balançant au bout d'une poterne, la demeure à colombages d'un négociant en vins du XIVe siècle, John Fortin, dont on a recréé le mobilier et le mode de vie. On fait la visite avec un audioguide en français. Petit mystère dans la cave : alors que le musée est hermétiquement fermé pendant tout l'hiver, à 2 reprises la conservatrice a découvert des traces de pas sur le gravier, autour des tonneaux ! Sans doute le fantôme du marchand venu déguster ses crus d'Aquitaine...

➤ DANS LES ENVIRONS DE SOUTHAMPTON

Broadlands : à 13 km au nord-ouest par l'A3057, avant d'arriver à ***Romsey.*** ☎ (01794) 50-50-10. Ouvert de mi-juin à début septembre, de 12 h à 17 h 30 (dernière admission à 16 h). Entrée : 6,50 £ (9,60 €). Vaste demeure de style palladien, petit nid d'amour pour les lunes de miel royales et surtout ancienne résidence de Lord Louis Mountbatten, dernier vice-roi des Indes, que les artificiers de l'IRA provisoire ont transformé en chaleur et lumière en faisant exploser son bateau en 1979. Son petit-fils, Lord Romsey, l'habite à présent et permet au bon peuple de venir profiter quelques heures des splendides frondaisons des jardins paysagers en bordure de la rivière Test et de contempler avec la déférence de rigueur ses magnifiques pièces d'apparat à l'ameublement soigné, rehaussé de toiles de Van Dyck. Une présentation audiovisuelle consolide la légende de Mountbatten qui fut aussi un sacré marin, un grand soldat et un diplomate qui conquit l'estime du Mahatma Gandhi.

St Mary's Abbey : à Romsey. À 15 km de Southampton, et à 18 km de Winchester, la petite ville de Romsey offre une atmosphère bucolique au bord de la Test. Elle a conservé une église abbatiale à l'architecture romane d'une pureté et d'une simplicité exceptionnelles. Si les fondations remontent au Xe siècle, ce que l'on peut voir actuellement date de 1130. À l'intérieur, un *christ en croix* de l'époque saxonne.

WINCHESTER

34 000 hab. IND. TÉL. : 01962

À 19 km au nord-est de Southampton, la première capitale d'Angleterre, depuis les rois saxons (et en alternance avec Londres jusqu'au XVIe siècle), a aujourd'hui le charme d'une petite ville de province. Là se réunissaient les chevaliers autour de leur Table ronde. Les souvenirs d'Arthur, d'Alfred le Saxon et de Guillaume le Conquérant hantent encore les murs de la cité. Winchester possède également la plus longue cathédrale d'Europe après Saint-Pierre de Rome, et l'église de Winchester College, la plus ancienne et la plus belle Public School. Une ville pour flâner et se repaître à satiété de la magie indicible des vieilles pierres de l'*Old England,* en fredonnant les paroles de la chanson rétro « Winchester Cathedral »... Cathédrale qui inspira également Graham Nash pour la chanson *Cathedral,* évidemment, composée pour le super groupe Crosby, Still & Nash.

Adresses et infos utiles

- ***Tourist Information Centre :*** The Guildhall Broadway, SO23 9LJ. ☎ 84-05-00. Fax : 85-03-48. • tourism@winchester.gov.uk • De mai à septembre, ouvert du lundi au samedi de 9 h 30 à 17 h 30 (11 h à 16 h le dimanche en été) ; d'octobre à mai, du lundi au samedi de 10 h à 17 h. Accueil chaleureux. Équipe très serviable. Un guide format de poche a été édité en français : fort pratique et contenant des bons de réductions bien utiles.
- ***Post Office :*** sur Middle Brook St.
- ***Banques et commerces :*** on les trouve dans The Square, la rue commerçante. Banques, bureaux de change et tous les grands magasins (*Marks & Spencer, C & A,* etc.).
- ***Parking :*** pour un stationnement de plus de 4 h, il est fortement recommandé d'utiliser les *Long Stay Parkings,* en proche périphérie. Le système « Park and Ride » ne coûte que 1 £ (1,50 €) par jour et permet d'utiliser gratuitement les bus qui se rendent au centre. Malheureusement, ceux-ci ne circulent pas le dimanche.
- ***Gare routière :*** Brodway, en face du Guildhall. ☎ (01256) 46-45-01.
- ***Gare ferroviaire :*** Stockbridge Rd. ☎ (08457) 48-49-50. Au nord-ouest. Plusieurs trains par heure pour London Waterloo.
- ***Marché :*** les mercredi, jeudi, vendredi et samedi, sur Middle Brook St.
- ***Marché aux puces :*** du lundi au samedi sur King's Walk.

Où dormir ?

De bon marché à prix moyens

- ***Youth Hostel :*** The City Mill, 1 Water Lane, SO23 0EJ. ☎ 85-37-23. Fax : 85-55-24. Tout près du Tourist Information Centre. Réception à partir de 17 h. Couvre-feu à 23 h. Fermé de novembre à mi-mars. Nuit en dortoir à partir de 9 £ (13,30 €) par personne. Réservation conseillée. 31 lits. Dans un ancien moulin à eau très chouette. Confort sommaire. Douches, cuisine. L'entretien laisse un peu à désirer. Derrière l'AJ, grimpez en haut de St Giles' Hill : jolie vue sur la ville et les environs.

🏠 ***B & B Shawlands :*** 46 Kilham Lane, SO22 5QD. ☎ et fax : 86-11-66. Petite rue perpendiculaire à Romsey Rd (direction A3093). Fermé pour les fêtes de fin d'année. Chambre double à partir de 46 £ (68,10 €). Grande maison de brique rouge, simple et calme. Hôtesse charmante qui parle le français. Bon *breakfast.*

🏠 ***Stratton House :*** sur Stratton Rd, à St Giles' Hill, SO23 0JQ. ☎ 86-39-19 ou 86-45-29. Fax : 84-20-95. • strattongroup@btinternet.com • Adorable maison victorienne recouverte de lierre. Grand jardin et agréable vue.

🏠 ***Cathedral View House :*** 9 White House Rd, SO23 0HJ. ☎ 86-38-02. Compter 45 £ (66,60 €) pour une chambre double. Chambres correctes avec superbe vue sur... on va vous surprendre... la cathédrale (n°s 3 et 4). Salle de petit dej' sous la véranda absolument splendide.

🏠 Les ***B & B*** se regroupent sur Christchurch Rd, St Cross Rd et Southgate St.

Plus chic

🏠 ***Wykeham Arms :*** 75 Kingsgate St, SO23 9PE. ☎ 85-38-34. Fax : 85-44-11. Chambres à partir de 80 £ (118,40 €). Le lieu s'appelait autrefois « La Fleur de Lys ». Vénérable et respectable hostellerie décorée de livres et de gravures, et pub animé tous les soirs qui loue aussi des chambrettes douillettes, meublées avec beaucoup de caractère. Cuisine appétissante et variée, que l'on peut savourer en terrasse aux beaux jours ou à la chaleur d'un feu de cheminée le soir.

Beaucoup plus chic

🏠 ***Hôtel du Vin :*** 14 Southgate St, SO23 9EF. ☎ 84-14-14. Fax : 84-24-58. • www.hotelduvin.com • Chambres doubles de 89 à 125 £ (131,70 à 185 €). Notre coup de cœur, malgré les tarifs... Et pour cause ! Chaque chambre est aux couleurs d'une maison de vin. Résultat : des suites magnifiques, avec une déco et un mobilier vraiment originaux. Nos préférées : la « Pommery » et la « Veuve-Clicquot »... Un régal pour les yeux. Fait également resto (voir « Où manger ? *The Bistro* »).

Où manger ?

Prix moyens

🍽 ***The Bistro :*** 14 Southgate St. ☎ 84-14-14. Ouvert tous les jours de 12 h à 14 h 30 et de 18 h 30 à 22 h. Les plats à la carte changent tous les jours. La dernière adresse en vogue. Super déco (voir « Où dormir ? *Hôtel du Vin* ») et carte variée : salade d'épinards ou de chèvre chaud aux poivrons, rouget au fenouil, baguette française... Belle carte de vins, comme il se doit. Serveurs parlant le français. Excellent rapport qualité-prix. Et entre nous... les toilettes valent le détour !

🍽 ***Nine The Square :*** 9 Great Minster St. ☎ 86-40-04. En face de la cathédrale. On a le choix du décor : soit, au rez-de-chaussée, le bar à vin au décor de brasserie ; soit, à l'étage, un mobilier plus feutré. Une adresse où la cuisine plutôt « continentale » se hisse à un niveau vraiment remarquable. Habileté et inventivité se conjuguent dans un ballet de saveurs qui ne laissent que de bons souvenirs. Excellents vins en dégustation, au verre ou à la bouteille. Addition en conséquence !

🍽 ***Ask :*** 101 High St. ☎ 84-94-64. Une chaîne de restos qui se développe dans des bâtiments historiques. Cadre intimiste, lumière tamisée et service preste. En plus, c'est bon.

The Exchange : 9 Southgate St. ☎ 85-47-18. *Back to the Seventies!* Ceux qui ont passé leurs samedis soir à chanter sur les tubes d'Olivia ou de John seront ravis. Ambiance géniale. Patrons très sympas. Vite pris d'assaut. Dépêchez-vous.

Où prendre le thé?

The Forte Tea Rooms : 78 Parchment St, SO23 8AT. ☎ 85-68-40. À l'étage. Un salon de thé comme on les imagine. Fleurs fraîchement coupées, rideaux à franges et mamies qui chuchotent. Un salon de thé, quoi. Une boisson offerte sur présentation du *Guide du routard.*

À voir. À faire

Winchester Heritage Centre : 30-32 Upper Brook St. Ouvert de Pâques à octobre, du mardi au samedi de 10 h 30 à 16 h 30 et le dimanche de 14 h à 16 h 30. Entrée à prix modique. Chouette animation audiovisuelle doublée d'une expo. Idéal avant d'entamer l'exploration de la ville.

La cathédrale de Winchester : au centre de la cité, entourée d'une vaste pelouse où il est agréable de rester quelques instants à méditer sur 900 ans d'histoire et les millions de pèlerins qui sont passés par là auparavant. Ouvert de 7 h 15 à 18 h 30. Une petite donation est conseillée (2,50 £, soit 3,70 €). En face, un *visitors' centre,* avec cafétéria et boutique de souvenirs.

Non contente, avec ses 168 m, d'être l'église la plus longue d'Europe après Saint-Pierre de Rome, la cathédrale de Winchester est aussi l'une des plus riches et des plus intéressantes d'Angleterre. Elle est bâtie à l'emplacement où se trouvait, dès le VIIe siècle, un sanctuaire de l'époque saxonne. Les fondations de cet édifice peuvent encore se distinguer sur la pelouse. La cathédrale actuelle est due à l'initiative de l'évêque Walkelyn, après l'arrivée des Normands, entre 1079 et 1093 (ce fut rapide!). À la suite des transformations successives, 3 styles sont identifiables : le roman pour la crypte, les transepts et la tour; le gothique primitif pour le chœur et sa partie arrière; et le gothique « perpendiculaire » pour la façade, la nef et la chapelle.

La cathédrale faillit être rasée au cours de la guerre civile en 1652 mais, grâce à une pétition, les habitants de Winchester parvinrent à faire revenir le Parlement sur sa décision. Elle doit beaucoup à William Walker qui, au début du XXe siècle et pendant 6 ans, plongea seul sous l'aile est qui menaçait de s'effondrer pour remplacer par du ciment les fondations de bois, pourries par le sous-sol marécageux. La façade est peu ouvragée, mais la peinture rouge sang de ses portes est du plus bel effet.

Rythmée par ses 12 travées, la ***nef*** constitue l'aspect le plus spectaculaire de la cathédrale. Ses piliers romans d'origine, retaillés au XVe siècle en gothique, soutiennent des arches pleines d'élégance surmontées d'un triforium éclairé par de hautes baies. Le dessin nervuré de la voûte est renforcé d'innombrables clefs de voûte. Dans le bas-côté gauche, non loin des fonts baptismaux en pierre noire de Tournai, la tombe de la romancière Jane Austen. Son épitaphe ne mentionne pas sa qualité d'écrivain : en 1817, il n'était pas de bon ton pour une lady de s'adonner à l'écriture! Par le transept gauche (au nord), on accède à la ***crypte*** normande, parfois inondée en hiver. Au milieu de celle-ci, un puits plus ancien que la cathédrale. Belles fresques du XIIIe siècle dans la chapelle du Saint-Sépulcre, et vitraux des préraphaélites Burne-Jones et William Norris.

– ***Le chœur*** est séparé de la nef par un jubé de bois reprenant le style des stalles. Il faut détailler toutes les « miséricordes » humoristiques qui décorent les bancs où les moines posaient leur auguste séant lors des interminables offices. On en compte pas moins de 500, toutes aussi cocasses les unes que les autres. Plus sérieux : l'immense retable du maître-autel sculpté en grès fin et considérablement endommagé lors de la Réforme. On a refait les statues au XIXe siècle, la preuve : la reine Victoria y côtoie les rois saxons. La voûte de bois du chœur est parsemée d'écussons et d'effigies royales. Sur les clôtures sculptées sont posés les sarcophages contenant les restes des souverains et évêques d'avant la conquête normande.

– ***L'arrière-chœur,*** qui prolonge considérablement la cathédrale, contient de monumentaux tombeaux d'évêques aux plafonds finement ouvragés. L'emplacement des reliques de saint Swithun, qui drainait au Moyen Âge des foules de pèlerins, est marqué au centre par une sorte de catafalque. Henri VIII avait fait détruire la châsse en 1538. Auparavant, le reliquaire se trouvait sur une estrade à l'arrière du chœur, dont l'accès se faisait en rampant dans un tunnel (the « Holy Hole »), dont on aperçoit l'ouverture à l'arrière de la clôture. Tout à l'arrière, la *Lady Chapel* avec ses peintures murales relatant les miracles de la Vierge. Ce ne sont que des copies, les originaux sont conservés derrière. Devant la chapelle, une surprenante statue de Jeanne d'Arc. Sans doute est-elle là pour hanter le repos éternel du cardinal de Beaufort, tout proche, l'un de ceux qui la firent condamner au bûcher. À gauche, la *chapelle des Anges gardiens* aux magnifiques voûtes peintes en 1241 et superbement restaurées. Sur le côté droit du chœur, la chanterie de l'évêque Fox, avec un gisant décharné assez impressionnant.

– Par le transept droit (sud), on grimpe quelques marches pour visiter la ***bibliothèque*** (horaires restreints) qui contient plus de 2000 volumes, dont la célèbre *Bible de Winchester* du XIIe siècle, somptueusement enluminée. Au-dessus, la galerie du 2e niveau abrite une enfilade de vitrines où sont exposés les objets constituant le *Trésor,* dont le fauteuil de Marie Tudor.

🏛🏛 ***City Museum :*** The Square. À la diagonale de l'entrée de la cathédrale. Ouvert du lundi au vendredi de 10 h à 17 h et le samedi de 10 h à 13 h et de 14 h à 17 h. Fermé le dimanche matin et le lundi d'octobre à mars. Entrée gratuite. Petit musée d'histoire et d'archéologie locale assez ludique. Le système est simple : plus vous grimpez les marches et plus vous remontez le temps. Ainsi vous découvrirez les devantures de boutiques du début du XXe siècle au rez-de-chaussée. Notez au fond du tabac la pub pour notre chère gauloise version british. Au dernier étage, des fondements romains et une superbe mosaïque. Au passage, observez les cours de l'Itchen (la rivière locale) sur un panneau de lumière. Un musée qui plaira tant aux enfants qu'aux plus grands.

🏛🏛 ***Winchester College :*** College St. Accès en contournant le Cathedral Close par la droite et en passant par King's Gate, la porte du XIIIe siècle. ☎ 62-12-09. Ouvert d'avril à septembre, du lundi au samedi de 10 h à 13 h et de 14 h à 17 h, et le dimanche matin. Entrée : 2,50 £ (3,70 €). Mêmes prix pour les visites guidées. La plus ancienne école du pays, fondée en 1382 par l'évêque Wykeham pour accueillir, en principe, les étudiants « pauvres » (destinée en réalité à regarnir les rangs du clergé, décimé par la Peste Noire). Le *College* enseigne à présent à 500 rejetons de l'« *upper class* », qui poursuivent ensuite leur cursus à Oxford. En plus des superbes vitraux et du plafond voûté de bois peint dans la chapelle, on peut voir, dans le cloître du XIVe siècle, un oratoire du XVe siècle. Les salles de cours ont été construites il y a plus de 600 ans... pour faire face à l'afflux de roturiers.

🏛 ***The Great Hall :*** Castle Avenue. ☎ 84-64-76. Ouvert de 10 h à 16 h (17 h d'avril à octobre). Gratuit. C'est tout ce qui reste du château de Winchester, une grande halle, ancien tribunal, à la charpente de bois soutenue par des colonnes de marbre. Au mur, la « Table ronde » du roi Arthur et ses 5 m de diamètre, avec au centre la Rose des Tudors et les noms de ses fameux chevaliers, qui ont peu de chance d'avoir cassé la graine autour de celle-ci puisqu'elle date du XIVe siècle ! Devant le bâtiment, *Eleanor's Garden,* reconstitution d'un jardin médiéval.

★ ***The Brooks Experience :*** *Brooks Shopping Centre.* Ouvert toute l'année, de 9 h à 17 h 30. Fermé le dimanche. Entrée gratuite. Une mise en scène de l'histoire de la ville du temps des Romains et à l'époque médiévale, comme en raffolent les Britanniques. Des dioramas, un peu d'audiovisuel et des effets dramatiques mais tout de même fondés sur des faits historiques solides. Et puisque c'est gratuit...

★★ ***Peninsula Barracks :*** Romsey Rd. ☎ 82-85-50. Ouvert du lundi au samedi de 10 h à 13 h et de 14 h à 17 h, et le dimanche de 12 h à 16 h. Pour les amateurs de sagas guerrières et de casques à boulons, un ensemble de casernes où sont regroupés les musées de 5 régiments de prestige. Dans le désordre, pour ne pas faire de jaloux : le *Light Infantry,* les *King's Royal Hussars,* le *Royal Hampshire Regiment,* les *Royal Green Jackets* (avec un diorama géant de la bataille de Waterloo) et, pour finir, les *Ghurkas* originaires du Népal. Tous leurs uniformes, leurs sabres, leurs armes préférées, leurs décorations astiquées comme pour la parade et leurs hauts faits d'armes sur tous les théâtres d'opérations de la planète.

★ ***Saint Cross Hospital :*** St Cross Rd, à 2 km au sud de la ville par une agréable promenade bucolique ; itinéraire fléché en bleu. Ouvert du lundi au samedi de 9 h 30 à 15 h 30 (17 h d'avril à octobre). ☎ 85-13-75. Compter 2 £ (3 €). C'est la plus ancienne institution charitable de Grande-Bretagne (1132), toujours habitée par des moines qui proposent des rafraîchissements aux visiteurs. Beaux bâtiments de brique aux hautes cheminées du XVe siècle. À l'intérieur de la chapelle de la Vierge, un triptyque d'un maître de l'école des primitifs flamands.

Festival

– ***Winchester Festival :*** début juillet. Musique, cinéma, théâtre... L'art prend la ville d'assaut sous toutes ses formes.

THE NEW FOREST

À l'ouest de Southampton et au sud-ouest de Winchester, l'un des plus jolis coins d'Angleterre. Immense territoire de landes, de bruyères et de genêts, parsemé de sous-bois tapissés de jacinthes sauvages. On y croise des chevaux sauvages et des poneys, ainsi que des ânes, des daims, des cerfs et même des cochons paissant en toute liberté. Une grande partie de cette région est réservée aux promenades pédestres. Près de 370 km de sentiers sont balisés pour circuler à pied, à cheval ou à vélo. Pour les amoureux de la randonnée, nombreux itinéraires à tracer soi-même. Il existe une carte très précise au 1/25 000 de la New Forest, éditée par Ordnance Survey.
Il faudra donc prendre le temps pour goûter aux charmes de cette contrée très encombrée l'été. Sur les routes, la vitesse est limitée à 40 miles (*because* les bêtes en liberté), et on est fortement encouragé à abandonner sa petite auto dans les parkings limitrophes. Un bon service de bus relie les villages.
Conan Doyle, le créateur de Sherlock Holmes, a été inhumé dans le cimetière de *Minstead.* Par ailleurs, c'est à Lyndhurst que vécut Mme Reginald Hargreaves qui, alors qu'elle n'était qu'une fillette, inspira à Lewis Carroll son célèbre conte *Alice au pays des merveilles,* après lui avoir raconté ses rêves alors qu'elle s'était endormie dans la forêt.

UNE PROPRIÉTÉ DE LA COURONNE

Créée par Guillaume le Conquérant il y a presque 1 000 ans, la « New » Forest servait à l'origine exclusivement au bon plaisir du souverain. Aujourd'hui encore, le site appartient toujours à la reine et les habitants de ses villages ont conservé des coutumes et une organisation remontant au Moyen Âge.
Ainsi, les propriétaires *(commoners)* se partagent les bêtes et les droits de pâturage. Sachez d'ailleurs que ce droit ancestral peut s'acquérir. Avis aux amateurs ! Les *keepers* et les *agisters* s'occupent de l'entretien du domaine commun et reçoivent une taxe de la part des *commoners*. L'administration est régie, quant à elle, lors des assemblées publiques des *Verderers*. Dans un autre registre, Lord Montagu, fleuron de l'aristocratie locale, perçoit encore, du haut de son château-musée de Beaulieu, une redevance des sujets vivant sur ses terres. On n'arrête pas le progrès !
À Lyndhurst, on trouve *Queen's House*, le siège de la commission forestière chargée, au nom de la reine, de la gestion de la New Forest. Contrairement aux apparences, un plan de gestion tout à fait moderne a été lancé, dans le but de mieux faire cohabiter ce fonctionnement-relique très hiérarchisé et les 8 millions de touristes annuels. Faute de révolution, il faut bien s'adapter !

LYNDHURST (3 120 hab. ; IND. TÉL. : 02380)

Au cœur de la zone et village principal de la New Forest. Très touristique et animation permanente. Une très bonne gamme de commerces de déco et de design, des antiquaires et des magasins de jouets de toutes tailles. Lewis Caroll et Harry Potter ont envahi les lieux.

Adresses utiles

Visitors' Information Centre : Main Car Park. ☎ 28-22-69. • www.thenewforest.co.uk • Ouvert de 10 h à 17 h (18 h en juillet et août). Centre névralgique de l'information touristique pour la région. Expo permanente assez didactique avec petit film sur le passé de la forêt, les coutumes, et une galerie de portraits surprenants, tel ce chasseur de serpents vivant dans une hutte de branchages. Ouvert de 10 h à 16 h, environ 3 £ (4,40 €) l'entrée. Liste des hébergements en *B & B* dans la région et toutes les infos sur ce que l'on peut faire avec les enfants (y compris quand il pleut), les itinéraires de balades à vélo, les musées, etc. Demander la revue gratuite *The New Forest focus*.

■ **Poste et banques :** *Lloyds* et *Natwest* dans High St.

■ **Location de vélos :** *A.A. Bike Hire*, Fern Glen, Gosport Lane, à côté de l'office de tourisme. ☎ 28-33-49. • www.aabikehirenewforest.co.uk • VTT, tandems, ainsi que des vélos et sièges pour enfants. Compter 10 £ (14,80 €) par jour pour la location d'un vélo.

Où dormir ?

Campings

Denny Wood et **Mathey Wood :** 2 campings dans la forêt, sur la B3056, à 4 km de Lyndhurst. ☎ (0131) 314-65-05. • www.forestholidays.co.uk • Ouvert de mars à septembre. Réception commune à Denny Wood. Compter 7,50 £ (11,10 €) pour 4. Des campings rustiques, au plus près de la nature, mais confortables et tranquilles à souhait.

Ashurst Camping : à mi-chemin

HAMPSHIRE ET WILTSHIRE

entre Lyndhurst et Totton, par l'A35 (à 2,5 km). ☎ (0131) 314-65-05. • www.forestholidays.co.uk • À 5 mn à pied de la gare d'Ashurst. Ouvert de mars à septembre. De l'ordre de 12 £ (17,80 €) pour 4 personnes. 280 emplacements. Pas mal de services sur place, au milieu d'une clairière. Si le soleil tape dur, les chênes séculaires font de l'ombre.

De prix moyens à plus chic

🏠 ***B & B Kingswood Cottage :*** 10 Woodlands Rd, Ashurst, SO40 7AD. ☎ et fax : 29-25-82. • www.kingswoodcottage.co.uk • À 5 mn du village en voiture. Prendre l'A35 vers Totton et la première à gauche avant d'arriver à Ashurst. Chambres doubles entre 50 et 60 £ (74 et 88,80 €). Offre spéciale pour 3 nuits. *Cottage* tout confort, à l'accueil chaleureux. Avis aux pêcheurs : au milieu du jardin coule une rivière. Café, petit dej' et carte de la New Forest offerts sur présentation du *Guide du routard.*

🏠 ***Temple Lodge :*** 2 Queens Rd, Lyndhurst SO43 7BR. ☎ et fax : 28-23-92. • templelodge@btinternet.com • Juste à la sortie du village, vers Totton. Prévoir de 60 à 80 £ (88,80 à 118,40 €) pour 2. Dans une grande maison bourgeoise collée à sa jumelle. Tout est spacieux ici : les couloirs, les chambres et les salles de bains. Déco particulièrement raffinée et sobre.

🏠 ***B & B Clayhill House :*** à la sortie de Lyndhurst sur la route de Brockenhurst (1,5 km), SO43 7DE. ☎ 28-23-04. • www.newforest.demon.co.uk/clayhill.htm • Compter environ 68 £ (100,60 €) la chambre double. Tarifs dégressifs. Déco charmante, accueil délicieux, et les daims viennent brouter tous les soirs sous les fenêtres. Éviter la double donnant sur la route passagère.

Où manger ?

Bon marché

🍽 ***Court House Tea-Room :*** 97 High St, à l'entrée nord du bourg. Ouvert de 9 h à 17 h. Fermé le vendredi et en janvier. *Tea cakes* autour de 1 £ (1,50 €). Les cartes de paiement ne sont pas acceptées. Délicieux sandwichs et *breakfast* de rêve dans un établissement familial. Ne manquez pas la crème anglaise et le petit déjeuner complet.

Prix moyens

🍽 ***The Crown Stirrup :*** à la sortie de Lyndhurst, sur la route de Brockenhurst, juste à côté du *B & B Clayhill House.* ☎ 28-22-72. À 1,5 km du centre. Plats moyens autour de 7 £ (10,40 €). Une adresse bien sympa. Récemment rénové. Un pub à la déco moderne, avec de larges tables en bois et au carrelage d'époque. Goûter à la *ploughman* (5,50 £, soit 8,10 €), servie sur un lit de roquette avec des *pickles* et des émincés d'oignons. Succulent et copieux. Serveuses vraiment adorables. Terrasse en été à l'arrière. Parking. Parfait pour remonter les troupes avant d'aller en forêt.

🍽 ***The Fox and Hounds :*** 22 High St. ☎ 28-20-98. Des viandes et des poissons autour de 6,50 £ (9,60 €). Ancien relais de diligence et l'un des pubs historiques du village. Cuisine simple, mais chaude ambiance le soir autour des pintes d'*ale.* Le *Fox's platter* (à base de poulet) n'est pas mal. Si vous y passez au Jour de l'an, vous assisterez sans doute aux frasques du fantôme des lieux qui s'amuse, paraît-il, à ouvrir les robinets de gaz dans la cuisine !

🍽 ***The Bow-Windows Restaurant & Tea-Room :*** 65 High St. ☎ 28-24-63. En plein centre. Compter 4,50 £ (6,70 €) pour une salade et moins de 7 £ (10,40 €) pour un *main course.* Salon de thé bien d'ici pour *old ladies,* avec lustres au plafond, et tout un choix de réjouissances, du thé au repas complet. La confiture est faite maison et on peut même en emporter.

À voir

L'église St Michael and all Angels : High St. Ouvert de 10 h à 17 h. Bel édifice du XIXe siècle en brique rouge, richement décoré de vitraux colorés et d'une fresque de la même époque. Derrière l'église se trouve le tombeau familial d'Alice Hargreaves, *Alice au pays des merveilles* pour les intimes. On découvre qu'elle prit part activement à la vie du village jusqu'à sa mort en 1934.

Longdown Activity Farm : Longdown, Ashurst, SO40 4YH. ☎ 29-33-26. Fax : 29-33-76. • www.longdownfarm.co.uk • À 10 mn de Lyndhurst, sur l'A35, entre Ashurst et Totton. Ouvert tous les jours de 10 h à 17 h. Fermé de Noël à fin janvier. Entrée : 4,50 £ (6,70 €) ; réductions. L'endroit idéal pour jouer à l'apprenti fermier, nourrir les lapins ou traire une chèvre. Tout plein d'attractions qui raviront les têtes blondes. Pour ceux que ça botte, on peut goûter le fruit de son travail harassant au petit café campagnard. Attention aux carambolages avec les tracteurs à pédales : il y en a partout et ça bosse dur !

Balade en forêt

Les forêts sont le terrain de nombreuses balades. Voici quelques-unes de nos préférées, à 4 miles du village.

➢ De Lyndhurst, prendre la direction New Milton-Christchurch, puis Emery Down. Après la *New Forest Inn,* suivre Bolderwood. Sur votre gauche, à environ 2 km, vous apercevrez les vestiges d'un foyer. Il s'agit désormais d'un mémorial dédié aux armées portugaises qui aidaient pendant la Première Guerre mondiale aux constructions navales implantées dans la région. Plus loin, un immense parking, Bolderwood. Le point de départ pour trois promenades dans les futaies : « Deer watch trail » (sur les traces des cerfs, environ 1 km), « Jubilee grove trail » (des vues imprenables sur des arbres bicentenaires, pour 500 m de plus) et « Radnor trail » (à travers les sous-bois jusqu'à la rivière de Bratley, 3 km). N'oubliez pas vos chaussures à crampons. C'est paisible et calme. Respirez... Et si vous avez crié en voyant le *Projet Blair Witch,* faites vite demi-tour !

BROCKENHURST *(IND. TÉL. : 01590)*

Un autre petit bourg sympa, point de départ d'autres balades en forêts et à vélo.

Adresses utiles

■ ***Location de vélos :*** *New Forest Cycle Experience,* Brookley Rd. ☎ 62-42-04. • www.cyclex.co.uk • Au milieu du carrefour, près du passage à niveau. Ouvert tous les jours de 9 h 30 à 17 h 30. Tous les modèles de bécanes, pour 9,50 £ (14,10 €) par jour. On vous fournira un fascicule avec 7 itinéraires pour vélo très bien fléchés et couvrant l'ensemble de la région.

Gare routière : sans surprise, à côté du passage à niveau. 10 bus par jour de Southampton et 2 trains par heure de Londres. Les trains desservent aussi Poole, Bournemouth, Southampton, Winchester. Également des liaisons vers Gatwick et l'île de Wight.

Où dormir ?

Campings

⛺ ***Camping Hollands Wood :*** sur l'A337, entre Lyndhurst et Brockenhurst. ☎ (0131) 314-65-05. • www.forestholidays.co.uk • Au milieu d'une forêt de chênes. Ouvert de fin mars à fin septembre. Compter 13 £ (19,20 €) pour 4 personnes avec une tente. Bien situé, et tout ce qu'il faut pour rendre un campeur heureux : douches et laverie. Il n'est pas inutile de réserver son emplacement en haute saison.

⛺ ***Setthorns Camping :*** Christchurch Rd, au sud de Brockenhurst. ☎ (0131) 314-65-05. • www.forestholidays.co.uk • Entre l'A37 et l'A35, prendre la 3e à droite après le passage à niveau, en direction de Lymington. Ouvert toute l'année. L'un des rares campings ouverts toute l'année. Compter 9 £ (13,30 €) pour 4 personnes. Un beau site, au milieu des chênes et des pins. Rudimentaire mais authentique.

Prix moyens

🏠 ***Serraya B & B :*** 8 Grigg Lane, Hants, SO42 7RE. ☎ et fax : 62-24-26. • edwim.ward@btinternet.com • À 2 mn à pied du centre du village, dans une rue qui traverse le marécage central. Compter de 40 à 54 £ (59,20 à 79,90 €) la nuit. Jolie maison en brique rouge (pour changer) avec poutres apparentes. Accueil délicieux de Janet Ward et *breakfast* énergétique pour la journée.

HAMPSHIRE ET WILTSHIRE

Où manger ?

🍽 ***Granary :*** Brookley Rd (la rue principale). Une vieille boulangerie passée par le temps, mais où pour une bouchée de pain (de l'ordre de 1,50 £, soit 2,20 €), sandwichs et pâtisseries vous feront craquer. Et ici, on connaît la région de père en fils.

🍽 ***The Snake Catcher Pub :*** sur la route principale, près du passage à niveau. ☎ 62-23-48. Snack autour de 4,50 £ (6,70 €) et des plats plus consistants à 7 £ (10,40 €). Un pub récent mais bien dans la tradition, à la mémoire de Henry « Brusher » Mills, qui vécut au XIXe siècle dans la région et reste connu pour les quelque 35000 serpents qu'il s'est amusé à attraper. Le surnom lui vient de son activité annexe de brosseur de glace sur les étangs, pour les patineurs l'hiver.

🍽 ***Dynasty Indian Restaurant :*** Brookley Rd. ☎ 62-40-88. Ouvert de 12 h à 14 h 30 et de 18 h à minuit. Plats autour de 10 £ (14,80 €). Comme son nom l'indique, un indien. Bien pratique puisque tout le temps ouvert et fournissant des plats à emporter, utiles par exemple si l'on campe dans les environs.

À voir dans les environs

★★★ **Beaulieu** (les Anglais prononcent « Biouli ») *:* au sud-est de la New Forest, à mi-chemin entre Lymington et Southampton par la B3054. Beaulieu est un petit village, rendu célèbre par les ruines de son abbaye et son *musée national de l'Automobile,* vraiment étonnant. ☎ 61-23-45. • www.beaulieu.co.uk • Ouvert tous les jours, de 10 h à 18 h (17 h d'octobre à mars).

Entrée : 14 £ (20,70 €) ; heureusement, un ticket familial peut en réduire le coût. Dans un hall immense, 250 véhicules anciens, dont la décapotable blanche ayant appartenu à Marlène Dietrich. On peut y admirer des ancêtres astiqués jusqu'au bouchon de radiateur (dont une Renault 1899, le plus vieux modèle existant de la marque au losange), une magnifique panoplie des marques légendaires britanniques, Rolls, Bentley, Jaguar, Daimler et autres Lotus et Aston-Martin, des rutilantes voitures de pompiers et des véhicules utilitaires comme dans les B.D. de *Blake et Mortimer,* un vieux garage des années 1930 avec ses odeurs de cambouis et les vieilles rengaines qui sortent du poste de TSF, les monstres-fusées de Donald Campbell, qui pulvérisèrent les records de vitesse sur le lac Salé. On peut aussi voir un arsenal de motos de tous âges et les bolides de F1 de Senna ou de Villeneuve. Toutes sortes d'attractions (certaines payantes) en rapport avec le train et la voiture, dont un parc d'animation avec monorail suspendu, qui fait le tour du site jusqu'à l'abbaye, la conduite d'une voiture ancienne, un simulateur de 4x4 et *Wheels :* dans de petites nacelles sur rail peuvent prendre place deux adultes et un enfant ; on passe dans une immense salle obscure où les dernières découvertes en matière de robotique et de technique audiovisuelle permettent de recréer toutes les époques de l'automobile en montrant comment la voiture a modifié la vie quotidienne du XXe siècle.
Le dernier-né du site : un hall consacré aux véhicules aquatiques de James Bond (scooters, sous-marins et « jump-boats », tout un programme...) ainsi que la tenue pas très sexy de Moneypenny dans *Octopussy* et tout plein de gadgets inventés par les services secrets de Sa Majesté.
En plus, visite des *ruines de l'abbaye cistercienne* (expo sur la vie des moines) et de *Palace House,* la demeure de Lord Montagu of Beaulieu, qui appartient à sa famille depuis 1538. Le décor est un mélange de rigueur monastique et de confort victorien. Beaucoup de portraits et de souvenirs de la famille, dont celui, étonnant, du père de l'actuel propriétaire, fou de mécanique et qui, jeune étudiant, passa des brevets de conducteur de locomotives et se convertit même en cheminot lors des grèves des années 1920.

HAMPSHIRE ET WILTSHIRE

¶¶ ***Buckler's Hard :*** à 3 km au sud de Beaulieu. ☎ 61-62-03. • www.bucklershard.co.uk • Ouvert tous les jours, de 10 h 30 à 17 h de mars à Pâques et de 11 h à 16 h d'octobre à février. On paie l'entrée au Musée maritime dès l'arrivée au parking (5,25 £, soit 7,80 €) ; réductions. Village historique au bord de la Beaulieu River, port d'attache du navigateur solitaire sir Francis Chichester. Le hameau fut fondé au XVIIIe siècle par le duc Montagu pour en faire un port de commerce vers les Antilles. L'entreprise capota, mais le site devint une annexe des Dockyards de Portsmouth, et on y construisit certains des plus beaux fleurons de la flotte de Nelson. Le *Musée maritime* retrace cette vocation du village : organisation du chantier, maquettes des bateaux lancés ici, évocation de la personnalité du constructeur naval Henry Adams, gravures des marins en ribote, scènes de cabaret, reconstitution de l'intérieur d'un *cottage* d'ouvriers du chantier naval et de la chaumière d'un laboureur... Pas mal du tout.
– *Le village :* à peine 2 rangées face à face de petites maisons de brique. Atmosphère bucolique ; les canards font un somme sur la pelouse pendant que l'on visite. La maison du chef de chantier Adams est convertie en hôtel-restaurant-bar. Chambres plutôt chères. Côté rivière, il ne reste que quelques moignons des pontons du chantier qui périclita lors de l'avènement de la construction navale métallique. On peut embarquer sur le *Swiftsure* pour une minicroisière d'une demi-heure sur la rivière (payant).

¶¶ ***Exbury Gardens :*** à 3 km au sud-est de Beaulieu. ☎ (02380) 89-12-03. • www.exbury.co.uk • Ouvert de mars à novembre, de 10 h à 17 h 30. Entrée : 6 £ (8,90 €) ; réductions. Un jardin exubérant créé par Lionel de Rothschild en 1920 et géré aujourd'hui par ses 2 fils. Un festival de belles odeurs et de belles couleurs, sur 20 ha. Il y en a à toutes les saisons. Rhodos, magnolias et camélias au printemps ; roses en été et érables et azalées à l'automne.

Lymington : tranquille petit port à 8 km au sud de Brockenhurst, d'où l'on peut prendre un bateau pour Yarmouth, sur l'île de Wight, visible depuis le Yacht Club, avec la compagnie *Wightlink*. Renseignements : ☎ (08705) 82-77-44. • www.wightlink.co.uk • Traversées toutes les 30 mn.

Balade en forêt

L'une des plus jolies promenades de la New Forest, la ***Rhinefeld Drive,*** commence à 2,5 miles du bourg, en prenant à droite, à l'extrémité ouest de Brookley Rd. Il s'agit d'une large allée bordée d'immenses cyprès, cèdres et séquoias, la plupart mesurant plus de 30 m de haut. Remarquez aussi les sapins de toutes espèces, parmi les plus hauts et les plus anciens du pays. La Rhinefeld Drive vous conduira ensuite à *Knightwood oak,* un chêne vieux de 350 ans, en continuant au-delà de l'A35. Tout le long de cette route, on ne sait quel parking choisir pour arrêter son moteur et sortir du coffre son bâton de marche.
On a aimé « The tall trees trail » : 2,5 km de marche en boucle à partir des parkings de Balckwater ou de Brock Hill. Pour admirer les sapins Douglas plantés sous le règne de Victoria. Sinon, des parkings de Puttles Bridge ou de Whitefield Moor, découvrez les prairies vertes où paissent des chevaux sauvages et suivez le cours de l'Ober.

Balades à vélo

Au *New Forest Cycle Experience* de Brockenhurst et au *Visitors' Information Centre* de Lyndhurst, possibilité d'acheter un fascicule décrivant plusieurs itinéraires pour vélos très bien fléchés et couvrant l'ensemble de la région (3,50 £, soit 5,20 €). Tous les circuits sont à thème et démarrent de Brockenhurst, mais on peut les rejoindre en cours de route. Il y en a pour toutes les tailles de mollets et tous passent par un pub pour reprendre leur souffle. « L'ornemental loop » permet notamment, en 8 miles, de traverser un arboretum et un sanctuaire de daims. Si vous vous sentez d'attaque, poussez jusqu'à Beaulieu (2 circuits possibles, de 6 et 17 miles), à travers bois et marécages, ou alors empruntez une ancienne voie ferrée sur 21 miles. Sinon, une idée parmi d'autres : pourquoi ne pas visiter en une journée l'île de Wight à vélo ? On prend le bateau à Lymington et en seulement 11 miles (ou 24 pour les champions) et quelques coups de pédales, le tour est joué.

BURLEY *(IND. TÉL. : 01425)*

Un charmant village à l'ouest du parc national de New Forest. On peut y faire des balades à cheval (ils sont en liberté dans les rues). Il existait ici une charmante tradition de gitans forestiers et de poneys, liés à la Couronne, qui vient à peine de disparaître. On y perpétue la tradition locale des sorcières.

Adresses utiles

■ ***Location de vélos :*** Forest Leisure Cycling, The Cross. ☎ 40-33-84. Ouvert tous les jours de 10 h à 17 h.

■ ***Coven of Witches :*** The Cross. Boutiques à souvenirs ultra-kitsch, où les sorcières miniatures sont légion. Dans l'une d'elles, remarquer la photo de Sybil Leek, la dernière sorcière connue de la New Forest, qui vécut à Burley dans les années 1950.

Chassée par la population qui la voyait d'un mauvais œil, elle émigra aux États-Unis. Ses talents ne valaient cependant pas ceux de Mary Dore qui, au XVIIIe siècle, aimait se transformer en chat noir !

Où dormir ?

Holmsley Camping : le long de l'A35, entre Lyndhurst et Christchurch, à 5 km. ☎ (0131) 314-65-05. • www.forestholidays.co.uk • Ouvert de fin mars à fin octobre. Compter 13 £ (19,20 €) pour 4 personnes. Camping le plus proche des plages. Laverie et magasin d'appoint.

Youth Hostel : Cottesmore House, Cott Lane, Burley, BH24 4BB. ☎ et fax : 40-32-33. Traverser le golf par la route menant à Lymington et à Brockenhurst ; c'est indiqué sur la gauche. En plein milieu de la forêt. Réception à partir de 17 h. Fermé les mois d'hiver. Compter environ 10 £ (14,80 €) par personne en dortoir de 4 à 10 lits. Parfois loué par des groupes. Rénové dernièrement, donc ultrapropre. 36 lits. Douches. Accueil sympathique. Terrain pour camper.

Bay Tree House B & B : 1 Clough Lane, Burley, Ringwood B H 24 4 AE. ☎ et fax : 40-32-15. • annette@burleyhants.freeserve.co.uk • À la sortie nord du village, après *Manor Farm Tea-Rooms.* Compter 50 £ (74 €) la nuit, moins cher pour les enfants. Dans une demeure moderne où la propriétaire, Annette, n'a rien d'une sorcière. Ne vous laissez pas intimider par sa collection de chouettes. Elle se révèle fort accueillante et une vraie fée du logis. Et pour ceux qui ne savent pas ce que signifie *breakfast,* le menu est en français.

Où manger ? Où boire un verre ?

Manor Farm Tea-Rooms : dans la rue principale. ☎ 40-22-18. Pour un thé complet, prévoir 4,50 £ (6,70 €). Petit *cottage* spécialisé dans les *scones, cakes* et *cream teas.* Servent aussi des *lunches* légers.

Burley Coach House : *showroom* pour déguster la production locale de vins « améliorés » à la framboise, à la pêche ou à la rhubarbe. Essayez, on n'en meurt pas !

HAMPSHIRE ET WILTSHIRE

À voir dans les environs

The New Forest Owl Sanctuary : Crow Lane, Crow ; au sud du village de Ringwood. ☎ 47-64-87. De début mars à début novembre, ouvert tous les jours de 10 h à 17 h ; le reste de l'année, uniquement le week-end. Entrée : 4,50 £ (6,70 €). Minizoo spécialisé dans l'exposition de toutes les variétés de chouettes, de hiboux, d'effraies et de grands-ducs ; quelques rapaces, dont le spectaculaire secrétaire (dont la tête fait penser à l'un des Beatles), faisant l'appoint. Les cages sont un peu tristounettes, mais les volatiles sont régulièrement sortis pour prendre l'air (à 12 h, 14 h et 15 h), au grand plaisir des visiteurs. Les âmes sensibles se pencheront sur les soins dispensés à l'« hospit'owl » (sic) et regretteront peut-être que tous ces splendides oiseaux soient prisonniers, mais que de temps et de patience faudrait-il pour en apercevoir, ne fût-ce qu'un seul, dans la nature ?

Moors Valley Country Park and Forest : à l'extrême est de la New Forest, au nord de Burley et à l'intersection entre l'A31 et l'A338. ☎ (01425) 47-07-21. • moorsvalley@eastdorset.gov.uk • Ouvert toute l'année de 9 h 30 à 16 h 30, horaires plus larges à la belle saison. Un immense parc aménagé pour toutes sortes d'activités : balades à pied, vélo (location possible), minilocomotives pour se promener, golf... Idéal pour les enfants et on ne paie que le parking (de l'ordre de 4 £, soit 5,90 €, pour la journée).

SALISBURY

39200 hab. IND. TÉL. : 01722

Fondée lors du déménagement des habitants d'Old Sarum en 1220 vers un nouveau site moins aride que la colline fortifiée héritée des Romains, Salisbury est à présent une paisible cité en bordure de l'Avon. La ville médiévale s'est dotée d'une majestueuse cathédrale à la flèche pleine de fierté et d'un ensemble de monuments qui méritent qu'on leur consacre quelque temps. On peut y séjourner pour rayonner vers les sites prestigieux de Stonehenge et de Stourhead.

Adresses et infos utiles

Tourist Information Centre : Fish Row, à l'arrière du Guildhall, SP1 1EJ. ☎ 33-49-56. Fax : 42-20-59. • www.visitsalisbury.com • Ouvert de juin à septembre de 9 h 30 à 18 h (dimanche de 10 h 30 à 16 h 30) ; d'octobre à avril, ouvert du lundi au samedi de 9 h 30 à 17 h ; idem en mai, et ouvert le dimanche de 10 h 30 à 16 h 30. Ils sont compétents et accueillants. Brochure en français bien faite et pas chère, avec plan de visite de la ville. Bureau de change. Visites guidées de la ville à 11 h et à 18 h en saison. Durée : 1 h 30. Prix modique. Départ de l'office de tourisme.

Post Office : 24 Castle St, à l'angle de Chipper Lane. ☎ 08457-22-33-44. À deux pas de Market Square.

Gare : South Western Rd, à l'ouest de la ville. ☎ 08457-48-49-50. Liaisons quotidiennes avec Londres-Waterloo en 1 h 30. Bonne desserte des villes côtières.

Gare routière : sur Endless St, à côté du Guildhall. Renseignements : ☎ 08457-09-08-99.

– **Marché :** les mardi et samedi de 6 h à 15 h, sur Market Square.

Où dormir ?

Campings

Coombe Touring Park : Notherhampton, Salisbury SP2 8PN. ☎ et fax : 32-84-51. À environ 7 km au sud-ouest. Sortir de la ville par l'A36, en direction de Wilton et prendre au feu à gauche vers Notherhampton. Bien indiqué, derrière l'hippodrome. Ouvert toute l'année. Compter 10 £ (14,80 €) la nuit. De larges emplacements et une belle vue sur la campagne. Un petit magasin de première nécessité. Avec un peu de chance, en semaine, vous pourrez assister à une course de chevaux. On vous conseille de réserver.

Salisbury Camping and Caravanning Club Site : Hudson's Field, SP1 3RR ; près de Old Sarum, à 2 km au nord du centre-ville. ☎ 32-07-13. Ouvert uniquement l'été. Compter 10 £ (14,80 €) pour 2 personnes avec une tente. Équipement assez moyen pour une centaine de tentes. Douches.

Bon marché

Youth Hostel : Milford Hill, SP1 2QW. ☎ 32-75-72. Fax : 33-04-46. • salisbury@yha.org.uk • À l'est du centre-ville. Passer sous le pont de Ring Rd, c'est juste après à gauche. Ouvert toute l'année. Réception à partir de 13 h. Prévoir 27 £ (40 €) pour une double. Sinon, dortoirs de 6 ou 9 places à environ 11 £ (16,30 €). Dans un grand parc. 70 lits. Si le bâtiment principal est complet, bungalows juste derrière. Très propre. Laverie. Camping possible dans le jardin.

The Old Bakery : 37 Bedwin St, SP1 3UT. ☎ 32-01-00. À 5 mn du centre et de la station de bus. Chambre double à 30 £ (44,40 €) sans le petit déjeuner. Une maison de plus de 400 ans, avec poutres de chêne et chambres bien aménagées. Meilleur rapport qualité-prix, mais réserver : c'est la foire d'empoigne !

Tiffany B & B : 2 Bourne villas, dans un petit renfoncement de College St, SP1 3AW. ☎ 33-23-67. À 10 mn à pied, au nord-est de Market Square, près de la piscine. Compter 38 £ la double (56,20 €). Peter adore parler français et Mary, discrète et charmante, ne tarit pas d'éloges sur sa belle-mère. Quartier très calme et confort pour un prix sage. Non-fumeurs. Deux chambres standards.

Mrs Truckle : 40 Belle Vue Rd, SP1 3YD. ☎ 32-57-73. Non loin du centre, au nord de Market Square. Compter de 36 à 40 £ (53,30 à 59,20 €) la chambre double. Quartier calme. Gentille dame très serviable. Chambres propres et coquettes, pour un prix raisonnable.

Prix moyens

Plusieurs **B & B** sur Wyndham Rd, Eastcourt Rd Castle Rd et London Rd.

B & B Kelebrae : 101 Castle Rd, SP1 3RP. ☎ 33-36-28. Sur la route vers Old Sarum, en face du Victoria Park. Fermé le lundi et fin octobre. La nuit autour de 49 £ (72,50 €). Trois chambres pour 2 personnes. Accueil délicieux, de même que le *breakfast*. Réduction si l'on reste 3 nuits. Un petit dej' offert sur présentation du *Guide du routard*.

Glen Lyn House : 6 Bellamy Lane. ☎ et fax : 32-78-80. • www.glenlynbandbatsalisbury.co.uk • À quelques minutes à l'est du centre, derrière l'AJ. Prévoir entre 49,90 et 62 £ (73,90 et 91,80 €) en chambre double. Une grande maison victorienne bercée par les chants d'oiseaux. Accueil vraiment charmant de Felicity, la propriétaire. Photos de toute la famille un peu dispersées. Neuf belles chambres (surtout les nos 3 et 5). Non-fumeurs. Pas de restaurant. Café offert sur présentation du *GDR*.

Plus chic

Byways House : 31 Fowler's Rd, SP1 2PQ. ☎ 32-83-64. Fax : 32-21-46. • www.bed-breakfast-salisbury.co.uk • À l'est de la cathédrale, à droite après le pont de Ring Rd. Compter 60 £ (88,80 €) la chambre double. Ici, par contre, c'est la famille royale qu'on aime ! Grande demeure victorienne avec les portraits de Charles et de ses enfants. Vingt-trois chambres bien équipées. *Breakfast* anglais traditionnel.

King's Arms Hotel : 7-13 St John St, SP1 2SB. ☎ 32-76-29. Fax : 41-42-46. Pas loin de la cathédrale. Chambre double à 80 £ (118,40 €). Vénérable institution locale qui a dû voir défiler pas mal de voyageurs depuis des siècles. Les escaliers en sont tout de guingois. Gare au retour après la tournée des pubs ! Chambres personnalisées et romantiques, mobilier d'époque, boiseries sombres, planchers qui craquent, bref, tout ce qui contribue à distinguer ce genre d'auberge d'un hôtel aseptisé de grande chaîne. Trois nouvelles chambres bien plus vastes mais avec beaucoup moins de charme. Exigez les autres ! Bar, *lounge* et resto. Parking privé.

Vraiment plus chic

Grasmere House : 70 Harnham Rd, SP2 8JN. ☎ 33-83-88. Fax : 33-37-10. • www.grasmerehotel.com • Au sud de la cathédrale, à 5 mn en voiture. Pour une chambre double, compter à partir de 105 £ (155,40 €). Possibilité de demi-pension. En bordure de la rivière, avec vue imprenable sur la cathédrale, 20 chambres aux noms de poètes, de grand confort. Restaurant. On parle le français. Réduction de 10 % sur le prix de la chambre sur présentation du *Guide du routard.*

Où manger?

Bon marché

Ⓘ ***Cathedral Hotel :*** 7-9 Milford St, SP1 2AJ. Dans le coin de Market Square. Fermé le jour de Noël. *Brunchs* et *lunchs* autour de 6 £ (8,90 €). Comme son nom ne l'indique pas, un pub *new age.* Ici, on se trémousse sur des rythmes technoïdes en avalant au passage une *ploughman* bien acidulée. D'autres préfèrent les canapés très chic. À vous de voir. Un hôtel vous accueille également. Compter 67 £ (99,20 €) en semaine, un peu plus cher le week-end. Petit dej' inclus.

Prix moyens

Ⓘ ***Harper's :*** Market Square, SP1 1EU. ☎ 33-31-18. Fax : 33-31-18. Ouvert du lundi au samedi de 12 h à 21 h 30; le dimanche, de juin à septembre uniquement (de 18 h à 21 h). Des *lunchs* à 8,50 £ (12,60 €) ; sinon, presque 2 fois plus cher à la carte. Incontournable adresse du centre, à l'étage, avec tables rondes et chaises cannées. Cuisine anglaise sans surprise mais savoureuse et copieuse. Ne manquez pas les tables n°s 12, 13 et 16, avec vue imprenable sur la place du marché.

Ⓘ ***Haunch of Venison :*** 1-5 Minster St. ☎ 32-20-24. En bordure de la Market Cross. Fermé 10 jours début janvier. Menu à 12,50 £ (18,50 €). Superbe pub ancien, avec boiseries patinées par le temps et petites salles intimes offrant un feu de cheminée. Solide nourriture de pub, mais on peut se contenter d'y boire un verre. Une tranche d'histoire : on y a découvert le bras momifié d'un joueur de cartes du XVIIIe siècle. Café offert sur présentation du *Guide du routard.*

Un peu plus chic

Ⓘ ***Old Mill Hotel :*** Town Path, à Harnham. ☎ 32-75-17. Au sud-ouest du centre-ville. Cartes de poisson et de légumes dont les prix tournent autour de 15 £ (22,20 €). Le resto le plus ancien de la ville, dans un moulin du XIVe siècle. Cuisine anglaise traditionnelle et plats végétariens. Très jolie vue sur la cathédrale.

Ⓘ ***The White Horse Hotel :*** 38 Castle St. ☎ 32-78-44. À 200 m au nord-ouest de Market Square. Compter 13 £ (19,20 €) pour un plat. Simple et original. On mange sur d'anciennes tables de machines à coudre. *Crumble* au potiron et au gingembre, tarte aux figues... Bonne ambiance. Fait aussi hôtel, avec 11 chambres tout confort mais un peu chères.

Où prendre le thé?

Ⓘ ***Reeve the Baker :*** Market Square. À l'étage. Demandez le « Stonehenge Tea », assortiment de *scones* au fromage et *apple-pie,* pour moins de 4 £ (5,90 €). Également petite restauration.

Où boire un verre?

🍷 Les meilleurs pubs pour passer une soirée à rencontrer les habitant(e)s, en dehors de 2 cités plus haut : ***The Cloister's,*** St John St; ***Pheasant Inn,*** Salt Lane; ***Bishop's Mill Tavern,*** Bridge St; ***Red Lion*** dans

Milford St (hôtel habité par un fantôme !) et ***The New Inn,*** New St, près de la cathédrale. Ce dernier est également un excellent resto.

À voir

La cathédrale : ouverte de 8 h à 18 h 15 (19 h 15 de juin à août). Don conseillé : 3,80 £ (5,60 €). • www.salisburycathedral.org.uk • Des guides en français peuvent vous accompagner pour une visite commentée. Face à l'entrée, à l'intérieur, une reproduction miniature de la cathédrale qui vous montre parfaitement les différentes étapes de sa construction. En été, vous pouvez participer au « Brass Rubbing », le frottage des cuivres des plaques gravées, et emporter en souvenir un décalque sur papier. Rendue célèbre par les toiles de Constable, c'est la seule cathédrale d'Angleterre qui fut construite d'un seul élan (entre 1220 et 1258), en gothique « early English », ce qui se traduit par une exceptionnelle unité de style. La flèche, ajoutée au XIVe siècle et haute de 123 m, est la plus grande du pays. Le soir, elle prend des teintes ocre. Pour avoir une jolie vue sur la cathédrale, il est conseillé de s'approcher par St Ann's Gate. Les vastes pelouses du *Close,* clôturé sur trois côtés par le mur érigé par Édouard III, les grands arbres et les vénérables maisons anciennes du pourtour forment un cadre digne du majestueux édifice. La façade ouest, flanquée de deux tours d'angle, est décorée de 5 étages de statues restaurées au XIXe siècle.

– On pénètre par le magnifique ***cloître,*** dont les voûtes d'ogive des galeries sont décorées de clefs figurant des sirènes et des dragons. Au centre de l'espace carré, 2 majestueux cèdres donnent une touche d'éternité. À l'opposé, on pénètre dans la salle capitulaire *(Chapter House),* réelle splendeur architecturale de forme octogonale à la voûte en éventail s'épanouissant à partir d'une élégante colonnade de marbre. Les chapiteaux des colonnettes du pourtour contiennent dans leur feuillage de petits oiseaux et des animaux, à vous de les repérer. Par-dessus les arcades se déroule une frise sculptée narrant des épisodes de l'Ancien Testament : la Genèse, l'Exode et la tour de Babel. Dans une vitrine est exposé l'un des 4 exemplaires connus de *la Magna Carta,* la Grande Charte, base du droit anglais, concédée par Jean sans Terre en 1215. Ce texte contient, entre autres, l'*Habeas Corpus,* règle selon laquelle « aucun homme libre ne peut être emprisonné ou poursuivi sans la garantie d'un procès équitable devant ses égaux ». Précepte incontournable du combat pour les droits de l'homme, encore trop souvent bafoués dans le monde, hélas !

– L'intérieur de la ***nef*** est d'une élégance un peu austère, sans doute à cause de l'alternance grise et noire de la pierre et du marbre utilisés. Le dessin général est celui d'une croix de Lorraine avec une paire de doubles transepts. À gauche, dans le bas-côté nord, l'une des plus anciennes horloges d'Europe (1386), sans cadran mais qui sonne à l'heure pile. À la croisée du transept, on peut constater la courbure des colonnes pas assez fortes pour supporter l'ajout des 6500 tonnes de la tour et de la flèche : il a fallu compenser en construisant des arcs-boutants dans les galeries supérieures et des arches croisées de soutien dans le transept. Mais ce n'est pas suffisant puisque au sol, on peut voir une plaque de cuivre qui marque les 75 cm d'écartement de la tour vers le sud-ouest. Dans le transept nord, un coffre en demi-cercle du XIIIe siècle et des drapeaux de régiments un peu mités.

– Le ***chœur*** abrite des stalles d'origine et, dans le 2e transept nord, une pierre de cristal tournante entourée des restes du jubé médiéval, remise à la cathédrale par Laurence Whistler en mémoire de son frère tué en 1944 sur les plages de Normandie. Dans le bas-côté gauche, le gisant décharné du chapelain d'Henri VIII. Dans l'*arrière-chœur,* la chapelle de la Trinité avec une belle *madone* de bois du XIVe siècle. Entre les 2 transepts sud, le tombeau de sir Richard Mompesson et de sa femme, repeint d'après les couleurs d'origine. D'autres gisants dans le bas-côté droit de la nef : celui de William Longespée dans une belle armure de cotte de mailles et le cénotaphe de l'évêque Osmund, devenu saint en 1457, dans lequel on a percé des ouvertures pour permettre aux malades de se glisser pour être plus près des précieuses reliques. Signe de la prédominance des familles normandes, beaucoup de ces gisants portent des noms français.

– Si le cœur (et le souffle) vous en dit, 360 marches vous attendent pour grimper à la base de la ***flèche,*** d'où l'on voit Old Sarum.

👣👣 ***The Close :*** autour de la cathédrale, plusieurs centres d'intérêt :

– ***Salisbury and South Wiltshire Museum :*** 65 King's House. ☎ 33-21-51. • www.salisburymuseum.org.uk • Ouvert de 10 h à 17 h. Fermé le dimanche (sauf en été). Entrée : 4 £ (5,90 €) ; réductions. Maison médiévale de brique et de silex, où Jacques Ier avait ses habitudes. Excellent petit musée historique qui permet de remonter à la nuit des temps avec une très intéressante section consacrée à la préhistoire et aux mégalithes de Stonehenge en particulier. Utile avant de découvrir le site. Belle série de gravures de Stonehenge vue par les peintres et les caricaturistes, comme un superbe tableau de Turner. On apprend tout de l'abandon d'Old Sarum (maquette) et de la fondation de Salisbury. Suite au drainage des anciens égouts sont réunis des objets usuels, témoins précieux pour illustrer la vie quotidienne sur plusieurs siècles. À l'étage, une superbe série de vitrines avec des costumes de la région et la reconstitution d'un cabinet médical des années 1940.

– ***Redcoats in the Wardrobe :*** 58 The Close. ☎ 41-35-36. Musée militaire consacré aux « Tuniques rouges », à savoir les soldats des régiments royaux du Gloucestershire, du Berkshire et du Wiltshire. Fantassins présents sur tous les fronts, depuis les guerres anglo-américaines jusqu'à la Birmanie en 1945, en passant par l'Afghanistan, la Crimée, le Bengale, le Soudan, les campagnes contre les Zoulous, Pékin, les Flandres et l'Italie. Bref, un classique du genre avec de beaux uniformes, des armes, des souvenirs de campagnes et même un chien-mascotte décoré comme survivant d'un combat contre les Pashtouns de la Khyber Pass.

– ***Secrets of Salisbury :*** Medieval Hall, West Walk. ☎ 41-24-72. Ouvert d'avril à octobre, de 11 h à 17 h. Entrée : 2 £ (3 €). Dans une magnifique halle marchande du XIIIe siècle à la charpente élaborée et qui fut la maison du doyen, un montage audiovisuel bien fichu, qui transporte le spectateur à travers l'histoire d'Old Sarum et de Salisbury. Les images permettent une balade en hélico dans la région et, en suivant un crieur public, on découvre tous les secrets cachés de la cité. On sert des rafraîchissements. Point de départ de visites guidées du Close. Prix modique.

– ***Mompesson House :*** Chorister's Green. ☎ 33-56-59. Ouvert de début avril à fin octobre, de 12 h à 17 h. Fermé les jeudi et vendredi. Entrée : 3,90 £ (5,80 €). Hôtel de maître du XVIIIe siècle, représentatif de l'architecture « Queen Anne ». Décoration baroque, stucs, escalier monumental en chêne et collection imposante de verres d'époque. Joli jardin clos.

👣👣 ***Medieval streets :*** entre le Close et la place du Marché, des rues piétonnes attachantes, aux maisons à pignons et colombages, rappelant par leurs noms les métiers anciens : bouchers, marchands de poisson ou orfèvres.

👣👣 ***Queen's Gardens :*** charmante promenade le long de la rivière.

➤ DANS LES ENVIRONS DE SALISBURY

👣👣 ***Wilton House :*** à 5 km à l'ouest de Salisbury, sur l'A30. ☎ 74-67-29. • www.wiltonhouse.co.uk • Entrée : 9,75 £ (14,40 €). Ouvert d'avril à octobre, tous les jours de 10 h 30 à 17 h 30. Attention, visite un peu chère ; les moins riches s'offriront le parc paysager et ses grands cèdres (4,50 £, soit 6,70 €). Wilton House est une grande demeure classique, résidence du comte de Pembroke. Un de ses ancêtres employa des tisserands français, réfugiés huguenots. À admirer : les coffres de voyage, les collections de porcelaines, une collection de 200 nounours, des portraits de Van Dyck, une splendeur de train électrique et une mèche de cheveux de la reine Élisabeth Ire ! Les lieux ont servi au tournage des films *Raisons et Sentiments,* d'après Jane Austen, avec Emma Thompson, et *Mrs Brown.*

Regimental Badges : quelques kilomètres plus à l'ouest, au flanc d'une colline au bord de l'A30, les soldats de la Première Guerre mondiale qui étaient en garnison à Fovant s'amusèrent, pour tuer le temps, à dessiner dans le sol les insignes de leurs régiments. Ils s'inspirèrent de la technique préhistorique employée dans la région, qui consiste à découvrir la roche sous la mince couche de terre.

Old Sarum Castle : à 3,5 km au nord de Salisbury. Bus nos 3, 5 ou 9 de Salisbury. ☎ 33-53-98. • www.english-heritage.org.uk • En juillet et août, ouvert tous les jours de 10 h à 18 h ; le reste de l'année, ouvert de 10 h à 16 h (17 h en octobre), fermé le lundi. Entrée : 2 £ (3 €). C'était une colonie celte à l'âge de fer, époque à laquelle les fossés furent creusés, avant l'arrivée des Romains, qui installèrent un bourg à l'intersection des routes de Bath à Winchester et de Dorchester à Londres. Après leur départ, Old Sarum végéta avec les rois saxons jusqu'à la conquête normande, durant laquelle Guillaume le Conquérant fit construire un château et une cathédrale. À peine achevée, cette dernière fut détruite par la foudre. On en rebâtit une nouvelle. Mais des conflits éclatèrent entre clergé et garnison. Mal abrité et manquant d'eau, le site fut abandonné à partir de 1220 au profit de Salisbury, où la nouvelle cathédrale draina les populations. Pillée pour ses pierres qui servirent à la construction du Close, la colline fut laissée au vent et aux corbeaux pendant 6 siècles. Seules des reconstitutions historiques autour des ruines du château et de la cathédrale (de mai à septembre) lui rendent un semblant de vie.

STONEHENGE

Classé au patrimoine de l'humanité par l'Unesco, ce mystérieux cercle de pierres bleues géantes, les *sarsens,* constitue l'un des sites préhistoriques les plus impressionnants du monde. Au même titre que les pyramides d'Égypte ou les statues de l'île de Pâques, l'une des énigmes archéologiques qui ont fait couler le plus d'encre. Sa signification réelle a toujours exalté les imaginations des peintres, des écrivains et des ésotéristes et mystiques de tout poil.

UN PEU D'HISTOIRE

Érigé dans le courant du IIIe millénaire avant notre ère, et remodelé sans doute plusieurs fois depuis, cet alignement de mégalithes était, probablement, en rapport avec l'observation de la course du soleil dans le ciel et du cycle des saisons. Un bloc indique le point de l'horizon où le soleil se lève lors du solstice d'été, tandis que des pierres plus petites, situées au sud-est, désignent le lieu du lever du soleil au moment du solstice d'hiver. À la 1re époque, les peuplades de la région étaient des chasseurs nomades et quelques tribus de pasteurs sédentarisés. La 1re phase consista à creuser un fossé circulaire de 91 m de diamètre, bordé à l'intérieur d'un remblai de craie et matérialisé par 56 trous. Au nord-est, le remblai était interrompu pour permettre une entrée marquée à l'intérieur par 2 pierres verticales et à l'extérieur, vers la route, par la Heel Stone qui vient étendre son ombre au centre

lors du lever du soleil le 21 juin. Au milieu, 4 blocs de grès furent plantés aux 4 points cardinaux. L'enceinte fut utilisée comme lieu de culte et d'inhumation. Il fallut nécessairement, par la suite, une organisation sociale hiérarchisée pour permettre la mise sur pied d'une entreprise aussi complexe, en hommes et en logistique, pour acheminer 80 blocs de pierres bleues de 4 tonnes depuis les collines du pays de Galles (à 386 km !) et les dresser en double cercle au centre de l'enceinte. Les seuls outils disponibles alors étaient en bois, en os ou en pierre. Le transport se fit par bateau, puis les pierres furent acheminées sur l'Avon vers l'entrée du site. À la 3e phase, vers 1650 av. J.-C., on ajouta le cercle extérieur de trilithons de grès de 25 tonnes (provenant d'un gisement distant de 30 km), taillés sur le dessus en tenons de façon à pouvoir accueillir les mortaises creusées dans les lourds linteaux et former un anneau ininterrompu. Pour arriver à soulever ces masses, on suppose qu'elles étaient progressivement hissées à la bonne hauteur par l'empilement de rondins sous une plate-forme. À l'intérieur, 5 trilithons géants (de 45 tonnes) coiffés de leur linteau massif furent disposés en fer à cheval. L'alignement des pierres bleues fut alors réagencé.
Quoi qu'il en soit, des blocs ont été déplacés et on ne peut qu'émettre des hypothèses. La passion pour l'astronomie était commune à beaucoup de peuplades antiques, et on a prouvé que, il y a 3 500 ans, les habitants de ces régions avaient des contacts avec d'autres peuples de la Baltique et de la Méditerranée. Ce qui est sûr en revanche, c'est qu'il ne s'agit pas d'un monument druidique : les 3 périodes de sa construction sont bien antérieures à l'arrivée des Celtes, au IIIe siècle avant notre ère.
Les guides du XIXe siècle ont malheureusement beaucoup contribué à dégrader le site en prêtant de petits marteaux aux touristes pour se faire des souvenirs. Par conséquent, on ne peut plus approcher des pierres. On se balade à une vingtaine de mètres de distance. Mais la magie continue à opérer et on se prend à rêver à un passé plein de mystères... Rassemblement festif pour le solstice d'été (21 juin). Lieu quasi inaccessible à cette époque.

Infos utiles

☎ (01980) 62-47-15. • www.english-heritage.org.uk • Ouvert tous les jours ; de la mi-mars au 31 octobre, de 9 h 30 à 18 h (19 h en juin, juillet et août) ; le reste de l'année, de 9 h 30 à 16 h. De toute évidence, pointez-vous-y tôt car c'est vite envahi de cars de touristes. Entrée : 4 £ (5,90 €) pour les adultes et demi-tarif pour les enfants. Mais on voit très bien de la route.

Comment y aller ?

➢ À 3,5 km à l'ouest d'Amesbury, à la jonction de l'A303 et de l'A344, et à 15 km de Salisbury. Bus n° 3 de la gare de Salisbury. Sinon, prendre la Ring Rd et suivre l'A345 vers Amesbury, tourner dans la 2e à gauche, Stratford Rd. Route beaucoup plus sympa, avec de nombreuses maisons aux toits de chaume.

Où dormir ?

⛺ ***Stonehenge Touring Park :*** Orcheston, près de Shrewton, à 6 km au nord-ouest du site de Stonehenge sur l'A360. Suivre la direction « Devizes ». ☎ (01980) 62-03-04. Compter 11 £ (16,30 €) pour 2 personnes avec une tente. Bien au vert, très fréquenté en saison en raison de sa situation, mais bien tenu. Village avec commerces pas loin. Boutique et cafétéria avec excellents *breakfasts*. Douches chaudes comprises.

À voir

Avebury Stone Circle : au nord de Stonehenge, en direction de Swindon, au bord de l'A4361. Bus *Wilts & Dorset* n°s 5 et 6 depuis Salisbury, 4 fois par jour. Autre site important de mégalithes. Le village, mignon tout plein, se trouve encerclé par 11 ha de pierres et de terrassements datant de 1800 av. J.-C. Le plus grand alignement comportait 98 mégalithes, dont 27 ont subsisté. Étant donné l'étendue, il est difficile d'avoir une vue d'ensemble, d'autant qu'au XVIIIe siècle les habitants utilisèrent les pierres comme matériau de construction. On peut reconstituer le puzzle en visitant le *musée Alexander-Kieller,* qui apporte tous les éléments d'information pour corréler ces observations avec les autres sites de la région. Ouvert de 10 h à 16 h (18 h d'avril à octobre). ☎ (01672) 53-92-50.

➤ DANS LES ENVIRONS DE STONEHENGE

Shaftesbury : à 35 km à l'ouest de Salisbury (route A30). Petite ville dont le centre est très bien conservé. Le roi Alfred profita de sa position stratégique, à 200 m d'altitude, pour mener sa lutte contre les Danois. Très célèbre *Gold Hill,* rue piétonne pavée, bordée de maisons typiques. En haut de la rue, *Gold Hill Museum,* intéressant.

Stourhead Gardens : à Stourton, à 15 km au nord-ouest de Shaftesbury. Jardins ouverts toute l'année de 9 h au crépuscule ; maison ouverte d'avril à fin octobre, de 12 h à 17 h 30, mais fermée les jeudi et vendredi. Pour la visite de la maison et des jardins, prévoyez 8 £ (11,80 €) ; réductions. À ne pas manquer pour les fans de jardins anglais. Un des sommets de l'art paysager, dû au talent d'un banquier du XVIIIe siècle, Henry Hoare. Inspiré par l'Antiquité classique et influencé par les tableaux de Nicolas Poussin et de Claude Lorrain, il composa avec patience une partition végétale et architecturale autour d'un lac triangulaire, alternant les essences rares et les frondaisons de couleurs juxtaposées, et les émaillant de ponts, de grottes, de temples, de fontaines et de statues judicieusement révélés au regard. Un vrai régal pour les yeux. La maison, de style palladien, abrite un beau mobilier Chippendale, des toiles de Poussin et des porcelaines.

BOURNEMOUTH

145 000 hab. IND. TÉL. : 01202

Retour sur la côte, en baie de Poole. Le « Monaco anglais », autant par la douceur de son climat que par ses boîtes de jeux. Une immense zone urbaine continue de Lymington à Poole, faite de centaines de pensions et d'hôtels. Malheureusement, chaque été, c'est un bastion investi par des légions de touristes, dont pas mal de Français. Cela manque donc singulièrement d'intimité. Les parcs entourant la ville sont magnifiques. En effet, pendant l'ère victorienne, on a planté plus de 3 millions de pins pour mêler aux odeurs marines les parfums résineux, considérés comme excellents pour la santé... Voilà pourquoi l'espérance de vie est élevée ici... Côté distractions, 11 km de plages et une vie nocturne pas si excitante que cela. Les vacanciers, plutôt le genre retraités, vont du Bingo à la salle municipale où se produisent des chanteurs sur le retour, du minigolf aux machines à sous, etc. Même si l'emballage est splendide, le contenu est un tantinet frelaté à nos yeux. On préférera nettement les solitudes de Purbeck Island, un peu plus loin.

Adresses utiles

Tourist Information Centre : Westover Rd, BH1 2BU. ☎ 45-17-00. • www.bournemouth.co.uk • Ouvert du lundi au samedi de 9 h 30 à 17 h 30 et le dimanche de 10 h à 17 h ; en juillet et août, ouvert jusqu'à 19 h. Pour une réservation de chambre. Visites guidées et gratuites de la ville uniquement en été. Durée : 90 mn. Fait le change.

Post Office : sur Post Office Rd. Logique !

Banques et bureaux de change : sur Old Christchurch Rd. On trouve aussi, sur cette rue, une trentaine de restaurants.

Gare : Holdenhurst Rd. ☎ 08457-48-49-50.

Gare routière : Mallard Rd, pour les *Yellow buses* (bus de la ville). ☎ 63-60-60. Pour les *Red buses* (liaisons régionales et nationales), compagnie Wilts & Dorset : 27 The Triangle. ☎ 67-35-55.

The Cyber Place : 25 St Peter's Rd. ☎ 29-00-99. • www.cyberplace.co.uk • Compter environ 3 £ (4,40 €) l'heure. Dans une grande salle agréable, avec de la bonne musique, du vrai café et des bricoles à grignoter.

Où dormir ?

Bournemouth est cher, et malgré plus de 400 adresses d'hébergement, il est assez difficile de trouver un bon rapport qualité-prix en haute saison. Côté campings, rien à Bournemouth même. De toute façon, mieux vaut s'éloigner vers l'est ou l'ouest, où la nature a encore ses droits. Pourquoi ne pas pousser jusqu'à *The New Forest,* où vous ne serez pas déçu ?

Bon marché

Bournemouth Backpackers : 3 Frances Rd, BH1 3RY. ☎ et fax : 29-94-91. • www.bournemouthbackpackers.co.uk • À deux pas de la station de bus et de la gare. Traverser la route principale, puis prendre à droite à l'église en brique rouge et 2e à gauche. Compter de 13 à 16 £ (19,20 à 23,70 €) par personne en dortoirs de 4 à 6 lits, et de 30 à 36 £ (44,40 à 53,30 €) pour une chambre double (il n'y en a que 2). La seule AJ de la ville, dans un quartier calme, au milieu des ronds-points. Pour ceux qui arrivent par bateau à Poole, prendre le train jusqu'à Bournemouth Central. 26 lits en dortoirs dans une maison édouardienne. Le patron est routard lui-même et sait recevoir en conséquence. Attention, l'été on fait la queue devant la porte le samedi soir et c'est donc plus cher ce jour-là. Réservation prioritaire pour les porteurs du *Guide du routard.*

Prix moyens

Devonshire Guesthouse : 40 St Michael's Rd, BH2 5DY. ☎ 29-16-10. Chambres doubles de 40 à 44 £ (59,20 à 65,10 €). Sur Westcliff, en plein centre, dans une rue pleine de *B & B.* Chambres assez petites mais propres. Accueil chaleureux. Pas de parking.

The Blue Palms Hotel : 26 Tregonwell Rd. West Cliff, BH2 5NS. ☎ 55-49-68. Fax : 29-41-97. • www.bluepalmshotel.com • Compter de 52 à 66 £ (77 à 97,70 €) la chambre double, selon le jour et la saison. À 5 mn des plages et du centre. C'est une maison bleue, accrochée à la colline, comme dans la chanson. Vous n'aurez pas besoin de bien longtemps pour comprendre que le propriétaire est dingue de la belle Marilyn. Elle est partout et sous toutes les formes! Quelques chambres sont épargnées pour laisser la place à d'autres stars hollywoodiennes. Tout ça est bien sympa et ne manque pas d'humour, tout comme l'accueil d'ailleurs. On en oublierait presque de dire que les chambres sont confortables, bien équipées et plaisantes.

Mayfield Private Hotel : 46 Frances Rd, BH1 3SA. ☎ et fax : 55-18-39. • www.mayfieldhotel.com • Compter de 52 à 56 £ (77 à 82,90 €) en chambre double. Donne sur Knyveton Gardens. N'accepte pas les cartes de paiement. C'est la maison peinte en rouge et blanc, impossible de la rater. Ici, on ne fait pas dans l'épure! C'est chargé, surchargé, et finalement pas très gai. Cela dit, les chambres sont confortables, toutes avec salle de bains et petit frigo. Parking gratuit devant la porte.

Où manger?

Un peu partout, restos, bars et *fish & chips* qui se ressemblent tous. Voici 2 adresses reposantes...

Bon marché

The Salad Centre : 667 Christchurch Rd, Boscombe. ☎ 39-36-73. Pour un repas moyen, compter autour de 6 £ (8,90 €). Un resto végétarien simple et frais. Pas de la grande gastronomie mais diététique et calme.

Flossies & Bossies : 73 Seamoor Rd, Westbourne. ☎ 76-99-59. Ouvert de 10 h à 17 h, du lundi au samedi. Plats de 3 à 7 £ (4,40 à 10,40 €). Un autre restaurant végétarien, avec un grand choix de bonnes salades et quelques plats chauds. Clientèle plutôt féminine.

À voir

Votre œil exercé saura repérer, dans les ***jardins,*** les nombreux écureuils peu farouches et curieux. Notre jardin préféré : celui qui se trouve derrière l'office de tourisme, et au milieu duquel coule la Bourne Stream.

Russell-Cotes Art Gallery and Museum : ☎ 45-18-58. • www.russell-cotes.bournemouth.gov.uk • Ouvert du mardi au dimanche de 10 h à 17 h. Gratuit. Situé sur la promenade d'East Cliff surplombant la mer, dans le centre de Bournemouth, ce bâtiment somptueux et excentrique possède des plafonds peints très colorés et de jolis vitraux et ornements de métal forgé. Collections d'art contemporain et expositions temporaires. Quelques concerts et diverses manifestations artistiques également.

La montgolfière dans les Bourne Lower Gardens permet d'avoir une vue splendide sur la ville et la mer. ☎ 31-76-97. • www.bournemouthballoon.com • Toute l'année, de tôt le matin à tard le soir. Tickets en vente au bureau *Vistarama,* à l'entrée du parc. Compter 12 £ (17,80 €) pour un adulte et demi-tarif pour un enfant. Le fameux *balloon* monte à 150 m du sol, relié à la terre ferme par des câbles (pour les angoissés!).

POOLE

123 500 hab. IND. TÉL. : 01202

Port de plaisance voisin de Bournemouth et port tout court (liaisons en ferries avec Cherbourg et Saint-Malo). C'est aussi l'une des plus vastes baies d'Europe avec, sur une île au milieu, *Brownsea Island,* réserve d'oiseaux (paons) et lieu du premier camp scout organisé par Baden Powell en 1907. La balade sur les quais, avec les vieux entrepôts et l'activité du port, peut mériter d'y passer un moment. À part ça, rien de bien exaltant.

Adresses utiles

i ***Office de tourisme :*** Enefco House, Poole Quay, sur les quais. ☎ 26-25-33. • www.pooletourism.com • Ouvert de 10 h à 17 h 30 (17 h hors saison). Demander le petit guide de la ville (0,5 £, soit moins de 1 €), avec des bons de réductions pour plusieurs attractions.

■ ***Blue Line Cruises :*** départs réguliers pour Sandbanks (l'extrêmité ouest du port, une presqu'île) et Brownsea Island. ☎ 0800-0960-695. • www.bluelinecruises.co.uk •

■ ***Brownsea Island Ferries :*** départs tous les jours, toutes les heures pour Brownsea Island. En face de Poole Pottery, sur le port (à partir de 9 h 45) ou de Sandbanks (10 h à 15 h). ☎ (01929) 46-23-83. • www.brownseaislandferries.com •

■ ***Brittany Ferries :*** 1 ou 2 liaisons quotidiennes en ferry avec Cherbourg (4 h). ☎ (08075) 36-03-60. • www.brittanyferries.com •

■ ***Condor :*** liaisons en ferry avec Saint-Malo, seulement de mai à septembre. Le reste de l'année, les départs se font de Weymouth, à 40 mn de Poole. Pour les îles Anglo-Normandes, compter 2 h 30 de traversée. Formules week-ends possible. ☎ (08451) 24-20-02. • www.condorferries.com •

Où dormir ?

HAMPSHIRE ET WILTSHIRE

Campings

⩓ À Upton et Hamworthy (à la périphérie ouest de Poole, sur l'A35). Mais c'est l'industrie et c'est cher. Pour quelques kilomètres de plus (à 11 km exactement, direction Dorchester sur l'A35), préférez ***Birchwood Tourist Park :*** North Trigon, Wareham, Dorset BH20 7PA. ☎ (01929) 55-47-63. • www.birchwoodtouristpark.co.uk • De 7 à 11 £ (10,40 à 16,30 €) la nuit. Situé dans la Wareham Forest. Tranquille et au vert, avec tout plein de commodités, dont une épicerie et une pataugeoire pour les enfants. Également location de vélos pour des balades en forêt.

Prix moyens

⌂ ***Viewpoint Guesthouse :*** 11 Constitution Hill Rd, BH 14 0QB. ☎ et fax : 73-35-86. • www.viewpoint-gh.co.uk • À 10 mn du centre en voiture, vers le nord. Compter de 55 à 60 £ (81,40 à 88,80 €) la chambre double. Sur les hauteurs, une adresse au charme certain, avec une hospitalité sans faille. Chambres au décor fleuri et romantique. Possibilité de prendre le repas du soir. Non-fumeurs.

Où manger ?

|●| ***Corkers Restaurant and Café Bar :*** 1 High St, The Quay, BH5 1AB. ☎ 68-13-93. Ouvert midi et soir. Spécialités de poisson de 11 à 15 £ (16,30 à 22,20 €). La carte n'est pas bien longue mais les produits de la mer sont assez bien préparés et les assiettes bien remplies. Intéressant *Sunday Roast Carvery* à 7 £ (10,40 €) servi le dimanche midi. Service indifférent et clientèle touristique de passage. Quelques chambres également à partir de 65 £ (96,20 €).

À voir

⚲ ***Waterfront Museum :*** 4 High St. ☎ 26-26-00. • www.poole.gov.uk • Entrée libre. L'histoire et la prospérité de la ville à travers son activité marchande, ses pêcheurs, ses pirates et ses contrebandiers. Évocation du mouvement scout.

⚲⚲⚲ ***Compton Acres Gardens :*** 164 Canford Cliffs Rd. ☎ 70-07-78. • www.comptonacres.co.uk • Ouvert de mars à octobre, de 10 h à 18 h. Entrée : 6 £ (8,90 €) ; réductions. Situé entre Bournemouth et Poole, en direction de Sandbanks. Suivre ensuite les panneaux. Superbe jardin qui comprend 7 sections distinctes et nettement séparées : jardins japonais, italien, romain, anglais, de rocaille, de bruyère et palmeraie. Il passe pour être l'un des plus beaux d'Europe. Pour les amateurs de chlorophylle, visite à ne pas manquer. Possibilité de manger au très agréable *Café Colonial.*

QUITTER POOLE VERS PURBECK ISLAND

➢ Emprunter le petit ferry à chaînes de Sandbanks à Studland. Attention, beaucoup de monde en été. Il s'agit d'une région côtière, également accessible en voiture, en contournant Poole par l'ouest. Falaises, plages, toits de chaume et champs vallonnés. Une belle région ignorée des touristes.

THE WEST COUNTRY

Peu à peu, le vert se fait plus vert, c'est le pays des pommes qui donnent leurs couleurs aux joues des héroïnes de Thomas Hardy, romancier né à Dorchester. Il faut goûter le cidre aux nombreuses variétés et servis à la pression dans chaque pub, la crème *(clotted cream),* les caramels *(toffees).* Et s'offrir un *cream tea,* spécialité du Devon : un *scone,* tranché horizontalement pour y tartiner confiture de fraises et crème double fabriquée avec du lait, avec théière à votre goût. Le folklore est vivant, le fantastique intervient sur les rivages hantés par des pirates comme dans les romans de Daphné du Maurier, situés en Cornouailles, et les *pixies,* gnomes qu'on ne trouve pas que sur les pelouses, survivent bien dans ce climat plus doux.
Nous allons traverser le Dorset et ses longues plages à demi-désertes sillonnées par les chercheurs de fossiles, le Devon crémeux, les Cornouailles jusqu'au bout du monde local, et revenir par la côte nord du Devon et le Somerset. Tout cela correspond à peu près historiquement au Wessex, le territoire du royaume d'Alfred, souverain saxon.

PURBECK ISLAND

IND. TÉL. : 01929

Comme son nom ne l'indique pas, c'est une péninsule, réputée pour son marbre et dotée d'un chapelet de plages peu fréquentées, de baies et de criques à l'architecture naturelle spectaculaire. En son centre, les ruines du château de Corfe, au charme mystérieux (voir plus loin « Dans les environs de Swanage »).

SWANAGE

8500 hab. IND. TÉL. : 01929

L'alternative gagnante à l'encombrement de Bournemouth. Station balnéaire de taille modeste, elle n'en possède pas moins une agréable anse de sable blond bien orientée au soleil. On pratique la plongée dans les eaux du port. Au nord, au-delà d'une série de falaises de craie blanche, l'arc immense des dunes de la baie de Studland, fréquentée par des myriades d'oiseaux nicheurs ; au sud et à l'ouest, une succession ininterrompue de falaises et de criques longée par le *South West Coastal Path.* À vos chaussures de rando !

Adresses utiles

Office de tourisme : *The White House,* Shore Rd. Dans un *cottage* au bord de la plage. ☎ 42-28-85. Fax : 42-34-23. • www.swanage.gov.uk • Ouvert de 10 h à 17 h, tous les jours sauf le week-end hors saison. Accueil prévenant. Mini-guide en français. Toutes les infos sur le *coastal path* et les diverses balades.

Gare : Station Rd. ☎ 42-58-00. Départ d'un train touristique à vapeur, qui traverse la campagne du Dorset vers Corfe Castle. De 6 à 20 liaisons quotidiennes selon la saison. Chouette balade en perspective si le soleil est de la partie. Diverses animations au cours de l'année, et dîner à bord le samedi soir en saison.

Wilts & Dorset Bus Terminal : Station Rd. ☎ (01202) 67-35-55. Toutes les liaisons en bus autour de la péninsule de Purbeck, Lulworth, Corfe Castle, Wareham...

■ ***École de plongée :*** *Divers Down Diving School,* The Pier, High St. ☎ 42-35-65. Compter tout de même 40 £ (59,20 €) par personne.

Où dormir ?

Camping

Cauldron Barn Farm Caravan Park : Studland Rd, Ulwell. À environ 2 km de Swanage. ☎ 42-20-80. Un camping de taille familiale, dans un environnement rural. Tout confort, à prix très honnêtes, et proche du centre-ville comme de la plage.

Bon marché

Youth Hostel : Cluny Crescent. ☎ 42-21-13. Ouvert toute l'année. Réception à partir de 17 h. Une maison victorienne surplombant le port, à 500 m de l'arrivée des trains et des bus. 106 lits, la plupart en dortoirs. Cuisine, laverie, salle de jeux et TV. Très fréquenté par les groupes scolaires.

Prix moyens

Goorwyns Guesthouse : 2 Walrond Rd, BH19 1PB. ☎ 42-10-88. Ouvert toute l'année. Trois chambres doubles avec salle de bains de 40 à 48 £ (59,20 à 71 €). Une jolie maison d'hôtes avec jardin fleuri. Chambres claires et spacieuses, certaines avec balcon et vue sur la mer. Accueil charmant et *full English breakfast.*

Oxford Hotel : 3-5 Park Rd, BH19 2AA. ☎ 42-22-47. Fax : 47-57-07. • www.oxfordhotelswanage.co.uk • À partir de 55 £ (81 €). Audessus du *pier.* Deux maisons édouardiennes, tout en hauteur, se partagent une dizaine de chambres sympas et bien équipées, pour un prix très abordable. Atmosphère amicale. 10 % sur le prix de la chambre offert à nos lecteurs (en semaine seulement).

The Purbeck Hotel : 19 High St, BH19 2LP. ☎ 42-51-60. Quelques chambres doubles à l'étage, toutes avec salle de bains, autour de 50 £ (74 €). Propre et confortable. On profite de la cuisine servie au resto et du pub populaire au rez-de-chaussée.

Où manger ?

Tawny's Wine Bar : 52 High St. ☎ 42-27-81. Plats autour de 10 £ (14,80 €). Cadre tout simple pour ce resto de spécialités internationales, à tendance italienne et végétarienne. Bon choix de vins au verre. L'ensemble est très correct mais tout de même un peu cher.

The Purbeck Hotel : 19 High St. ☎ 42-51-60. Une bonne cuisine de pub et des spécialités régionales, poisson et fruits de mer. Cadre agréable et convivial, billard et grand comptoir. Accueil très sympa.

The Galley : 9 High St. ☎ 42-72-99. Ouvert uniquement le soir. Prix un peu plus élevés que la moyenne. Le bon resto de poisson du coin. Chic et cher mais de qualité.

Où boire un verre ?

The Fox Inn : West St, en face de l'église. « Free house » avec un joli jardin. Petite restauration de pub.

➤ DANS LES ENVIRONS DE SWANAGE

Corfe Castle : The Square, au milieu de l'adorable village de Corfe, au centre de la péninsule de Purbeck par l'A351. ☎ (01929) 48-12-94. • www.corfecastle.org.uk • Liaisons aisées en bus et train à vapeur depuis Swanage. Ticket combiné, train + entrée. Ouvert tous les jours, en mars de 10 h à 17 h, d'avril à octobre de 10 h à 18 h, et de novembre à février jusqu'à 16 h. Entrée payante. Les ruines du château émergent dramatiquement d'un éperon rocheux depuis le XIe siècle. En 987, le roi Édouard y fut assassiné à l'âge de 17 ans d'un coup de poignard dans le dos porté par sa belle-mère pendant qu'il dégustait un verre de vin ! Il fut ainsi canonisé sous le nom de saint Édouard, roi et martyr. Du haut du donjon, la vue sur les environs est magnifique.

Juste à l'entrée du château, petit *Tearoom.* ☎ (01929) 48-13-32. Ouvert tous les jours en saison. Délicieux salon de thé qui propose le fameux *Dorset cream tea* et de savoureux gâteaux maison.

WAREHAM

IND. TÉL. : 01929

Au fond de la baie de Poole Harbour, sur la Frome River navigable, Wareham (capitale de la péninsule) possède une église, *Lady St Mary Church,* qui contient un sarcophage saxon en pierre : il pourrait être celui d'Édouard le martyr, cité ci-dessus (voir « Corfe Castle », dans les environs de Swanage). Dans le *musée municipal* (de Pâques à septembre, visite gratuite), une évocation de T.E. Lawrence, le fameux Lawrence d'Arabie, qui vécut dans un *cottage* à Cloud's Hill, à 10 km au nord de Wareham. S'y trouve aussi un monument à sa mémoire, qui aurait dû se situer dans la cathédrale de Salisbury mais qui fut refusé par le doyen en raison de l'homosexualité de Lawrence.

Adresse utile

Office de tourisme : *Purbeck Information & Heritage Centre,* Holy Trinity Church, South St. ☎ 55-27-40. Fax : 55-44-91. • www.purbeck-dc.gov.uk • Ouvert tous les jours sauf le dimanche de 9 h 30 à 17 h ; en hiver, de 10 h à 15 h. Très nombreuses documentations sur la région mais aussi tout le Devon et les Cornouailles. Petite expo d'artisanat local. Infos sur les îles voisines.

Où dormir dans les environs ?

Bradle Farm : Church Knowle, BH20 5NU. ☎ 48-07-12. • www.bradlefarmhouse.co.uk • Autour de 50 £ (74 €) pour 2. Superbe ferme du XIXe siècle, située dans un environnement pittoresque avec gazon anglais à perte de vue et paysage bucolique à souhait. Quelques chambres spacieuses et confortables, avec salle de bains. Petit dej' gargantuesque avec les bons produits de la ferme, prêt de vélos pour éliminer le tout, et un accueil vraiment chaleureux. Le bonheur est dans le pré !

Où manger ?

The Quay Inn : The Quay. ☎ 55-27-35. Ouvert tous les jours midi et soir. Divers plats autour de 6 £ (8,90 €). Le pub sympa de la ville, juste en face de la rivière Frome. Une jolie maison du XVIIIe siècle, quelques tables en terrasse sur le quai et un petit jardin à l'arrière. Du *pub grub* très honnête, des plats de viande rôtie le dimanche *(carvery lunch)* et une atmosphère très conviviale.

LULWORTH

IND. TÉL. : 01929

Par la B3070 depuis Wareham. Ensemble formé par East et West Lulworth et la baie spectaculaire de Lulworth Cove. Mignons villages avec aussi le superbe château du XVIIe siècle, mais surtout un rivage découpé par l'érosion offrant quelques-uns des plus beaux sites de la côte anglaise. Le littoral est composé de 5 variétés de roche, certaines datant de plus de 140 millions d'années. L'endroit se prête à de chouettes balades sur le sentier longeant les falaises. Très prisé en été et franchement encombré, mais superbe le reste de l'année.

Adresse utile

i ***Lulworth Cove Heritage Centre :*** ☎ 40-05-87. • www.lulworth.com • Ouvert de 10 h à 16 h ou 17 h (18 h en été). Entrée gratuite. À la fois office de tourisme local, qui vend des itinéraires de promenades, et petite expo didactique pour comprendre les phénomènes géologiques et physiques qui ont contribué à l'érosion du rivage et de la baie de Durdle Door. La faune, la flore et l'activité humaine (la contrebande) ne sont pas oubliées.

Où dormir ?

Camping

Durdle Door Caravan Park : Lulworth Cove, BH 20 5PU. ☎ 40-02-00. Ouvert de mars à octobre. De 10 à 20 £ (14,80 à 29,60 €) l'emplacement pour 2, beaucoup plus pendant les vacances scolaires. Sur la falaise surplombant l'arche, situation idéale pour les balades et à 5 mn du petit village de Lulworth Cove. Location de caravanes, mais les tentes sont les bienvenues.

Bon marché

YHA Lulworth Cove : School Lane, West Lulworth. Juste au pied du camp d'entraînement militaire ! ☎ 40-05-64. Réception ouverte jusqu'à 10 h, puis à partir de 17 h. L'AJ a plus l'aspect d'un baraquement, mais elle a été complètement rénovée. Une trentaine de lits en dortoirs de 4 ou 5. Cuisine et laverie. Possibilité de repas sur place. Bondé en été, réservez !

Plus chic

Breach House B & B : West Lulworth. ☎ 40-07-77. • www.lulworthcovebandb.co.uk • De 65 à 70 £ (96,20 à 103,60 €) pour 2. Très jolie maison au toit de chaume, sur une petite ruelle en hauteur. Bien aménagée, pièces lumineuses, parquet, murs blancs... Et un accueil charmant.

The Lulworth Beach Hotel : Lulworth Cove. ☎ 40-04-04. Fax : 40-01-59. • www.lulworthbeachhotel.com • Chambres doubles de 60 à 80 £ (88,80 à 118,40 €) selon la saison.

Un chouette hôtel et restaurant de poisson et de fruits de mer. À deux pas de la plage de Lulworth Cove et des sentiers côtiers. Confort impeccable et déco très soignée. Les chambres ont du charme. Pub au rez-de-chaussée et *fish & chips* à emporter.

Où dormir dans les environs?

Marley Wood House B & B : Winfrith Newburgh. ☎ 40-05-82. • www.marleywoodhouse.com • Chambres doubles décorées avec soin autour de 45 £ (66,60 €), petit dej' inclus. Votre hôte, Bill, connaît son pays et sera ravi de vous le faire découvrir. Il vous emmènera en balade et vous indiquera les bons restos du coin. Il vous proposera lui aussi différents menus bon marché. Boisson, café ou petit dej' offert sur présentation du *Guide du routard.*

À faire

➢ Au village de Lulworth Cove, un petit détour par le ***Heritage Centre,*** puis grimper au-dessus de la falaise, suivre le chemin et contempler à l'envi les flots bleus. C'est déjà tout un programme!
À noter, à droite de la baie au cercle parfait, la petite crique aux strates de roches verticales, comme poussées violemment par la force incroyable de la plaque océane.

➢ ***Lulworth Castle & Park :*** accès par la B3070. ☎ 40-03-52. Ouvert toute l'année de 10 h 30 à 16 h (18 h en été). Entrée : 5,50 £ (8,10 €). Imposant château du XVIIe siècle et immense parc. Le château lui-même est encadré de tours crénelées et conserve sa façade d'origine (1604). On peut visiter St Mary's Chapel, une des premières chapelles catholiques construites après la Réforme anglaise. Aux beaux jours, grand parc arboré et animations.

WEYMOUTH

39000 hab. IND. TÉL. : 01305

Ville portuaire sans grand charme, excepté la longue plage de sable qui borde l'esplanade et le petit quartier historique autour du port. Le centre-ville est plutôt dynamique et offre une halte sympa pour une journée de plage et de sortie nocturne le long des quais. On peut aussi opter pour une excursion sur la presqu'île de Portland, plus sauvage et offrant de belles promenades.

Adresses utiles

Tourist Information Centre : King's Statue, The Esplanade. ☎ 78-57-47. Au bord de la plage. D'octobre à Pâques, ouvert tous les jours de 10 h à 16 h; le reste de l'année, tous les jours de 9 h 30 à 18 h.

■ ***Banques :*** sur St Mary St.

Où dormir?

Harbour Lights Guesthouse : 20 Buxton Rd, DT4 9PJ. ☎ et fax : 78-32-73. Fermé de début décembre à fin février. Jolie maison victorienne. Chambres doubles très spacieuses avec douche, w.-c. et TV de 42 à 50 £ (62,20 à 74 €), avec vue sur le port de Portland ou le jardin à l'arrière. À proximité de toutes les plages. Agréable.

Seaways Guesthouse : 5 Turton St, DT4 7DU. ☎ 77-16-46. Compter de 32 à 36 £ (47,40 à 53,30 €) pour 2. Cartes de paiement refusées. Classique maison georgienne dans une ruelle minuscule, en plein centre. Des chambres agréables, notamment sous les toits, joliment décorées par thème de couleur. Salles de bains et w.-c. communs. Bon petit dej' anglais et accueil sympathique de John.

B & B Cavendish House : 5-6 The Esplanade. ☎ 78-20-39. Maison georgienne en face de la baie, côté sud. Ouvert toute l'année. Deux nuits minimum en saison. Chambres doubles autour de 52 £ (77 €). Adresse familiale au bon rapport qualité-prix. Boisson ou café de bienvenue offert, ou bien un petit dej' sur présentation du *Guide du routard.*

Où manger ?

Bon marché

Seagull Café : 10 Trinity St. ☎ 78-47-82. Sur le port. Ouvert midi et soir sauf le dimanche. Cadre sympa et bon *fish & chips* à déguster sur place ou face aux bateaux.

De prix moyens à un peu plus chic

Galley Bar & Bistro : Hope Square. ☎ 78-40-59. Compter 15 £ (22,20 €) par personne. Cadre chaleureux, murs en brique, jolie déco marine et bougies le soir. Excellent poisson : steak de thon, sole au beurre blanc, coquilles Saint-Jacques, accompagnés par un assortiment de légumes. Mais aussi quelques bons plats de viande. Bon rapport qualité-prix et atmosphère conviviale.

The Sea Cow Restaurant : Custom House, Quay 7. ☎ 78-35-24. Entre 10 et 16 £ (14,80 et 23,70 €). Service non compris ! Resto-bar à tapas et crustacés en tout genre. Plats végétariens. Cadre sympa et chouette vue sur le port. Menu gastronomique le dimanche midi, à prix compétitif.

Balti Restaurant : 27 Commercial Rd. ☎ 78-35-15. Ouvert tous les jours midi et soir jusqu'à 23 h. Un indien digne d'éloges : cadre soigné, cuisine raffinée et service nickel pour des prix tout à fait convenables.

Mallam's : 5 Trinity Rd. ☎ 77-67-57. Élégance et belle vaisselle pour une utilisation judicieuse et imaginative des produits de la mer. Bonne formule à 20 £ (29,60 €) et une variété de spécialités british, agneau, bœuf et lapin.

À voir

Brewers Quay : Hope Square, Old Harbour. ☎ 77-76-22. Dans une ancienne brasserie du XIXe siècle, boutiques de souvenirs, pub et attractions.

Timewalk : dans le Brewers Quay, Hope Square. ☎ 77-76-22. Ouvert tous les jours de 10 h à 17 h 30. Une promenade interactive avec son et lumière dans le passé de la ville. Un curieux chat-narrateur vous invite à le suivre au long d'un périple qui retrace les grandes étapes de l'histoire de Weymouth. C'est bien foutu et didactique.

Portland Island : reliée à Weymouth par un cordon naturel en galets, qui se prolonge sur 30 km à l'ouest jusqu'à Bridport. Appelée par Thomas Hardy « la Gibraltar du Wessex », elle fut auparavant exploitée comme carrière et a fourni une pierre de qualité, notamment pour la cathédrale Saint Paul de

Londres. L'ancienne carrière connaît une seconde vie depuis quelques années avec la création du *Sculpture Park,* ouvert aux artistes du monde entier. On peut aussi y visiter le château fort datant d'Henri VIII, un musée dans le bourg de Church Ope Cove et le phare de Portland Bill, tout à l'extrémité.

Portland Tourism Information : bureau à la pointe nord, à Portland Bill. ☎ (01305) 86-12-33. Infos pratiques et diverses activités sur la presqu'île.

DORCHESTER

15000 hab. IND. TÉL. : 01305

« Sous-préfecture » assoupie, à 10 km au nord de Weymouth. La région est presque entièrement classée « site naturel exceptionnel ». Le style architectural de la ville a subi de nombreuses influences, depuis les Romains jusqu'au prince Charles en personne, qui a « inventé » le nouveau quartier de *Pounbury,* afin de reconstituer un village traditionnel en utilisant des matériaux locaux. Le résultat n'est pas si mal, même les halles imitation Moyen Âge n'ont pas été oubliées.

Adresse utile

Office de tourisme : Antelope Walk, à l'angle de Trinity St. ☎ 26-79-92. Fax : 26-60-79. • www.westdorset.com • Ouvert du lundi au samedi de 9 h à 17 h (16 h en hiver); ouvert le dimanche en été. À un saut de South St, la rue piétonne et commerçante. Guide gratuit de balades dans la ville et dans les environs, et visites guidées en été.

Où dormir ?

De prix moyens à plus chic

Sunrise Guesthouse : 34 London Rd, DT1 1NE. ☎ 26-24-25. À la sortie nord-est de la ville, à 5 mn à pied après le Ring Rd. Compter 45 £ (66,60 €) en chambre double ou triple. Dans une coquette maison moderne qui a gagné tous les prix de fleurissement ces derniers temps. C'est vrai que des fleurs, il y en a partout, jusque dans les motifs des moquettes ! Sylvia est adorable et reçoit à merveille. Kitsch mais confortable.

Cornflowers B & B : 4 Durngate St. ☎ 75-17-03. À deux pas du centre historique. Autour de 50 £ (74 €) pour 2. Une belle maison datant de 1650, entièrement retapée. Chambres doubles pimpantes et confortables, toutes avec salle de bains. Bon petit dej' copieux. Une adresse cosy et *smart* à l'accueil cordial.

Maiden Castle Farm : Dorchester, DT2 9PR. ☎ 26-23-56. Fax : 25-10-85. • www.maidencastlefarm.co.uk • Au sud de la ville. De l'A35, prendre l'A354 vers Weymouth, puis tourner tout de suite dans un petit chemin à droite. Ouvert toute l'année. Prévoir 58 £ (85,80 €) pour une chambre double. Superbe ferme victorienne aux murs couverts de lierre. Grand jardin très agréable, peuplé de paons ! Produits de la ferme. Une halte bucolique !

Où manger ?

The Horse with the Red Umbrella : 10 High West St. Ouvert du mardi au samedi de 9 h à 17 h. Compter autour de 5 £ (7,40 €) pour un bon petit dej', snack ou goûter. Excellent salon de thé et petite boutique de produits locaux. *Full English breakfast* le matin, bonne soupe du jour, *jacket potatoes* et sandwichs frais le midi. Bonne *clotted cream* en vente à emporter. Atmosphère cosy et accueil adorable.

🍽 ***Judge Jeffrey's Restaurant :*** 6 High West St. ☎ 26-43-69. Ouvert matin, midi et soir en semaine, uniquement pour le *carvery lunch* le dimanche. Snacks à 5 £ (7,40 €), plats complets à partir de 12 £ (17,80 €). Demeure historique qui vit se dérouler, en 1685, les « assises sanglantes » présidées par le juge Jeffrey qui condamna à mort 292 hommes coupables d'avoir soutenu la rébellion du duc de Monmouth. Le lieu est à présent plus paisible et propose une bonne cuisine classique et savoureuse.

🍽 Dans la même rue, ***The Ship Inn*** sert du *pub grub* jusque tard.

À voir

✦ Quelques ruelles anciennes.

✦✦ ***The Dorset Teddy Bear Museum :*** Antelope Walk (à côté de l'OT). ☎ 26-32-00. • www.teddybearmuseum.co.uk • Ouvert tous les jours de 9 h 30 à 17 h (16 h le dimanche). Entrée : 3 £ (4,40 €) ; réductions. Tout sur les nounours, de la cave au grenier. On apprend ainsi que Théodore Roosevelt, refusant de tuer un ourson au cours d'une partie de chasse en 1902, se fit surnommer *Teddy* par la presse. L'ours en peluche était né. On découvre aussi l'histoire de véritables institutions britanniques : Paddington et Winnie l'ourson (le vrai, pas celui de Walt Disney !), et quelques pièces de collection conçues spécialement pour le musée.

✦ ***Tutankhamon-The Exhibition :*** High West St. ☎ 26-95-71. • www.tutankhamun-exhibition.co.uk • Ouvert en été de 9 h 30 à 17 h 30, horaires plus restreints l'hiver. Entrée : 6 £ (8,90 €). La seule exposition qui retrace l'histoire de la découverte du tombeau de Toutankhamon par Howard Carter. Véritable son et lumière avec reconstitution du tombeau où se trouvait le trésor.

✦✦ ***Dorset County Museum :*** High West St. ☎ 26-27-35. Ouvert de 10 h à 17 h. Fermé le dimanche en hiver. Entrée : 3,50 £ (5,20 €) ; réductions. La visite du bâtiment vaut à elle seule le détour : superbe galerie victorienne pavée de mosaïques romanes, bureau de Thomas Hardy, célèbre écrivain originaire du Dorset, dont Polanski adapta *Tess d'Uberville* avec Nastassja Kinski. Un parcours de détective proposé aux enfants leur permettra de mettre la main sur un meurtrier. D'autres salles consacrées à l'archéologie et à la géologie de la région. Un peu poussiéreux mais sympa un jour de pluie.

➤ *DANS LES ENVIRONS DE DORCHESTER*

✦ Pour découvrir de vos yeux ébahis le colosse (60 m de long), dessiné dans la craie d'une colline, il faut se rendre à ***Cerne Abbas*** (sur l'A352, à 20 km au nord de Dorchester). Il est ithyphallique comme on dit, à vous de juger... Le géant serait Baal, Hercule, ou plus probablement le dieu celte Cernunnos.

✦ Dans le même registre, sur la route A353 de Weymouth en direction de Lulworth, regardez bien : on trouve dans les champs, sur la gauche, un autre dessin à craie représentant un cheval blanc avec un cavalier en armure.

✦ ***Sherborne Castle :*** près de la cité de Sherborne, riche en constructions médiévales, dont une magnifique *église abbatiale,* à 25 km au nord de Dorchester par l'A352. ☎ (01935) 81-31-82. • www.sherbornecastle.com • Ouvert de Pâques à fin septembre uniquement les lundis fériés, les mardi, jeudi et le week-end, de 11 h à 16 h 30. Entrée : 7 £ (10,40 €). Construite en 1594 pour sir Walter Raleigh, un illustre marin, cette résidence de prestige fut érigée sur les rives de la rivière Yeo, en face des ruines d'une forteresse normande, puis embellie par sir John Digby dont les descendants actuels ont hérité. Le parc, avec cascades et orangerie, fut aménagé par le maître jardinier de l'époque, Capability Brown.

En suivant la route de Weymouth, vers la côte sud, on traverse ***Abbotsbury,*** petit village de carte postale aux maisons de pierre ocre et toits de chaume. Aux abords de la lagune intérieure provoquée par un banc de galets (Chesil Bank), on peut y visiter la ***Swannery,*** un élevage de cygnes. ☎ (01305) 87-18-58. Ouvert de fin mars à fin septembre de 10 h à 17 h et en octobre de 10 h à 16 h.

LYME REGIS

IND. TÉL. : 01297

Port et station balnéaire assez intime, coincé entre des falaises grises à l'extrémité ouest du Dorset. Lyme Regis est un endroit vraiment attachant, où flottent un petit parfum « Regency » et un charme authentique. C'est ici que fut tourné *La Maîtresse du lieutenant français,* d'après le roman de John Fowles. Les bords de mer de la région sont arpentés à marée basse par d'innombrables chasseurs de fossiles, très abondants le long des falaises. La côte de Lyme Bay se prête aussi à de chouettes balades sur les sentiers balisés, notamment le *Gun cliff walk,* qui longe la mer depuis la Marine Parade vers l'est, offrant de superbes panoramas.

Adresses utiles

Office de tourisme : Guildhall Cottage, Church St. ☎ 44-21-38. • www.westdorset.com • Ouvert du lundi au samedi de 10 h à 16 h ou 17 h selon la saison, et le dimanche jusqu'à 14 h ou 16 h. En été, organise des visites guidées de la ville, le long de la rivière Cobb ou sur les sentiers côtiers. Se renseigner sur place.

Banques : distributeurs *Lloyds, Nat West* et *HSBC* sur Broad St.

Gare : la plus proche est à Axminster. ☎ (0345) 48-49-50 ou (01703) 21-36-00.

Où dormir ?

Prix moyens

Old Lyme Guesthouse : 29 Coombe St, DT7 3PP. ☎ 44-29-29. • www.oldlymeguesthouse.co.uk • Fermé de novembre à janvier. Au cœur du centre historique. Parking gratuit pour les pensionnaires. Chambres doubles de 52 à 60 £ (77 à 88,80 €), petit dej' compris. Cinq chambres (dont une familiale) complètement rénovées, dans une maison du XVIIIe siècle. Jolie déco british, de bon goût. Excellent *breakfast.*

Rotherfield Guesthouse : View Rd, DT7 3AA. ☎ 44-55-85. • www.lymeregis.com/rotherfield • Fermé en novembre. Chambre double avec salle de bains et TV autour de 52 £ (77 €). Vaste demeure avec 7 chambres aux lits douillets. Les chambres nos 2, 3 et 6 offrent une vue immanquable sur la baie. Accueil prévenant, madame aux fourneaux assurant un excellent petit dej' roboratif. Salle à manger avec panorama spectaculaire. Les cartes de paiement ne sont pas acceptées.

Manaton Guesthouse : Hill Rd, DT7 3PE. ☎ 44-51-38. Ouvert toute l'année. Chambre double avec salle de bains et TV autour de 45 £ (66,60 €). Petite maison sur les hauteurs du village. Les chambres n°s 3 et 4 sont très agréables, claires, avec vue sur la mer au loin. Jolie salle à manger avec véranda et jardin fleuri. Accueil très cordial de Roger et Carla. Une bonne adresse.

Où manger ?

🍽 Si le temps s'y prête, faites comme tous les Anglais : offrez-vous un bon ***fish & chips*** à déguster sur la jetée ou sur un banc face à la mer. Plusieurs échoppes le long de Marine Parade.

🍽 ***The Mad Hatter's Restaurant :*** 34 Broad St. ☎ 44-32-47. Autour de 8 £ (11,80 €) le midi, 15 £ (22,20 €) le soir. Pièces en enfilade, loupiotes rouges. Peu de place, réservation souhaitée. Une pierre blanche dans le paysage culinaire de Lyme Regis, qui manque un peu de diversité. Produits de la mer. Bonne cuisine servie copieusement, avec les inévitables pommes de terre et petits pois fluo.

🍽 ***Rumours :*** 14-15 Monmouth St. ☎ 44-47-40. Compter environ 20 £ (29,60 €) par personne. Décor tout mignon et fleuri. Bons plats de poisson et de fruits de mer. Accueil charmant et desserts maison pour conclure le tout.

🍽 ***Country Stocks Georgian Tea-Rooms :*** 53 Broad St. ☎ 44-35-68. Ouvert toute l'année, tous les jours de 10 h à 17 h. LE salon de thé traditionnel, véritable institution dans la ville. Large choix de thés parfumés ou café, et surtout de savoureux gâteaux maison, *scones, tea-cake* et *clotted cream* onctueuse à souhait... Tout est fameux et garanti maison.

À voir. À faire

👁👁 ***Lyme Regis Philpot Museum :*** Bridge St, près de l'office de tourisme. ☎ 44-22-65. D'avril à octobre, ouvert tous les jours de 10 h à 17 h ; de novembre à mars, ouvert uniquement le week-end. Entrée : 1,60 £ (2,40 €). Musée de la vie locale, où l'on parle de la tradition du crieur public, de l'histoire du Cobb, la jetée, de la répression qui suivit, au XVIIe siècle, la rébellion du duc de Monmouth, et de la première découverte, en 1811, d'un fossile complet d'ichtyosaure par une gamine de 12 ans, Mary Anning. Excursions à la découverte des fossiles, selon la marée (se renseigner sur place).

👁 ***Dinosaurland Fossil World :*** Coombe St. ☎ 44-35-41. Ouvert toute l'année dès 10 h. Entrée : 4 £ (5,90 €) ; réductions. Ne mériterait qu'une visite rapide s'il n'y avait pas la qualité des commentaires qui donnent une saisissante explication de l'évolution des reptiles. Nombreux fossiles, comme il se doit, et vivariums où les iguanes s'ennuient un peu en attendant le visiteur. Organise aussi des promenades guidées à la recherche de fossiles.

👁 ***Charmouth Heritage Coast Centre :*** ☎ (01297) 56-07-72. • www.charmouth.org • Pour les marcheurs invétérés, faites le détour jusqu'au village voisin au centre d'information qui propose toutes les infos pratiques sur les sentiers de randonnées (2 à 8 h de marche). Nombreuses brochures à disposition. Plus de 20 miles de balades en perspective ! Petite expo sur les fossiles.

LES ÎLES ANGLO-NORMANDES (CHANNEL ISLANDS)

Angleterre en miniature et port franc tout près de la France, les 2 plus grandes sont très visitées, surtout pendant les week-ends. Lors de son exil à Guernesey, de 1855 à 1870, Victor Hugo disait que les îles Anglo-Normandes étaient « des morceaux de France tombés à la mer et ramassés par l'Angleterre ».

Comment y aller ?

De France à Guernesey

➢ ***Par avion :*** de Dinard avec *Aurigny Air Services,* ☎ 02-99-46-70-28. • www.aurigny.com •

➢ ***Par bateau :*** de Saint-Malo uniquement avec *Condor Ferries,* ☎ 0825-160-300. • www.condorferries.com •

De France à Jersey

➢ ***Par bateau :*** avec *Emeraude Lines,* ☎ 02-23-18-01-80. Départs de Saint-Malo.

Condor Ferries : gare maritime de la Bourse et Terminal Ferry du Naye, 35400 Saint-Malo. ☎ 0825-160-300. Fax : 02-99-56-39-27. Liaisons régulières (entre 2 et 3 départs par jour en catamaran géant) au départ de Saint-Malo pour rejoindre Jersey en 1 h 10.

Dans tous les cas, bien se renseigner, car la plupart de ces liaisons ne sont que saisonnières. Bien évaluer le temps du trajet, si vous voulez faire juste un aller-retour dans la journée. Compter, par exemple, 45 mn pour aller du point de débarquement à Saint Hélier.

JERSEY

C'est l'île la plus visitée. Capitale : ***Saint Hélier.*** Château à 1 km, que l'on peut atteindre à marée basse. Les plus belles plages sont au nord.

Office de tourisme : Liberation Square, St Hélier JE1 1BB. ☎ (01534) 50-07-00. Fax : (01534) 50-08-08. • www.jersey.com •

GUERNESEY

Elle était plus à la mode au début du XXe siècle. Capitale : ***St Peter Port.*** Location de vélos au débarcadère.

Office de tourisme : St Peter. ☎ (01481) 72-35-52. • www.guernsey.net • www.guernseytouristboard.com •

À voir à St Peter Port

La capitale de l'île de Guernesey regorge de ruelles sinueuses. Les boutiques, installées dans d'anciens entrepôts, furent souvent des cachettes pour les pirates et les contrebandiers. Charme des commerces, dont les noms sont souvent français.

Belle ***église*** du XIIe siècle.

Castle Cornet : château du XIIIe siècle. Ouvert tous les jours d'avril à octobre, de 10 h 30 à 17 h 30. Ajouts des époques élisabéthaine, georgienne, victorienne et de l'occupation allemande. Musée avec matériel militaire et maritime. Ne soyez pas surpris par le coup de canon tous les jours à midi sur les remparts.

Hauteville House : 38, rue de Hauteville, St Peter. ☎ (01481) 21-911. Ouvert tous les jours de 10 h 30 à 11 h 30 et de 14 h 30 à 16 h 30. De 1855 à 1870, ce fut la maison d'exil de Victor Hugo, où il écrivit *Les Travailleurs de la mer* et *Les Misérables.* Décorée par Hugo lui-même. Belle collection de meubles et extraits de ses mémoires.

L'île présente également une superbe ***vue panoramique*** tout le long du littoral, sur une vingtaine de kilomètres. On y trouve des oiseaux très rares.

EXETER

88 000 hab. IND. TÉL. : 01392

Ville située sur la rivière Exe, violemment bombardée pendant la dernière guerre. Beaucoup de façades reconstituées mais qui ne manquent pas de charme. Avant la guerre, on pouvait y retrouver un résumé d'histoire anglaise : fort, puis ville romaine, elle fut assiégée par Guillaume, s'est enrichie au Moyen Âge par le commerce de la laine, fut une base contre l'Invincible Armada et aussi assiégée pendant la guerre civile tour à tour par les 2 camps adverses... La cité possède une admirable cathédrale et un centre animé avec quelques richesses historiques. C'est aussi le point de départ vers le Dartmoor National Park au sud et l'Exmoor National Park au nord, sans oublier de belles plages aux environs.

Adresses utiles

Exeter City Tourist Information Centre *(plan B1)* **:** Civic Centre, Paris St. ☎ 26-57-00. Fax : 26-52-60. • www.exeter.gov.uk • Ouvert toute l'année du lundi au vendredi de 9 h à 17 h et le samedi de 9 h à 13 h et de 14 h à 17 h; ouvert le dimanche en été, de 10 h à 16 h. Bonnes brochures sur la ville et la région. Pour ceux qui vont arpenter le parc de Dartmoor, demander le *Dartmoor Visitor Guide,* gratuit et complet. Prendre également le magazine sur Exeter, bien pratique pour les concerts et les diverses activités. Service de réservation de logements, vente de télécartes. Organise de chouettes visites guidées de la ville. Quelques-unes en français. On apprend beaucoup sur l'histoire de la ville, la cathédrale, les quais et les fantômes locaux... Gratuit!

Post Office *(plan B1)* **:** bureau principal sur Bedford St.

Banques *(plan B1)* **:** *Barclays, Lloyds* et *Midland,* toutes sur High St. Elles possèdent toutes un bureau de change et un distributeur.

Location de vélos et de canoës *(plan B3, 1)* **:** *Saddles & Paddles,* 4 Kings Wharf, sur le Quay. ☎ 42-42-41. Autour de 15 £ (22,20 €) la journée; réductions. Loue des vélos et des canoës pour se balader le long du canal maritime et de la rivière Exe. On peut ainsi rallier la côte à la rame en passant par deux excellents pubs (voir plus loin « Où manger? », le *Double Locks*), ou encore pédaler tranquillement dans la campagne environnante. Vraiment sympa.

Gares *(plan A1 et hors plan par A1)* **:** ☎ (01752) 22-13-00. Il y en a deux. La plus fréquentée est celle d'Exeter St David, un peu excentrée. Du centre, 20 mn à pied ou alors bus fréquents depuis High St. C'est là que s'arrêtent les trains rapides de London Paddington. Une bonne dizaine de trains par jour dans les deux sens (trajet : 2 h 10 environ). Liaisons avec London Waterloo depuis Exeter Central, sur Queen St. Exeter étant le carrefour de plusieurs lignes, il y a des trains fréquents pour toutes les directions, jusqu'en Écosse!

Gare routière *(plan B1)* **:** Paris St (face à l'office de tourisme). ☎ 25-62-31. *National Express* (☎ [08705] 80-80-80) assure des liaisons dans toutes les directions d'Angleterre et les parcs nationaux.

Transports dans la région

Plusieurs compagnies sillonnent le Devon et les Cornouailles.

- ***First National :*** couvre la région jusqu'à Plymouth et une partie des Cornouailles. Liaisons avec Exeter et Exmouth. Possibilité de tickets de 3 ou 7 jours. Ils s'achètent notamment à l'office de tourisme.
- ***Stage Coach :*** valable 1 semaine et couvre toute la Riviera. S'achète à l'office de tourisme.

Ceux qui veulent explorer le Dartmoor National Park peuvent prendre le bus qui traverse le parc, le n° 82 depuis la gare routière d'Exeter. Trois bus par jour l'été. On peut prendre le 1er bus, s'arrêter au 1er arrêt, reprendre le 2e bus, puis un 2e arrêt, et ainsi de suite jusqu'à Plymouth. C'est le seul moyen de visiter le parc sans voiture.

Où dormir ?

Campings

Haldon Lodge Farm : à Clapham, Kennford, EX6 7YG. ☎ 83-23-12. À 8 km au sud-ouest du centre, en plein bois. Très compliqué d'y accéder en bus (Dartline 366), à éviter si vous êtes à pied. À partir de Kenford (village le plus proche), accès fléché en sortant de l'A38 à Kenford Services. Autour de 15 £ (22,20 €) l'emplacement pour 2. Au calme. Paysage agréable, à proximité du parc de Dartmoor. Possibilité de monter à cheval au club hippique voisin. Par contre, douches chaudes payantes et toilettes plutôt rustiques ! En saison, soirées arrosées et bruyantes, surtout si les canards du coin se mettent à l'unisson !

Hill Pond Camping Site : à Clyst St Mary, sur la route de Sidmouth et de Lyme Regis (A3052). ☎ (01395) 23-24-83. De la gare routière, le n° 52 part toutes les 30 mn (arrêt à proximité). Dans le genre rural et sympathique. Hill Pond a un charme rudimentaire, les propriétaires sont des gens prévenants et gentils. Eau chaude payante. On est proche des jolies plages de Budleigh Salteton et de Sidmouth.

EXETER

Bon marché

Youth Hostel : 47-49 Countess Wear Rd. ☎ 87-33-29. Fax : 87-69-39. À 4 ou 5 km du centre, au sud-est. Vraiment pas pratique sans voiture. De la gare St David, prendre le minibus N jusqu'à High St puis le bus T ou K; demander au chauffeur où descendre. Ouvert toute l'année. Réception de 8 h à 10 h et de 17 h à 22 h. Couvre-feu à 23 h. Très au calme, dans un cadre sympathique. Bien équipée. Chambres de 2 et dortoirs de 4 à 8 lits. Garçons et filles séparés. Près de 100 lits en tout. Cuisine disponible. Petit dej' et dîner servis. Pour les campeurs, possibilité de planter sa tente dans le jardin, pour les membres uniquement.

***Globe Backpackers** (plan B2, **10**) :* 71 Holloway St, EX2 4JD. ☎ 21-55-21. Fax : 21-55-31. • www.exeterbackpackers.co.uk • Au sud de la ville, à 3 mn du centre, c'est la maison avec une grande façade en trompe l'œil. Nuit à 32 £ (47,40 €) en chambre double. Compter 12 £ (17,80 €) par personne en dortoirs de 6 à 10 lits. Douches chaudes, cuisine, accès Internet, télé. Ambiance sympa.

***B & B at the University of Exeter** (hors plan par B1, **11**) :* Holiday Booking Office, Prince of Wales Rd, EX4 4PT. ☎ 21-15-00. Fax : 26-35-12. • www.ex.ac.uk/hospitality • En dehors du centre-ville (itinéraire

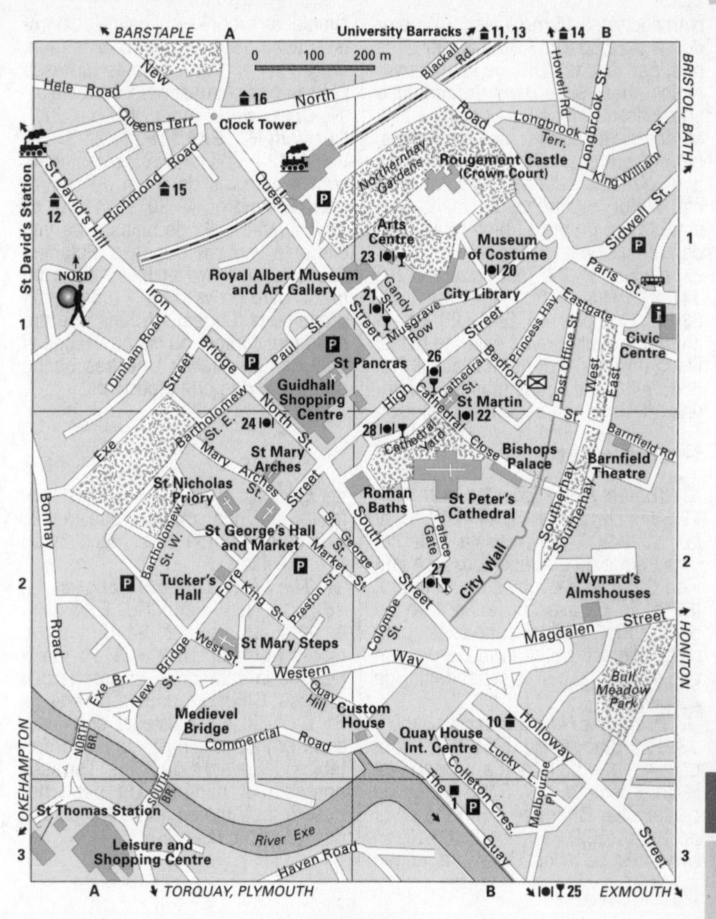

EXETER

Adresses utiles

- Exeter City Tourist Information Centre
- Post Office
- Gares ferroviaires
- Gare routière
- **1** Location de vélos et de canoës

Où dormir ?

- **10** Globe Backpackers
- **11** B & B at the University of Exeter
- **12** Telstar Hotel
- **13** Dunmore Hotel
- **14** Cyrnea B & B
- **15** The Bendene Hotel
- **16** The Clock Tower Hotel

Où manger ? Où boire un verre ?

- **20** Workinglunch
- **21** Coolings
- **22** Hanson's
- **23** Phoenix Bar – Arts Centre
- **24** Herbies
- **25** Double Locks
- **26** The Ship Inn
- **27** Brazz
- **28** The Well House

bien fléché), à 15 mn à pied. Compter de 12 à 22,50 £ (17,80 à 33,30 €) la nuit par adulte. Difficile de trouver moins cher ! Situé dans un immense parc offrant toutes les possibilités de se détendre ; piscine, squash, tennis, etc. Chambres simples et doubles avec ou sans salle de bains. La déco est plutôt rudimentaire, mais l'ensemble est propre et bien tenu. Petit dej' et cuisine à disposition.

Cyrnea B & B *(hors plan par B1, **14**)* **:** 73 Howell Rd. ☎ et fax : 43-83-86. Compter 40 £ (59,20 €) en chambre double avec salle de bains. Dans une ruelle derrière Blackall Rd, donc à 10 petites minutes du centre-ville et de la gare centrale. Maison simple et propre. Au calme. Chambres avec douche et w.-c. extérieurs ou *en-suite.* Bonne petite adresse pour le prix. Atmosphère conviviale.

Crossmead *(hors plan par B1)* **:** Dunsford Hill, EX4 1TF. ☎ 27-37-03. Fax : 42-25-94. • www.crossmead.com • À moins de 2 km du centre-ville. Chambres à 30 £ (44,40 €) pour 2 avec salle de bains. Une très élégante maison de style victorien, couverte de lierre et lovée dans un grand parc de verdure. Propriétaires prévenants. Logement dans une annexe tout confort, au calme. Repas et petit dej' de qualité. Une très bonne adresse à des prix étonnants.

Prix moyens

Telstar Hotel *(plan A1, **12**)* **:** 75-77 Saint David's Hill, EX4 4DW. ☎ et fax : 27-24-66. • www.telstar-hotel.co.uk • Fermé du 20 décembre au 4 janvier. Chambres doubles de 45 à 50 £ (66 à 74 €) avec ou sans salle de bains. Prix très raisonnables pour cette adresse au charme désuet. Un peu éloigné du centre cependant. Bon accueil.

Dunmore Hotel *(hors plan par B1, **13**)* **:** 22 Blackall Rd, EX4 4HE. ☎ et fax : 43-16-43. Un peu au-dessus de la gare centrale et à 5 mn à pied du centre-ville. Chambre double à partir de 38 £ (56,20 €), 44 £ (65,10 €) avec salle de bains. Dans une rangée de maisons en brique, *B & B* tranquille, au bon rapport qualité-prix. Chambres confortables, déco façon Laura Ashley.

The Clock Tower Hotel *(plan A1, **16**)* **:** 16 New North Rd, EX4 4HF. ☎ 42-45-45. Fax : 21-84-45. • www.clocktowerhotel.co.uk • À 10 mn à pied de la cathédrale et proche des 2 gares. Chambre double à partir de 51 £ (75,50 €). Plusieurs chambres sans grande originalité mais confortables, TV et salle de bains. Terrasse agréable et parking. Un peu cher malgré tout, mais cadre plus chic et accueil très chaleureux.

EXETER

Plus chic

The Bendene Hotel *(plan A1, **15**)* **:** 15-16 Richmond Rd, EX4 4JA. ☎ 21-35-26. Fax : 25-41-62. • www.bendene.co.uk • Chambres doubles *en-suite* de 54 à 70 £ (79,90 à 103,60 €), quelques-unes plus simples autour de 45 £ (66,60 €). Un excellent rapport qualité-prix pour cet hôtel situé entre la gare et le centre historique. Maison édouardienne entièrement rénovée. Chambres impeccables à la déco soignée, tout confort. On peut aussi profiter d'une grande piscine en plein air (si le temps s'y prête !). Accueil serviable et petit dej' copieux. Une adresse *very british.*

Où manger ? Où boire un verre ?

Bon marché

Workinglunch *(plan B1, **20**)* **:** Little Castle St ; petite ruelle derrière High St. ☎ 67-67-66. Ouvert du lundi au samedi de 9 h 30 à 17 h 30. Un petit snack très agréable pour manger sur le pouce dans un cadre moderne et convivial. Toute une variété de sandwichs frais ou toastés (plusieurs pains au choix), *jacket potatoes* avec nombreuses garnitures, salades...

🍽 🍷 ***Coolings*** *(plan B1, **21**)* **:** 11 Gandy St. ☎ 43-41-84. Ouvert tous les jours midi et soir. Compter de 5 à 10 £ (7,40 à 14,80 €) par personne. Un resto et bar à vin très agréable, tout en bois et chrome. Très fréquenté le midi pour le buffet de salades fraîches accompagnant quiche, tourte à la viande ou *jacket potatoes* et une sélection de vins au verre.

🍽 ***Hanson's*** *(plan B2, **22**)* **:** Cathedral Close. ☎ 27-69-13. Maison du XVIe siècle. Ouvert du lundi au samedi de 9 h à 19 h ; les jours fériés, de 11 h à 18 h. À l'heure du *lunch*, bons plats autour de 6 £ (8,90 €) et copieuses salades ; à l'heure du thé, de succulents gâteaux maison et *cream-tea* servis avec célérité, ce qui ne gâche rien si l'on est pressé de visiter la cathédrale. Strictement non-fumeurs.

🍽 🍷 ***Phoenix Bar – Arts Centre*** *(plan B1, **23**)* **:** Bradninch Place, Gandy St. ☎ 66-70-80. Ouvert tous les jours du matin au soir, sauf le dimanche. Si vous avez soif de culture et d'un bon espresso, faites d'une pierre deux coups dans cette caféť tenue par le centre d'Arts d'Exeter. Quelques snacks le midi, bières, vins au verre, gâteaux, thé et cappuccino. Profitez-en pour vous informer de l'actualité culturelle de la ville et jeter un œil aux expos temporaires.

Prix moyens

🍽 ***Herbies*** *(plan A2, **24**)* **:** 15 North St. ☎ 25-84-73. Ouvert du lundi au samedi pour le *lunch*, de 11 h à 14 h 30, et le soir du jeudi au samedi de 18 h à 21 h 30. Autour de 10 £ (14,80 €) par personne. Un bon resto végétarien. Déco originale et colorée. Clientèle tendance « néo-baba » et service assuré par une jeune équipe d'étudiants. Recettes originales et goûteuses, soupe du jour, gratin de légumes... Publications écolos et lectures engagées, ambiance relax et prix très honnêtes. Un de nos coups de cœur en centre-ville.

🍽 🍷 ***Double Locks*** *(hors plan par B3, **25**)* **:** Canal Banks ; accessible à pied, à vélo ou en canoë depuis les quais d'Exeter ! ☎ 25-69-47. Ouvert tous les jours midi et soir. Voilà un pub qui mérite vraiment le détour. Installé depuis plus de 10 ans le long de la rivière Exe, c'est le rendez-vous de toutes les générations. Cadre superbe avec une vaste pelouse, idéale pour siroter une bière aux beaux jours. Beaucoup d'étudiants festifs en fin de semaine, des babas cool, des familles populaires... Nourriture de qualité et servie copieusement. Excellentes *ales* locales. Bons concerts le week-end.

🍽 🍷 ***The Ship Inn*** *(plan B1, **26**)* **:** St Martin's Lane ; ruelle sur le côté de Cathedral Yard. ☎ 27-20-40. Pub qui doit sa renommée à sir Francis Drake, qui y a bu un godet en bavardant avec sir Walter Raleigh. Belle déco façon bateau, pour rappeler le passage des marins. *Pies*, assiettes composées, *sausage sandwiches* pour maintenir le cap !

🍽 🍷 ***Brazz*** *(plan B2, **27**)* **:** 10-12 Palace Gate. ☎ 25-25-25. Ouvert tous les jours du matin au soir. Une chaîne de cafés, bars et restaurants dont la décoration est assurée par sir Conran (fondateur d'Habitat) : grande salle avec mobilier design, piliers faisant office d'aquarium et lumières bleutées en soirée... Bref, c'est ici que vous trouverez la faune intello et branchée de la ville. Côté café, sandwichs frais, bons gâteaux et cappuccino ; côté bar, une belle sélection de vin au verre et de bières, *of course !* La mezzanine est réservée au restaurant, qui propose une cuisine très correcte mais à des prix élevés.

🍽 🍷 ***The Well House*** *(plan B2, **28**)* **:** Cathedral Yard. ☎ 22-36-11. Vieux pub en face de la cathédrale, décoré de jolies gravures. Bons petits plats le midi. Prix raisonnables. Excellente adresse aussi pour boire un verre. Au sous-sol, dans le mur, il y a un squelette, avec cette inscription : « Birth is the first step unto death ». Ce qui signifie : La naissance est le premier pas vers la mort. Ça vous met de bonne humeur pour la journée !

À voir

ꝉꝉꝉ ***La cathédrale St Peter*** *(plan B2)* **:** renseignements : ☎ 21-42-19. • www.exeter-cathedral.org.uk • Ouvert tous les jours de 7 h 30 à 18 h 30 (17 h le samedi). On vous demande de verser votre obole pour l'entretien de la cathédrale et pour filmer ou faire des photos. Elle mérite à elle seule la visite de cette ville. C'est un remarquable édifice de style gothique, édifié au milieu d'un superbe espace de verdure. Cette vaste cathédrale date originellement de la période romane dont il subsiste les grosses tours latérales du transept, ornées de tourelles. Tout le reste a été élevé au XIVe siècle. On considère que c'est un des joyaux de l'art gothique dans le monde. Curieuse et immense façade, presque entièrement couverte de statues d'évêques et de rois jusqu'au balcon crénelé. Belle rosace flamboyante surmontée de créneaux elle aussi. Plein de belles choses à voir, évidemment. Voici les plus importantes.

– *La nef :* on est immédiatement frappé par son amplitude. C'est d'ailleurs la nef gothique la plus grande du monde. Superbe jeu des nervures qui élance et affine l'édifice.

– Tout autour de la cathédrale, sur les bas-côtés et sur tous les bancs, vous verrez les *Exeter Rondels.* Ce sont des coussins brodés qui racontent l'histoire de la ville depuis sa fondation. On dit qu'il n'y en a aucun d'identique.

– *Le jubé :* séparation de la nef et du chœur. Élégante dentelle de pierre datée du début du XIVe siècle, surmontée d'un admirable buffet d'orgue du XVIIe siècle. Dans les trouées du jubé, 13 tableaux illustrent l'Ancien et le Nouveau Testament.

– *Bras gauche du transept :* belle horloge astronomique bleu et or datant du XVe siècle, époque où la Terre était encore considérée comme le centre de l'univers. La Lune s'inscrit dans le cercle suivant et le Soleil dans le troisième, symbolisé ici par une fleur de lys. Le tout indique l'heure (mais pas les minutes), ainsi que... l'âge de la Lune. Les minutes sont données par le cadran du dessus, installé au XVIIIe siècle.

– Dans le *chœur,* admirable chaire de l'évêque du XIIIe siècle, haute flèche de bois travaillée comme de la dentelle de Soissons et considérée comme l'une des plus belles chaires gothiques. Admirables stalles aussi, bien plus tardives (XIXe siècle) et clefs de voûtes ouvragées.

– Derrière le chœur, la *chapelle Notre-Dame* (XIIIe siècle) abrite de nombreux tombeaux d'évêques. Là encore, belles nervures de la voûte.

– Voir, tout autour du chœur, les magnifiques *vitraux,* notamment le gigantesque ensemble au-dessus des arcades du chœur. La plupart sont d'origine.

– De-ci, de-là, noter les *corbeaux* qui ne sont pas des oiseaux, mais des sculptures situées à l'extrémité des nervures de la nef, entre arches et arcades. Certains illustrent des scènes comme le *Couronnement de la Vierge* ou représentent des ecclésiastiques.

ꝉꝉ **La place** est entourée de superbes demeures de style élisabéthain. Ce sont en fait uniquement des façades fort bien reconstituées après la guerre et qui redonnent tout son cachet au lieu.

ꝉ ***Les passages souterrains*** *(plan B1)* **:** on y accède par un passage situé à droite de la pharmacie *Boots,* sur la grande High St (rue principale de la ville). De juin à septembre et pendant les vacances scolaires, ouvert du lundi au samedi de 10 h à 17 h ; le reste de l'année, du mardi au vendredi de 12 h à 17 h et le samedi à partir de 10 h. Entrée : 3,75 £ (5,60 €) ; moins cher hors saison. Tour guidé toutes les 30 mn. Creusés au XIIIe siècle pour alimenter la ville en eau. On visite une partie de ces étroits boyaux qui couvrent environ 2 miles dans les sous-sols du centre. Outre les quelques anecdotes narrées par le guide, les passages, bien qu'amusants, ne présentent pas un intérêt bouleversant. On apprend tout de même que le réseau fut en plomb pendant longtemps, qu'on payait les travailleurs, à l'époque de la construction, en argent mais aussi en bière... à volonté. Le réseau cessera d'être utilisé au XIXe siècle.

Saint Nicholas Priory ***(plan A2) :*** ancien prieuré bénédictin du XIe siècle. On visite la crypte romane et quelques salles dont la *Prior's Room* au plafond de bois remarquable.

Rougemont and Northernhay Gardens & Castle *(plan B1)* **:** au milieu de ces deux parcs, les restes du mur d'enceinte de la ville, construit par Guillaume le Conquérant après 1066. Observez la technique romaine sur le mur : les briques en arêtes de poisson. Traverser les jardins sur la gauche pour jeter un coup d'œil aux *catacombes,* dont la ville avait ordonné l'aménagement au XIXe siècle. Elles furent reconverties en morgue après une grande épidémie de peste. On hissait les cadavres du bas du fossé.

Royal Albert Memorial Museum *(plan A-B1)* **:** sur Queen St. ☎ 26-58-58. Ouvert du lundi au samedi de 10 h à 17 h 30. Gratuit. Bâti dans un style compris entre le néogothique et le néokitsch, au milieu de cette période pompière à mort que fut le XIXe siècle. On y trouve un résumé de l'art sous toutes ses formes.

Reprenez à gauche et voici ***High Street*** *(plan B1),* où se trouvent de belles façades ; la seule façade qui ait conservé sa maison d'origine derrière est celle de *Laura Ashley,* avec son double pignon. Non loin, la façade de *C & A.* Sur la droite, étrange hôtel de ville, le *Guildhall,* avec son porche Renaissance. Belle porte en bois de chêne. On peut entrer pour visiter la belle salle toute boisée du XVIIe siècle. C'était le tribunal municipal. Petit musée en mezzanine.

Tout au bout, ruines du pont médiéval. En prenant sur la droite, on rencontre des pubs agréables au bord de l'eau et on parvient à ***The Quay*** *(plan B2-3).* Cet ancien quartier d'entrepôts a été réhabilité et transformé en quartier d'habitations modèle et coquet. C'est ici que se concentrent les clubs de la ville et quelques pubs très fréquentés par les étudiants. Ambiance survoltée en fin de semaine. Avec son plan d'eau et ses quelques planches à voile, le coin reste sympathique. On y trouve quelques antiquaires intéressants (meubles, objets et bric-à-brac à tous les prix), 2 ou 3 terrasses, etc.

Remontez ensuite jusqu'à Fore St, tournez à droite dans West St sur ***St Mary's Church*** *(plan A2)* pour admirer les petites maisons anciennes. On les bâtissait toutes petites à la base, puis de plus en plus larges, à la fois pour gagner de l'espace sur la rue et de l'argent sur les taxes foncières ! Entre ces maisons, montez ***Stepcote Hill*** qui garde son aspect du XVe siècle. Grimpez, suivez cette direction, tournez à droite pour l'entrée ouest de la cathédrale.

➤ DANS LES ENVIRONS D'EXETER

Killerton House and Gardens : à Broadclyst, au nord d'Exeter. ☎ (01392) 88-13-45. Ouvert toute l'année de 11 h à 17 h 30 (uniquement en saison pour la visite de la maison). Superbes jardins anglais élaborés au XVIIIe siècle. Magnolias, azalées et rhododendrons sont les fleurs reines de ces espaces aménagés.

La rive est de l'estuaire de l'Exe offre de jolies balades dans la campagne, ainsi que les quelques plages qui la prolongent. On les atteint par bus, route A316, et par train d'Exeter St David's.

TOPSHAM

Un de nos villages préférés. Dans la banlieue d'Exeter, toujours sur la rivière Exe, c'est un lieu de rendez-vous très prisé l'été, notamment par la population branchée et chic d'Exeter.
La rue qui longe la rivière est bordée uniformément de maisons à pignons à la flamande, de toutes les couleurs, du XVIIe siècle. On se croirait de l'autre côté du Channel. Merci aux tisserands et aux commerçants flamands qui ont créé ce havre de calme. Beaucoup d'antiquaires, de salons de thé et de ruelles tranquilles.

Comment y aller ?

➢ En voiture, prendre la route A376. En bus, liaisons fréquentes (toutes les 10 mn) de High St ou de la station de bus. En train, moins pratique mais liaisons régulières de la gare centrale, direction Exmouth.

Où dormir ?

De prix moyens à plus chic

Broadway House : 35 High St, EX3 0ED. ☎ (01392) 87-34-65. Fax : 66-61-03. • www.broadwayhouse.com • Dans le centre-ville. Fermé le mercredi. À l'étage, des chambres spacieuses et confortables, avec salle de bains. Au rez-de-chaussée, le *Georgian Tearoom,* salon de thé traditionnel avec service en tablier et gants blancs, d'excellents *cream-tea* et gâteaux maison. Pour le *lunch,* bons petits plats préparés par la maîtresse de maison.

Reka Dom : 43 The Strand, EX3 0EY. ☎ (01392) 87-33-85. Fax : 87-93-89. • www.rekadom.co.uk • Dans une historique maison de marchand du XVIIe siècle. Superbe demeure avec vue sur l'estuaire depuis les chambres. Compter de 66 à 70 £ (97,70 à 103,60 €). Cartes de paiement refusées. Petit dej' très copieux. La suite avec une salle de séjour offre une vue panoramique sur l'estuaire. Un luxe à s'offrir absolument pour les routards en mal de romantisme. Une maison non-fumeurs.

Où manger ? Où boire un verre ?

The Passage House Inn : Ferry Rd. ☎ (01392) 87-36-53. Endroit toujours bondé ; les clients débordent sur le quai où ils peuvent contempler les bateaux qui remontent la rivière. Pour y manger, il vaut mieux arriver de bonne heure. C'est très connu, et la fraîcheur du poisson est légendaire. Le midi, on déjeune dans la section bar et le soir, c'est le grand jeu dans la partie resto.

The Lighter Inn : sur le quai. ☎ (01392) 87-54-39. Agréable pub situé devant le petit port et... le parking. C'est avant tout l'endroit idéal pour boire une bière face à l'estuaire. On y mange aussi plutôt bien. Ambiance conviviale.

Denleys : 62-64 High St. On y mange, on y boit (belle carte de vins du monde) et musique (presque) tous les soirs. Consulter le tableau pour connaître les événements de la semaine. Une adresse qui draine tous les jeunes du coin. Ambiance assurée.

Bridge Inn Freehouse : Bridge Hill. ☎ (01392) 87-38-62. Un peu à l'écart du centre, sur la route d'Exmouth, sur la gauche. Bonne grosse taverne toute rose qui propose l'une des plus larges sélections de bières de la région. Depuis le XVIe siècle, elle n'a pas bougé et a conservé ses petites alcôves. Authentique en diable.

À voir. À faire

Se balader dans la sympathique rue centrale et les ruelles perpendiculaires jusqu'au bord du fleuve.

Topsham Museum : 25 The Strand. ☎ (01392) 87-32-44. D'avril à octobre, ouvert les lundi, mercredi, samedi et dimanche, de 14 h à 17 h. Gratuit. C'est dans ce quartier que l'on construisait les bateaux. Belle maison richement décorée, racontant l'histoire maritime de la ville (barques, maquettes, gravures) et petite section consacrée à l'habitat ancien avec la reconstitution de plusieurs pièces. Exposition à thème annuelle.

Quay Antique Centre : sur le quai. ☎ 87-40-06. Ouvert tous les jours de 10 h à 17 h. Stands d'antiquités et bibelots dans un vieil entrepôt maritime de 3 étages.

EXMOUTH

Station balnéaire familiale et typique avec ses rangées de maisons georgiennes et sa belle plage devant. Bonne grosse bourgade tranquille et pépère, sans intérêt débordant. Les plus belles demeures se trouvent sur Beacon Terrace. Train d'Exeter en 25 mn.

À voir

À la Ronde : Summer Lane, à 2 miles au nord d'Exmouth, indiqué sur la gauche en venant de Topsham (A376). ☎ (01395) 26-55-14. Ouvert d'avril à octobre tous les jours sauf les vendredi et samedi, de 11 h à 17 h 30. Entrée : 3,80 £ (5,60 €). Voici une « folie » néogothique de la fin du XVIIIe siècle, construite par deux cousines sur le modèle de la basilique byzantine de San Vitale de Ravenne. Visite ludique de la demeure, toute ronde évidemment, plantée au milieu d'un grand parc. Un détail insolite : les 2 vieilles filles exigèrent que seule la descendance féminine puisse hériter de la maison. Un siècle plus tard, il ne restait plus qu'un pasteur dans la lignée (remarquez, lui aussi portait la robe). Agréable salon de thé.

Les plages : au sud d'Exmouth (rive sud du fleuve), on gagne les plus belles plages de la région en prenant le train d'Exeter jusqu'à *Dawlish Warren* et plus au sud jusqu'à *Teignmouth.* Le train emprunte un très beau trajet. Comme sur la Côte d'Azur, voie ferrée le long de la plage, mais les trains sont rares. Plage de sable, familiale mais pas trop surpeuplée. On peut également y aller en bus avec le n° 85 de la station d'Exeter.

SIDMOUTH

Une autre petite station balnéaire aux falaises rouge brique. La ville est célèbre dans le Devon pour son festival international de musique. Musique folk et celte avant tout, mais aussi rock, pop et world.

Où manger ? Où prendre un *cream tea* ?

The Clocktower Café : Connaught Gardens. Dans un jardin situé en haut des falaises, à 5 mn du centre-ville. ☎ (01395) 51-24-77. Ouvert toute l'année, tous les jours. Une véritable institution pour déguster les meilleurs gâteaux et *scones* du Devon ! Quelques plats et sandwichs le midi. Portions gargantuesques pour les douceurs. À savourer en terrasse, dans le jardin anglais, ou dans une jolie salle à l'étage, avec vue sur la mer.

LE PARC NATIONAL DE DARTMOOR

Grande lande sauvage où Conan Doyle a situé l'action d'une des plus sombres énigmes que Sherlock Holmes ait jamais eu à résoudre, *Le Chien des Baskerville.*

Comment y aller ?

➢ ***En voiture :*** prendre la route B3212 qui traverse la lande. Problèmes à prévoir pour les caravanes ou camping-cars. Routes très étroites bordées de haies, où il est difficile de se croiser.
➢ ***En bus :*** pas vraiment très pratique d'explorer le parc en bus, mais on peut toujours emprunter le n° 82 « Transmoor Link » depuis la gare routière d'Exeter. Ce bus traverse le parc et va jusqu'à Plymouth en faisant plusieurs arrêts. Il y en a 3 par jour l'été. Donc, il est tout à fait possible de prendre ce bus, de s'arrêter quelques heures, de reprendre le 2e bus, de s'arrêter à nouveau, et ainsi de suite. Mais c'est un peu au pas de course. Arrêts du bus notamment à Chudleigh, Bovey Tracey ou Ashburton.
➢ ***À vélo :*** si vous avez quelques jours devant vous, c'est une chouette idée. Locations à Exeter (voir les « Adresses utiles » dans cette ville) ou à Plymouth. Routes pas toujours faciles, obligation de portage dans certains secteurs.
➢ ***À cheval :*** c'est un excellent moyen de visiter le parc, y compris pour des débutants. Plusieurs possibilités :
– *À Widecombe-in-the-Moor : Shilstone Rocks Ridind & Trekking Centre.* ☎ (01364) 62-12-81. Prix raisonnables. Balades à la journée. Bombes et matériel prêtés gracieusement.
– *À Lydford (près de Okehampton) : Lydford House Riding Stables.* ☎ (01822) 82-03-21. Stages d'une semaine pour apprendre à monter. Très bon accueil.

Infos utiles

Procurez-vous le journal *Dartmoor National Park* auprès des offices de tourisme. Très bien fichu, il donne tous les bons plans et les choses à visiter dans le parc.

Centres d'informations dans le parc

Voici les plus importants. Tous distribuent de la doc, vendent des cartes et des propositions de balades et d'itinéraires. Vous pouvez également consulter leur site Internet : • www.dartmoorway.org.uk •
– *À Princetown :* High Moorland Visitor Centre, Old Duchy Hotel, Tavistock Rd. ☎ (01822) 89-04-14. Ouvert en saison, tous les jours de 10 h à 17 h (16 h en hiver).
– *À Postbridge :* sur la B3212. ☎ (01822) 88-02-72. Ouvert de Pâques à septembre.
– *À Tavistock :* Town Hall Building. ☎ (01822) 61-29-38. Ouvert du lundi au samedi de 10 h à 17 h.
– *À Haytor :* Lower Car Park, Main Rd. ☎ (01364) 66-15-20.
– *À Moretonhampstead :* Community Information Point, The Square. ☎ (01647) 44-00-43. Un des meilleurs points d'informations sur Dartmoor. Personnel très accueillant.

Où dormir ? Où manger dans le parc ou aux abords ?

Campings

⛺ ***Dartmoor View Holiday Park :*** Whiddon Down, Okehampton. ☎ (01647) 23-15-45. Fax : 23-16-54. Sur l'A30, à mi-chemin entre Exeter et Okehampton. Terrain très sympa à l'image des proprios. Piscine chauffée, douches chaudes et laverie.

⛺ ***The River Dart Country Park :*** Holne Park, Ashburton. ☎ (01364) 65-25-11. À côté de Newton Abbot.

⛺ 🏠 ***Camping Barn, Runnage Farm :*** à Postbridge. ☎ (01822) 88-02-22. Équipé également d'un dortoir.

⛺ 🏠 ***The Plume of Feathers :*** à Princetown. ☎ (01822) 89-02-40. Fax : 89-07-80. Équipé d'un dortoir de 42 lits. Réservation conseillée.

Auberges de jeunesse

🏠 Trois ***auberges de jeunesse*** dans le parc :

– *À Steps Bridge :* Near Dunsford, EX6 7EK. ☎ (01647) 25-24-35. Ouverte d'avril à septembre. Bus n° 359 depuis Exeter. Réception à partir de 17 h. 24 lits à 9,20 £ (13,60 €).

– *À Bellever :* Postbridge, PL20 6TU. ☎ (01822) 88-02-27. Sur une petite route à 2 km de la B3212, bien isolée au bord de la forêt. Ouverte d'avril à septembre. Lit à 10 £ (14,80 €).

– *À Okehampton :* Klonduke Rd, EX20 1EW. Dans l'ancienne gare restaurée. ☎ (01837) 539-16. Fax : (01837) 539-65. Ouverte toute l'année. Réception à partir de 17 h. 74 lits en chambres de 4 et 6. Repas du soir entre 19 h et 20 h. Mieux vaut réserver.

Conseils sur les balades

Impossible ici de résumer les balades à faire. Le mieux est vraiment de se reporter à l'excellent journal gratuit *Dartmoor National Park,* qui les énumère et propose une bonne carte. On trouve aussi des dizaines de publications sur les possibilités de balades dans les librairies et les offices de tourisme locaux.

En tout cas, n'oubliez pas, lors de vos promenades sur la lande, que le temps y est très changeant. Il est nécessaire d'avoir du bon matériel imperméable et de bonnes chaussures !

➤ *DANS LE PARC DE DARTMOOR*

LUSTLEIGH

Où dormir ? Où manger ? Où boire un verre ?

🏠 ***Brookside B & B :*** Lustleigh, nr. Bovey Tracey, TQ13 9TJ. ☎ (01647) 27-73-10. • www.brooksidedartmoor.co.uk • Compter 44 £ (65,10 €) en chambre double avec salle de bains. Une magnifique demeure en plein cœur du village, dans un environnement champêtre. Chambres vastes et lumineuses, tout confort. Immense jardin et terrasse aux beaux jours. Une adresse de charme.

🍽 🍷 ***The Cleave :*** Lustleigh, nr. Bovey Tracey, TQ139TJ. ☎ (01647) 27-72-23. Ouvert toute l'année, midi et soir. Chouette pub du XVIIIe siècle aux vieilles poutres et toit de chaume. Plusieurs salles conviviales. Très fréquenté le dimanche pour le traditionnel *carvery lunch* en famille. Agréable jardin tout autour pour siroter une bonne *ale* sur un banc. À Noël, le lieu est surchargé de décos ; à ne pas manquer !

CHAGFORD

On pénètre vraiment dans la lande : herbe rase, bruyère, poneys et moutons en liberté.
Ne manquez pas, dans cette charmante bourgade, cette incroyable boutique *James Bowden and Son Hardware and Moorland Centre* (ouverte du lundi au samedi de 9 h à 17 h). Sur plusieurs niveaux et dans un espace réduit, on y trouve absolument tout, mais alors tout. Depuis plus d'un siècle, Chagford, grâce à cette boutique, peut se targuer d'être la bourgade la mieux approvisionnée de la région.

Où dormir ? Où manger ?

🏠 |●| ***Bullers Arms*** : 7 Mill St, Chagford, TQ138AW. ☎ (01647) 43-23-48. Fax : (01647) 43-28-10. Compter 50 £ (74 €) pour une chambre double avec salle de bains ; 10 £ (14,80 €) pour un repas complet. Juste en face du magasin James Bowden. Un charmant petit pub aux tons chauds, fait de pierre et de bois, bien sympa. Un menu varié à prix moyens. Possède également 3 chambres confortables, cosy à souhait. Une bonne petite adresse.

🏠 |●| ***Easton Court Country House*** : Easton Cross, Chagford, TQ138JL. À environ 3 km du centre de Chagford. ☎ (01647) 43-34-69. Fax : (01647) 43-36-54. • www.easton.co.uk • Fermé pour les fêtes de fin d'année. Compter de 60 à 70 £ (88,80 à 103,60 €) pour une chambre double, mais vous ne les regretterez pas ! Un cadre exceptionnel et romantique, une maison Tudor fort bien restaurée avec toit de chaume, murs de granit, poutres apparentes et grande cheminée. Très bonne cuisine. Super accueil.

DREWSTEIGNTON

Où manger ? Où boire un verre ?

|●| 🍷 ***Drewe Arms*** : sur la place centrale du village. ☎ (01647) 28-12-24. Ouvert tous les jours de 11 h à 18 h 30 ; service midi et soir. Une maison datant du XVIe siècle, avec plafond bas, larges poutres et sol pavé de pierres. Cosy à souhait, notamment près de la vieille cheminée en hiver. Côté cuisine, le classique *pub grub* avec quelques plats variant au gré des saisons, le *ploughman's lunch,* assiette de fromages et *pickles,* et le *carvery* le dimanche ! Sans oublier une fameuse bière locale pour accompagner le tout. Une de nos adresses préférées.

CASTLE DROGO

À 4 km au nord de Chagford. Folie d'un riche « épicier » du début du XXe siècle qui s'est fait construire, en 1910, un château fort tout en granit sur une colline qui domine la lande et la vallée de la Teign.

Entre le blockhaus moderne et la forteresse médiévale, particulièrement austère et triste, dans un cadre superbe en revanche, entourée de collines.

DE CHAGFORD À TWOBRIDGES

La route serpente à travers des collines de landes, de murets de granit jaunis d'ajoncs. Elle traverse des forêts de chênes centenaires moussus, enjambe la rivière Dart sur d'étroits ponts médiévaux. Chaque saison offre une palette de couleurs différente, mais le printemps et l'automne offrent incontestablement les plus chatoyantes. Soyez prudent, car il y a de nombreux moutons sur la route.

POSTBRIDGE

Vous trouverez ici un centre d'information sur le parc : brochures gratuites, plans, informations et accueil très aimable, en anglais seulement, hélas. Et surtout pour vérifier si l'armée ne s'exerce pas au tir ce jour-là dans ce coin si amoureusement choisi : voir les horaires des *firing ranges* !

DE POSTBRIDGE À TWOBRIDGES

Où dormir ? Où manger ?

🏠 🍴 ***Cherry Brook Hotel :*** Twobridges, Yelverton, Devon, PL20 6SP. ☎ et fax : (01822) 88-02-60. • www.cherrybrook-hotel.co.uk • Resto ouvert tous les jours. Fermé pendant les fêtes de Noël et du Nouvel An. Entre Postbridge et Twobridges. Une dizaine de belles chambres très confortables, avec salle de bains, pour 42,50 £ (62,90 €) ; 52,50 £ (77,70 €) en demi-pension. En pleine lande, calme absolu. Menu complet autour de 22,50 £ (33,30 €). Très douillet. Cuisine rustique de qualité, à base de bons produits locaux. On se sent comme un coq en pâte chez Andy et Margaret Duncan ! Cartes de paiement refusées.

Balades dans les environs

➢ Possibilité de splendides ***balades vers les Tor*** (restes granitiques). Quel paysage ! Pour vraiment s'éloigner sans se perdre, ou pour ne pas passer devant des trésors sans comprendre, n'hésitez pas à suivre une *walk* commentée par l'un des rangers. Cette lande est la plus riche d'Europe en sites néolithiques : plus de 2000 cercles, pierres levées, etc. Les croix au sommet marquent le trajet. Elles étaient très utiles pour les porteurs de cercueils, qui faisaient 20 km sans avoir le droit de s'arrêter. Il y a 200 ans, on pouvait s'installer librement si l'on construisait 4 murs et un âtre en un seul jour ; d'où le style local. Il y a 100 ans fut inventé un système dément de boîte aux lettres en pleine lande : on y dépose sa lettre, sans timbre, juste avec le tampon qui est dans la boîte. Le premier voyageur qui passe ramasse le courrier et le porte plus loin. Et ça a marché. Ça fonctionne toujours aujourd'hui car les collectionneurs de *postmarks* arpentent la lande, signent le *Visitor's Book*, tamponnent leur courrier et le mettent avec le vôtre dans une boîte aux lettres plus civilisée en revenant en ville.
La végétation humide des marais a aussi ses secrets : tourbe (encore exploitée), digitales, orchidées, champignons hallucinogènes et plantes carnivores. Les moutons du Dartmoor, à la tête blanche, sont de plus en plus remplacés par les *Scotch black-faced* écossais, encore plus résistants.

➢ En allant sur ***Twobridges*** et ***Princetown,*** on aperçoit la sinistre *prison de Dartmoor,* dont on peut faire le tour de loin en voiture. Sur la petite route, vous trouverez des poneys bien laineux en liberté.

➢ Un autre bon départ d'excursion, avec bureaux d'information et jolies auberges : ***Bovey Tracey*** pour aller aux ***Becky Falls,*** les cascades. Ouvert de Pâques à fin octobre de 10 h à 17 h 30. Attention, leur entrée est désormais payante (et chère !). Au moins, vous ne risquez pas de vous perdre, vous ne serez pas seul !

➢ Possibilité de randonnée à cheval aux environs de ***Buckland-in-the-Moor.***

WIDECOME-IN-THE-MOOR

Où dormir ? Où manger ? Où boire un verre ?

Dartmoor Expedition Centre : Rowden, Widecombe-in-the-Moor. ☎ (01364) 62-12-49. Près de Newton Abott. Ouvert toute l'année, de 7 h 30 à 10 h 30. Logement en dortoirs, couchage compris. Cuisine. Organisent des activités : marche, escalade, canoë, spéléo... Réservation souhaitée.

Rutherford House : Widecome-in-the-Moor, nr. Newton Abbot, TQ13 7TB. ☎ (01364) 62-12-64. Ouvert de mars à octobre. Double autour de 40 £ (59,20 €). Une jolie maison juste à l'extérieur du village. Seulement 3 chambres, confortables, avec salle de bains. Ian, le maître des lieux, est un personnage. Il adore la France et s'est passionné pour les 2CV qu'il collectionne activement (déjà 9 modèles !). Il saura aussi vous conseiller sur les nombreuses balades. Petit dej' extra, préparé par Pauline, sa gentille femme.

The Old Inn : Widecome-in-the-Moor, nr. Newton Abbot. ☎ (01364) 62-12-64. Ouvert tous les jours midi et soir. Superbe pub datant du XIVe siècle. On vient de toute la région pour y déguster une savoureuse cuisine régionale et boire de bonnes *ales.* Atmosphère très chaleureuse, surtout en fin de semaine où le lieu est bondé. Une véritable institution à ne pas manquer.

TOTNES

6000 hab. IND. TÉL. : 01803

Bourgade florissante au Moyen Âge. Ses habitants préservent eux-mêmes leurs très belles demeures.

Superbes maisons de marchands des XVe et XVIe siècles dans les rues du centre. On bâtissait de belles façades pour le prestige et on faisait des ajouts derrière ; il faut donc entrer dans les petites cours et les allées.

Adresses utiles

Tourist Information Centre : The Town Mill, Coronation Rd. ☎ 86-31-68. Fax : 86-57-71. • www.totnesinformation.co.uk • Dans le centre. Situé dans un ancien moulin à eau où l'on peut encore voir les rouages en activité. Ouvert de 9 h 30 à 17 h. Fermé le dimanche. Brochures bien faites sur la ville. Service de logement. Accueil particulièrement aimable.

Banques : celles que nous indiquons possèdent un distributeur. *Barclays* et *HSBC* sur High St ; *Lloyds* et *National Westminster* sur Fore St.

Gare ferroviaire : sur Station Rd. Renseignements à Plymouth : ☎ (01752) 22-13-00, ou ligne nationale : ☎ (08457) 48-49-50. Totnes est sur la ligne Penzance-Plymouth-Londres. Nombreux trains, donc, pour la capitale.

Gare routière : tous les bus régionaux partent de The Plains, place située à côté du *Royal Seven Stars Hotel.*

■ **Dartington & Totnes Company :** 28 Follaton Avenue. ☎ 86-47-17. Cette agence organise des excursions pour la journée ou plus, à des prix très étudiés.

■ **Location de vélos :** *Re-Cycle-Cycles,* Mot Pursuit. ☎ 86-51-74.

Où dormir ?

La ville est agréable certes, mais il nous semble beaucoup plus sympa de dormir à Dartmouth, à l'embouchure du fleuve Dart.

Prix moyens

The Four Seasons Guesthouse : Bridgetown, Totnes. ☎ 86-21-46. Fax : 86-77-79. À 5 mn à pied de la rivière Dart et du centre historique. Autour de 40 £ (59,20 €) pour 2. Une maison bien sympathique, même si la décoration très anglaise ne sera pas du goût de tout le monde... Nains de jardin, moquette et papiers peints fleuris, l'ensemble est plutôt kitsch mais l'accueil y est chaleureux, les prix peu élevés et le petit dej' très copieux.

King William IV Hotel : 45 Fore St. ☎ 86-66-89. En plein centre. Compter 45 £ (66,60 €) pour 2, environ 10 £ (14,80 €) pour un repas complet. Superbe pub établi dans une maison élisabéthaine à la façade fleurie. Accueil chaleureux et chambres très correctes, toutes avec salle de bains. Côté cuisine, des plats de qualité servis copieusement et une bonne sélection de bières locales. Bonnes prestations.

Plus chic

The Old Forge : Seymour Place, Totnes. ☎ 86-21-74. • www.oldforgetotnes.com • À 2 mn à pied du centre-ville. Chambres doubles *en-suite* entre 55 et 70 £ (81,40 et 103,60 €) selon la saison. Superbe bâtiment en pierre de la fin du XIVe siècle, ancien atelier de forgeron au rez-de-chaussée et tribunal au 1er étage, reconverti aujourd'hui en auberge traditionnelle. Confort et jardin à l'anglaise.

Où manger ?

Willow Vegetarian Garden Restaurant : 87 High St. ☎ 86-26-05. Ouvert du lundi au samedi de 10 h à 17 h, et les mercredi, vendredi et samedi soir à partir de 19 h. Compter environ 6 £ (8,90 €) le midi et 10 £ (14,80 €) le soir. Atmosphère chaleureuse pour ce resto végétarien proposant un menu indien le mercredi et de la musique live le vendredi soir (mais ça ne se mange pas). Une cuisine goûteuse et un accueil très agréable. Bonne adresse.

Anne of Cleves : 56 Fore St. ☎ 86-31-86. Ouvert du lundi au samedi de 9 h 30 à 17 h et le dimanche de 10 h 30 à 16 h 30. *Lunch* bon marché et quelques plats végétariens. Mais surtout, une variété de pâtisseries alléchantes, *crumble, scones* et *rock cakes* exposés en vitrine. Pour profiter pleinement de toutes ces douceurs locales, à déguster avec une bonne louche de *clotted cream.* On en salive encore...

À voir

La rue principale, ***Fore Street,*** qui devient ***High Street,*** est celle qui concentre la plupart des centres d'intérêt de la ville. Elle mène au château.

🝖 ***Totnes Elizabethan Museum :*** 70 Fore St. Ouvert de début avril à fin octobre, du lundi au vendredi de 10 h 30 à 17 h. Témoignages de la vie des siècles passés dans une ancienne maison de marchand. Belles maisons de poupées et collection de jeux anciens.

🝖 ***Totnes Castle :*** tout en haut de High St. ☎ 86-44-06. Du 1er avril au 30 septembre, ouvert tous les jours de 10 h à 18 h ; en octobre, jusqu'à 17 h. Entrée : 1,80 £ (2,70 €) ; réductions. Forteresse normande édifiée au XIIIe siècle, détruite puis reconstruite plus tard. Il en reste de belles ruines, et surtout ce gros donjon crénelé. Pour y grimper, 200 marches. Hardi, petit ! On est récompensé par une vue imprenable sur le village, la rivière Dart et la campagne alentour.

🝖🝖 ***The Guildhall :*** situé derrière High St, sur la promenade des remparts. ☎ 86-21-47. Ouvert d'avril à octobre, du lundi au vendredi de 10 h à 13 h et de 14 h à 16 h 30. À l'origine, le bâtiment abritait le réfectoire du prieuré bénédictin, fondé en 1088. Reconverti au milieu du XVIe siècle pour accueillir la guilde des Marchands, qui gérait la ville. À partir de 1624, il servit tour à tour de tribunal et de prison. On visite encore les cellules où les prisonniers attendaient leur procès, puis on accède par un escalier du XVIIe siècle à la chambre du Conseil ; belle frise de plâtre et table où Oliver Cromwell prit place en 1646. À voir également, dans le salon du maire, de belles tenues de cérémonie encore utilisées de nos jours.

🝖 ***Berry Pomeroy Castle :*** à Berry Pomeroy, à environ 2 miles de Totnes. ☎ 86-66-18. Ouvert d'avril à septembre de 10 h à 18 h et en octobre de 10 h à 17 h. Encore de belles ruines d'un château médiéval qui ne fut jamais achevé. Ce château est censé être hanté par plusieurs générations de fantômes. Booooouuuh !...

À faire

➢ ***Excursion sur la rivière Dart :*** à partir de Pâques. Il existe des billets combinés train à vapeur-bateau de la gare de Paignton. Pour la descente du fleuve, se renseigner sur le quai de Totnes. Autour de 6 £ (8,90 €) par personne. Horaires variant selon les marées de l'estuaire. Durée : 1 h 15 environ. L'aller-retour coûte à peine plus cher que l'aller simple. Beaux paysages fréquents : on voit la propriété d'Agatha Christie, et, favorite de la famille royale, l'*École navale.* Une balade très plaisante.

➢ ***Voyage en train à vapeur de Totnes à Buckfastleigh :*** à partir de Pâques. Avec *South Devon Railway.* L'abbaye était le modèle des Baskerville, le prieur y était vampire. Une partie du personnel des trains à vapeur est bénévole, pour que persiste le grand esprit des chemins de fer.

THE ENGLISH RIVIERA : TOR BAY

55000 hab. IND. TÉL. : 01803

Nom officiel de la réunion arbitraire de trois villes : Torquay, Paignton et Brixham, sur une baie très abritée qui servit contre l'Armada et pour le blocus continental. Mérite son nom pour le microclimat très clément qui règne sur toute cette partie de la côte. On y force même de malheureux palmiers à

pousser. La plus grande des 3 villes est Torquay, c'est aussi la moins intéressante, la plus touristique. Paignton se révèle plus tranquille, plus ennuyeuse aussi. Brixham est en fait la seule à posséder un certain charme, grâce à son petit port.
Sa vogue date du retour des Indes de colons couverts d'or recherchant la chaleur, d'où la richesse des villas sur le promontoire et des églises. Aujourd'hui, ce sont surtout des retraités qui y séjournent pour prendre le bon air, faisant de cette ville l'une des plus conservatrices... En fait, c'est un peu le Menton anglais. Le meilleur et le pire s'y côtoient. Les milliers d'élèves étrangers en stage de langue s'agglutinent l'été sous les arcades de jeux, tandis que les vieux, 3e, 4e, voire 5e âges réunis, parcourent la promenade. Pas très chaleureux. Paignton reste tout de même agréable et le petit port de pêche de Brixham est plein de charme.

TORQUAY ET AGATHA CHRISTIE

La grande femme de lettres est née en 1891 à Torquay. Infirmière militaire avant d'être romancière, elle eut l'idée de son célèbre détective Hercule Poirot lorsqu'elle soignait des réfugiés belges ayant quitté leur pays lors de l'invasion allemande, durant la Première Guerre mondiale. Ainsi naquit Poirot, personnage méticuleux, élégant et malin. Agatha Christie écrivit son premier roman mettant en scène le petit détective à moustaches gominées peu de temps après la guerre, en 1920, lors de ses vacances dans le Dartmoor. Ce fut *La Mystérieuse Affaire de styles.* Parmi ses succès les plus grands et les plus traduits, *Dix Petits Nègres, Le Crime de l'Orient-Express, Le Meurtre de Roger Ackroyd.* La romancière vécut très longtemps dans la région et mourut à Wallingford en 1976.

Comment y aller ? Comment en repartir ?

➢ ***En train :*** quelques trains directs de Londres jusqu'à Torquay. Ou alors changement à Newton Abbot ou Exeter. Pour se rendre à Paignton depuis Totnes (ou inversement), liaisons par petit train à vapeur. Sympa.
➢ ***En bus :*** direct Londres-Torquay de Victoria Station avec la compagnie *National Express.* Durée : 5 h. De Torquay à Paignton, bus n° 100 au départ du Pavilion, sur le port. Pour se rendre à Brixham, bus n° 12 de Torquay toute l'année ou, en été, au Pavilion, prendre l'*Open Top* décapotable 127 (1 h).
➢ ***En bateau :*** liaisons Torquay-Brixham sur le port, et inversement. Liaisons très fréquentes toute l'année. Trajet en 30 mn environ. À Torquay, *Princess Pier,* ☎ 29-72-92 ; à Brixham, *New Pier,* ☎ 852-041.

Adresses et infos utiles

À Torquay

ℹ ***Tourist Information Centre :*** Vaughan Parade, sur le port, en face du *Pavilion.* ☎ 29-74-28 et (09066) 80-12-68 (infos par téléphone). • www.theenglishriviera.co.uk • De mai à septembre, ouvert tous les jours de 9 h 30 à 18 h ; le reste de l'année, ouvert du lundi au samedi jusqu'à 17 h, fermé le dimanche. Bon accueil et brochures bien conçues. Possibilité de réserver un logement pour le jour même. Pratique car s'il y en a des centaines ici, l'été tout est vite complet.
✉ ***Poste centrale :*** Fleet St Près du port.
■ ***Banques :*** la plupart sont autour du port, sur Fleet St et Union St, la rue principale, et possèdent un distributeur.

À Paignton

🅘 ***Tourist Information Centre :*** Esplanade Rd, en dessous du grand cinéma *Apollo*. ☎ 55-83-83. De mai à septembre, ouvert tous les jours jusqu'à 18 h ; d'octobre à avril, ouvert de 9 h 30 à 13 h et de 14 h à 17 h. Juste derrière, cafétéria avec belle vue sur la plage.

À Brixham

🅘 ***Tourist Information Centre :*** The Quay. ☎ 85-28-61. Ouvert du lundi au vendredi de 9 h 30 à 17 h, tous les jours en été.

✉ ***Poste :*** sur Fore St.

■ ***Banques :*** on en trouve plusieurs dans la rue piétonne, Fore St, notamment la *Lloyds*. La plupart possèdent un distributeur.

🚌 ***Bus :*** pas de gare routière, mais tous les bus s'arrêtent et partent de Bank Lane.

Où dormir ?

Campings

Très nombreux campings tout autour de Torquay, de Paignton et de Brixham. Concentrés le long de Totnes Rd (A385), à l'ouest de Paignton, sur Long Rd ; et enfin, le long de Dartmouth Rd, qui longe la mer. Cependant, on préfère la formule des petits campings à la ferme, un peu paumés mais bien plus sympathiques. Toutes les adresses sont disponibles auprès des offices de tourisme.

⛺ Au sud-ouest de Paignton, nombreux campings dans la campagne, notamment ***Whitehill Farm Camping*** et ***Ramslade Touring Park.***

⛺ Proche du centre de Brixham, ***Centry Touring*** (☎ 85-32-15) et un peu plus loin, ***Upton Manor Farm*** (☎ 88-23-84), sur St Mary's Rd.

Bon marché

À Torquay

🏠 ***Torquay Backpackers International Hostel :*** 119 Abbey Rd, TQ2 5NP. ☎ 29-99-24. Au sommet de la rue, en face du casino. Si vous arrivez en bus ou en train, appelez, on viendra vous chercher. Ouvert toute l'année. Lit en dortoir de 8 à 12 £ (11,80 à 17,80 €). Chambre double à partir de 24 £ (35,50 €). *Check-in* de 9 h à 11 h et de 17 h 30 à 20 h 30. Pas de couvre-feu.

À Paignton

🏠 ***Riviera Backpackers :*** 6 Manor Rd. ☎ 55-01-60. À 60 m de la plage. Ouvert toute l'année. Pas de couvre-feu, ambiance fun. Lits en dortoirs. Couchage compris. Douches. Cuisine et barbecue. Vélos et équipements de pêche à louer.

Prix moyens

À Torquay

🏠 Très nombreux ***B & B*** dans cette station particulièrement touristique. La plupart sont concentrés sur Avenue Rd, Bridge Rd et Morgan Ave, à 10 mn du port à pied. Ils proposent le même type de services, à prix voisins. Les hôtels les plus chic se regroupent sur Babbacombe Rd.

Certains offrent une belle vue sur la côte.

Green Park Hotel : 25 Morgan Ave, TQ2 5RR. ☎ et fax : 29-36-18. • www.greenparktorquay.co.uk • Ouvert toute l'année. Chambres doubles à 40 £ (59,20 €). Grande maison victorienne avec moquette fleurie et déco typiquement british ! Accueil chaleureux, chambres confortables et bon petit dej'. Possibilité de dîner, parking.

The Wilsbrook : 77 Avenue Rd, TQ2 5LL. ☎ 29-84-13. • www.wilsbrook.co.uk • Chambres doubles de 30 à 42 £ (44,40 à 62,20 €). Belle maison victorienne au charme indéniable. Jardin très fleuri. Toutes les chambres sont *en-suite* et bien aménagées. Un bon rapport qualité-prix.

Crowndale : 18 Bridge Rd, TQ2 5BA. ☎ et fax : 29-30-68. À 800 m du *sea front.* Compter de 36 à 48 £ (53,30 à 71 €) pour 2. Maison fleurie très accueillante, avec un beau patio. Chambres impeccables et tout confort. Accueil chaleureux.

Kingston House : 75 Avenue Rd, TQ2 5LL. ☎ 21-27-60. Fax : 20-14-25. Chambres doubles à partir de 40 £ (59,20 €). Prix raisonnables pour une adresse fort bien tenue. Déco un peu chargée, mais l'ensemble est très confortable. Copieux *English breakfast.* Agréable terrasse. Accueil irréprochable.

Torbay Star Guesthouse : 73 Avenue Rd, TQ2 5LL. ☎ 29-39-98. Chambres doubles de 32 à 40 £ (47,40 à 59,20 €), avec ou sans salle de bains. Chambres spacieuses et agréables. Petit dej' pantagruélique et repas sur demande mitonnés par le chef de maison.

À Brixham

Plusieurs **B & B** à l'ouest du port, dans New Rd et vers le môle, sur la route de Berry Head. Fleuris et accueillants.

Où dormir dans les environs ?

Bon marché

Maypool Youth Hostel : Maypool House, Glampton, TQ5 0ET. ☎ 84-24-44. Fax : 84-59-39. À 5 miles de Paignton et de Brixham. Bus n°s 12 et 12A depuis Paignton. Bus n° 100 de Torquay, Paignton ou Brixham ; arrêt à Windy Corner, puis 1,5 km à pied (!). Ouvert de début mars à fin octobre. Réception de 8 h à 10 h et de 17 h à 23 h. Couvre-feu à 23 h. Superbe adresse dans un lieu de charme. Une belle demeure victorienne dans un grand jardin arboré. Dortoirs de 4 à 12 lits. Possibilité de petit dej' et repas.

Chic

Maypool Park Hotel : Maypool, Galmpton. ☎ (01803) 84-24-42. Fax : 84-57-82. • www.maypoolpark.co.uk • Sur la route A3022 qui relie Torquay à Dartmouth ; à partir de Churston, l'hôtel est bien fléché. Compter environ 80 £ (118,40 €) pour 2. Un véritable manoir victorien entièrement rénové et entouré d'un parc magnifique, à deux pas de la rivière Dart. Chambres luxueuses, tout comme les salons et le restaurant. Menu raffiné renouvelé chaque jour et carte des vins choisie. Un lieu exceptionnel.

Où manger ? Où boire un verre ?

Bon marché

À Torquay

The Hole in the Wall : 6 Park Lane. ☎ 20-07-55. Dans une ruelle au-dessus du port. De la Clock Tower, prendre Torwood St et immédiatement le passage sur la droite. Compter de 6 à 15 £ (8,90 à 22,20 €)

par personne. À ne pas rater. Accueil jovial. C'est une minuscule maison de contrebandiers. Musique agréable de surcroît et petite cuisine de pub, simple et fraîche, servie midi et soir. Au restaurant, une bonne cuisine fraîche et de qualité.

The Devon Dumpling : 108 Shiphay Lane. Grosse maison de pierre qui date du XVIe siècle. Excellent rendez-vous des 30-35 ans autour d'une bonne brune certains soirs. Bon *pub grub* à prix honnêtes servi midi et soir.

Upton Vale : derrière la Coach Station, sur Upton Hill. Pub sympathique, fréquenté par les locaux. Une belle sélection de bières et cidre local. Pas touristique. Musique live tous les samedis soir.

À Brixham

Saxty's : Middle St ; juste avant d'arriver sur le port, sur la gauche. Nombreux plats à tous les prix. Populaire et touristique à la fois. Une véritable institution à prix démocratiques.

Prix moyens

À Torquay

Camelot : Fleet Walk. ☎ 21-53-99. Ici, tout est imaginé pour vous plonger dans l'atmosphère médiévale. Le cadre, le service en habit d'époque, les gobelets pour déguster le vin ou les pichets de terre pour la bière. Menu de très bonne qualité, avec des plats grillés au feu de bois.

Hanbury's : Princes St, Babbacombe. ☎ 31-46-16. Une atmosphère très cosy pour ce restaurant spécialisé dans les fruits de mer. Carte de vins et bières locales bien fournie.

Plus chic

À Torquay

Capers Restaurant : 7 Lisburne Square. ☎ 29-11-77. Ouvert le soir, de 18 h 30 à 22 h. Fermé le dimanche. Plats entre 12 et 16 £ (17,80 et 23,70 €). Chic et raffiné, tenu avec maestria. L'accent est surtout mis sur le poisson, frais et bien cuisiné (en feuilleté, fumé, poché, en sauce ou grillé, au curry). Risotto, crabe thermidor, filet de bœuf... Et de très bons gâteaux maison à prix honnêtes.

À Paignton

Pier Inn : sur le petit port, après la longue plage. ☎ 55-31-15. Compter de 15 à 20 £ (22,20 à 29,60 €) pour un repas complet. Adresse recommandable, tenue par la même famille depuis plus de 40 ans. Très fréquentée par les locaux. D'un côté, vue sur le port et, de l'autre, sur la mer. Cuisine conventionnelle et bourgeoise, toujours à base de poisson frais.

À Brixham

Pilgrims : 64 B Fore St. ☎ 85-39-83. Ouvert du mardi au samedi à partir de 18 h 30. Compter de 12 à 20 £ (17,80 à 29,60 €) par personne. À l'origine, le lieu était fréquenté par les marins en escale au port. Rénové il y a quelques années, le décor rappelle la cabine du célèbre Mayflower. Excellentes spécialités de poisson et de fruits de mer revisitées par le chef avec diverses épices et légumes frais. Un chouette repaire de loups de mer ! Boisson offerte sur présentation du *Guide du routard.*

Où déguster le meilleur *cream tea*?

À Torquay

Quitte à déguster un authentique *cream tea,* avec *scones* croustillants, crème fondante à souhait et *cup of tea* corsée, autant s'offrir le grand jeu dans des établissements réputés !

|●| ***The Osborne Hotel :*** Meadfoot Beach. ☎ 21-33-11. Thés, *scones* et gâteaux sont servis à la brasserie dans les règles de l'art.

|●| ***The Pavilion :*** Vaughan Rd. Intelligente restauration d'un théâtre édouardien. De très bons gâteaux également : *cheese-cake* et *chocolate-cake.*

À voir

À Torquay

👣👣 ***Torquay Museum :*** 529 Babbacombe Rd. ☎ 29-39-75. Bus n° 32. Ouvert toute l'année du lundi au samedi de 10 h à 17 h, plus le dimanche en été à partir de 13 h 30. Entrée : 3 £ (4,40 €) ; réductions. Musée généraliste plutôt hétéroclite : collections d'archéologie et de géologie, découverte interactive de l'histoire naturelle de la région, objets de la vie rurale et ferme du Devon reconstituée... Il faut monter tout en haut pour trouver la salle dédiée à l'enfant du coin : Agatha Christie.

👣👣 ***Torre Abbey :*** The King's Drive (rue perpendiculaire à Torbay Rd). ☎ 29-35-93. Ouvert de Pâques à octobre de 9 h 30 à 18 h (dernière entrée à 17 h). Entrée : 3,50 £ (5,20 €) ; réductions. Ancien monastère bâti au XIIe siècle, qui subit de nombreuses vicissitudes. L'église est depuis bien longtemps en ruine ; quant aux quartiers d'habitations des moines, ils furent transformés au cours des siècles en demeure bourgeoise puis en musée des Beaux-Arts : peintures des XVIIIe et XIXe siècles. La Remington portable d'Agatha Christie, photos, notes manuscrites... Salon de thé victorien très agréable (bons gâteaux et miel en vente).

À Paignton

👣 ***Paignton Zoo :*** sur la route de Totnes à Paignton (A385) ; accès sur Totnes Rd. ☎ 69-75-00. Ouvert toute l'année, tous les jours de 10 h à 18 h. Entrée : 6 £ (8,90 €) ; réductions. Très grand espace et remarquable aménagement prouvant un louable souci de bien-être pour les animaux. Très anglais.

À Brixham

👣 Sur le quai, superbe ***navire*** reproduisant aux deux tiers la ***Golden Hind*** *(la Biche dorée).* C'est la caravelle sur laquelle sir Francis Drake fit le tour du monde de 1577 à 1580. Pas vraiment la peine de payer, on la voit très bien de l'extérieur.

👣👣 ***Berry Head National Park :*** à 2 km à l'ouest. Renseignements : ☎ 88-32-62. Réserve naturelle qui abrite une grande variété de plantes rares et d'oiseaux (guillemots).

Coleton Fishacre House and Garden : à environ 6 km de Kingswear (route Brixham-Dartmouth). ☎ 75-24-66. Bus *Stagecoach* n°s 22 et 24. Ouvert d'avril à octobre du mercredi au dimanche de 10 h 30 à 17 h 30. Entrée : 5 £ (7,40 €) ou 3,90 £ (5,80 €) pour le jardin ; réductions. Une maison du début du XXe siècle dans la plus pure tradition de la côte sud-ouest. Magnifique jardin d'essences exotiques rares du monde entier.

À faire

À Torquay

On vous conseille vivement d'éviter les plages près du port. En longeant la côte, succession de plusieurs petites ***plages*** coincées entre les falaises de roches rouges. Plutôt agréables hors saison mais bondées l'été, évidemment. Au nord de la ville s'étend ***Babbacombe Beach,*** la plus vaste et la plus cotée. Accès avec les bus n°s 32 ou 100 du port ou par un sentier côtier. Une superbe vue en descendant le long des falaises rouges.

➢ Un superbe ***sentier maritime*** longe la côte et offre une vue imprenable sur les échancrures de la côte et quelques villas vertigineuses bien intégrées au site. Cette balade dans l'anse de Torbay fait partie du South West Coast Path, sentier de randonnée longeant le Devon et les Cornouailles sur plus de 22 miles. Tous les renseignements auprès du *Countryside Trust* : ☎ 60-60-35. • www.countryside-trust.org.uk •

À Paignton

De grandes plages de sable bordent la ville. ***Goodrington Sands,*** à l'ouest, est la plus tranquille.

➢ ***Train entre Paignton et Kingswear :*** *Steam Railway,* ☎ 55-58-72. Petit train à vapeur et à touristes, à prendre à la gare de Paignton. Il suit les rives de la rivière Dart et la côte sur 7 miles. Plusieurs liaisons quotidiennes en été. Personnel en costume d'époque. À l'arrivée à Kingswear, on peut prendre un ferry qui traverse la rivière pour gagner Dartmouth. Belle vue. Excursion d'une journée possible combinant train, bateau et retour.

➢ Plusieurs petits ***bateaux*** proposent des balades au départ du port, et peuvent même vous conduire à Dartmouth. Également pêche au maquereau.

À Brixham

Les 2 petites plages de sable de ***Fishcombe*** et de ***Churston Cove*** sont les plus proches du port. ***Shoalstone Beach*** est agréable pour prendre le soleil sur ses grands rochers plats ; et ***St Mary's Bay,*** la plus éloignée, abrite une vaste plage de sable entourée de falaises.

➢ Possibilité de partir à la ***pêche*** : demandez aux petits kiosques à l'est du bassin. Toute l'année, pêche au maquereau et en haute mer. Bonne petite balade en perspective. On peut même aller taquiner le requin avec les bateaux *Sea Spray III* (☎ 85-13-28) et *Gemini II* (☎ 85-17-66). Et on garde ses prises.

➢ ***Remonter la rivière Dart en bateau :*** *Western Lady Ferry Services.* S'adresser sur le port de Brixham, au kiosque *New Pier.* ☎ 85-20-41. Nombreuses liaisons quotidiennes en ferry et bateau jusqu'à Torquay.

DARTMOUTH

5000 hab. IND. TÉL. : 01803

Dartmouth évoque un peu Honfleur avec sa petite activité portuaire, ses belles maisons, son charme douillet. Après les villes surfaites de la Riviera, on est content de trouver ce petit bout de ville qui ne semble pas vivre uniquement du tourisme. Ce fut le point de départ de nombreux bateaux vers le Nouveau Monde, puis des marins terre-neuvas. Des façades à la décoration tarabiscotée, quelques chouettes antiquaires et même un club de boules. C'est dire si c'est sympa. Régate fin août. Une belle escale sur la côte de Torbay.

Comment y aller?

➢ ***De Paignton :*** liaison par trains à vapeur jusqu'à Kingswear et ferry (pour traverser le fleuve). *Steam Railway* : ☎ 55-58-72. Liaisons quotidiennes de 7 h (8 h le dimanche) à 22 h 45. Quand même bien cher pour une si courte traversée.

➢ ***De Totnes :*** liaison en bateau plusieurs fois par jour. Aller simple ou aller-retour.

➢ ***De Torquay :*** via Paignton et Kingswear. Six allers-retours quotidiens (horaires plus restreints le dimanche), par les bus *Stagecoach.* ☎ (01392) 42-77-11.

Adresses et infos utiles

Tourist Information Centre : sur Mayor's Ave ; à gauche du port, quand on regarde l'eau. ☎ 83-42-24. • www.discoverdartmouth.com • Ouvert du lundi au samedi de 9 h 30 à 17 h 30, plus le dimanche en juillet et août, de 10 h à 16 h.

Poste : Mayor's Ave.

Com City : Palladium Arcade, Duke St. ☎ 83-44-26. En plein centre et à deux pas du port. Ouvert du lundi au samedi de 9 h à 17 h. Compter 1,50 £ (2,20 €) la demi-heure, 2,50 £ (3,70 €) l'heure.

Banques avec distributeurs : *National Westminster,* 2 Duke St ; et la *Lloyds* un peu plus loin.

Bus : sur le quai à côté du *Station Restaurant.* Bus n° 89 pour Totnes. Pour Plymouth, bus n° 93. Pour Paignton, prendre le bus n° 200 de Kingswear (de l'autre côté du fleuve).

Où dormir?

Les *B & B* les moins chers sont sur Victoria Rd, qui débute du Quay. Plusieurs adresses à prix raisonnables dans le village ou un peu à l'extérieur.

Bon marché

The Anchorage : 73 Victoria Rd, TQ6 9SA. ☎ 83-50-46. Compter 32 £ (47,40 €) pour 2. Une petite maison tout ce qu'il y a de plus simple. Seulement 2 chambres, avec salle de bains commune. La déco n'est pas extra, mais c'est propre et confortable. En plus, le petit dej' est copieux et l'accueil du jeune couple de proprios très sympa. Un bon rapport qualité-prix.

Prix moyens

Camelot Bed & Breakfast : 61 Victoria Rd, TQ6 9DX. ☎ et fax : 83-38-05. Chambres doubles de 40 à 50 £ (59,20 à 74 €). Chambres avec lavabo. Confortable, propre et familial. Un bon rapport qualité-prix. Excellent accueil. Café offert aux porteurs du *Guide du routard.*

Seale Arms : Victoria Rd, TQ6 9SA. ☎ 83-27-19. Chambres doubles de 45 à 60 £ (66,60 à 88,80 €) selon la saison. Une chouette auberge traditionnelle. Atmosphère chaleureuse et déco des chambres très soignée. Tout confort. Certaines sont carrément luxueuses, avec lit à baldaquin, lumières douces et belle salle de bains *en-suite.* Petit dej' et bon accueil.

Potters : 106 Victoria Rd. ☎ 83-34-26. Chambres doubles à partir de 40 £ (59,20 €). Un *B & B* bien sympa dans un atelier de potier. Toutes les chambres possèdent une salle de bains. Maison aménagée selon les affinités d'un artiste (Bob) au goût assuré. Jardin également très agréable.

Plus chic

Ford House : 44 Victoria Rd, TQ6 9DX. ☎ 83-40-47. Compter 85 £ (125,80 €) en chambre double, moins cher à partir de 3 nuits. Charmante maison à deux pas du centre et des quais. Jolie façade avec balcon envahi par la végétation. La déco intérieure s'harmonise bien avec ce petit coin de campagne urbain. Chambres tout confort, cosy et lumineuses. Excellent petit dej' et accueil charmant en prime.

Où camper dans les environs ?

Leonards Cove : à Stoke Fleming, village situé à 3 km de Dartmouth. ☎ 77-02-06. Belle vue sur la mer en haut des falaises. Beaucoup de mobile homes à demeure. Agréable. Sanitaires propres. À proximité de la belle plage de Black Pool. Agréable *footpath,* 1 h de marche pour rejoindre Dartmouth.

Où manger ?

Bon marché

Crab Shell : Raleigh St (entre Fairfax Place et South Embankment). ☎ 83-90-36. Grand choix de sandwichs dont la spécialité maison, au crabe. Frais et goûteux.

Ice Cream Dairy - The Good Intent : 30 Lower St. ☎ 83-21-57. Ouvert tous les jours de 9 h à 18 h. Hmm... les délicieuses glaces maison dans un bon vieux *dairy* des familles ! *Devon clotted cream, shortbread,* biscuits et moult caramels pour faire le plein de douceurs.

Prix moyens

The Cherub Inn : 13 Higher St. ☎ 83-25-71. Service toute l'année de 12 h à 14 h et de 19 h à 22 h. Vraiment bon marché le midi ; le soir, à la carte. Notre meilleure adresse, et de loin. Date du XIVe siècle, et ça se voit. Mignon, chaleureux, familial, cosy et on en passe. Toujours plusieurs poissons frais et d'excellents sandwichs au crabe ou aux crevettes pour le *lunch.*

The Windjammer : Victoria Rd. ☎ 83-22-28. Autour de 12 £ (17,80 €) pour un repas complet. Jolie façade chargée de fleurs pour ce pub accueillant. Moelleuses banquettes de moleskine et cheminée pour les jours d'hiver. Menu varié selon la saison, essayez donc les crevettes aux herbes ou bien encore la salade de poulet fumé. Frais, goûteux et les desserts ne sont pas en reste... La maison est aussi célèbre pour ses excellents *ales* et cidre locaux. Le tout à des prix raisonnables.

The Dolphin : Market Square. ☎ 83-38-35. Compter de 10 à 15 £ (14,80 à 22,20 €) pour un repas complet. Prudent de réserver le week-end. Restaurant à l'étage. Une petite salle chaleureuse avec filets de pêche aux murs et bougies sur les tables. Spécialités copieuses exclusivement à base de poisson et de fruits de mer. Un excellent rapport qualité-prix.

Plus chic

Taylor's Restaurant : 8 The Quay. ☎ 83-27-48. Au 1er étage, donnant directement sur le port. Compter de 11 à 17,50 £ (16,30 à 25,90 €). Le plus fameux resto de poisson du bourg. Tous les midis, une sélection de plats à prix raisonnables ; le soir, excellents menus à la carte.

The Carved Angel : 2 South Embankment. Face au port. ☎ 83-24-65. Ouvert midi et soir du mardi au samedi. Fermé le dimanche soir et le lundi midi. Menus de 18,50 à 25 £ (27,40 à 37 €). Cadre chic, belle et vaste salle lumineuse aux tables bien espacées et d'un blanc immaculé. Une carte très alléchante proposant essentiellement des spécialités de poisson et de crustacés. Personnel aux petits soins.

À voir

Butterwalk House and Museum : sur Duke St, juste à l'angle de Mayor's Ave. De mars à octobre, ouvert du lundi au samedi de 11 h à 17 h ; de novembre à février, de 12 h à 15 h. Entrée : 2 £ (3 €). Musée tourné vers l'histoire maritime de la ville. Situé dans une longue bâtisse à colombages du XVIIe siècle, bien retapée et soutenue par des colonnes de pierre à chapiteaux sculptés. Ce *butterwalk* servait d'entrepôt pour le beurre et le lait des fermiers de la région avant qu'ils ne soient envoyés sur les différents marchés alentour. Les arcades abritent aujourd'hui des boutiques.

L'église Saint-Saviour : structure gothique du XIVe siècle rénovée au XVIIe, située juste derrière Fairfax Place. Charmante. À noter sa voûte en bois, son balcon ciselé et le superbe jubé ouvragé en bois polychrome qui ferme le chœur. Enfin, une jolie chaire sculptée en pierre, curieusement polychromée.

Chouette balade le nez en l'air à travers les petites rues du centre. Le ***quartier historique*** autour du port possède quelques belles maisons à colombages, notamment sur *High Street* (parallèle à Lower St). La rue principale et les ruelles autour de *Market Square* recèlent des boutiques d'antiquités et des galeries d'art. Jetez aussi un œil à l'ancien marché, qui abrite aujourd'hui quelques ateliers d'artisans.

Dartmouth Castle : ☎ 83-35-88. D'avril à octobre, ouvert tous les jours de 10 h à 18 h ; de novembre à mars, du mercredi au dimanche de 10 h à 16 h. Dressé sur son promontoire au bout de la jetée, dans une situation superbe, à l'extrémité de l'embouchure du fleuve Dart, voici un beau château du XIVe siècle, qui tient encore debout. À part quelques canons, les salles sont bien vides et la vue qu'offre le château peut parfaitement être appréciée de l'extérieur. Seuls les passionnés jetteront un œil à l'intérieur. On profite surtout d'une belle balade le long de la mer, en empruntant le *South West coast path* jusqu'au château. En saison, le *Castle Ferry* assure la liaison depuis le port de Dartmouth.

À faire

➢ ***Balade en bateau :*** *River Link,* 5 Lower St. ☎ 83-44-88. Une belle excursion sur la rivière Dart à la journée ou demi-journée. Également des excursions en mer et la liaison avec Totnes, en saison. Prix un peu élevés cependant.

Plage de Black Pool Sands : à environ 3 km de Dartmouth, entre Stoke Fleming et Strete. Superbe plage de sable blond enfermée dans une enclave au milieu d'une côte déchiquetée. Très fréquentée en été, voire surpeuplée.

Shopping

The Dartmouth Pottery : Warfleet Creek. D'avril à octobre, ouvert tous les jours de 10 h à 17 h. En venant du centre-ville sur la route du château. Dans un loft superbe, une exposition-vente de poteries à tous les prix.

PLYMOUTH

240000 hab. IND. TÉL. : 01752

Grand port maritime et militaire qui n'a pas un charme fou. En 1620, les *Pilgrim Fathers,* qui avaient appareillé de Southampton, firent une dernière escale à Plymouth avant d'affronter l'Atlantique. Ils allaient fonder en Nouvelle-Angleterre une colonie à l'abri des persécutions. Ce furent les premiers immigrants américains. Une plaque commémore le point de départ de leur bateau, le célèbre *Mayflower.* Deux quartiers agréables : *The Barbican,* ancien quartier de pêcheurs, et *The Hoe,* colline résidentielle, tous les deux longeant la mer. Ne pas manquer *Brunel's Bridge,* à **Saltash.** Pont de chemin de fer sur la Tamar, de 1850. Vous ne pouvez le rater ! Il est parallèle au pont que vous devez emprunter pour passer en Cornouailles. Au fait, Mr Brunel était un grand ingénieur, il a construit le premier bateau en acier ; un peu l'équivalent de M. Eiffel.

SIR FRANCIS DRAKE, GRAND NAVIGATEUR

S'il fallait ne citer qu'un marin parmi tous ceux de la grande époque élisabéthaine, ce serait sir Francis Drake. Né aux alentours de 1540, il se fit connaître en combattant les Espagnols dans toutes les colonies britanniques. On lui confia la mission de faire le tour du monde, qu'il boucla en 3 ans. Sa réputation ne fit que s'accroître auprès de la Cour et il fut élu maire de Plymouth, alors la plus grande base navale du pays. Toute sa vie en guerre contre l'armée espagnole, il se distingua une nouvelle fois lorsqu'il organisa la défense du pays contre l'Invincible Armada et contribua à son échec. Il mourut en 1596 à Panamá.

Adresses utiles

Plymouth Tourist Information : Island House, 9 The Barbican. ☎ 30-48-49. Fax : 25-79-55. Au bout de Southside St, en face du marché au poisson. Ouvert de mai à septembre du lundi au samedi de 9 h à 17 h et le dimanche de 10 h à 16 h ; horaires restreints en hiver. Réservations de logements, plan de la ville, télécartes. Accueil efficace.

✉ ***Poste :*** St Andrew's Cross.

■ ***Banques :*** voici quelques banques qui font le change et qui possèdent un distributeur. *Lloyds :* 8 Royal Parade ; *Midland Bank :* 4 Old Town St (petite rue qui donne sur St Andrew's Cross) ; *National Westminster :* 156 Armada Way.

■ ***Location de vélos :*** *Plymouth Mountain Bike Company,* Queen Anne's Battery. ☎ 26-83-21. Voir aussi *Caramba,* The Barbican, 8-9 Quay Rd. ☎ 20-15-54.

Gare : North Rd. ☎ 22-13-00 ; infos générales : ☎ (08457) 48-49-50. De Plymouth à Penzance, plusieurs trains par jour. De Plymouth à Londres, également quelques trains quotidiens.

Gare routière : Bretonside ; à côté de St Andrew's Cross, en plein centre. Plusieurs compagnies privées desservent toutes les Cornouailles. La plus importante est *First Western* (☎ 22-22-66). Très nombreuses correspondances.

Liaisons par ferry

– Par *Brittany Ferries :*

➢ ***Pour Roscoff :*** de mai à mi-novembre, 1 à 3 ferries par jour. ☎ (0990) 36-03-60 pour les infos et réservations. Départ : Terminal Millbay à Plymouth, au sud de la ville. Durée du trajet : 6 h.

➢ ***Pour Santander (Espagne) :*** 1 à 2 départs par semaine toute l'année. Durée : 24 h.

Où dormir ?

Campings

Riverside Caravan Park : Longbridge Rd, Marsh Miles Plymouth. ☎ 34-41-22. • www.riversidecaravanpark.com • Compter de 6 à 12 £ (8,90 à 17,80 €) par personne. Dans une banlieue de la ville, à 4 km, direction Exeter, puis Plymton. Bus n°s 20 et 22. Vaste camping sur le bord de la rivière Plym. Bien équipé : magasin, douches, machines à laver le linge, à sécher, etc.

Briar Hill Caravan & Camping Park : Briar Hill Farm, Newton Ferrers, PL8 1AR. ☎ 87-22-52. Compter de 4 à 10 £ (5,90 à 14,80 €) par personne. Petit camping à la ferme, en pleine campagne. Douche chaude et sanitaires impeccables. Simple et familial.

Bon marché

Youth Hostel : Belmont House, Devonport Rd, à Stoke. ☎ 56-21-89. Fax : 60-53-60. À 3 km au nord-ouest du centre. Pas très pratique pour y aller mais à 2, un taxi fera l'affaire. Ferme entre 10 h et 17 h. La nuit à partir de 8 £ (11,80 €). Curieuse demeure qui ressemble à un théâtre néoclassique avec ses colonnades. Assez calme. Sert des repas. Petit bout de pelouse à l'avant.

Plymouth Backpackers Hotel : 172 Citadel Rd, The Hoe. ☎ 22-51-58. Fax : 20-78-47. Ouvert toute l'année. Pas de couvre-feu. À partir de 28 £ (41,40 €) la nuit. Quartier calme. 48 lits en chambres de 2 et 4 et en dortoirs de 8. Couchage fourni. Douches, laverie, salle de jeux et TV. Cuisine équipée. Ambiance vraiment cool. Souvent plein, pensez à réserver.

Squires Guesthouse : 7 St James Place East, The Hoe. Petite rue perpendiculaire à Citadel Rd. ☎ 26-14-59. Compter 30 £ (44,40 €) pour 2. Petite maison confortable, chambres impeccables, salle de bains commune. Excellent petit dej' et accueil sympathique. Bref, un des meilleurs rapports qualité-prix.

Prix moyens

La majorité des *B & B* à prix raisonnables se situent dans le quartier résidentiel du Hoe, autour d'un grand parc, très agréable, sur la colline qui domine le port et la baie. En saison, réservez si vous le pouvez car c'est vite complet.

■ ***Tudor House Hotel :*** 105 Citadel Rd, The Hoe, PL1 2RN. ☎ 66-15-57. Chambre double à partir de 32 £ (47,40 €). Bon confort, chambres ensoleillées et douillettes. Petit dej' copieux et un accueil *charming* !

■ ***St Malo Guesthouse :*** 19 Garden Crescent, West Hoe, PL1 3DA. ☎ et fax : 26-29-61. Portable : ☎ (07771) 66-42-32. Tout près du port, c'est la maison rose devant les terrains de tennis. À partir de 38 £ (56,20 €) pour 2. Belles chambres, dont quelques-unes donnent sur la mer. Au calme. Toutes avec salle de bains, TV, etc. Accueil charmant et bon petit dej'.

■ ***The Beeches :*** 175-179 Citadel Rd. ☎ 26-64-75. Compter 40 £ (59,20 €) pour une double. Les chambres sont assez petites mais agréables et modernes. Salle de petit dej' lumineuse et conviviale. En prime, situées juste en face de Hoe Parc, idéal aux beaux jours.

■ ***Avalon Guesthouse*** (167 Citadel Rd, ☎ 66-81-27) et ***Acorns and Lawns Guesthouse*** (171 Citadel Rd, ☎ 22-94-74) proposent tous 2 des prestations voisines pour une échelle de prix équivalente. • mysite.freeserve.com/louisejoe • Compter de 35 à 42 £ (51,80 à 62,20 €) la nuit. Avec ou sans douche. Propre et confortable. Chouette vue sur le parc.

Au pied de la colline du Hoe, sur Pier Street

■ ***Mariners Guesthouse :*** 11 Pier St, PL1 3BS. ☎ 26-17-78. Chambres doubles autour de 42 £ (62,20 €). Une grande maison conviviale avec des chambres correctes et un accueil très sympa. Dans une rue populaire et agréable.

■ ***Osmond Guesthouse :*** 42 Pier St. ☎ 22-97-05. Fax : 26-96-55. Compter de 38 à 44 £ (56,20 à 65,10 €). Autre adresse honnête. Chambres confortables, quoiqu'un peu kitsch. Ensemble bien tenu.

Où manger ? Où boire un verre ?

Tout se concentre sur le Barbican, ancien quartier de pêcheurs dont l'axe principal est Southside St.

Bon marché

|●| 🍸 ***Bites :*** 6 Quay Rd, The Barbican. ☎ 25-42-54. Snack-bar à la déco moderne proposant toute une variété de sandwichs et d'en-cas à des prix démocratiques. Bonnes *jacket potatoes,* et copieux avec ça !

|●| 🍸 ***Tudor House Tea-Room :*** New St, The Barbican, juste à côté de l'Elizabethan House. ☎ 25-55-02. Autour de 6 £ (8,90 €) par personne. Une jolie maison de poupée où déguster de savoureux gâteaux maison (délicieux *scones* et *rock cake*) accompagnés de crème fermière.

🍸 ***Barbican Jazz Café :*** 11 The Parade, The Barbican. ☎ 67-21-27. Ouvert de 11 h à 2 h. Fermé le lundi. Verre autour de 2,50 £ (3,70 €). Sur le port, en face de *The Ship,* un chouette bar et club de jazz tenu par 2 Frenchies. Belle salle aux voûtes de pierre pour accueillir le swing endiablé de jazzmen et de bluesmen venus de toute l'Angleterre. Concerts de qualité presque tous les soirs.

Prix moyens

🍽 🍷 ***The Ship :*** Quay Rd. De 8 à 15 £ (11,80 à 22,20 €) pour un repas complet. En plein cœur du Barbican, beaucoup de monde. Du côté du pub, on boit, à l'étage, on mange. Sert des repas midi et soir. Juste à côté, ***The Cider Press,*** excellent pub avec musique live tous les jeudis et samedis.

🍽 ***Queen Anne Eating House :*** sur la ruelle White Lane, minuscule et perpendiculaire à Southside St, dans le Barbican. ☎ 26-21-01. Ouvert midi et soir. Fermé le lundi. Environ 15 £ (22,20 €) par personne. Resto de poche pour une cuisine bien préparée et soignée (poisson, lapin, plat végétarien...).

À voir. À faire

The Barbican : ancien quartier de pêcheurs aujourd'hui rénové. Se balader sur Southside St jusqu'au petit port. Touristique. C'est au bout de cette rue, dans la maisonnette qui abrite aujourd'hui l'office de tourisme, que les passagers du *Mayflower* (1620) prirent leur dernier verre avant de naviguer vers des contrées nouvelles.

Plymouth Gin : Black Friars Distillery, 60 Southside St, The Barbican ; à côté du resto *The Distillery.* ☎ 66-52-92. Visite guidée tous les jours de mars à décembre. Entrée : 2,75 £ (4,10 €) ; réductions. Vieille distillerie de gin aujourd'hui encore en fonction. Visite des bâtiments historiques, ancien monastère datant de 1431, tous les secrets de fabrication du gin depuis le XVIIIe siècle et, bien sûr, dégustation et vente de la production.

The Elizabethan House : 32 New St ; rue parallèle à Southside St. ☎ 30-43-80. Ouvert d'avril à septembre, tous les jours sauf les lundi et mardi, de 10 h à 17 h. Entrée : 1,10 £ (1,60 €) ; réductions. Décoration typique d'une maison de l'époque. Bien pour les jours pluvieux.

Merchant's House Museum : St Andrew's St. ☎ 30-43-81. Ouvert de 10 h à 13 h et de 14 h à 17 h. Fermé les dimanche et lundi, ainsi que d'octobre à mars. Musée des différentes corporations locales, installé dans une maison du XVIe siècle et organisé selon la comptine : « Tinker, Teacher, Tailor, Soldier, Sailor, Richman, Poorman, Apothecary, Thief ». Au dernier étage, une boutique d'apothicaire a été installée et fonctionne encore. On vous montre comment étaient autrefois fabriqués les médicaments. Très intéressant.

The Hoe : c'est le nom de cette colline qui domine la baie. Aménagée en grand parc, en quartier résidentiel et aussi en citadelle militaire. Du sommet, sur la promenade, panorama superbe sur la baie et les vaisseaux militaires toujours ancrés par ici. Sympa en été pour pique-niquer sur les pelouses anglaises. On peut aussi grimper en haut de la *Smeaton's Tower,* grand phare rouge et blanc. Pour ceux qui visiteront le Plymouth Dome, ticket combiné possible.

Plymouth Dome : Hoe Rd, au pied du phare, au sommet de la colline. ☎ 60-33-00. Ouvert tous les jours de 10 h à 17 h en saison, du mardi au samedi jusqu'à 16 h hors saison. Une sorte de musée multimédia, moderne et interactif, qui présente tous les aspects de la ville à travers son histoire, et surtout son histoire maritime. Bof !

Crownhill Fort : Crownhill Fort Rd. ☎ 79-37-54. Ouvert d'avril à octobre, tous les jours de 10 h à 17 h. Entrée : 5 £ (7,40 €) ; réductions. La forteresse date de 1872 et fut érigée pour se défendre de ces maudits *Frenchies.* Passionnant. Reconstitutions historiques vivantes, galeries souterraines, collection d'armes et surtout d'une artillerie pétaradante (le week-end, démonstrations en costumes d'époque, oreilles fragiles s'abstenir!). *Tea-room* ouvert en saison, avec de bons gâteaux, *scones* et sandwichs.

☞☞ ***National Marine Aquarium :*** Fish Quay, The Barbican (très bien fléché). ☎ 22-00-84. Ouvert tous les jours; d'avril à octobre, de 10 h à 18 h; de novembre à mars, jusqu'à 17 h. Toute une variété de poissons de la côte anglaise et des mers du globe. Bassins remplis d'hippocampes, de corail ou de poissons multicolores, d'étoiles de mer, de crabes et de crustacés... Derrière la vitre d'un aquarium géant, on peut observer la vie des requins, certains mesurant plus de 2,5 m de long.

➢ ***Tours en bateau :*** du port. *Tamar Cruising,* Mayflower Steps, The Barbican (☎ 82-21-05); et *Plymouth Boat Cruises,* à Torpoint (☎ 82-27-97). Plusieurs tours dans la journée. Se renseigner sur place car les départs dépendent des marées.

➤ DANS LES ENVIRONS DE PLYMOUTH

☞☞ ***Buckland Abbey :*** à ***Yelverton,*** à 11 miles au nord de Plymouth par l'A386, et à 6 miles au sud de Tavistock. ☎ (01822) 85-36-07. Ouvert du 12 avril au 30 octobre tous les jours sauf le jeudi, de 10 h 30 à 17 h 30. Voici la résidence du grand navigateur sir Francis Drake. C'est une ancienne abbaye cistercienne du XIIIe siècle, transformée en résidence privée 3 siècles plus tard. À l'intérieur, souvenirs personnels du navigateur et objets liés à la vocation maritime de la région. Belle cuisine conservée intacte depuis le XVIe siècle. Intéressant. Petit salon de thé, grand parc et jardins élisabéthains. Une visite agréable.

☞☞ ***The Garden House :*** à *Buckland Monachorum,* Yelverton, nr. Tavistock. ☎ (01822) 85-47-69. À 10 miles de Plymouth sur la route de Tavistock par l'A386. Bien signalé. Ouvert tous les jours de mars à octobre de 10 h 30 à 17 h. Entrée : 4 £ (5,90 €); réductions. Encore un magnifique jardin comme seuls les Anglais savent les composer. Couleurs et senteurs extraordinaires et vues magnifiques sur la campagne environnante. À ne pas manquer si vous disposez d'un peu de temps.

LES CORNOUAILLES

C'est à l'ouest de Plymouth que commence la côte que nous préférons. Là apparaissent les petits ports encaissés, les routes étroites et une certaine douceur de vivre. Ceux qui désirent se limiter à la visite de cette région auront intérêt à prendre un bateau des Brittany Ferries (Roscoff-Plymouth). Prenez un petit bout de Bretagne, d'Écosse et d'Irlande. Arrosez le tout d'une pluie fine, de vent sifflant, puis laissez sécher au soleil. Voilà les Cornouailles, terre de légendes celtiques, de falaises noires, de plages dorées et dociles, d'océan tourmenté. Ultime avancée de granit dans l'océan, figure de proue de la Grande-Bretagne, les Cornouailles, c'est une région au faible relief mais à fière allure, romantique à souhait. Pour bien la visiter, il faut une bonne semaine. Même si, géographiquement, les Cornouailles s'étendent sur une petite surface, leur intérêt est bien plus grand qu'une bonne partie de la côte sud anglaise. C'est un voyage en soi, auquel on peut très bien ajouter la ville de Bath, un des fleurons touristiques du pays (voir « À l'ouest de Londres »).

TRANSPORTS, HÉBERGEMENT ET QUELQUES CONSEILS

Déjà, deux très bons sites Internet qui vous aideront dans vos recherches : • www.cornwalltouristboard.co.uk • et • www.visitsouthwest.co.uk • Tout le West Country et les Cornouailles sont globalement bien desservis par un réseau de bus, surtout en saison. Dans les offices de tourisme, vous trouverez des brochures complètes sur les différentes liaisons. Évidemment, comme en France, le problème est de rallier les petits villages. Souvent, il n'y a que 1 ou 2 bus par jour.

Pour aller d'une ville à une autre, le train est souvent le meilleur moyen. Puis les bus locaux peuvent prendre le relais. Tous les renseignements par téléphone auprès de *Traveline Southwest :* ☎ (08706) 08-26-08.

➢ ***Pour circuler en bus,*** il existe des forfaits « Cornouailles 7 jours » ou « 3 jours » pour certaines compagnies. Se renseigner auprès de la *First Western,* ☎ (01752) 40-20-60 et (01503) 22-06-60, qui dessert toutes les Cornouailles, ou auprès des offices de tourisme. Se procurer le *Cornwall Public Transport Summer Timetable.* Indispensable pour ceux qui voyagent en bus.

➢ ***Pour circuler en train,*** il faut savoir que la privatisation des transports n'a pas rendu la compréhension des choses très facile : les lignes sont réparties entre plusieurs opérateurs. Le mieux est d'appeler au numéro national qui renseigne les usagers : ☎ (08457) 48-49-50 ; ou *South Wales & West Railway* : ☎ (01793) 51-54-75. Un dépliant avec les différentes liaisons est distribué dans tous les TIC.

➢ On peut embarquer son ***vélo*** sur le train pour une somme modique ; réservation souhaitée. Mais les bus ne les acceptent pas.

➢ Ceux qui sont ***en voiture*** devront, pour pouvoir visiter les villages touristiques, laisser leur véhicule au parking (payant, naturellement !).

– Les Cornouailles étant une région assez touristique, prévoir un budget ***logement*** adapté : sachez, par exemple, que le prix des *B & B* est toujours compris entre 16 et 30 £ (23,70 et 44,40 €) par personne.

Pour obtenir tous les renseignements sur les hébergements de charme, les transports et les restaurants, vous pouvez consulter plusieurs sites Internet très complets : • www.cornwall-calling.co.uk • www.westcountryholidays.com •

Il faut aussi savoir que le week-end et en saison, la région est envahie par les Britanniques habitant Londres, Plymouth, Bristol et autres. En conséquence, il est indispensable de réserver en période estivale.

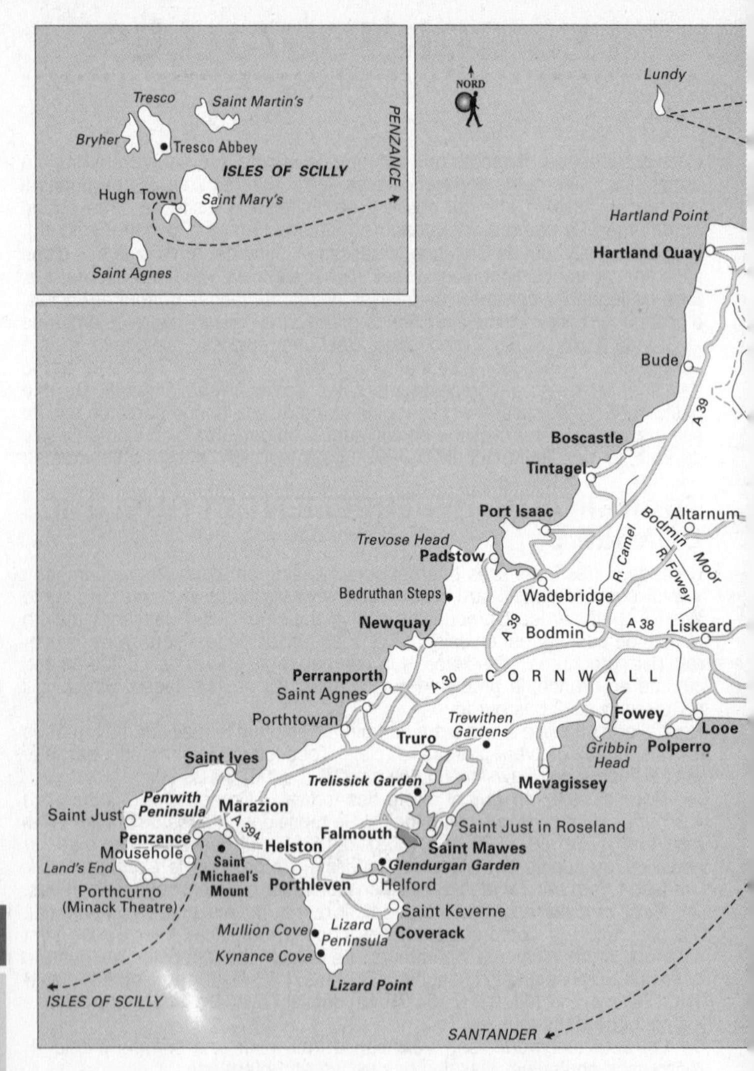

QUELQUES SPÉCIALITÉS DES CORNOUAILLES

– *Le Cornish cream tea :* thé au lait servi avec 2 *scones,* petits gâteaux que vous mangerez avec de la confiture et de la crème du coin. Ça cale et c'est bon.
– *La Cornish pasty :* dans une pâte feuilletée, vous trouverez des oignons, des pommes de terre en lamelles et du bœuf. Pas cher. Dans tous les *fish and chips.*
– *Les fudges :* sortes de caramels onctueux, débités en petits carrés ou en barres, aux multiples parfums. Délicieux... et vite écœurant.
– Voici la liste des poissons et coquillages que l'on trouve le plus souvent sur les menus des restaurants du Devon et des Cornouailles : *cod :* morue,

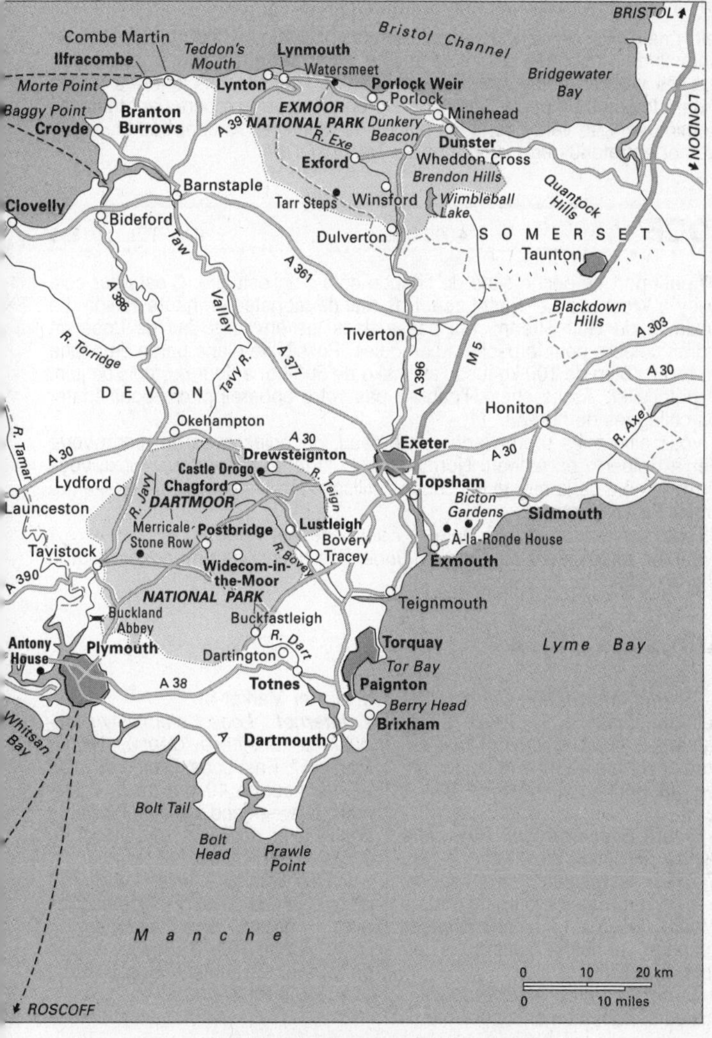

LES CORNOUAILLES ET LE DEVON

cabillaud ; *crab :* crabe ; *cockles* et *mussels :* coques et moules ; *lobster :* homard ; *mackerel :* maquereau ; *monkfish :* lotte ; *oyster :* huître ; *plaice :* carrelet ; *prawns :* crevettes ; *salmon :* saumon ; *shark :* requin ; *skate :* raie.

CLIMAT

Dans cette région où le temps est très capricieux, les 4 saisons peuvent se succéder dans la même journée : ayez donc toujours sous la main lunettes de soleil, K-way et petite laine. Mais vous serez récompensé par les très beaux couchers de soleil, les effets de brume mystérieux et la lumière.

RANDONNÉES PÉDESTRES

Voici une région bénie pour les promeneurs. Il existe un important réseau de chemins de randonnée le long de la côte, *Coastal Path,* reliant pratiquement tous les villages entre eux au plus près de la côte alors que les routes sinuent toujours un peu à l'intérieur. De bonnes cartes répertoriant tous ces chemins sont en vente dans les offices de tourisme. Ils sont très bien indiqués et entretenus en majorité par le *National Trust.*

LOOE

4000 hab. IND. TÉL. : 01503

Joli petit port de pêche situé de chaque côté d'un estuaire. C'est pour cela qu'il y a West Looe et East Looe. Pas mal de touristes en haute saison. La proximité du Gulf Stream, qui passe dans les environs, fait de Looe un endroit célèbre pour la pêche aux requins. Possibilité d'une partie de pêche (du requin bleu de 100 kg jusqu'au mako de 500 kg) autour du mois de juin, en particulier. Assez cher. N'oubliez pas votre appareil photo pour épater vos collègues de bureau.
Si vous aimez les promenades en bateau, négociez avec un marin votre aller à Polperro en bateau. Normalement, ils font l'aller-retour. Ainsi, vous verrez la côte de la mer et les criques utilisées par les contrebandiers, entre autres Talland Bay.
– Toute l'animation se concentre à *East Looe,* sur Fore St.
– Goûtez absolument au *Cornish fudge,* des boutiques en vendent tout le long de Fore St.

Adresses utiles

Tourist Information Centre : The Guildhall, Fore St. ☎ 26-20-72. De Pâques à octobre, ouvert tous les jours de 10 h à 17 h ; le reste de l'année, du lundi au vendredi de 10 h à 12 h.

South East Cornwall Discovery Centre : Millpool, West Looe. ☎ 26-27-77. • www.southeastcornwall.co.uk • Ouvert tous les jours de mars à octobre, jusqu'à 17 h. Nombreuses brochures et infos touristiques sur toute la région.

Banques avec distributeurs : plusieurs établissements sur Fore St et Higher Market St.

Internet : *Looe Community Computer & Business Centre,* Higher Market St, East Looe. Ouvert du lundi au vendredi de 10 h à 16 h, également le week-end en été. Plusieurs postes avec accès Internet autour de 3 £ (4,40 €) l'heure.

Bus : liaisons entre Looe, Polperro et le sud-ouest des Cornouailles avec *Polruan Bus Company :* ☎ (01726) 87-07-19. Bus de village en village. Également *Hoppa Bus :* ☎ (01503) 26-27-18.

Où dormir ?

Prix moyens

Tidal Court Guesthouse : 3 Church St, West Looe, PL13 2EX. ☎ 26-36-95. Ouvert toute l'année, tous les jours. Chambres doubles autour de 40 £ (59,20 €). Cartes de paiement refusées. Superbe petite maison très fleurie. La propriétaire de ce *B & B* est absolument charmante. Elle vous trouvera une chambre chez une amie si sa maison est pleine, donc pas de souci ! Elle assure aussi un *full English*

LES CORNOUAILLES

breakfast pour faire le plein d'énergie. Au fait, on est en face du pub *The Olde Jolly Sailor,* très pratique ! Un petit dej' offert sur présentation du *GDR.*

🏠 ***Little Harbour Guesthouse :*** Church St, West Looe, PL13 2EX. ☎ et fax : 26-24-74. Fermé d'octobre à avril. Chambres doubles autour de 48 £ (71 €). Une petite maison de poupée proposant 7 chambres, toutes différentes et confortables, à des prix vraiment raisonnables. Quelques-unes *en-suite* avec vue sur le port. Accueil chaleureux et copieux petit dej'. Cartes de paiement refusées.

🏠 ***St Johns Court B & B :*** East Cliff, East Looe, PL13 1DE. ☎ 26-23-01. • www.stjohnscourt.com • Chambres doubles avec salle de bains de 45 à 55 £ (66,60 à 81,40 €). Une de nos meilleures adresses en hauteur du village. Ça grimpe raide pour accéder jusqu'à la maison, mais la vue panoramique en vaut la chandelle ! Grande bâtisse victorienne avec une dizaine de chambres tout confort, certaines avec bow-window et vue imprenable sur le port et l'estuaire. Déco cosy et terrasse pour les beaux jours. Accueil charmant. Un coup de cœur !

🏠 ***Dolphin Hotel :*** Station Rd, East Looe, PL13 1HL. ☎ 26-25-78. • www.looedirectory.co.uk/dolphin.htm • À 2 mn du centre, surplombant le village. Chambres doubles à partir de 42 £ (62,20 €), plus cher en été. Hôtel familial et abordable, avec une chouette véranda pour admirer le village et la baie. Demander les chambres avec vue, claires et agréables.

Plus chic

🏠 ***Trehaven Manor Hotel :*** Station Rd, East Looe, PL13 1HN. ☎ et fax : 26-20-28. • www.trehavenhotel.co.uk • À 5 mn à pied du centre. Chambres doubles *en-suite* à partir de 80 £ (118,40 €). Une superbe demeure du XVIIIe siècle, au milieu d'un grand parc de verdure. Superbe vue sur l'estuaire et le port. Chambres spacieuses et tout confort. La plupart dominent le village de Looe. Déco tendance Laura Ashley. Une halte chic et reposante. Boisson offerte à nos lecteurs sur présentation du *Guide du routard.*

Où dormir dans les environs ?

Campings

⛺ ***Trelay Farm Park :*** Penlynt-by-Looe, PL13 2JX. ☎ 22-09-00. Sur la route entre Looe et Polperro. Compter 7 £ (10,40 €) pour 2 avec une tente. Perdu en pleine campagne. Sanitaires impeccables. Nombreuses possibilités de balades alentour.

⛺ ***Tencreek Holiday Park :*** à l'ouest de la ville, à 3 km du centre, sur Polperro Rd. ☎ 26-24-47. Fax : 26-27-60. Ouvert toute l'année. Selon la saison, compter entre 8 et 15 £ (11,80 et 22,20 €) pour 2 avec une tente. Vue superbe sur la mer. Confortable : restaurant, piscine, bar, jeux, douches gratuites, possibilité de faire sa lessive. Tennis et sport à voile à proximité.

De prix moyens à plus chic

🏠 ***Treveria Farm :*** Widegates, Looe, PL13 1QR. À 2 miles du centre de Looe. ☎ et fax : 24-02-37. Chambre double à partir de 45 £ (66,60 €). Dans une grande bâtisse carrée de style victorien, avec vue sur la campagne. Bon confort et calme parfait, dans un cadre verdoyant. L'accueil est charmant et les proprios pourront vous indiquer toutes les balades aux alentours. Excellent petit dej'.

🏠 ***Coombe Farm :*** Widegates,

Looe. ☎ 24-02-23. Fax : 24-08-95. Pas très loin de la précédente adresse. Cartes de paiement acceptées. Compter 78 £ (115,40 €) pour une chambre double. Belle maison de campagne délicieusement décorée de véritables antiquités. Les chambres sont confortables et bénéficient d'une vue superbe sur les environs. Billard, jeu de croquet, etc., et belle piscine.

Où manger ? Où boire un verre ? Où manger de bons gâteaux et de bonnes glaces ?

Bon marché

🍽 ***Dave's Dinner :*** sur le quai près de Ferry Side. ☎ 26-23-41. Ferme à 18 h. Compter environ 5 £ (7,40 €) par personne. Un *fish & chips* agréable. Bonne odeur de graillon et lumière aux néons.

🍽 ***Kelly's :*** Fore St, East Looe. ☎ 26-30-20. Un des *fish & chips* les plus fréquentés du village. Nombreuses tables pour déjeuner sur place, mais odeurs tenaces. De savoureuses *cornish ice-creams* pour conclure le tout. Réduction de 10 % sur la présentation du *Guide du routard.*

🍽 🍸 ***The Olde Jolly Sailor :*** Princes Square, de l'autre côté de l'estuaire à West Looe. ☎ 26-33-87. Ouvert du lundi au samedi de 11 h à 23 h et le dimanche midi. A l'avantage d'être décentré et moins encombré. Un des plus vieux pubs du village, chargé d'histoire : la maison date de 1516 et fut longtemps un repaire de contrebandiers. Faites-vous raconter ! Bonne cuisine régionale et *pub grub* le midi.

🍸 ***Ye Olde Fishermans Arms :*** sur Higher Market St, face au musée. Vieux pub authentique aux plafonds bas et imprégnés des vapeurs de bière. Tous les jeudis, *live music.*

🍽 ***Looe Bakery :*** Fore St, East Looe. Ouvert du lundi au samedi de 8 h à 16 h 30, tous les jours en saison. Hmm ! les délicieux gâteaux, *scones, rock cakes* et autres montagnes de calories ! Vraiment goûteux et garanti maison.

🍦 Essayez aussi les *Cornish ice-creams* de **Martins Dairy,** une crémerie traditionnelle sur Fore St. Les glaces sont fameuses...

Prix moyens

🍽 ***Mawgan's of Looe :*** Higher Market St, East Looe. ☎ 26-33-31. Compter 15 £ (22,20 €) par personne. Un excellent restaurant de poisson bien frais dans une ambiance plus bistrot que pub. Le cadre est vraiment agréable, avec parquet, étagères en bois et vieux poêle pour se réchauffer en hiver. L'un des premiers restos de la ville ; depuis le temps que ça dure, sa réputation n'a pas faibli.

🍽 ***The Golden Guinea Restaurant :*** dans Fore St, East Looe. ☎ 26-27-80. Sert midi et soir. Dans une vénérable maison ancienne avec 2 petites échauguettes et un toit qui ondule. Cadre rustique réussi. Touristique certes, mais ils servent d'aimables petits plats maison à prix incroyablement bas comparés à ceux de leurs voisins *(roast-pork and apple-sauce, steak and kidney-pie...).* Menu végétarien également disponible et *cream tea* pour la pause goûter.

🍽 🍸 ***Ye Olde Salutation Inne :*** dans Fore St, East Looe. Pub vieux de plusieurs siècles, où se retrouvent les vrais marins. D'ailleurs, des horloges indiquent l'horaire des marées. Photos des plus gros requins pêchés. Jeu de fléchettes et snooker. Atmosphère authentique. Le soir, une bonne cuisine régionale avec poisson et crustacés à l'honneur.

🍽 ***The Osborne House :*** Lower Chapel St, East Looe. ☎ 26-29-70. Ouvert du lundi au samedi à partir de 18 h 45. Un panneau affiche la pêche du jour. Accueil sympathique.

Plus chic

🍽 ***Liaisons Bistro :*** Higher Market St. ☎ 26-55-68. Ouvert pour le dîner seulement. Fermé le dimanche soir. Prix entre 15 et 20 £ (22,20 et 29,60 €) par personne. Un coquet nid d'amour. Raffiné, discret, et ambiance musicale douce. Superbe cuisine, goûteuse, saine et parfumée. Ça change un peu des pubs et des restos conventionnels. Tout, ici, est bien travaillé. Plats de tous horizons, suivant l'inspiration du moment (spécialités de poisson frais varié). Un café offert sur présentation du *Guide du routard.*

🍽 ***Peppers Bistro :*** East Hill, East Looe. ☎ 26-35-85. Ouvert du mardi au samedi à partir de 19 h. Autour de 20 £ (29,60 €) pour un repas complet. Un petit resto au cadre soigné, tout bleu et blanc. Savoureux poisson et crustacés fraîchement pêchés. Également de bons plats de viande aux herbes et épices. Des mélanges parfois insolites mais réussis. On peut aussi se laisser tenter par la cuvée locale, un vin des Cornouailles.

À voir. À faire

Promenade agréable à travers les rues étroites d'***East Looe.*** Petites maisons des siècles passés.

Old Guildhall Museum : sur Higher Market St, East Looe. ☎ 26-37-09. À deux pas de la plage, dans l'ancien tribunal du village. Ouvert du dimanche au vendredi, de Pâques à septembre, de 11 h à 16 h 30. Minuscule musée régional. Maquettes de bateaux, gravures, minéraux de la région, etc. Évocation de métiers anciens. Modeste et sympathique. Admirez le pilori et l'appareil qui servait à affûter les couteaux.

Promenades en bateau : à l'extrémité est du quai. Plusieurs panneaux appartenant à différentes compagnies annoncent les jours et les horaires auxquels elles proposent des balades et des excursions aller-retour à Polperro, Fowey ou Mevagissey. Possibilité également de parties de pêche en mer. Renseignements : ☎ 26-43-55.

Au bout de l'estuaire, à l'extrémité du port, belle plage de sable de ***East Looe,*** bondée en été. Un peu plus loin, ***Second Beach,*** petite plage creusée dans la roche, qui abrite de nombreux crabes, crevettes et anémones de mer. À marée basse, on accède à pied jusqu'à une autre petite plage, ***Plaidy Beach,*** ou bien on emprunte le sentier côtier. De l'autre côté de l'estuaire, à West Looe, ***Hannafore,*** longue plage de rochers juste en face de Looe Island.

POLPERRO

IND. TÉL. : 01503

Minuscule port de pêche au charme indicible, tapi au fond d'une crique rocheuse dans le creux d'une vallée étroite. Il y a les barques qui dansent, les mouettes qui crient, il y a l'odeur du poisson, et puis les maisonnettes blanches et la promenade qui relie le port à la plage... Il faut dormir ici au moins une nuit pour découvrir le village tôt le matin, avant l'arrivée des hordes touristiques, et tard le soir après leur départ.
Polperro doit sa notoriété à la contrebande. De tout temps, quand il y avait une marchandise interdite ou taxée à acheminer dans le pays, les échancrures naturelles de la côte des Cornouailles servaient de cachette.
Alcool puis plus tard drogue, Polperro a derrière elle une longue tradition d'illégalité. Aujourd'hui, tout cela est bien fini !

Adresses et infos utiles

■ ***Banques :*** dans l'unique rue principale.
– Obligation de se garer au ***parking*** payant à l'entrée du village. N'essayez pas de vous engouffrer en voiture, vous seriez obligé de faire demi-tour, vu l'étroitesse de l'unique rue. Pour les paresseux, un bus électrique assure les allers-retours en été, toutes les 10 mn.

Où dormir ?

Camping

⛺ ***Polruan Holidays Camping & Caravaning :*** Polruan-by-Fowey, PL231QH. ☎ (01726) 87-02-63. Compter 7 £ (10,40 €) pour 2 personnes et une tente. C'est sûrement un des campings les plus agréables dans le coin. Tout proche du sentier côtier, en pleine nature. Bon confort.

Prix moyens

🏠 ***Five Trees B & B :*** à l'entrée du village, sur la gauche en allant vers le port. ☎ 27-30-49. • www.fivetrees.co.uk • À partir de 20 £ (29,60 €) par personne. Coquette petite maison fleurie à la façade rouge et blanc. Deux chambres doubles et 1 chambre simple. Sanitaires communs. Vous pourrez même déguster le vrai petit dej' anglais avec bacon, œufs, tomates, pain grillé...

🏠 ***The Watchers :*** The Warren, PL132RD. ☎ et fax : 27-22-96. • www.polperro.org • À partir de 40 £ (59,20 €) pour 2. Cartes de paiement refusées. Une belle maison surplombant le port. Chambres confortables, toutes avec salle de bains et de quoi se préparer un petit dej'. Les chambres *Pear rocks* ou Fishermans vous offriront une vue immanquable sur la mer.

🏠 ***Brent House :*** Talland Hill, PL132RY. ☎ 27-24-95. En haut de la côte très raide. Selon la saison, chambre double de 40 à 50 £ (59,20 à 74 €). Des chambres très spacieuses d'où la vue est à couper le souffle, avec salle de bains. Terrasse ensoleillée. Déco très années 1950, pas désagréable du tout.

🏠 ***Chyavallon :*** Landaviddy Lane. ☎ et fax : 27-27-88. • www.polpero.org/chyavallon • Trois chambres doubles avec TV à partir de 50 £ (74 €) pour 2, petit dej' compris. Cartes de paiement refusées. Dans une ancienne maison de pêcheurs, surplombant le village. Des chambres impeccables, décorées très *british*. Accueil chaleureux et bon petit dej'.

Où manger ? Où boire un verre ?

Bon marché

🍽 ***The Wheelhouse Family Restaurant & Tea-Shop :*** petite cafétéria au bord du port. ☎ 96-21-49. Fermé le samedi. Une authentique maison de poupée à la déco chargée. Quelques tables dans un cadre *charming* ! Ne sert pas d'alcool, mais on peut apporter sa bouteille. Un café offert à nos lecteurs sur présentation du *Guide du routard* de l'année.

🍽 ***The Tea Clipper :*** Fore St. ☎ 27-21-98. Ouvert tous les jours de 11 h à 17 h 30, le soir également en été. Une jolie maison avec terrasse sur la rue principale. Cadre convivial et déco marine réussie. De bons snacks, sandwichs variés, *cream teas,* gâteaux maison. Excellents espresso et cappuccino (assez rare pour le signaler...). Et pour ceux qui se soucient encore de leur ligne, menus allégés et gâteaux régime ! Accueil très chaleureux. Une chouette adresse à prix honnêtes.

Prix moyens

🍽 ***Nevilles :*** en retrait de la petite place, à droite de la rue principale. Ne sert que le soir. Fermé le dimanche, ainsi que de mi-janvier à mi-mars. Un adorable petit resto aux tables nappées de bleu et blanc. Excellent chef proposant une carte variée. Nous avons apprécié « The Crabber's feast », un menu uniquement à base de crabe. Soupe de crabe avec pain beurré, crabe en salade, etc. Une bonne adresse.

🍽 🍸 ***The Blue Peter Inn :*** ☎ 27-21-98. Superbe petite maison de pêcheurs juste sur le port, à deux pas du chemin côtier. Bonne cuisine de pub et de savoureux plateaux de fruits de mer, notamment un excellent crabe, la spécialité locale. Atmosphère chaleureuse pour cette adresse très populaire.

🍽 ***The House on Props :*** juste à côté du port, là où se déverse le cours d'eau. Plats traditionnels servis dans un décor maritime. Très sympa.

– Plusieurs ***salons de thé*** dans la rue principale.

À voir. À faire

★★ ***Polperro Heritage Museum of Smuggling and Fishing :*** situé dans une ancienne usine de sardines surplombant le port. ☎ 27-30-05. Ouvert de Pâques à septembre tous les jours de 10 h à 18 h et en octobre de 11 h à 17 h. Musée consacré à l'histoire de la ville à travers la pêche mais aussi la contrebande. Belle galerie de photos du début du XXe siècle et d'objets étonnants. On a retenu l'histoire de Robert Jeffrey, engagé de force dans la marine de Sa Majesté et condamné à vivre sur une île déserte pour avoir volé la bière du capitaine...

★ ***Shellhouse :*** dans la ruelle qui mène au musée, sur la gauche, jeter un œil à cette maison dont les murs sont incrustés de coquillages.

➢ ***Promenade vers Talland Bay et Looe :*** chemin de randonnée que l'on emprunte au-delà du port, sur la gauche, et qui mène à cette belle crique célèbre pour la contrebande. Le chemin surplombe la mer, on aperçoit la baie de Looe jusqu'à laquelle on peut poursuivre. Promenade très agréable.

FOWEY

IND. TÉL. : 01726

Prononcez « Foille ». Mignon petit port. Ici le village s'étend parallèlement à l'eau. En traversant par le ferry, on a une vue de carte postale sur le village en face. Port depuis le XIIe siècle, Fowey a continué la lutte contre la France longtemps après la fin de la guerre de Cent Ans. C'est aussi la patrie de Daphné du Maurier, la romancière qui a écrit *Rebecca* et inspiré Hitchcock pour *Les Oiseaux.* Un petit musée lui est consacré.

Comment y aller ?

➢ Si vous êtes ***en voiture,*** prenez le ferry à Bodinnick. La route y conduit naturellement. Traversée de 5 mn pour Caffa Mill, juste en face. Liaisons de 6 h au crépuscule, environ toutes les 15 mn. Parfois beaucoup d'attente car le ferry prend peu de véhicules. Vu l'étroitesse des rues, il faut garer sa voiture dans les parkings aux extrémités de la ville et y aller *pedibus.*

➢ ***À pied ou en ferry,*** on traverse l'estuaire jusqu'à Polruan. Départ du Whitehouse Quay à Fowey, toutes les 15 mn jusqu'à 19 h (plus tard en été). Compter 0,70 £ (1 €).

Adresses utiles

ℹ ***Tourist Information Centre :*** The Ticket Shop, Post Office, Fore St, 4 Custom House Hill. ☎ 83-36-16. • www.fowey.co.uk • C'est aussi une poste.

■ ***Banque avec distributeur de billets :*** *Barclays,* en face du *Ship Inn.*

Où dormir ?

Campings

⛺ ***Camping Yeate Farm Camp & Caravan Site :*** Yeate Farm. ☎ 87-02-56. Juste avant le ferry de Bodinnick, dans une prairie, à côté de la ferme dont il dépend. Prévoir 15 £ (22,20 €) par personne. Avant de vous installer, vérifiez auprès de la fermière que vous pouvez planter votre tente là où vous voulez ! Installations correctes. Douches chaudes incluses.

⛺ ***Penhale Caravan and Camping Park :*** entre Par et Fowey, sur l'A3082. ☎ 83-34-25. À 2 miles de Fowey. Compter entre 6 et 10 £ (8,90 et 14,80 €) par personne. Camping assez bien équipé. Il présente cependant un gros désavantage : il est en pente. Si vous avez une grande tente, vous pouvez avoir du mal à trouver un coin plat suffisamment grand pour la planter.

Bon marché

🏠 ***Youth Hostel Golant :*** à quelques kilomètres de Fowey. ☎ 83-35-07. Du village, suivre la B3269 en direction de Saint Austell ; au 1er croisement, panneau sur la droite pour la *youth hostel* ; après, c'est indiqué, mais il y a encore 3 km à faire. Pas de transport public pour y aller. Ouvert de février à octobre. Réception de 7 h à 10 h et de 17 h à 23 h. Couvre-feu à 23 h. Fermé le vendredi soir à partir de début septembre. Par personne, 25 £ (37 €). Très bien situé au-dessus de la rivière. Une petite centaine de lits répartis en deux grands dortoirs et plusieurs chambres familiales dans une grande maison campagnarde. Superbe vue sur la vallée. Cuisine disponible, bien équipée.

Prix moyens

🏠 ***Top Sides Guesthouse :*** The Esplanade. ☎ 83-37-15. Le long de l'Esplanade, longue rue qui surplombe le port et l'embouchure ; environ 70 m avant le *Fowey Hotel* (grand hôtel tout gris), prendre l'étroit escalier (panneau « B & B ») sur la droite ; grimper la volée de marches. Compter environ 40 £ (59,20 €) pour 2. Charmante petite maison offrant une vue surprenante sur la baie. Trois chambres seulement, avec sanitaires extérieurs.

Trevanion Guesthouse : 70 Lostwithiel St, PL23 1QB. ☎ 83-26-02. Ouvert de mars à décembre. Chambre double autour de 55 £ (81,40 €). Maison de caractère du XVIe siècle, située dans la partie historique de la ville. Chambres confortables et douillettes. Bon petit dej' copieux. Thé et gâteaux offerts à nos lecteurs.

The Lugger Inn : Fore St, PL23 1AH. ☎ 83-34-35. Compter 40 £ (59,20 €) en chambre double, petit dej' compris. Quelques chambres confortables au dernier étage de ce vieux pub du XVIIe siècle. Sanitaires et salle de bains communs. Au rez-de-chaussée, un comptoir chargé de cuivres et une grande salle conviviale pour déguster une bonne cuisine locale.

The Ship Inn : sur la place du petit port même. ☎ 83-37-51. Ancienne maison élisabéthaine transformée en pub-hôtel. Directement du bar dans votre lit... c'est tentant ! Quelques chambres à l'étage plutôt banales, sauf une, la « Oakroom 1570 ». Comme son nom l'indique, c'est une chambre couverte de lambris de chêne, datant du XVIe siècle. On se croirait dans la cabine de luxe d'une caravelle de Sir Francis Drake.

Où manger ? Où boire un verre ?

The King of Prussia : Town Quay. ☎ 83-36-94. Façade rose sur le port. Pub modernisé où l'on peut manger midi et soir. N'allez pas croire que le roi de Prusse soit venu ici : l'enseigne est le surnom d'un contrebandier local, un vrai héros ! Cuisine régionale de bonne facture et traditionnel *carvery lunch* le dimanche. Concerts live le samedi soir. Fait aussi *B & B* avec des chambres *en-suite* face à l'estuaire.

The Admiral's Pantry : Webb St, petite rue à gauche de Fore St. ☎ 83-31-58. Une petite échoppe qui propose une grande variété de sandwichs frais avec les produits locaux. Essayez celui au crabe avec du *brown bread,* un régal ! *Cornish ice-cream* pour le dessert.

Sam's : Fore St, à gauche. Boiseries vert et blanc. En fait, il y en a 2 portant le même nom, préférer et de loin celui-ci. Bon marché. Feu de cheminée. Bouillabaisse, moules, salades et lasagnes.

The Toll Bar : Loswithiel St, près du *Ship Inn.* ☎ 83-30-01. Table d'hôtes du petit déjeuner au dîner. Petite maison au décor jaune. Cuisine variée et inventive à tendance méditerranéenne. Gâteaux maison pour le *tea-time.* Chouette véranda avec vue panoramique.

Victoria Tea-room : juste à côté du parking d'Albert Quay. Une adorable petite adresse avec des gâteaux maison et un excellent café. Essayez le *chocolate chip* ou *carrot cake,* un délice ! Idéal pour le petit dej'.

The Ship Inn : voir « Où dormir ? ». Repas servis midi et soir. Pub chargé d'histoire. Une des salles est conservée quasiment intacte depuis 1570. Superbe plafond ornemental, cheminée de pierre et panneaux de chêne sur les murs. Par contre, nourriture assez banale et service parfois débordé. Billard.

À voir. À faire

L'église Saint Fimbarrus : jolie église du XVe siècle, juste derrière le port. Imposante tour carrée et lourde voûte en berceau. À l'intérieur, jubé de bois et beaux fonts baptismaux.

Daphné du Maurier Literary Centre : 5 South St. ☎ 83-36-19. Ouvert de mai à octobre de 10 h 30 à 17 h (19 h en été). C'est avant tout une simple librairie qui abrite une petite expo sur les romanciers établis à Fowey, notamment une collection de photos sur les lieux des romans de Daphné du Maurier. Vidéo sur le célèbre auteur de *Rebecca* et ses liens avec le Cornwall. Intéressant seulement si l'on est un fan de la dame.

➢ ***Balade vers St Catherine Castle Point :*** superbe balade le long de l'Esplanade qui mène à l'extrémité du port en surplombant l'estuaire. Elle se prolonge jusqu'à la vieille tour, tout au bout. Ici gît un illustre inconnu, dont la tombe jouit d'une vue imprenable. Verdoyant promontoire entre l'océan et la rivière.

➢ ***Fowey River Canoe Expedition :*** 17 Passage St, sur la rue principale. ☎ 83-36-27. Ouvert de mi-avril à mi-septembre. Appelez la veille pour la réservation. Compter 15 £ (22,20 €) par personne. Une bonne idée de balade originale. De Fowey à Galant en canoë. 5 h à votre rythme, avec un accompagnateur. À partir de 8 ans.

➢ Et toujours le fabuleux ***Coastal Path,*** réseau de chemins de randonnée qui longe la côte.

➤ DANS LES ENVIRONS DE FOWEY

👁👁 ***Lanhydrock :*** à 3 miles au sud-est de ***Bodmin,*** au bord du fleuve Fowey. ☎ (01208) 26-59-50. Ouvert d'avril à fin octobre tous les jours sauf le lundi, de 11 h à 17 h 30. Jardin accessible toute l'année. Entrée : 7,20 £ (10,70 €) ; 3,90 £ (5,80 €) pour le parc et les jardins. Certainement l'une des plus belles demeures des Cornouailles, sise dans un parc immense et merveilleux. Originellement du XVIIe siècle, réaménagée 2 siècles plus tard après un incendie dévastateur. Pour la visite, on ne vous vole pas : 42 pièces de style victorien. On y découvre de riches salons aux plafonds travaillés, des chambres au mobilier de bois précieux, une superbe cuisine et enfin une vaste galerie illustrée de scènes de l'Ancien Testament. Ne pas partir sans se balader dans le parc et les jardins, soignés et sauvages à la fois comme savent si bien le faire les Anglais. Des sentiers mènent jusqu'au fleuve. On peut coupler cette visite avec un voyage en train à vapeur (voir plus bas, *Bodmin & Wendford Railways*).

👁 ***The Jail :*** Berrycombe Rd, dans la ville de ***Bodmin.*** ☎ (01208) 76-292. Prendre la direction de St Austell et tourner à droite dans Cardell Rd. Entrée payante. C'est l'ancienne prison du comté. En service depuis 1776, elle vit la dernière pendaison au début du XXe siècle. C'est ici que furent cachés les joyaux de la Couronne durant la grande guerre. Le lieu est effrayant à souhait. Reconstitution très réaliste de la vie des prisonniers, on est ravi de pouvoir ressortir !

➢ ***Bodmin & Wenford Railways :*** Bodmin General Station. ☎ (01208) 73-666. Premier départ à 10 h 40, retour aux alentours de 16 h. Liaisons plus fréquentes en été. Diverses animations en saison. Compter de 5 à 8 £ (7,40 à 11,80 €) par adulte ; réductions. Les amateurs de trains à vapeur peuvent s'offrir une chouette balade d'une journée à travers la campagne environnante. Superbe trajet avec plusieurs arrêts dans la forêt de Cardinham, à Lanhydrock et le long de la rivière Camel.

MEVAGISSEY

IND. TÉL. : 01726

Si ce village ne possède pas tout à fait le charme de ses voisins, le port et la vue de celui-ci sont vraiment surprenants. Avez-vous vu ce curieux double port, dont l'une des parties s'emboîte dans l'autre, construit au XVIIIe siècle ?

Adresse utile

🛈 ***Tourist Information Centre :*** 14 Church St. ☎ et fax : 84-22-66. • www.mevagissey.net • Ouvert tous les jours de Pâques à octobre ; horaires restreints hors saison. Bons renseignements. On peut également y envoyer des fax ou des e-mails.

Où dormir ?

Camping

Treveor Farm : Gorran, St Austell, PL26 6LW. À 5 miles de Mevagissey. ☎ 84-23-87. Compter environ 5 £ (7,40 €) par personne. Vaste camping à la ferme. Sanitaires complets avec douches chaudes. Accès à la plage de Carhays.

Bon marché

Youth Hostel : à Boswinger. ☎ 84-32-34. Fermé le mercredi. AJ minuscule dans un village à peine plus grand. Dortoirs simples. Cuisine.

Prix moyens

Mount Pleasant B & B : Cross Park Terrace, PL26 6TA. ☎ 84-37-77. Fermé en décembre. Compter autour de 45 £ (66,60 €) pour 2, bon petit dej' inclus. Une grande maison en hauteur avec un joli jardin à l'anglaise. Quelques chambres confortables avec salle de bains et TV. Votre hôte Wendy parle bien le français et se fera un plaisir de vous conseiller sur son village et les balades alentour. Un bon rapport qualité-prix. Sur présentation du *Guide du routard,* 10 % sur le prix de la chambre (à partir de 4 nuits) ou 7 nuits pour le prix de 6.

Plus chic

The Sharksfin Hotel : The Quay, sur le port même. ☎ 84-32-41. Fax : 84-25-52. Selon la saison, compter de 60 à 76 £ (88,80 à 112,50 €) en chambre double. Certaines chambres (nos 1 à 6) donnent directement sur le port, ce qui confère à l'endroit un charme particulier. Salle de bains *en-suite,* propreté et confort irréprochables. Copieux *English breakfast.* On peut aussi s'offrir une formule intéressante en demi-pension avec un excellent dîner au restaurant.

Où manger ?

De bon marché à prix moyens

Saffron : Quay St, derrière la cathédrale. Restaurant couleur safran, évidemment. Carte variée pour le déjeuner et le dîner, à prix très démocratiques. Cartes de paiement acceptées. Une bonne adresse.

Muffin Coffee-Shop : Quay St, juste à côté du *Saffron.* Ouvert pour le petit dej' et le déjeuner seulement. Gâteaux, mais aussi un choix de sandwichs éclectique. Ne pas hésiter à monter sur la mezzanine si la salle du bas est pleine. Service charmant.

The Ship Inn : dans Market St, la rue principale. ☎ 84-33-24. Un des plus anciens pubs du village, où l'on peut manger, boire et dormir sur place. Poisson frais midi et soir et *pub grub* à prix honnête. Ambiance jeune.

The Sundeck Coffee-House & Ice-Cream : ouvert de Pâques à octobre. Un petit coin de paradis sur la terrasse d'un édifice hideux, en front de mer, à l'extrême gauche du port, avec vue sur la mer.

Plus chic

Alvorada Portuguese Restaurant : dans la rue principale, 100 m à gauche, après la *Lloyds Bank*. ☎ 84-20-55. Fermé le dimanche soir, ainsi qu'en décembre et janvier. Les menus varient entre 17,50 et 30 £ (25,90 et 44,40 €). Un restaurant portugais avec déco toute droite venue de là-bas. Antonio et Sue, les propriétaires, sont adorables. Spécialités portugaises préparées avec des produits locaux *(of course !)*, délicieuses. Seulement 8 tables, hélas !

The Haven - English Restaurant : 16 Fore St. ☎ 84-48-88. ♿ Ouvert du mardi au samedi à partir de 19 h. Compter de 12 à 20 £ (17,80 à 29,60 €) pour un repas complet. Façade rouge pimpante pour ce resto réputé dans le village. Cadre agréable, avec parquet, meubles patinés et atmosphère chaleureuse. On y mange surtout d'excellents poisson, crabe et fruits de mer, mais aussi de bons plats rustiques. Le tout servi copieusement et accompagné de légumes frais.

Waterside Restaurant : The Quay. ☎ 84-32-41. C'est le resto chic attenant au *Sharksfin Hotel* (voir « Où dormir ? »). Excellents plats de poisson et de crustacés. Belle déco rustique dans la salle de resto de style victorien. Les prix sont élevés, mais la cuisine est excellente et le service attentionné. Formule intéressante avec dîner et nuit sur place.

À voir. À faire

Mevagissey Museum : situé au bout du port, sur Island Quay. Ouvert de mi-avril à fin octobre du lundi au vendredi de 11 h à 17 h, le samedi de 10 h à 13 h et le dimanche de 13 h à 16 h. Droit d'entrée modique, alors ne vous en privez pas ! Musée du village aménagé et dirigé par une équipe de bénévoles. Scènes de la vie quotidienne d'autrefois, mais aussi un incroyable bric-à-brac. Ça va de l'ancienne machine à repasser les cols de chemise, en passant par un antique taille-haie ou encore le premier cornet à oreille en plastique. Au 1er étage, dentelles, costumes et une intéressante collection de photos. Difficile de faire une énumération complète de tous les objets exposés, tant ils sont hétéroclites.

➢ Encore et toujours le ***Coastal Path,*** réseau de chemins de randonnée qui relie les villages côtiers. On le prend au port. Le sentier de Mevagissey à St Mawes offre des panoramas grandioses à travers de superbes chemins creux et relie quelques plages escarpées comme ***Hemmick Beach,*** petite plage de sable coincée entre deux falaises.

➤ DANS LES ENVIRONS DE MEVAGISSEY

The Lost Gardens of Heligan : Pentewan, St Austell, PL26 6EN. ☎ (01726) 84-51-00. • www.heligan.com • Au nord-est de Mevagissey, prendre la route de St Austell et, à Tregiskeys, tourner à gauche (bien fléché). En venant de St Austell, prendre la B3273. Ouvert de 10 h à 18 h (17 h en hiver). Entrée : 7,50 £ (11,10 €) ; réductions. Un des domaines les plus mystérieux et les plus envoûtants d'Angleterre. Les premières mentions de ce jardin datent du XIIe siècle, mais c'est à la fin du XVIIIe siècle que leur

véritable forme vit le jour. Trois générations développèrent le domaine et y apportèrent des essences rares. Durant la Première Guerre mondiale, ces jardins furent donnés à Sa Majesté pour y accueillir les officiers convalescents. Dès lors, on cessa lentement de les entretenir, jusqu'à leur quasi-disparition sous les mauvaises herbes. En 1990, les héritiers décidèrent de les reconstituer selon les plans d'origine, et ce pour le plus grand bonheur des visiteurs.
– Le parc, immense, se divise en plusieurs parties. La visite débute par les jardins d'agrément, le potager, et se poursuit par la vallée perdue avec ses ponts et ses étangs, et surtout la jungle aux plantes tropicales exubérantes. L'allée serpente à travers des tunnels de bambous, de palmiers et de fougères arborescentes. Y aller à l'ouverture ou en début d'après-midi pour profiter du coucher du soleil. Il faut en effet compter 4 bonnes heures de visite, tant le lieu se révèle hors du commun.

The Eden Project : Bodelva, St Austell, PL24 2SG. ☎ (01726) 81-19-11. • www.edenproject.com • Bus de St Austell et de Newquay. Accessible et indiqué à partir des routes A30, A390 et A391. Ouvert de 9 h 30 à 16 h 30 (18 h d'avril à octobre). Fermé à Noël et le Jour de l'an. Entrée : 12 £ (17,80 €) ; réductions. Un jardin d'Eden farfelu sorti tout droit de l'imaginaire d'un ancien chanteur de rock. Imaginez 4 gigantesques et insolites bulles d'acier et de plastique en rase campagne anglaise, hautes de 45 m de long et larges de 1 km, sous lesquelles le thermomètre avoisine les 35 °C. Ces serres géantes (les plus grandes du monde) abritent quelque 120 000 plantes. Une vraie jungle perdue au milieu de la lande britannique. Des plantes exotiques dans un décor futuriste et des explications judicieuses sur le traitement de chaque espèce dans notre quotidien.

SAINT MAWES

IND. TÉL. : 01326

Petite station balnéaire située sur la péninsule de Roseland. Vue splendide sur l'ensemble de la baie, dans laquelle se déroulent de nombreuses régates en été. Contrairement aux villages voisins, souvent serrés comme une paire de fesses, ici la baie est ouverte et large. Du village lui-même se dégage peut-être un peu moins de charme que de certains autres. Attention, on se gare obligatoirement à l'entrée du village, mais les tarifs du parking sont raisonnables.

Adresse utile

Roseland Visitor Centre : The Millenium Rooms, The Square. ☎ 27-04-40. • www.roselandinfo.com • Ouvert de Pâques à fin septembre tous les jours jusqu'à 17 h.

Où dormir ?

Camping

Treloan Coastal Farm Holidays : Treloan Lane, Porthcatho, The Roseland, Truro, TR2 5EF. ☎ et fax : 58-09-89. • www.coastalfarmholidays.co.uk • À partir de 12 £ (17,80 €) l'emplacement pour 2.

De bon marché à prix moyens

B & B Lowen Meadow : à pied, se diriger vers le château et poursuivre la montée ; ensuite, prendre à droite sur Newton Rd ; c'est plus bas, sur la gauche. ☎ 27-00-36 (maison de sa fille). Chambre double à 25 £ (37 €) par personne. Jolie maison décorée avec goût et très accueillante. Deux chambres coquettes, jolies comme tout. Superbe vue et grand pré devant, qui semble dévaler jusqu'à la mer. La chambre double offre une très belle vue sur la mer. Parking. Une belle adresse.

Newton Farm B & B : TR2 5BS. ☎ 27-04-27. Maison juste à côté du *B & B Lowen Meadow*. Compter 48 £ (71 €) en chambre double. Quatre chambres coquettes et impeccables. Déco soignée et très agréable. Belle vue et jardin fleuri à l'avant de la maison. Accueil adorable d'un couple de retraités.

Où manger ? Où boire un verre ?

De bon marché à prix moyens

Victory Inn : ☎ 27-03-24. Pub chaleureux où se retrouvent les gens du coin. La cuisine est aussi réputée, spécialités de poisson et de fruits de mer, mais aussi quelques plats régionaux servis copieusement. Accueil très sympa d'un Breton pur souche. Musique live le mercredi soir.

The Fountain Bar & Brasserie : The Sea Front. ☎ 27-02-66. Un chouette bar face à la mer. Déco tendance méditerranéenne, couleurs vives, parquet et sofas rendent l'atmosphère conviviale. Quelques snacks et plats simples inscrits au tableau, à prix honnêtes. La brasserie au 1er étage propose un menu plus élaboré, avec la pêche du jour et quelques plats inventifs. On apprécie surtout le cadre lumineux et moderne, qui change des pubs traditionnels. C'est aussi un hôtel confortable mais hors de prix.

The Old Watch House : The Square, face au port. ☎ 27-02-79. Service toute la journée, tous les jours en saison. Compter entre 6 et 15 £ (8,90 et 22,20 €). Repas traditionnels et de bonne qualité. Beaucoup de poisson. Gentilles serveuses.

Plus chic

The Rising Sun : ☎ 27-02-33. Restaurant sympathique devant la baie, sur le port. C'est le resto chic de St Mawes. Compter bien 25 £ (37 €) par personne. Chaises et tables en rotin, service stylé. Excellents produits de la mer et viandes de qualité. Côté pub, atmosphère conviviale et cuisine abordable. En revanche, l'hôtel est hors de prix.

Quayside Coffee-Rooms : pour un *morning coffee* ou un *afternoon tea* derrière la grande baie vitrée offrant un panorama superbe sur la baie.

À voir. À faire

À 1,5 km de St Mawes, s'arrêter à **Saint Just in Roseland** pour découvrir une superbe *église fortifiée* bâtie au fond d'un vallon, au milieu d'un cimetière-jardin aménagé avec amour tout au bord de l'estuaire. Ce pittoresque cimetière avec des palmiers et des corbeaux ajoute à l'endroit une atmosphère mystérieuse, voire surréaliste. Romantisme fou.

St Mawes Castle : à l'extrémité de l'estuaire, à un petit kilomètre du centre de St Mawes. En juillet et août, ouvert tous les jours de 10 h à 18 h ;

jusqu'à 17 h d'avril à juin et en septembre ; jusqu'à 16 h en octobre et de novembre à mars (du vendredi au lundi seulement). Entrée : 3,20 £ (4,70 €) ; réductions. • www.english-heritage.org.uk • ☎ 27-05-26. Visite avec un audioguide en anglais. Balade agréable à pied, mais parking pour voitures également. Forteresse construite en 1540 par Henri VIII pour se défendre des attaques du pape. Énorme tour ventrue et basse en forme de trèfle, entourée de fortifications, sur un promontoire, face à la baie. De l'autre côté de la baie, vous apercevez son double : Pendennis Castle. Les 2 forteresses protégeaient l'estuaire de la Fal. Elles n'ont jamais été abîmées.

– Sur le port, des pêcheurs proposent des ***parties de pêche.*** Lire les grands panneaux.

QUITTER SAINT MAWES

➢ Si vous êtes ***en voiture :*** prenez le ferry à Feock *(King Harry Ferry)* pour traverser l'estuaire. Liaisons très fréquentes et bon marché.
➢ Si vous êtes ***à pied :*** allez en bateau de St Mawes à Falmouth.

TRURO

19000 hab. IND. TÉL. : 01872

Petite ville ancienne et provinciale, un peu à l'intérieur des terres. Très animée. Autrefois grand port fluvial pour le transport du cuivre et de l'étain, Truro était devenu, durant les XVIIIe et XIXe siècles, LA ville de référence en Cornouailles. Comme Bath, elle s'était parée de demeures georgiennes et obtint même le statut d'évêché à la fin du XIXe siècle, ce qui lui permit d'entreprendre la construction de sa cathédrale.
Malgré sa riche histoire et son faste passé, il ne reste plus grand-chose d'attractif ici, si ce n'est le lacis des quelques ruelles autour de la cathédrale. On y passe, on s'y arrête éventuellement, mais on n'y séjourne pas.

Adresses utiles

Tourist Information Centre : Municipal Buildings, Boscawen St. Au rez-de-chaussée de la mairie. ☎ 27-45-55. Fax : 26-30-31. En saison, ouvert du lundi au vendredi de 9 h à 17 h 30 et le samedi jusqu'à 17 h ; hors saison, ouvert du lundi au vendredi.
✉ ***Poste :*** High Cross.
■ ***Banques :*** la plupart sont sur Boscawen ou Prince's St.
Gare ferroviaire : Station Rd. Plusieurs trains par jour pour Penzance et St Austell.
Gare routière : sur Green St. ☎ (08457) 48-49-50. Bus toutes les 20 mn pour Falmouth.
■ ***Location de vélos :*** *Truro Cycles Hire,* 110 Kenwyn St. ☎ 27-17-03. Prix raisonnables. Cartes de paiement acceptées.

Où dormir ?

Prix moyens

The Donnington Guesthouse : 43 Treyew Rd, TR1 2BY. ☎ 22-25-52. Fax : 22-23-94. • www.donnington-guesthouse.co.uk • Chambre double à partir de 40 £ (59,20 €). Pas trop loin du centre. Maison victorienne de charme, avec une belle vue sur la cathédrale et la campagne. Chambres très confortables et petit dej' copieux.

▲ ***The Fieldings :*** 35 Treyew Rd, TR1 2BY. ☎ 26-27-83. • www.fieldingsintruro.com • Chambre double à partir de 40 £ (59,20 €). Une grande maison de style édouardien, à 10 mn du centre-ville. Facilement accessible depuis les gares routière et ferroviaire. Chambres impeccables, certaines avec douche et sanitaires privés. Belle vue panoramique sur la ville. Atmosphère chaleureuse. Un bon rapport qualité-prix.

Plus chic

▲ ***Polsue Manor :*** Ruanhighlanes, TR2 5LU. ☎ 50-12-70. Fax : 50-11-70. • www.polsuemanor.co.uk • Sur la route de St Mawes en venant de Truro. Chambres doubles de 70 à 80 £ (103,60 à 118,40 €). Nichée au fond d'un luxuriant et magnifique parc, une noble demeure victorienne d'un charme fou. Plusieurs chambres vastes et cossues à des prix vraiment raisonnables pour un tel lieu. Accueil très sympathique. Calme garanti, ainsi que toutes les informations dont vous aurez besoin sur la région.

▲ ***The Bay Tree Guesthouse :*** 28 Ferris Town, TR1 3JH. ☎ 24-02-74. À 5 mn à pied du centre historique et bien calme. Chambres doubles de 38 à 76 £ (56,20 à 112,50 €). Petite maison de style georgien. Chambres douillettes avec salle de bains privée. Les n°s 2, 3 et 6 bénéficient d'une vue sur la mer. Accueil vraiment convivial. Le petit dej' est copieux, avec multiples variétés de céréales ou de jus de fruits. Maison non-fumeurs.

▲ ***Moonfleet House :*** 20 St Georges's Rd. ☎ 26-31-05. Une magnifique et vaste maison à deux pas de tous les centres d'intérêt de la ville. Repas sur commande.

Où manger ? Où boire un verre ?

De bon marché à prix moyens

|●| ***Sole Plaice Fish & Chips :*** 20 Pydar St. Tout au bout de cette rue commerçante. Ouvert de 11 h 30 à 21 h. Certainement le meilleur *fish & chips* de la ville. Poisson frais et grillé à point. Déco agréable et salle à l'étage pour échapper aux odeurs de graillon. Une bonne adresse pour déguster ce plat typiquement *british* !

|●| 🍸 ***Café Citron :*** 76 Lemon St. ☎ 27-41-44. Compter de 6 à 15 £ (8,90 à 22,20 €) par personne. Un chouette bar et resto tout en longueur. Déco moderne aux murs bleu cobalt, chaises en osier et joli comptoir à l'entrée. Copieux *breakfast,* tapas et snacks à tendance méditerranéenne pour le *lunch* et de bons plats régionaux servis le soir à prix raisonnable. Un lieu assez branché, fréquenté par toutes les générations.

|●| 🍸 ***The Old Ale House :*** sur Quay St. Service le midi et de 17 h à 19 h. Un pub comme on a pu en imaginer dans nos rêves d'adolescents. De loin le plus authentique avec sa collection de cravates coupées, ses vieilles tables et ses tonneaux. Bonne bouffe en plus. Musique live certains soirs. Adresse adorée par les locaux.

|●| ***Butler's at Barbey Sheaf Pub :*** Old Bridge St. ☎ 24-23-83. Derrière la cathédrale. Sert des repas toute la journée jusqu'à 20 h. Petite terrasse couverte le long du fleuve. Sympa aussi pour prendre un verre en fin de journée.

|●| ***The Wig and Pen :*** sur Frances St, à 50 m du musée. Pub avec un grand choix de plats, servis midi et soir. Prix honnêtes et ambiance garantie.

À voir. À faire

👍👍 ***The Royal Cornwall Museum :*** River St. ☎ 27-22-05. Ouvert du lundi au samedi de 10 h à 17 h. Entrée : 4 £ (5,90 €) ; réductions. Fait revivre le passé de la région : belles collections de minéraux, de céramiques, de poteries, et même une momie. Les industries traditionnelles qui ont fait la richesse des Cornouailles, *fish, tin and copper,* sont évoquées, ainsi que la vie des gens et l'émigration.

La cathédrale : 14 St Mary's St. ☎ 27-67-82. En plein centre. Sa construction débuta à la fin du XIXe siècle, lorsque Truro parvint à récupérer son statut d'évêché. Élevée en style néogothique normand, c'est la première cathédrale anglicane qui fut construite après celle de Saint Paul à Londres. Bien qu'élancée, son style bâtard la rend peu harmonieuse et son intérieur n'a rien de bien palpitant, excepté ses vitraux, qui peuvent être considérés comme les plus représentatifs de l'ère victorienne, et une très belle *Pietà* du XIIIe siècle.

Bosvigo Gardens : Bosvigo Lane. Sur la route de l'hôpital, prendre la 1re à droite après le County Hall. Ouvert de mars à septembre, de 11 h à 16 h. Un jardin typique des Cornouailles, à visiter de préférence en été, lorsque les massifs se parent de magnifiques couleurs.

➢ ***Balade dans l'estuaire :*** de Truro à Falmouth, promenade d'une heure. Liaisons régulières l'été. Départ sur le Town Quay avec la compagnie *Enterprise Boats.* ☎ (01326) 31-32-34. Cinq fois par jour en saison, de 10 h 30 à 17 h 45.

➤ DANS LES ENVIRONS DE TRURO

Trelissick : à ***Feock,*** à 4 miles au sud de Truro, de chaque côté de la route B3289. ☎ (01872) 86-20-90. Entrée : 4,60 £ (6,80 €) ; réductions. Grand parc aménagé, proposant de superbes panoramas sur le fleuve Fal. Des essences rares qu'on découvre par de chouettes sentiers de promenade.

FALMOUTH

18000 hab. IND. TÉL. : 01326

Grand port de mer, à l'embouchure du fleuve Fal, comme son nom l'indique. Quelques belles plages du côté de Swanpool. Ici, on est dans une grande ville éclatée, très étendue. Donc rien à voir avec les petits villages qu'on vient de visiter. Le port n'en finit plus de s'étirer, de larges rues sillonnent les collines, et il n'existe pas de petit centre vraiment chaleureux. La section la plus animée s'organise autour de Church Street (rue piétonne), qui change de nom plusieurs fois. Balnéaire et portuaire, Falmouth attire pourtant beaucoup de touristes grâce à ses belles et longues plages et au musée national maritime.

Adresses utiles

Tourist Information Centre : 28 Killigrew St. ☎ 31-23-00. Fax : 31-34-57. • www.go-cornwall.com • Sur une place en face de la poste. En été, ouvert du lundi au samedi de 9 h 30 à 17 h 30 et le dimanche de 10 h à 14 h; hors saison, ouvert jusqu'à 16 h 30 et fermé le dimanche. Procurez-vous le *Falmouth Locally,* bourré d'infos sur la ville, et le *Falmouth Arts Centre* qui vous donnera tous les détails sur les manifestations culturelles.

✉ ***Poste :*** The Moor.

Gares : il y en a 3. À l'ouest, *Penmere Station*; au centre, *Falmouth Town* (The Dell); à l'est, *Falmouth Docks* (fin de la ligne). Réservations de billets possibles à l'agence *Newel Travel,* 26 Killigrew St. ☎ 31-50-66.

Autocar et bus : The Moor (sur la place de l'hôtel de ville). Les bus locaux *Truronian* desservent les petites villes des environs (Truro, Penzance...). *First Western* aussi : ☎ (08706) 08-26-08.

■ ***Location de vélos :*** deux adresses recommandables. *Falmouth's Bike Shop,* 2 Bells Court, proche du centre. ☎ 31-76-79. Et *Bissoe Tramways Cycle Hire,* Old Conns Works, Bissoe. ☎ (01872) 87-03-41.

Liaisons par ferry

➢ ***Pour St Mawes :*** liaisons toutes les 30 mn en été et toutes les heures hors saison. ☎ 31-35-87.

Où dormir ?

Campings

⛺ ***Tregedna Farm :*** Maenporth, Falmouth. Ouvert de début mai à fin septembre. C'est le camping le plus proche du centre. Environnement agréable, douches chaudes, etc. Belles balades aux alentours.

⛺ ***Pennance Mill Farm :*** dans l'enceinte d'une ferme. ☎ 31-26-16. Ouvert en saison. Petit et familial.

Bon marché

⌂ ***Falmouth Lodge Backpackers :*** 9 Gyllyngvase Terrace, TR11 4DL. ☎ 31-99-96 et (07754) 43-85-72. • www.falmouthbackpackers.co.uk • Compter à partir de 16 £ (23,70 €) par personne. À 10 mn à pied de la gare Falmouth Town, proche des plages et du centre-ville. Une grande maison à colombages dans un quartier calme. Salle de TV, cuisine à disposition, thé et café... Les dortoirs sont bien tenus et les sanitaires impeccables. Bon accueil.

⌂ ***Castleton Guesthouse :*** 68 Killigrew St, TR11 3PR. ☎ 31-10-72. Fax : 31-76-13. Compter 38 £ (56,20 €) en chambre double avec salle de bains. Une des adresses les moins chères de la ville. Avec ou sans sanitaires. Accueil très sympa. Un bon rapport qualité-prix.

⌂ ***Engleton House :*** 67 Killigrew St, TR11 3PR. ☎ 31-54-47. À 2 mn du centre-ville. Fermé d'octobre à mars. Compter environ 38 £ (56,20 €) pour 2. Chambres avec TV, pas chères. Confort honnête. Petite réduc' sur les séjours de plus de 3 nuits.

Prix moyens

⌂ ***Ivanhoe B & B :*** 7 Melvill Rd, TR11 4AS. ☎ et fax : 31-90-83. Chambre double à 50 £ (74 €). Notre adresse préférée. Très jolie demeure dans une rue calme, bordée de maisons édouardiennes. Belles chambres coquettes et confortables avec ou sans sanitaires. La déco est soignée et très agréable. Belle salle commune pour déguster un excellent petit dej' avec nombreux choix (*full English breakfast,* pancakes, menu végétarien...). Accueil vraiment charmant. La proprio vous conseillera sur les bonnes adresses de la ville et les diverses activités.

⌂ ***Melvill House Hotel :*** 52 Melvill Rd, TR11 4DQ. ☎ 31-66-45. • www.melvill-house-falmouth.co.uk • De 45 à 52 £ (66,60 à 77 €) pour 2. Grande maison victorienne à la façade rose bonbon. Chambres spacieuses et confortables, toutes avec salle de bains *en-suite.* Préférez celles avec vue sur le port et la mer. Bon petit dej' et accueil prévenant.

– Beaucoup d'autres ***B & B*** sur Melvill Rd.

Où manger ? Où boire un verre ? Où danser ?

Bon marché

|●| ***De Wynns Restaurant & Coffee-House :*** 55 Church St. ☎ 31-92-59. Ouvert de 10 h à 17 h. Autour de 5 £ (7,40 €) par personne. Superbe bow-window victorien. Chouette déco avec parquet patiné et vieilles étagères en bois. Atmosphère très cosy. Tout pour le *high tea* : pâtisseries, *pies* et *cakes*.

|●| ***The Gem :*** Quarry Hill, derrière The Moor. Ouvert du lundi au samedi de 11 h 30 à 14 h et de 16 h 30 à 21 h. Considéré comme un des meilleurs *fish & chips* de la ville. À déguster sur place dans un cadre agréable, ou à emporter. Service souriant.

Prix moyens

|●| 🍸 ***Quayside Inn :*** Arwenack St. ☎ 31-21-13. Un pub très populaire qui brasse toutes les générations. Cadre chaleureux, bois, cuivres rutilants et banquettes conviviales. De bonnes *ales* pour les puristes, mais aussi une sélection de vins au verre. Cuisine de pub à prix honnêtes avec de bons produits locaux et légumes frais. Ambiance animée en fin de semaine.

|●| ***The Chain Locker :*** sur le quai du petit port. ☎ 31-10-85. On y déjeune et on y dîne tous les jours jusqu'à 21 h. Tables à l'extérieur. Ambiance maritime parfaitement recréée avec bouées, poulies, hélices, plans de bateaux... Carte variée, poisson frais. Juste à côté, le *Ship Wright* fait disco les vendredi et samedi soir. Populaire.

🍸 ♫ ***Shades Club :*** Quay St. Un des clubs les plus remuants de la ville. On y boit flopée de bières et cocktails détonnants, et on y danse jusqu'à 2 h du matin.

Plus chic

|●| ***Seafarers :*** 33 Arwenack St. ☎ 31-98-51. Prudent de réserver en fin de semaine. Compter de 15 à 20 £ (22,20 à 29,60 €) pour un repas complet. Cartes de paiement acceptées. Un étonnant resto mi-anglais, mi-tunisien. Décoration aux tons chauds mêlés d'océan. On peut observer le ballet des cuisiniers depuis la salle. Carte alléchante. Service aux petits soins. Beaucoup de monde et c'est bien normal.

À voir. À faire

*** ***National Maritime Museum Cornwall :*** Discovery Quay. ☎ 31-33-88. • www.nmmc.co.uk • Ouvert tous les jours de 10 h à 17 h. Entrée : 6,50 £ (9,60 €) ; réductions. LE musée maritime du 3e millénaire ! Vaste bâtiment d'architecture moderne qui renferme 3 étages d'exposition interactive et ludique sur les bateaux et leurs usages à travers l'histoire. La 1re salle nous plonge dans l'ambiance avec un impressionnant jeu de son et lumière qui anime des dizaines de maquettes. On pénètre ensuite dans une immense salle-hangar qui abrite une grande variété de bateaux (des vrais, ceux-là !), pendus au plafond pour en apprécier chaque détail. Superbes spécimens de la marine nationale, voiliers, avirons, canoës, radeaux, etc. On visionne les légendes et la présentation de chaque navire en actionnant une drisse. Astucieux ! Noter le superbe « Monarch », un aviron de près de 20 m de long, exhibé à l'occasion de la traditionnelle cérémonie du 4 juin, célébrée chaque année sur la Tamise par l'université d'Eton. Une autre salle est consacrée aux technologies maritimes, météo, radars, maniement de la barre... Nombreux ateliers interactifs pas toujours simples d'utilisation. N'oubliez pas de monter en haut du phare qui domine le port et permet d'observer la baie et les bateaux à l'aide de jumelles. On termine par la visite d'une salle d'expo temporaire (photos, peintures) et, pourquoi pas, par une course de voiliers à moteur sur le bassin artificiel.

Pendennis Castle : à la pointe de l'estuaire, séparant le côté du port de la partie des plages. Ouvert tous les jours de 10 h à 16 h (18 h du 1er avril au 31 octobre). Entrée un peu chère. Bien sûr, si vous avez vu le château de St Mawes, il n'est peut-être pas nécessaire de visiter celui-ci. Comme son voisin, il ferme l'estuaire. Vue admirable sur la baie, évidemment. Salles un peu vides, avec quelques canons et quelques mannequins en costumes.

The Princess Pavilion and Gyllyngdune Gardens : entrée sur Melvill Rd. Beaux jardins et pavillon dans lequel ont lieu des concerts de musique traditionnelle. Kiosque au milieu des pelouses et jardins en contrebas. Dans le pavillon, on fait également du théâtre amateur.

➢ ***Ships and Castles :*** tout près de Pendennis Castle, sur Castle Drive. Ouvert toute l'année, tous les jours. Vaste complexe de piscines et toboggan, grosses bouées, etc. S'il pleut ou si vous trouvez l'eau de mer trop froide.

➢ ***Balade sur le fleuve Fal :*** en saison, on peut remonter le Fal jusqu'à Truro. Billets et départs : Prince of Wales Pier. Quatre bateaux par jour; départs en fonction de la marée. Compter 2 h de bateau (1 h aller, 1 h retour). Autour de 6 £ (8,90 €) par adulte. L'estuaire est très profond et sert de garage à tankers; on peut aussi y voir de vieilles barges en béton utilisées pendant la Seconde Guerre mondiale et abandonnées là. Très belle forêt de chênes sur une rive. Très sympa.

Les plages : plusieurs belles plages en ville même et aux environs, en particulier *Gyllingrase Beach* et, non loin, *Swanpool Beach.* Jolie anse de *Maenporth Beach.*

DE FALMOUTH À HELSTON (PAR LE CHEMIN DES ÉCOLIERS)

Quitter Falmouth en direction de Mawnan Smith et Helford River. Petit parcours en suivant la côte offrant de beaux points de vue.

Glendurgan Gardens : un peu au sud du village Mawnan Smith, et à 5 miles de Falmouth. Ouvert de 10 h 30 à 16 h 30 (dernière entrée). Fermé les dimanche et lundi. Sur 13 ha d'une vallée qui bénéficie d'un microclimat subtropical, on fait pousser depuis plus d'un siècle des essences provenant de Chine, de Nouvelle-Zélande, d'Australie, d'Amérique du Sud... Une forêt luxuriante superbement aménagée. Très connue pour ses admirables camélias, ses rhododendrons et ses plantes rares. Il faut du temps pour explorer cet univers d'une incroyable richesse, qui abrite plus de 1 000 espèces. Descendez jusqu'au charmant village de Durgan, au bord de la rivière Helford. De là, on peut louer une barque et se promener. Il y a aussi une petite plage et des coins pour pique-niquer.
Pour les amateurs de roses, la visite du *Fox Rosehill Garden* s'impose.

Presque en face, **Trebah Garden.** Encore un superbe jardin qui profite de ce microclimat. La visite fait néanmoins un peu doublon avec Glendurgan Gardens. À vous de voir.

Cornish Seal Sanctuary Gweek : sur la route B3291, dans le village de Gweek. ☎ 22-13-61. Ouvert tous les jours de 9 h à 17 h en saison, de 10 h à 16 h hors saison. Pour tous les amoureux des phoques; à ne pas rater. Hôpital pour bébés phoques, où l'on récupère les pauvres malheureuses bêtes mal en point. Quand ils vont bien, on les remet à la mer. BB approuverait, c'est sûr ! Séances de nourriture des phoques qui ne se privent pas de jouer d'incroyables numéros de cabotin. On peut observer de près leurs évolutions sous l'eau, à travers des vitres encastrées sous leur piscine.

Goonhilly Earth Station : sur la B3293, vers Coverack. Ouvert tous les jours de début mars à fin octobre, de 10 h à 17 h. Entrée payante. On ne peut pas la louper : il s'agit de la station de communications la plus grande du monde. Dans ce bout du monde émerge une forêt de paraboles énormes et d'éoliennes géantes, un vrai paysage de science-fiction ! Expos interactives, puis on fait le tour des installations en bus pendant 40 mn. Description et historique des antennes. Visite en anglais assez technique ; il faut bien maîtriser la langue pour que ce soit instructif.

COVERACK

Délicieux village qui s'étire le long d'une petite baie. Très tranquille et entouré d'une belle campagne. Endroit très connu des véliplanchistes, qui aiment le vent régulier soufflant dans la baie. Halte tranquille et agréable. Quelques maisons au toit de chaume.

➢ ***Bus*** fréquents de Helston.

Où dormir ?

Campings

Little Trevothan Caravan & Camping Park : Trevolhen, Coverack, Helston, TR12 6SD. ☎ (01326) 28-02-60. Ouvert de mai à octobre. De 6 à 12 £ (8,90 à 17,80 €) pour deux. Un petit camping très agréable. Douches chaudes, laverie et petite épicerie. Location de caravanes. Vaste pelouse et aire de jeux pour les enfants.

Trelowarren Caravan and Camping Park : sur la route de Coverack, la B3293. ☎ 22-16-37. Au milieu d'un beau parc, non loin d'une superbe demeure. Douche chaude gratuite. Très calme.

Bon marché

Youth Hostel : au sommet de la colline, sur la partie extrême droite de la baie. Prendre l'embranchement à droite, juste avant la station-service. ☎ 28-06-87. Ouvert d'avril à novembre. Dans une élégante maison dominant la baie. Chambres agréables, vastes, pas surchargées de lits. Ambiance familiale. 38 lits en tout, dortoirs et *family rooms*. Salon, cuisine, billard, véranda et aire de jeux pour les enfants. Possibilité de prendre ses repas à l'auberge. Location de vélos et de planches à voile. Pelouse pour camper. Excellente adresse, très fréquentée par les véliplanchistes car c'est aussi un centre de planche à voile.

Bed & Breakfast Tamarisk Cottage : Mrs T. Carey. ☎ 28-06-38. Fermé pour les fêtes de fin d'année. Facile à trouver pour une bonne raison, c'est le seul dans le coin ! À partir de 20 £ (29,60 €) par personne. Accueil très chaleureux dans un *cottage* qui l'est encore plus, avec vue sur la baie. Adorable. Café et petit dej' offerts sur présentation du *GDR*.

Plus chic

Tregwenyn Guesthouse : juste à côté de l'AJ. ☎ 28-07-74. Grande et grosse maison carrée toute blanche, offrant un incroyable panorama sur la baie et entourée d'un jardin soigné. Toutes les chambres ont des sanitaires.

Où manger?

- **The Paris Pub and Hotel :** au bout du port. ☎ 28-02-58. Petite cuisine de pub honnête.
- **Harbour Lights Restaurant :** devant la baie. ☎ 28-05-07. Compter environ 12 £ (17,80 €) par personne. Petite terrasse. Plats variés. Fait aussi végétarien.

LE CAP LIZARD

Latitude 49° 57' N, longitude 5° 12' W. Pas de lézard, c'est bien le point le plus au sud de l'Angleterre. Cap d'arrivée de nombreuses courses transatlantiques, c'est sans doute pour cela que son nom vous semble familier. Vue superbe sur le large de cette longue falaise de roches noires s'émiettant un peu. Si le panorama est admirable, le village de Lizard lui-même est particulièrement banal, tout comme la vaste plaine, totalement plate et désolée, qui mène au cap. De plus, les innombrables boutiques de souvenirs gâchent vraiment la visite.

Où dormir? Où manger?

- **Camping :** à Mullion Cove. Tout près d'une magnifique plage.
– Éviter le *Mullion Holiday Park*, énorme et très touristique.
- **Bed & Breakfast Tregullas Farm :** The Lizard, TR12 7PF. ☎ 29-03-51. Pour une promenade le soir, proche des falaises. Chambre double à partir de 48 £ (71 €). Cartes de paiement refusées. Toutes les chambres ont une vue panoramique sur la mer. Un café offert sur présentation du *Guide du routard*.
- **The Smugglers :** dans le village même, derrière le parking. Un restaurant sans prétention, mais servant une copieuse nourriture à des prix très abordables. De plus, les serveurs sont vraiment sympas.

À voir. À faire

➢ ***Chemins de randonnée*** balisés autour et le long du cap. Au niveau du parking, au bout de la falaise, panneau d'informations où sont symbolisés les sentiers.

Visite du petit ***phare*** possible de Pâques à septembre, de 12 h à 18 h.

PORTHLEVEN

IND. TÉL. : 01326

Encore un petit port de rêve. Un peu à l'écart des circuits touristiques traditionnels, le village, le port, la campagne, les falaises et les plages ne semblent pas avoir bougé d'un pouce depuis bien longtemps.

Où dormir?

- **Campings :** à Praa Sand, sur la route de Penzance. Plutôt que le gros complexe indiqué, le routard préférera les campings à la ferme situés à l'ouest du village. Il y en a plusieurs.
- **Seal Cottage :** Bayview. ☎ et fax : 56-50-34. Ce n'est pas un *B & B*, mais plutôt de petits appartements où l'on se débrouille tout seul pour faire sa popote. Cuisine très bien équipée. Jardin-patio très agréable. Vue extraordinaire sur le port et le large. Une réduction sera accordée à nos lecteurs sur présentation du *Guide du routard*.

Prix moyens

🏠 ***Mr and Mrs Jewson :*** 4 Claremont Terrace. ☎ 56-42-94. C'est la rue qui monte à droite du port quand on regarde la mer ; la maison est dans la partie haute. Belle vue. Prestations correctes.

🏠 ***Fishermans Cottage, chez Audrey Williams :*** 1 Harbour View. ☎ 57-37-13. À côté du port. Ouvert toute l'année, tous les jours. Trois chambres, certaines avec vue sur la mer, coquettes, à 25 £ (37 €). Un café ou une boisson offert(e) sur présentation du *Guide du routard.*

🏠 ***Quayside Cottage :*** 12 Claremont Terrace. Dans le même genre. Correct.

Plus chic

🏠 ***Tye Rock Hotel :*** Loe Bar Road. ☎ 57-26-95. Digne d'Agatha Christie, voici un petit manoir surplombant la falaise. Hercule Poirot aurait aimé dormir dans l'une des 7 chambres confortables, à la décoration simple. Accrochée à la falaise, une piscine chauffée. Au pied, sur la gauche, longue plage de sable. Fait resto pour les résidents.

Où manger ?

🍴 ***Critchards Seafood Restaurant :*** The Harbour, TR13 9JA. ☎ 56-24-07. Fermé le dimanche, ainsi qu'en décembre et janvier. Compter environ 60 £ (88,80 €) pour une chambre double. Une des meilleures tables des Cornouailles, et si Steve porte sa cravate poisson, c'est qu'il est de bonne humeur. Du poisson et toujours du poisson, frais et préparé avec brio. Ici, on semble fier de figurer dans le *Routard.* On réserve d'ailleurs le meilleur accueil à nos lecteurs, avec une réduction sur présentation du *GDR.* Resto non-fumeurs.

🍴 ***The Harbour Inn :*** Commercial Rd. ☎ 57-38-76. Un restaurant sur le port, avec les spécialités habituelles mais à des prix doux. Dispose également de quelques chambres, un peu chères : la double à partir de 20 £ (29,20 €).

Où boire un verre ?

🍷 ***The Ship Inn :*** longer le quai sur la droite en regardant l'eau. Le pub surplombe la jetée. Terrasse minuscule et adorable.

À voir

★ ***Myths & Legends :*** ouvert d'avril à octobre. Entrée payante. Un musée dédié aux légendes et aux histoires extraordinaires, qui ne manquent pas dans la région. De *Fleet Street* aux sorcières, assez surréaliste. Bizarre, vous avez dit bizarre ?...

PENZANCE

18500 hab. IND. TÉL. : 01736

La ville la plus occidentale de l'Angleterre est une station balnéaire prisée et peu séduisante de prime abord. Bords de mer peu attractifs, hormis une étonnante piscine Art déco sur la promenade. Grosse animation sur le port en juillet, lors des journées maritimes.

C'est de là que partent les bateaux pour les îles Scilly, réputées pour la douceur de leur climat.

Adresses utiles

ℹ ***Tourist Information Centre :*** Station Approach, à l'arrière de la gare. ☎ 36-22-07. Fax : 36-36-00. En été, ouvert du lundi au vendredi de 9 h à 17 h 30 et les samedi et dimanche de 10 h à 16 h ; hors saison, ouvert du lundi au vendredi jusqu'à 17 h et le samedi jusqu'à 13 h. Réservation de *B & B*. Brochures et infos utiles pour les îles Scilly.

✉ ***Poste :*** Market Jew St. Dans la rue centrale.

■ ***Banques :*** la plupart sont regroupées sur Market Jew St *(Lloyds, Barclays, Midland...)*.

Gare : Station Rd. ☎ (08457) 48-49-50.

Gare routière : Station Rd. *National Express,* ☎ (08705) 80-88-08 et *Traveline,* (☎ (08706) 08-26-08 desservent de nombreux villages. Voir les fréquences sur place.

■ ***Location de vélos :*** *Cycle Centre,* Knights Warehouse, Bread St, ☎ 35-16-71. *R.C. Pender & Son,* Jennings St, ☎ 36-53-66.

Où dormir ?

Bon marché

Penzance Backpackers : *The Blue Dolphin,* Alexandra Rd, TR18 4LZ. ☎ 36-38-36. AJ indépendante, située dans un quartier tranquille, pas très éloigné de la mer et du centre. Nombreux bus, mais vous pouvez aussi téléphoner pour qu'on vienne vous chercher. Ouvert toute l'année. Pas de couvre-feu. Autour de 12 £ (17,80 €) par personne. Trente lits en dortoirs. Une douche par dortoir. Propreté irréprochable. Couchage fourni. Pas cher, réductions en cas de séjour prolongé et cartes de paiement acceptées. Ambiance cool garantie.

Youth Hostel : Castle Horneck, sur l'A30. ☎ 36-26-66. Fax : 36-26-63. Un peu loin du centre, mais bus (n° 10 B ou 5) de la gare. Attention : en voiture, l'AJ n'est accessible qu'en empruntant la Ring Rd (A30). Fermé en janvier et février. Couvre-feu à 23 h. Réserver impérativement. Grande maison du XVIIIe siècle, confortablement équipée. Dortoirs de 8 lits. Machine à laver. Vastes jardins tout autour, où l'on peut planter sa tente avec l'autorisation du gardien. La cafétéria, ouverte dès 17 h 30, est très sympathique.

Richmond Lodge : 61 Morrab Rd, TR18 4EP. ☎ 36-55-60. Compter de 18 à 20 £ (26,60 à 29,60 €) par personne. Une bien belle maison avec au total 7 chambres sympas. Certaines tout confort, avec salle de bains *en-suite*. Bon accueil.

Prix moyens

Rotterdam House : 27 Chapel St, TR18 4AP. ☎ et fax : 33-23-62. • www.rotterdamhouse.co.uk • Chambre double à partir de 40 £ (59,20 €) la nuit par personne, petit dej' inclus. Une maison du XVIIIe siècle qui aurait été construite par le grand-père des sœurs Brontë. Chambres coquettes et une propriétaire charmante, amoureuse de sa ville, qui saura vous en conter les secrets. Il est prudent de réserver car l'adresse est connue, vu son excellent rapport qualité-prix.

Con Amore : 38 Morrab Rd, TR18 4EX. ☎ 36-34-23. • www.con-amore.co.uk • Chambres doubles de 40 à 50 £ (59,20 à 74 €) selon la saison. Jolie maison victorienne en face d'un petit jardin public. Chambres douillettes à la déco très anglaise. Accueil très chaleureux du propriétaire, qui vous donnera tous les conseils nécessaires pour la visite de la ville.

On trouve également de très nombreux ***B & B*** et ***guesthouses*** sur Alexandra Rd et Morrab Rd, pratiquement les uns à côté des autres. Compter 15 mn de marche de la gare, vers l'ouest. Parmi les moins chers, il y a *Pendennis, Treventon, Trement Hotel* et puis *Glendower Guesthouse* (sur Mennaye Rd), assez prisés par les routards (super petit dej').

Penzance Arts Club : Chapel House, Chapel St, TR18 4AQ. ☎ et fax : 36-37-61. Chambre double à partir de 80 £ (118,40 €). Un rendez-vous d'artistes qui, non content de servir de galerie d'exposition, offre aussi un bar musical, une cuisine de bistrot originale et un hébergement assez raffiné et pas trop cher, avec ce sens inimitable de la déco cher aux Anglais. Un vrai lieu de rencontres.

Vraiment plus chic

The Abbey Hotel : Abbey St, petite rue qui donne sur Chapel St. ☎ 36-69-06. Fermé en janvier. Compter minimum 100 £ (148 €) la nuit pour 2, petit dej' compris. Très peu de chambres dans ce petit hôtel à la façade azur, blotti dans une rue étroite, dominant le port. À l'intérieur, de grands fauteuils de chintz fané, de la porcelaine anglaise. Du style et du charme. Réduction de 10 % sur le prix de la chambre sur présentation du *Guide du routard* (en mars, juin et novembre).

Où dormir dans les environs ?

Camping

Bone Valley Touring and Camping Park : Heamoor. ☎ 36-03-13. À 2 km au nord de Penzance sur la route de St Ives, puis encore 1 km ; *Bone Valley* est indiqué à 200 m sur la gauche. Prévoir 15 £ (22,20 €) pour 2 et une tente. Assez bien équipé. Tenu par une très serviable *lady.*

Prix moyens

Kerris Farm : Paul, Penzance, TR19 6UY. ☎ 73-13-09. Prendre la route qui grimpe rudement vers Porthcurno ; à environ 3 km, prendre à droite direction Kerris, c'est tout au bout de la route. Si vous êtes à pied, téléphonez et on viendra vous chercher. Chambres avec TV autour de 45 £ (66,60 €). Une belle ferme dans un petit village aux vieilles maisons de granit. Des chambres très confortables avec une vue imprenable sur la campagne alentour. Grand jardin et plein de petits recoins pour les enfants. Accueil charmant.

Où manger ? Où boire un verre ?

– Sur le port, des ***marchands ambulants*** vendent de délicieux crabes et crevettes. Un régal de fraîcheur.

The Ganges Restaurant & Balti House : 18 Chapel St. ☎ 33-30-02. Ouvert midi et soir. Un excellent indien qui cultive la tradition de la cuisine cachemiri. Les plats sont vraiment parfumés et servis copieusement. Personnel efficace et sympathique.

The Admiral Benbow : 46 Chapel St ; à l'angle d'Abbey Street.

LES CORNOUAILLES

☎ 36-34-48. Resto au rez-de-chaussée et pub à l'étage. Sert midi et soir des plats copieux. Cuisine familiale. Très belle décoration d'objets marins, quelques figures de proue.

Bar Coco's : 12-13 Chapel St. ☎ 35-02-22. Le bar branché de Penzance. Atmosphère agréable et clientèle jeune. Spécialités méditerranéennes, vin au verre et tapas espagnoles. Musique live le jeudi soir.

The Turk's Head Inn : 48 Chapel St. Un des vieux pubs du coin (XIVe siècle !). Le midi, toujours des *Cornish steak pasties.* Terrasse à l'arrière. Un tableau à l'extérieur affiche les menus du soir. Bons plats de poisson et de viande à prix raisonnables.

The Union Hotel : Chapel St. ☎ 36-30-93. Compter de 15 à 20 £ (22,20 à 29,60 €) pour un repas complet. Encore un endroit chargé d'histoire : c'est dans ce bel édifice élisabéthain qu'en 1805 fut annoncée la mort de Nelson à Trafalgar. *Nelson's Bar* est décoré d'eaux-fortes (gravures) racontant les exploits de l'amiral... C'est une adresse essentielle à Penzance. Salon-bar cossu, banquettes de velour et fauteuils. Nourriture variée. Hôtel aux chambres chic et chères.

The Dolphin Tavern : Quay St. Déco maritime à fond les voiles. Musique live tous les vendredis soir. Rivalise d'ancienneté avec *The Admiral Benbow.* Très riche en histoires de marins et de contrebandiers.

À voir

National Lighthouse Centre : Trinity House, Wharf Rd. ☎ 66-00-77. Ouvert de Pâques à fin octobre tous les jours de 11 h à 17 h. Entrée payante. Intéressant musée consacré aux phares. Explications du principe de fonctionnement. Nombreux phares anciens de toutes tailles. Impressionnant. Documents, gravures et beaux objets.

Penlee House Gallery & Museum : Morrab Rd. ☎ 36-36-25. De mai à septembre, ouvert du lundi au samedi de 10 h à 17 h ; d'octobre à avril, de 10 h 30 à 16 h 30. Entrée : 2 £ (3 €) ; réductions. Œuvres de l'école de Newlyn, arts décoratifs, archéologie et histoire locale dans un tout nouvel habillage. Belle collection de peintures consacrées à l'histoire de Penzance et sa région. Salon de thé agréable, avec véranda sur le jardin.

Chapel Street : certainement la rue la plus coquette et parsemée de maisons historiques, avec *The Union Hotel, The Turks Head Inn,* plusieurs galeries et l'ancienne bibliothèque de la ville. On ne peut rater *the Egyptian House,* incroyable façade du XIXe siècle style « retour d'Égypte », très kitsch. C'était autrefois un musée géologique. En haut de Chapel St, sur la droite, on gagne *Market Jew Street,* cœur commercial de Penzance, qui compte de jolies maisons georgiennes.

À faire

➢ **Harry Safari :** dans un minibus, Harry vous emmène découvrir tous les secrets bien cachés de la région. ☎ 71-14-27 après 19 h ou réserver à l'office de tourisme. Dolmens, menhirs, ruines et autres sites étranges. C'est un peu cher, mais cela en vaut vraiment la peine. De plus, Harry est un conteur infatigable ! Compter 15 £ (22,20 €) par personne.

➢ **Pêche en mer :** si ça vous dit d'aller taquiner le requin... ☎ 36-85-65. De 2 h à la journée entière selon vos envies. Prix très raisonnables.

➢ **Penzance Ghost Tour :** visite à pied des lieux réputés pour leurs fantômes, apparitions et tout phénomène paranormal. ☎ 33-12-06 pour les réservations. Amusant si l'on comprend bien l'anglais, et le prix est attractif.

MARAZION ET SAINT MICHAEL'S MOUNT (MONT SAINT-MICHEL)

IND. TÉL. : 01736

À 3 km de Penzance, gentil village tranquille, point de départ de la chaussée (submergée à marée haute) qui mène à Saint Michael's Mount. Vaste plage superbe.
– ***Parking*** payant sur le port. C'est là qu'on laisse sa voiture pendant qu'on visite le mont Saint-Michel.

Où dormir ? Où manger ?

Prix moyens

🏠 |●| ***The King's Arm :*** Fore St. Un bon vieux pub rustique. Cuisine locale servie copieusement et de savoureux *Cornish pasties.* Quelques tables à l'extérieur en cas de beau temps... Patron sympa et atmosphère très agréable. Quelques chambres modestes à l'étage.

🏠 |●| ***The Corner House :*** Fore St. ☎ 71-13-48. Chambres doubles de 40 à 45 £ (59,20 à 66,60 €). Un *B & B* confortable, d'un bon rapport qualité-prix. Toutes les chambres sont *en-suite.* Restaurant le soir avec spécialités de poisson du jour.

|●| ***Clipper Café :*** Fore St. Une institution dans le pays. Plats maison que l'on déguste sur des bancs d'église dans un décor de vieilles pierres.

Plus chic

🏠 |●| ***The Godolphin Arms & Gig Bar :*** West End, TR17 OEN. ☎ 71-02-02. • www.godolphinarms.co.uk • Juste en face du mont, avec une grande et agréable terrasse. Chambre double de 70 à 120 £ (103,60 à 177,60 €) selon le confort et la saison. De 6 à 20 £ (8,90 à 29,60 €) pour un repas complet. Côté hôtel, des chambres de très bon confort avec vue sur la mer et le mont. Toutes avec salle de bains et décorées dans des couleurs pimpantes. Au pub et resto, excellentes spécialités de fruits de mer (crabe, moules, crevettes...). *Roast of the day,* sandwichs et en-cas pour le déjeuner. Personnel accueillant et atmosphère conviviale. Musique live tous les week-ends.

🏠 |●| ***Marazion Hotel – Cutty Sark Bar & Restaurant :*** The Square, TR17 OAP. ☎ 71-03-34. Fax : 71-91-80. Chambre double à partir de 60 £ (88,80 €). Compter de 5 à 15 £ (7,40 à 22,20 €) pour un repas complet. Chambres agréables, toutes avec salle de bains. Préférer celles avec vue sur la mer. On peut grignoter au pub ou manger au resto qui propose de fameuses spécialités locales, notamment le steak de requin et de bons plats végétariens. Moules-frites et snacks pour le *lunch.* Très bonne adresse.

À voir

🚶🚶🚶 ***St Michael's Mount :*** à marée basse, on gagne le mont Saint-Michel par la chaussée ; à marée haute, on prend le bateau (payant) qui fait l'aller-retour au départ du quai (liaisons fréquentes en été, aléatoires en hiver). ☎ 71-05-07. • www.stmichaelsmount.co.uk • Ouvert du 1er avril à fin octobre, du lundi au vendredi de 10 h 30 à 17 h 30 ; hors saison, visites les lundi, mercredi et vendredi en fonction des marées. Entrée : 4,80 £ (7,10 €) ; réductions.

Sur ce petit bout d'île à deux pas de la côte, des marchands auraient pris pied au début de notre ère. Une vision de l'archange Michel serait apparue, le lieu devint sacré et on y édifia une chapelle aux alentours du XIe siècle. Ce n'est qu'un siècle plus tard que les bénédictins du Mont-Saint-Michel français, profitant de la conquête normande, firent édifier un monastère et une église dans le même style que son homologue d'en face, même si celui-ci n'en a ni la prestance ni la taille. Les bénédictins en furent délogés au XVIe siècle. Devenu garnison militaire, le monastère fut racheté plus tard par des particuliers. Les différents bâtiments qui subsistent aujourd'hui accusent un curieux mélange de styles, avec une prédominance pour le XIIe siècle. On visite plusieurs salles du château chargées de meubles et de peintures, ainsi que la chapelle du XVIIe siècle. Balade agréable dans les luxuriants jardins tropicaux autour.

LES ÎLES SCILLY (LES SORLINGUES)

2000 hab. IND. TÉL. : 01720

Pour aller encore plus loin que Land's End. Archipel de plus de 100 îles, dont 6 seulement sont habitées. La douceur du climat et la rudesse de la mer (nombreux naufrages de navires) en font un endroit de contrastes à 28 miles au sud-ouest de l'Angleterre. La transparence de l'eau émeraude sur les hauts fonds sablonneux, les rivages solitaires d'une blancheur éclatante, la végétation tropicale des jardins de Tresco, les chapelets d'îlots rocheux qui parsèment l'océan sont les ingrédients qui font des îles Scilly un petit coin de paradis sur terre. Les îlots les plus isolés constituent une véritable réserve naturelle où nichent en toute quiétude des dizaines d'espèces d'oiseaux marins. Laissez-vous prendre aux charmes des lieux en vous baladant, en observant la faune et la flore, en profitant des petites criques... Une coutume locale pittoresque : les *Race Gigs,* courses de barques inter-îles.

Comment y aller ?

Il y a trois moyens d'accès pour se rendre sur les îles : le bateau, l'avion ou l'hélicoptère.

➢ ***En bateau :*** avec la compagnie *Isles of Scilly.* Réservations : *Travel Centre,* ☎ (0345) 10-55-55. Un bateau chaque jour du lundi au samedi vers St Mary's. Départ à 9 h 15, retour à 16 h 30. Durée de la traversée : 2 h 40. Compter environ 30 £ (44,40 €) ; ticket familial et réductions enfants, étudiants et seniors. Tuyau : un cargo part tous les jours vers Saint Mary's. Se renseigner sur les quais. C'est bien moins cher, mais beaucoup plus long (6 h).

➢ ***En avion :*** avec la compagnie *Skybus.* Renseignements : *Travel Centre,* ☎ (0845) 10-55-55. À St Mary's, ☎ 42-29-05. Départs de l'aérodrome de Land's End. Une bonne dizaine de liaisons quotidiennes l'été. Pas de vol le dimanche. La navette en bus depuis Penzance, ainsi qu'à l'arrivée, de l'aéroport à St Mary's, est à payer en sus. Compter environ 50 £ (74 €) ; demi-tarif pour les enfants en dessous de 16 ans. Départs également depuis Newquay.

➢ ***En hélicoptère :*** avec la *Scotia Helicopter Services.* ☎ (01736) 36-38-71 à Penzance, ☎ (01720) 42-26-46 à St Mary's et Tresco (pas tous les vols). Départ de l'héliport de Penzance. De 5 à 7 vols quotidiens selon les jours (parfois annulés en cas de brouillard). Pas de liaisons le dimanche. On vole dans d'énormes appareils accueillant plus de 30 personnes, en survolant la péninsule de Land's End. Très spectaculaire. Compter 90 £ (133,20 €) aller-retour (60 £, soit 88,80 €, en cas d'aller-retour dans la journée).

Adresses utiles

ℹ ***Information Office :*** Porthcressa Beach, St Mary's, Isles of Scilly. ☎ 42-25-36. Fax : 42-20-49. • www.scillyonline.co.uk • Ouvert de 8 h 30 à 17 h. Fermé le dimanche. L'idéal pour trouver un hébergement si vous n'avez pas réservé.

✉ ***Poste :*** High St.

■ ***Croisières et transferts entre les îles :*** *St Mary's Boatman's Association.* Renseignements à l'office de tourisme.

■ ***Location de vélos :*** *Buccabu Hire,* Porthcressa Beach. Près de l'office de tourisme. Fermé le dimanche.

■ ***Safari-plongée :*** une excursion sous-marine en compagnie des phoques. *Mark Nowhere,* Old Town, St Mary's. ☎ 42-27-32.

DE PENZANCE À SAINT IVES PAR LA CÔTE

PENWITH

Puisqu'il ne vous reste que quelques kilomètres avant le bout du monde, prenez votre temps et découvrez la région de Penwith. Son caractère un peu rude est dû au sol granitique et à ce sacré vent qui rase tout. La côte est très fortement découpée, mais s'ouvre parfois sur de superbes plages. La mer est merveilleusement turquoise, donnant envie d'y plonger. L'ancien chemin des douaniers existe toujours – le *National Trust* l'entretient fort bien –, et c'est en suivant ce *coastal footpath* que vous apprécierez toute la beauté de la région. Une des plus belles sections de la côte, offrant des vues inoubliables sur les villages.
Chaque baie est évidemment reliée à la civilisation par la B3315, puis la B3306, et le réseau de bus est très complet.

MOUSEHOLE *(IND. TÉL. : 01736)*

À 4 km de Penzance s'étend ce petit village avec un port aussi charmant que ses jolies maisons basses. Très chouette. L'été, le village est pris d'assaut par tous les touristes qui séjournent à Penzance, et comme le coin est aussi minuscule qu'un... trou de souris, bonjour les embouteillages humains ! Laisser son véhicule au parking. Voir le superbe quai de granit, du XIVe siècle. C'est dans cette région qu'eurent lieu de vigoureux combats avec les Espagnols, notamment à Spaniard's Point. Le mieux est de se rendre ici tôt le matin ou en fin d'après-midi.

Où dormir ? Où manger ?

🏠 🍽 ***The Ship Inn :*** sur le port. ☎ 73-12-34. Pub très renommé, qui offre quelques chambres face au port. C'est là que fut réalisé pour la première fois un plat appelé *the starry gazy pie* : une tourte constituée de 7 espèces de poisson. À la fin du XIXe siècle, alors que la mer était trop démontée pour que les pêcheurs puissent sortir, un courageux s'y risqua quand même et fit une pêche miraculeuse (ou presque). C'était la veille de Noël. Depuis, tous les 23 décembre, on fête ça... et de plus, c'est gratuit pour tous ! Regardez les photos au mur. Le patron du bar est un bon vivant et vous racontera personnellement cette histoire. Certains soirs, le « Mousehole Male Voice Choir » répète, et ce chœur de belles voix mâles est assez émouvant. On peut y manger le midi.

🏠 |●| ***Thatched Cottage :*** Raginnis Farm, à la sortie de Mousehole, TR19 6NJ. Chambre double à 23 £ (34 €). Fermé à la période de Noël. La fermière offre une chambre dans une ravissante fermette à toit de chaume. Elle est aux petits soins et peut également vous mitonner un petit plat pour le dîner. Si, par malheur, vous arrivez trop tard, elle vous propose son pré pour planter votre tente et l'usage d'un robinet. Café, thé et biscuits offerts sur présentation du *Guide du routard.*

LAMORNA COVE *(IND. TÉL. : 01736)*

Première crique superbe et romantique à souhait après une charmante petite route forestière. On peut remonter le fleuve côtier ; la promenade sous les arbres est merveilleuse, surtout en février, quand les champs sont recouverts de jonquilles. Juste quelques maisons serrées les unes contre les autres autour du port. Parking payant sur le port.

Où dormir ?

🏠 Plusieurs beaux ***B & B*** sur la route entre Mousehole et Lamorna Cove. Panneaux bien lisibles.

🏠 ***Bed & Breakfast :*** à Lamorna Pottery, sur la B3315. ☎ 81-03-30. *Cream tea.* Jardin ombragé.

PENBERTH COVE *(IND. TÉL. : 01736)*

À 5,5 km de Lamorna par le *coastal footpath,* un coin de paradis : la crique est minuscule, un pêcheur y range 3 barques et sera heureux de vous vendre un homard si vous le rencontrez à marée basse. Quelques maisons, un bout de fleuve côtier qui se jette là et un romantisme infini.

Où dormir dans les environs ?

Campings

⛺ ***Trenverven Farm :*** St Buryan, Penzance TR 196DL. ☎ 81-02-21. Sur la B3315. Bien équipé, très propre et pratique, mais peu d'ombre.

⛺ ***Tower Park Caravans & Camping :*** St Buryan, Penzance, TR 196BZ. ☎ 81-02-86. Bien situé à proximité des sentiers de randonnée. Équipement nickel.

Bed & Breakfast

🏠 ***Boskenna Home Farm :*** sur la route du village, St Buryan, TR 196DQ. ☎ et fax : 81-07-05. • www.boskenna.co.uk • Entre Lamorna et Penberth, à pied, prendre le chemin qui remonte à l'intérieur des terres à la hauteur de St Loy. Jolie ferme en pleine campagne et pelouse soignée devant. Compter entre 24 et 29 £ (35,50 et 42,90 €) la nuit pour une personne.

🏠 ***Fernleigh :*** Penberth Cove, Saint Buryan, Penzance, TR 196HJ. ☎ 81-03-24. Au-dessus de la route qui relie la crique à la B3315. Tenu par un couple de retraités.

TREEN

Tout petit village au bout de la B3315, affublé d'un énorme rocher, ***Logan Rock,*** qui, posé sur d'autres roches, est censé se balancer au gré du vent. La balade à travers champs, puis dans les rochers pour l'atteindre, est fort agréable. De là, très belle vue sur la plage de Porthcurno. Au retour, prendre un pot au pub local, remis en état par le *National Trust* : le ***Logan Rock Pub.*** Manière agréable de soutenir le NT dans ses efforts de conservation du patrimoine.

Où dormir ?

Si vous voulez camper, adressez-vous à la (seule !) boutique.
Quelques ***B & B*** dans le village.

PORTHCURNO *(IND. TÉL. : 01736)*

Une des plus belles plages de la côte, sable blond et eaux vertes. On s'arrête sur Logan Rock pour admirer les falaises au pied desquelles, à marée basse, certains Anglais se font bronzer sans culotte ! Vraiment un site exceptionnel, d'autant plus qu'il abrite un fameux théâtre en plein air, le Minack Theatre. De Porthcurno partaient les câbles téléphoniques transatlantiques, on peut encore visiter les installations souterraines.

Où dormir ? Où manger ?

Grey Gables Guesthouse : Mr and Mrs R. Thomas. ☎ 81-04-21. Prendre la route qui mène au théâtre, puis poursuivre jusqu'au bout celle allant vers l'église. Douce et sympathique atmosphère dans cette belle maison qui surplombe la plage. Intérieur coloré (vert petit pois) et chambres coquettes, avec ou sans sanitaires. Si ce n'est pas le bout du monde, c'est donc son frère. Une bien belle adresse.

The Mariners Lodge Hotel : dans un tournant, en allant vers l'église. ☎ 81-02-36. Chambres de 40 à 60 £ (59,20 à 88,80 €). Tout nouvel hôtel avec des chambres modernes de très bon goût, certaines avec terrasse. Idéal si l'on veut se rendre à une représentation du théâtre *Minack* tout proche. Sert également une cuisine inventive et succulente, à la fraîcheur garantie. Carte des vins variée et à tous les prix. Une adresse que nous affectionnons particulièrement pour sa situation, sa table et la générosité de son accueil.

The Porthcurno Hotel : The Valley, Porthcurno. ☎ 81-01-19. Fax : 81-07-11. Chambre double à partir de 44 £ (65,10 €) sans douche, 55 £ (81,40 €) avec. L'hôtel, d'aspect banal, est installé dans une ancienne résidence des ingénieurs du câble transatlantique. L'intérieur est très raffiné. Les meilleures chambres ont vue sur la mer. Accueil extrêmement prévenant. Les proprios se coupent en quatre pour devancer vos moindres désirs. Une adresse particulièrement recommandée.

À voir. À faire

Minack Theatre : • www.minack.com • Ouvert de Pâques à fin octobre, tous les jours de 10 h à 17 h 30. Le rocher de Porthcurno abrite ce théâtre édifié en 1932 par une femme qui construisit elle-même les gradins, avec truelle et ciment. Elle mit un demi-siècle à réaliser son œuvre, avec un coup de main du gardien du site. Elle mourut à 89 ans, fière de son œuvre théâtrale. Elle avait de quoi, car le théâtre se mêle intimement à la nature, sans la heurter. La scène est suspendue sur la mer et on s'assoit à même la falaise. On y donne des pièces de tous horizons, jouées par des troupes locales et internationales, de mai à mi-septembre, du lundi au vendredi à 20 h, mais il faut faire la queue dès 18 h. Matinée les mercredi et vendredi à 14 h. ☎ 81-01-81. Réservation par téléphone conseillée (avoir une carte de paiement); attention, on ne peut réserver qu'une semaine à l'avance, pas plus. En attendant le spectacle, on pique-nique, et pendant le spectacle, on boit du vin, c'est la tradition.

On ne peut que vivement conseiller de venir assister à une représentation dans cette rare atmosphère. Bien sûr, il est préférable de bien comprendre l'anglais, mais même si ce n'est pas le cas, entendre déclamer du grand William devant l'océan au-dessus de la falaise est un moment d'émotion rare. Mais n'oubliez pas couvertures, pulls et bonnes chaussettes; le soir, il fait vraiment frisquet.

Petite expo qui raconte la vie de la créatrice de ce lieu unique par le biais de belles photos noir et blanc. Un site à ne pas louper.

On peut rejoindre la ***plage*** par un escalier sur le côté du théâtre.

➢ Encore et toujours le ***Coastal Path,*** ce chemin de randonnée qui longe les falaises. De Porthcurno à Land's End, l'un des plus beaux parcours.

LAND'S END

Le bout du monde... Vraiment? Un bout du monde très exploité, c'est devenu un parc d'attractions complètement nul et surtout qui n'a absolument rien à faire là (hôtel, resto, boutiques...). On ne peut utiliser le parking que si l'on paie l'entrée au parc. Cela dit, vision surprenante sur de hautes falaises. Les rochers semblent polis et disposés les uns sur les autres. Assez curieux. Il faut s'éloigner de la foule pour apprécier la beauté et la sauvagerie de l'endroit... mais attention, respectez bien les consignes de prudence, car les falaises s'effritent et il y a déjà eu des accidents. La balade au départ de Porthcurno (7 km) est extraordinaire. On boit un verre à mi-chemin à Porthgwarra et, si l'on a de la chance, du haut des falaises par temps clair on aperçoit les îles Scilly.

SENNEN (IND. TÉL. : 01736)

À une demi-heure de marche de Land's End. La plage est grandiose, on y pratique le surf toute l'année. Parfois, un groupe de dauphins vient égayer l'horizon.

Où dormir? Où manger?

Camping

▲ ***Trevedra Farm :*** TR 197OG. ☎ 87-18-18. Dans les champs, à quelques enjambées des plages, un peu après Sennen. Bien fléché. Accès par l'A30 après la jonction avec la B3306. Un peu rustique mais très bien situé. Peu d'ombre malgré tout.

Bon marché

■ ***Whitesand's Lodge :*** *Land's End Backpacker,* TR19 7AR. ☎ et fax : 87-17-76. • www.whitesandslodge.co.uk • Grande demeure lumineuse, juste à gauche à l'entrée de Sennen, sur l'A30, en venant de Penzance, et non loin du rivage. On peut venir vous chercher à Penzance. Deux types d'hébergement : dortoirs (30 lits) à partir de 10 £ (14,80 €) la nuit par personne ou *guesthouse* avec chambres pour couples ou familles (12 lits) à partir de 22 £ (32,60 €) la double. Un peu plus cher, bien sûr, et *breakfast* en plus. Cartes de paiement acceptées. Cuisine, laverie. Tout pour créer une ambiance conviviale : *lounge,* TV, barbecues, bar, librairie, etc. Décoration très réussie, inspirée des motifs celtiques. Mise à disposition du matériel de surf, planche à voile, escalade et vélos. Le pied, quoi ! De plus, bonnes vibrations.

Bed & Breakfast

The Old Manor : juste avant Land's End en venant de Penzance, dans la plaine, TR19 7AD. ☎ et fax : 87-12-80. Chambre double à partir de 28 £ (41,40 €). Très agréable hôtel coquet, presque bourgeois. Possibilité d'y dîner. Patrons accueillants.

SAINT JUST *(IND. TÉL. : 01736)*

Gentille bourgade provinciale qui ne possède pas le charme des villages qui l'entourent, puisque située un peu à l'intérieur des terres. Donc, pas de port croquignolet, pas de plage, pas de falaises... mais la mer et le *Coastal Path* ne sont pas loin.

Adresses utiles

– Pas d'office de tourisme.
✉ **Poste :** Market St.
■ ***Location de vélos :*** à la *Land's End Youth Hostel.*

Où dormir ? Où manger ? Où boire un verre ?

Bon marché

Land's End Youth Hostel : Letcha Vean, 8 Saint Stephen's Hill. ☎ 78-84-37. Fax : 78-73-37. À 1 km au sud du village. L'auberge est perdue dans la campagne, non loin du cap Cornouailles (Cape Cornwall). Ouvert tous les jours du 1er avril au 31 octobre. Réservez absolument. Réception de 8 h à 10 h et de 17 h à 22 h. Compter 12 £ (17,80 €) par personne en dortoir. Couvre-feu à 23 h. 46 lits en tout. Dortoirs de 8 à 20 lits. Sert des dîners, loue des vélos, draps fournis, calme parfait. Pas mal, non ?

Kelynack Bunkbarn : Kelynack Camping Park. À 1 mile au sud de St Just, sur la B3306. Bus de Penzance vers St Just. Arrivée après 14 h et départ avant 10 h souhaités. À un bon kilomètre de la mer, dans la Cot Valley, une toute petite maison de pierre avec 2 chambres et 10 lits. Laverie disponible au camping. Draps et couvertures sont fournis. Petite cuisine et douche. Prix d'un camping bon marché.

Prix moyens

Cot Manor : Cot Valley, juste avant d'arriver à St Just. ☎ 78-77-64. En contrebas de l'auberge de jeunesse. Superbe situation, encaissée dans la vallée, sans vue mais dans un environnement de charme. Longue maison en L, entourée d'une pelouse taillée au millimètre. Trois chambres coquettes, lumineuses, champêtres, dont une avec sanitaires. Pour les deux autres, prix vraiment raisonnables. Excellent accueil.

The Commercial Hotel : dans le centre du bourg. ☎ et fax : 78-84-55. • www.commercial-hotel.co.uk • Chambre double à partir de 50 £ (74 €). Très bon pub et prix très bas pour des chambres agréables. On y mange aussi correctement. C'est le grand rendez-vous des vendredi et samedi soir, car on y danse. Toute la jeunesse alentour s'y retrouve. Deux bars, 2 salles. On fréquente l'une ou l'autre en fonction de son âge. Réduction de 10 % de juillet à septembre.

À voir

Cape Cornwall : le voilà, le bout du monde. Le bout du bout. Vue extraordinaire avec ses morceaux d'îlots qui flottent au ras de l'eau, au loin. Chemins vallonnés, herbe rase, maisons blanches. Bien mieux que Land's End, à 1 mile de là.

Après St Just, changement de paysage : les prairies et les haies font place à la ***lande*** découpée par des murets. Des cheminées surgissent par endroits. Ce sont les dernières traces des anciennes mines d'étain.

PENDEEN (IND. TÉL. : 01736)

Ne pas manquer le phare et la balade jusqu'à Portheras Cove (30 mn), au nord. On y rencontre souvent des phoques. Belle vue de la colline, derrière l'église fortifiée et le cimetière.

Où dormir?

Botallack Manor : à Botallack; 300 m avant le phare, à droite. ☎ 78-85-25. • www.botallackmanor.co.uk • Chambre double à partir de 52 £ (77 €). Plus ferme que manoir, l'accueil est chaleureux et le jardin agréable. Superbe intérieur stylé, arrangé avec un goût sûr. Quatre chambres de charme où tout a été pensé avec amour. Gravures, peintures... Dans le couloir d'entrée, collection de cartes anciennes de toute beauté. Cosy et familiale, une excellente adresse, un peu plus cher que les *B & B* plus traditionnels.

Bosigran Farmhouse : sur la route de St Ives. Accès sur la B3306, à 500 m au sud de Porthmeor. ☎ 79-69-40. Belle ferme et jolies chambres.

Trewellard Manor Farm : un peu en dehors de Pendeen. ☎ 78-85-26. Agréable maison sur la côte. Trois chambres (dont une avec sanitaires). Petite piscine. Relax et cosy.

SAINT IVES

10000 hab. IND. TÉL. : 01736

Admirable bourgade au bord de la mer qui, depuis le début du XXe siècle, a attiré et attire encore des dizaines de peintres, jusqu'à faire de la ville, dans les années d'après-guerre, un vrai rendez-vous d'artistes. Ceux-ci ont sans doute été séduits par ses ruelles étroites, ses maisonnettes de poupée, ses nombreuses plages de sable fin, son adorable port et sa lumière si particulière. C'est bien simple, Saint Ives possède tout : l'histoire, la beauté, le charme et le dynamisme. Virginia Woolf, dans les années 1930, y passait tous ses étés, ainsi que bien d'autres écrivains et artistes. Entre la plage, les musées, les petits restos et les promenades dans son lacis de venelles, on y passe 2 jours sans hésiter. Attention, parkings payants chers.

Adresses utiles

Tourist Information Centre : The Guildhall, Street-An-Pol. ☎ 79-62-97. Fax : 79-83-09. Ouvert du lundi au vendredi de 9 h à 17 h; en juillet et août, jusqu'à 18 h, et ouvert les samedi et dimanche matin en plus.

✉ ***Poste :*** sur High St, à l'angle avec Tregenna Place.

■ ***Banques avec distributeur :*** sur High St. On y trouve *Midland, Lloyds* et *Barclays.*

Gare : sur Warren, juste avant Porthminster Beach. À 15 mn du centre.

Gare routière : à côté de la gare ferroviaire.

Où dormir ?

Beaucoup de *B & B* disséminés dans toute la ville. Les plus charmants sont les petites maisons autour des plages et du port.

Campings

Trevalgan Holiday Farm Park : à 2 miles de St Ives sur la route B3306, TR26 3BJ. ☎ et fax : 79-64-33. • www.trevalganholidayfarm.co.uk • De 6 à 12 £ (8,90 à 17,80 €) selon la saison. Rapport qualité-prix imbattable pour ce camping à la ferme. Proche du *Coastal Path* et des plages. Avec mini-golf, multiples jeux pour les enfants... Côté commodités, douches chaudes individuelles, des chambres pour changer le bébé et tout ce qu'il faut pour alimenter la caravane.

Little Trevarrack Tourist Park : ☎ 79-75-80. • www.littletrevarrack.com • Prendre la direction de Carbis Bay (A3074), puis... c'est fléché. Compter entre 7 et 12 £ (10,40 et 17,80 €) pour 2 personnes et une tente. Vaste camping proche de la plage de Carbis Bay. Aire de jeux, mobile homes, douches chaudes gratuites, laverie...

Bon marché

St Ives International Backpackers : The Stennack, Own Centre, TR26 1SG. ☎ et fax : 79-94-44. Autour de 10 £ (14,80 €) par personne. Une grande maison datant de 1875. 70 lits en dortoirs et chambres doubles, distribués autour d'une petite cour. Cuisine équipée, douches chaudes, salon et bar. Atmosphère très relax. Possibilité de cours de surf à prix honnêtes et diverses activités nautiques.

B & B Sonia Martin : 6 Barnoon Terrace, TR26 1JE. ☎ 79-31-72. Compter 18 £ (26,60 €) par personne. Une de nos adresses préférées à St Ives. Dans une petite ruelle surplombant la ville, avec vue panoramique sur les plages et le clocher de l'église. Sonia Martin a longtemps été modèle pour les peintres de la région et sa maison regorge de tableaux. Une seule chambre douillette et décorée avec goût. Atmosphère cosy à souhait et excellent petit dej'. L'accueil est adorable et on resterait bien plusieurs jours à se faire dorloter. Un très bon rapport qualité-prix.

Mor Kernow : 15 Park Ave, TR26 2DN. ☎ 79-75-78. Chambre double à partir de 36 £ (53,30 €). Une maison sans grand charme mais proche du centre. Belle vue des plages et du port. Propre, confortable, certaines chambres avec salle de bains *en-suite.* Accueil sympa. Un bon rapport qualité-prix.

Prix moyens

Chy-An-Gerra : 21 The Terrace, TR26 2BP. ☎ 79-65-86. • www.chyangerra.com • Fermé pour Noël. À proximité de la gare et en surplomb de la plage de Porthminster. Chambre double à partir de 50 £ (74 €), petit dej' compris. Cartes de paiement refusées. Une *guesthouse* aux très jolies chambres avec vue imprenable sur la plage de Porthminster et la baie de St Ives. Nourriture soignée. Facilités de parking.

Cornerways : Bethisda Place, TR26 1PA. ☎ 79-67-06. Derrière le port, juste à côté d'Island Rd. Chambres doubles de 50 à 70 £ (74 à 103,60 €). Cartes de paiement refusées. Voilà une adresse qui mérite le détour ! Six chambres *en-suite,* dont 2 familiales, dans une maison où séjourna Daphné du Maurier. Déco très soignée, murs blanc, meubles patinés, coquillages... Chambres douillettes et lumineuses, certaines avec vue sur la mer. Une belle adresse de charme.

Norway House : Norway Square, TR26 INA. Dans le lacis de ruelles du centre, à côté de l'église. ☎ 79-56-78. Compter environ 50 £ (74 €) pour une chambre double. Dans une jolie maison de poupées comme en compte tout ce quartier, 3 coquettes chambres, soignées bien que petites, toutes avec sanitaires. Excellent petit dej' avec nombreux choix. Charmant comme tout et accueil souriant. Un petit dej' offert sur présentation du *Guide du routard.*

The Grey Mullet : 2 Bunkers Hill, TR26 1LJ. ☎ 79-66-35. • www.touristnetuk.com/sw/greymullet • Chambre double *en-suite* à partir de 48 £ (71 €). À 10 mn du port. Une bien belle maison georgienne de la fin du XVIIe siècle, couverte de fleurs et d'un charme fou. Chambres avec vue sur la mer, récemment rénovées, très romantiques. La cave superbement aménagée recèle un restaurant de grande qualité. Une très bonne adresse.

Chy Lelan : Bunkers Hill, TR26 1LJ. ☎ et fax : 79-75-60. Dans le quartier du port. Chambre double à partir de 45 £ (66,60 €). Belle maison du XVIIIe siècle en plein quartier historique. Les chambres sont un peu sombres, mais on profite pleinement des charmes de la ville. Sanitaires impeccables. Propre et confortable.

Kynance Guesthouse : The Warren, TR26 2EA. ☎ 79-66-36. • www.kynance.com • À côté de la gare, étroite rue à l'écart du centre mais proche de Porthminster Beach. Fermé de mi-novembre à mi-mars. Chambres doubles de 46 à 54 £ (68,10 à 79,90 €). Une ancienne maison de mineurs établie sur les hauteurs de St Ives. Six chambres tout confort, avec sanitaires. Chouette terrasse avec vue sur le port. Atmosphère conviviale. Exclusivement non-fumeurs.

Chic

The Sloop Inn : The Wharf, TR26 1LP. ☎ 79-65-84. Fax : 79-33-22. À 5 mn du centre-ville. Belle auberge au bord de l'eau. Les chambres sont confortables ; la déco est un peu vieillotte, mais l'ensemble a du caractère. Expositions permanentes d'artistes de la région. Patrons sympathiques. Fait également pub et resto, voir « Où manger ? ».

The Carbis Bay Hotel : Carbis Bay, TR26 2NP. ☎ 79-53-11. Fax : 79-76-77. • www.carbisbayhotel.co.uk • À quelques miles à l'est du centre, en prenant la route de la corniche. Chambre double à partir de 70 £ (103,60 €). Bel hôtel dominant la plus belle plage de la région. Établissement de charme et de luxe, aux chambres agréables. Chouette piscine (chauffée) avec vue sur la mer. Vaste salle à manger aux larges baies vitrées offrant un merveilleux panorama. En bref, *very romantic* !

Où manger ? Où boire un verre ?

Bon marché

Bumbles Tea-Room : The Digey Square. ☎ 79-79-77. Salon de thé peuplé et tenu par de gentilles mamies. On y vient surtout l'après-midi pour les *scones* et gâteaux maison, à déguster avec la fameuse *clotted cream.* Sert également d'excellentes *jacket potatoes* et de bons sandwichs frais pour le *lunch.* Sympa, bon et pas cher.

Porthywidden Beach Café : ☎ 79-67-91. Ouvert tous les jours en saison, du matin au soir. Idéalement situé, juste en face de cette petite plage familiale. *Breakfast,* snacks et *Cornish ice-cream.* Jolie salle avec véranda dominant la crique. Bon marché et très sympa.

|●| ***Cafétéria de la Tate Gallery :*** au 2e étage de la galerie, avec une admirable vue sur les toits de la ville et la plage. ☎ 79-11-22. Entrée gratuite pour la cafét' ! Terrasse pour les beaux jours. Quelques plats chauds et gâteaux dans un cadre sobre et moderne, bien dans le style du musée.

Prix moyens

|●| ***The Mermaid Fish Restaurant :*** Fish St (au sud du port). ☎ 79-68-16. Ouvert du lundi au samedi à partir de 18 h 30. Chouette déco de bistrot. Propose un repas complet (3 plats) à un prix intéressant entre 18 h et 19 h 15.

|●| 🍸 ***The Sloop Inn :*** The Wharf. ☎ 79-65-84. Juste sur le port, vous ne pouvez pas le rater ! De 8 à 15 £ (11,80 à 22,20 €) pour un repas complet. L'endroit est célèbre pour avoir été le quartier général de Lord Mountbatten, lors de la préparation du débarquement à Dieppe pendant la Seconde Guerre mondiale. Le pub est aussi réputé pour sa sélection de bières et ses spécialités de poisson et de crustacés. Également de bons petits snacks, sandwichs frais et soupes du jour. Possibilité d'excursions en mer. Belle collection de portraits au crayon.

|●| ***The Bistro :*** 7 High St. ☎ 79-82-35. Compter environ 15 £ (22,20 €) par personne. Chaleureux comme tout, vivant et bien arrangé. Carte longue comme la plage de Carbis Bay. Toujours des recettes de poisson frais. Beaucoup de monde, toutes générations confondues.

|●| ***Blue Fish Restaurant :*** Norway Lane, derrière le port. ☎ 79-42-04. De 6 à 15 £ (8,90 à 22,20 €) par personne. Un chouette resto avec une belle salle lumineuse. Jolie déco tendance marine, parquet patiné, murs blancs et petite terrasse ensoleillée, au calme. Cuisine aux accents méditerranéens. Intéressante formule le midi avec une sélection de *ciabatta* (long pain grillé) et garnitures au choix. Menu plus cher le soir avec des spécialités de poisson et de fruits de mer. Également de bons plats de pâtes.

|●| 🍸 ***The Castle Inn :*** Fore St. ☎ 79-68-33. Le genre de pub qu'on aime. Sombre, bas de plafond, tout comme dans la cale d'un bateau qui recèlerait les trésors d'un navire échoué. Belle atmosphère et large choix de bières et de vins. Midi et soir, toujours un *roast* et quelques autres plats du jour indiqués sur le tableau noir.

Chic

|●| ***Russets :*** 18A Fore St. ☎ 79-47-00. • www.russets.co.uk • Restaurant dont la réputation dépasse largement la ville. On vient de loin pour déguster des plats de poisson et de fruits de mer apportés par les marins du port tout proche. Une carte des vins du monde entier. Cadre chic, atmosphère relaxante, salon confortable où déguster un apéritif et personnel stylé.

|●| ***Garrack Hotel & Restaurant :*** Burthallan Lane. ☎ 79-61-99. En dehors de la ville, sur la colline. Un restaurant de grande classe répertorié dans plusieurs guides anglais et internationaux. Une magnifique maison couverte de vigne vierge. La salle de restaurant domine toute la baie, on en vient à en oublier le décor tant la vue y est exceptionnelle. Spécialités de poisson et de viande préparées avec d'onctueuses et riches sauces. Large carte des vins pour connaisseurs. Adresse non-fumeurs.

À voir

Des plages, des musées, oui, mais aussi tout simplement de chouettes balades sur la plage, des randonnées sur la côte et des parties de cache-cache dans les venelles et les escaliers de la ville.

ꙮꙮꙮ ***Tate Gallery :*** Porthmeor Beach. ☎ 79-62-26. • www.tate.org.uk • Ouvert de mars à octobre tous les jours de 10 h à 17 h 30 et en février et novembre du mardi au dimanche de 10 h à 16 h 30. Entrée : 4,30 £ (6,40 €) ; réductions. Possibilité de billet couplé avec le *Barbara Hepworth Museum.* Voici la petite sœur du célèbre musée londonien. La longue tradition d'art de St Ives depuis la fin du XIXe siècle s'est traduite par l'ouverture de ce lieu de rendez-vous des artistes anglais et étrangers ayant vécu ou, en tout cas, ayant été influencés par St Ives. Le musée abrite des expositions temporaires de peintures et de sculptures, dans une structure moderne, lumineuse, ondulante et légère. Une variation sur la pierre, le verre, le métal, le blanc et le gris, le tout adouci par des courbes et des hublots. Une réussite. À l'intérieur donc, de la peinture essentiellement, notamment des tableaux de Kandinsky et de Sonia Delaunay pour les plus illustres, et quelques sculptures de la coqueluche de la ville, Barbara Hepworth. Peu de galeries finalement, mais le lieu mérite vraiment le détour.

ꙮꙮꙮ ***Barbara Hepworth Museum and Sculpture Garden :*** Barnoon Hill, à l'angle de Ayr Lane. ☎ 79-62-26. Ouvert de mars à octobre tous les jours de 10 h à 17 h 30 et en février et novembre du mardi au dimanche de 10 h à 16 h 30. Entrée : 3,90 £ (5,80 €). C'est là que la grande dame sculpteur a vécu de 1953 à sa mort, en 1975. Elle légua sa maison, son jardin et ses sculptures. Intéressant de voir ses œuvres dans l'environnement où elles ont été conçues, et d'apprécier les ébauches et les documents qui restent. Le musée est petit, mais la visite intéressante. Barbara Hepworth oscillait entre des compositions rudes et géométriques et d'autres tout en rondeur, féminines à l'extrême. Émouvant atelier, encore plein de sa présence. Étonnant de voir comment ses œuvres s'intègrent à la végétation tropicale du jardin.

ꙮꙮ ***St Ives Museum :*** Wheal Dream, entre le port et Porthgwidden Beach. ☎ 79-60-05. Ouvert de Pâques à fin octobre, tous les jours sauf le dimanche, de 10 h à 17 h. Entrée payante. Sympathique musée d'art et traditions populaires. Un grand et vieux bric-à-brac, l'exact opposé de la Tate Gallery, ou plutôt le parfait complément. Tous les métiers sont évoqués à l'aide d'objets, de gravures, de documents, de vêtements, de mises en scène. On vous parle de la mine, de la pêche, du fermage, de l'imprimerie, de la forge... Le musée est divisé en petites sections. Notre préférée ? La section maritime, avec une étonnante collection de marines et une autre de photos de bateaux échoués dans les Cornouailles depuis la fin du XIXe siècle. Quelques très belles images. À voir encore, une série de toiles sur St Ives, réalisées par les artistes locaux.

ꙮ ***Les galeries d'art :*** pratiquement toutes les rues possèdent au moins une galerie de peinture. Entre les amateurs éclairés et les peintres illuminés, on trouve de tout. Jeter un œil à *Old Mariners Church,* sur Norway Square, qui propose de bonnes expos.

ꙮ ***Smeaton's Pier :*** c'est le long quai édifié au XVIIIe siècle, qui ferme le port et où débarquent les pêcheurs et leurs caisses de maquereaux, sous l'œil gourmand d'un phoque, parfois deux (mais ils ne sont pas toujours là). De temps en temps, il y a même quelques dauphins fainéants qui viennent ici grappiller quelques poissons.

ꙮ ***L'église Sainte La :*** notable pour sa haute tour du XVe siècle. Sainte La, dit-on, y accosta sur une fleur et fonda la ville. Dans la chapelle de la Vierge, une œuvre de Barbara Hepworth, le grand sculpteur de St Ives.

Les plages : la plus belle est indéniablement *Carbis Bay,* à quelques miles à l'est de St Ives ; mais derrière le port, ne négligez pas *Porthmeor Surf Beach,* ravissante, ou bien *Porthminster Beach,* à 10 mn du centre vers l'est. De toute manière, les environs de St Ives sont truffés de plages et de criques délicieuses. Le problème n'est pas de trouver la plus belle, mais la moins bondée en été.

À faire

– ***Surf :*** *St Ives Surf School,* Penbeagle House, Penbeagle Way, près de Porthmeor Beach. ☎ 71-36-87. À partir de 20 £ (29,60 €) par personne. Si vous souhaitez apprendre ou parfaire votre pratique. Bien moins snob qu'à Newquay et moins cher aussi. Tout l'équipement vous est fourni. Équipe de professionnels qui connaissent également les meilleures plages.

➤ *DANS LES ENVIRONS DE SAINT IVES*

¶¶ ***Saint Agnes :*** par l'A30, au-delà de Redruth, ce village est représentatif du déclin de l'exploitation de l'étain dans la région. Le port minuscule est surplombé d'un impressionnant promontoire culminant à 191 m, d'où l'on peut apercevoir la côte atlantique jusqu'à Trevose Head, et le St Michael's Mount au sud. Des gamins de 12 ans, planche de surf à la main, n'hésitent pas à affronter les gros rouleaux de l'océan.

¶¶ ***Blue Hills Tin Streams :*** Trevellas Combe. Prendre la B3285 en direction de Perranporth, tourner à gauche vers Wheal Kitty et ensuite à droite. La fabrication de l'étain n'aura plus de secrets pour vous après la visite de cette intéressante « usine » du début du XIXe siècle. Démonstrations également d'artisanat local. Compter une bonne heure de visite.

PERRANPORTH

IND. TÉL. : 01872

De hautes falaises plongent dans la mer, les dunes s'étagent, puis laissent place à une grande plage de sable fin qui paresse majestueusement, roulée par les vagues. Tout le long du chemin côtier, la magie de l'océan vous emporte. Mais le village par lui-même est assez banal.

Où dormir ?

■ ***Youth Hostel :*** prendre Beach Rd à gauche de la plage, jusqu'au parking inférieur, puis Cliff Rd jusqu'au parking supérieur ; l'AJ se trouve derrière Droskin Castle. ☎ 57-38-12. Fermé les mardi et mercredi hors saison. Tout en haut, au bord du *Coastal Footpath,* la vue est grandiose. Réserver, car l'AJ est sise dans une toute petite maison grisâtre qui ne possède que 26 lits. Équipement réduit. Elle offre néanmoins l'une des plus belles vues qu'on puisse imaginer. Repaire de fêlés de surf.

Où dormir ? Où manger très chic dans les environs ?

En direction de St Agnes, *Trevaunance Cove* est une charmante crique dotée d'un hôtel-restaurant très chic.

■ ◙ ***Trevaunance Point Hotel :*** prendre la direction Trevaunance Cove, descendre jusqu'en bas, puis remonter sur la gauche. Venir vers 11 h pour y déguster un *breakfast* très raffiné, servi à volonté, auprès du feu ou sur la terrasse. L'hôtel est cher, mais le restaurant vaut le détour.

NEWQUAY

14000 hab. IND. TÉL. : 01637

On ne peut que vous conseiller d'éviter cette ville, la plus grande station balnéaire de la côte des Cornouailles et la plus pénible. Pas la peine de rompre le charme de votre voyage patiemment tissé grâce au chapelet de petits ports et de villages croquignolets. D'autant plus qu'il n'y a rien à voir ici... sauf si vous ne jurez que par *Alerte à Malibu* et que le fun-board n'a plus de secrets pour vous.

Adresses utiles

- ***Tourist Information Centre :*** Marcus Hill. ☎ 85-40-20. • www.newquay.co.uk • Ouvert de 9 h à 17 h. Pas facile à trouver car très mal indiqué.
- ***Banques :*** on les trouve dans Bank St (original, non ?).
- ***Gare :*** Cliff Rd.
- ***Location de vélos :*** *Shoreline,* 7 Fore St. ☎ 87-91-65. Près du Pub *Sailor's.* Prévoir 10 £ (14,80 €) par jour.

Où dormir ?

Les *B & B* sont parmi les moins chers de la région (entre 10 et 15 £, soit 14,80 et 22,20 €) et les fast-foods font du dumping pour attirer les ados. Si ce tableau vous branche, on vous a déniché quelques adresses, sinon, passez au chapitre suivant...

- ***Newquay International Backpackers :*** 69-73 Tower Rd, à proximité de Fistral Beach. ☎ 87-93-66. On vient vous chercher à la gare. Demandez Ray, ancien routard franc et sympathique. 60 lits dans 3 maisons contiguës, joliment décorées de couleurs vives. Très propre. Douches (payantes), cuisine, laverie, zone pour sécher les combinaisons, nettoyage à sec, barbecue, fléchettes et bonne ambiance, clean à tous les niveaux. Pas de couvre-feu. On vous remet une carte donnant droit à des réductions dans pas mal de commerces. Une excellente adresse d'AJ indépendante.
- ***Fistral Backpackers :*** 18 Headland Rd. ☎ 87-31-46. Également près de la gigantesque plage de Fistral, de l'autre côté du Golf Club. *Lift* depuis la gare. 80 lits en dortoirs ou chambres, dont plusieurs pour couples. Douches chaudes payantes. Cuisine, TV, billard et laverie. On reçoit sa clef. Location de *flats* (appartements) à proximité. Tenu par des anciens routards fous de surf. Bonnes vibrations.
- ***Newquay Cornwall Backpackers :*** Towan Beach, une des petites plages de la baie centrale près du Sea Life Centre. ☎ 87-46-68. Réservé aux surfeurs et aux voyageurs internationaux. 35 lits en dortoirs ou chambres doubles. Équipement minimum. Joyeusement bordélique. Musique bien présente et le soir, diffusion de vidéos de... surf. Manager athlétique et souvent à la plage. Amusant panneau indicateur devant l'entrée. Le moins cher des trois, mais pas de beaucoup. Réduction pour nos lecteurs sur présentation du *Guide du routard.*

Où manger ? Où boire un verre ?

- ***The Red Lion :*** North Quay Hill. ☎ 87-21-95. Au-dessus du petit port, le plus populaire du coin. Chaude ambiance tous les soirs.

|●| ***Dolphin Steakhouse :*** Fore St. Comme son nom l'indique, viandes juteuses.
|●| ***Harbour Hotel :*** North Quay Hill, TR7 1HF. ☎ 87-30-40. Menus de 8 à 14 £ (11,80 à 20,70 €). Pour profiter de la plus belle vue sur la baie au-dessus du port. L'hôtel est en revanche hors de prix.

À faire

– ***Surf :*** 2 écoles à votre disposition : *National Surfing Centre,* Fistral Beach, ☎ 85-07-37. *BSA Surf School,* Tolcarne Beach, ☎ 85-14-87. Les deux sont agréées, avec des moniteurs qualifiés.

PADSTOW

IND. TÉL. : 01841

Port de pêche encore très actif, à une vingtaine de kilomètres au nord de Newquay. Entouré de quais sur 3 côtés et garni de fort belles maisons aux tons pastel, le port est situé à l'embouchure de la rivière Camel, qui filtre (il fallait la placer) depuis le XIXe siècle le trafic des bateaux depuis qu'un malencontreux banc de hauts-fonds (Doom Bar) s'y est installé. Padstow vit de sa splendeur passée : le 1er mai, la ville célèbre un rite païen qui consiste à balader un cheval de bois (censé capturer les jeunes vierges) dans les rues avant de le jeter dans le port.
Le cadre coquet du port attire le mouillage des *cabin-cruisers* qui côtoient les petits chalutiers.

Adresses utiles

ℹ ***Tourist Information Centre :*** North Quay. ☎ 53-34-49. Réservations de *B & B* moyennant une commission.

■ ***Banque avec distributeur :*** *Barclay's Bank,* à l'angle de Market Place et Duke St.

Où dormir ?

⌂ ***Armyside :*** 10 Cross St. ☎ et fax : 53-22-71. Tout près du centre. Compter environ 20 £ (29,60 €) par personne. Une maison 2 fois centenaire, bien située mais sans beaucoup de charme. Chambres confortables, avec salle de bains séparée.

Où dormir dans les environs ?

Bon marché

⌂ ***Treyarnon Bay Youth Hostel :*** Tregonnan. Au sud de Trevose Head, à 8 km à l'ouest de Padstow. En bordure d'un rivage de plages de sable. 42 lits en chambres de 4 et dortoirs. Douches. Grand jardin avec tables de pique-nique.

Prix moyens

⌂ ***Woodlands Country House :*** Treator. ☎ 53-24-26. Prendre la B3276 en direction de St Meeryn. La maison se situe juste après le rond-point. Une opulente demeure victorienne de brique rouge. Chambres avec salle de bains à l'étage, agréablement décorées avec une literie moelleuse. Possibilité de laver son linge et de le repasser sans supplément de prix.

■ ***The White Hart :*** 1 New St. ☎ 53-23-50. Entre 20 et 22 £ (29,60 et 32,60 €) par personne. Encore une demeure historique chargée d'histoire. De bien belles chambres très agréables et un accueil charmant.

■ ***West Brae :*** West Hill, Wadebridge. ☎ 81-29-48. Entre Padstow et Port Isaac par l'A389 et l'A39. À l'entrée du village, une imposante maison victorienne offrant 2 chambres spacieuses, l'une meublée en pin et l'autre très colorée. Tamsin, la maîtresse de maison, sera ravie de vous recevoir et de parler avec vous car elle étudie notre langue.

Vraiment plus chic

■ ***Waterbeach Hotel :*** Treyarnon Bay. ☎ 52-02-92. Pas loin de l'AJ, au calme et surplombant l'océan, une grande demeure au charme discret. De belles grandes chambres autour de 90 £ (133,20 €) la double. Fait aussi restaurant. Pour un séjour reposant, près d'un des plus beaux coins de la côte ouest des Cornouailles.

Où manger ?

|●| ***Waterfront Restaurant :*** à l'étage, avec vue sur le port. Ouvert à partir de 19 h. Une très bonne adresse de poisson, où l'on sait ce qu'un bon vin veut dire (chose rare en ces contrées). Plats élaborés, mariages judicieux et service souriant dans un décor à la distinction simple. Le homard règne ici en maître. Assez cher tout de même.

|●| ***Brocks Restaurant :*** The Strand. ☎ 53-31-99. Vaste salle où les tables ne sont pas les unes sur les autres. Une décoration de bon goût, pas surchargée et des fruits de mer ou du poisson cuisinés finement à des prix doux.

Où boire un verre ?

🍷 ***The Shiwrights :*** un des pubs traditionnels sur le quai. On peut également y manger.

À voir

★ ***Prideaux Place :*** au-dessus de la ville. Ouvert de Pâques à fin septembre, du dimanche au jeudi de 13 h 30 à 17 h. Entrée payante. Visite guidée. Manoir élisabéthain (1592) de la famille Prideaux, aux nombreuses pièces richement décorées. Superbes jardins.

★★ ***Bedruthan Steps :*** configuration rocheuse spectaculaire au sud de Trevose Head... Les rocs gigantesques arrachés par la mer semblent suivre un alignement cohérent que la légende attribue aux pas du géant Bedruthan.

★ ***Camel Trail :*** ancienne ligne de chemin de fer désaffectée qui part de l'estuaire de la Camel pour rejoindre Poley's Bridge, aux confins des Bodmin Moors. Chouette balade de 30 km à faire à vélo.

PORT ISAAC

IND. TÉL. : 01208

Ravissant, merveilleux, délicieux, adorable... (rayer la mention inutile) petit port encaissé au pied d'une colline. Les maisons des XIVe et XVe siècles ressemblent à des maisons de poupée, coincées les unes contre les autres, face au port qu'elles encadrent. Les murs sont recouverts d'ardoise grise. Halte obligatoire et parking extérieur impératif.

Où dormir?

Hathaway Guesthouse : PL29 3RG. ☎ 88-04-16. • www.cornwall-online.co.uk/hathaway • Traverser le village et remonter par l'étroite venelle sur le versant ouest le long de la falaise; poursuivre jusqu'au bout. Ouvert de Pâques à octobre. Chambre double à partir de 50 £ (74 €). Demeure victorienne aménagée coquettement. Mais le vrai plus ici, c'est l'admirable vue plongeante sur le port qu'on déguste de la jolie pelouse devant la maison. Quatre chambres cosy, dont 3 avec vue et 2 toutes petites. Les chambres n°s 1 et 2 ont vue sur la mer. Propriétaire charmante... et bien jolie. Réserver si possible. Un café offert sur présentation du *Guide du routard.*

Rogues Retreat Flat and Guesthouse : juste à côté de *Hathaway* (de toute façon, il n'y a que deux maisons là-haut). ☎ 88-05-66. Encore une bâtisse victorienne. En été, location de chambres à la semaine seulement; en avril et à partir d'octobre, location à la nuit possible.

Trewetha Farm : sur la route B3267, à 500 m à droite avant Port Isaac. ☎ 88-02-56. Six bungalows face à la mer, bien aménagés et avec salle de bains. À louer pour la semaine, prix variables selon la saison : 200 à 500 £ (296 à 740 €). Dans la maison, 4 chambres traditionnelles à 20 £ (29,6 €) la nuit, vraiment adorables, à la décoration de bois et de pierre. Quelques-unes donnent sur la route, mais elle n'est que très peu fréquentée. Excellent accueil.

Où manger? Où boire un verre?

The Harbour Seafood Restaurant : ☎ 88-02-37. Menus de 6 à 20 £ (8,90 à 29,60 €). Devant le port, dans une maison de poupée un peu bringuebalante. Pub et resto servant des plats de poisson simples et bien faits. Apéritif maison offert à nos lecteurs sur présentation du *Guide du routard.*

Avant de remonter la côte, prendre une petite mousse au pub **Golden Lion.** Au sous-sol, le ***Bloody Bones Bar,*** d'où part un mystérieux tunnel. C'était le lieu de rendez-vous des pirates du coin.

The Cornish Café : dans le haut de la côte, près du parking. Agréable et vite bondé.

➤ *DANS LES ENVIRONS DE PORT ISAAC*

Port Gaverne : à 1 km à l'est, en longeant la mer. Un port minuscule et adorable avec une poignée de maisons.

Port Gaverne Inn : dispose d'un pub agréable, avec, sur ses murs, des photos de bateaux du début du XXe siècle. Bonne nourriture. On peut également manger à l'extérieur dans le jardin. L'hôtel lui-même est tout simplement hors de prix.

Où manger chic? Où boire un verre dans le coin?

The Cornish Arms : dans les terres, sur la B3314, à Pendoggett. ☎ 88-02-63. Pub où l'on boit et où l'on mange. Les pauvres paysans se contentent de prendre un snack côté pub ; les riches s'offrent un vrai repas traditionnel anglais, de très bonne qualité, dans le restaurant élégant et de bon goût. Si les chambres sont vastes, le prix s'en ressent... Bonne adresse cependant.

TINTAGEL

1 500 hab. IND. TÉL. : 01840

Ce petit village haut perché de la côte sauvage est l'une des plus célèbres localités de Cornouailles car il est associé aux vieilles légendes celtiques et au roi Arthur, qui y serait né. Un lieu d'histoire et de mémoire, cher aux gens de Cornouailles. Le village lui-même n'a rien d'exceptionnel et est particulièrement prisé l'été par les touristes. Vue absolument extraordinaire et chemin de randonnée superbe le long des falaises. Le romantisme absolu.

LE ROI ARTHUR

Est-il vraiment né à Tintagel ? A-t-il seulement existé ? Impossible de l'affirmer. Poser cette question en Cornouailles, c'est presque mettre sa tête sur le billot. Plusieurs dizaines de sites en Grande-Bretagne revendiquent la paternité du roi Arthur, mais ce sont les Cornouailles qui conservent les attaches historiques et sentimentales les plus fortes. Les souvenirs de Lancelot du Lac et de dame Guenièvre flottent encore dans la brise de mer. D'autres noms illustres se mêlent ici, comme celui de Merlin l'Enchanteur. Pour débrouiller un peu ce maelström de l'imaginaire, il faut dire que si le roi Arthur a existé, il aurait vécu vers le VIe siècle. Mais tous les contes louant son épopée qui furent écrits au XIIe siècle sont tellement romancés, tellement fantaisistes, que les historiens n'ont jamais vraiment su à quoi s'en tenir. Le roi Arthur serait donc né à Tintagel et aurait eu Guenièvre comme épouse. Avalon fut son royaume et Excalibur son épée. En parvenant à la dégager du rocher dans lequel elle était encastrée, il devint roi. Merlin l'aida à gouverner, éminence grise au chapeau pointu et à la barbe blanche. Là, l'histoire plonge dans le surnaturel. Perceval, Lancelot, Arthur, Merlin et les autres, autour de leur Table ronde se réunissaient et se lancèrent dans la quête du Graal, coupe dans laquelle but le Christ lors de son dernier repas. Ni la caverne de Merlin ni Excalibur n'ont jamais été retrouvées. Et le Graal court toujours. La légende continue...

Adresses et infos utiles

■ ***Tintagel Visitor Centre :*** Bossiney Rd, Car Park. ☎ 77-90-84. Ouvert de mars à octobre de 10 h à 17 h et de novembre à février de 11 h à 15 h. Nombreuses brochures sur la ville.

– Plusieurs ***parkings*** privés dans le village, tous payants.

■ ***Location de vélos :*** *Rent-a-Bike,* sur la droite dans le centre, à côté de la *Lloyds Bank.* ☎ 77-00-60. À l'heure, à la journée ou à la semaine.

Où dormir ?

Campings

⛺ ***Headland Camping & Caravan Park :*** Atlantic Rd, à l'extrémité du village. ☎ 77-02-39. Camping bien équipé et proche de la mer. Bon confort. Prix modérés.

⛺ ***The Caravan Club Trewethest Farm :*** camping à mi-chemin entre Tintagel et Boscastle. ☎ 77-02-22. Surplombe la mer. Point de départ idéal pour des balades le long du chemin côtier vers l'un ou l'autre village. Équipements assez classes. Le site est vraiment superbe, mais le vent peut décourager certains campeurs. Attention, les non-membres paient beaucoup plus cher.

Bon marché

Youth Hostel : ☎ 77-03-34. Allez jusqu'à St Mariena Church, longez le chemin sur 300 m environ, puis prenez le chemin à droite et poursuivez jusqu'au bout ; le bâtiment est invisible du chemin, car il est en contrebas ; ayez confiance, continuez. Fermé le mardi. Réservation conseillée. À notre avis, l'AJ la plus chouette de toute la côte des Cornouailles. Confort rustique, mais quel panorama ! 26 lits. Petits dortoirs. Familial et un peu irréel à cause de cette vue plongeante.

Prix moyens

Trevillet Mill : à la sortie de Tintagel, à Rocky Valley. Bien indiqué sur la droite, juste après Bossiney ; suivre le chemin. ☎ 77-05-64. Chambre double à 45 £ (66,60 €). Quatre chambres dans un ancien moulin superbe, au charme fou, au bord d'une petite rivière et noyé dans les arbres. Chant des oiseaux, clapotis de l'eau. Un rendez-vous de toute beauté.

Castle View : 2 King Arthur's Terrace. ☎ 77-04-21. • castleviewbandb@aol.com • Fermé en février et en octobre. Chambres doubles de 31 à 34 £ (45,90 à 50,30 €). Cartes de paiement refusées. Une mignonne petite maison avec des chouettes et des papillons. Les chambres n°s 2, 3 et 4 ont vue sur la mer. Un café et le petit dej' offerts sur présentation du *Guide du routard.*

Plus chic

The Old Borough House : à Bossiney, à gauche de la route. ☎ 77-04-75. Fax : 77-90-00. Prix assez élevés : chambre double à partir de 80 £ (118,40 €). Maison couverte de lierre. Coquette. Chambres avec ou sans sanitaires. Une réduction sera accordée à nos lecteurs du lundi au jeudi sur présentation du *Guide du routard.*

Où manger ? Où boire un thé ?

Ye Olde Malthouse : Bossiney Rd, pas loin de la descente vers le château. ☎ 77-04-61. Menus à partir de 6,95 £ (10,30 €). La maison serait du XIVe siècle ; plafonds bas. Sert de bons *lunches.* Menu à la carte le soir, un peu plus cher. Fait également *B & B.* Chambres fleuries, avec ou sans sanitaires.

The Riggs Restaurant : Bossiney Rd. ☎ 77-04-27. Bonne petite adresse qui sert toute la journée, et c'est là son vrai plus. Lasagnes, soupes ou sandwichs. Fait aussi *guesthouse.*

The Cottage Tea-Shop : Bossiney Rd ; un peu avant le centre. ☎ 77-06-39. Ouvert toute l'année excepté à Noël. Sert le soir seulement, à partir de 18 h 30. Menus de 6,25 à 13 £ (9,30 à 19,20 €). Cartes de paiement refusées. Contrairement à son nom, c'est un vrai resto servant une bonne cuisine généreuse. Menus végétariens. Fait aussi *B & B.* Chambres entre 20 et 27 £ (29,60 et 40 €). Un café ou un thé offert sur présentation du *Guide du routard.*

À voir

Tintagel Castle : on gagne le château, à 800 m du village, par un agréable chemin ; on est au bord de la falaise avec, devant soi, une vue remarquable sur la côte. ☎ 77-03-28. En été, ouvert tous les jours de 10 h à

18 h ; de fin septembre au 1er avril, de 10 h à 16 h. Entrée payante. C'est là que le roi Arthur serait né vers le VIe siècle de notre ère. On se balade à travers les ruines, des pans de murs fatigués mais encore fiers qui s'égrènent le long de la falaise par d'étroits chemins. Bien sûr, il faut pas mal d'imagination pour recomposer les 2000 ans d'histoire pendant lesquels Tintagel eut son mot à dire dans la politique de la région. Mais s'il ne reste pas grand-chose des anciens châteaux successifs, le cadre dans lequel on est plongé face à l'océan suffit à laisser vagabonder son esprit et permet de comprendre pourquoi Tintagel a alimenté la légende et les passions jusqu'à aujourd'hui. Parmi ces ruines dispersées, on n'a toujours pas trouvé la salle secrète de Merlin l'Enchanteur (voir, plus haut, le texte sur le roi Arthur).

Old Post Office : dans le centre, sur la gauche en allant vers la mer. Ouvert du 1er avril au 31 octobre tous les jours de 11 h à 17 h 30. Entrée payante. Très vieille maison de pierre (XIVe siècle) qui servit (bien sûr) de bureau de poste. Son toit ondule comme les vagues de l'Atlantique, tout gris. Délicieuse et bringuebalante, il faut visiter son intérieur avec salon et mezzanine, vaste cheminée, escalier escarpé... un bijou de rusticité chaleureuse.

King Arthur's Great Hall : au centre du village, deux grands halls dédiés à la légende d'Arthur et ses chevaliers de la Table ronde. Ouvert de 10 h à 17 h. Entrée payante. Attraction un peu grand-guignol avec force lasers et effets sonores autour de l'épée Excalibur, fichée dans son enclume. Dans la salle du trône, table ronde, vitraux et peintures préraphaélites. Le lieu serait le QG des compagnons de la Table ronde. Sans grand intérêt.

Saint Materi Church : sur la route de l'AJ. Chouette balade. Vieille église entourée d'un cimetière où s'élèvent de jolies croix celtes.

➤ *DANS LES ENVIRONS DE TINTAGEL*

Trebarwith Strand : crique coincée entre 2 falaises. Grosses vagues. Très bel endroit.

Où dormir ?

The Mill House Inn : Trebarwith, PL34 0HD. ☎ 77-09-32. Sur la route de la crique en contrebas. Compter 60 £ (88,80 €) la chambre double avec douche. Un moulin plusieurs fois centenaire au toit d'ardoise et aux murs de grosses pierres, dans un lieu idyllique. Bar rustique avec de larges dalles de granit et des poutres apparentes. Tableaux étonnants composés de tresses de coton et réalisés par les artistes du village. Concerts réguliers de musique traditionnelle. Billard et salle de jeux pour les enfants. Dix chambres au goût exquis et à un prix très démocratique. Le tout entouré d'un magnifique jardin au bord de la rivière. Véritable conte de fées que l'on ne souhaite plus quitter, d'autant que l'accueil y est exceptionnel.

The Trewarmett Inn : Trewarmett, PL34 0ET. À 1 mile (1,6 km) de Tintagel. Au-dessus d'un *pub*. La nuit pour 45 £ (66,60 €). Tenu par Edwina, charmante. Quelques soirs, des concerts *folk*. Une bonne adresse.

BOSCASTLE

IND. TÉL. : 01840

À 7 km au nord-est de Tintagel. Port minuscule. Pour les automobilistes, parking obligatoire et payant. Maisons de pierre charmantes. S'y rendre à pied de Tintagel, par le chemin de la côte. Prévoir la journée, aller-retour plus visite de Boscastle. De là, il faut découvrir le port caché au fond des falaises qui forment un S. C'est dans cette alcôve naturelle de la côte que la flotte de la reine Élisabeth Ire venait s'abriter. Durant Halloween, les habitants y font la fête, déguisés en sorcières.

Adresse utile

Boscastle Visitor Centre : sur le parking. ☎ 25-00-10. Ouvert tous les jours ; de mars à octobre de 10 h à 17 h, de novembre à avril de 11 h à 15 h.

Où dormir ?

Youth Hostel : AJ située dans la bâtisse la plus proche du port, ancienne écurie construite dans le style du coin. ☎ 25-02-87. Adorable *warden.* Propreté impeccable. Petites chambres sous les toits. On gagne le port en empruntant le chemin qui longe la rivière ; vous ne pouvez pas vous tromper.

Sunny Side Guesthouse : en bordure de l'étroite rue, vers le petit port ; y aller à pied. ☎ 25-04-53. Chambre double à partir de 50 £ (74 €). Quelques chambres dans une blanche maison. Agréable et calme. Situation idéale.

Trerosewill Farm : Paradise, PL35 0BL. ☎ et fax : 25-05-45. • www.trerosewill.co.uk • Fermé en janvier et en décembre. Prix variant entre 27 et 33,50 £ (40 et 49,60 €). Perché sur la colline, le lieu porte bien son nom, un petit paradis. La maison est moderne, mais c'est surtout la vue spectaculaire sur le village et la côte qui importe. Un café ou une boisson offert sur présentation du *Guide du routard.*

Où manger ? Où boire un verre ?

The Napoleon Inn : on ne peut se refuser ce plaisir, pour une fois que l'on peut boire à la santé du grand ennemi héréditaire... Ils ne sont pas trop rancuniers !

Harbour Restaurant : ☎ 25-03-80. Dans la rue vers le port, du côté de l'eau qui glougloute. Bonne cuisine pas trop chère, avec des colorations mexicaines. Phil Collins y serait client. Vente de grosses coquilles d'oursins.

The Cobweb Inn : en face du *Visitor Centre.* Une étrange et inquiétante maison où l'on mange pourtant fort bien.

À voir. À faire

➢ **_Promenade sur les rochers :_** romantique à souhait, surtout au coucher du soleil. Retour à pied possible jusqu'à Tintagel.

Le musée de la Sorcellerie (The Witch House) : près de l'AJ, suivre le petit cours d'eau qui descend vers la mer. Ouvert du lundi au samedi de 10 h 30 à 17 h 30 et le dimanche à partir de 12 h. Passionnant dans son genre, une vraie somme ethnographique, il présente dans un agencement intelligent les facettes des croyances liées à la magie noire et blanche et les superstitions qui y étaient attachées. Infos aussi sur la répression féroce de ceux ou celles qui la pratiquaient. Tout y passe : poupées percées d'épingles, évocation des sabbats, boules de cristal, tête de bouc et un vrai crâne de sorcière. Brrr...

– Deux boutiques sur la route principale, à côté du *Wellington Hotel,* complètent la visite du musée : *The Other World* et *The Mystical Place.* Vous y trouverez tout ce que vous recherchez côté ésotérisme. Attention les *kids,* une pancarte signale à l'entrée que les enfants désobéissants seront vendus comme esclaves !

AU NORD DES CORNOUAILLES

HARTLAND QUAY

IND. TÉL. : 01237

Les Cornouailles, c'est fini. Nous voici à nouveau dans le Devon. Au bout d'un chemin perdu, une terrifiante falaise plissée, sombre et fascinante. L'océan sauvage se déchaîne, indomptable. Une austérité à vous couper le souffle.

Où dormir ?

Hartland Quay Hotel : ☎ 44-12-18. • www.hartlandquayhotel.com • Double à partir de 32 £ (47,40 €). Rustique et accueillant. En bordure de l'océan qui ne permet à personne de le pénétrer. Réduction de 10 % sur le prix de la chambre pendant toute l'année.

Hartland Youth Hostel : Elmscott. Isolée sur la lande, à 3 km d'Hartland. ☎ 44-13-67. Fermé les mercredi et jeudi. Ancienne école victorienne. 38 lits. Ça sent bon la vache. Confort sommaire. Le retour à la ferme pour les assoiffés de solitude ou pour les fauchés (vraiment pas cher).

À voir

Stoke : sur la route entre Hartland et Hartland Quay. Une vieille église normande, à la voûte peinte remarquable.

Hartland Abbey : ☎ 44-12-64. Ouvert de Pâques à septembre tous les jours sauf les mardi et vendredi ; en juillet et août, ouvert le mardi en plus. Demeure historique richement meublée, datant de 1157 et contenant des documents uniques du XIIe siècle, ainsi que des collections de porcelaines. Dans les jardins, des rhododendrons, des azalées et aussi des paons, des ânes et des moutons.

CLOVELLY

IND. TÉL. : 01237

Des maisons fleuries, accrochées au flanc de la falaise, des ruelles pavées, un petit port encaissé contemplent l'océan. Charme d'antan... Le village est merveilleusement conservé mais hyper touristique : l'entrée au village et le parking sont payants ! Compter 4 £ (5,90 €) par personne. On peut passer au *Visitor Centre* (cafétéria, boutiques, présentation vidéo). Ouvert de 9 h à 18 h.

Attention, méchante dénivellation et rues pavées de galets, un vrai casse-pattes sans bonnes chaussures. Pour y loger, il vaut mieux ne pas avoir trop de bagages. Mais c'est tellement joli, un vrai village sorti des illustrations de Beatrix Potter avec ses fleurs dégoulinant des façades et ses chats paressant au soleil. Baie magnifique avec grève de galets. Du port, départ pour un petit tour en bateau d'une demi-heure.

Du bas, à côté du port, on peut, en payant, monter dans une Land Rover qui retourne au parking. Les marchandises sont posées sur un traîneau.

Où dormir ?

≡ ***B & B Donkey Shoe Cottage :*** Mrs Green. ☎ 43-16-01. Chambre double à 40 £ (59,20 €). Au cœur du village. Accueil très prévenant.

Où manger ? Où boire un verre ?

🍽 🍸 ***The New Inn :*** hôtel, restaurant, pub. Salle à manger en chêne. Pub au rez-de-chaussée. Endroit agréable pour se reposer et reprendre des forces. Pour les bagages, se renseigner pour savoir comment procéder. Avant, c'étaient les ânes qui se tapaient le boulot, à présent, la SPA s'oppose à ce qu'on les emploie !

🍽 🍸 Un autre ***pub*** et ***restaurant*** sur le port, les pieds dans l'eau.

➤ *DANS LES ENVIRONS DE CLOVELLY*

Buck Mills : petit village à 6 miles à l'est de Clovelly. Ancien village de pêcheurs plein de charme. Une quinzaine de maisons, une plage de galets et parfois des dauphins qui s'ébattent !

BRAUTON BURROWS

Du sable, des dunes sauvages, 6 km de plage fouettée par le vent de l'océan. Une réserve naturelle d'oiseaux. Une lande où il fait bon se promener et humer l'odeur du large.

Proposition d'itinéraire

➢ De Barnstaple, ville de marché aux jolies galeries couvertes, prendre l'A361 direction Ilfracombe. Juste après le panneau « Wrafton », au niveau du *William's Arms* (pub excellent et très animé), tourner à gauche sur une toute petite route, puis à droite en suivant la direction « Brauton Burrows Cross Point ». Faire 2 km sur une route minuscule le long du ruisseau ; vous traversez les derniers champs non clôturés *(open fields)* d'Angleterre. Au bout, à gauche, un parking (gratuit pour une fois) : bon départ de promenade. Reprendre plein nord vers Sauton, grandes plages, belles vagues, possibilité de surf.

Où dormir dans la région ?

≡ ***Instow Youth Hostel :*** Worlington House, New Rd, Instow. ☎ (01271) 86-03-94. À 10 km au nord de Bideford. Une maison victorienne avec jardins, sur une colline dominant l'estuaire de la rivière Torridge. Plages et réserves d'oiseaux à proximité. Réception à partir de 17 h. 58 lits. Douches, laverie.

CROYDE

IND. TÉL. : 01271

Un admirable petit village aux toits de chaume, le long d'un fleuve côtier, donnant sur une belle plage de rouleaux, rendez-vous des surfeurs. Très branché.

Où dormir ?

🏠 ***Croyde Manor :*** dans la rue principale, direction Georgehan. ☎ 89-03-50. Compter 21 £ (31,10 €) par personne. Le *B & B* de rêve, à un prix très raisonnable. Un lit à baldaquin avec un édredon où s'enfoncer à l'infini trône au milieu de votre spacieuse chambre. Tous les lits ont été confectionnés par votre hôte menuisier. Votre hôtesse est une excellente cuisinière.

Chic

🏠 🍴 ***Kittiwell House Hotel :*** Croyde. ☎ 89-02-47. Fax : 89-04-69. Un *cottage* dans la plus pure tradition, murs blanchis à la chaux et toit de chaume. Yvonne et Jim savent ce que recevoir signifie. Chambres et salon romantiques à souhait et à la décoration soignée. Le restaurant n'est pas en reste, petits plats savoureux et carte des vins recherchée. Une très bonne adresse si vos moyens vous le permettent.

Où manger ? Où boire un verre ?

🍴 🍸 ***The Thatched Barn Inn :*** pub branché. Animation garantie. Le rendez-vous des surfeurs.

🍴 ***Manor House Inn :*** ☎ 87-02-41. Un bon resto. Fait aussi *B & B*.

Chic

🍴 ***Kittiwell House Hotel :*** voir « Où dormir ? ».

Où manger de bonnes glaces ?

🍦 ***Crode's Ice-Cream Parlour :*** le magasin vert. Crèmes glacées succulentes. 96 parfums originaux et extraordinaires.

ILFRACOMBE

10 000 hab. IND. TÉL. : 01271

La station balnéaire la plus populaire du North Devon. Une ville qui s'est développée en amphithéâtre autour du port enclavé entre les falaises. Allure coquette et bourgeoise bien dans la tradition victorienne, malgré la flétrissure de quelques façades. Tous les ingrédients réunis pour représenter un échantillon d'Angleterre : crique enserrée entre les murailles d'un promontoire où flotte l'Union Jack, casino-salle de spectacles où se produisent les crooners sur le retour. Galerie de luna-parks, petite rade bordée de maisons de pêcheurs, pans de rues en terrasses à l'architecture uniforme. Un vrai décor pour maquette de trains électriques. Pas moyen d'éviter cette ville, à moins d'un long détour. En période de vacances ou de week-end, compter au minimum 1 h pour la traverser !

Adresse utile

ℹ ***Tourist Information Centre :*** Promenade. ☎ 86-30-01. Ouvert du lundi au vendredi de 10 h à 17 h, le samedi de 13 h à 17 h et le dimanche de 10 h à 14 h.

Où dormir ?

⌂ ***Youth Hostel :*** Ashmour House, 1 Hillsborough Terrace ; sur les hauteurs dominant le port. ☎ 86-53-37. Fax : 86-26-52. • www.yha.org.uk • Ouvert de mars à fin octobre. 50 lits entre 4 et 24 £ (5,90 et 35,50 €). AJ un peu tristounette, située dans une maison georgienne offrant de belles perspectives sur le canal de Bristol. Cuisine, douches et séchoir. Pour les familles, choisir les chambres nos 6, 10, 15 et 17. Menus entre 4 et 8 £ (5,90 et 11,80 €). Un café offert sur présentation du *Guide du routard.*

Où manger ?

|●| ***Landpiper Inn :*** un bon pub près de la gare, pour se sustenter simplement.

➤ *DANS LES ENVIRONS D'ILFRACOMBE*

The Combe Martin Motorcycle Collection : Cross St, à ***Combe Martin,*** à 4 km à l'est d'Ilfracombe, dans une jolie baie. ☎ 88-23-46. Ouvert de mai à octobre de 10 h à 17 h. Entrée payante. Pour les amoureux des deux roues pétaradantes, toute la panoplie des plus prestigieux modèles britanniques, Norton, Triumph et autres Old Timers.

LYNTON-LYNMOUTH

2000 hab. IND. TÉL. : 01598

Une arrivée merveilleuse par la A39. Une vraie petite route de montagne, aux couleurs chatoyantes. Au fond des gorges gargouille l'Exe.
Deux villes en une : l'une sur le haut de la falaise, l'autre au bord de la mer, à l'embouchure de la rivière Lyn, évidemment ! Une pente à 25 % permet de se rendre de l'une à l'autre (gare à vos freins !) ; il y a aussi un funiculaire *(Cliff Railway)* qui remonte tout droit le long de la falaise (ouvert tous les jours de 8 h 45 à 19 h).

Adresses utiles

ℹ ***Tourist Information Centre :*** Lee Rd, Lynton; dans la mairie. ☎ 75-22-25. Ouvert de 9 h 30 à 18 h.

ℹ ***National Park Visitor Centre :*** sur le port de Lynmouth. ☎ 75-25-09. Ouvert d'avril à septembre de 9 h 30 à 18 h 30 et en octobre de 9 h 30 à 17 h 30. Fournit tous les renseignements pour explorer l'Exmoor.

■ ***Banque :*** une seule banque à Lynton, la *Lloyds,* avec un distributeur, mais celui-ci est souvent en panne !

■ ***Journaux français :*** *E. J. Pedder,* à l'angle de la rue principale et de Queen St.

Où dormir ?

Sunny Lyn Camping site : Lynbridge. ☎ 75-33-84. Camping au bord de la rivière, ensoleillé le soir. Très bien équipé. Bondé en été. Un bar où l'on peut prendre un dernier verre.

Youth Hostel : Lynbridge, Lynton. ☎ 75-32-37. Fax : 75-33-05. Chambre double à 23,50 £ (34,80 €). Auberge installée dans un ancien hôtel qui surplombe la rivière. Très belle vue. Bâtiment confortable et bien installé, assez proche du camping. 36 lits. Bon repas le soir à partir de 4,50 £ (6,70 €).

Où manger ? Où boire un verre ?

The Rising Sun Bar : Lynmouth. Pub du XIVe siècle, au toit de chaume. Le restaurant adjacent est élégant et cher, tout comme l'hôtel.

Le Bistro : Watersmeet Rd. ☎ 75-33-02. Une haute maison aux boiseries de couleur verte. La maîtresse de maison vient vous ouvrir la porte et s'occupe du moindre de vos désirs. Menu éclectique avec quelques plats français, le tout d'excellente qualité. Une bien bonne adresse.

Priors Cottage : Lynmouth St, Lynmouth. Bons *lunches* et *cream tea*.

The Crown Hotel : Market St, Lynton. Pub qui offre un grand choix de bières.

À voir. À faire

Valley of Rocks : le chemin part derrière l'église. Jolie promenade agrémentée de belles pentes jusqu'à Woody Bay. Très belles vues sur la côte, et aussi sur la côte galloise qui se trouve en face : uniquement si le temps est beau et clair.

The Lyn Gorge : courte promenade le long de la rivière, chemin escarpé bien fléché... aucun risque de s'égarer. La comparaison avec la Suisse n'est en aucun cas exagérée.

Lyn & Exmoor Museum : Market St, Lynton. Ouvert de Pâques à octobre, du lundi au vendredi de 10 h à 12 h 30 et de 14 h à 17 h. Sept pièces consacrées à la vie passée d'Exmoor et Lyn. Gravures, peintures, maquettes, fossiles et autres antiquités. Un incroyable capharnaüm loin d'être inintéressant.

Exmoor Brass Rubbing Centre : Queen St, à Lynton. Ouvert de 10 h à 17 h. Fermé le dimanche. Pour les amateurs de cuivre repoussé. Vente ou fabrication de vos propres mains. Il n'est pas nécessaire d'être expérimenté. Ce centre est particulièrement renommé. Équipe sympathique et efficace.

EXMOOR NATIONAL PARK

Le parc national d'Exmoor couvre une superficie de 692 km². Le haut plateau découpé de profondes vallées est divisé par 2 chaînes de collines d'où s'écoulent les rivières Barle et Exe. Landes de bruyère, chênes centenaires, c'est aussi le paradis des renards sauvages, des lièvres et d'une multitude d'oiseaux. Il n'est pas rare d'y croiser des hardes de cerfs ou de daims. C'est également la patrie du célèbre poney d'Exmoor, race unique au monde, parfaitement adaptée à la rudesse du lieu et du climat. Même si vous ne disposez que de peu de temps, réservez au moins une journée pour profiter de ce paysage hors du temps.

Comment y aller ?

En voiture

➢ La B3223, ainsi que la B3224, offrent des paysages merveilleux. *Attention* encore une fois pour les conducteurs de camping-cars et de caravanes, certains tronçons sont très difficilement praticables en raison de leur étroitesse.
➢ À éviter, l'A39, qui n'offre aucun intérêt particulier sauf si vous souhaitez explorer le parc à partir de Lynton.

En bus

➢ Bus nº 300 de Taunton à Barnstaple.
➢ Nº 285 de Porlock ou Minehead à Exford.
➢ Nº 398 de Minehead à Tiverton (6 bus quotidiens). Certainement le plus intéressant.
➢ Nº 564 de Minehead via Dunster, Washford, Blue Anchor et retour.
➢ Nº 605 de Dunster à Taunton (le samedi uniquement).
➢ Nºs 309 et 310 de Lynton à Barnstaple.
➢ Nº 30 de Barnstaple à Combe Martin.

À vélo

➢ Indéniablement la meilleure façon de visiter le parc. Voir « Adresses utiles » pour la location. Plusieurs itinéraires à partir de Lynton et Yelland.

Adresses utiles

ℹ ***Exmoor National Park Information Centres :***
– *Lynmouth* : The Esplanade, ☎ (01598) 72-25-09.
– *Dunster* : Dunster Steep, ☎ (01643) 82-18-35.
– *Dulverton* : Fore St, ☎ (01398) 32-38-41.
– *Combe Martin* : Seacot, Cross St, ☎ (01271) 88-33-19. S'y procurer *The Exmoor Visitor,* journal gratuit qui donne tous les renseignements dont vous avez besoin. Ils disposent également d'un site Internet très détaillé : • www.exmoor-nationalpark.gov.uk • De nombreux campings à la ferme. Si vous êtes coincé, demandez l'autorisation à un fermier de camper dans son pré. Généralement, ça marche.

■ ***Location de vélos :*** *Bike Trail,* 19 Queen St, Lynton. ☎ (01598) 75-39-87. Autre agence à Barnstaple : ☎ (01271) 86-14-24. • www.biketrail.co.uk • pour vous aider à préparer votre itinéraire.

■ ***Centres équestres :*** *Burrowhayes Farm,* West Luccombe, Porlock, ☎ (01643) 86-24-63. Il n'est pas nécessaire d'être un pro. Balades superbes dans la Homer Valley, entre autres. Moniteurs qualifiés. *Brendon Manor Farm,* Brendon, tout près de Lynton, ☎ (01598) 74-12-46. *Periton Park Riding Stables,* Off Periton Road (A39), Middlecombe, ☎ (01643) 70-59-70. Tous offrent des tarifs sensiblement équivalents.

■ ***Barle Valley Safaris :*** ☎ (01398) 32-36-99. Organisation de safaris en Land Rover dans le parc. Prix par demi-journée et/ou soirée. Les cartes de paiement ne sont pas acceptées.

Où dormir dans le parc ?

Campings

⛺ ***Westermill Farm :*** Exford, Minehead. ☎ (01643) 83-12-38. Fax : 83-16-60. • www.exmoor-holidays.co.uk • Situé au bord de la rivière, dans un cadre magnifique et au centre du parc d'Exmoor. Douches gratuites, laverie à disposition, épicerie, etc. Notre adresse préférée.

⛺ ***Halse Farm :*** Winsford, Minehead. ☎ (01643) 85-15-59. Fax : 85-15-92. • www.halsefarm.co.uk • Un petit site charmant et très tranquille. Coin douche impeccable, laverie avec machine à laver et sèche-linge. Balançoires et mur de varappe pour les enfants. Excellent accueil et prix très raisonnables.

⛺ ***Northcombe Camping Barn :*** sur la route de Dulverton. ☎ (01200) 42-83-66. Un camping à la ferme bien sympathique. La maison est en fait un vieux moulin reconverti. Grand pré pour y planter sa tente.

⛺ ***Porlock Caravan Park :*** Porlock. ☎ et fax : (01643) 86-22-69. Grand terrain avec toutes facilités. Le seul problème, comme souvent, est de pouvoir se trouver un petit coin d'ombre.

Prix moyens

🏠 ***Coombe Farm :*** Countisbury, Lynton. ☎ et fax : (01598) 74-12-36. • www.brendonvalley.co.uk • Pratique par l'A39, prendre l'embranchement de Malmshead. Compter 54 £ (79,90 €) la chambre double, petit dej' inclus. Un grand corps de ferme fort bien aménagé. Cinq belles chambres, dont 2 avec salle de bains. Très bon accueil. Pain et confitures maison.

🏠 ***Lodfin Farm :*** Morebath, Bampton. ☎ et fax : (01398) 33-14-00. • www.lodfinfarm.com • Au sud de Dulverton par l'A3222. La double entre 44 et 50 £ (65,10 et 74 €). Une bien charmante maison du XVIIe siècle, située dans un cadre bucolique à souhait. Trois chambres romantiques à prix doux. Moitié prix pour les enfants de moins de 14 ans. Grand jardin. Non-fumeurs. Un café offert sur présentation du *Guide du routard.*

🏠 ***Edgcott House :*** Exford. ☎ et fax : (01643) 83-14-95. Au nord d'Exford. Noyée dans la verdure d'un superbe parc, une noble demeure disposant de chambres à différents prix. Compter à partir de 60 £ (88,80 €) pour une chambre double. Dîner sur demande.

🏠 ***Home Place Farm :*** Challacombe. ☎ et fax : (01598) 76-32-83. • www.holidayexmoor.co.uk • Entre Paracombe et Lynton. Cartes de paiement acceptées. Encore une demeure historique très bien située. Grand et luxuriant jardin. Chambres décorées simplement mais avec goût. Sauna et massages sur demande.

Plus chic

🏠 ***Exton House Hotel :*** Exton, Dulverton, TA22 9JT. ☎ (01643) 85-13-65. Fax : 85-12-13. Prendre l'A396 en venant de Dunster. De 82 à 89 £ (121,40 à 131,70 €) la double. Un petit hôtel de charme dominant la vallée de l'Exe. Grandes chambres très confortables à prix raisonnables. Nombreuses possibilités de balades. Accueil aussi adorable que le lieu. Remise de 5 % sur le prix du séjour à partir de 3 nuits offerte à nos lecteurs sur présentation du *Guide du routard* (d'avril à octobre).

Très chic

🏠 ***The Royal Oak Inn :*** Winsford. ☎ (01643) 85-14-55. Au cœur du village de Winsford. Magnifique maison traditionnelle au toit de chaume. Chambres luxueuses, poutres apparentes et papier peint liberty ; certaines possèdent même un lit à baldaquin. Très calme. Pub et restaurant au rez-de-chaussée avec cheminée et canapés moelleux. Service attentif et souriant. Pour une nuit de folie.

À voir. À faire dans le parc

➢ Comme nous l'avons déjà souligné, les possibilités de ***balades*** sont très nombreuses, trop pour être détaillées. Si vous résidez dans l'une des adresses ci-dessus, on se fera un plaisir de vous conseiller des itinéraires.

Une brochure (payante), *Exmoor Country walks,* disponible dans les offices de tourisme, complètera cette information.

DE LYNTON À PORLOCK

➢ Au lieu de prendre la route directe A39, passez par les petites routes : Watersmeet, Malsmead, Oare. Vous êtes dans le pays de Lorna Doone, pauvre héroïne de roman, fille de paysan courageuse, aussi célèbre que notre d'Artagnan, qui s'est bravement défendue contre les méchants. L'action du roman est située dans la région. Très belles vallées, collines boisées.

PORLOCK WEIR

Joli petit port, plage de galets. Deux routes y mènent, l'une payante, l'autre non. La gratuite vous offre d'aussi belles vues que la payante, et des pentes aussi impressionnantes.

Où dormir ? Où manger ?

Pool Bridge Campsite : à 4 km de Porlock, TA248HQ. ☎ (01643) 86-25-21. Au bord d'une rivière, dans une riante vallée. Sanitaires bien entretenus, douches gratuites. Vaste et peu fréquenté.

The Ship Inn : High St. On peut y manger et y boire en contemplant la mer. Cuisine maison. Quelques chambres à partir de 25 £ (37 €) par personne. Les nos 1, 2 et 3 ont été rénovées récemment. Réduction de 10 % en basse saison sur le prix de la chambre et du menu sur présentation du *Guide du routard.*

The Countryman : High St. En plein centre-ville. Une adresse de bonne tenue, avec un joli bow-window.

➤ *DANS LES ENVIRONS DE PORLOCK*

Reprendre la route A39. À l'écart, ***Selworthy,*** petit village de maisonnettes à toit de chaume, construites au XIXe siècle par le riche propriétaire terrien du pays pour ses employés et remises en état par le *National Trust.* Bel ensemble.

Minehead, côté front de mer, est un grand centre populaire de vacances envahi par un énorme complexe touristique. Plutôt à éviter, donc. Par contre, côté port, jolis *cottages* anciens à proximité de l'église St Michael.

Cleeve Abbey : à 12 km à l'est de Minehead par l'A39. Ouvert tous les jours ; d'avril à novembre de 10 h à 18 h, de décembre à mars de 10 h à 16 h. Ruines d'une ancienne abbaye du XIIe siècle. S'il ne reste plus grand-chose de l'imposant ensemble de bâtiments que comptait cette abbaye cistercienne, il mérite une visite néanmoins. Voir la salle du chapitre, imposante, et surtout le réfectoire qui possède un plafond d'arches croisées magnifique. Les dalles d'époque sont recouvertes d'inscriptions héraldiques (blasons) d'une grande finesse.

DUNSTER

IND. TÉL. : 01643

Très joli village qui fut prospère du temps des tisserands des XVIe et XVIIe siècles. La halle, au centre du village, atteste son ancienne richesse.

Où dormir ? Où manger ? Où boire un verre ?

Youth Hostel : Alcombe Combe Minehead. ☎ 70-25-95. En pleine campagne, dans un site agréable. 36 lits. Le camp de base idéal pour explorer l'Exmoor.

The Lutterell Arms : High St. ☎ 82-15-55. La vieille auberge locale qui a pris le nom des aristos, anciens propriétaires du château. Très belle partie gothique du XVe siècle, avec une cheminée énorme. On mange dans *the Old Kitchen*; pas bon marché, mais beau décor. Chambres chères.

The Gables : 33 High St. ☎ 82-14-96. Chambre double à 45 £ (66,60 €), nickel et avec literie fleurant bon la lessive. Accueil charmant.

The Yarn Market Hotel : High St. ☎ 82-14-25. • www.yarnmarkethotel.co.uk • Double à 70 £ (103,60 €). Endroit beaucoup plus modeste, où l'on dort et l'on mange simplement, à des prix raisonnables. En plus, réduction de 10 % pour les lecteurs du *Guide du routard* sur le prix de la chambre à la réservation.

Dunster Castle Restaurant : High St. ☎ 82-14-45. Un peu plus chic que les autres. Plats variés et réputés, arrosés d'un excellent cidre. Quelques chambres disponibles.

À voir

Dunster Castle : ouvert de 11 h à 17 h. Fermé les jeudi et vendredi. Attire la foule en été. Les différentes parties du château furent construites entre les XIIIe et XIXe siècles, la partie la plus importante datant du XVIIe siècle. Très belles écuries du XVIIe siècle à visiter. Escalier imposant en chêne sculpté, salle étonnante aux murs recouverts de panneaux en cuir peint, de beaux meubles d'époque en chêne et des gravures de Hogarth. Au-delà du château, un moulin à eau du XVIIe siècle fonctionne encore.

The Dunster Dolls Museum : Memorial Hall, High St. Ouvert d'avril à octobre tous les jours de 10 h 30 à 16 h 30. Petit droit d'entrée. Pour les amateurs de poupées de tous styles et de toutes ethnies. Maisons et objets s'y rattachant.

EXFORD

IND. TÉL. : 01643

Continuer l'A396 puis, à Wheddon Cross, prendre la B3224. Au cœur de la lande, endroit très agréable comme départ de promenades, entre autres vers *Dunkery Beacon,* le point le plus élevé de cette lande. Très belle vue et pas mal d'animaux.

Où dormir ?

Youth Hostel : Whitypoole Rd, Exe Mead. ☎ 83-12-88. Fax : 83-16-50. En face de *The White Horse Hotel.* Maison en pierre rose et brique, jardins au bord de l'eau. 51 lits en dortoirs de 4 ou 6.

Où dormir dans les environs ?

Kemps Farm : entre Exford et Winsford. ☎ 85-13-12. À côté de la ferme. Chambre double à partir de 31 £ (45,90 €). Hôtesse très chaleureuse, qui cuisine délicatement les légumes de son potager. Dîner et *breakfast* de qualité et copieux. Belle vue sur la vallée de l'Exe. Plus cher que la moyenne.

▪ ***Town Mills :*** Dulverton. ☎ (01398) 32-31-24. • www.townmillsdulverton.co.uk • Compter entre 52 et 57 £ (77 et 84,40 €). Dans une paisible petite ville au sud du parc national, dans la verdoyante vallée de la Barle.

Où manger ? Où boire un verre ?

|●| 🍸 ***The Exmoor House :*** dispose d'un pub agréable, décoré de trophées et de photos de chasse.

|●| 🍸 ***The Royal Oak :*** Whithypool. Pub très chouette. Le resto est nettement plus chic.

À voir. À faire

Tarr Steps : à **Winsford.** Sorte de pont sur l'Exe en grosses plaques de pierre. Le plus vieux d'Angleterre, même si la date de sa construction reste un mystère. Comment ont-ils transporté ces plaques sans grue ?

➢ ***Promenades le long de l'Exe :*** entre Exford et Winsford particulièrement.

Winsford Hill offre de merveilleux points de vue.

À L'OUEST DE LONDRES

GLASTONBURY

7000 hab. IND. TÉL. : 01458

Dominée par la silhouette inquiétante du Tor, c'est aussi une cité ancienne à 75 km au sud de Bristol, célèbre pour être le berceau du christianisme en Angleterre. Les ruines de l'abbaye sont dans un immense parc de verdure comme seuls les Anglais savent les aménager. On dit que le roi Arthur et son épouse y seraient enterrés.

Sans en avoir l'air, de prime abord, il flotte dans la ville un fumet douceâtre et tenace, rappelant les parfums des chemins de Katmandou. On se croirait revenu au temps du *Flower Power* des années 1970. Il est vrai que l'on peut en dénicher tout l'attirail, du sac en tapisserie en passant par les tuniques indiennes et les chaussures peintes. Il est certain que l'aura de ces lieux sacrés, baignés des contes et légendes merveilleuses nimbant la saga du roi Arthur, attire irrésistiblement toute une faune pittoresque. Les boutiques éso-térico-*new age* dédiées à la légende d'Avalon et à l'underground poussent comme champignons après la pluie. Il en est une que l'on ne peut rater : une énorme feuille, verte à souhait...

Adresses utiles

i ***Tourist Information Centre :*** The Tribunal, 9 High St, BA6 9DP. ☎ 83-29-54. • www.glastonbury.co.uk • Ouvert toute l'année, de 10 h à 17 h (16 h en hiver). Beaucoup de renseignements et brochure gratuite sur les possibilités d'hébergement dans la ville et ses environs. Procurez-vous *The Oracle,* un petit journal gratuit qui vous donnera toutes les infos culturelles.

■ ***Poste et banques avec distributeur :*** dans la rue principale, la *Lloyds* et la *HSBC* de part et d'autre de l'office de tourisme.

■ ***Laverie libre-service :*** *Launderette,* dans le quartier Windmill Hill. En haut de la colline, dans le prolongement de High St, par Bove Town Rd. Caché derrière le supermarché. Il faut y croire !

Où dormir ?

Vraiment bon marché

Glastonbury Backpackers « The Crown Hotel » : 4 Market St, BA6 9H9. ☎ 83-33-53. Fax : 83-59-88. • glastonbury@backpackers-online.com • Sur la place centrale, dortoirs et chambres de 10 à 15 £ (14,80 à 22,20 €). Ambiance très décontractée, semblable à la ville. Cafétéria *(Pax Café)* et musique à tous les étages...

Prix moyens

B & B Blake House : 3 Bove Town, BA6 8JE. ☎ 83-16-80. Adorable cottage du XVIIe siècle, non loin du centre (vers la colline, dans le prolongement de High St). Deux chambrettes tout confort, destinées aux non-fumeurs, à 40 £ (59,20 €). Cartes de paiement refusées. Possibilité de repas végétarien. Prix doux.

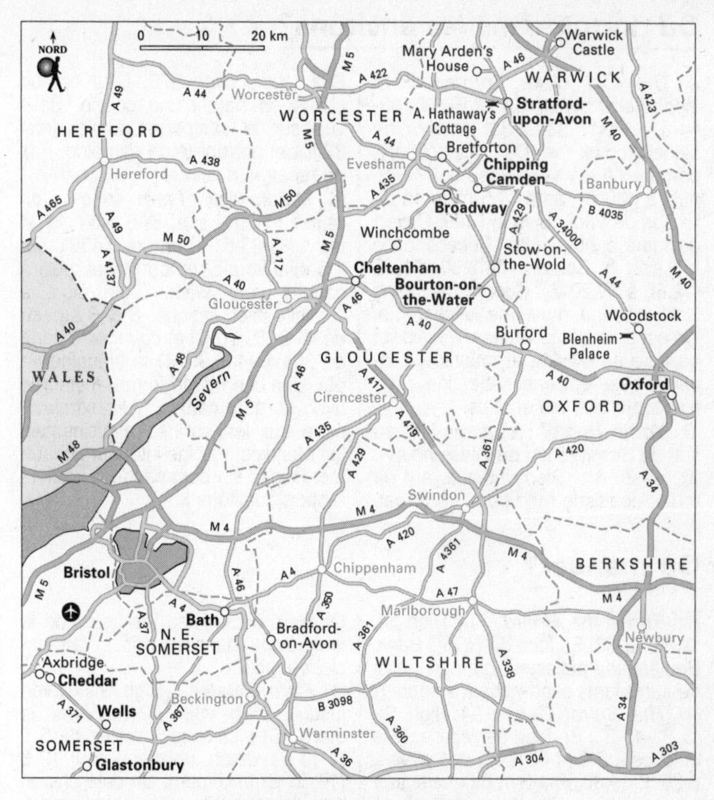

À L'OUEST DE LONDRES

■ ***B & B The Lightship and Christmas Cottage :*** 82 Bove Town, BA6 8JG. ☎ 83-36-98. Dans la même rue que le précédent, mais plus haut. Prévoir 45 £ (66,60 €) pour la nuit. Adresse colorée baba cool, atmosphère relaxante, bouquins et vidéos *new age.* Dans un ancien relais pour les pèlerins. *Breakfast* végétarien et bio. On peut louer le cottage à la semaine.

■ ***Wearyall Hill House :*** The Roman Way, BA6 8AD. ☎ 83-55-10. Fax : (0870) 04-58-11. ● www.wearyallhillhouse.co.uk ● En dehors de la ville, à 2 km sur la route de Street (A39). Prendre à gauche dans la *Roman Way,* puis c'est indiqué. Compter 48 £ (71 €) pour 2. Sur les hauteurs, une superbe maison de caractère entourée d'un parc. Chambres luxueuses et toutes équipées d'un réfrigérateur, à un prix honnête. Une excellente adresse.

Vraiment plus chic

■ ***N° 3 Hotel :*** 3 Magdalene St. ☎ 83-21-29. Fax : 83-42-27. ● www.numberthree.co.uk ● Entre 75 et 95 £ (111 et 140,60 €) la chambre double. Élégante construction georgienne, cernée d'un splendide jardin jouxtant les ruines de l'abbaye. Chambres luxueusement décorées. Peintures impressionnistes et antiquités. Possibilité de massages relaxants pour se régénérer physiquement et mentalement.

Où dormir dans les environs?

⛺ ***The Old Oaks Touring Park Wick Farm :*** Wick, BA6 8JS. ☎ : 83-14-37. Fax : 83-32-38. • www.theoldoaks.co.uk • De Glastonbury, prendre l'A361 vers Shepton Mallet, puis à gauche après 1,5 mile, en direction de Wick. Bien indiqué. Ouvert de mars à novembre. Réception de 9 h à 21 h. Compter de 8,50 à 13 £ (12,60 à 19,20 €). Superbe camping isolé et calme, dans une petite ferme. On est entouré de vaches. Possibilité de faire sa cuisine et machine à laver. Petite épicerie. Attention : on n'accepte plus les enfants.

Youth Hostel : à Ivthorn Hill, au sud de Street (5 km de Glastonbury). ☎ 44-29-61. Bien indiqué sur la route, depuis le rond-point de Street. Bus, *Badgonline* 376. L'AJ est un chalet en haut d'une colline. Belle vue sur la campagne avoisinante. 32 lits et possibilité de camping. Pas de repas ni d'activités.

Middlewick Farm and Cottages : Wick Lane, BA6 8JW. ☎ et fax : 83-23-51. Prendre l'A361 sur 1,5 mile vers Shepton Mallet, puis à gauche vers Wick. C'est alors à 1,5 mile, bien indiqué. *B & B* à partir de 44 £ (65,10 €) et *cottages* à partir de 304 £ (449,90 €) la semaine en été. Une charmante ferme, restaurée avec un goût certain. Vue extraordinaire sur les collines avoisinantes, les Mendips. Piscine intérieure chauffée. Repas sur commande. Excellent rapport qualité-prix.

Où manger?

Burns the Bread : 14 High St. ☎ 83-15-32. En face de *HSBC Bank*. Boulangerie-pâtisserie qui sert aussi de succulents sandwichs à emporter.

The Spiral Gate : 24 High St. ☎ 83-46-33. En face de l'église. Des quiches à 3 £ (4,40 €) et des plats à 6,25 £ (9,30 €). Sympa mais très orienté « bio ». Tables et chaises de ferme. Nourriture sans prétention à prix doux. Non-fumeurs.

Rainbow's End Café : 17A High St. ☎ 83-38-96. Au fond du couloir, près de l'office de tourisme. Ouvert de 10 h à 16 h. Sur réservation les vendredi et samedi soir. De bonnes salades à partir de 3 £ (4,40 €). Un snack végétarien et végétalien très bio, avec toiles cirées. La caisse sort tout droit de *La petite maison dans la prairie*. On peut siroter des jus (avec de la vraie pulpe) dans le jardin, si l'arc-en-ciel se montre.

Café Galatea : High St. Ouvert jusqu'à 21 h, voire 22 h. Fermé le mardi. Des salades à moins de 5 £ (7,40 €); sinon, un menu pour 12 £ (17,80 €) maximum. Un café chic et branché qui fait aussi galerie d'art. Plats uniquement végétariens : salades, pâtes, etc. On peut également y surfer sur Internet (prix un peu élevés). Non-fumeurs.

The Mitre Inn : 27 Benedict St. ☎ 83-12-03. Des plats pour moins de 7 £ (10,40 €). Auberge campagnarde en plein centre. Vaut surtout pour sa bonne ambiance de pub, plutôt que pour sa cuisine classiquement britannique. Plats végétariens.

À voir

L'abbaye : Magdalene St, BA6 9EL. ☎ et fax : 83-22-67. • www.glastonburyabbey.com • Ouverte tous les jours de 9 h 30 (9 h en juin, juillet et août) à 18 h. Entrée : 3,50 £ (5,20 €). On peut disposer d'un baladeur à cassettes (en français) qui commente, en 35 mn, l'essentiel de la visite. Ne manquez pas la petite expo de l'entrée, qui illustre bien l'histoire des bâtisseurs et leurs techniques, ainsi que les différents aspects de la vie monastique.

Même en ruine, les vestiges de l'abbaye, qui fut le berceau initial du christianisme, continuent de susciter une admiration teintée de fascination pour les légendes qui s'y rattachent. La tradition raconte que Joseph d'Arimathie, venu en l'an 60 en ces contrées pour évangéliser les païens, planta son bâton en terre. Celui-ci germa et donna une aubépine miraculeuse qui fleurit en mai et à Noël. Dans une chapelle, il déposa le Saint-Graal, coupe utilisée par Jésus lors de la dernière Cène. Quoi qu'il en soit, les véritables moines fondateurs de l'abbaye (vers 700) ne démentirent en rien les légendes qui assimilaient Glastonbury à l'île mythique d'Avalon, où gisaient le roi Arthur, sa femme Guenièvre et le Saint-Graal. Leur tombe fut « découverte » en 1191 et officialisée par une inhumation en grande pompe en face du maître-autel en 1276. Agrandissant sans cesse les bâtiments autour de la chapelle d'origine, les moines en firent surtout, à l'instigation de saint Dustan (940), un sanctuaire renommé et un centre intellectuel fécond, pratiquant la règle de saint Benoît. Les pèlerins firent leur prospérité. L'aventure et l'opulence durèrent jusqu'au XVIe siècle et s'interrompirent avec Henri VIII, en 1538. Le site fut alors utilisé comme carrière de pierres de construction jusqu'au XIXe siècle.
Ce qu'il en reste permet encore de se faire une idée des proportions et de la magnificence de l'ensemble architectural. Les restes de la *Lady Chapel* sont représentatifs de l'art roman tardif. Sur le sol, à côté, subsistent les soubassements du réfectoire, du cloître et de la salle capitulaire. Les ruines de l'église conservent d'impressionnantes colonnes gothiques, et à l'arrière-chœur (chapelle d'Edgar) sont enterrés des rois saxons. Le seul bâtiment intact est la cuisine de l'Abbé *(Abbot's Kitchen),* curieux édifice au toit octogonal permettant l'évacuation des fumées.

Glastonbury Tor : haute colline, naturellement terrassée et préservée de l'érosion grâce à sa composition géologique, elle s'élève au milieu d'une immense plaine. Le Tor est censé être l'ancienne île mythique d'Avalon. La vue du sommet est magnifique. On ne peut y accéder qu'à pied. La tour au sommet date du XIVe siècle mais n'offre aucun intérêt particulier.

The Chalice Well : jardins ouverts de 12 h à 16 h en janvier et février, de 11 h à 17 h en mars, de 10 h à 18 h d'avril à octobre et de 11 h à 17 h en novembre et décembre. Entrée : 2,20 £ (3,30 €). Au pied de la colline du Tor, une source aux vertus curatives est entourée d'un jardin aménagé en lieu de retraite et de méditation, alternant plantations, bassins et cascades. Une attitude recueillie est requise en ces lieux où serait enfoui le Saint-Graal. On se croirait à un séminaire néodruidique !

Glastonbury Lake Village Museum : dans les locaux de l'office de tourisme. Ouvert tous les jours aux mêmes horaires. Entrée : 2 £ (3 €). Musée archéologique local reconstituant l'habitat lacustre des temps préhistoriques.

Rural Life Museum : Bere Lane. À l'entrée de la ville, en venant de Mallet. ☎ 83-11-97. • www.somerset.gov.uk/museums • Ouvert tous les jours (sauf le dimanche en hiver), mais horaires restreints. Entrée gratuite. Toute la vie rurale du Somerset à travers les objets agricoles rassemblés dans et autour d'une superbe grange gothique du XIVe siècle.

À faire

■ ***Gothic Image Tours :*** 7 High St, dans la librairie *Gothic Image.* ☎ 83-12-81. • www.gothicimagetours.co.uk • Prévoir 60 £ (88,80 €) par personne, moins cher à plusieurs. Balades organisées (fort bien d'ailleurs) pour les passionnés de légendes et de culture ésotérique, qui vous replongent dans les temps anciens. De la terre de Merlin en passant par les chemins du roi Arthur et sa quête d'Avalon, ou bien encore l'Irlande enchantée, le catalogue est vaste ! Le voyage est agrémenté de musiciens et de poètes et dure 2 h 30. Assez cher tout de même : à ce prix-là, on aimerait bien voir le Graal !

Fêtes et festivals

– La ville accueille généralement, le dernier week-end de juin, un ***festival de rock*** qui rassemble plusieurs milliers de personnes dans une chaude ambiance.
– Un ***festival de musique classique*** est également organisé tous les ans en août.
– Et en novembre, ne pas manquer le ***carnaval,*** haut en couleur.

➤ DANS LES ENVIRONS DE GLASTONBURY

Le musée de la Chaussure de Street : High St. ☎ 44-31-31. Entrée gratuite. Ouvert du lundi au samedi de 10 h à 16 h 45 et le dimanche de 11 h à 17 h. Dans les locaux de l'entreprise Clarks, installée ici depuis 1825. Des chaussures, encore et toujours des chaussures, de 1700 à nos jours. Également de vieilles machines qui servaient à leur fabrication.

Montacute : à environ 20 miles sur la route pour Exeter (A3088). On peut s'y rendre en bus depuis Yeovil. Montacute est un ancien relais de poste sur la route de Londres à Exeter. Village tout en pierre dorée, qui s'est développé aux XVIIe et XVIIIe siècles autour de *Montacute House,* propriété qui appartient maintenant au *National Trust* (attention, les visites sont chères). ☎ (01935) 82-32-89. Ouvert de 12 h 30 à 18 h. Ang Lee y a tourné l'adaptation du roman de Jane Austen, *Raisons et Sentiments,* avec Emma Thompson et Kate Winslet. Le film reçut plusieurs Oscars.

WELLS

10000 hab. IND. TÉL. : 01749

Cette paisible petite ville marchande et plus petit évêché de Grande-Bretagne s'étend autour de l'une des plus belles cathédrales gothiques d'Angleterre. Avec celle-ci, le palais épiscopal et le Vicar's Close forment un ensemble à la physionomie médiévale cohérente et attractive. On y donne de nombreux concerts en juillet. Attention : on se gare à l'extérieur de la ville uniquement.

Adresses utiles

Tourist Information Centre : Market Place. ☎ 67-25-52. • wells.tic@ukonline.co.uk • Ouvert tous les jours, de 9 h 30 à 17 h 30 d'avril à octobre et de 10 h à 16 h de novembre à mars. On peut y obtenir des billets à prix réduits pour visiter les Wookey Hole Caves, Longleat et les Cheddar Caves.

■ ***Location de vélos :*** *Bike city,* 31 Broad St. ☎ 67-17-11. Tarifs intéressants. Ouvert de 9 h à 17 h 30. Fermé le dimanche.

Où dormir ?

Campings

Homestead Park : Wookey Hole, Wells BA5 1BW. ☎ 67-30-22. À environ 4 km de Wells par l'A371. Suivre les pancartes pour les grottes, dans le même village. Ouvert de Pâques à octobre. Compter 9,30 £ (13,80 €).

Bien situé, au pied des Mendip Hills. Une cinquantaine d'emplacements. À ne pas confondre avec *Country cottage,* un caravan-park privé.
⛺ ***Bucklegrove Caravan and Camping Park :*** à la sortie de Wells, vers Cheddar (A371), à Rodney Stoke, 8B2 734Z. ☎ 87-01-01. • www.bucklegrove.co.uk • Fermé en janvier et février. Ouvert tous les jours. À 2 avec une tente, de 5 à 14 £ (7,40 à 20,70 €) selon la saison. Compter 100 £ (148 €) par semaine pour une famille de 4 personnes. Super bien équipé. On y trouve une boutique, un bar et une piscine couverte et chauffée (sa taille ne permet que quelques brasses... mais c'est tout bon !). Un restaurant en haute saison uniquement.

Prix moyens

🏠 ***B & B Mrs Bailey :*** 30 Mary Rd, BA5 2NF. ☎ et fax : 67-40-31. • triciabailey30@hotmail.com • Fermé en décembre et janvier. À 10 mn à pied de la cathédrale et 25 mn en voiture de l'aéroport de Bristol. Chambre double moderne et claire à partir de 44 £ (65,10 €). Petit dej', mais pas de repas servis. N'accepte pas les cartes de paiement. Petit dej' offert sur présentation du *Guide du routard* à la réservation.
🏠 ***Canon Grange :*** Cathedral Green, BA5 2UB. ☎ 67-18-00. • www.canongrange.co.uk • Ouvert toute l'année. Compter 54 £ (79,90 €) la chambre double. Admirablement située (la salle à manger donne sur la cathédrale), une maison du XVe siècle très confortable. Petit dej' très copieux et la maîtresse de maison est adorable. Au-delà de 3 nuits et sur présentation du *Guide du routard,* 10 % sur le prix de la chambre.
🏠 ***Cadgwith :*** Hawkers Lane, BA5 3JH. ☎ 67-77-99. • fletchersels@yahoo.co.uk • Derrière la cathédrale, à 500 m dans le prolongement de Thomas St. Fermé en janvier et février. Compter 48 £ (71 €). Chambres très intimes, avec salle de bains et TV. Bob vous fait la conversation pendant que Margaret s'active à la cuisine pour de bons petits plats.
🏠 ***The Poor Old House :*** 7 St Andrews St, BA5 2UW. ☎ 67-50-52. Derrière la cathédrale. Compter 44 £ (65,10 €) pour 2. Jolie maison ancienne au fond d'un corridor, un peu biscornue. Deux chambres sur le palier. Attention de ne pas se tromper de porte : il y en a tellement au mètre carré ! Jardin agréable l'été.

Un peu plus chic

🏠 ***The Ancient Gate House Hotel and Rugantino Restaurant :*** Sadler St, BA5 2SE. ☎ 67-20-29. • www.ancientgatehouse.co.uk • La chambre pour 83 £ (122,80 €). Face au spectacle inoubliable de la cathédrale, une très ancienne auberge proposant quelques chambres au décor médiéval, avec lit à baldaquin (mais pas forcément tout équipées) et romantique à souhait. Honnête restaurant aux compositions italo-britanniques parfois étonnantes. Si c'est complet, le ***White Hart,*** dans la même rue, leur appartient aussi. Facilement reconnaissable à sa jolie façade à colombages.

Où manger ?

🍴 ***Da Luciano-Expresso Bar :*** 14 Broad St. ☎ 67-58-84. Ouvert tous les jours jusqu'à 23 h 30. Trois tailles de pizzas à partir de 3,40 £ (5 €) et des pâtes pour 5 £ (7,40 €). Le petit bistrot du coin, où la patronne italienne fait merveilleusement la cuisine. Délectez-vous avec ses pizzas et surtout sa tarte aux pommes et à la rhubarbe.

🍽 ***The King's Head :*** High St. ☎ 67-21-41. Des plats de 7 à 15 £ (10,40 à 22,20 €). Carte assez limitée, beaucoup de viandes dont le steak au whiskey.

🍽 ***The City Arms :*** 69 High St. ☎ 67-39-16. *Pub grub* (repas au comptoir et dans le pub) en bas pour moins de 6 £ (8,90 €). Côté resto, de 10 à 15 £ (14,80 à 22,20 €) le menu, en haut. Prison au temps des Tudors, des instruments de torture sont accrochés aux murs. Pub tranquille, servant des *lunches* et des repas du soir dans la tradition. Magnifiques charpentes d'époque. Agréable courette avec marquise. Loue aussi quelques chambres.

🍽 ***The Fountain Inn & Boxers Restaurant :*** 1 St Thomas St. ☎ 67-23-17. Petits plats à la carte bien sympathiques pour 8 £ (11,80 €), servis dès 12 h. Un pub dans la plus pure tradition.

🍽 ***Anton's Bistrot, The Crown at Wells :*** Market Place. ☎ 67-34-57. Fax : 67-97-92. Ouvert toute l'année, tous les jours. Formule lunch à 8,50 £ (12,60 €) ; plus cher à la carte, mais reste correct, jusqu'à 15 £ (22,20 €). Vous ne pouvez pas le louper avec sa belle façade à bow-windows. De bonnes spécialités locales dans une ambiance de bistrot. Fait aussi hôtel. Prix des chambres à partir de 90 £ (133,20 €) pour une chambre familiale.

Où boire un verre ?

🍷 ***The Full Moon :*** South Over. Pub jeune et très animé.

🍷 ***Sun Inn :*** Union St. Pas mal de monde, bonnes bières et parties de billard animées.

Où prendre le thé ?

🍽 ***Crofters Tea-Rooms :*** 3 Market Place. ☎ 67-25-17. Ouvert tous les jours sauf le dimanche matin, jusqu'à 17 h 30. *Breakfast, lunch* et *afternoon tea.*

À voir

👁👁👁 ***La cathédrale St Andrews :*** ouverte tous les jours de 7 h 15 à 18 h. Le don d'une obole de 4 £ (5,90 €) est fermement encouragé. Il faut venir à Wells rien que pour la cathédrale. Sa façade, plus large que haute, se présente dans toute la splendeur de son somptueux déploiement. On la découvre presque brusquement en débouchant de la place du marché sur l'esplanade de gazon vert tendre, par le Penniless Porch. Trois cents statues rescapées des puritains jouent des coudes sur l'écran de pierre géant pour magnifier les épisodes de l'Ancien et du Nouveau Testament. La construction de la cathédrale fut entamée en 1185 et achevée seulement au XVIe siècle, mêlant harmonieusement les différentes évolutions du gothique. La nef garde l'austérité du style primitif, mais la décoration des chapiteaux apporte un peu de fantaisie. Mais c'est l'arc en ciseaux du XIVe siècle qui impressionne au premier regard.
Dans le transept sud, les chapiteaux des colonnes recèlent d'amusantes scènes de vie quotidienne : un vol de pommes dans un verger, un quidam souffrant d'une rage de dents, un autre qui se retire une épine du pied... Dans le transept nord, une horloge astronomique de 1390 égrène les quarts d'heure par un tournoi où un chevalier est terrassé. Dans le cloître, la plus importante bibliothèque médiévale du pays (ouverte uniquement vendredi et samedi), avec plus de 6000 livres, dont 12 incunables (c'est-à-dire datant d'avant 1500). Ses archives, qui remontent au début du XIIIe siècle, sont une

mine d'or pour les historiens. N'oubliez pas de prendre le Quizz pour les enfants : vous apprendrez par exemple pourquoi le gisant de Thomas Bekyngton est double. Avec un peu de chance, vous pourrez assister aux répétitions des choristes très tôt le dimanche matin. Sinon, *evensongs* à 17 h 15 en semaine et 15 h le dimanche.

Vicar's Close : sur le côté gauche de la cathédrale. Rue pavée bordée d'une vingtaine de maisons en pierre, qui datent du XIVe siècle. Les cheminées, elles, remontent au XVe siècle. Les maisons ont été construites pour loger les chanteurs qui appartenaient au chœur de la cathédrale. Du bout de la rue, une autre belle vue sur la cathédrale.

Bishop's Palace : ☎ 67-86-91. Ouvert de Pâques à fin octobre, du mardi au vendredi de 10 h 30 à 18 h. Entrée : 3 £ (4,40 €). Dans le prolongement du cloître, le palais de l'évêque, bâti il y a plus de 700 ans, solidement fortifié de remparts et ceint de douves, abrite des jardins où coule une source, qui ne débite pas moins de 180 litres par seconde ! À l'intérieur de l'enceinte, les bâtiments principaux servent de résidence à l'évêque actuel, et si le Grand Hall tombe en ruine, la chapelle dédiée à saint Marc, construite en gothique « decorated », recèle de beaux vitraux. La partie appelée « Henderson's Rooms » est accessible au public et consiste en plusieurs halls décorés en gothique « italien ». L'attrait du lieu réside essentiellement dans la promenade que l'on peut faire sur les remparts et qui mène au nord-est jusqu'à un superbe point de vue où l'on peut contempler la cathédrale.

Wells Museum : 8 Cathedral Green. ☎ 67-34-77. De Pâques à octobre, ouvert tous les jours de 10 h à 17 h 30 (20 h de mi-juillet à mi-septembre) ; de novembre à Pâques, du mercredi au lundi de 11 h à 16 h. Entrée : 2,50 £ (3,70 €). Dédié aux maçons et artisans qui bâtirent la cathédrale. Petit musée d'archéologie et d'histoire locales un peu fourre-tout, qui présente, entre autres, des fragments de sculptures de la cathédrale, ainsi qu'une explication des techniques de construction de celle-ci pour gommer les effets de perspective lorsqu'elle était vue en contre-plongée. On peut découvrir également une reconstitution de la façade entièrement peinte, de nombreux fossiles, des coussins brodés *(samplers)* pour les sièges du chœur et, dans un tout autre registre, le squelette de la sorcière qui habitait les Wookey Hole Caves.

Wookey Hole Caves : à 3 km au nord de Wells. ☎ 67-22-43. À 4 km, sur la route de Cheddar. En été, ouvert de 10 h à 17 h ; en hiver, de 10 h 30 à 16 h 30. Entrée : 7,50 £ (11,10 €). Complexe de belles grottes creusées par la rivière Axe, couplé d'un ensemble d'attractions très touristiques où la sorcière des lieux raconte l'histoire des occupants de ces grottes depuis les Romains. Un peu grand-guignolesque. Par la suite, on a l'occasion de suivre la fabrication du papier, de se faire tirer le portrait à la manière des photographes victoriens et de découvrir des anciens manèges et des machines à sous. Bof !...

CHEDDAR

2500 hab. IND. TÉL. : 01934

Patrie d'origine d'un fromage dont la réputation s'étend aujourd'hui bien audelà des frontières du Royaume-Uni. Les Anglais se plaisent à dire que ce fromage n'est « réellement bon qu'à Cheddar même ». De nombreuses boutiques en expliquent le processus de fabrication. Très touristique, trop même, car les boutiques innombrables gâchent vraiment la visite !

Adresse utile

Tourist Information Centre : près de l'entrée des gorges. ☎ 74-40-71. Ouvert en été seulement, de 10 h à 17 h.

Où dormir? Où manger?

Camping

Broadway House : entre Axbridge et Cheddar par l'A371. ☎ 74-26-10. • www.broadwayhouse.uk.com • Un grand complexe accueillant les caravanes et les campeurs. Beaucoup d'activités sont proposées, dont la pêche.

De bon marché à prix moyens

Youth Hostel : Hillfied. ☎ 74-24-94. Fax : 74-47-24. Maison confortable et accueil chaleureux. Petit dej' et repas du soir sur demande.

South Barn : The Hayes. ☎ 74-31-46. *B & B* bien situé. Offre 3 chambres *en-suite* à prix doux. Le jardin est superbe.

B & B Chedwell Cottage : Redcliffe St, BS27 3PF. ☎ 74-32-68. • www.westcountrynow.com • Gentil *cottage* en pierre, tout fleuri. Deux chambres, dont une familiale à 42 £ (62,20 €). L'hôtel ne sert plus le petit dej'. Cartes de paiement refusées.

Hillside Cottage : The Cliffs. Un *tea-room* parmi d'autres, à la terrasse agréable, pour déguster quelques sandwichs avant de plonger dans les entrailles de la terre.

Où dormir? Où manger dans les environs?

The Old Alsmhouse : à Axbridge, à environ 3 km. ☎ 73-24-93. Fermé le mardi. Ancien hospice du XVe siècle, transformé en restaurant et *B & B*. Cette adresse mérite le détour pour la qualité de la nourriture. Goûter au *cream tea* : thé + *scones* + crème et confitures. Dîner pour ceux qui profitent du *B & B*. Cher.

Chic

Glencot House : Glencot Lane, Wookey Hole. ☎ 67-71-60. Fax : 67-02-10. • glencot@ukonline.co.uk • Une magnifique demeure historique noyée dans un parc luxuriant, le tout au bord de la rivière. Chambres luxueuses et très confortables. Billard, tennis de table, sauna et même un étang privé si vous souhaitez pêcher. Accueil et service stylés.

À voir. À faire

Cheddar Gorge : crevasse étroite et sinueuse que suit une route tracée entre deux parois verticales, percées en plusieurs endroits de grottes abritant de remarquables stalactites. L'idéal est d'aborder les gorges en les descendant par la B3135 au nord-est.

– ***Black Rock*** : 16 Andrews Rd. ☎ 74-43-89. Pour ceux qui ont toujours rêvé de spéléologie. Jouer aux explorateurs à travers les grottes de Cheddar. Escalader, ramper dans la boue... Accoutrement adéquat (lampe, bottes, etc.) fourni. Un peu cher toutefois.

Cheddar Showcaves : ☎ 74-23-43. Ouvert de 10 h à 17 h de Pâques à septembre et de 10 h 30 à 16 h 30 d'octobre à Pâques. Ticket combiné très cher, sans compter le prix du parking obligatoire, mais qui donne droit à six « attractions ». On a testé pour vous :
– *Gough's Cave :* petite balade souterraine avec quelques concrétions spectaculaires et de beaux effets d'éclairage sur le miroir immaculé des lacs intérieurs.
– *Heritage Centre :* ossements, objets préhistoriques, dioramas et squelette de 9000 ans. Pas de quoi se flageller de plaisir.
– *Cox's Cave :* une 2e grotte pour le même prix, mais plus petite et plus excitante, avec des passages étroits et des jeux de lumière.
– *Crystal Quest :* à la suite de la précédente. Show « Heroic Fantasy » avec dragons, fées et héros légendaires à la quête du cristal magique. Stroboscopes et effets laser. On a vu mieux à la Foire du Trône.
– *Jacob's Ladder :* grimpette bien raide. Hardi, les mollets ! On aboutit à la tour d'observation, où le panorama n'est pas trop moche.
– *Gorge Walk :* vous avez le droit à présent de vous promener tout au long de la gorge sur 5 km. Dire qu'il faut payer pour cela !
Au retour, le bon public est habilement drainé vers la boutique de souvenirs. Conclusion : vous pouvez garder vos sous, vous ne perdrez rien !

The Cheddar Gorge Cheese : The Cliffs. Avant la route des gorges, sur la gauche. Pour tout savoir sur la fabrication du fameux fromage. Dégustation gratuite avec un verre de cidre. Du cidre et du fromage, ils sont fous ces Anglais !

BATH

85000 hab. IND. TÉL. : 01225

Certainement l'une des plus belles villes d'Angleterre. Elle est d'ailleurs classée au patrimoine mondial par l'Unesco depuis 1987. Provinciale, aérée, superbement étagée sur une colline verdoyante, c'est une excursion très prisée au départ de la capitale. La ville a bénéficié d'un plan d'urbanisme extrêmement réussi, ce qui lui confère un charme exceptionnel. Tout date du XVIIIe siècle, lorsque Ralph Allen s'occupa de restructurer l'urbanisme de la cité en édifiant des ensembles monumentaux et élégants dans le style palladien, composés d'alignements de façades qui ondulent autour des collines. Avec les différentes dénivelées, on embrasse toujours des vues surprenantes. Mais Bath séduisit les Romains dès le début de notre ère, et ils y découvrirent une source chaude, la seule du pays.
Vestiges historiques, monuments superbes, rues élégantes, placettes ravissantes, passages étroits : une halte à Bath s'impose. D'autant plus que toute l'industrie s'est installée à Bristol, bien à l'écart, et que le commerce, le tourisme et les arts reviennent à Bath. Ici, chaque mois amène un nouveau festival, avec un point culminant lors du festival de musique et de danse fin mai-début juin. Si la ville est belle, il faut savoir que ce n'est pas grâce à l'État mais grâce aux résidents qui, en association ou seuls, financent les restaurations et les ravalements, et ça leur fait plaisir.

BATH DANS L'HISTOIRE

L'histoire a commencé au temps des Celtes : ici, on adorait Sul, le dieu des sources. Cinq siècles av. J.-C., un prince atteint de lèpre constata sa guérison après s'être roulé dans la boue chaude. La nouvelle fit le tour du pays et Bath devint réputée pour ses eaux curatives. Plus tard, les Romains trouvèrent regrettable de ne pas utiliser le million de litres d'eau à presque 50 °C qui sortait chaque jour, et ils construisirent des thermes et un grand temple

dédié à Minerve à Aquae Sulis. Bath devint ainsi la première station thermale d'Angleterre. La boue et l'oubli recouvrirent le tout quelque temps, après que les Romains eurent quitté la ville.
Les Saxons ont sans doute un peu dégagé le marécage puisqu'ils édifièrent une cathédrale géante en plein centre, à côté des anciens bains enfouis sous terre. Ils développèrent la ville dans l'ancienne enceinte romaine.
La source thermale *(spa)* allait à un tout petit train jusqu'au jour où la reine Anne vint s'y faire soigner la première année de son règne (1702). Sa cour de favorites et de mignons s'y installa avec enthousiasme. Ses propriétaires terriens, soucieux d'influencer la reine pour leur parti – Whig ou Tory – venaient y passer la moitié de l'année et s'y firent construire des demeures. C'est à cette époque, au XVIIIe siècle, que la ville explosa littéralement et vécut son âge d'or. On le doit à Richard « Beau » Nash, dandy parfait, ordonnateur des plaisirs mondains. Il organisait les journées et les soirées de la bonne société, qui débutaient toujours par un bain thermal. C'était l'éminence grise des réjouissances mondaines. Soirées, bals, concerts, promenades, jeux, la vie s'organisait sous sa dictée, et la cité devint un lieu de villégiature privilégié de toute la noblesse anglaise. À la même époque, Ralph Allen, personnage devenu richissime grâce à l'organisation d'un système postal performant, fit l'acquisition de grandes carrières dans les environs de Bath. C'est avec cette pierre qu'il fit reconstruire la moitié de la ville. Il demanda à l'architecte John Wood de réaliser son rêve dans un style georgien des plus élégants. Il fit élever avec son fils un *square,* un *circle* et un *crescent* (respectivement un carré, un cercle et un croissant), aujourd'hui véritable carte d'identité de Bath, ainsi que les *Assembly Rooms.*
Sous le règne des trois premiers George, la renommée de Bath ne cessa de croître (et avec elle, la syphilis, favorisée par les mœurs licencieuses alors à la mode). Tous les artistes y passaient la saison. Ça laissait aux manufactu-

Adresses utiles

- Tourist Information Centre
- Poste
- Cafés Ret@iler Internet
- Coffee Republic
- Gare Bath Spa Station
- Terminal des bus

Où dormir ?

1 YMCA
2 Henry Guesthouse
3 Youth Hostel
4 St Christopher's Inns
6 Parade Park
7 The Belmont
9 Bath Backpackers Hostel
10 Villa Magdala Hotel

Où manger ?

15 The Huntsman Inn
16 Café Retro
17 The Walrus and the Carpenter
20 Sally Lunn's, Tilley's Bistro et Demuths Vegetarian
21 Ocean Pearl
22 Pasti Presto
23 Mai Thaï
24 The Moon and 6 Pence
25 The Eastern Eye
26 N° 5 Bistro
29 Fish and Chips
30 Cornish Bakehouse

Où boire un verre ?

35 The Bell Inn
36 Salamander
37 All in One
38 Pig and Fiddle

Où danser ?

32 Po-Na-Na
33 Revolution
34 Delfter Krug

À voir. À faire

40 Building of Bath Museum
41 Postal Museum
42 Museum of Barth at work
43 Promenade en bateau sur l'Avon
44 Assembly Rooms et Museum of Costume
45 Royal Crescent
46 Holburne Museum of Art
47 Museum of East Asian Art
48 Jane Austen Centre
49 Pulteney Bridge

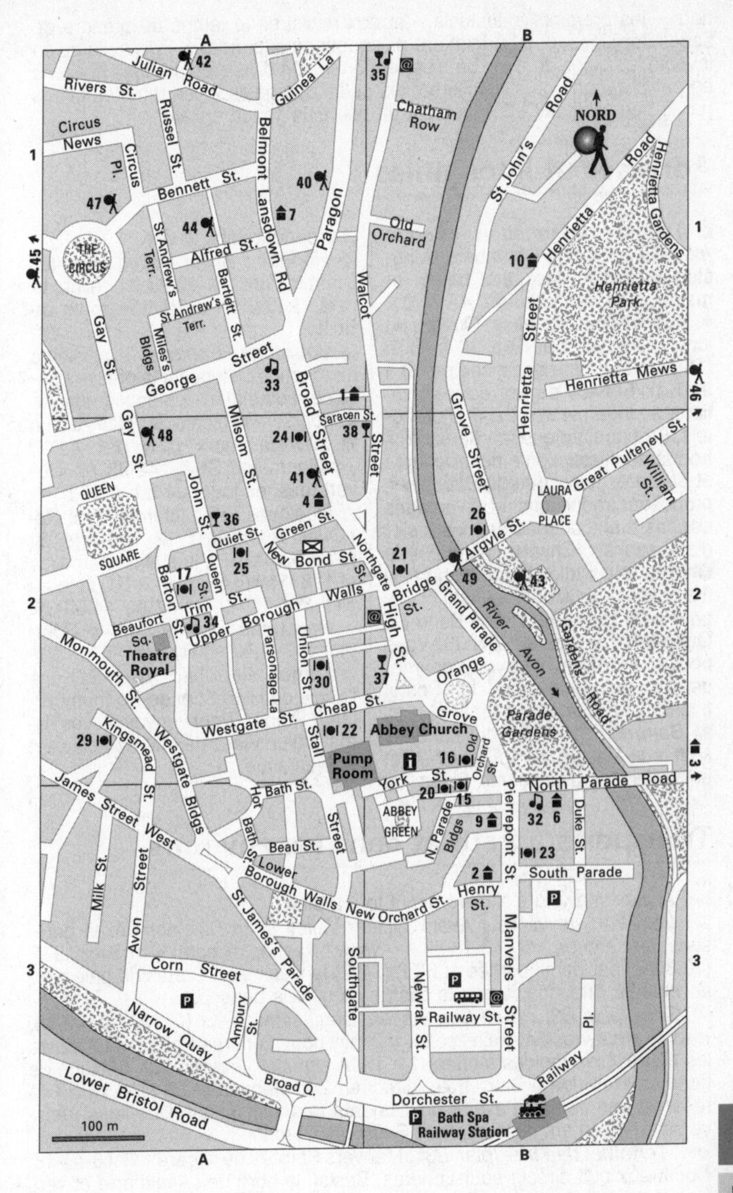
NORD
Julian Road
Rivers St.
Circus News
Circus Pl.
Russel St.
Bennett St.
Belmont Lansdown Rd
Guinea La
Chatham Row
St John's Road
Henrietta Road
Henrietta Gardens
Paragon
Old Orchard
Walcot
Alfred St.
St Andrew's Terr.
Bartlett St.
THE CIRCUS
Gay St.
Miles's Bldgs
St Andrew's Terr.
Henrietta Street
Henrietta Park
Henrietta Mews
George Street
Broad Street
Saracen St.
Street
Grove Street
Great Pulteney St.
William St.
LAURA PLACE
Milsom St.
John St.
QUEEN SQUARE
Quiet St.
Green St.
New Bond St.
Northgate St.
Argyle St.
Barton St.
Queen St.
Trim St.
Walls
Bridge St.
Grand Parade
River Avon
Gardens Road
Beaufort Sq.
Theatre Royal
Upper Borough
Parsonage La
Union St.
High St.
Orange Grove
Monmouth St.
Westgate St.
Cheap St.
Stall St.
Abbey Church
Parade Gardens
Kingsmead St.
Westgate Bldgs
Pump Room
York St.
Old Orchard St.
North Parade Road
James Street West
Hot Bath St.
Bath St.
ABBEY GREEN
N. Parade Bldgs
Pierrepont St.
Duke St.
Beau St.
Street
South Parade
Milk St.
Avon Street
Lower Borough Walls
New Orchard St.
Henry St.
St James's Parade
Southgate
Manvers Street
Corn Street
Newrak St.
Railway St.
Narrow Quay
Ambury St.
Railway Pl.
Broad Q.
Lower Bristol Road
Dorchester St.
Bath Spa Railway Station
100 m
A
B
1
2
3

BATH

riers – les premiers industriels – et aux ministres le temps de prendre de sages décisions, et à l'Angleterre d'acquérir sa suprématie. Puis voilà qu'on inventa les bains de mer. Bath se rendormit. On divisa les grandes maisons en petits appart', où s'installèrent les petits bourgeois et les retraités attirés par le bon air (il fait effectivement un peu plus chaud à Bath).

Adresses et infos utiles

ℹ ***Tourist Information Centre*** *(plan B2) :* Abbey Chambers, Kingston Buildings ; face aux bains romains et à l'abbaye. ☎ 47-71-01. • www.visitbath.co.uk • Ouvert du lundi au samedi de 9 h 30 à 17 h (18 h en été) et le dimanche de 10 h à 16 h. Service payant de réservations de logements en *B & B* ou hôtels. Pratique, vu que la ville est très fréquentée l'été. Vente de brochures et de cartes, ainsi que du *Bath pass,* proposant réductions et avantages sur pas mal d'entrées de musées et d'attractions. Change, vente de timbres et de télécartes. Prendre le magazine *This Month in Bath.*

✉ ***Poste*** *(plan A2) :* New Bond St. Ouverte de 9 h 30 à 17 h 30. Vous pouvez aussi envoyer votre courrier depuis le musée de la Poste, 8 Broad St *(plan A2,* ***41****).*

■ ***Banques :*** la plupart des banques sont sur Milsom St *(plan A1-2)* et possèdent un distributeur. Sinon, un peu partout dans la ville.

■ ***Hôpital :*** *Royal United Hospital,* Combe Park. ☎ 42-83-31. À droite vers l'A431, en quittant la route de Bristol.

■ ***Journaux français :*** plusieurs marchands distribuent la presse française, notamment les boutiques *The Editor,* sur Westgate St *(plan A2).*

■ ***Laverie*** *(hors plan par A1) :* 14 Monmouth St. ☎ 42-93-78. Ouvert tous les jours de 9 h à 17 h.

@ Quelques cafés Internet, dont ***Ret@iler Internet :*** 12 Manvers St *(plan B3),* face à la station de police et 128 Walcot St *(plan A-B1)* face au *Bell Pub.* ☎ 44-31-81 ou 44-59-99. • www.retailerinternet.com • Compter 3 £ (4,40 €) l'heure.

@ ***Coffee Republic*** *(plan B2) :* à l'angle de High St et de Northumberland Place. Pour envoyer vos e-mails d'un vrai café Internet, plaisant et bien situé.

Transports à Bath et dans les environs

➢ ***À pied :*** la ville s'explore avant tout à pied.

➢ ***Location de vélos :*** *Avon Cyclery Valley (plan B3),* derrière la gare, sous les arches. ☎ 46-18-80. • www.bikeshop.uk.com • Prévoir 9 £ (13,30 €) par demi-journée et 50 £ (74 €) le week-end. Cartes de paiement acceptées. Attention, à part le centre, ça grimpe beaucoup.

Gare *(plan B3) : Bath Spa Station,* Dorchester St. ☎ (08457) 48-49-50. • www.great-western-trains.co.uk • Train pour Londres-Paddington toutes les heures ; les rapides mettent 1 h 10. À signaler, un train très pratique de Londres-Waterloo à Bath, trajet direct en 2 h. Demander un billet APEX (à réserver une semaine avant) pour un tarif très intéressant. Une ligne transversale également intéressante : Salisbury-Cardiff.

Terminal des bus *(plan B3) :* Manvers St (près de la gare). ☎ 46-44-46. Nombreux bus directs pour Londres, Bristol, le nord de l'Angleterre et vers les Cornouailles.

– ***Stationnement :*** attention, Bath possède un système très strict de stationnement pour les voitures. Soit vous vous garez dans un parking privé (Avon St, Charlotte St, Walcot St, Manvers St, Kingsmead Square...), soit vous utilisez les espaces dans la rue. Dans ce cas, il vous faudra nourrir les parcmètres, plus ou moins chers, selon l'endroit où vous stationnez. Consultez les panneaux. Ne dépassez pas le temps de stationnement car les « traffic wardens » passent sans arrêt. Pour plus d'infos, demander le *Bath & Beyond mini-guide and maps* et le *Shopping in Bath* au *Tourist Information Centre.*

Où dormir ?

On le répète, pour les *B & B,* réservez longtemps à l'avance ou passez par le *Tourist Information Centre.* Il y en a une quantité impressionnante à Bath.

Campings

⛺ ***Church Farm Cottages :*** Winsley, Bradford-on-Avon, BA15 2JH. ☎ et fax : 72-22-46. • www.churchfarmcottages.com • Prendre la route de Westminster, dépasser l'université, puis 1re bifurcation à gauche, 1er feu à droite, et à gauche au feu suivant vers Bradford-on-Avon. Le camping est à gauche avant le village. Ouvert d'avril à octobre. Derrière un joli corps de ferme, une petite prairie aménagée pour les tentes. Compter 4 £ (5,90 €) la nuit par personne, plus 1 £ (1,50 €) pour le parking. Douches. Possibilité de louer un des petits cottages au mois pour 245 £ (362,60 €). Dommage qu'ils soient en bord de route.

⛺ ***Newton Mill Camping :*** Newton Rd, BA2 9JF. ☎ 33-39-09. • www.campinginbath.co.uk • Aux portes de la ville, vers Stanton Wick (A368). Service de bus pour le centre toutes les 10 mn. Compter 20 £ (29,60 €) pour 2 personnes avec une tente. Situé dans un cadre magnifique, traversé par une petite rivière idéale pour la pêche. L'ensemble est parfaitement entretenu. Petite épicerie bien approvisionnée. Laverie, salle TV, bar et restaurant. Salle pour les enfants, avec notamment des jeux vidéo. Réduction de 10 % à la réservation sur les séjours de 3 jours et plus.

Bon marché

🏠 ***YMCA*** *(plan A1,* ***1****)* **:** Broad St Place, BA1 5LH. ☎ 32-59-00. Fax : 46-20-65. • www.bathymca.co.uk • Sur une place piétonne du XVe siècle ; entrée au niveau du 33 Broad St. Une formidable adresse avec plus de 200 lits en *B & B,* située en plein centre. Réception 24 h/24. Compter 10 £ (14,80 €) la nuit en dortoir. Chambres simples, doubles et familiales disponibles. Ouvert à tous, une cafétéria avec plats du jour à 2 £ (3 €), *jacket potatoes* à moins d'1 £ (1,50 €), et en sous-sol un centre de fitness avec sauna et tout le tintouin pour 5 £ (7,40 €). Au programme, cours de gym, mais aussi initiation à la capoeira ou au kickboxing.

🏠 ***St Christopher's Inns*** *(plan A2,* ***4****)* **:** 9 Green St, BA1. ☎ 48-14-44. • st-christophers.co.uk • Des lits en dortoir de 10, 8, ou 4 places, entre 13 et 18 £ (19,20 et 26,60 €) par personne. Au-dessus d'un pub sympa et branché. Lits bien espacés, sanitaires nickel, le tout en *B & B.* L'entrée se fait par carte magnétique 24 h/24, très pratique pour les couche-tard.

🏠 ***Bath Backpackers Hostel*** *(plan B3,* ***9****)* **:** 13 Pierrepont St, BA1 1LA. ☎ 44-67-87. Fax : 33-13-19. • www.hostels.co.uk • En plein centre-ville et à 2 mn de la gare et des bus. Ouvert de 8 h à minuit. Petits dortoirs à 12 £ (17,80 €) par personne. Cuisine et salle TV. Remarquez à la réception le commentaire pour chaque pays. On apprend que les Américains parlent fort et que les Japonais ne disent jamais merci. Pour les Français, ce n'est pas glorieux non plus. À vous de juger...

🏠 ***Youth Hostel*** *(hors plan par B2-3,* ***3****)* **:** Bathwick Hill, BA2 6JZ. ☎ 46-56-74. Fax : 48-29-47. • www.yha.

org.uk • À 1,5 mile (2,4 km) du centre par Great Pultney St. On vous conseille de prendre le bus n° 18 de High St (dans le centre ; *plan B2*) ou du terminal des bus, car la route grimpe ferme pour s'y rendre. L'arrêt est juste devant. Sinon, prendre à gauche au bout de North Parade Rd (c'est l'A36) puis à droite au rond-point. Pas de couvre-feu. De l'ordre de 12 £ (17,80 €) par personne dans des dortoirs de 4 à 10 places. Belle demeure bourgeoise refaite à neuf, entourée d'un parc qui domine la ville. Les 124 lits sont souvent complets en été. En y allant vers 17 h, vous aurez une petite chance de trouver une place. Sert des repas. Cuisine disponible.

Prix moyens

■ ***Henry Guesthouse*** *(plan B3,* ***2****) :* 6 Henry St, BA1 1JT. ☎ 42-40-52. Fax : 31-66-69 • www.thehenry.com • Fermé pendant les fêtes de fin d'année. Chambre double avec TV mais douche et w.-c. sur le palier à partir de 50 £ (74 €). Cartes de paiement refusées. Simple et bien tenue, une des adresses les plus centrales, réputée en outre pour son *breakfast* très copieux.

■ ***Toad Hall Guesthouse*** *(hors plan par B3)* ***:*** 6 Lime Grove, Bathwick BA2 4HF. ☎ et fax : 42-32-54. Dans une rue parallèle à la Pulteney Rd, de l'autre côté de la rivière. Pour s'y rendre, emprunter North Parade Rd. À partir de 38 £ (56,20 €). Trois chambres avec ou sans douche à la décoration de bon goût. *Toad* signifie « crapaud » : la propriétaire en fait collection. Petit dej' copieux et accueil aimable.

■ ***The Belmont*** *(plan A1,* ***7****)* ***:*** 7 Belmont Lansdown Rd, BA1 5DZ. ☎ 42-30-82. • archie_watson@hotmail.com • Fermé à Pâques et pendant les fêtes de fin d'année. À 10 mn à pied du centre, les backpackers apprécieront la grimpette finale ! *B & B* avec des chambres spacieuses et joliment agencées, de 40 à 55 £ (59,20 à 81,40 €). Grand salon clair avec TV, livres et magazines. Un style vieille Angleterre très plaisant.

■ ***Parade Park*** *(plan B2-3,* ***6****)* ***:*** 8-10 North Parade, BA2 4AL. ☎ 46-33-84. Fax : 44-23-22. • info@parade park.co.uk • Très bien situé. À partir de 50 £ (74 €) pour des chambres mignonnes en *B & B,* et dont la vue est charmante à tous les étages. Les plus fortunés pourront s'offrir 2 jolies suites. À côté, le *Lambrettas,* un pub où boire un verre sans courir toute la ville.

■ ***Ashley House B & B*** *(hors plan par B3)* ***:*** 8 Pulteney Gardens, BA2 4HG. ☎ 42-50-27. Ouvert toute l'année. Pour y aller, traverser la rivière par North Parade Rd, puis à droite sur Pulteney Rd et à gauche. À 5 mn à pied du centre, dans une ruelle bordée de coquettes maisons. Facile à reconnaître, en été c'est la maison la plus fleurie de la rue. Compter de 47 à 53 £ (69,60 à 78,40 €) la chambre double. Coquet, impec et familial. Vanessa et Ron parlent très bien le français et possèdent d'ailleurs une maison en Bourgogne.

■ Si les ***B & B*** du centre sont tous complets, essayer un peu à l'extérieur, à partir de Charlotte St *(hors plan par A2),* il y en a plusieurs dizaines. Plus bruyants, et pas forcément moins chers.

Très, très chic

■ ***The Ayrlington*** *(hors plan par B2) :* 24-25 Pulteney Rd, BA2 4EZ. ☎ 42-54-95. Fax : 46-90-29. • www.ayrlington.com • De 80 £ (118,40 €) en semaine pour une chambre standard, à 180 £ (266,40 €) pour le grand luxe en week-end. Un hôtel hors du commun, dans une élégante maison victorienne donnant sur l'abbaye de Bath et l'Avon. En été, le magnifique jardin fleuri vous accueille pour le thé. L'intérieur est aménagé avec beaucoup de goût, et allie un style « so british » à des objets d'art asiatiques.

Les 12 chambres sont décorées thématiquement, et la maîtresse de maison vous communiquera sa passion pour ce lieu en tout point remarquable.

Villa Magdala Hotel *(plan B1, **10**)* **:** Henrietta Rd, BA2 6LX. ☎ 46-63-29. Fax : 48-32-07. • www.villamagdala.co.uk • Après Pulteney Bridge, 1re à gauche au rond-point. La nuit à partir de 90 £ (133,20 €). Grande maison victorienne de 1868 avec drôle de dédale d'escaliers, desservant 18 chambres à gros tissu fleuri, certaines avec baldaquin. La *dining-room* donne sur Henrietta Park.

Où dormir dans les environs ?

Rainbow Wood Farm : Claverton Down, Bath, BA2 7AR. ☎ et fax : 46-63-66. Prendre la route de Warminster, dépasser l'université de Bath, et c'est à 100 m sur la droite. Le bonheur rural pour 60 £ (88,80 €). Quatre chambres simples, toutes avec salle de bains, dans une authentique ferme du XVIIe siècle au milieu des moutons.

Très, très chic

Burghope Manor : Winsley, Bradford-Avon, Wiltshire BA15 2LA. ☎ 72-35-57. Fax : 72-31-13. • www.bath.org/hotel/burghop.htm • À 5 miles (8 km) de Bath, en prenant l'A36 vers Warminster. Arrivé à Winsley, dépasser le pub, et prendre le 1er chemin à droite. Vous y êtes. Une fois la sonnette « Big Ben » déclenchée, il faudra compter entre 100 et 115 £ (148 et 170,20 €) pour profiter des chambres, tout à fait exquises. Un bien joli manoir, appartenant à la même famille depuis le XIIIe siècle. Portraits de famille et meubles anciens donnent à cette magnifique maison un cachet extraordinaire. Une maison indépendante est également à louer, avec 3 chambres, pour 750 £ (1110 €) par semaine.

Où manger ?

Bon marché

Mai Thaï *(plan B3, **23**)* **:** 6 Pierrepont St, BA1 1LB. ☎ 44-55-57. Menu du midi à 6,95 £ (10,30 €) comprenant une entrée, un plat, du riz et du thé au jasmin. Curry du plus doux (le jaune) au plus épicé (le vert), soupe de noix de coco au poulet, *pad thaï,* le choix se fait parmi une douzaine de plats. Enfin un resto thaï où tout est thaï : le décor, les serveurs, la musique et bien sûr, le menu. Cuisine raffinée à petits prix. Une bonne affaire !

Pasti Presto *(plan A2, **22**)* **:** 7 Abbey Church Yard. Un large choix de chaussons fourrés à la viande ou aux légumes autour de 2 £ (3 €). Une boulangerie située en face de la Pump Room qui bénéficie d'une vue imprenable sur l'abbaye, et possède quelques tables sur le parvis pour grignoter au soleil.

Cornish Bakehouse *(plan A2, **30**)* **:** 11 Corridor. Un passage couvert à deux pas de la Pump Room. Des *rolls* (petits pains ronds fourrés ou pas) tout frais à partir de 0,45 £ (0,70 €). Qui dit mieux ?

The Huntsman Inn *(plan B2-3, **15**)* **:** 1 Terrace Walk, BA1 1LJ. À l'angle de North Parade, sur la petite place. ☎ 42-88-12. Sert midi et soir, jusqu'à minuit. Fermé le dimanche. Des *main courses* autour de 7 £ (10,40 €). Propose de bons petits plats à n'importe quelle heure de la journée, soit au pub du rez-de-chaussée, soit au resto à l'étage.

Ocean Pearl *(plan B2, **21**)* **:** The Podium, Northgate St, BA1 5AS.

☎ 33-12-38. Dans le *Podium Shopping Centre,* au dernier étage. Buffet d'une trentaine de spécialités chinoises pour 6 £ (8,90 €) le midi, avec vue sur la rivière. Salle très agréable, grandes verrières. Le soir à 12,50 £ (18,50 €), c'est beaucoup moins valable.

🍽 ***Fish and Chips*** *(plan A2,* ***29****)* **:** 38 Kingsmead St. Fritures fraîches et appétissantes pour moins de 3 £ (4,40 €), Par beau temps on peut déguster sa fameuse spécialité anglaise sur un banc à l'ombre du grand arbre de la place.

Prix moyens

🍽 ***The Eastern Eye*** *(plan A2,* ***25****)* **:** 8A Quiet St, BA1 2JS. ☎ 46-64-01. On le nomme ni plus ni moins le Taj Mahal de la cuisine indienne ! Des plats principaux à partir de 8 £ (11,80 €) et des formules pour 2 ou 4 personnes. Un restaurant indien à la cuisine d'une finesse et d'une qualité exceptionnelles. Vaste (pouvant accueillir plus de 100 personnes) et superbe salle victorienne à la décoration très sobre, composée de tentures légères et de tableaux de déesses en relief. Cuisine savoureuse et parfumée à souhait, spécialités de *thali* végétariens ou non. Carte des vins choisie et grande gentillesse des serveurs. Très classe pour un prix tout à fait raisonnable.

🍽 ***The Walrus and the Carpenter*** *(plan A2,* ***17****)* **:** 28 Barton St, BA1 1HH. ☎ 31-48-64. Ouvert de 12 h à 14 h 30 et de 18 h à 23 h. Compter 8,40 £ (12,40 €) pour le meilleur hamburger de la ville. Minuscule, éclairé à la bougie, tapissé d'affiches de ciné, nappes à carreaux et bonne ambiance, ce petit bout de resto propose aussi des cocktails aux noms détonants.

🍽 ***Tilley's Bistro*** *(plan B2-3,* ***20****)* **:** 3 North Parade Passage BA1 1NX. ☎ 48-42-00. Ouvert du lundi au samedi de 12 h à 14 h 30 et de 18 h 30 à 23 h. Fermé à la période de Noël. Menus à 9 et 15 £ (13,30 et 22,20 €). À la carte, tous les plats sont compris entre 7 et 11 £ (10,40 et 16,30 €). Végétariens *welcome* ! Un restaurant aux spécialités françaises dont la réputation s'étend bien audelà de la ville. Carte alléchante, service sympa, diligent et en français. Pour les nostalgiques : pâté et autres charcuteries, magret de canard, tournedos, etc. Carte des vins abondante. On mange au rez-de-chaussée ou en sous-sol. La déco est réduite à sa plus simple expression.

🍽 ***Demuths Vegetarian*** *(plan B2-3,* ***20****)* **:** 2 North Parade Passage, BA1 1NX. ☎ 44-60-59. Ouvert de 10 h à 22 h. De l'ordre de 14 £ (20,70 €) le menu. Pour nos lecteurs végétariens, bonnes préparations dans un cadre mignonnet comme tout. Très réussi.

🍽 ***Café Retro*** *(plan B2,* ***16****)* **:** 18 York St, à l'angle de Terrace Walk. ☎ 33-93-47. Ouvert à midi tous les jours et le soir du jeudi au samedi. Succulents *T-bone,* steack et hamburgers à la viande d'Angus entre 8 et 12 £ (11,80 et 17,80 €). Compter 16 £ (23,70 €) pour un repas complet. Avec son ambiance de *coffee-shop* californien, décontracté et reposant, on aime bien ce petit lieu où l'on peut aussi grignoter salades ou clubs sandwichs. La salle du rez-de-chaussée ferme à 18 h, mais on peut se réfugier au restaurant du 1er étage.

Plus chic

🍽 ***Sally Lunn's*** *(plan B2-3,* ***20****)* **:** 4 North Parade Passage, BA1 1NX. ☎ 46-16-34. Menu autour de 19 £ (28,10 €). Fameuse adresse située dans la plus ancienne maison de la ville. Cosy, intime, et chicos. Ils font leur propre pain, une sorte de grosse brioche dorée et délicieuse, et concoctent une bonne cuisine traditionnelle, avec sauces travaillées et tout le tralala. Prix mérités. Fait salon de thé l'après-midi. Au sous-sol, petit musée où l'on découvre une cuisine ancienne (ouvert dans la journée).

|●| ***The Moon and 6 Pence*** *(plan A2, **24**)* **:** 6A Broad St, BA1 5LJ. ☎ 46-09-62. Compter au moins 22 £ pour un repas complet (32,60 €). Nichée dans un passage en pierre, une ravissante maison vous ouvre ses portes. Peut-être pas de la haute gastronomie mais une cuisine simplement bonne dans un cadre de charme. Les viandes sont tendres, le thon moelleux et les sauces prennent parfois leur source du côté de l'Orient. Aux beaux jours, quelques tables judicieusement espacées s'étirent paresseusement dans le patio. Équipe jeune et accueillante.

|●| ***N° 5 Bistro*** *(plan B2, **26**)* **:** 5 Argyle St, BA2 4BA. ☎ 44-44-99. Compter environ 25 £ (37 €) pour un *full menu.* Brestois d'origine, le patron fait partager avec goût sa connaissance de la cuisine française : ballotin de canard au foie gras, coq au vin ou dorade au citron confit, tout est minutieusement préparé. Mercredi, spécialités de poisson. Lundi et mardi, malgré une belle carte des vins, on peut apporter sa bouteille. Sympa. Ambiance chic et conviviale, accueil chaleureux, tout pour passer une soirée de gourmets.

Où boire un verre ?

Autant l'accueil des salons de thé est ordinaire, autant les *landlords* (tenanciers) et les clients se mettent en quatre pour que vous vous sentiez bienvenu dans tous les pubs. Pour plus de détails sur les concerts et autres animations, procurez-vous le *This Month in Bath.*

🍸 ***Salamander*** *(plan A2, **36**)* **:** 3 John St, BA1 2JL. ☎ 42-88-89. Un pub très animé qui brasse sa propre bière artisanale, commercialisée sous le nom de Bath Ales. La brune, délicieuse, s'appelle « Festivity », tout un programme !

🍸 ♪ ***The Bell Inn*** *(plan B1, **35**)* **:** 103 Walcot St, BA1 5BW. ☎ 46-04-26. En haut de la rue. L'un des meilleurs pubs de la ville, où se retrouvent toutes les classes sociales et toutes les classes d'âges confondues. Musique live le lundi soir, mercredi soir et dimanche après-midi (de 13 h à 15 h). Entrée gratuite. Groupes jazz, folkloriques, ethniques, blues, funk ou cajun. On écoute la musique et on se joint au refrain. Quel que soit le spectacle, une soirée chaleureuse.

🍸 ***O'Brian Pub*** *(plan A2)* **:** à l'angle de Westgate St et Monmouth St. Un authentique bar irlandais, pour boire une bonne *stout* glacée. Dans les toilettes, tablette pour poser sa pinte et l'avoir à l'œil. Touche pas à ma bière !

🍸 ***All in One*** *(plan B2, **37**)* **:** 11-12 High St, BA1 5AQ. Des vins au verre en pagaille à partir de 3 £ (4,40 €) et quelques plats et *mezze* autour de 8 £ (11,80 €). Ici on boit moins de verres de bière que de vin, et si vous optez pour la bouteille, choisissez parmi celles joliment disposées derrière le bar. La clientèle trentenaire ne s'y trompe pas : musique pop, déco moderne et éclairage feutré donnent à ce lieu une allure « tendance ».

🍸 ***Pig and Fiddle*** *(plan A-B2, **38**)* **:** 2 Saracen St, BA1 5BR, à deux pas de la YMCA. Pour siroter vos bières en regardant les dizaines de cochons peints sur les murs ou accrochés au plafond, tout en hurlant à l'unisson des fans de rugby. À ne pas rater les soirs de match.

Où danser ?

♫ ***Revolution*** *(plan A1, **33**)* **:** George St. Bar branché sur 2 étages dans les locaux de l'ancienne poste. Parquet, confortables fauteuils, déco postmoderne, musique funky-house plein les oreilles. Le tout-Bath s'y presse en fin de semaine malgré des boissons un peu chères.

♫ ***Delfter Krug*** *(plan A2,* ***34****)* **:** en face du théâtre royal, au coin de Barton St et de Upper Borough Walls. ☎ 44-33-52. Entrée payante. Ouvert du lundi au samedi. LA boîte branchée du moment (jusqu'à quand?). Soirées funky-sexy-house, popastic, 80's, fresh & funky...

♫ ***Po-Na-Na*** *(plan B3,* ***32****)* **:** 8-10 North Parade, BA2 4AL. ☎ 42-49-52. Du lundi au samedi. Ferme à 2 h. Entrée payante. En sous-sol, une succession de petites caves avec des tissus au plafond. Musique hip-hop, soul, funky et house. On y boit, on y danse (bien sûr), mais on peut aussi y discuter presque au calme dans quelques recoins confortables.

Où sortir?

– ***Le théâtre Royal*** *(plan A2)* **:** St John's Place, BA1 1ET. ☎ 44-88-44. Beau théâtre, sauvé par le bénévolat, qui propose des pièces de qualité, parfois même en exclusivité prélondonienne.

– ***Cinémas*** **:** principalement l'***ABC*** sur Westgate St *(plan A2)*, et le ***Little Theatre Cinema*** sur St Michael's Place. Tickets autour de 5 £ (7,40 €).

À voir. À faire

Promenades guidées

➢ ***Walking Tours*** **:** 2 h de balade à travers la ville, avec commentaires historiques excellents concoctés par de sympathiques bénévoles. ☎ 47-74-11. Gratuit. Appeler l'office de tourisme pour connaître les horaires précis car ils changent selon les jours. En général, le matin à 10 h 30 et à 14 h l'après-midi (sauf le samedi). Départ devant la *Pump Room.*

➢ ***Bizarre Bath*** **:** balade humoristique (en anglais) à travers la ville. Renseignements : ☎ 33-51-24. • www.bizarrebath.co.uk • Départ tous les soirs à 20 h, de mars à fin septembre. Compter 5 £ (7,40 €) ; réductions. Rendez-vous devant *The Huntsman Inn (plan B2-3,* ***15****).*

➢ ***Ghost Walks*** **:** balade à la recherche des fantômes du centre-ville. En anglais. Renseignements : ☎ 46-36-18. • www.ghostwalksofbath.co.uk • Départ du *Garrick's Head Pub* (près du Théâtre royal) à 20 h, d'avril à octobre. Compter 5 £ (7,40 €) ; réductions. Sinon, *Ghost Tour* au départ de *Crystal Palace Pub (plan B3)* tous les soirs à 20 h face à Abbey Green.

➢ ***Tour en bus à 2 étages*** **:** départ de Terrace Walk et de Grand Parade *(plan B2)*, toute la journée avec plusieurs compagnies.

Monuments et musées

Si vous ne choisissez pas les *Walking Tours,* voici une proposition d'itinéraires à la recherche des plus beaux édifices, en passant par les musées les plus intéressants. Départ d'Abbey Church Yard, où se trouve le *Tourist Information Centre.*

Abbey Church *(plan B2)* **:** au centre-ville. Ouvert de 9 h à 18 h (16 h 30 en hiver). Entrée gratuite, mais participation de 2,50 £ (3,70 €) conseillée. *Evensongs* le dimanche à 17 h 30 (offices chantés par le chœur d'enfants). D'abord couvent de religieuses, puis église romane, l'abbaye actuelle fut réalisée au XVe siècle dans un style dit gothique « perpendiculaire », surmontée en son centre par une imposante tour carrée. Mais dès le XIIe siècle, autour de l'église romane, les pauvres pouvaient prendre des bains gratuitement. Avant d'entrer, jeter un œil à la façade. De chaque côté de la vaste baie vitrée centrale, on voit une échelle que gravissent des angelots, évocation d'un rêve de l'évêque qui décida d'édifier l'église et qui transforma ses rêves en réalité.

À l'intérieur, outre les belles proportions, ce qui frappe essentiellement, c'est l'élégance étonnante de la voûte de la nef, composée de nervures fines qui dessinent des éventails énormes. Très réussi. Derrière le maître-autel, vaste vitrail qui décrit la vie du Christ en 56 panneaux. Les murs des nefs latérales sont couverts d'ex-voto sculptés dans la pierre. Ceux qui s'intéressent à chaque élément architectural de l'abbaye prendront la petite brochure gratuite en français, distribuée à l'entrée.

Les bains romains *(plan A-B2)* **:** sur la place à côté de l'abbaye. ☎ 46-11-11. En été, ouvert tous les jours de 9 h à 21 h (17 h de mars à juin et en septembre-octobre) ; le reste de l'année, de 9 h 30 à 16 h 30. Dernière visite 1 h avant fermeture. Entrée : 9 £ (13,30 €) ; réductions. Ticket combiné possible avec le musée des costumes à 12 £ (17,80 €), dans *Assembly Rooms.* Pour ce prix, n'oubliez pas votre audioguide en français. On entre dans le vaste bâtiment de style néoclassique qui les entoure. Ce style dit palladien, celui de toute la ville, était « à l'imitation des Romains ». Les architectes du XVIIIe siècle n'avaient évidemment aucune idée du vrai style romain qui se trouvait sous leurs pieds, et dont il subsiste de beaux restes. La température de l'eau tourne autour de 47 °C. Ceux qui veulent jeter un œil à une « piscine » gratuitement iront jusqu'à la *Pump Room,* d'où l'on voit un bassin. Cette Pump Room, salon-restaurant (aucun intérêt gastronomique) somptueux et délicieusement suranné, est un témoignage de la prospérité anglaise de la fin du XVIIIe siècle. Déjà en 1706, les bourgeois buvaient leur verre d'eau chaude soufrée en musique (souverain si vous en avalez une pinte par jour, 8 jours de suite. Écrivez-nous si vous dépassez le 1er jour). Hier comme aujourd'hui, une formation classique ou un pianiste joue en alternance du matin au soir. L'établissement thermal n'est plus ici, on le trouve au *Royal Hospital.*

En payant, on découvre d'autres vues et l'ensemble des vestiges des bains romains exhumés seulement à la fin du XIXe siècle, dont une partie est transformée en un musée bien agencé où est exposé le résultat des recherches. Aujourd'hui encore, les fouilles continuent. On y verra 2 trouvailles essentielles : une grosse tête de Gorgone en pierre, sculptée dans un style celtique et placée sur le fronton du temple de Sulis, déesse celte des Bains à laquelle on avait lié Minerve, déesse romaine de la Santé et de la Guérison. Au fond du musée, la 2e pièce maîtresse : une tête de bronze doré de Minerve, trouvée au XVIIIe siècle, superbe de grâce et de finesse et qui montre l'importance de la déesse. Également des restes de mosaïques, des pierres tombales. Explorez les différents bains circulaires, semi-circulaires, carrés, et, bien entendu, le bassin vedette, le grand rectangle en plein air, entouré de colonnades. On comprend bien l'ingénieux système de chauffage par briques. Chaque bassin proposait une température différente avec un *frigidarium,* un *tepidarium* et un *caldarium.* Ajoutez à cela un grand temple, des coursives et des vestiaires ; c'était une vraie petite société qui s'agitait en sous-sol.

Assembly Rooms et Museum of Costume *(plan A1,* ***44****)* **:** Bennett St, près du *Crescent.* Ouvert tous les jours de 10 h à 17 h ; dernière entrée 30 mn avant la fermeture.

– Dans *l'Assembly Rooms,* on découvre (gratuitement) une série de belles salles pleines d'élégance, édifiées au milieu du XVIIIe siècle par John Wood fils pour que la bonne société se retrouve pour danser, disputer des parties de cartes *(card-rooms),* fumer le cigare, prendre le thé. Vaste salle de bal, salons clinquants... À l'époque, on avait de l'argent et il fallait le montrer. C'est ici qu'il fallait être vu pour compter dans le monde.

– Au sous-sol, *musée du Costume*. ☎ 47-78-67. • www.museumofcostume.co.uk • Compter 6 £ (8,90 €) pour l'entrée; réductions et ticket combiné avec les bains romains possible. Prêt d'un audioguide (avec casque) pour des explications très complètes en français. Toute l'histoire de la mode depuis la fin du XVIe siècle jusqu'à nos jours. Plus de 200 costumes exposés. Corsets et crinolines, robes du soir en soie, tenues d'apparat du XVIIIe siècle. Belle vitrine de gants. Robes élisabéthaines de toute beauté. Puis les tenues s'allègent, les formes s'assouplissent, de nouvelles matières sont mises au point : mousseline, taffetas, velours. Tenues victoriennes ravissantes. Apparition du costume pour homme, certains en soie. Années 1920, les premiers manteaux de fourrure; les robes raccourcissent, elles s'approchent du corps. Quelques vitrines années 1960 : naissance du plastique dans l'habillement et utilisation de couleurs très vives (jaune, orange, violet...). Bottes hautes, pattes d'éléphant, robes babas... Quelques panoplies de créateurs à la mode.

★★★ ***The Circus*** *(plan A1)* **:** avec le *Royal Crescent* voisin, c'est l'ensemble architectural le plus impressionnant de la ville. Circulaire, comme son nom l'indique, planté en son centre de 5 gigantesques platanes. Ils furent élevés au milieu du XVIIIe siècle, toujours par John Wood père et fils. À chacun des 3 niveaux apparaît une série de doubles colonnettes respectivement doriques, ioniques et corinthiennes. Avez-vous remarqué la frise qui court au-dessus du 1er niveau? Elle est constituée de 528 symboles des arts et des sciences, et la petite histoire raconte qu'il n'y en a pas 2 identiques. Superbe ensemble où séjournèrent notamment William Pitt, David Livingstone, William Gainsborough et bien d'autres. En empruntant Brock St (vers le nord-ouest), on parvient au Royal Crescent.

★★★ ***Royal Crescent*** *(hors plan par A1,* ***45****)* **:** prononcez « cresnt ». C'est le plus grand ensemble cohérent de la ville, composé de 30 maisons classiques en pierre de Bath, toutes jointes entre elles par de très épurées colonnes ioniques. On doit encore le Crescent à John Wood fils, qui a su dégager une vaste perspective grâce au large trottoir et surtout à son immense pelouse qui décline doucement, offrant une vue superbe sur la campagne et un terrain de jeux fantastique pour petits et grands. L'été, il n'est pas rare de voir de vieux British jouer aux boules avec le plus grand sérieux.
Au no 1 du Royal Crescent (côté Brock St), visite possible d'une maison dont la décoration et l'ameublement ont été parfaitement reconstitués sur le modèle de l'époque georgienne, encore une fois sauvée par le privé. Ouvert de mi-février à la fin novembre, tous les jours sauf le lundi, de 10 h 30 à 17 h. ☎ 42-81-26. Prévoir environ 4 £ (5,90 €) pour l'entrée.

★ ***The Museum of Bath at work*** *(plan A1,* ***42****)* **:** sur Julian Rd. ☎ 31-83-48. De Pâques à fin octobre, ouvert tous les jours de 10 h à 17 h; le reste de l'année, uniquement le week-end. Dernière visite 1 h avant fermeture. Entrée : 3,5 £ (5,20 €); réductions. Où l'on découvre l'histoire de l'industriel Mr Bowler, qui fit fortune à la fin du XIXe siècle dans la fonderie et l'eau minérale. Il fut l'inventeur de « l'Orange Champagne », du « Bath Punch » et du « Cherry Ciderette », 3 boissons oubliables et oubliées depuis. Machines anciennes, ateliers, bureaux, échoppe. Mr Bowler était un touche-à-tout de génie, qui réussissait dans chacune de ses entreprises.

★★ ***The Postal Museum*** *(plan A2,* ***41****)* **:** 8 Broad St, BA1 5LJ. ☎ 46-03-33. • www.bathpostalmuseum.org • Ouvert tous les jours, sauf le dimanche, de 11 h à 17 h (16 h 30 en hiver). Entrée : de l'ordre de 3 £ (4,40 €); réductions. Pourquoi un musée de la Poste? Tout simplement parce que c'est d'ici que Ralph Allen mit au point le 1er système postal avec lequel il fit fortune; fortune grâce à laquelle il entreprit de faire reconstruire la ville telle qu'on la connaît aujourd'hui. Il fit partir la 1re diligence de poste qui réalisa Bristol-

Londres en 17 h, un record ! Le musée retrace toute l'histoire du timbre. En 1840, idée géniale : montrer que le port de 1 penny avait bien été payé en collant un vieux machin : le premier timbre du monde, le célèbre *Penny Black,* est parti d'ici. Même les cartes de Noël ont été inventées ici. Le musée intéressera tout aussi bien les non-collectionneurs, avec ses lettres d'argile assyriennes, son courrier écrit verticalement et horizontalement pour économiser le timbre, ses lettres détériorées dans toutes les catastrophes imaginables.
Intéressantes photos et peintures des premiers avions postaux et cartes postales originales. Au fait, on peut même y poster ses cartes dans une salle de poste reconstituée.

En redescendant Broad St, puis à gauche sur Bridge St, on atteint ***Pulteney Bridge*** *(plan B2, **49**)*. Construit au XVIIIe siècle lui aussi, c'est le Ponte Vecchio de Bath, avec ses boutiques et son animation d'antan superbe, qui propose une vue délicieuse sur le déversoir en fer à cheval.

Si vous avez encore du temps

Building of Bath Museum *(plan A1, **40**)* **:** 10 Paragon. ☎ 33-38-95. Ouvert de mars à décembre, du mardi au dimanche de 10 h 30 à 17 h. Entrée : environ 4 £ (5,90 €) ; réductions. Toute l'histoire architecturale georgienne de la ville. À l'entrée, on vous propose de scier un gros bloc de pierre calcaire de Bath. Un jeu d'enfant. Musée un peu technique, présentant bien l'évolution des matériaux et des décors à travers le temps, et comment on concevait une maison à l'époque georgienne. Gravures, photos, plans, maquettes, outillages, exemples de matériaux. Au fond, maquette de la ville au 1/500. Petit musée pointu qui passionnera surtout les amoureux d'archi, les étudiants en archi et les archis eux-mêmes.

The Holburne Museum of Art *(hors plan par B2, **46**)* **:** tout au bout de Great Pulteney St, à l'entrée du Sydney Garden. ☎ 46-66-69. • www.bath.ac.uk/holburne • Ouvert de mi-février à décembre, du mardi au samedi de 10 h à 17 h et le dimanche de 14 h 30 à 17 h 30. Cette élégante demeure classique abrite des collections d'art décoratif européen, essentiellement du XVIIIe siècle (porcelaine, argenterie...) et aussi du mobilier et des peintures des XVIIe et XVIIIe siècles pour l'essentiel. Bon, le tout est un peu ennuyeux, malgré quelques belles pièces. Expos temporaires également. Sur le côté du bâtiment, petit salon de thé.

The Museum of East Asian Art *(plan A1, **47**)* **:** 12 Bennett St. Ouvert de 10 h (12 h le dimanche) à 17 h. Fermé le lundi. Entrée : 3,50 £ (5,20 €) ; réductions. Pour les passionnés d'art asiatique. De très belles pièces provenant de Chine, du Japon et d'Asie du Sud-Est du Ve siècle av. J.-C. à nos jours.

Quelques autres rues intéressantes à Bath : les Parades qui ont des cafés à terrasse en été, fanfares sur Parade Gardens parfois, Great Pulteney St *(plan B2),* dans un style georgien parfait, frisant l'ennui. Et puis encore Upper Borough Walls *(plan A2),* Queen Square *(plan A2).*

Henrietta Park *(plan B1)* **:** jardin d'odeurs pour non-voyants. Pancartes en braille et plantes très parfumées.

***Victoria Art Gallery* :** Pulteney Bridge. Ouvert du mardi au samedi de 10 h à 17 h et le dimanche de 14 h à 17 h. Entrée gratuite. Un magnifique bâtiment abritant des expositions temporaires ou permanentes d'artistes contemporains. Se renseigner auprès de l'office de tourisme sur les expos du moment.

Jane Austen Centre *(plan A2, **48**)* **:** 40 Gay St, BA1 2NT. ☎ 44-30-00. • www.janeausten.co.uk • Ouvert tous les jours de 10 h à 17 h 30. Entrée :

4 £ (5,90 €) ; réductions. Pour les inconditionnels de la célèbre romancière anglaise. Un musée dédié à sa vie, son œuvre et son époque. Propose aussi des balades thématiques dans la ville.

Victoria Park : au-dessus du Crescent, pour les sportifs, minigolf et *golf aventure*. Pas besoin d'être membre : pour trois fois rien, *pitch & put* disponibles. Pas très loin, un court de tennis à louer au prix d'un esquimau, mais matériel non fourni.

De l'autre côté du pont, dans Argyle St en descendant les marches, au pied du pont, on découvre une belle vue sur les colonnades romaines, surtout le matin. C'est aussi une bonne petite adresse pour grignoter un sandwich le midi (au *Riverside Café*).

➢ ***Promenade en bateau sur l'Avon*** *(plan B2, 43)* **:** lorsqu'il fait beau, comme le spécifie la pancarte, toutes les heures à l'heure pile de 11 h à 18 h, de Pâques à octobre ; face au déversoir. ☎ 42-84-22. On atteint le point de départ par les escaliers à l'extrémité du pont Pulteney. Promenade jusqu'à Bathampton et retour, 1 h. Très agréable.

➢ ***Promenade en barque :*** *Bath Boating Company,* au bout de Forester Rd. ☎ 46-64-07. Au nord du centre-ville. De mars à octobre, de 9 h 45 à 19 h. Compter 4,50 £ (6,70 €). Location de barques l'été. Sympa comme tout, et vision différente de la ville au ras de l'eau.

➢ ***Promenade à pied le long du canal :*** traverser le pont derrière la gare le long de Claverton St, puis longer sur la droite le canal sur plusieurs kilomètres. Retour en ville possible par bateau.

Shopping

Milsom St *(plan A-B2)* **:** pour l'élégance. Jane Austen y allait déjà.

Lotus Emporium : 19-20 The Corridor, dans Northumberland Passage, *(plan B2)*. Fantastique boutique de savons, d'encens, de sels de bain très originaux. À l'étage, de beaux tissus.

Shires Yard : sur Milton St. Des boutiques de fringues de créateurs dans un dédale piéton pavé, aux murs en pierre. Entre deux courses, arrêtez-vous pour boire un verre chez *René* ou au *Parisien* dans le grand patio très agréable été comme hiver avec sa quarantaine de tables (jusqu'à 17 h 30).

Bar Chocolat : 3 Argyle St, BA2 4BA. ☎ 44-60-60. En boisson, en bouchées, en tablettes, et avec des arômes originaux (essayer le « chili pepper »). Bien sûr, c'est hors de prix, mais quand on aime...

– ***Marché couvert*** entre Grand Parade et High St *(plan B2)*. Bric-à-brac pour s'abriter en cas de douche.

Antiquités : question vieilleries, Bath est une ville réputée. D'ailleurs, des antiquaires français viennent régulièrement faire leurs courses ici. Bartlett St et Saville Row *(plan A1)* sont les rues où se concentrent les boutiques. • www.bathantiquesonline.com •

Festivals

– Plus de 20 sur toute l'année, le plus prisé restant ***Bath International Music Festival,*** la 2e quinzaine de mai, ☎ 46-33-62.
– ***Bath Literature Festival,*** début mars, ☎ 46-33-62 et ***Bath Shakespeare Festival*** à la même période, ☎ 44-88-44.
– ***Jane Austen Festival,*** fin septembre, ☎ 44-30-00. • www.janeaustenfestival.co.uk •
– ***Bath Mozart Festival,*** mi-novembre, ☎ 42-97-50.

➤ *DANS LES ENVIRONS DE BATH*

American Museum, Claverton Manor : University Campus BA2 7BD. ☎ 46-05-03. • www.americanmuseum.org • À 3 km au sud-est de la ville. Bus nº 18 du terminal de bus. Visite de début avril à fin octobre, tous les jours sauf le lundi, de 12 h à 17 h. Compter 6,50 £ (9,60 €).
Ce manoir de style classique, au milieu d'un parc admirable, abrite le plus important musée américain d'Europe. Ses collections illustrent la vie dans le Nouveau Monde depuis les premiers temps de la colonisation jusqu'à la guerre de Sécession. Tout le mobilier a été importé des États-Unis. Musée à ne pas manquer car il est très riche et bien fichu. Sur 3 niveaux, 18 pièces entièrement reconstituées et présentées de manière chronologique. Tout y est d'une grande cohérence et arrangé avec un surprenant souci du détail. Parmi les plus belles salles, la *Keeping-room* du XVIIe siècle, très puritaine ; le bourgeois *Perley Parlor,* le cossu *Deming Parlor,* l'élégante *Stencilled Bed Chamber,* la rustique *Conkey's Tavern,* l'étonnante salle *Shaker* (groupe religieux et puritain si propre qu'il accrochait les chaises au portemanteau après s'en être servi !)... Et puis la superbe *New Orleans Bedroom...* Bref, toute l'évolution des premiers Américains. On verra encore, au sous-sol, l'histoire des pionniers, des Indiens (superbes gravures de portraits de chefs), des Esquimaux (armes en ivoire), la reconstitution d'une boutique... et on en passe. Vraiment passionnant. À côté du musée principal, voir la *New Gallery* qui présente des expos temporaires sur des thèmes variés ayant rapport avec les États-Unis. Également une collection de cartes du XVe au XVIIe siècle. Voir encore, dans les écuries, la collection d'art naïf américain du XIXe siècle. Cafétéria en terrasse pour un thé et *cookies* d'outre-Atlantique. Dans le parc, beaux jardins, arboretum et sentiers de promenade. Quand on vous dit qu'il faut y aller !

Beckford's Tower : à 1,5 mile (2,4 km) au nord du centre-ville par Lansdown Rd. ☎ 46-07-05 ou 42-22-12. • www.bath-preservation-trust.org.uk • Ouvert de Pâques à octobre le samedi et le dimanche de 10 h 30 à 17 h. Prévoir 3 £ (4,40 €) par personne. Construction étonnante d'un milliardaire, datant de 1827. Il faut monter en haut de la tour pour la vue.

Dyrham Park : à 8 miles (12,8 km) au nord de Bath, demeure georgienne dans un parc superbe. Entrée autour de : 8,3 £ (12,30 €). On prend le thé dans l'orangerie. Les extérieurs du film *Les Vestiges du jour* de James Ivory, avec Anthony Hopkins, y ont été tournés.

BRISTOL

415000 hab. IND. TÉL. : 0117

Ancien port commercial qui accueillit l'expédition de l'italien John Cabot, lorsqu'il découvrit l'Amérique, puis dynamique ville industrielle, Bristol fut la première cité à avoir accès au téléphone international sans opérateur. Les docks, très endommagés durant la Seconde Guerre mondiale, ont été réhabilités et abritent désormais des espaces culturels, des restos, des salles de spectacles. Bristol compte aussi une université très réputée. La population estudiantine ajoute à l'animation de la ville devenue très à la mode. Pépinière musicale qui a vu naître des groupes comme *Massive Attack* ou *Portishead,* siège du théâtre le plus vieux du pays qui a formé Jeremy Irons, capitale de l'animation cinématographique avec les studios de *Wallace et Gromit,* Bristol n'en finira pas de vous étonner !

Comment s'y rendre de Londres ?

➤ ***Par le train :*** 1 h 40 de trajet. Départ de Paddington Station. Arrivée à Temple Meads Railway Station *(hors plan par D3).* Admirer au passage l'architecture victorienne de la gare.

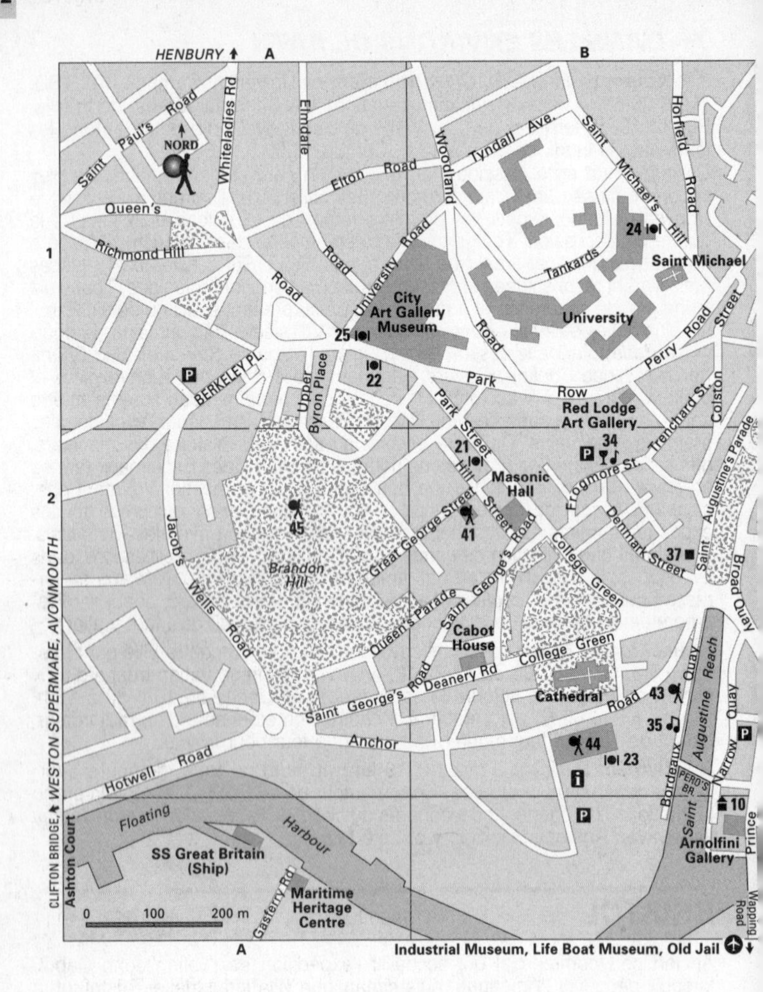

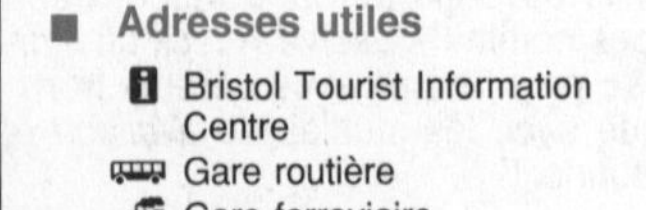

Adresses utiles

- Bristol Tourist Information Centre
- Gare routière
- Gare ferroviaire
- Poste

Où dormir ?

10 Youth Hostel
11 Bristol Backpackers
12 Hotel du Vin and Bistro
13 Walkabout Hotel
14 Premier Lodge

Où manger ?

20 The White Hart
21 Boston Tea Party
22 Prêt à Manger
23 Firehouse Rotisserie
24 Anthem
25 Brown's Restaurant & Bar

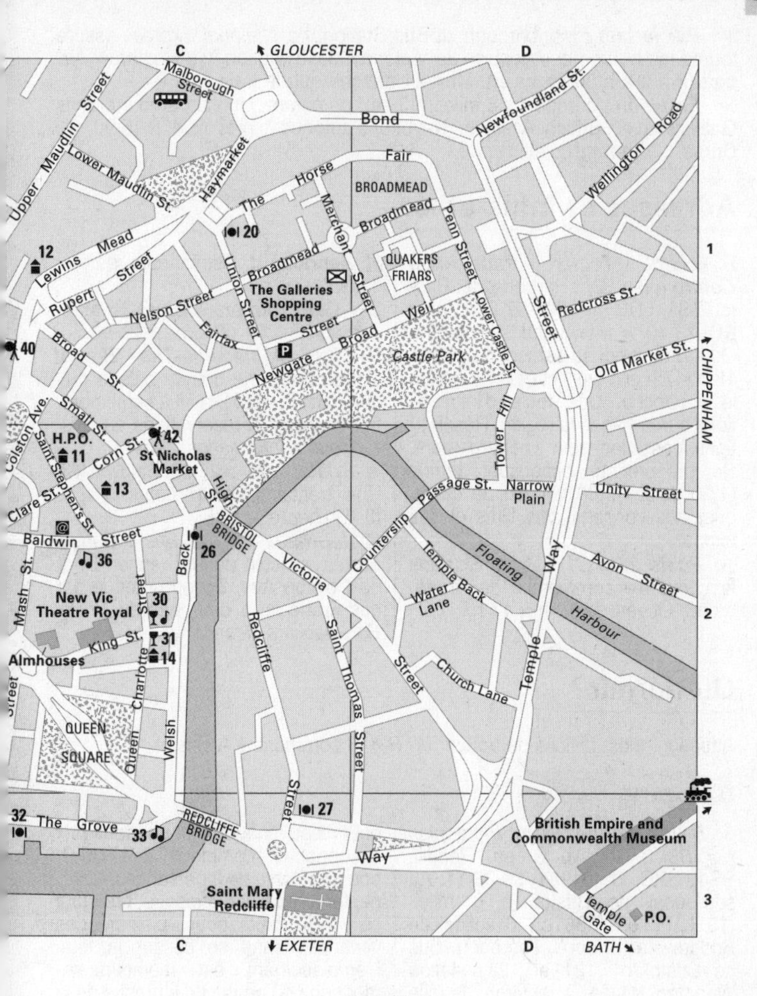

BRISTOL

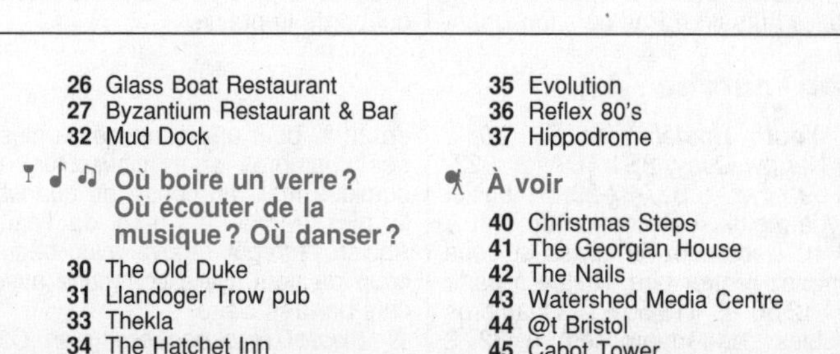

26 Glass Boat Restaurant
27 Byzantium Restaurant & Bar
32 Mud Dock
35 Evolution
36 Reflex 80's
37 Hippodrome

Où boire un verre ? Où écouter de la musique ? Où danser ?

30 The Old Duke
31 Llandoger Trow pub
33 Thekla
34 The Hatchet Inn

À voir

40 Christmas Steps
41 The Georgian House
42 The Nails
43 Watershed Media Centre
44 @t Bristol
45 Cabot Tower

➢ ***Par le bus :*** Marlborough St Bus Station. La *National Express* assure toutes les heures des départs de Victoria Coach Station, via Heathrow Airport (2 h à 2 h 30 de trajet). Meilleur marché que le train.
➢ ***En avion :*** aéroport à 8 miles (13 km) du centre. Un vol par jour depuis Gatwick avec British Airways. Navette d'autobus : prévoir 4 £ (5,90 €). Durée : 30 mn jusqu'au centre.

Adresses et infos utiles

Bristol Tourist Information Centre *(plan B2)* **:** Harbourside, Bristol BS1 5DB. ☎ 926-07-67. Fax : 915-73-40. • www.visitbristol.co.uk • Ouvert du lundi au samedi de 10 h à 18 h (17 h en hiver) et de 11 h à 16 h le dimanche. Une foule d'informations sur la ville et la région. Réservations possibles pour l'hébergement. Se procurer le bimensuel *Venue* (1,20 £, soit 1,80 €) pour le calendrier des concerts, des films et des expos.

✉ ***Poste*** *(plan C1)* **:** Union St, dans le complexe commercial de Broadmead. Ouvert de 10 h à 17 h.

■ ***Banques :*** distributeurs partout dans la ville.

Gare routière *(plan C1)* **:** Marlborough St. ☎ (08706) 08-26-08.

■ ***City Sightseeing-The Bristol Tour :*** pour une grande balade guidée dans la ville. D'avril à septembre. Informations et réservations au *Bristol Tourist Information Centre.*

@ ***Bristol Life :*** 27-29 Baldwin St. Une trentaine d'ordinateurs à 2 £ (3 €) l'heure.

■ ***Journaux en français :*** *Central Stores,* au coin de St Stephen St et de Colston Ave. Échoppe tenue par des Français, à deux pas du *Bristol Backpackers Hostel.*

Où dormir?

Attention, il est difficile de trouver un *B & B* bon marché à Bristol.

Camping

Brook Lodge Farm *(hors plan par B3)* **:** Cowslip Green, Redhill, BS40 5RD. ☎ (01934) 86-23-11. Au sud-ouest de Bristol, à 8 miles (13 km) sur l'A38 en direction de Bridgewater et après l'aéroport. Bus de Bristol n°s 121 et 122; station Wrington située à environ 1 mile (1,6 km) du camping. Ouvert de février à novembre. Enfin un camping à taille humaine! Pas de supplément pour l'eau chaude, et pourtant prix raisonnables : compter 12 £ (17,80 €) pour une tente de 2 personnes. Laverie, fer à repasser, frigidaire, bref, tout ce qu'il faut pour passer des vacances sans se casser la tête. L'emplacement est malheureusement un peu bruyant car proche de la route. Possibilité de s'exercer à la pêche à la ligne dans la petite rivière qui borde la prairie.

Bon marché

Youth Hostel *(plan B3,* ***10****)* **:** 14 Narrow Quay, BS1 4QA. ☎ 922-16-59. Fax : 927-37-89. • bristol@yha.org.uk • Réception de 7 h à 20 h. Demandez un *pass* si vous comptez rentrer tard. Nuitée à partir de 12,50 £ (18,50 €). Chambres doubles (lits superposés) à 32 £ (47,40 €). Petit dej' inclus. Réduction de 20 % pour une semaine ou plus. Les chambres sont minuscules et humides mais au centre du quartier le plus animé, au bord de l'eau. Ancien entrepôt rénové avec beaucoup de goût. Salle commune avec café-bar très claire.

Bristol Backpackers *(plan C2,* ***11****)* **:** 17 St Stephen St, BS1 1EQ.

☎ et fax : 925-79-00. • www.bristol backpackers.co.uk • Au centre de la ville. Ouvert toute l'année, tous les jours. À 5 mn à pied de la station de bus et à 15 mn de la gare. Compter 13 £ (19,20 €) la nuit par personne. Réductions à partir de 3 nuits. Dans un superbe immeuble qui abrita les premières éditions du *Times* et du *Mirror* de Bristol, une centaine de lits dans des dortoirs de 6 à 10 places. Cuisine équipée et laverie. Accès Internet. Accueil en français, vraiment sympa. Une ambiance d'auberge espagnole.

🏠 ***Nova Scotia** (hors plan par A3) :* Cumberland Bassin, Hotwells. ☎ 929-79-94. Environ 20 £ (29,60 €) par personne en *B & B*. Non loin du *ss Great Britain*, un pub de dockers et de loups de mer. Au premier, 2 chambres plutôt proprettes. Ambiance très marrante. Une véritable adresse de routard !

Prix moyens

🏠 ***Walkabout Hotel** (plan C2, **13**) :* St Nicholas Court, St Nicholas St, BS1 1UB. ☎ 945-96-99. Fax : 927-37-11. • www.walkabout.eu.com • Compter 50 £ (74 €) le week-end et 60 £ (88,80 €) du lundi au jeudi. Des chambres doubles avec TV et salle de bains. Accueil souriant dans cet hôtel australien très bien situé qui jouxte un bar... australien ! Écrans de TV partout dans la salle, très animé les soirs de match. Ne prévoyez pas de vous coucher avec les poules.

🏠 ***Premier Lodge** (plan C2, **14**) :* King St, BS1 4ER, derrière le *Llandodger Trow Pub* (où est servi le petit dej', voir « Où boire un verre »). ☎ (08709) 90-64-24. Fax : (08709) 90-64-25. • www.premierlodge.com • Compter 56 £ (82,90 €) maxi pour la double avec TV. Des chambres banales mais bien tenues (odeur de détergent au détour des couloirs). Très central, cet hôtel qui fait partie d'une chaîne est à un prix correct pour la ville.

🏠 ***Downs View Guesthouse** (hors plan par A1) :* 38 Upper Belgrave Rd, BS8 1LR, Clifton. ☎ 973-70-46. Fax : 973-81-69. • www.downsviewgues thouse.co.uk • Prévoir 50 £ (74 €) environ à 2. Dans une maison victorienne, un peu éloignée du centre, un *B & B* de 15 chambres avec vue sur le parc de Clifton Down ou sur les toits de Bristol. Déco british, très *cute*. Chambres vastes et claires.

Plus chic

🏠 ***Victoria Square Hotel** (hors plan par A1) :* Victoria Square, BS8 4EW, Clifton. ☎ et fax : 973-90-58. • www. vicsquare.com • Entre 75 et 85 £ (111 et 125,80 €). Une grande maison entourée d'arbres, au calme. Chambres assez spacieuses avec d'imposantes fenêtres. La salle pour le petit dej' (inclus) est pourvue d'une grande baie vitrée.

Très chic

🏠 ***Hotel du Vin and Bistro** (plan C1, **12**) :* The Sugar House, Lewins Mead, BS1 2NU. ☎ 925-55-77. Fax : 925-11-99. • www.hotel duvin.com • À partir de 125 £ (185 €) la double. Quel charme fou et quel goût ! Chaque chambre porte le nom d'un vin et la déco est personnalisée. Laquelle choisir ? *That is the question...* Le restaurant offre un menu de gourmet avec une carte des vins de connaisseur. Exceptionnel, mais autant le dire tout de suite, ce n'est pas pour toutes les bourses...

Où manger ?

Bon marché

|●| ***Boston Tea Party** (plan B2, **21**) :* 75 Park St, BS1 5PF. ☎ 20-11-81. Pour à peine plus de 6 £ (8,90 €), on y mange, on y boit, on y discute, dans le patio ou le salon du haut sur de confortables canapés. Et que du

bio, s'il vous plaît ! Expos de peinture permanentes. Grand choix de thés, de cafés, de gâteaux, et quelques plats originaux comme le poulet épicé avec bananes plantains.

🍽 ***Zizzi*** *(hors plan par A2)* **:** 29-33 Princess Victoria St, BS8 4BX. Pas très loin de Clifton Bridge. ☎ 317-98-42. Autour de 7 £ (10,40 €). Très chouette resto italien à la déco moderne. Au-dessus du grand four à pizza où les cuistots s'agitent, des rondins de bois joliment alignés. Plats de pâtes copieux et pizzas fines et croustillantes.

🍽 ***The White Hart*** *(plan C1,* ***20****)* **:** Lower Maudlin St, BS1 2LU. Copieux sandwichs et *jacket potatoes* autour de 3,50 £ (5,20 €). Dans le coin de Broadmead, un pub réputé hanté pour déjeuner entre 2 achats. Une bonne alternative aux chaînes de fast-food qui pullulent.

🍽 ***Prêt à Manger*** *(plan A1,* ***22****)* **:** 29-30 Queen's Rd, BS8 1QE. En face de l'université de Bristol. Ouvert de 8 h à 17 h tous les jours. Pour environ 2,50 £ (3,70 €), on compose soi-même ses sandwichs et salades avec des produits frais sans OGM ni conservateurs.

Prix moyens

🍽 ***Brunel Raj*** *(hors plan par A1)* **:** 7 Waterloo St, BS8 4BT, Clifton. ☎ 973-26-41. À deux pas de Princess Victoria St. De 6 à 13 £ (8,90 à 19,20 €) pour un plat principal. Une excellente cuisine indienne dans un cadre qui ne rappelle pourtant en rien l'ancienne colonie britannique. Plats variés et très raffinés, du doux au très épicé. Les spécialités du chef, entre autres, sont particulièrement savoureuses. Il est plus que prudent de réserver le week-end.

🍽 ***Mud Dock*** *(plan C3,* ***32****)* **:** 40 The Grove, BS1 4RB. ☎ 934-97-34. Ouvert de 9 h 30 à 22 h 30. Un fana de la petite reine a transformé le 1er étage d'un entrepôt en un resto-bar branché. On y mange de copieux plats de brasserie pour environ 8 £ (11,80 €). On peut aussi juste y siroter un verre dans une ambiance décontractée avec une plaisante perspective sur le port et des vélos au-dessus de la tête. Entrée par le magasin de bicyclette ou par l'escalier en fer sur la gauche après 18 h 30.

🍽 ***Firehouse Rotisserie*** *(plan B2,* ***23****)* **:** Anchor Square, Harbourside, BS1 5TT. ☎ 915-73-23. Service jusqu'à 21 h 30. Juste à côté de l'office de tourisme et de *@t Bristol*. Belles salades sympa autour de 6 £ (8,90 €), excellentes pizzas pour 10,50 £ (15,50 €), et des plats à influence cajun autour de 12 £ (17,80 €). Dans une grande salle très claire aux allures médiévales. Il reste de cette ancienne fonderie des poutres originales. Les lustres et les appliques où pendent des grappes de piments sont d'un artiste local. De bons ingrédients, une présentation colorée, une ambiance chaleureuse, un brin raffinée, un excellent rapport qualité-prix, que demande le peuple ?

Plus chic

🍽 ***Quartier vert*** *(hors plan par A1)* **:** 85 Whiteladies Rd, BS8 2NT, Clifton. ☎ 973-44-82. Un lieu un peu excentré à découvrir pour boire un verre ou dîner. Bar à tapas autour de 11 £ (16,30 €), pour le resto comptez plutôt 20 £ (29,60 €). Décor on ne peut plus sobre. Une vraie cuisine créative, bio qui plus est ! Dans l'assiette, les influences italiennes, espagnoles et françaises rivalisent de saveur. La carte varie tous les jours. Prix un peu exagérés côté resto mais on paye la finesse et la qualité. Service attentif et bons vins au verre.

🍽 ***Brown's Restaurant & Bar*** *(plan A1,* ***25****)* **:** 38 Queens Rd, BS8 1RE, Clifton. ☎ 930-47-77. Ouvert tous les jours, dîner jusqu'à 22h30. Cocktails dans les règles de l'art autour de 5 £ (7,40 €), et *happy hours* à moitié prix entre 17 h et 19 h. Essayez le *spicy* Bloody Mary servi avec une branche de céleri. Hot ! Pour un repas complet comptez 18 £ (26,60 €). Dans les anciens locaux de l'université. Très grande salle, carte variée et cuisine de pub améliorée. C'est le resto où les *graduates* (avec robe et chapeau) viennent fêter leur réussite avec leurs parents. Très classe !

🍽 ***Anthem*** *(plan B1, **24**)* **:** 27-29 St Michael's Hill, BS2 8DZ. ☎ 929-28-34. Aux alentours de 20 £ (29,60 €) pour un repas complet. Dans une maison du XVIIe siècle à la façade jaune pimpante, une cuisine éclectique qui sait pourtant rester anglaise. Gibier à l'écossaise ou poisson cuit dans une feuille de banane, il y en a pour tous les goûts. Les intitulés font présager des mets plus travaillés que dans l'assiette, mais on se régale dans un cadre cosy et c'est ce qui compte.

Très chic

🍽 ***Glass Boat Restaurant*** *(plan C2, **26**)* **:** Welsh Back, BS1 4SP. ☎ 929-07-04. Péniche qui date de 1924, au pied du Bristol Bridge. Fermé le dimanche. *Lunch* pour en gros 16 £ (23,70 €) et le soir, compter 23 £ (34 €). Idéal pour passer une soirée entre amoureux. Une cuisine anglaise revisitée avec goût, dans un cadre enchanteur. Rien que le pain est exceptionnel. La carte des desserts s'accompagne d'une suggestion de vins au verre.

🍽 ***Byzantium Restaurant & Bar*** *(plan C3, **27**)* **:** 2 Portwall Lane, BS1 6NB. ☎ 922-18-83. Ouvert le soir uniquement. Environ 24 £ (35,50 €) par personne. *Early evening menu* à 16 £ (23,70 €) de 18 h à 19 h. Pour les petites faims ou les petits budgets, on peut aussi commander au bar les *byzantin food lantern* (6,50 £, soit 9,60 €, pour 6 mini-entrées ou 6 minidesserts). Un mélange subtil d'architecture moderne et orientale. Le lounge offre un décor de colonnades et de voûtes, avec lumières tamisées et petites tables de marbre. Animations régulières, du magicien à la danseuse du ventre. À l'étage, grande baie vitrée sur les cuisines, et fenêtres donnant sur l'église illuminée St Redcliffe. Michel Lemoine, le chef français, propose une cuisine inventive aux influences méditerranéennes. Généreuse carte de vins. Service stylé. On peut parfois y danser jusqu'à l'aube. Tenue correcte recommandée. Une adresse hors du commun.

Où boire un verre ? Où écouter de la musique ? Où danser ?

Sur Bordeaux Quay, une dizaine de bars modernes avec de grandes terrasses pour les beaux jours qui donnent sur l'eau. Cocktails, bières et événements sportifs en direct sur des écrans géants mais aussi cuisine internationale : pizzas, hamburgers et tortillas. Côté gastronomie ils se valent. À vous de papillonner de l'un à l'autre, en fonction des ambiances et des soirées organisées. Ils sont en général ouverts de midi à 1 h ou 2 h du mat'.

🍸 ♪ ***The Old Duke*** *(plan C2, **30**)* **:** 45 King's St, BS1 4ER. Dans une rue piétonne, pub tout petit, qui déborde dans la rue les soirs d'été. Ambiance chaude et sympa. Programme de jazz live affiché sur l'ardoise à l'intérieur.

🍸 ***Llandoger Trow Pub*** *(plan C2, **31**)* **:** en face du *Old Duke*. Dans la plus vieille maison de Bristol. Cadre sympathique aux tons chauds. La bière du coin s'appelle la *Bristol IPA* pour ceux qui veulent tenter les spécialités locales. Plats simples servis jusqu'à 22 h au 1er étage.

🍸 ***White Lion Inn*** *(hors plan par A1)* **:** Sion Hill, BS8 4LD. ☎ 973-89-55. De la terrasse, vue imprenable sur le célèbre Clifton Suspension Bridge, superbe de jour comme de nuit.

The Hatchet Inn *(plan B2, 34)* **:** 27 Fragmore St, BS1 5NA. Au bout de Denmark St. Le plus vieux pub de la ville possède plusieurs petites salles avec des ambiances différentes. Des soirées thématiques (musique, sketch, jeux) sont organisées toute l'année. Pour ceux qui comprennent bien l'anglais, il faut essayer au moins une fois le *Sunday's live comedies* ou les *Quizz nights* du mardi.

Richmond Spring *(hors plan par A1)* **:** 33-37 Gordon Rd, BS8 1AW, Clifton. Ouvert tous les jours de 18 h (en fin de semaine 16 h) à 23 h. À côté de la Student Union University. Une série de petites salles avec des recoins, des fauteuils clubs et l'hiver plusieurs cheminées en activité. De nombreux jeux à disposition : billard, baby-foot, *Puissance 4* géant, etc. Grand écran les soirs de match dans la pièce principale. Terrasse au 1er étage pour l'été.

Evolution *(plan B2, 35)* **:** sur Bordeaux Quay. Entrée payante. Deux vastes salles colorées pour danser jusqu'au bout de la nuit. Pas mal de soirées estudiantines où les shots de vodka sont à 1 £ (1,50 €). Musique R'n'B, pop, hip-hop.

Reflex 80's *(plan C2, 36)* **:** 18-24 Baldwin St. Entrée payante. Le temple des années 1980 pour les nostalgiques de la bonne pop.

Thekla *(plan C3, 33)* **:** sur le port, derrière le resto *Riverside.* Ouvert essentiellement le vendredi et le samedi. On y danse dans un bateau sur des rythmes endiablés de hip-hop et de techno. Deux pistes dans la cale et bar à l'étage.

L'Hippodrome *(plan B2, 37)* **:** St Augustine's Parade. ☎ 0870-607-75-00. Une des plus grandes salles de spectacles de la ville. Archibald Leach (alias Cary Grant, né à Bristol en 1904) y fut assistant éclairagiste. Programme varié de danse, théâtre, concert... Parfois des premières nationales. Réservations au box-office à gauche de l'entrée, ouvert du lundi au samedi de 10 h à 18 h (20 h les soirs de spectacle).

À voir

Saint Mary Redcliffe *(plan C3)* **:** un peu à l'écart du centre, après le pont Redcliffe. Sans doute la plus belle église de la ville, miraculée des bombardements. La partie la plus ancienne date de 1185. L'escalier du porche nord mène directement au fanon de baleine que Cabot aurait rapporté de son périple en 1497 et à la statue représentant Élisabeth Ire. 1 100 bosselettes, la plupart recouvertes d'or, constituent la voûte. L'église se remarque surtout pour ses magnifiques vitraux, du Moyen Âge au XXe siècle. Meilleure vue extérieure depuis la grande porte ouest. Dans la crypte réaménagée (pas formidablement), *l'Undercroft Café* pour manger sur le pouce pas cher. Pittoresque.

The SS Great Britain *(plan A3)* **:** Great Western dock, Gas Ferry Rd. ☎ 929-18-43. • www.ss-great-britain.com • À côté du *Maritime Heritage Centre.* À partir de *The Industrial Museum,* suivre le long des docks. Ouvert tous les jours ; d'avril à octobre de 10 h à 17 h 30, de novembre à mars de 10 h à 16 h 30. Entrée : 6,25 £ (9,30 €) ; réductions. Une équipe enthousiaste vous fait découvrir le 1er paquebot en acier propulsé par une hélice. Construit en 1843 par Brunel, l'ingénieur qui est la célébrité de Bristol, le bateau pourrissait du côté des Malouines suite à un accident en 1937 lors de sa 5e traversée pour New York. Il fut ramené et restauré. Actuellement en travaux (financés par la loterie nationale), il est tout de même visitable. Le ticket donne également accès au *Matthew,* réplique exacte du vaisseau dans lequel John Cabot traversa l'Atlantique en 1497 pour découvrir le Nouveau Monde. En 1997, pour commémorer l'événement, ce bateau fit de nouveau la traversée.

Ashton Court *(hors plan par A1)* **:** grand parc au-delà de Clifton, par le Suspension Bridge. Traversée payante pour le pont, préparez la monnaie ! C'est de là que partent les montgolfières en août, lors du rendez-vous international des amateurs de ballons.

⚘⚘⚘ ***The Clifton Suspension Bridge*** *(hors plan par A1)* **:** pour s'y rendre, bus n° 8. Illuminé la nuit. Une féerie de lumières. À côté, le ***Visitor Centre*** consacré à l'histoire du pont édifié par Brunel.

⚘⚘ ***Saint Nicholas Market*** *(plan C2)* **:** halles couvertes. Sous la verrière, des jus de fruits ou d'herbes pour les plus curieux, du fromage, dont l'exclusif *Bristol Blue,* une échoppe marocaine où vous pourrez déguster un tagine comme là-bas, des montagnes d'olives, des sandwichs pas chers et des produits indiens. Dans la halle principale, marché aux puces permanent. Derrière St Nicholas Market sur Corn St, 4 socles en bronze sculptés appelés ***The Nails*** *(plan C2, **42**)* sur lesquels l'argent était posé lors de la conclusion d'un marché : l'expression « pay on the nail » (payer rubis sur l'ongle) viendrait de là.

⚘⚘ Dans Brandon Hill, la meilleure vue sur la ville depuis la ***Cabot Tower*** *(plan A2, **45**)*. Gratuit. Marches à pic et difficile de se croiser, mais joli panorama.

⚘⚘ ***British Empire and Commonwealth Museum*** *(plan D3)* **:** Bristol Old Station, Clock Tower Yard, Temple Meads. ☎ 925-49-80. • www.empiremuseum.co.uk. • Tous les jours de 10 h à 17 h. Entrée : 6,50 £ (9,60 €). Réductions. Les Anglais ont dominé le quart de la planète jusqu'en 1920. L'intérêt de ce musée, qui revient sur 500 ans de colonialisme, est de mettre en perspective cette période controversée de l'Histoire. Comment les peuples opprimés ont-ils réagi et survécu ? En quoi ont-ils influencé la culture de la mère-patrie ? Quelles en sont les conséquences aujourd'hui ? Les points de vue sur l'Empire britannique se juxtaposent sans forcément juger. À travers des parcours chronologiques et thématiques, on découvre des films d'époque, des témoignages, des photos, etc. Le choix de Bristol n'est pas le fruit du hasard : la ville a été le plus grand port d'esclaves au XVIIIe siècle. L'ouverture de ce musée, en 2002, alors que la Grande-Bretagne rétrocédait Hong-Kong et que l'Inde célébrait son demi-siècle d'indépendance, provoqua de vives polémiques. Le musée n'existe d'ailleurs que grâce au soutien de fonds privés, le gouvernement anglais refusant de le soutenir.

⚘⚘ ***The Industrial Museum*** *(hors plan par B3)* **:** sur les quais. En face de *The Arnolfini Café-Bar.* Gratuit. Pour ceux qui s'intéressent au moteur à explosion et à ses effets. De très bonnes explications. Une plaque de 1997 rappelle qu'au XVIIIe siècle, Bristol dut sa prospérité... au commerce des esclaves !

⚘ ***Bristol Cathedral*** *(plan B2)* **:** érigée en 1140 sur le site d'une église déjà millénaire, la cathédrale fut maintes fois remaniée au cours des siècles. Le chœur présente une voûte d'arcs entrecroisés assez exceptionnelle en Angleterre. Se renseigner sur les concerts qui y sont régulièrement donnés. Acoustique superbe.

⚘⚘ ***City Art Gallery Museum*** *(plan A-B1)* **:** Queen's Rd. ☎ 922-35-71. • www.bristol-city.gov.uk/museums • Ouvert tous les jours de 10 h à 17 h. Gratuit. Une suite de petites salles très diverses sur 4 étages : égyptologie, animaux empaillés, dinosaures, peintures, pianos... Pas de pièces majeures mais des collections hétéroclites parfois surprenantes. Ainsi, dans la section des dragons, vous pourrez voir, au milieu des porcelaines de Chine, un exemplaire du manga *Dragon Ball* (épisode 6 !). Expositions temporaires. Au passage, allez jeter un œil à l'entrée de l'université mitoyenne.

⚘⚘⚘ ***Watershed Media Centre*** *(plan B2, **43**)* **:** 1 Cannon's Rd. ☎ 925-38-45. • info@watershed.demon.co.uk • Certaines attractions payantes. Dédié au 7e art. Expos, films et vidéos. Programme mensuel que l'on peut se procurer au *Tourist Office.* Également lieu de rencontre et forum de discussions. Cafétéria vraiment sympa.

⚘⚘ ***@t Bristol*** *(plan B2, **44**)* **:** Anchor Rd, Harbourside. ☎ (0845) 345-12-35. Ouvert de 10 h à 18 h. Possibilité de ticket combiné pour les 3 à pas moins de 16,50 £ (24,40 €). Un complexe d'attractions spectaculaires en trois volets pour les 3-14 ans et plus pour l'IMAX.

– ***Wildwalk :*** dans une forêt tropicale, des oiseaux, des plantes rares. Rôle de chacun dans l'écosystème. Des microscopes pour voir les petites bébêtes, et superbes images sur la vie dans tous les coins de la planète.

– ***Explore :*** parcours interactif où vos chérubins pourront tout tripoter sans rien casser. Balade au cœur du cerveau, du corps et des sens. On pénètre au cœur de l'ouragan, on joue au volley virtuel et on peut se prendre pour une vedette de la TV.

– ***IMAX Theatre :*** toutes les 75 mn, tous les jours. Ne pas manquer cette « attraction » digne de la Géode. Les dernières techniques du cinéma adaptées à la découverte de l'atome ou des secrets de la terre. Effets spéciaux très impressionnants.

Christmas Steps *(plan B-C1,* ***40****) :* escalier longé par des petites boutiques. Au pied, à droite, maison du XVIe siècle. À gauche, le *Three Sugar Loaves,* un café chaleureux. Tout en haut, la *Foster's Almhouse,* copie de maison bourguignonne et sa chapelle du XVe siècle, fermée au public.

The Georgian House *(au milieu de Park St; plan B2,* ***41****) :* 7 Great George St. ☎ 921-13-62. Entrée gratuite. Ouverte d'avril à octobre, du samedi au mercredi de 10 h à 17 h. Maison georgienne typique, meubles d'époque. La cuisine et ses dépendances donnent une idée assez précise de ce qu'était alors la vie des serviteurs. Très bonne introduction au style de vie d'un marchand colonial au XVIIIe siècle.

Arnolfini Gallery *(plan B3) :* galerie d'art contemporain. En rénovation. Réouverture prévue en mai 2005. • www.arnolfini.org.uk •

À faire

➢ ***Balades en bateau :*** *The Bristol Packet Boat Trip,* Wapping Wharf, Gas Ferry Rd (près du *SS Great Britain.* ☎ 926-81-57). Plusieurs excursions organisées dans la ville et au-delà. Particulièrement agréable les jours de beau temps. Le ***Matthew*** (rubrique « À voir ») sort aussi pour des croisières de 2 h 30 sur l'Avon au coucher du soleil d'avril à novembre pour 12 £ (17,80 €) par personne. Réservation indispensable au ☎ 922-57-37.

➢ ***Balades en ballon :*** *Bristol Balloons,* Winterstoke Rd. ☎ 963-78-58. • www.bristol-balloons.co.uk • Bristol vu des airs, une expérience unique et époustouflante pour les routards qui peuvent se le permettre.

Shopping

Broadmead *(plan C1) :* vaste centre moderne reconstruit après la guerre. Grands magasins à succursales *(Marks and Spencer, John Lewis).*

Clifton Village : The Mall. Petites boutiques dans d'anciennes bâtisses georgiennes. Produits de luxe et de qualité.

OXFORD

144 000 hab. IND. TÉL. : 01865

Pour le plan d'Oxford, voir le cahier couleur.

Surnommée la cité aux clochers rêveurs, Oxford abrite la troisième plus ancienne université du monde après Bologne et la Sorbonne : l'université élitiste, la rivale de Cambridge – et surgissent des rameurs encouragés par un

porte-voix –, les vieux et sombres *colleges,* les meilleurs profs du monde et les étudiants les plus distingués. Comme d'habitude, ces images sont simplifiées à l'extrême, des généralités au service d'un folklore. Le fait est que peu à peu Oxford et Cambridge semblent représenter de moins en moins une classe sociale particulière, pas plus qu'une arme brandie par l'Empire, d'ailleurs depuis longtemps mort et enterré. Seulement une concentration des meilleurs étudiants des îles Britanniques et du reste du monde. Pour accéder à Oxford ou à Cambridge, les étudiants doivent avoir obtenu des mentions dans les matières étudiées à l'école ou à l'université précédemment fréquentée. Cela dit, il ne faut pas être dupe, la sélection sociale s'effectue à d'autres niveaux (famille, école primaire et lycée) et produit une nouvelle sorte d'élite. Mais aujourd'hui, un fils de lord complètement nul n'a plus aucune chance d'étudier à Oxford. Il n'en reste pas moins que l'esprit de groupe et le cadre exceptionnel dans lequel ces étudiants évoluent subsistent et contribuent à alimenter le folklore qui entoure Oxford.
Mais il ne faut pas ignorer qu'Oxford a aussi un côté industriel (automobile) qui souffre de la crise. La destruction des sites de production a entraîné des tensions, déjà accrues du fait du contraste de plus en plus provocant entre le mode de vie privilégié des étudiants et celui des ouvriers en pleine dégringolade.
Reste qu'Oxford est une ville agréable, sympathique, vivante, et un rien cosmopolite. Tous les ingrédients sont réunis : histoire, beauté des sites, taille humaine, animation, atmosphère bucolique et jeune... Et c'est à deux pas de Londres. Ceux qui disposent de peu de temps peuvent même faire l'excursion dans la journée, mais ce serait dommage.

Comment y aller de Londres?... et en revenir?

En bus

➢ Plusieurs compagnies assurent la liaison. Billet aller-retour dans la journée *(Day Return)* ou dans les 3 mois *(3 Months Return)* proportionnellement moins cher que l'aller simple. Liaison 24 h/24. Les bus partent de Victoria Coach Station à Londres et on peut prendre son ticket directement à bord. Compter 1 h 40 de voyage, 2 h aux heures de pointe. Voici les principales compagnies :
– ***Oxford Tube :*** non, il ne s'agit pas du métro mais bien d'une ligne de bus. ☎ 77-22-50. • www.oxfordtube.com • Départs de Victoria Coach Station toutes les 12 mn en journée. Aller simple plein tarif à 9 £ (13,30 €) ; réduction étudiants. À Londres, arrêts à Marble Arch, Notting Hill Gate, Shepherds Bush et Hillington; faire signe au chauffeur. À Oxford, départ de Gloucester Green et arrêts sur High St au niveau de Queen's College et St Clement's St. Même fréquence que dans le sens Londres-Oxford.
– ***The London Express X90 :*** ☎ 78-54-00. • www.oxfordbus.co.uk • Un bus toutes les 20 à 30 mn. Mêmes tarifs que l'Oxford Tube. À Londres, départ de Victoria Coach Station et arrêts à Victoria Station, Hillington Station, Gloucester Place et Marble Arch. À Oxford, départ de Gloucester Green et arrêts sur High St et Clement's St.
– ***Des aéroports de Heathrow et de Gatwick :*** les bus bleus *Airline.* ☎ 78-54-00. • www.oxfordbus.co.uk • Liaisons directes avec Oxford sans passer par Londres; bus *X70* et *X80.* De Heathrow Central Bus Station, départ environ toutes les 30 mn quasiment 24 h/24. De Heathrow Terminal 4, toutes les demi-heures entre 5 h et 23 h. Environ 1 h 10 de voyage. Compter 14 £ l'aller simple (20,70 €). Même fréquence pour le retour au départ d'Oxford Gloucester Green. De Gatwick Terminal Sud et Terminal Nord, départ environ toutes les heures entre 1 h du matin et 23 h. Pour un adulte, prévoir envi-

ron 21 £ (31,10 €) ; 2 h de voyage. Retour au départ d'Oxford Goucester Green aux mêmes fréquences.

En train

🚆 ***De London Paddington Station :*** renseignements au ☎ (08457) 48-49-50. • www.thamestrains.co.uk • Un départ toutes les 15 mn environ entre 6 h et minuit (un peu moins fréquent en soirée et tôt le matin). Le trajet dure 1 h. Bien plus cher que le bus : 17 £ l'aller simple (25,20 €).

En voiture

➢ Prendre la M40, horriblement encombrée de 16 h à 18 h. Le centre historique d'Oxford est fermé à la circulation, mais il existe un système de *Park & Ride* qui permet de laisser sa voiture dans l'un des 5 parkings à l'entrée de la ville (suivez les flèches *Park & Ride*). De là, un bus toutes les 10 mn environ en journée (15 à 30 mn tôt le matin et en soirée) vous emmène en centre-ville en moins d'un quart d'heure. Renseignements par téléphone au ☎ (01865) 78-54-00 et sur le site • www.parkandride.net •

Comment y aller de Birmingham ?... et en revenir ?

➢ En bus avec ***National Express :*** ☎ (08705) 80-80-80. • www.nationalexpress.com • De Birmingham Coach Station, 5 bus directs par jour pour Oxford Gloucester Green. Entre 1 h 30 et 2 h de transport.

Comment y aller de Cambridge ?... et en revenir ?

➢ En bus avec ***Stagecoach Express ligne X5*** au départ de Drummer St à Cambridge. ☎ (01604) 67-60-60. • www.stagecoachbus.com • À Oxford, arrêt à la gare ferroviaire et terminus à Gloucester Green. Un départ par heure. Près de 3 h 30 de voyage.

Adresses utiles

Infos touristiques

ℹ ***Oxford Information Centre*** *(plan couleur C2,* ***1****)* **:** 15-16 Broad St. ☎ 72-68-71. • www.visitoxford.org • Ouvert du lundi au samedi de 9 h 30 à 17 h, le dimanche en été et les jours fériés de 10 h à 15 h 30. Fermé entre Noël et le 1er janvier, ainsi que le Vendredi saint. Attention, c'est souvent très fréquenté. Documentation intéressante mais la plupart du temps payante. Offre aussi un service payant de réservations de *B & B* et d'hôtels. Tous les jours à 11 h et 14 h au départ de l'office de tourisme, tour guidé de ville. Payant : 6,50 £ (9,60 €). Instructif et amusant : histoire, traditions, anecdotes et visites de *colleges* dont le Queen's College habituellement fermé au public. Quand l'office de tourisme est fermé, consulter le panneau en face de l'entrée : il y est affiché une liste de *B & B* avec les prix et numéros de téléphone. Pratique si toutes nos adresses sont complètes.

ℹ Autre ***centre d'information*** *(plan couleur A2,* ***2****)* de la compagnie privée *Guide Friday* à la gare. Ouvert tous les jours de 9 h 30 à 17 h 30 (plus tard en saison). Service payant de réservations. Valable, compte tenu du monde à l'autre centre. ☎ 79-05-22.

Poste et télécommunications

✉ ***Poste*** *(plan couleur C3)* **:** 102-104 St Aldate's St. Ouvert du lundi au samedi de 9 h à 17 h 30. Remarquez l'imposante boîte aux lettres en bois de 1910 à l'extérieur. Autres postes : Abingdon Rd, Woodstock Rd.

@ ***Mices*** *(plan couleur B2)* **:** 91 Gloucester Green. ☎ 72-63-64. En face des quais de la gare routière. Ouvert tous les jours de 9 h à 23 h.

Change

Nombreux points de change et banques. Quelques adresses :

■ ***Thomas Cook*** *(plan couleur B2)* **:** 5 Queen St. ☎ 72-86-04. Et aussi à la gare.

■ ***Lloyds Bank*** *(plan couleur C2)* **:** 1-5 High St. ☎ 24-48-22. Profiter des quelques minutes d'attente au guichet pour apprécier les plafonds historiquement classés.

■ ***Barclays Bank*** *(plan couleur B2)* **:** 54 Cornmarket St. ☎ 44-20-00.

Urgences

■ ***Police*** *(hors plan couleur par C3)* **:** St Aldate's St. ☎ 24-98-81 ou 26-60-00.

Transports

■ ***Location de vélos :***

– *Bike Zone (plan couleur C2) :* Lincoln House, 6 Market St, OX1 3EQ. ☎ 72-88-77. Ouvert du lundi au samedi de 9 h à 17 h 30. En plein centre-ville, 20 £ (29,60 €) la semaine.

– *Bee Line (hors plan couleur par D3) :* 61-63 Cowley Rd, OX4 1HR. ☎ 24-66-15. Ouvert du lundi au samedi de 8 h à 18 h et le dimanche de 10 h à 16 h 30. L'un des moins chers. Pour un jour de location compter 10 £ (14,80 €) puis rajouter 1 £ (1,50 €) par jour de location supplémentaire.

– Plusieurs autres loueurs de vélos sur Cowley Rd *(hors plan couleur par D3).*

■ ***Achat de vélos d'occasion :*** 19 Mason's Rd. Une adresse qui circule chez les étudiants français d'Oxford, celle d'un retraité bricoleur qui reconstitue des vélos d'occase en très bon état de marche à partir de vieilles carcasses. Gros avantage, un prix très intéressant bien vite amorti.

■ ***Location de bateaux*** *(punts ou avirons)* **:** les *punts* sont des bateaux à fond plat que l'on dirige à l'aide d'une perche.

– *Howard C. & Son (plan couleur D2,* ***2****) :* Magdalen Bridge. ☎ 20-26-43. Compter environ 12 £ (17,80 €) pour une location de 1 h. Avec chauffeur, 20 £ (29,60 €) la demi-heure.

– *Folly Bridge Punting Co (hors plan couleur par C3) :* Folly Bridge, à 5 mn à pied de Carfax Tower en descendant St Aldate's St. Ouvert d'avril à fin septembre. Compter 10 £ l'heure de location (14,80 €).

Divers

■ ***Laveries automatiques*** *(laundrettes)* **:** 127 Cowley Rd, à l'est de la ville ; et 66 Abingdon Rd, au sud. Ouvert tous les jours de 8 h 30 à 22 h.

Magasins ouverts le dimanche : la loi sur le *Sunday Trading* permet aux commerçants d'ouvrir le dimanche, ce qu'ils font maintenant légalement et généralement entre 11 h et 17 h. Plusieurs *newsagents* (marchands de journaux), dont *Honeys (plan couleur C2,* ***3****),* 49 High St. Également un supermarché *Sainsbury's* sur Magdalen St.

Comment se déplacer à Oxford ?

➢ ***À vélo*** **:** la petite reine est de loin le meilleur moyen de locomotion ! À vélo, vous vous fondez dans la foule, vous arpentez la ville avec plaisir et sans fatigue. Plusieurs loueurs en ville (voir « Adresses utiles »). Même les *B & B* un peu éloignés ne sont guère qu'à 10 ou 15 mn de vélo.

➢ La circulation et le stationnement automobiles en ville sont une vraie galère. On vous conseille donc d'utiliser le système de ***Park & Ride*** (voir « Comment y aller de Londres ? En voiture »).

Où dormir ?

Comme dans toutes les petites villes de province, on a le choix entre l'AJ, les *B & B* et quelques hôtels hors de prix. À quelques exceptions près, les *B & B* sont loin du centre, soit vers le sud, Abingdon Rd, qui est le prolongement de St Aldate's St, soit vers l'est, Cowley Rd ou Iffley Rd, ou vers le nord sur Banbury Rd. Sans exception, hélas, ils sont chers. À noter également qu'une majorité a adopté une politique « no smoking ».

Campings

⛺ ***Oxford Camping & Caravan Club*** *(hors plan couleur par C3)* **:** 426 Abingdon Rd, OX1 4XN. Au niveau du garage *VAG-Audi*. ☎ 24-40-88. C'est le camping le plus proche d'Oxford (1,5 mile). À 10 petites minutes à vélo du centre (on n'y loue malheureusement pas de vélos). À partir du centre, prendre St Aldate's St en direction du sud ou bus O35 ou OX3. Ouvert toute l'année. Prévoir environ 18 £ (26,60 €) pour 2 personnes avec une tente. Une ligne de chemin de fer passe à proximité et une usine est le plus proche voisin. Pas mal et plutôt bon marché. Bien équipé (machine à laver, fer à repasser, sèche-cheveux).

⛺ ***Diamond Farm Camping*** **:** Islip Rd, Bletchingdon Kidlington Oxfordshire, OX5 3DR. ☎ (01869) 35-09-09. • www.diamondfarmcaravanpark.co.uk • À 7 miles au nord d'Oxford. Prendre l'A420 en direction de Abington puis l'A34 en direction du nord et enfin la B4027 à gauche sur 1 mile. Ouvert toute l'année. Compter 10 £ (14,80 €) pour 2 personnes avec une tente. Agréable camping en campagne tenu par une famille. Piscine chauffée l'été. Bon rapport qualité-prix.

Bon marché

🏠 ***Oxford Backpackers Hostel*** *(plan couleur A2,* ***10****)* **:** 9a Hythe Bridge St, 0X1 2EW. ☎ 72-17-61. • www.hostels.co.uk • Entre la gare et le centre. Pas de couvre-feu. À partir de 13 £ (19,20 €) la nuit par personne en dortoirs de 4 à 10 personnes. Cette résidence pour routards pas d'une propreté toujours impeccable est néanmoins l'adresse la moins chère du centre. Ambiance débridée et internationale assez rock' n'roll et pas forcément indiquée pour de jeunes collégiennes. Cuisine, billard, bar, casiers dans lesquels il est conseillé d'enfermer ses affaires.

🏠 ***YHA*** *(plan couleur A2)* **:** juste derrière la gare, 2a Botley Rd, OX2 OAB. ☎ 72-72-75. • oxford@yha.org.uk • À 5 mn du centre-ville. Dortoirs (19 £ par personne, soit 28,10 €), chambres doubles (46 £, soit 68,10 €) et chambres familiales. De nombreux services : laverie, salle de jeux et de TV, usage de la cuisine... Propreté impeccable et personnel dévoué et sympathique. Idéal pour des séjours en famille et le meilleur plan pour les petits budgets.

🏠 ***Grandpont Arms*** *(hors plan couleur par C3)* **:** 1-3 Edith Rd (donne sur Abingdon Rd), OX1 4QB. ☎ 24-

17-88. Au-dessus d'un pub « town » un peu décrépit. Compter 15 £ par personne (22,20 €). Pas cher mais un peu glauque et la propreté laisse à désirer. Usage d'une cuisine équipée. En solution de repli si les deux autres auberges sont complètes.

Dans le centre

Prix moyens

■ ***St Michael's Guesthouse*** *(plan couleur B2, **13**)* **:** 26 St Michael's St, OX1 2EB. ☎ 24-21-01. Une adresse en or. Au cœur du centre-ville, chambres doubles à 50 £ (74 €), certes de petite taille mais d'autant plus adorables. Salle de bains commune aux 6 chambres. Accueil très sympa et propreté impeccable. À ces conditions, inutile de vous dire de réserver à l'avance.

■ ***Chez Mr & Mrs Williams*** *(plan couleur C2, **11**)* **:** 14 Holywell St, OX1 3SA. ☎ 72-18-80. Central. Chambre double à 50 £ (74 €), salle de bains commune. Salle de petit dej' cosy avec cheminée et bibliothèque. Pensez à réserver car il n'y a que 2 chambres. Parking.

■ ***The Walton Guesthouse*** *(plan couleur B2, **12**)* **:** 169 Walton St, OX1 2HD. ☎ 55-21-37. Très central. Fermé à Noël. Prévoir 48 £ (71 €) la chambre double. Petite salle de bains partagée par 9 chambres ; du coup, on s'y bouscule un peu. Décoration à rafraîchir mais correctement tenu.

Vers le sud *(hors plan couleur par C3)*

Prix moyens

■ ***White House View*** **:** 9 White House Rd (au niveau du 40 Abingdon Rd), OX1 4PA. ☎ 72-16-26. À 5 mn à pied du centre. Petites chambres doubles autour de 50 £ (74 €) dans une maison ouvrière : devant la porte, la livraison du laitier ; dans le jardin, du linge qui sèche. Seulement 9 chambres impeccables et douillettes à point, certaines avec douche. Plus calme que les autres, car un peu en retrait d'Abingdon Rd. Parking.

■ ***Newton House*** **:** 82-84 Abingdon Rd, OX1 4PL. ☎ 24-05-61. Fax : 24-46-47. • www.oxfordcity.co.uk/accom/newton • 10 mn à pied du centre. Chambres doubles de 48 à 67 £ (71 à 99,20 €). Également des chambres pour 3 et 4 personnes. Mr Jelfs et son équipe ont fait de cette maison une agréable adresse tout confort. Un peu bruyant côté rue. Petit dej' copieux et délicieux. Parking.

Plus chic

■ ***Lakeside Guesthouse*** **:** 118 Abingdon Rd, OX1 4PZ. ☎ 24-47-25. • www.lakeside-guesthouse.co.uk • Chambre double à 68 £ (100,60 €) et chambre triple à 88 £ (130,20 €). Superbe demeure très british, avec beaucoup de cachet. Les chambres sont lumineuses et décorées avec goût, chacune portant le nom d'un *college*. Certaines ont une jolie vue sur le parc. Parking.

■ ***The Falcon Private Hotel*** **:** 88-90 Abingdon Rd, OX1 4PX. ☎ 51-12-22. Fax : 24-66-42. • www.oxfordcity.co.uk/hotels/falcon • Juste en face des vastes terrains de jeu du *Queens College*. Chambres doubles très cosy à 72 £ (106,60 €) et chambres pour 3 et 4 personnes. Les chambres sont comparativement plus confortables et chaleureuses que dans beaucoup de *guesthouses*.

Vers l'est (hors plan couleur par D3)

Prix moyens

De très nombreux *B & B* sur Cowley et Iffley Rd. Notre sélection :

Earlmont Guesthouse : 322-324 Cowley Rd, OX4 2AF. ☎ et fax : 24-02-36. • beds@earlmont.prestel.co.uk • Chambre double à 60 £ (88,80 €) ; réduction à partir de 5 ou 6 nuits. Propre et *functional,* comme le dit le propriétaire, Mr Facer. On a glissé une salle de bains dans chaque chambre, parfois astucieusement. Préférez les chambres ne donnant pas sur la route, bruyante.

Bronte Guesthouse : 282 Iffley Rd, OX4 4AA. ☎ 24-45-94. Chambres doubles de 56 à 60 £ (82,90 à 88,80 €) selon le confort. Couronné à plusieurs reprises « hôtel le plus fleuri d'Oxford ». Petit dej' avec vue sur le splendide jardin. Chambres un peu simples mais propres. Au niveau du prix, Mrs Nicholson, la propriétaire, fait vraiment une fleur.

Plus chic

Browns Guesthouse : 281 Iffley Rd, OX4 4AQ. ☎ et fax : 24-68-22. • brownsgh@hotmail.com • Chambre double à 70 £ (103,60 €) ; réduction dès la 2e nuit. Chambres impeccables, agréables et lumineuses. Préférez celles donnant sur le jardin, plus calmes.

Vers le nord (plan couleur B1 et plus vers le nord)

Plus chic

Lonsdale Guesthouse : 312 Banbury Rd, OX2 7ED. ☎ et fax : 55-48-72. Fermé les 2 dernières semaines d'août et pendant les fêtes de fin d'année. Pour une chambre double, compter 60 £ (88,80 €) avec douche et 70 £ (103,60 €) avec bains. Les Adams sont là depuis 36 ans et ont aménagé leur maison au fur et à mesure, d'où un style parfois moderne tranchant avec du papier peint à fleurs. Au bout de 36 ans, on développe des techniques intéressantes : par exemple, le menu du petit dej' est illustré par des photos (prises par les Adams, ça vaut le coup), ce qui permet à ceux qui ne maîtrisent pas l'anglais de montrer comment ils souhaitent leurs œufs !

The Burlington House : 374 Banbury Rd, Summertown, OX2 7PP. ☎ 51-35-13. Fax : 31-17-85. • www.burlington-house.co.uk • Chambres doubles entre 80 et 85 £ (118,40 et 125,80 €). Elles ont toutes été superbement rénovées et le résultat est à couper le souffle. Accueil chaleureux du propriétaire, un parfait *English gentleman.* Le petit dej' est également remarquable avec des vrais croissants, du café italien et des ingrédients sains pour mieux commencer la journée. Notre coup de cœur.

Red Mullions Guesthouse : 23 London Rd, Headington, OX3 7RE. ☎ 74-27-41. Fax : 76-99-44. • redmullion@aol.com • Prévoir 68 £ (100,60 €) la chambre double. Quasi un hôtel. Chambres impeccables et bien décorées. Lits épais et moelleux, mobilier tout neuf. Très cosy. Parking.

Vers l'ouest (plan couleur A2 et plus vers l'ouest)

Prix moyens

High Hedges Guesthouse : 8 Cumnor Hill, OX2 9HA. ☎ 86-33-95. Fax : 43-73-51. • tompkins@btinternet.com • À moins de 2 miles du centre-ville. Fermé 10 jours entre Noël et le 1er janvier. Compter entre

50 et 55 £ (74 et 81,40 €) la chambre double. Tenu par Mélanie et son mari, vraiment adorables tous les 2. Intérieur typiquement anglais, chaleureux et douillet. Les chambres sont grandes, équipées (accès Internet et câble) et décorées avec goût. Attention aux bouteilles de lait oubliées par Mélanie sur le palier ! Parking. Notre coup de cœur !

Hollybush : 106 Bridge St, OX2 0BD. ☎ 24-23-33. Fax : 79-36-13. Juste au niveau du pont, au-dessus du pub du même nom. Chambre double à 50 £ (74 €) et triple à 65 £ (96,20 €). Bon rapport qualité-prix pour ce *B & B* à proximité du centre. Le pub-restaurant d'en bas est aussi une bonne adresse ; plats traditionnels à petit prix et décoration étonnante, avec quelques belles antiquités.

Becket House *(plan couleur A2, **14**)* **:** 5 Becket St, OX1 1PP. ☎ et fax : 72-46-75. À proximité de la gare ferroviaire dans une petite rue calme. Prévoir 58 £ (85,80 €) la chambre double et 80 £ (118,40 €) la triple. Grandes chambres lumineuses. Accueil agréable. Rien à redire.

Gables Guesthouse : 6 Cumnor Hill, OX2 9HA. ☎ 86-21-53. Fax : 86-40-54. • www.oxfordcity.co.uk/accom/gables • Ferme la dernière semaine de juillet et pour les fêtes de fin d'année. De la M40, aller à la jonction 9, prendre l'A34 vers Oxford, puis l'A420 et au rond-point, prendre Oxford-Botley, rester à droite et tourner à droite au feu. C'est à 500 m à droite. Chambres doubles entre 58 et 64 £ (85,80 et 94,70 €) ; choisissez celles avec les grands lits et la vue sur le jardin anglais. Beaucoup de goût dans la décoration, grand confort, et chaleur dans l'accueil. Liens de famille avec la *Guesthouse* au n° 6 de la même rue. Une vraie mafia, comme ils disent ! Cartes *Visa* acceptées.

Où manger ?

Le choix est impressionnant, ville touristique et estudiantine oblige. À noter que boutiques et musées ont aussi généralement une cafétéria-*coffee-shop* servant des snacks. Donc, avec les pubs proposant des plats le midi et les nombreuses sandwicheries, puis les *kebab vans* le soir, vous n'êtes pas contraint de manger plus d'une fois au même endroit. Et puis le service est en principe continu du matin au soir.

Bon marché

Kazbar *(hors plan couleur par D3)* **:** 25-27 Cowley Rd. ☎ 20-29-20. Ouvert tous les jours de 12 h à 23 h. Fermé pour Noël et le 1er janvier. Tapas espagnoles et nord-africaines. À midi, 2 plats de tapas avec un verre de vin pour 5 £ (7,40 €). Le soir, à la carte, compter autour de 3 £ (4,40 €) l'assiette de tapas. Copieux et on mange en quantité avec 2 plats de tapas. Très belle déco marocaine et musique latino. Notez le mouvement de la guitare à l'ouverture et à la fermeture de la porte d'entrée...

Turf Tavern *(plan couleur C2, **27**)* **:** 7 Bath Place, Holywell, OX1 3SU. ☎ 24-32-35. Au bout d'une impasse. Ouvert du lundi au samedi de 11 h à 23 h et le dimanche de 12 h à 22 h 30. Plats moyens autour de 6 £ (8,90 €) servis jusqu'à 19 h 30 le soir. Super quand il fait beau. On peut manger dans des courettes où l'on festoyait déjà au XIIe siècle. Assez touristique, mais une excellente adresse pleine de charme.

Meltz *(plan couleur B2, **29**)* **:** 8 St Michael's St, OX1 2DU. ☎ 20-20-16. Ouvert tous les jours de 10 h à minuit. Autour de 6 £ (8,90 €) le plat principal. Ambiance et cuisine méditerranéennes dans ce petit resto aux couleurs vives et chatoyantes. Également des salades et des sandwichs. Un peu bruyant, mais accueil sympa.

Old School House *(plan couleur B2, **23**)* **:** Gloucester Green. ☎ 79-27-03. Sur la place de la gare routière. Pub qui sert des plats traditionnels anglais à des prix raisonnables. Deux repas pour 6 £ (8,90 €) avec la carte étudiant du lundi au vendredi de 14 h à 18 h. Daté de 1850, ce bâtiment abritait, comme son nom l'indique, une école, puis il servit de salle d'attente à la gare voisine. Levez le nez pour admirer la magnifique rotonde en entrant.

|●| ***Georgina's & Brothers*** *(plan couleur C2, **25**) :* Avenue 3, Covered Market, OX1 3DZ. ☎ 24-95-27. Ouvert du lundi au samedi de 9 h 30 à 17 h. Des spécialités italiennes à partir de 5 £ (7,40 €). Musique rock sur fond de pizzas, quiches, salades. Refuge des jeunes du coin. Sympa comme tout pour grignoter en écrivant ses cartes.

Prix moyens

|●| ***Quod Bar & Grill*** *(plan couleur C2, **21**) :* 92-94 High St, OX1 4BN. ☎ 20-25-05. Compter autour de 12 £ (17,80 €) le plat. Spécialités italiennes et quelques plats typiquement anglais. Plats de pâtes, *risotto* et pizzas. Cuisine raffinée et assiettes généreuses. Déco moderne, larges sofas de cuir noir, tables en bois brut. Collection d'art contemporain sur les murs. Vue imprenable sur les cuisines. En été, terrasse sympa avec fontaine. Service impeccable.

|●| ***Al-Salam*** *(plan couleur A2, **26**) :* 6 Park End St, OX1 1HH. ☎ 24-57-10. Ouvert tous les jours de 12 h à 23 h. Autour de 7 £ (10,40 €) le plat. Délicieuses spécialités libanaises allant du traditionnel taboulé au fameux *kebab.* Également le plat du chef, différent tous les jours. Fond de musique orientale et collection de très beaux narguilés que l'on peut fumer sur demande.

|●| ***Fisher's*** *(hors plan couleur par D3) :* 36-37 St Clement's St. ☎ 24-30-03. Ouvert les midis du mercredi au dimanche à partir de 12 h et tous les soirs de la semaine à partir de 18 h. Fermé à Noël. Le plat à partir de 9 £ (13,30 €). Restaurant de poisson dont le menu change tous les jours en fonction des arrivages. Dans une déco maritime rouge et bleu, le poisson est servi sous toutes ses formes : grillé, poché, fumé. Une bonne carte des vins également.

|●| ***Chutneys Indian Brasserie*** *(plan couleur B2, **30**) :* 36 St Michael's St, OX1 2EB. ☎ 72-42-41. Ouvert tous les jours de 18 h à 22 h 30. Plats autour de 6 £ (8,90 €). Buffet à volonté midi et soir à 8 £ (11,80 €). Spécialités du sud de l'Inde à prix doux. Le cadre rompt avec les clichés du genre. L'atmosphère est beaucoup plus jeune, plus bistrot, tout en gardant une cuisine fine. Un véritable régal à tous points de vue.

|●| ***The Gulf of Siam*** *(plan couleur A2, **31**) :* 8-9 Hythe Bridge St, OX1 2EW. ☎ 24-90-99. Ouvert du mardi au samedi de 12 h à 15 h et de 18 h à 23 h, et le dimanche de 12 h à 16 h. Plats autour de 9 £ (13,30 €). Resto thaïlandais qui n'a pas son pareil pour vous mijoter fruits de mer et saveurs épicées. Vous apprécierez au passage la déco très maritime et le phare, là-bas, au loin. À l'abordage !

|●| ***Bangkok House*** *(plan couleur A2, **22**) :* 42A Hythe Bridge St. ☎ 20-07-25. Ouvert du mardi au samedi de 12 h à 15 h, et tous les soirs de 17 h 30 à 22 h 30. Plats moyens autour de 9 £ (13,30 €). Dans un cadre entièrement boisé, aux tables et chaises sculptées, une cuisine thaïlandaise savoureuse et authentique. Service attentionné pour une carte diversifiée. Assez dépaysant. Attention, les prix grimpent assez vite.

Plus chic

|●| ***Café Ma Belle*** *(plan couleur C2, **32**) :* 11 Wheatsheaf Yard, Blue Boar St, OX1 4EE. ☎ 72-24-73. Sur High St en venant du centre, juste avant le n° 127, prendre à droite, l'étroite petite ruelle. Le midi, menu entrée + plat à 10 £ (14,80 €). Le soir, à la carte, compter autour de 13 £ (19,20 €) le plat. Spécialités de viandes bien de chez nous, telle « l'entrecôte du boucher », et pâtisseries françaises aux noms très

poétiques. Caché au bout d'une petite ruelle, chaleureux resto sur 2 étages (style bistrot au rez-de-chaussée, atmosphère plus chic au 1er) dans les tons orangé et marron foncé. Vous vous souviendrez longtemps du raffinement de ses plats. Tout simplement excellent !

🍽 ***Cherwell BoatHouse*** *(hors plan couleur par B1)* **:** Bardwell Rd. OX2 6ST. ☎ 55-27-46. Au nord de la ville, au bord de la rivière. En venant de Branbury Rd, allez au bout de Bardwell Rd, et prenez la ruelle à droite après le parc. Ouvert du mardi au samedi de 12 h à 14 h et de 18 h 30 à 22 h, et le dimanche de 12 h à 14 h. Fermé le dimanche soir et le lundi. Préférable de réserver. *Lunch* autour de 12 £ (17,80 €) et menu le soir autour de 22 £ (32,60 €). Une adresse à ne pas manquer. Charme, volupté du soir qui tombe, tranquillité parfaite et cuisine sans défaut. Petite salle ouverte sur l'eau mais grosse réputation dans les environs. Toutes les nouveautés culinaires du continent, servies à la façon du chef qui s'y connaît question fourneaux. Menu fixe le soir, à prix léger vu la qualité de la nourriture. Le midi, service à la carte. Il suffira d'ajouter que la cave est l'une des meilleures de toute la région (et la moins chère) pour que vous compreniez qu'il s'agit là d'une étape culinaire obligatoire pour toutes les bonnes bouches.

Beaucoup moins chic

🍽 ***Les kebab vans*** **:** vendeurs de turqueries ouverts tard le soir et qui permettent à l'étudiant dissipé ou au touriste sortant du *Park End Club* (la populaire boîte locale) d'avaler quelque nourriture. Un must à Oxford.

Où déjeuner sur le pouce ?

🍽 ***Caffé Nero*** *(plan couleur C2,* ***33****)* **:** 14 High St, OX1 4DB. ☎ 24-56-57. Ouvert tous les jours entre 8 h et 20 h. D'inspiration italienne ce café-restaurant propose une sélection de sandwichs gourmets, plats de pâtes et cafés aux saveurs de la botte autour de 3 £ (4,40 €). Idéalement situé pour une halte entre 2 visites de *college,* on s'oubliera dans ses confortables fauteuils en cuir.

🍽 ***Heroes*** *(plan couleur B2,* ***34****)* **:** 8 Ship St. ☎ 72-34-59. Ouvert du lundi au samedi de 8 h 30 à 17 h et le dimanche de 10 h à 17 h. Ravissante petite *sandwicherie* à l'anglaise dans l'étroite Ship St. Sandwich entre 2 et 3 £ (3 et 4,40 €) préparé à la commande. Grand choix d'ingrédients et de pains. Succulent ! Les étudiants s'y bousculent.

🍽 ***Queen's Lane Coffee-House*** *(plan couleur C2)* **:** 40 High St. ☎ 24-00-82. Ouvert tous les jours de 7 h 30 à 20 h 30. Sandwichs, salades et plats entre 4 et 5 £ (5,90 et 7,40 €). Café estudiantin moderne et convivial. Réputé pour être le plus vieux café d'Europe, puisqu'en 1654 on y vendait déjà cette nouvelle boisson.

🍽 ***La Croissanterie*** *(plan couleur C3,* ***24****)* **:** 98 St Aldate's St, OX1 1BT. ☎ 24-41-47. Ouverte tous les jours de 7 h à minuit. Vaste choix de sandwichs bien de chez nous entre 2 et 3 £ (3 et 4,40 €). Également des parts de pizza et encore des viennoiseries. Hmm ! Si la nostalgie de la baguette vous gagne, voici l'Adresse !

Où prendre le thé ?

🍽 ***The Rose*** *(plan couleur D2)* **:** 51 High St, OX1 4AS. ☎ 24-44-29. Ouvert du mardi au dimanche de 9 h à 18 h. Moins de 5 £ (7,40 €) pour le traditionnel thé anglais avec *scones* et petits pots de confiture : tout le charme de l'Angleterre. Sert aussi des petits déjeuners et *lunches* raffinés. Détente assurée.

Où acheter des cookies? Où manger une glace?

Ben's Cookies *(Covered Market; plan couleur C2,* ***25****)* **:** 108-109 The Market, OX1 3DZ. ☎ 24-74-07. Dans le marché couvert. Ouvert du lundi au samedi de 9 h 15 à 17 h 30. Vous achetez vos *cookies* au poids. Assez cher mais sans aucun doute les meilleurs d'Oxford. Vous trouverez certainement votre bonheur parmi un large choix de *cookies* aussi succulents qu'originaux (chocolat blanc, gingembre, beurre de cacahuète...).

George & Davis' *(plan couleur B1,* ***28****)* **:** 55 Little Clarendon St, OX1 2HS. ☎ 51-66-52. Ouvert tous les jours de 8 h à minuit. Situé dans la rue animée Little Clarendon, ce glacier propose un excellent choix de parfums, différent tous les jours. Également des *brownies* et des *muffins.* Le mardi de 17 h à minuit, lors de la *cow night* (nuit de la vache), 20 % de réduction si vous venez avec une vache (dessin, peluche, voire une vraie si vous en avez une dans vos bagages!).

Où boire un verre?

Les prix varient peu d'un pub à l'autre. Sachez qu'une *pint* vous coûtera en moyenne de 2 à 3 £ (3 à 4,40 €). Sachez aussi que les bières anglaises sont moins chères que les bières étrangères... Pratique en fin de séjour pour écouler les derniers pennies. Les pubs ouvrent en règle générale tous les jours de 11 h à 23 h, 22 h 30 le dimanche. Vous trouverez aussi dans les pubs le magazine gratuit *The Nightshift,* qui vous donne tous les bons plans du coin et du moment.

The Bear Inn *(plan couleur C2,* ***42****)* **:** 6 Alfred St, OX1 4EH. ☎ 72-81-64. Très grande sélection de bières dans ce minuscule pub du XIIIe siècle. Également reconnu pour ses milliers de cravates en provenance du monde entier qui décorent murs et plafonds. Un vrai musée!

The Eagle & Child *(plan couleur B1,* ***45****)* **:** 49 St Giles St, OX1 3LU. ☎ 30-29-25. Fréquenté à l'époque par Lewis et Tolkien (l'auteur du *Seigneur des anneaux),* ce pub propose une large sélection de bières que l'on pourra siroter tranquillement dans l'une de ses petites alcôves. Populaire.

The Duke of Cambridge *(hors plan couleur par B1)* **:** 5-6 Little Clarendon St, OX1 2HP. ☎ 55-81-73. *Happy hour* de 17 h à 19 h 30 tous les soirs, cocktails à moitié prix. Bar *lounge,* lumière tamisée et déco sobre. De confortables canapés dans lesquels les étudiants se retrouvent autour d'un cocktail lors des *happy hours.*

King's Arms *(plan couleur C2,* ***50****)* **:** 40 Holywell St, OX1 3SP. ☎ 24-23-69. Le *K.A.,* comme on dit ici. Tous les gens vous le confirmeront, c'est là qu'on boit la meilleure bière d'Oxford. À voir également pour son dédale de salles et ses bars.

Head of the River *(hors plan couleur par C3)* **:** Folly Bridge, OX1 4LB. ☎ 72-16-00. Installé au bord de la rivière, au bout de St Aldate's St, superbe vieille maison de 2 étages avec une grande terrasse et plusieurs balcons pour mieux dominer de l'œil la rivière Isis. Toujours beaucoup de monde. Loue également 3 chambres en *B & B.*

Yate's *(plan couleur B2,* ***44****)* **:** 51-53 George St, OX1 2BE. ☎ 72-37-90. Ouvert jusqu'à 1 h du matin le jeudi, 2 h les vendredi et samedi. Vaste pub moderne et sobre sur 2 étages. Offres promotionnelles sur les bières et les cocktails. Les soirs de fermeture tardive, ambiance boîte avec piste de danse, lumières *flash* et musique forte. À l'étage, espace *lounge,* plus calme. Un des hauts lieux de la vie nocturne estudiantine. Également possibilité d'y déjeuner à prix modestes. Plats typiques tel le fameux *Roast Beef,* et autres plats de pâtes, *burgers* et salades à partir de 5 £ (7,40 €).

The Cock & Camel *(plan couleur B2, **46**) :* 24-26 George St, OX1 2AE. ☎ 20-37-05. Plats servis de 12 h à 20 h. Dans la très animée George St, pub prisé par les étudiants en journée et en soirée. Cadre en bois, fauteuils confortables et lumières tamisées. Se veut plus calme et détendant que ses proches voisins. Expos de peinture aux murs.

Goose *(plan couleur B2, **47**) :* Gloucester Green, Gloucester St. ☎ 72-62-55. Gigantesque pub à deux pas de George St. Promotions attractives sur les boissons. Déco moderne et sobre et divers espaces *lounge.* Un des lieux de sortie fétiche des étudiants.

Un peu plus loin

The Isis Tavern : Iffley Lock, OX4 4EL. ☎ 24-70-06. Du petit village d'Iffley, dans le sud d'Oxford, descendre jusqu'à l'écluse. C'est à 200 m sur la droite. Sinon, venant du centre, sur St Aldate's St, prendre à Folly Bridge sur la gauche. À pied en longeant les berges de l'Isis, balade de 20 mn qui en vaut la peine. Au beau milieu de la nature, taverne au style georgien vieille de 150 ans, où se réunissent régulièrement locaux et rameurs universitaires. Grands jardins, billard oxfordien (tradition oblige) pour une détente assurée. Arriver avant 19 h pour éviter la queue.

Où écouter de la musique ? Où applaudir des humoristes ? Où voir un film ?

The Old Fire Station *(plan couleur B2, **41**) :* 40 George St, OX1 2QA. ☎ 29-71-90. Ouvert de 8 h 30 à 23 h, parfois plus tard. Réduction accordée aux étudiants. Ancienne caserne des pompiers ranimée le soir par des *bands* qui jouent jusqu'à 2 h les vendredi et samedi. Établissement intermédiaire entre la boîte de province et le pub amélioré. Grands groupes locaux ou petites formations de Londres.

The Zodiac *(hors plan couleur par D3) :* 190 Cowley Rd, OX4 1UE. ☎ 42-00-42. • www.thezodiac.co.uk • Salle de concert et discothèque sur 2 niveaux. Compter entre 5 et 11 £ l'entrée (7,40 et 16,30 €) ; gratuit un soir par semaine. Concerts live et soirées disco avec DJs différents tous les soirs. Tous les styles, du rock à la *transe* en passant par la house et le R'n'B. Vente de ticket d'entrée sur place, par téléphone ou via le site Internet.

Freud *(hors plan couleur par A1) :* 119 Walton St, OX2 6AH. ☎ 31-11-71. Ouvre tous les jours à 11 h et ferme à minuit les lundi et mardi, 2 h du matin du mercredi au samedi et 22 h 30 le dimanche. Une ancienne petite église néoclassique reconvertie en cocktail bar-restaurant postmoderne. Tous les soirs concerts live : funk, musique latino, jazz... selon les jours. On pourra aussi se laisser tenter par de délicieuses pizzas aux combinaisons pour le moins originales.

■ **Jongleurs Comedy Club** *(plan couleur A2, **48**) :* 3-5 Hythe Bridge St, OX1 2EW. ☎ (08707) 87-07-07. • www.jongleurs.com • Cette chaîne de salle de spectacles accueille de fameux comiques anglais tous les jeudi, vendredi et samedi de 20 h 45 à 23 h. De quoi s'initier à l'humour anglais ! Compter environ 10 £ (14,80 €) le spectacle. La salle se transforme ensuite en boîte de nuit jusqu'à 2 h. On peut également y grignoter des *nachos* et *chicken wings* pendant le spectacle. Réserver au plus tard la veille avant 15 h.

■ **Phoenix Picturehouse** *(hors plan couleur par B1) :* 57 Walton St,

OX2 6AE. ☎ 55-49-09 ou 51-25-26. • www.picturehouses.co.uk • THE cinéma d'art et d'essai de la ville. Excellente programmation de films tous azimuts. On regrette seulement que les fauteuils soient si inconfortables.

Où danser?

Toutes les boîtes affichent des prix quasi semblables. En semaine, compter environ 5 £ (7,40 €) et le week-end un peu plus de 8 £ (11,80 €). Le prix des consos n'est pas plus élevé que dans les pubs. Prévoir entre 2 et 4 £ (3 et 5,90 €) pour une *pint* ou un *Bloody Mary*.

♫ ***The Park End Club*** *(plan couleur A2,* ***49****)* **:** 37-39 Park End St, OX1 1JD. ☎ 25-01-81. C'est la plus grosse boîte d'Oxford, branchée et très populaire : 3 salles avec 3 musiques différentes. Soirée adolescents le mardi et *Open bar* le jeudi. Souvent beaucoup de queue, arrivez tôt!

♫ ***Club Latino*** *(hors plan couleur par D3)* **:** 15 St Clement's St, OX4 1AB. ☎ 24-72-14. D'abord LE rendez-vous des latinos d'Oxford puis des étudiants étrangers. Deux niveaux dont un réservé exclusivement à la musique latino et l'autre à la techno.

♫ ***Po Na Na*** *(plan couleur B2)* **:** 13-15 Magdalen St, OX1 3AE. ☎ 24-91-71. Bar-club à la déco marocaine. L'intérieur est petit mais l'ambiance chaleureuse et le *Po Na Na* accueille les meilleurs DJs de toute l'Angleterre. Voilà de quoi vous convaincre d'aller faire un tour dans l'un des *spots* d'Oxford.

♫ 🍸 ***Purple Turtle Union Bar*** *(plan couleur B2,* ***43****)* *:* Frewin Court, OX1 3JB. ☎ 24-70-86. Dans une petite rue perpendiculaire à Cornmarket St. Ouvert du lundi au samedi de 12 h à 2 h du matin et le dimanche de 18 h à minuit et demi. Bar-disco réservé uniquement aux étudiants (présentation de la carte exigée) et prix sur les boissons défiant toute concurrence. Ambiance délurée dans un ancien cellier. Plusieurs salles. DJs tous les soirs et également possibilité de choisir sa musique sur un *jukebox.* Stroboscopes et néons mauves à gogo.

Visiter Oxford

Comme chez sa sœur ennemie Cambridge, ici on visite les *colleges,* les belles cours, les jardins secrets. Tous les *colleges* ou presque sont ouverts au public à certaines heures de la journée. Bien sûr, on n'entre pas partout, mais la grande cour intérieure *(quadrangle)* et la chapelle sont généralement accessibles. Se procurer une bonne carte de la ville et partir à la recherche des plus beaux *colleges.*

Pour ceux qui parlent l'anglais, la meilleure solution consiste à participer à la visite guidée de la ville, qui part de l'office de tourisme (voir la rubrique « Adresses utiles »).

Comme la ville compte près d'une quarantaine de *colleges,* on ne va pas tous vous les décrire. Au bout d'un moment, cela devient épuisant. On vous parle des sites les plus importants et après, à vous de jouer! Le mieux est de créer son propre itinéraire à l'aide d'une carte, en pointant les sites à voir. Ainsi, on ne revient pas trop sur ses pas.

Un peu d'histoire

Le village d'Oxford existait déjà au IXe siècle, bien avant la première université qui s'installa ici vers la fin du XIIe siècle. C'est Henri II qui institua la tradition universitaire à Oxford en rappelant, en 1167, les mille étudiants anglais qui poursuivaient leurs études à Paris. À cette époque, le calme village d'Oxford ne vit pas d'un bon œil ce débarquement d'étudiants privilégiés, braillards et querelleurs. Au cours des siècles suivants, de nouveaux *colleges* s'installèrent, bien souvent parrainés financièrement par un personnage illustre, un mécène ou un bienfaiteur. Les *colleges* se développaient alors un peu anarchiquement, aucune règle n'en régissait l'ensemble. Ils avaient leurs propres lois, leurs statuts, leurs professeurs...

Chaque *college* reste aujourd'hui encore un petit monde à part. Si un étudiant décidait de ne jamais sortir de son *college,* rien ne l'en empêcherait. Imaginez un peu : il a sur place le gîte, le couvert, une bibliothèque, son tuteur qui le suit durant toutes ses études, une petite boutique. Que demander de plus ?

Oxford a acquis au fil du temps une réputation de tradition, entretenue par des règles strictes que le plus marginal des étudiants se doit de suivre. D'ailleurs, personne ici ne cherche à les remettre en cause. Cet univers de conventions et de formalisme n'est pas forcément synonyme d'étroitesse d'esprit. Il est simplement le garant d'une certaine unité, d'une certaine image que le cérémonial et le folklore contribuent à faire rayonner dans le monde entier. *Christ Church* est aujourd'hui le plus célèbre des *colleges.*

Architecturalement, les *colleges* varient les uns des autres, mais on retrouve toujours les points communs suivants : une vaste cour tapissée de gazon, avec autour une chapelle, un *dining hall* (en fait, une cantine améliorée), une bibliothèque et des chambres.

Voici quelques infos chiffrées : l'année universitaire se compose de 3 *terms* de 8 semaines. Oxford compte 27 000 étudiants. 38 % des dossiers présentés sont acceptés. 5 % des étudiants arrêtent après un an d'études et seulement 2 % ne réussissent pas leurs examens de fin d'études. Le coût moyen d'une année d'études est de 8 500 £ (12 580 €). Jusqu'au début du XIXe siècle, toutes les épreuves étaient orales. Les filles sont acceptées dans tous les *colleges* depuis 1974, tandis que les derniers leur étant strictement réservés sont devenus mixtes. Elles représentent maintenant 38 % des étudiants. Décidément, tout fout le camp !

Le fonctionnement d'Oxford est un rien subtil : les 39 *colleges* où vivent, étudient et se nourrissent les étudiants dépendent de l'université d'Oxford qui chapeaute l'ensemble. Ainsi les étudiants ne passent-ils pas leurs examens dans leur propre *college.* Pour chaque discipline, les épreuves sont organisées par l'université, garante du niveau et de l'équité entre *colleges.* Chacun d'entre eux possède toutes les branches d'enseignement possibles. Il n'existe pas de *colleges* spécialisés dans un domaine particulier. Chaque étudiant est suivi tout au long de son cursus par un *tutor* qui fait le point chaque semaine avec lui sur les cours à suivre, les recherches à engager. Souvent un lien étroit, parfois paternaliste, unit le *tutor* à l'étudiant. Il le soutient dans les moments difficiles, l'admoneste quand il se relâche... La réussite de l'étudiant est importante pour le *tutor* lui-même, qui n'aime pas voir son poulain échouer. On ne se fait pas de bile pour eux, les potaches d'Oxford ou de Cambridge trouveront une bonne place dans la société. Sortir de l'une de ces prestigieuses universités reste une sacrée carte de visite. Oxford compte d'ailleurs d'éminents diplômés, tels que Oscar Wilde, Aldous Huxley, Benazir Bhutto, John Le Carré, Stephen Hawking, Margaret Thatcher, Bill Clinton, Ken Loach ou Rupert Murdoch.

Tradition

La tradition est avant tout fonction de l'institution même des *colleges.* Institution totalement séparée de l'université, l'étudiant dépendant en fait de 3 instances, l'université pour les cours, le *college* pour les logements, les repas, la vie communautaire, etc., et le ou les clubs pour ses activités annexes.

Le principe premier qui prévaut dans l'éducation anglaise est la préparation aux dangers de la vie future par l'apprentissage de la rivalité et de la solidarité dans les études et les sports individuels ; solidarité au niveau du club, du *college*, de l'université.

– On porte haut les couleurs de son *college* ici, et, le dimanche et lors des fêtes, la *gown*, sorte de robe d'avocat plutôt souillon, est le symbole traditionnel d'un sens du groupe qui ne se démentira jamais, toute la vie durant. En revanche, lors des examens, les étudiants doivent tous se vêtir du même uniforme noir et blanc.

– Chaque année, le 3e mercredi de juin, l'ensemble des profs de tous les *colleges* prend part à une cérémonie très officielle. On les voit défiler dans les rues en tenue de pingouins endimanchés, un camembert carré en guise de couvre-chef. Amusant.

– La tradition joue évidemment un rôle majeur dans la rencontre d'aviron *Oxford-Cambridge*, qui n'est qu'une des compétitions sportives entre les 2 universités. Peu de gens en France savent qu'il ne s'agit nullement de la lutte des 2 meilleurs bateaux du pays, c'est seulement la plus ancienne. Systématiquement London University, en partie grâce à l'appui des Américains qui y étudient, écrase tant Oxford que Cambridge, mais ces rencontres n'ont pas l'appui de plus d'un siècle de tradition. Cependant, Oxbridge (contraction de Oxford-Cambridge) tend à s'améliorer avec des sélections plus internationales et de plus haut niveau.

– Autre événement traditionnel, un des plus amusants, c'est la *May Week*, la semaine des *May Bals*, les bals de mai. Ce sont les fêtes démobilisatrices, après les examens organisés par chaque *college*. Nous en parlerons plus longuement au chapitre « Cambridge ».

– *May Day* est aussi exceptionnel à Oxford. C'est l'une des fêtes les plus matinales du monde puisqu'elle se déroule à 6 h du matin et rassemble effectivement des milliers de personnes. En fait, tout ce beau monde termine ici sa folle nuit où chacun aura veillé en compagnie de ses amis et de l'alcool. On vient écouter une chorale composée de jeunes enfants qui chantent en haut de la tour de Magdalene College. Et comme celle-ci borde Magdalene Bridge au-dessus de la rivière, eh bien, il est de tradition de sauter à l'eau à l'aube. C'est assez spécial, tant par l'heure que par l'événement lui-même. Ensuite, une fois n'est pas coutume dans ce pays, on va au pub prendre un petit dej' (nul besoin de préciser qu'il est autorisé de vendre de l'alcool). Les *colleges*, avec plus de savoir-vivre, organisent un petit dej' au champagne sur leur *quad*.

Vocabulaire oxfordien

– *Cowley :* banlieue industrielle où s'élevaient les fameuses usines Morris. Ceux de Cambridge disent méchamment que « Oxford est le Quartier latin de Cowley ».
– *Fellow :* maître assistant.
– *Don :* un prof d'université.
– *B.A. : Bachelor of Arts* (qui possède la licence).
– *Hack (to) :* réussir par tous les moyens, bachoter.
– *High (the) :* la rue principale.
– *M.A. : Master of Arts* (qui possède la maîtrise).
– *Sloane ranger :* le nec plus ultra de l'échelle sociale ; fils de la vieille aristocratie ou de nouveaux riches, le *sloane* a pour principales activités de traîner dans les soirées, de ne rien faire et de se saouler.
– *Toad :* se dit de quelqu'un de limité et manquant d'humour, un imbécile quoi !
– *Town and Gown :* « ville et robe », la ville et l'université.
– *Townie :* habitant d'Oxford non étudiant.
– *Tutor :* personne au *college* qui suit l'étudiant jusqu'au bout de sa scolarité.

À voir

🔭 ***Cornmarket Street*** *(plan couleur B2)* **:** la rue commerçante de la ville, et le point de départ de la plupart des bus. C'est de là que part notre balade. Ici, tout se visite à pied. On ne vous propose pas un itinéraire précis, mais quelques sites parmi les plus intéressants. À vous de relier ces points à votre guise. Notez que les horaires d'ouverture des *colleges* sont indicatifs et sujets à changement en fonction des examens, vacances, etc.

🔭 ***Carfax Tower*** *(plan couleur B2,* ***60****)* **:** à l'angle de High St et de Cornmarket St. Ouvert tous les jours de 10 h à 17 h 30. Entrée payante. Située au carrefour des 2 axes névralgiques de la ville, High St (la plus grande artère) et Cornmarket St (la rue piétonne la plus commerciale), cette tour du XIVe siècle est tout ce qui reste d'une église détruite lors du percement de la rue qui la borde. Possibilité de grimper au sommet de la tour pour une belle vue sur la ville.

🔭🔭🔭 ***Christ Church*** *(plan couleur C3,* ***61****)* **:** St Aldate's St. ☎ 27-61-50. • www.visitchristchurch.net • Situé sur la gauche en descendant la rue, par le parc. Ouvert du lundi au samedi de 9 h à 17 h et à partir de 11 h le dimanche. Fermé le 25 décembre. Entrée : 4 £ (5,90 €). Fondé en 1524, c'est le plus grand *college* de l'université d'Oxford, le plus fameux et également le seul au monde à abriter sa propre cathédrale. Il a formé 13 premiers ministres de la Couronne. Locke, penseur qui a prévu toutes les révolutions du XVIIIe siècle, a été prof ici, de même que le révérend Dodgson (Lewis Carroll). La vraie Alice, à qui il racontait ses histoires, était la fille du dirlo, et *Alice in Wonderland* est inspirée par Oxford, comme elle inspire Oxford actuellement. Alice allait acheter ses bonbons chez une mémère à l'air bêlant dans une boutique juste en face de l'entrée du *college.* D'ailleurs, elle se retrouve en mouton dans le livre. Aujourd'hui, *Alice's Shop* propose tous les objets pour l'alicemaniaque.
Plus récemment, Christ Church a servi de lieu de tournage pour les films de Harry Potter. Christ Church est le plus visité des *colleges,* car, outre sa cathédrale, il présente d'autres édifices intéressants. Voici un rapide tour du propriétaire :
– le *dining hall,* typique dans son style. Les membres du *college* y prennent encore leurs repas. Sur la 5e fenêtre en partant de la porte d'entrée à gauche, on observe des portraits d'Alice et d'autres personnages du livre. Le *dining hall* fut d'ailleurs entièrement reconstitué en studio pour les films de Harry Potter. L'escalier qui y mène présente un magnifique plafond en éventail voûté.
– *La cathédrale,* absolument superbe, toute petite, est surtout réputée pour ses vitraux. Pour toute information, adressez-vous aux personnes qui sont là en permanence pour accueillir les visiteurs. Une église de style roman fut tout d'abord élevée au XIIe siècle sur ce site. Puis, au fil du temps, elle subit de nombreuses transformations, des chapelles furent ajoutées, ce qui lui donne une forme un peu curieuse. Les plus beaux vitraux sont ceux de Becket, dans le transept sud. Réalisés au XIVe siècle, ils évoquent le meurtre de l'archevêque Thomas Becket, un siècle plus tôt. Un autre vitrail remarquable est celui de sainte Frideswide, réalisé par le préraphaélite Burne-Jones au XIXe siècle. Il conte l'aventure de sainte Frideswide, guérisseuse des aveugles, poursuivie par un prince désireux de l'épouser. On verra encore le vitrail de saint Michel dans le transept nord, illustrant le saint et ses anges en plein combat avec un dragon. Sur la gauche du vitrail de sainte Frideswide, jeter un œil aux 3 vitraux dans les tons blanc et crème, datant du XIVe siècle. Fine exécution. À voir encore : plusieurs tombeaux, le chœur de style gothique et l'élégante nef à nervures et clés de voûtes pendantes.

– On accède ensuite à la grande cour *(Tom Quadrangle)*, la plus vaste de tous les *colleges*. Selon les plans de départ, elle devait comporter un cloître, les arcs de cercle sur les murs en témoignent. La *Tom Tower*, jolie tour du XVIIe siècle qui se dresse au-dessus de la porte d'entrée, abrite une cloche de 6 tonnes. Elle sonne 101 coups chaque soir (pauvres étudiants) à 21 h 05, commémorant le nombre d'étudiants présents à l'époque. Il y a bien longtemps, c'était aussi le signal de la fermeture des portes du *college*. Après cette heure, les étudiants devaient payer une sorte d'amende pour rentrer.
– Ce *college* est le seul à posséder sa *galerie d'art*, située de l'autre côté de la cathédrale (demander). Entrée : 2 £ (3 €). Ouvert tous les jours de 10 h 30 à 13 h et de 14 h à 16 h 30 (17 h 30 l'été) ; le dimanche, ouvert l'après-midi seulement. L'une des plus importantes collections privées d'Angleterre, avec quelque 300 tableaux et 2000 dessins. L'art italien du XIVe au XVIIIe siècle est fortement représenté et quelques artistes hollandais. Michel-Ange, Raphaël, Rubens... Également une collection d'œuvres de John Ruskin, éblouissante (les fans de Proust seront ravis) et des dizaines de dessins de maîtres anciens : Holbein, Van Dyck, Tintoret, Carrache, Léonard de Vinci...

🚶🚶 ***Jesus College*** *(plan couleur C2,* ***62****)* **:** Turl St. ☎ 27-97-00. • www.jesus.ox.ac.uk • Ouvert tous les jours de 14 h à 16 h 30. Ce fut le 1er créé au temps d'Élisabeth Ire. Celle-ci fut à l'origine de sa fondation, mais ne versa pas un penny pour sa construction. Elle fournit, en revanche, tout le bois de chêne pour les charpentes. Jolie courette carrée, superbe *dining hall* à lambris. Les réfectoires de ces *colleges* sont tous bâtis sur le modèle de ceux des monastères. On y trouve toujours à l'entrée une sorte de vaste écran de bois destiné à arrêter le froid. Remarquer la table des profs, toujours légèrement surélevée et qui dispose de chaises et non de bancs. Parmi les portraits aux murs, celui de Lawrence d'Arabie, ancien étudiant du *college*.
Dans chaque cour (c'est valable pour presque tous les *colleges*), les différentes entrées qui mènent aux chambres des étudiants sont dotées d'un grand rideau et non d'une porte, souvenir d'une époque où la discipline était plus dure. Les inscriptions à la peinture blanche sur le côté de certaines entrées correspondent aux noms et aux années des clubs battus à l'aviron. Deux courses ont lieu chaque année ; en février et en mai. Huit rameurs y participent. Les bateaux partent à intervalles très précis et le but du jeu consiste à toucher le bateau situé devant.
Faites un tour à la *chapelle* de *Jesus College*, toute petite, typique du genre. Les *colleges* d'Oxford ou de Cambridge ne sont pas religieux, mais la plupart des étudiants suivent les offices. D'ailleurs, en mai et juin, les chapelles sont souvent occupées par les mariages d'anciens élèves. Ne pas oublier les concerts, également donnés dans les chapelles. Se renseigner à l'office de tourisme.

🚶 ***Radcliffe Camera*** *(plan couleur C2,* ***63****)* **:** grosse rotonde du XVIIIe siècle, abritant une immense bibliothèque. Malheureusement fermée au public. Le mot *camera* signifie « chambre » en italien. Elle fut édifiée grâce au don d'un riche mécène épris de livres, qui se fit construire un mausolée-bibliothèque pour qu'on se souvienne de lui. C'est aujourd'hui la salle d'études de la *Bodleian Library*, située sous la pelouse de l'édifice. Plus d'un million et demi de livres y sont rassemblés. Un truc marrant, commun à la plupart des salles de manuscrits : personne ne peut entrer ici avec un stylo à encre. Seuls les crayons sont autorisés à l'intérieur, et ce afin d'éviter les griffonnages indélébiles sur les bouquins. Un exemplaire de tout ce qui est imprimé est conservé ici. De tristes essais théologiques côtoient les plus belles revues pornographiques (pour hommes comme pour femmes). 140 km d'étagères !

🚶🚶 ***Bodleian Library*** *(plan couleur C2)* **:** ☎ 27-72-24. • www.bodley.ox.ac.uk • Ouvert du lundi au vendredi de 9 h à 16 h 45 et le samedi jusqu'à 12 h 30. L'une des plus anciennes bibliothèques d'Europe. La salle d'entrée possède un plafond extraordinaire composé de mille nervures fines. À l'extrémité de chacune d'elles, les initiales des donateurs. Petite salle d'exposition à gauche de l'entrée.

Non loin, sur Broad St, ***the Sheldonian Theatre*** *(plan couleur C2, **64**)*, au toit de cuivre verdi. Premier ouvrage de sir Christopher Wren, en 1664, qui lui valut par la suite pas mal de commandes, y compris St Paul à Londres.

New College *(plan couleur C2, **65**) :* Holywell St. ☎ 27-95-55. • www.new.ox.ac.uk • Ouvert de 11 h à 17 h en été et de 14 h à 16 h hors saison. Entrée (en été) : 2 £ (3 €). On y accède par un lacis de rues étroites. *New College* fut fondé en 1379 pour combler les pertes humaines au sein du clergé pendant la grande peste. Ce fut le premier à être construit autour d'un *quadrangle* (cour intérieure) et il servit de modèle à plusieurs *colleges* ultérieurs. La chapelle présente un retable orné de statues de saints, d'intéressants vitraux des XIVe et XVIIIe siècles ainsi qu'un portrait de saint Jacques, œuvre du Greco. Le *Hall* est l'un des plus grands réfectoires de tous les *colleges,* avec 200 couverts. Le jardin est fermé par les remparts du XIIe siècle de la ville d'Oxford, que le *college* a obligation d'entretenir.
En sortant du *college,* admirez le *pont des Soupirs* d'Oxford sur New College Lane.

Sur le flanc de certains *colleges,* en façade de plusieurs édifices, et également autour de l'enceinte de la bibliothèque, on voit de-ci, de-là des ***gargouilles*** grotesques, dont certaines datent du XIVe siècle. On ne connaît pas la signification de ces têtes pleines d'humour. Certains disent qu'il n'y en a pas.

St Edmund Hall *(plan couleur D2, **66**) :* Queen Lane. ☎ 27-90-00. • www.seh.ox.ac.uk • L'unique survivant des *Halls* médiévaux qui assuraient aux étudiants gîte et tutorat avant que les *colleges* ne commencent à le faire. L'un des plus jolis coins, à notre avis, avec son beau magnolia d'angle et ses édifices de toutes les périodes, dont le plus ancien date du XVIe siècle.

High Street *(plan couleur C-D2) :* large artère bordée de beaux édifices, de boutiques élégantes... Cette rue fut autrefois le théâtre de violentes bagarres entre étudiants. Beaucoup de sang fut versé ici au cours des siècles. Chaque rixe laissait quelques corps sur le carreau. Pour sauver la morale, chaque *college* devait payer pour les morts.

Magdalen College *(plan couleur D2, **68**) :* High St. ☎ 27-60-00. • www.magd.ox.ac.uk • Ouvert de 13 h à la tombée de la nuit d'octobre à juin et de 12 h à 18 h de juillet à septembre. Entrée : 3 £ (4,40 €). Prononcez « Maodline ». La Grande Tour du XVe siècle domine l'entrée d'Oxford. Chaque 1er mai à 6 h du matin, une chorale y chante des cantiques devant des milliers d'étudiants massés sur le pont en bas. Les plus fous et les plus saouls sautent à l'eau (de quoi les réveiller après une nuit blanche). La chapelle abrite une copie de la *Cène* de Léonard de Vinci, ainsi qu'un magnifique jubé décoré de gargouilles portant chacune un instrument de musique différent. Le cloître du XVe siècle est d'une grande beauté. Le seul *college* à avoir son propre parc avec des cerfs et biches en liberté.

Merton College *(plan couleur C3, **69**) :* Merton St. ☎ 27-63-10. • www.merton.ox.ac.uk • Ouvert du lundi au vendredi de 14 h à 16 h et les samedi et dimanche de 10 h à 16 h. Fermé une semaine à Pâques, ainsi qu'entre Noël et le 1er janvier. Fondé en 1264, *Merton College* est l'un des premiers *colleges* de la ville et abrite également la plus vieille bibliothèque d'Angleterre (XIVe siècle). Le reste des édifices est plus récent.

Corpus Christi College *(plan couleur C3, **70**) :* Merton St. ☎ 27-67-00. • www.ccc.ox.ac.uk • Ouvert tous les jours de 13 h 30 à 16 h 30. Gratuit. Fondé au début du XVIe siècle par l'évêque de Winchester. Votre sagacité aura immédiatement noté ce curieux totem au centre de la cour, surmonté d'un pélican.

⚲ Et puis, il en reste encore des quantités, comme le ***Queen's College*** *(plan couleur C2, **71**)*, ouvert pour les visites guidées de l'office de tourisme, ***All Souls College*** *(plan couleur C2, **72**)*, avec son *quadrangle* inchangé depuis le XVe siècle, etc. Si vous voulez les voir tous, vous en avez pour 2 jours.

⚲ Sur ***Cornmarket St,*** au n° 28, à l'angle de Ship St *(plan couleur B2)*, bel encorbellement et pignon en bois sculpté.

⚲⚲ The Broad Walk mène au ***jardin botanique*** *(plan couleur D3) :* ☎ 28-66-90. • www.botanic-garden.ox.ac.uk • Ouvert tous les jours de 9 h à 16 h 30 (17 h en mars, avril et septembre et 18 h de mai à fin juillet). Fermé le 25 décembre et le Vendredi saint. Entrée : 2,50 £ (3,70 €). Très reposant, le plus vieux d'Angleterre. Très grande variété de plantes du monde entier. Plusieurs serres, dont une tropicale. Il déroule ses pelouses jusqu'à la Tamise et donne sur Magdalen College.

⚲ On peut aussi aller faire un tour sur ***Broad St*** *(plan couleur B-C2)*, bordée de jolies petites maisons provinciales et commerciales. Poursuivre sur ***Holywell St*** *(plan couleur C-D2)*, à l'atmosphère presque bucolique.

⚲ ***Covered Market*** *(plan couleur C2, **73**) :* dans le centre. Beau comme tout. Vivant et coloré. Pâtisseries assez surprenantes.

Les musées

Beaucoup de petits musées spécialisés et quelques excellents grands musées.

⚲⚲⚲ ***Ashmolean Museum*** *(plan couleur B1-2, **74**) :* Beaumont St. ☎ 27-80-00. • www.ashmol.ox.ac.uk • Ouvert du mardi au samedi de 10 h à 17 h et les dimanche et jours fériés de 14 h à 17 h. Fermé le 1er janvier, les 18 et 19 avril, 8 et 9 septembre, 24 et 27 décembre. Gratuit. Le plus vieux musée public du pays (fondé au XVIIe siècle), installé dans un édifice classique. Les collections, elles aussi très classiques, sont d'une incroyable richesse mais malheureusement mal mises en valeur. Au fil de votre visite, vous irez tout comme nous de surprise en surprise. L'Ashmolean Museum peut sans problème rivaliser par sa taille et par sa qualité avec certains musées de la capitale. Un véritable petit British Museum, avec ses collections archéologiques égyptiennes, du Proche-Orient et du Moyen-Orient. Beaucoup d'antiquités. Au rez-de-chaussée, dans le département d'art oriental, un superbe et inquiétant bouddha grandeur nature. Voir également les salles consacrées à la peinture avec des toiles des plus grands peintres anglais des XVIIIe et XIXe siècles. Pour la petite histoire, en décembre 1999, l'Ashmolean s'est fait voler le *Village d'Auvers-sur-Oise* de Cézanne, un tableau estimé à quelques millions de livres et qui n'était pas... assuré ! Vous trouverez de nombreuses œuvres de nos chers impressionnistes, et puis aussi Picasso *(Les Toits bleus)*, Van Gogh *(Le Restaurant de la Sirène à Asnières)*. Dans la même salle, voir l'émouvant tableau de Leonid Pasternak représentant ses deux fils, dont, à gauche, Boris, le futur prix Nobel et auteur du *Docteur Jivago*. Vous apprécierez également *La Déposition* époustouflante de Van Dyck. Et puis encore des sections consacrées aux monnaies, aux instruments de musique, à la sculpture... À ne pas manquer.

⚲⚲ ***Museum of Modern Art*** *(MoMA ; plan couleur B3, **75**) :* 30 Pembroke St. ☎ 72-27-33. • www.moma.co.uk • Ouvert du mardi au samedi de 10 h à 17 h et le dimanche de 12 h à 17 h. Gratuit. Musée toujours à la pointe de la nouveauté artistique, présentant tous les 3 mois environ des expos ou des performances toujours originales, désopilantes, cocasses. Possède également une bonne librairie.

⚲ ***The Oxford University Museum and Natural History*** *(plan couleur C1, **76**) :* Parks Rd. ☎ 27-29-50. • www.oum.ox.ac.uk • Ouvert tous les jours de

12 h à 17 h. Fermé quelques jours à Noël et à Pâques. Entrée gratuite. Dans un bâtiment néogothique d'une grande finesse, ce petit musée d'histoire naturelle présente notamment des squelettes de dinosaures et des fragments de dodo. Mais le meilleur commence au fond, avec le *Pitt Rivers Museum* (ouvert de 12 h à 16 h 30, de 14 h à 16 h 30 le dimanche. Fermé entre Noël et le 1er janvier; gratuit également). Il s'agit d'un musée ethnographique d'une grande richesse. Le plus incroyable est encore l'organisation chaotique des salles! Un vrai labyrinthe où l'on trouve des totems comme des momies. Fascinant.

The Museum of Oxford *(plan couleur C2, 77)* **:** St Aldate's St. ☎ 25-27-61. Ouvert du mardi au vendredi de 10 h à 16 h, le samedi de 10 h à 17 h et le dimanche de 12 h à 16 h. Entrée : 2 £ (3 €). Un musée gentiment aménagé, retraçant l'histoire des gens et de la ville depuis la préhistoire jusqu'à nos jours. Vieux cailloux, maquettes, objets, plans de la ville, reconstitution de boutiques du XIXe siècle reflétant la vie de l'époque, etc.

Oxford Story Exhibition *(plan couleur C2)* **:** 6 Broad St. ☎ 72-88-22. • www.oxfordstory.co.uk • Ouvert tous les jours de 10 h (11 h le dimanche) à 16 h 30 et de 9 h 30 à 17 h en été. Entrée chère : 7 £ (10,40 €). Une rétrospective très vivante de l'histoire d'Oxford à travers différentes mises en scène, que l'on découvre, transporté dans des wagonnets.

Shopping

La vie est meilleur marché à Oxford qu'à Londres pour tout. Le commerce est concentré dans quelques rues : *Little Clarendon St (plan couleur B1), Cornmarket St* et *High St.*

Edinburgh Woolen Mill *(plan couleur C2)* **:** 141 High St. ☎ 24-21-13. Ouvert du lundi au samedi de 9 h à 18 h et le dimanche de 10 h à 17 h. Si vous avez oublié d'acheter un cadeau pour maman. Vend aussi les meilleurs *shortbreads* (des *Walkers,* naturellement).

Alice's Shop *(plan couleur C3)* **:** 83 St Aldate's St. ☎ 72-37-93. Ouvert tous les jours de 11 h à 15 h. La boutique où Alice venait acheter ses bonbons (cf. « À voir »). Maintenant un commerce centré autour de sa petite personne : cartes, services à thé, crayons... Pour les fans.

Crabtree & Evelyn *(plan couleur B2)* **:** 44 Queen St. ☎ 24-43-99. Ouvert du lundi au samedi de 10 h à 18 h et le dimanche de 11 h à 16 h. Prétend être spécialiste de savonnettes, mais vend également des *cookies* et des confitures. Vu les prix, à consommer modérément.

Frederick Tranter *(plan couleur C2)* **:** 37 High St. ☎ 24-35-43. Ouvert du lundi au vendredi de 9 h à 17 h. Un grand spécialiste du tabac. Magnifique collection de pipes et d'articles pour fumeurs.

Shepherd and Woodward *(plan couleur C2)* **:** 109-113 High St. ☎ 24-94-91. Ouvert de 9 h à 17 h 30. Trois boutiques différentes sous le même nom qui vous habilleront de la tête au pied aussi bien en parfait étudiant qu'en *English gentleman.* Vend aussi des souvenirs d'Oxford : badges, cravates...

The Ballroom *(plan couleur D3)* **:** 5-6 The Plain. ☎ 24-10-54 ou 20-23-03. Ouvert du lundi au samedi de 9 h à 18 h. Pour choisir entre un chapeau claque et un chapeau melon, ou pour louer le temps d'une soirée une robe de Cendrillon.

Les livres

Les rats de biblio, les papivores, les névrosés de la lecture, les anglicistes fous vont encore frapper. Oxford, capitale de l'esprit, se devait de posséder les librairies les plus riches. Pour les fanas, une brochure de l'office de tourisme recense toutes les librairies d'occasion.

Blackwell's *(plan couleur C2)* **:** 48-51 Broad St, en face du Sheldonian, et ses annexes dont celle de musique (classique, pop) du 38 Holywell St. ☎ 79-27-92. Ouvert de 9 h à 18 h ; le dimanche, de 12 h à 17 h. Se vante d'être l'une des plus grandes librairies du monde : on n'a pas mesuré, mais il y a de quoi faire. Service par correspondance aussi. Recherche des livres rares. Livres en français. Prix normaux, mais le choix est encore plus affolant. Figure même dans le *Livre des records* !

➤ DANS LES ENVIRONS D'OXFORD

Avant de partir, si vous êtes adepte de la marche à pied, de belles balades possibles tout autour de la ville. Jusqu'à Trout Inn, par exemple, par les rives de la Tamise, ou bien sur l'un des nombreux trails dans la campagne. Renseignez-vous à l'office de tourisme.

Le village d'Iffley : bus nos 3 et 40 à partir de Cornmarket. Descendre au niveau du garage Peugeot ; prendre la montée sur la droite, puis Church Way. Comme l'indique son nom, ce chemin vous mène directement à l'église du village. Murs et maisonnettes ocre en pierre des Cotswolds. Instants de tranquillité. Possibilité d'accomplir le tour complet du village en suivant la ruelle et de s'arrêter à *The Isis Tavern* (voir « Où boire un verre ? »).

Woodstock et le château de Blenheim : bus n° 20 toutes les 30 mn à partir de l'Oxford Bus Station. Ils s'arrêtent devant le parc. Par la route : 9,5 miles (15 km) au nord d'Oxford sur l'A34, direction Stratford. • www.blenheimpalace.com • Tout d'abord, un petit village charmant. Bon salon de thé (*Bleinheim Tea-shop* a abrité le tournage de *Nemesis,* où sévissait Miss Marple) et agréable pub *(The Star).* Ce village doit son nom au pilori de bois, *wood stock,* que l'on voit encore devant le musée. Juste en face, l'hôtel *The Bear* a abrité Burton et Taylor, et c'est ici que les étudiants se font conduire quand la famille vient en vacances. Ils ont raison. Bon et cher. Le château est ouvert de mi-février à fin octobre de 10 h 30 à 17 h. Entrée exagérée : 11 £ (16,30 €) ou 12,50 £ (18,50 €) selon la saison. Les jardins sont ouverts toute l'année de 9 h à 17 h 30. La reine Anne avait donné un terrain au duc de Marlborough, nom de famille Churchill, ancêtre de Winston, pour le remercier d'une grande victoire contre les troupes françaises en 1704. Le *château de Blenheim* (nom de la bataille), dessiné par l'architecte Vanbrugh et qui se veut un « mini-Versailles », contient des collections de portraits classiques, des tapisseries, et tout le bric-à-brac habituel. Il n'y a que la bibliothèque ancienne de 10 000 volumes dans une pièce de 183 pieds (60 m) de long qui vaille le coup. Tout à la gloire de l'anglophonie, et des batailles britanniques, ce château lourdingue ne plaira pas forcément aux francophones. Self-service avec terrasse donnant sur un jardin à la française (ah !). Autre café au *Pleasure Garden* où se trouve un grand labyrinthe.

LES COTSWOLDS

Cette région, qui s'inscrit dans un trapèze qui part d'Oxford et comprend Stratford, Cheltenham et Cirencester, est tout en collines plus ou moins douces. Le mot vient de l'anglo-saxon : *cot,* enclos à mouton et *wolds,* vallonné. Elle fut un lieu de passage très important pour les Romains : de nombreuses routes et villas en gardent la trace ; mais surtout, elle s'enrichit aux XVIIe et XVIIIe siècles grâce aux tisserands venus des Flandres, qui y établirent une industrie de la laine très prospère ; on y tissait alors de très beaux tweeds. Les très charmants villages en pierre couleur miel, intacts et préservés, font le bonheur des Londoniens qui y possèdent des résidences secondaires. C'est une sorte de Luberon sauce anglaise, où tout est charme et authenticité. En somme, un conservatoire du parfait village anglais. L'économie touristique est très florissante, les prix malheureusement s'en ressentent.

CHELTENHAM

107 000 hab. IND. TÉL. : 01242

C'est une grande ville thermale *(spa)* qui tranche avec les paisibles Cotswolds, parfaite comme camp de base pour ceux qui veulent allier visite de la région dans la journée et sorties le soir. Elle s'est développée sous la Régence (début du XIXe siècle), à la suite de la visite du roi George III, venu y prendre les eaux en 1785. Un autre roi, mais de la guitare celui-ci, est né à Cheltenham : Brian Jones, le légendaire guitariste des Rolling Stones, mort d'une overdose en 1969. Toujours dans le domaine de la musique, sachez que le festival de jazz, le week-end après Pâques, a acquis une grande renommée et attire un nombre croissant d'amateurs de la note bleue. Pensez donc à réserver vos hôtels longtemps à l'avance pour cette semaine-là, ainsi que pour les courses hippiques (parmi les plus importantes du Royaume-Uni) qui se déroulent mi-mars.

Adresses utiles

Tourist Information Centre : Municipal Office, 77 Promenade, GL50 1PJ. ☎ 52-28-78. • info@cheltenham.gov.uk •

Poste : Lower High St. ☎ 22-52-27. Distributeur *ATM* comme partout dans cette rue.

Gare : Queen's Rd. ☎ (08457) 48-49-50.

Autobus : Royal Well Rd.

Où dormir ?

Bon marché

YMCA : 6 Vittoria Walk, GL50 1TP. ☎ 52-40-24. Fax : 23-26-35. • www.cheltenhamymca.org • Très proche du centre. Chambres single uniquement à 18 £ (26,60 €) maximum, petit dej' compris. Privilégie les séjours de plus de 15 jours. Pour les courtes durées, téléphoner environ 8 jours avant. On y trouve à la fois une chapelle, un club de sport et bien sûr des chambres. Cerbère pas toujours souriant. Cependant, compte tenu de la situation, ça reste un bon logis.

De prix moyens à plus chic

Lonsdale House : Montpellier Drive, GL50 1TX. ☎ et fax : 23-23-79. • lonsdalehouse@hotmail.com • Ouvert toute l'année. Chambres entre 49 et 54 £ (72,50 et 79,90 €), selon le standing, petit dej' compris. Mr Mallinson parle bien le français, ce qui facilite la réservation.

Bentons : 71 Bath Rd, GL53 7LH ☎ 51-74-17. Fax : 52-77-72. Chambres autour de 56 £ (82,90 €). Avis aux amateurs de grands lits : des *king size beds* dans toutes les chambres ! Sympathique *B & B* qui a gagné à plusieurs reprises le prix de la *guesthouse* la plus fleurie (voyez les diplômes accrochés dans l'entrée).

Plus chic

🏠 ***Georgian House :*** 77 Montpellier Terrace, GL50 1XA. ☎ 51-55-77. Fax : 54-59-29 • www.georgianhouse.net • Chambres aux alentours de 80 £ (118,40 €). C'est Alex, un Mexicain chaleureux et plein d'idées, qui a entièrement retapé la maison pour lui faire revivre son époque georgienne, tableaux de Napoléon à l'appui. Les 3 chambres sont magnifiques, particulièrement celle avec un lit à baldaquin. Une adresse superbe pour ceux qui veulent voyager dans le temps.

Où manger ?

|●| ***Charles :*** 3 Royal Well Place, GL50 3DN. Ouvert de 12 h à 14 h et de 16 h30 à minuit ! Un *fish & chips* à environ 3,40 £ (5 €), probablement le meilleur de la ville.

|●| ***Peppers :*** County Court Rd, GL50 1ND. En retrait de la promenade. ☎ 52-81-33. Pour un repas complet, compter un peu moins de 15 £ (22,20 €). Au son des derniers tubes à la mode diffusés *piano,* un vaste bar-restaurant aux tons chauds. Assiettes d'entrées à partager, beaux *sirloin steaks* et copieux *roastbeef sandwichs* servis chauds et pas chers. Une dizaine de vins à la carte à des prix modérés.

|●| ***Montpellier Wine Bar Restaurant :*** Bayshill Lodge, Montpellier St, GL50 1SY. ☎ 52-77-74. Plat du jour entre 5 et 10 £ (7,40 et 14,80 €). Un peu chicos, c'est le repaire des cadres plus ou moins jeunes de la ville. On y vient pour boire sa bière ou un verre de vin. On y vient aussi pour manger de bons plats de brasserie. Les frites maison, entre autres, sont succulentes. Une bonne alliance entre le pub classique au rez-de-chaussée (ouvert jusqu'à 23 h) et la salle de resto plus feutrée en bas (service jusqu'à 21 h 30).

|●| ***The Daffodil :*** 18-20 Suffolk Parade, Montpellier, GL50 2AE. ☎ 70-00-55. Environ 25 £ (37 €). Jazz live le lundi avec menu du chef (2 plats) à 15 £ (22,20 €). Ancien cinéma des années 1920 reconverti, le resto a conservé le style Art déco. On dîne à l'orchestre sous un plafond à la hauteur impressionnante ou au balcon avec une vue plongeante sur les cuisines. Dans l'assiette, rien que du classique : salade de canard confit, filet de porc et purée de céleri, agneau-ratatouille... Prix un poil surestimés.

|●| ***Jim Thompson's :*** 40 Clarence St, GL50 3NX. ☎ 24-60-60. Menus à partir de 16 £ (23,70 €). Apparenté à la maison de Jim Thompson à Bangkok, ce resto à la déco extraordinaire vous en mettra plein les mirettes. Du sol au plafond, tout est beau (et à vendre). Une fabuleuse caverne d'Ali Baba asiatique. La cuisine, des 4 coins du lointain Orient, est plus *world* que typique, mais le côté caverne est à lui seul un voyage.

Où boire un verre ?

🍸 ***The Residence :*** 18 Montpellier Walk. Un bar sur 2 étages avec musique *hype* et jeunesse branchée qui se bouscule pour attraper un verre. Déco moderne et sobre. Possibilité de se rassasier à pas trop cher.

🍸 ***O'Neill's :*** 23 Montpellier Walk, GL50 1SD. Vaste pub aux grandes baies vitrées. Murs colorés et tonneaux pour poser sa ou ses bières. La devise de la maison : revenez pour le *craic* ! (le « fun » en irlandais). Strictement interdit aux mineurs.

The Pulpit : Clarence Parade. Ouvert jusqu'à minuit. Entrée gratuite. Une ancienne église (impressionnante de l'extérieur) cache un bar à la mode où l'on peut aussi jouer à une des nombreuses tables de billard. Le tout sous un éclairage de boîte de nuit et une musique pop.

À voir

Se promener dans la ville et admirer l'architecture Regency. Partir de *The Promenade,* bordée de boutiques plutôt chic !

Montpellier Walk : large trottoir bordé de boutiques élégantes, encadrées par une centaine de cariatides copiées des temples grecs. C'est impressionnant de kitsch.

Imperial Gardens : très beaux jardins avec, au fond, l'imposant hôtel de ville municipal.

Montpellier Gardens : d'autres beaux jardins presque à côté des premiers.

Pittville Park : en bordure de la ville, sur la route d'Evesham (A435), la folie du banquier Pitt qui voulait construire sa station thermale pour lui tout seul. Très beau parc plein de fleurs et de verdure. *Pittville Pump Room :* c'est là que vous pouvez prendre les eaux ! Le bâtiment, qui date de 1830, a été bâti sur le modèle d'un temple grec. Il abrite maintenant, au 1er étage, un *musée de la Mode.* Entrée gratuite.

➤ DANS LES ENVIRONS DE CHELTENHAM

Sudeley Castle : à ***Winchcombe*** (situé à 10 miles, soit 16 km) au milieu de très beaux jardins. Ouvert en été de 11 h à 17 h. Fermé de novembre à début avril. Assez cher : 6,20 £ pour les adultes (9,20 €). Réductions. Ce château du XVe siècle, place forte des royalistes, fut démantelé par les parlementaires qui soutenaient Cromwell pendant la guerre civile (1640-1650). Il fut restauré au XIXe siècle. Très beaux meubles. Remarquables tableaux des plus grands maîtres anglais. Dans la chapelle, tombe de la 7e et dernière femme d'Henri VIII, Catherine Parr, la seule qui réchappa d'un mariage avec lui... Elle put même se remarier... avec lord Seymour of Sudeley, ce qui explique la présence de son tombeau ici. Beaux cottages dans la rue qui mène au château ainsi qu'à l'intérieur du parc où ils ont été remis en état.

BALADE DANS LES COTSWOLDS

De nombreux villages typiques sont desservis par des bus (renseignements aux offices de tourisme). Plus pratique, cependant, de visiter les Cotswolds en voiture. Voici une sélection de petits bourgs remarquables d'où vous pourrez, au détour d'une balade dans la campagne, découvrir quelques maisons oubliées du temps ou un vallon au calme merveilleux. De bonnes surprises gastronomiques, des activités pour toute la famille et un peu de shopping, voilà à quoi vont ressembler vos vacances !

BOURTON-ON-THE-WATER 2900 hab. IND. TÉL. : 014 51

Appelée parfois – un peu pompeusement il est vrai – la Venise des Cotswolds, Bourton s'étire le long de la Windrush, enjambée par de ravissants ponts de pierre.

Adresse utile

Visitor Information Center : Victoria St, GL54 2BU. ☎ 82-02-11. Tous les jours sauf le dimanche de 9 h 30 à 17 h 30 (16 h 30 en hiver).

Où dormir ?

Campings

Carp Farm : ☎ 82-17-95. Prendre la direction de Burford. Sur Rissington Rd. Prendre Rye Close à gauche puis la 4e à droite. Compter 9 £ (13,30 €) pour 2. Juste à l'entrée de la ville, ce camping ne paye pas de mine mais ne vous y fiez pas. Derrière la maison, une série d'étangs, d'oiseaux, de poules d'eau et vue sur les vallons. Sanitaires un peu primaires mais les propriétaires sont charmants.

Folly Farm : GL54 3BY. ☎ 82-02-85. Sur l'A436 en direction de Cheltenham à environ 2 miles (3,2 km) de Bourton, tournez à gauche dans un chemin cabossé et fléché. Prévoir 8,50 £ (12,60 €) par nuit et 2,50 £ (3,70 €) pour le raccord à l'électricité. Ouvert d'avril à septembre. Un camping au milieu des champs, dans une prairie. Confort rustique mais accueil très sympa et souriant. À pied vous pouvez vous rendre au village de Cold Asten qui abrite un pub.

De prix moyens à chic

Chestnuts B & B : High St, GL54 2AN. ☎ 82-02-44. Fax : 82-05-58. • chestnutsbb@aol.com • En plein centre, au-dessus du *Chestnuts Tree Tea-room* (remarquez la collection de théières au plafond). Chambres doubles autour de 60 £ (88,80 €), toutes avec salle de bains, certaines avec *king size bed.* La plupart ont vue sur la rivière. Le charme de la campagne avec tout le confort moderne (sèche-cheveux, frigo...).

Magnolia : Lansdowne. ☎ 82-18-41. • www.cottageguide.co.uk • Trois charmants cottages à louer à la semaine à partir de 265 £ (392,20 €) pour 2 personnes ou 325 £ (481 €) jusqu'à 4 personnes. Hors saison et sans réservation, possibilité de *B & B* autour de 60 £ (88,80 €). Complètement indépendantes, ces petites maisons sont entièrement équipées et décorées avec goût. Une bonne formule pour ceux qui veulent sillonner la région à partir de Bourton.

The Dial House Hotel : The Chestnuts, High St, GL54 2AN. ☎ 82-22-44. Fax : 81-01-26. • www.dialhousehotel.com • Chambres entre 120 et 150 £ (entre 177,60 et 222 €) en *B & B.* Prix dégressifs pour plus de 2 nuits. Si vous le pouvez, n'hésitez pas à goûter ici à la vie de château et au savoir-vivre à l'anglaise. Cette grande maison, située un peu en retrait de la place centrale du village, a été construite en 1698 et aménagée avec attention par son propriétaire actuel. Les chambres sont magnifiques, draps en lin et papier peint à la main en prime. Voir aussi « Où manger ? ».

Où dormir bon marché dans les environs?

Youth Hostel : The Square, à Stow-on-the-Wold (5 miles, soit 8 km). ☎ (08707) 70-60-50. Fax : (08707) 70-60-51. • stow@yha.org.uk • En plein centre. Mieux vaut réserver l'été. Compter 14 £ (20,70 €) pour des dortoirs (hommes et femmes strictement séparés), sinon quelques chambres familiales de 4 à 6 places à partir de 50 £ (74 €), petit dej' compris. Sur l'élégante place du village, cette auberge confortable peut être un bon endroit pour ceux qui veulent randonner dans cette charmante région.

Où manger?

Fish and Chips : High St, GL54 2AP. Compter 3 £ (4,40 €). Situé dans une petite maison, cet établissement s'affiche comme le meilleur de la ville. En tout cas, le poisson et les frites (chose rare) sont frais et les habitants s'y pressent à toute heure.

Windrush Garden Café : High St, GL54 2AN. Fermé le soir. Copieux petits dej', sandwichs et salades à moins de 5 £ (7,40 €). Une grande terrasse sur du gazon, une jolie vue, voilà les charmes de ce café.

Kingsbridge : Victoria St, GL54 2BU. Snacks entre 4 et 6 £ (5,90 et 8,90 €) et plats plus consistants pour environ 8 £ (11,80 €). Classiques *fish & chips,* saucisses et pâtes du jour, mais aussi plats plus originaux comme le camembert frit et sauce aux airelles ou le *stilton* accompagné d'un *chutney* de prunes. Le pub le plus sympa du village avec une grande terrasse pour l'été qui donne directement sur la rivière.

The Dial House Restaurant : le resto de l'hôtel *Dial House* (voir « Où dormir?) est une des meilleures tables de la région. Menu du midi aux alentours de 20 £ (29,60 €). À la carte, prévoir un peu plus de 30 £ (44,40 €), amuse-bouches et mignardises inclus. Ici, authenticité et chaleur sont les maîtres-mots. Côté cuisine, on retrouve le même souci du détail que pour la déco, la modernité en plus. Car autant le cadre peut paraître un peu chargé, autant la cuisine se joue habilement des traditions culinaires du pays pour créer des plats légers et innovants. Filet de mulet rouge et sauté de foie gras, crème de pommes de terre et essence de carottes, pour ne parler que des entrées. Belle carte des vins très abordable et vins au verre moins chers qu'au pub en face.

Où boire un verre?

Duke of Wellington : Sherbourne St, GL54 2BY. Un pub assez banal mais qui cache une grande terrasse longée par la rivière qui coule avec un petit bruit de cascade et que l'on ne voit pas de la rue. Très agréable et animé en été.

À voir

The Cotswold Perfumery : sur Victoria St. Entrée : 2 £ (3 €). Réductions. Une expo dans une petite parfumerie familiale. Un film en anglais raconte l'histoire des parfums, l'origine et l'évolution des fragrances. Jardin des odeurs, quizz pour tester votre nez, labo et vente de jolis flacons.

Birdland : Rissington Rd. Entrée 4,75 £ (7 €). Réductions. De 10 h à 18 h (16 h de novembre à mars). Flamands roses, pingouins, toucans et perroquets sont au programme de ce parc dédié aux oiseaux (près de 500).

➤ DANS LES ENVIRONS DE BOURTON-ON-THE-WATER

Bibury-Arlington : à 15 miles (24 km) sur la B4425, un village tout en longueur au bord de la rivière Coln, peuplée de truites, cygnes et canards qui s'ébattent tranquillement sous le regard des très nombreux touristes. En été, pas facile de s'y garer. L'***Arlington Mill,*** ancien moulin à eau (dont les mécanismes en bois fonctionnent toujours) abrite désormais un joli bric-à-brac d'objets campagnards, quelques beaux meubles fabriqués par un ébéniste local du début du XXe siècle, et enfin 3 pièces consacrées à l'œuvre hétéroclite du grand socialiste anglais William Morris (penseur, dessinateur, créateur, décorateur). Dans les entrailles du moulin, un agréable *tea-room* avec plats du jour et sandwichs. À voir aussi, sur ***Arlington Row,*** une série de cottages du XVIIe siècle, construits pour abriter les tisserands locaux.

Bibury Court : GL7 5NT. ☎ 74-03-37. Un manoir Tudor reconverti en hôtel-restaurant à 5 mn à pied de la rue principale. Déjeuner à la carte pour environ 25 £ (37 €) et menus-dîner à partir de 27 £ (40 €). Superbe si vous demandez une table dans la véranda ou dans le salon en face de la grande cheminée. Pour les plus fortunés, chambres entre 135 et 180 £ (200 et 266,40 €), avec baldaquin, antiquités, vue... Tout cela n'est pas vraiment routard, mais vous pouvez visiter discrètement en buvant un verre au bar, et le parc, qui vaut le coup d'œil, est ouvert à tous. Après-midi bucolique garanti.

L'église St Jean-Baptiste : à **Burford,** petit village médiéval situé à environ 8 miles (13 km) de Bourton. Remarquable édifice du XIIe siècle, qui fut le théâtre en 1649 d'un événement important de l'histoire anglaise. Une partie de l'armée de Cromwell se révolta et refusa d'aller combattre injustement les Irlandais. Ce fut le mouvement des « Levellers », soldats qui combattaient en plus l'autoritarisme des chefs et qui avancèrent des revendications très radicales pour l'époque. Pour le parti travailliste et les historiens, ils furent les premiers socialistes de Grande-Bretagne. 340 d'entre eux furent faits prisonniers, enfermés dans l'église de Burford, et leurs leaders furent exécutés. L'un d'eux grava son nom sur la margelle des fonts baptismaux : « Antony Sedley 1649 Prisoner ».
Cette église, en outre, offre d'admirables pierres tombales sculptées et des monuments funéraires, des vitraux superbes, une horloge à la mécanique géniale, etc. Très beau porche sud et, dans le cimetière, pittoresques sarcophages des maîtres lainiers des XVIe et XVIIe siècles.

BROADWAY

2000 hab. IND. TÉL. : 01386

La richesse de Broadway remonte aux XVIIe et XVIIIe siècles et à l'industrie de la laine. Les maisons le long de High St racontent cette histoire. Charmants *cottages* en pierre dorée abritant des boutiques de brocanteurs et d'artisans. Dans un parc habité de biches et d'autres animaux à cornes, une tour permet une vue panoramique des environs.

Adresse utile

i ***Tourist Information Centre :*** 1 Cotswold Court, WR12 7AA. Dans la galerie entre le parking et High St ☎ 85-29-37. Ouvert de 10 h à 13 h et de 14 h à 17 h sauf le dimanche. Un accueil très efficace et souriant. Plein d'infos vraiment pratiques sur la région.

Où dormir?

De bon marché à prix moyens

⛺ ***Leedons Park Campsite :*** Childswickham Rd, WR12 7HB. ☎ 85-24-23. Grosse structure, ouverte toute l'année, propre, offrant de nombreux services (boutiques, piscine, jeux d'enfants...). Le prix est raisonnable pour le secteur : à partir de 11 £ (16,30 €) pour 2,1 £ (3 €) pour la personne supplémentaire. L'accueil est efficace sans être particulièrement chaleureux.

🏠 ***Hunter's Lodge :*** 48 High St. ☎ 85-32-47. Formidable adresse à prix raisonnables. Double à 40 £ (59,20 €) et single à 25 £ (37 €). Dans la maison sur laquelle court de la vigne vierge, 3 chambres en *B & B* (attention à la tête en passant sous les portes!). Accueil prévenant de la logeuse. Elle loue également deux *cottages,* un pour 2 personnes (à partir de 200 £ la semaine, soit 296 €) et un avec 3 chambres à partir de 400 £ la semaine (592 €). Jardin à l'arrière.

🏠 ***Pathlow Guesthouse :*** 82 High St, WR12 7AJ. ☎ 85-34-44. • www.pathlowguesthouse.co.uk • La double pour 45 £ (66,60 €) avec salle de bains et petit dej'. Charmante maison du XVIIIe siècle à 2 mn du centre. Des chambres assez petites mais bien aménagées. Maîtresse de maison très serviable.

🏠 ***Brook House :*** Station Rd, WR12 7DE. À 10 mn à pied du centre par l'A44 en direction d'Evesham. ☎ 85-23-13. Doubles à environ 50 £ (74 €) et de manière pour une fois logique les singles sont à 25 £ (37 €). Une maison bien gaie avec son crépi blanc et ses fenêtres bordées de bleu. Parking bien pratique à l'arrière.

Où manger?

🍽 ***Tisanes :*** The Green, WR12 7AA. Large choix de sandwichs et de croque-monsieur de 2,70 à 4 £ (4 à 5,90 €). Ouvert jusqu'à 17 h. À goûter aussi : le chocolat royal avec du brandy ou le café gaélique avec du whisky et de la crème. Café, thé épicé et bien sûr des gâteaux maison.

🍽 ***Sheikh's Restaurant :*** The Coach House, The Green, WR12 7AA. ☎ 85-85-46. Ouvert tous les jours jusqu'à 23 h 30! Un indien dont les (bonnes) spécialités tournent autour de 8 £ (11,80 €) : tandoori, curry, agneau mariné... Bel espace que cette ancienne écurie. Il y a même une mezzanine pour ceux qui aiment prendre de la hauteur.

🍽 ***Oliver's :*** ☎ 85-22-55. Repas complet pour 20 £ environ (29,60 €). En voilà un agréable restaurant! Deux cheminées dans la 1re salle (bien plus plaisante que celle du fond), des alcôves de chaque côté, des poutres apparentes et un sol en pierre noire. Le pain maison est servi avant de prendre votre commande accompagné d'une délicieuse vinaigrette. Ambiance plutôt décontractée, d'ailleurs, la carte n'est pas si chère (à part les vins au verre). Bon rapport qualité-prix. Réservation fortement recommandée. Pour les plus fortunés, voir le *Lygon Arms* (ci-dessous), qui fait partie de la même maison.

🍽 ***The Lygon Arms :*** High St, WR12 7DU. Auberge chargée d'histoire, dont la construction a commencé au XVIe siècle. Les royalistes, puis Cromwell, l'utilisèrent comme quartier général pendant la guerre civile (1640-1650). Le général Lygon était un excentrique du XIXe siècle, qui a reconstitué la bataille de Waterloo dans ses plantations forestières... Tout est magnifique, des salons feutrés et bourgeois du pub à la salle à manger, un hôtel de haute volée. Un vrai bonheur si ce n'étaient les prix exorbitants : 40 £ (59,20 €) le repas, 150 £ (222 €) la chambre. Contentez-vous donc de prendre l'*afternoon tea* et visitez discrètement les lieux.

À voir. À faire

Tower Country Park : prendre l'A4 en direction d'Oxford, c'est à environ 2 miles (3 km). La tour est entourée d'un grand parc. En hiver, accessible seulement le samedi et le dimanche. Entrée : 3 £ (4,40 €). Réductions. De cet endroit, on bénéficie par beau temps d'un panorama immanquable sur Broadway et les Cotswolds (parfois même jusqu'au Pays de Galles... mais ne rêvez pas trop !).

➢ **Balades à cheval :** Woodlands Stables. Sur la route de Winchcombe à environ 2 miles (3 km). ☎ (01386) 58-44-04. Propose différentes promenades dont les rigolos « pub rides » où vous chevauchez de pubs en pubs (sacrés Anglais !).

Si vous passez par le petit village de **Bretforton,** ne manquez pas le **Fleece,** un pub dans une ferme médiévale, agrandie au XVe siècle et transformée en pub au XIXe siècle. Très bel endroit. Conserve plein de souvenirs, dont de merveilleux plats en étain déposés par Cromwell contre des espèces sonnantes, lors de son passage. Cheminées de taille. Nombreuses marques de protection contre les sorcières. Dans la partie brasserie, très belles mesures en cuivre et laiton. Les gens du coin vous donneront tous les détails supplémentaires que vous voudrez. Il suffit de les leur demander. Attention, fermé de 15 h à 18 h.

➢ Aller à **Chipping Camden** par les *footpaths.* Très agréable promenade pour ceux qui aiment se balader à travers champs. Sinon, suivre la petite route à proximité.

CHIPPING CAMDEN

4700 hab IND. TÉL. : 01386

Autre village plein de charme, avec ses maisons en pierre dorée, très bien conservées ; c'est là que certaines scènes du film *The Canterbury Tales* (« Les Contes de Canterbury »), de Pasolini, furent tournées. Quelques artistes et artisans se sont installés dans le village au début du XXe siècle.

Adresse utile

Tourist Information Centre : the Old Police Station, High St, GL55 6HB. ☎ 84-12-06.

Où dormir ?

Dragon House : High St, GL55 6AG. ☎ et fax : 84-07-34. • www.dragonhouse-chipping-campden.com • Compter 55 £ (81,40 €). Deux chambres *en-suite,* donnant sur une cour-jardin intérieure où il fait bon se promener le soir. Pour les vacances, on trouve un *cottage* dans le jardin avec 3 chambres : une simple, une double et une chambre familiale (à 650 £ la semaine en moyenne soit 962 €). Mais aussi une salle à manger, une salle de bains et la cuisine. Mrs James n'est pas un dragon du tout, l'accueil est très agréable. Cela a son prix, mais tout est à portée de main et le cadre est si joli.

Taplin's B & B : 5 Aston Rd. ☎ 84-09-27. Une double et une *twin* à 45 £ (66,60 €). La salle de bains est partagée entre les 2 chambres. Grande douche et baignoire sur pied à l'ancienne. À 5 mn du centre historique, Rachel et Tim vous accueillent dans des odeurs de gâteaux tout juste sortis du four.

The Old Bakehouse : Lower High St, GL55 6DY. ☎ 84-09-79. En *B & B,* compter 55 £ (81,40 €) pour dormir dans une des 3 chambres *en-suite.*

Où manger ? Où boire un verre ?

The Lygon Arms : High St, GL55 6HB. Ouvert matin, midi et soir. Dîner complet autour de 20 £ (29,6 €). Fumeur ou non-fumeur, faites votre choix entre les 2 salles de chaque côté de l'allée. On y sert des plats de pub classiques, d'une qualité plutôt au-dessus de la moyenne jusque dans les desserts où le gâteau tiède au gingembre et sa glace itou est un régal.

The Volunteer Inn : Lower High St, GL55 6DY. ☎ 84-06-88. Plats du jour à moins de 4 £ (5,90 €). Bière locale à 1 £ (1,50 €). Un vrai pub de campagne comme on les aime où jeunes et moins jeunes viennent boire un verre et tailler la bavette. D'un côté tables et banquettes sont à l'honneur au *lounge,* de l'autre les férus du comptoir s'y accouderont dès 18 h. À vous de choisir votre camp ! Cinq chambres en *B & B* à environ 60 £, soit 88,80 € (la n° 1 est la plus grande avec 2 *rocking-chairs*). Pratique si vous arrivez tard en ville.

The King's Arms Hotel : High St, GL55 6AW. ☎ 84-02-56. Le midi : assiettes de charcuterie et de *mezze* pour moins de 8 £ (11,80 €). Le soir, compter 22 £ (32,60 €). Repas complet à 12 £ (17,80 €). À droite en rentrant, le bar, où l'on peut grignoter relax toute la journée sur des tables en bois. À gauche, un resto un peu chic avec un immense manteau de cheminée, des fleurs sur chaque table. Remarquez l'étonnante banquette en bois au centre de la salle. Il y a ici un petit côté *gentleman-farmer :* rustique, cosy et lumineux en même temps. Une bouffée de modernité dans une ville un brin conservatrice. Côté assiette : des ingrédients frais et de bonnes idées.

The Cotswold House : High St, The Square, GL55 6AN. ☎ 84-03-30. Menus à 30 et 40 £ (44,40 et 59,20 €). On évoquera à peine l'hôtel, certes charmant mais aux tarifs rédhibitoires. Le restaurant est aussi très cher : la grande cuisine et le cadre d'exception ont leur prix. Foie gras et poires pochées au sauternes, lasagnes au céleri croustillant, longe de porc mariné dans des feuilles de thé, on en passe et des meilleurs. Jardin fort plaisant quand il fait beau.

À voir

Market Hall : ancienne halle à la laine, bâtie en 1627. Admirez-en la charpente.

Grevel House : au bout de la grand-rue (High St), maison qui date du XIVe siècle. Gargouilles extraordinaires, cadrans solaires...

The Wool Staplers Hall : construit en 1340, en face de la maison précédente. Bourse de commerce de la laine ; les marchands de Londres, les éleveurs locaux y établissaient les cours de la laine.

STRATFORD-UPON-AVON

22 000 hab. IND. TÉL. : 01789

Petite ville vraiment charmante, qui a eu le malheur de devenir célèbre grâce à un écrivain local... Ainsi, chaque année, 380 000 touristes se rendent à Stratford en pèlerinage. Bref, c'est devenu Lourdes, avec l'eau bénite en moins. Beaucoup d'écoliers français. Dans la ville, tout est consacré à Shakespeare, du théâtre jusqu'aux boutiques de souvenirs. Festival d'été avec représentations gratuites certains jours.

Comment s'y rendre?

➢ ***En train :***
– *De Paddington :* environ 5 trains par jour (durée approximative : 2 h). La ligne passe par Oxford.
➢ ***En bus :***
– *De Londres :* 3 bus par jour
– *D'Oxford :* 5 bus par jour
– *De Birmingham :* 7 bus par jour.

Adresses et infos utiles

🛈 ***Tourist Information Centre :*** Bridgefoot, CV37 6GW. ☎ 29-31-27. • www.stratford-upon-avon.co.uk • Ouvert du lundi au samedi de 9 h à 18 h et le dimanche de 11 h à 17 h.

■ ***Leisure & visitor centre :*** sur Bridgefoot, piscine ouverte à tous pendant les vacances scolaires, de 9 h à 16 h. Entrée payante.
– Les ***parkings*** dans la ville sont horriblement chers.

Où dormir?

Camping

⛺ ***Racecource Camping :*** Luddington Rd, à 3 km du centre, sur la route d'Evesham (B439), sur le site de l'hippodrome. ☎ 20-10-63. Fax : 41-58-50. À moins de 15 mn de la gare. Ouvert d'avril à septembre. Bon marché : 12 £ (17,80 €) pour 2 personnes et une tente. Immense, tentes bien espacées. Le confort correct sans plus, mais l'accueil chaleureux et la proximité d'un sentier (on peut se rendre à la ville à pied) sont des avantages indéniables.

De bon marché à plus chic

🏠 Nombreux ***B & B*** sur Shipston Rd et Evesham Place.
🏠 ***Garth House B & B :*** 9A Broad Walk. ☎ 29-80-35. Vous trouverez difficilement moins cher à Stratford! À partir de 36 £ (53,30 €) avec salle de bains sur le palier et 38 £ (56,20 €) *en-suite.* En prime, les chambres sont grandes, claires et colorées, donnant sur l'arrière (la rue de toute façon est très calme). Accueil sympa, *english breakfast, and so on...*
🏠 ***The Hollies :*** 16 Evesham Place, CV37 6HT, au coin de Chestnut Walk. ☎ et fax : 26-68-57. Des chambres autour de 45 £ (66,60 €). Petite *guesthouse* avec napperons sur les tables de la salle de petit dej'. Assez bien située et à des prix plutôt très acceptables pour la région.
🏠 ***Courtland Hotel :*** 12 Guild St, CV37 6RE. ☎ 29-24-01. Fax : 29-27-37. • www.courtlandhotel.co.uk • Six chambres *en-suite* autour de 60 £ (88,80 €) en fonction de la taille. Réduction de 10 % environ hors saison. La nº 6 est la plus spacieuse, avec une baignoire originale. La proprio, plutôt bavarde, vous chouchoutera et vous dira tout ce qu'il y a à voir dans la région.
🏠 ***The White Swan Hotel :*** Rother St, CV37 6NH. ☎ 29-70-22. Fax : 26-87-73. • www.thewhiteswanstratford.co.uk • Dans une char-

mante maison du XVe siècle, des chambres doubles à près de 80 £ (118,40 €). *Breakfast* inclus et confort moderne pour cet hôtel hyper central. Dans le hall, des gravures du XVIIIe siècle illustrent les pièces de Shakespeare. Le *Good Companions Bar* adjacent propose du jazz en live le dimanche soir.

Où dormir dans les environs ?

Youth Hostel : à Alveston, à 3 km au nord-est de Stratford, sur la B4086. ☎ 29-70-93. Fax : 20-55-13. • stratford@yha.org.uk • De Stratford, bus n° X18. À partir de 17 £ (25,20 €) en *B & B.* Réductions possibles. Le bâtiment est très chouette, avec une superbe entrée à colonnades et un parc. Refait à neuf, il offre tout le confort moderne. Nickel ! Toutes sortes de chambres y compris mixtes et familiales.

Où manger ?

Bon marché

Pour les petits budgets, sur le bassin au début de Waterside, des péniches sont amarrées, proposant sandwichs chauds et froids à moins de 2,50 £ (3,70 €). Plein de bancs aux alentours.

Greenhill Fish Bar : 40 Greenhill St. Les connaisseurs s'y pressent : vous risquez de faire la queue ! Le poisson vous fait de l'œil, et pour 1,90 £ (2,80 €) vous emporterez le *fish & chips* de vos rêves. Sinon ce sera kebab, poulet et saucisses.

Usha : 28 Meer St, CV37 6QB. ☎ 29-73-48. Service jusqu'à 23 h 30. Toutes les entrées à moins de 3,50 £ (5,20 €) et les plats à moins de 6 £ (8,90 €). Cuisine indienne raffinée pour cette équipe de cuistots du Bangladesh. Carte variée aux saveurs authentiques (épicé en fonction de votre palais). Du *tandoori* au *rogan josh* en passant par le *korma,* tout est goûteux et copieux. Le petit plus : tous les plats sont servis sur des réchauds. *Delicious !*

Plus chic

The Oppo Café : 13 Sheep St, CV37 6EF. ☎ 26-99-80. Dans cette vieille maison, comme partout dans la rue, on mange pour assez cher : 3 plats à 18 £ (26,60 €) minimum. Le choix des plats est varié, l'inspiration à la fois continentale et anglaise. Les créations culinaires sont délicieuses et parfaitement relevées. Le filet de poulet rôti au beurre de citron et à la banane est tout simplement une merveille. À voir et à manger !

Sorrento : 8 Ely St, CV37 6LW. ☎ 29-79-99. Fax : 29-62-50. Pour un repas complet, comptez un peu plus de 20 £ (29,60 €). Un vrai restaurant italien. Carte, musique et chef authentiques. Le décor est un peu guindé mais la cuisine est vraiment délicieuse et sent bon l'ail comme là-bas ! Si les plats de viande et de poisson vous paraissent un peu chers, ne vous inquiétez pas : une entrée (succulent *melanzane alla parmigiana*) suivie d'un plat de pâtes cuites *al dente* (en portion starter à 5 £ soit 7,40 €) suffisent amplement. Carte des vins exclusivement italienne (grand choix à tous les prix) et espresso particulièrement goûteux.

Où boire un verre ? Où sortir ?

Garrick Inn : 25 High St. ☎ 75-02-28. Un pub ouvert depuis 1718, super chaleureux. Des jeux (genre *Trivial Pursuit*) sont organisés toutes les semaines. Vous pouvez constituer vos équipes, ça dure 3 h et c'est gratuit. Si vous jouez pour gagner, prenez quand même un Anglais avec vous. Côté bière, vous pouvez goûter la *Old Turkey*, brassée dans les environs. La façade sculptée du XVIe siècle vaut à elle seule le coup d'œil.

The Dirty Duck : Southearn Lane. ☎ 29-73-12. C'est à la sortie du théâtre qu'il faut se rendre dans ce beau pub anglais ou sur sa terrasse donnant sur la rivière pour en saisir toute l'ambiance (et quelques pintes) des conversations fraîches de sortie de spectacle.

The West End : Old Town, Narrow Lane. Bar moderne et convivial. Café français (avec cognac) ou mexicain (avec tequila), ainsi que 8 autres sortes de cafés alcoolisés (et d'autres sans alcool, bien sûr). Une bonne idée pour se réchauffer un après-midi *foggy* près du feu. Jardin à l'arrière lorsque le *fog* s'est levé.

ABV Celebrities : 4-5 Henley St. Entrée payante. Fermé le lundi. Pour danser à Stratford, pas vraiment le choix, c'est là qu'il faut aller. Club avec une bonne ambiance d'habitués. Musique variée et vodka pas chère (1 £ soit 1,50 €). Mardi et jeudi : *ladies' night,* gratuit pour les filles. Mercredi : karaoké.

À voir. À faire

Pour ceux qui sont venus pour l'écrivain, on peut visiter les 5 lieux qui lui sont consacrés (3 en ville et 2 à l'extérieur) pour 13 £ (19,20 €) ; réductions possibles. C'est donc très avantageux. Renseignez-vous à l'office de tourisme ou directement à l'entrée des musées.

Shakespeare's Birthplace : en été, ouvert de 9 h (9 h 30 le dimanche) à 17 h ; hors saison, horaires changeants. Fermé la semaine de Noël. Entrée : 5 £ (7,40 €) maximum. Composée de 2 maisons de style Tudor. La 1re revient sur la vie de Shakespeare. Dans la 2e, l'intérieur restitue parfaitement l'atmosphère d'une maison de l'époque élisabéthaine. On y trouve des manuscrits et plusieurs exemplaires des œuvres de l'écrivain. Surtout, les guides présents tout au long du parcours sont de vrais passionnés. Ne pas hésiter à engager la conversation avec eux. Malheureusement, c'est souvent la bousculade.

Holy Trinity Church : Entrée pour la tombe : 1 £ (1,50 €). Accès très théâtral entre deux rangées d'arbres bordés d'un cimetière. Dans cet édifice gothique fut inhumé Shakespeare, en 1616, ainsi que plusieurs membres de sa famille. Au bord de l'Avon, vue très calme et reposante.

Hall's Croft : ouvert de 9 h30 à 17 h (11 h à 16 h en hiver). Fait partie des 5 lieux consacrés à Shakespeare. La fille aînée de l'écrivain y vécut avec son mari médecin, John Hall. Très belle maison, meublée XVIIe siècle. Documentation sur la santé de l'époque. Superbe jardin. Dans la maison (ouverte à tous, même sans ticket), un génial tea-room avec des chaises tapissées et des gravures au mur propose sandwichs et panini pas chers (à partir de 2,50 £, soit 3,70 €) dans un cadre très chic. Large choix de pâtisseries. Une halte bien méritée entre deux visites.

Nash's House : ouvert de 9 h 30 à 17 h (16 h en hiver). Maison du mari de la petite-fille de Shakespeare. Style bourgeois de l'époque élisabéthaine. À voir si vous avez pris un ticket combiné.

– ***Représentations théâtrales :*** ☎ 40-34-03 (box-office). • www.rsc.org.uk • Après tout, si vous êtes là pour le grand Will, autant aller voir au moins une de ses pièces en version originale. Il vaut quand même mieux maîtriser l'anglais de l'époque et réserver plusieurs semaines à l'avance. Trois lieux où se produisent les acteurs de la *Royal Shakespeare Company :* le *Royal Shakespeare Theatre,* le plus grand, pas le plus beau mais le plus prestigieux. *The Swan Theatre,* reconstitué à l'ancienne, vaut le coup d'œil ; pièces modernes également au programme. *The Other Place,* petite salle et

pièces d'avant-garde. Réservations : ☎ 29-56-23. De 40 à 60 £ (59,20 à 88,80 €) ; fortes réductions consenties pour les étudiants et les seniors, ainsi que pour les billets de dernière minute invendus.
– ***Playbox Theatre Company :*** ☎ (01926) 41-95-55. Prix des places à partir de 5 £ (7,40 €). Pour que les plus jeunes ne soient pas en reste, pièces de théâtre de qualité pour les enfants et les ados dans le ***Cox's yard,*** près du pont Clopton. Spectacles colorés et imaginatifs. À côté un *coffee-shop* ouvert jusqu'à 16 h 30, avec une grande terrasse donnant sur l'Avon.

➢ ***Promenade sur l'Avon :*** saturé de culture, on peut louer des barques pour flâner sur la rivière et profiter d'une autre vision de la ville. De mi-février à mi-octobre, *Bancroft Cruisers* propose pour 6 £ (8,90 €) des balades de 45 mn. Réductions. Départ toutes les heures dans le bassin du canal de 11 h à 16 h.

➤ DANS LES ENVIRONS DE STRATFORD-UPON-AVON

¶¶ ***Ann Hathaway's Cottage :*** à 2,5 miles (4 km) de Stratford en prenant la route d'Alcester (A422). En été, de 9 h (9 h 30 le dimanche) à 17 h. Entrée : 4 £ (5,90 €) maximum. Dans cette charmante demeure à toit de chaume naquit et vécut la femme de Shakespeare. Pour ceux qui ont besoin d'un modèle, on y découvre comment il lui fit la cour (tout un poème !). Jolis meubles rustiques du XVIe siècle.

¶ ***Mary Arden's House :*** à Wilmcote, situé à 3 miles (5 km) de Stratford. La mère de Shakespeare y vécut. On peut visiter la ferme et assister à des démonstrations de vols de rapaces. C'est là que l'on peut voir « pour de vrai » la chouette qui a servi dans les films de Harry Potter.

¶¶¶ ***Warwick Castle :*** à 12 km de Stratford-upon-Avon. ☎ 49-66-00. • www.warwick-castle.co.uk • Ouvert tous les jours de 10 h à 18 h (17 h en hiver). Pour se garer à l'intérieur, arriver tôt. C'est quand même pas donné : 12,50 £ (18,50 €) pour les adultes. Réductions. Pour ce prix, animations tout au long de l'année. Pendant les vacances scolaires : baladins, conteurs, combats à l'épée... C'est le château le plus visité de Grande-Bretagne, et l'un des plus anciens (les premières fondations datent de 1068, commencées par William le Conquérant). Beaux jardins. On peut aussi visiter les tours et le donjon. Les salles du château sont magnifiquement aménagées et décrivent la vie quotidienne en ces lieux du XVIIe au XIXe siècle. Le Grand Hall, entre autres, est somptueux. Promenade en barque qui permet d'approcher l'arrière du château.

LE NORD DE LONDRES

CAMBRIDGE

109000 hab. IND. TÉL. : 012231

Pour le plan et le zoom de Cambridge, voir le cahier couleur.

L'autre université mythique. Depuis 700 ans, elle forme le fleuron de la jeunesse anglaise. Plus belle qu'Oxford parce qu'uniquement consacrée à la déesse Raison. Pas de concitoyens plus ou moins prolétaires, pas d'industries (quelle horreur !), pas de pollution. Seulement les arbres et les *colleges,* les pelouses et les étudiants, la rivière et les vélos. On vous prévient, l'été, les étudiants en langues (et les touristes) envahissent la ville, et l'ambiance est plus italienne ou espagnole que britannique.
Cambridge est bien plus petite qu'Oxford, et il s'en dégage une atmosphère plus légère et plus provinciale, voire campagnarde. Vous n'aurez ainsi aucun mal à surprendre les vaches broutant tranquillement le pré communal de Midsummer Common, juste en dehors du centre-ville. Et puis vous avez ici la possibilité d'entreprendre d'agréables balades en *punt* (bateau à fond plat) pour visiter les *backs,* c'est-à-dire les arrières des *colleges.* Vraiment unique. Les meilleurs mois, à notre avis, pour s'imprégner du charme de la bourgade sont mai et juin, c'est-à-dire avant la période des examens (bonjour le stress !), pendant le calme des examens et après les examens (bonjour la fête !).
Mais à Cambridge, il n'y a pas que les *colleges,* n'hésitez pas à pique-niquer au *Jardin botanique* ou grimpez au sommet du clocher de l'église de *St Mary the Great* pour voir le panorama ou explorer la campagne environnante. Cambridge est loin d'être un trou perdu et ennuyeux, et la ville est si pleine de charme que vous regretterez de ne pas y avoir fait vos études !

UN PEU D'HISTOIRE

Le village de Cambridge existait bien avant la venue du premier étudiant en 1209. Mais il faudra encore attendre 75 ans avant que ne soit fondé le premier *college, Peterhouse,* ouvrant ainsi la porte à la destinée de la ville. Les premiers étudiants étaient en fait des expatriés d'Oxford, assez indisciplinés et qui provoquaient de sanglantes rixes entre citadins et potaches. Au XVIIe siècle, Cromwell, député de la ville, lutta contre l'université qui soutenait le roi. Les *colleges* continuèrent néanmoins à se développer doucement mais sûrement grâce à de riches mécènes. D'ailleurs, à l'époque, il ne s'agissait pas de *colleges* mais de *halls,* et seuls les *fellows* (profs) y habitaient. Les étudiants résidaient en ville. Puis des chapelles furent édifiées, les *colleges* s'agrandirent et, au XVIIIe siècle, la pierre remplaça les vieilles structures de bois et de brique. Les bâtiments se dressent autour d'une cour, créant les *quadrangles,* qu'on retrouve dans chaque *college.*
L'organisation de Cambridge, sans être comparable à un couvent d'ursulines, était assez stricte. Jusqu'au milieu du XIXe siècle, les *fellows* n'étaient pas autorisés à se marier. L'inscription des femmes ne s'est faite que très tard à Cambridge, dans les années 1960. Le dernier *college* à céder et à

mettre au rancart sa misogynie le fit il y a à peine quelques années. On taira son nom ! Les belles pelouses sont réservées aux *fellows* qui, seuls, peuvent fouler cette herbe tendre et si verte.

Comment s'y rendre de Londres ?

➢ ***En bus :*** avec la compagnie *National Express.* ☎ (08705) 80-80-80. • www.nationalexpress.com • Bus n° 010 direct pour Cambridge. Départ de Victoria Bus Station. Un bus par heure, 2 aux heures de pointe ; compter 2 h de trajet ; 7 arrêts différents dans Londres. Prix : 9,50 £ (14,10 €) l'aller simple.

➢ ***En bus direct des aéroports :*** avec la compagnie *National Express.* ☎ (08705) 757-747. • www.nationalexpress.com • Bus n°s 717, 787 et 797. Partent de Gatwick (South Terminal Coach Station et North Terminal Lower Forecourt) 1 à 2 fois par heure entre 3 h et 21 h, passent par Heathrow (Central Bus Station), puis par Luton Airport Bus Station et Stansted Airport Coach Station avant de filer sur Cambridge. Pour le retour, même compagnie, même fréquence, même parcours. Tous les départs de Cambridge se font de Drummer St *(zoom couleur B2).*

➢ ***En train :*** avec *National Rail.* ☎ (08457) 48-49-50. • www.wagn.co.uk • Départs de King's Cross Station, environ 1 h de trajet ou de London Liverpool St Station, 1 h 20 de trajet. Trains 2 à 3 fois par heure entre 6 h et minuit. Compter 16 £ (23,70 €) pour un aller simple.

Comment y aller d'Oxford ?

➢ ***En bus :*** avec la compagnie *Stagecoach Express.* ☎ (08706) 08-26-08. • www.stagecoachbus.com • Ligne X5 au départ de la gare ferroviaire d'Oxford et de Gloucester Green. Un départ par heure. Près de 3 h 30 de voyage.

Adresses utiles

Tourist Information Centre *(zoom couleur B2)* **:** Wheeler St, pas loin de Market Place, CB2 3BQ. ☎ 32-26-40. • www.cambridge.gov.uk • Ouvert du lundi au samedi de 10 h à 18 h (17 h le samedi et hors saison) et le dimanche de 11 h à 16 h. Service payant de réservations de *B & B.* Visite guidée de la ville à pied (plusieurs départs par jour en fonction des périodes de l'année ; celui de 13 h 30 est fixe). Très bien pour ceux qui aiment ça et instructif quand on comprend l'anglais. Durée : 2 h. Prix : 8 £ (11,80 €) avec l'entrée pour le King's College que vous risquez de visiter de toute façon...

✉ ***Poste*** *(zoom couleur B2)* **:** 9-11 St Andrew's St. Ouvert du lundi au vendredi de 9 h à 17 h 30 et le samedi de 9 h à 12 h 30.

■ ***Change :*** nombreuses banques dans le centre : *American Express,* 25 Sidney St ; *Thomas Cook,* 8 St Andrews St ; *Barclays,* 15 Bene't St.

Gare *(plan couleur général, C3)* **:** Station Rd. ☎ (08456) 01-48-68. La gare est reliée au centre-ville par le *Citi Bus* n° 1. Dans le hall de la gare, vous trouverez un petit centre d'information touristique géré par un organisme privé qui possède les bus à toit ouvert qui font la visite guidée de la ville. Mêmes horaires d'ouverture que le bureau en ville. ☎ 36-24-44.

Gare routière *(zoom couleur B2)* **:** sur Drummer St. La plupart des compagnies sont réunies là.

■ ***Location de bicyclettes :*** liste à l'office de tourisme. Cher à la journée mais bon marché à la semaine.
– *University Cycles (plan couleur général, B1,* ***1****)* **:** 9 Victoria Avenue.

☎ 35-55-17. Ouvert de 9 h à 17 h 45 (17 h le samedi). Fermé le dimanche. Il vous en coûtera 5 £ (7,40 €) par jour, 10 £ (14,80 €) la semaine.
– Également *Mikes Bikes (plan couleur général, C3, **3**)* **:** 28 Mill Rd. ☎ 31-25-91. Ouvert du lundi au samedi de 9 h à 18 h et le dimanche de 10 h à 16 h. Compter 8 £ (11,80 €) par jour, 10 £ (14,80 €) la semaine.

@ ***Internet Telecom Cafe*** *(zoom couleur B2)* **:** Wheeler St (juste en face de l'office de tourisme). ☎ 35-73-58. Ouvert du lundi au samedi de 9 h à 22 h et le dimanche de 10 h à 22 h. Vente de cartes téléphoniques également.

■ ***Laveries :*** *Laundromat, Coin-up Laundry* et aussi 12 Victoria Ave.

■ ***Supermarché :*** on trouve un *Sainsbury's* en plein centre, 44-46 Sidney St. Ouvert tous les jours jusqu'à 22 h (17 h le dimanche).

Comment se déplacer ?

– ***À vélo*** pardi ! Louer un vélo, c'est le pied ici. De 7 à 77 ans, tout le monde circule ainsi. Cela contribue au charme de la ville. Veillez quand même à respecter la circulation et à ne pas attacher votre bicyclette n'importe où. Certaines rues du centre-ville sont exclusivement piétonnes. Respectez ces restrictions, les agents de la circulation rôdent !
– Un système bien pratique de ***Park & Ride*** avec la compagnie de bus Stagecoach existe à Cambridge. ☎ (08706) 08-26-08. • www.stagecoachbus.com • Vous laissez votre voiture à l'extérieur de la ville (5 points de départ différents) et des bus vous emmènent jusque dans le centre-ville près du Grafton Centre ou sur Emmanuel St. Ils vous ramènent dès que vous avez fini vos emplettes. Un bus toutes les 10 mn environ de 7 h à 20 h. Vous ne payez que le bus.

Où dormir ?

À part l'AJ, le logement est assez cher, même s'il est moins onéreux qu'à Oxford. Contrairement à cette dernière, les *B & B* de Cambridge sont essentiellement habités par des étudiants tout au long de l'année et n'accueillent les touristes que pendant les vacances universitaires. Et encore, pas tous. Pas toujours facile, donc, de trouver un logement en période scolaire. On signale ceux qui prennent les touristes toute l'année.

Bon marché

🏠 ***Youth Hostel Association*** *(plan couleur général, C3, **10**)* **:** 97 Tenison Rd, CB1 3PR. ☎ 35-46-01. Fax : 31-27-80. • www.yha.org.uk • En sortant de la gare, prendre la 1re rue à droite après le rond-point. Réception de 7 h à 22 h 30. Nuitée en dortoir à 18 £ (26,60 €) par personne et chambre double à 37 £ (54,80 €). Basique mais bien tenu et bon marché. L'auberge fournit aussi plusieurs services très pratiques : change, cafétéria pour le dîner (payant), laverie, hangar à vélos fermé à clé. Attention, c'est la ruée en été : faites votre réservation 2 à 3 semaines à l'avance.

Prix moyens

🏠 ***Assissi Guesthouse*** *(hors plan couleur général par C3, **13**)* **:** 193 Cherry Hinton Rd, CB1 4BX. ☎ 24-66-48. Fax : 41-29-00. Prendre la direction de l'hôpital ou Havenhill, sur Hills Rd, puis tourner à gauche. Chambres doubles très propres à partir de 50 £ (74 €). Maison victorienne, tenue par la charmante Mrs Verrechia, une Romaine qui ne tarit pas d'éloges sur ses 19 chambres bien équipées. Si elle affiche complet, elle saura vous conseiller l'adresse de sa fille, non loin.

***Sleeperz Hotel** (plan couleur général, C3, **14**) :* Station Rd, CB1 2TZ. ☎ 30-40-50. Fax : 35-72-86. • www.sleeperz.com • En face de la gare, à 15 mn à pied du centre-ville. Chambres doubles décorées comme des cabines de bateau à partir de 55 £ (81,40 €), toutes avec douches. Dans une ancienne grange rénovée. Style épuré et moderne, mais néanmoins fort chaleureux. D'une propreté impeccable. Loueur de vélos sur le trottoir d'en face.

***A & B Guesthouse** (plan couleur général, C3, **11**) :* 124 Tenison Rd, CB1 2DP. ☎ 31-57-02. Fax : 57-67-02. • abguest@hotmail.com • Dans un quartier résidentiel à deux pas de l'AJ, donc près de la gare. Chambres doubles à 46 et 55 £ (68,10 et 81,40 €) selon le confort. Également des chambres triples et quadruples. Maison anglaise décorée dans des tons chaleureux, à l'image de l'accueil. Parking.

***Tenison Towers Guesthouse** (plan couleur général, C3, **12**) :* 148 Tenison Rd, CB1 2DP. ☎ 36-39-24. Fax : 41-10-93. • www.cambridgecitytenisontowers.com • Fermé 1 mois entre décembre et janvier. Chambres doubles lumineuses et propres à 50 £ (74 €). Cartes de paiement refusées. Également des chambres familiales. Dans une rue calme bordée de maisons typiquement anglaises. Cette auberge a ses habitués, alors réservez à l'avance. Parking.

***Chez Mr Antony** (plan couleur général, A1, **16**) :* 4 Huntingdon Rd, CB3 0HH. ☎ 35-74-44. Juste à la sortie du wcentre-ville, direction nord-ouest. Vastes chambres doubles pour 50 £ (74 €), avec douche dans la plupart. Décoration un peu vieillotte mais propre. Préférez les chambres sur jardin, plus calmes. Bon accueil de la tenancière, cypriote d'origine.

***YMCA** (plan couleur général, C3, **15**) :* Gonville Place, CB1 1ND. ☎ 35-69-98. Fax : 31-27-49. • www.theymca.org.uk • Pas de couvre-feu. Compter 37 £ (54,80 €) la nuit en chambre double. Cartes de paiement refusées. Les serviettes de toilettes ne sont pas fournies. Possibilité de réserver par téléphone ou par e-mail. Même service que l'AJ et 2 fois plus cher, mais chambres simples ou doubles si l'on n'a pas l'air d'un couple de dernière minute. Très propre.

Un peu plus chic

***Aaron Guesthouse** (plan couleur général, B1, **17**) :* 71 Chesterton Rd, CB4 3AN. ☎ 31-47-23. Très jolie maison victorienne vert sapin en bordure du parc Jesus Green. Élégantes chambres doubles autour de 65 £ (96,20 €). Également des chambres pour 3 et 4 personnes. La salle du petit dej' ouvre sur une agréable terrasse et un jardin verdoyant. On s'y sent vraiment chez soi.

Où dormir dans les environs ?

Campings

***Great Shelford Camping Club Site** :* à 3,5 miles au sud de la ville. ☎ 84-11-85. Prendre l'A10 vers le sud ; à Trumpington, au feu, tourner à gauche et prendre l'A1301 ; c'est à 1,6 km sur la gauche. Ouvert de fin mars à début novembre. Compter environ 14 £ (20,70 €) pour 2 personnes avec une tente et une voiture. Très confortable, calme et propre. Un camping superbe. Très chargé l'été. Penser à réserver.

***Highfield Farm Camping Park** :* Long Rd, CB3 7DG. • www.highfieldfarmtouringpark.co.uk • À 5 miles au sud-ouest de Cambridge, par l'A603 puis à droite par la B1046. ☎ et fax : 26-23-08. Ouvert d'avril à octobre. Bien moins cher que le précédent : autour de 9 £ (13,30 €) pour 2 personnes avec une tente et une voiture. Douche payante. Correct.

Où manger ?

Bon marché

🍽 ***Cazimir*** *(zoom couleur B2, **24**)* : 13 King St, CB1 1LN. ☎ 35-51-56. Ouvert du lundi au vendredi de 8 h 30 à 17 h et le samedi jusqu'à 19 h. Compter autour de 3 £ (4,40 €). Choix de plus d'une trentaine de sandwichs et nombreuses salades à faire saliver. Également des gâteaux à la carotte maison et des jus de fruits fraîchement pressés. Une excellente adresse, bien connue des étudiants. Des toiles d'artistes locaux sont en exposition et en vente sur place. On y revient assurément !

🍽 ***Clown's Café Bar*** *(zoom couleur B2, **35**)* : 54 King St, CB1 1LN. ☎ 35-57-11. Ouvert tous les jours de 8 h à minuit (23 h le dimanche). Tenu par un Italien qui propose des plats de pâtes à environ 5 £ (7,40 €). Également une sélection de desserts délicieux. Dans cette cantine des étudiants, vous serez amicalement entouré par les dessins de clowns tapissant les murs, œuvres des enfants ayant participé à la dernière compétition annuelle organisée par la maison.

Prix moyens

🍽 ***The Gulshan*** *(zoom couleur B3, **25**)* : 106 Regent St, CB2 1DP. ☎ 30-23-30. Ouvert tous les jours de 12 h à 14 h 30 et de 18 h à minuit. Restaurant indien à des prix raisonnables. À la carte, compter autour de 8 £ (11,80 €) le plat. Menu très complet pour 2 à 30 £ (44,40 €). Délicieuses spécialités tandoori, balti, khorahi... Grande intimité dans ce resto où chaque table a son alcôve. Personnel entièrement indien, très attentif mais parfois un peu difficile à comprendre.

🍽 ***Than Binh*** *(zoom couleur A2, **26**)* : 17 Magdalene St, CB3 OAF. ☎ 36-24-56. Ouvert du mardi au dimanche de 12 h à 14 h 30 et de 18 h à 22 h. À midi, formule entrée + plat pour 6 £ (8,90 €). Le soir, à la carte compter environ 9 £ (13,30 €) pour un plat. Spécialités vietnamiennes servies dans de la vaisselle typique et sur fond de musique d'ambiance. Mets fins et délicats. Personnel adorable. Victime de son succès, ce resto affiche complet tous les soirs : réservez !

🍽 ***Varsity Restaurant*** *(zoom couleur B2, **20**)* : 35 St Andrew's St. ☎ 35-60-60. Sert tous les jours de 12 h à 14 h 30 et de 17 h 30 à 22 h 45. Le prix des plats grimpe vite, commençant autour de 8 £ (11,80 €). Cuisine bigarrée, mâtinée d'accents chypriotes, genre *chicken* chasseur. Copieux. Servi sur de bien belles nappes bleues et blanches damassées.

🍽 ***Dojo Noodle Bar*** *(zoom couleur B3, **32**)* : 1-2 Millers Yard, Mill Lane, CB2 1RQ. ☎ 36-34-71. Ouvert du lundi au jeudi de 12 h à 14 h 30 et de 17 h 30 à 23 h, et du vendredi au dimanche de 12 h à 16 h et de 17 h 30 à 23 h. Prix vraiment modérés, allant de 3 à 6 £ (4,40 à 8,90 €). Cadre minimaliste nippo-londonien pour une cuisine ludique et gargantuesque. Tout cela placé sous le haut patronage de Noodlefucius... À essayer absolument. Fréquentation élevée, on risque de faire la queue.

🍽 ***Le Gros Franck*** *(plan couleur général, C3, **29**)* : 57 Hill Rd, CB2 1NT. ☎ 56-55-60. Ouvert du lundi au samedi de 6 h à 22 h. Fermé le dimanche. Le midi, délicieuses salades chaudes autour de 4 £ (5,90 €). Le soir, à la carte, compter environ 13 £ (19,20 €) le plat principal. Ce bistrot à la française, avec son self-service le midi, est la cantine des cols blancs du coin, donc très fréquenté. Pour plus de calme, plongez dans la salle à la décoration maritime du sous-sol.

|●| ***Gallería*** *(zoom couleur A-B2,* ***23****) :* 33 Bridge St, CB2 1UW. ☎ 36-20-54. Ouvert tous les jours. Un bon plat pour environ 12,50 £ (18,50 €). Dans un cadre chic et chouette en bordure du Cam. Ce n'est alors pas un hasard si, vu de l'autre côté du pont, ce restaurant a l'aspect d'un paquebot.

|●| ***Ugly Duckling*** *(zoom couleur B2,* ***22****) :* 12 St Johns St, CB2 1TW. ☎ 35-82-81. Ouvert tous les jours de 12 h à 14 h 30 et de 18 h à 23 h. Cuisine chinoise et plats copieux qui vous coûteront environ 7 £ (10,40 €). Menu spécial à 6 £ (8,90 €) le midi. Décor simple et moderne, sans prétention. Service rapide et sympa.

Plus chic

|●| ***Nº 1 King's Parade*** *(zoom couleur B2,* ***21****) :* 1 Kings Parade, CB2 1SJ. ☎ 35-95-06. Ouvert du lundi au vendredi de 12 h à 15 h et de 18 h à 22 h et les samedi et dimanche de 12 h à 23 h. Le midi, carte spéciale, compter plus ou moins 7 £ (10,40 €) pour un plat principal. Le soir, à la carte, entre 9 et 13 £ (13,40 et 19,20 €) le plat. Un régal gastronomique dans des caves où règne une ambiance chaleureuse. Cuisine anglaise raffinée, rehaussée de touches continentales. Service de qualité.

Pâtisseries et sandwichs

|●| ***O'Brien's Sandwich Bar*** *(zoom couleur B3,* ***33****) :* 43-45 Regent St, CB2 1AB. ☎ 31-13-00. Irlandais. Ouvert du lundi au samedi de 7 h 45 à 17 h 30. Compter environ 3 £ (4,40 €) pour un généreux sandwich. Bouche bien grande nécessaire pour le croquer. Très frais car préparé à la commande.

|●| ***Trokel, Ulman und Freunde*** *(zoom couleur B3,* ***27****) :* 13 Pembroke St. ☎ 46-09-23. Ouvert du lundi au vendredi de 9 h à 16 h 45 et le samedi de 10 h à 16 h 45. Fermé le dimanche sauf en juillet, août et septembre : ouvert de 10 h à 15 h. Petit bar-salon de thé chaleureux où l'on sert sandwichs et *küchen.* Tables hautes aux nappes de couleurs criardes. Populaire auprès des étudiants et des profs.

|●| ***Tatties*** *(zoom couleur B3,* ***28****) :* 11 Sussex St. ☎ 32-33-99. Ouvert du lundi au samedi de 8 h 30 à 19 h et le dimanche de 10 h à 17 h. Établissement chic spécialisé dans les *baked potatoes* avec un large choix d'ingrédients mais aussi des sandwichs, salades et pâtisseries pour les gourmands. Les prix s'affichent également « chic » !

|●| ***Fitzbillies*** *(zoom couleur B3,* ***30****) :* 52 King Trumpington St, CB2 1RG. ☎ 35-25-00. Ouvert du lundi au samedi de 8 h à 17 h et le dimanche de 9 h 30 à 16 h. Large choix de gâteaux, tous des valeurs sûres.

Où prendre le thé ?

🍷 ***The Cooper Kettle*** *(zoom couleur B2,* ***41****) :* 4 King's Parade. ☎ 36-50-68. Ouvert du lundi au samedi de 8 h 30 à 17 h 30 et le dimanche de 9 h à 17 h 30. Des tartes délicieuses, dont celle aux quetsches (hmm !). Clientèle à mi-chemin entre le cosy négligé et l'étudiant qui se laisse aller. Salon de thé l'après-midi. Fait aussi self le midi.

🍷 ***The Little Tea-Room*** *(zoom couleur B2,* ***48****) :* 1 All Saints Passage, CB2 3LT. ☎ 31-93-93. Ouvert du lundi au samedi de 10 h à 17 h 30 et le dimanche de 11 h à 17 h 30. Charmante petite maison où l'on vous sert le traditionnel thé anglais avec *scones* et petits pots de confiture dans un service tout à fait adorable que vous pourrez acheter en partant.

Où prendre le thé dans les environs?

🍷 ***The Orchard :*** à Grantchester, à moins de 5 km au sud de Cambridge. Pour y aller, possibilité de suivre la Cam sur un petit chemin très agréable ou de louer un *punt* près de *The Granta* (voir « Où boire un verre? »). ☎ 84-57-88. Ouvert tous les jours de 9 h 30 à 18 h (19 h le week-end). Le thé à l'anglaise (avec *scones* et crème fouettée). Voilà un de nos endroits fétiches. Prendre son thé à l'ombre des pommiers en fleur sur des chaises longues... un régal. Parfois, un orgue de barbarie assure l'animation. D'autres avant vous venaient déjà s'y prélasser : Virginia Woolf, E. M. Forster ou, plus récemment, Emma Thompson ou Salman Rushdie. Champêtre.

Où boire un verre?

🍷 ***Henry's Cafe Bar*** *(zoom couleur B2,* ***44****) :* Quayside, CB5 8AB. ☎ 32-46-49. Pub situé au bord de la rivière Cam, en face du pont, à côté des *punts* à louer. Célèbre pour ses avantageux *happy hours* auxquels des meutes d'étudiants assoiffés accourent tout particulièrement le week-end. Service un peu lent. Une fois par mois, compétitions de jonglage de bouteilles (pleines). *And the winner is...* Ont aussi une bonne carte pour manger.

🍷 ***The B Bar*** *(zoom couleur B2,* ***46****) :* Market Passage, CB2 3PF. ☎ 30-97-96. Sur 2 étages, bar très prisé des jeunes qui s'y donnent un genre snob. Déco sobre et stylisé dans les tons marron. Confortables sofas en cuir, musique live certains soirs, le temps passe mine de rien. Œuvres d'art moderne aux murs.

🍷 ***The Eagle*** *(zoom couleur B2,* ***40****) :* 8 Bene't St, CB2 3QN. ☎ 50-50-20. Pub traditionnel, célèbre pour la pièce-bar de l'*American Air Force* où les GIs ont inscrit leurs noms sur le plafond pendant la Seconde Guerre mondiale. Crick et Watson, prix Nobel, y ont également passé de longues journées à discuter et à trouver la structure à double hélice de l'ADN.

🍷 ***The Anchor*** *(zoom couleur A3,* ***43****) :* sur Silver St, au niveau du pont, CB3 9EL. ☎ 35-35-54. L'un des pubs les plus sympas de la ville, fréquenté par les jeunes. Très agréable en été avec sa terrasse surplombant la rivière. D'ailleurs, très sympa d'y aller en *punt* (voir la rubrique « À faire »).

🍷 ***The Granta*** *(zoom couleur A3,* ***42****) :* 14 Newnham Rd, CB3 9EX. ☎ 50-50-16. Certainement le plus charmant petit pub de tout Cambridge. Caché en bordure des Meadows et d'un bras de rivière, les soirées s'écoulent lentement, à l'abri du temps. Soirées barbecue l'été et location de *punts* en contrebas de la rivière.

Où écouter de la musique? Où danser? Où voir un film?

♩ ***Cambridge Corn Exchange*** *(zoom couleur B2,* ***45****) :* Wheeler St, CB2 3QE. ☎ 35-78-51. • www.cornex.co.uk • En face de l'office de tourisme. Dans cette salle de spectacles, beaucoup de concerts de musique classique, mais également du théâtre, des spectacles et des concerts pop-rock. Pour se renseigner sur le programme et réserver, le box-office est juste de l'autre côté de la rue.

♩ ♫ ***The Junction*** *(hors plan couleur général par C3) :* Clifton Rd, CB1 7GX. ☎ 51-15-11. • www.junction.co.uk • Situé dans un quartier d'entrepôts. Salle de concert qui fait également discothèque, théâtre et salle de spectacles. Les DJs changent tous les soirs. Notamment réputée pour ces 2 classiques, le *Boogie Wonderland* (soirées années 1970 et 1980) tous les vendredis soir et *the Good Times,* soirée house un samedi par mois.

♩ ***The Boat Race** (plan couleur général, C2)* **:** 170 East Rd, CB1 1DB. ☎ 50-85-33. • www.boat-race.co.uk • Musique live du lundi au samedi à partir de 19 h 30 et le dimanche entre 15 h et 19 h 30. Entre 3 et 8 £ l'entrée (4,40 et 11,80 €) selon les concerts. Tous styles de musique : rock, ska, folk, blues... Réservation par téléphone ou via le site Internet.

♫ ***The Fez Club** (zoom couleur B2, **47**)* **:** 15 Market Passage, CB2 3PF. ☎ 51-92-24. Autour de 9 £ l'entrée (13,30 €) les vendredi et samedi, 2 fois moins cher en semaine ; réductions étudiants. Dans un style de déco 100 % marocaine et d'apparence sans prétention, cette boîte accueille régulièrement des DJs du *Ministry of Sound* de Londres. Incontournable à Cambridge. Soirée internationale le mercredi soir.

♫ ***Coco** (zoom couleur B2)* **:** 1-6 Corn Exchange St, CB2 3QF. ☎ 47-79-00. La plus grosse boîte en plein centre de Cambridge, sur 4 étages (relié par un ascenseur, ouf !). Tout type de musique, du R'n'B à la house en passant par la *trance* et le hip-hop, selon les soirs. Très populaire.

■ ***The Arts Picturehouse** (zoom couleur B2)* **:** 38-39 St Andrew's St. ☎ 57-29-29. • www.picturehouses.co.uk • Pour échapper à la tyrannie des superproductions américaines, voici le cinéma d'art et d'essai de la ville. Projections de films étrangers de très bonne qualité cinématographique.

À voir

Les *colleges*

L'office de tourisme propose une bien agréable visite guidée en anglais de quelques-uns des plus beaux *colleges* (voir *Tourist Information Centre* dans la rubrique « Adresses utiles »). Beaucoup de ces *colleges* méritent vraiment une visite. Ils sont généralement ouverts une bonne partie de la journée, mais les horaires sont assez variables, se renseigner avant. Certains sont fermés en période d'examens, de fin avril à mi-juin. Et l'été, les chorales sont en vacances. Voici un petit tour de quelques-uns d'entre eux. Libre à vous d'en visiter des dizaines d'autres. Comme à Oxford, ils sont tous conçus sur le même modèle : une pelouse nickel encadrée par des édifices d'habitation *(quadrangle)*, une chapelle, un *dining hall* (salle à manger) et une bibliothèque.

★★★ ***King's College** (zoom couleur A2, **60**)* **:** situé au centre névralgique de la ville sur King's Parade, l'artère la plus préservée, la plus authentique. Toute la rue appartient à King's College. ☎ 33-11-00. • www.kings.cam.ac.uk • Les horaires d'ouverture varient en fonction des périodes de cours, examens et vacances, mais ouvert grosso modo de 9 h 30 à 15 h 30. Vérifier directement auprès du *college*. Entrée : 4 £ (5,90 €).

Fondé en 1441 par le jeune roi Henri VI et achevé sous Henri VII au début du XVIe siècle. Le XVIIIe siècle vit la construction de nouveaux bâtiments dans le style académique de l'époque. Henri VI voulait que ce *college* et sa chapelle soient les plus beaux de tout Cambridge et Oxford. Aujourd'hui, King's College compte près de 600 étudiants et 100 tuteurs dont la plupart y résident.

– La *chapelle perpendiculaire* est un chef-d'œuvre incontesté. Édifiée sur les plans d'Henri VI à partir du milieu du XVe siècle, elle fut achevée en 1544. À la fois longue, étroite et élancée, elle s'impose sur le côté nord de la cour centrale du *college*. De style gothique, elle est particulièrement célèbre pour sa finesse et la beauté de ses vitraux et de sa voûte en éventail, la plus grande au monde. Elle fut taillée au sol avant d'être hissée à 33 m de hauteur.

De superbes bas-reliefs au bas des vitraux ornent le tour de la partie basse de la chapelle. On y retrouve les symboles des armoiries Tudor : la herse, le lévrier, la rose, la fleur de lys (n'oubliez pas que les rois anglais se considéraient encore comme rois de France !), le blason et le dragon. Notez que la pose du lévrier et celle du dragon est à chaque fois différente. Sur l'autel trône un don fait au collège, *L'Adoration des Mages* de Rubens, rien que ça ! Un détail amusant : observez les murs du chœur. Ici et là, on remarque quelques graffiti rouges. Ce sont les soldats de Cromwell qui, déjà à l'époque, taguaient les églises. La chapelle possède une chorale réputée (souvent absente en été, c'est les vacances aussi !). On peut l'entendre tous les jours à 17 h 30, et le dimanche à 10 h 30 et 15 h 30. À ne pas rater.

– Face à la chapelle, de l'autre côté de King's Parade, observez la jolie maison à colombages du XVIe siècle.

🎥🎥 ***Clare College** (zoom couleur A2, **61**) :* Trinity Lane. ☎ 33-32-00. • www.clare.cam.ac.uk • Entrée : 2 £ (3 €). Fondé en 1326, *Clare College* est le plus ancien de Cambridge après Peterhouse. Mais les bâtiments actuels datent du XVIIe siècle. En traversant le *college,* on parvient à Clare's Bridge, le plus ancien pont enjambant encore la rivière. L'architecte qui en a fait les plans aurait touché l'équivalent de 0,15 £ (0,20 €) à l'époque. Il jura alors que le pont ne serait jamais terminé. De fait, remarquez que l'avant-dernière boule en pierre de la balustrade est amputée d'un quart.

🎥 ***Trinity Hall** (zoom couleur A2, **62**) :* Trinity Lane. ☎ 33-25-00. • www.trinhall.cam.ac.uk • Gratuit. Connu pour être le collège des juristes car fondé au XIVe siècle pour remplacer les quelque 700 prêtres du diocèse décimés par la Peste Noire. Bel édifice gothique avec échauguette délicatement sculptée. La *cour* est adorable avec son gros sapin. Un vieux proverbe dit : *Pray at King's, dine at Trinity, sleep at Jesus, and hide at the Gardens (of Trinity Hall)*; il faut prier à King's College (la plus belle chapelle), dîner à Trinity (bonne nourriture), dormir à Jesus (bonne literie)... et se cacher dans les jardins de Trinity Hall ! Intéressante bibliothèque de brique, témoignage de la période élisabéthaine.

🎥🎥 ***Trinity College** (zoom couleur A-B2, **63**) :* Trinity St. À ne pas confondre avec Trinity Hall. ☎ 33-84-00. • www.trin.cam.ac.uk • L'entrée est payante de mi-mars à fin octobre : 2 £ (3 €). Le plus grand de Cambridge, fondé au XVIe siècle par Henri VIII, 6 semaines avant sa mort. La statue de ce dernier trône sur la porte principale *(Great Gate).* Cette statue est un peu la tête de Turc des étudiants. Un jour de goguette, ils retirèrent le sceptre de la main droite du roi pour le remplacer par un pied de chaise, qui s'y trouve toujours ! À l'intérieur de la grande cour encerclée de magnifiques édifices, remarquer l'élégante *Clock Tower.* Il est de tradition que les étudiants tentent de faire le tour de la cour tandis que l'horloge sonne 12 coups. Ce qui revient à courir 347,5 m en 43 secondes ! Trinity College a produit pas moins de 31 prix Nobel dont Isaac Newton (statue dans la chapelle). Trinity est aussi le plus riche des *colleges.* C'est même le 4e propriétaire terrien en Angleterre !

🎥🎥 ***Saint John's College** (zoom couleur A-B2, **70**) :* St John's St. ☎ 33-86-00. • www.joh.cam.ac.uk • Ouvert tous les jours de 10 h à 17 h 30. Entrée payante de mars à octobre : 2 £ (3 €). La porte principale, chargée de dorures et de fioritures, mérite un arrêt prolongé. Statue de saint Jean l'évangéliste et armoiries de la fondatrice entourées d'animaux mythologiques. L'architecte de la chapelle du *college* s'est inspiré de la Sainte Chapelle de Paris. Son plafond peint et ses vitraux sont remarquables. Constitué d'une succession d'élégantes cours intérieures, St John's College s'étend sur les 2 rives du Cam. Elles sont reliées par le *Bridge of Sights* (pont des Soupirs), une copie du célèbre pont de Venise.

🏛🏛 ***Queens' College*** *(zoom couleur A3, **64**)* **:** Silver St. ☎ 33-55-11. • www.quns.cam.ac.uk • Entrée : 1,40 £ (2,10 €). Le *college* a été fondé puis refondé par 2 reines successives, d'où son nom au pluriel. Les bâtiments médiévaux de la Vieille cour et la maison du président de la cour du Cloître (XVIe siècle) sont de très beaux exemples architecturaux de leur époque. Empruntez le fameux pont des Mathématiques, en bois.

🏛🏛 ***Christ's College*** *(zoom couleur B2, **65**)* **:** St Andrew's St. ☎ 33-49-00. • www.christs.cam.ac.uk • La ressemblance entre la porte de ce *college* et celle de St John's est frappante. Rien de moins étonnant lorsque l'on apprend que ces 2 collèges ont été fondés par Lady Margaret Beaufort, mère de Henri VII, à 6 ans d'intervalle.

🏛 ***Pembroke College*** *(zoom couleur B3, **66**)* **:** Trumpington St. ☎ 33-81-00. • www.pem.cam.ac.uk • Fondé en 1347 par Marie St Pol de Valence, comtesse de Pembroke, dont on dit qu'elle a été jeune fille, mariée et veuve, le tout dans la même journée. Pitt le Jeune (Premier ministre à 24 ans) intégra le *college* en 1773, à l'âge de 14 ans. Une petite halte s'impose dans ses jardins, plus intimes que ceux des grands *colleges*. Très agréable.

🏛 ***Magdalene College*** *(zoom couleur A-B2, **67**)* **:** prononcer « Maodline ». Magdalene St. ☎ 33-21-00. • www.magd.cam.ac.uk • Entrée : 3 £ (4,40 €). Il faut voir sa *bibliotheca pepysiana.* Riche de 3000 volumes classés par ordre de taille, du plus petit au plus grand, elle fut léguée au XVIIIe siècle par Samuel Pepys, chroniqueur, à la seule condition que rien n'y soit ni ajouté ni retranché. Au printemps et en été, les portes du porche sont magnifiquement fleuries.

🏛 Et puis encore de nombreux ***colleges*** pour les fanas (l'université de Cambridge en compte 31), qu'on leur laisse découvrir comme des grands.

Dans le centre

🏛🏛 ***Holy Sepulchre Church*** *(zoom couleur B2, **68**)* **:** à l'angle de Bridge St et de Round Church St, en plein centre. Adorable petite église romane à plan centré ! Construite au retour des croisades en 1130, sur le modèle de l'église du Saint-Sépulcre à Jérusalem. Il ne reste que 3 églises de ce type en Angleterre. Entre les piliers du triforium apparaissent des visages sculptés.

🏛 Petit ***marché*** sympa. Sur Market Hill, bien sûr !

Les musées et galeries

🏛🏛 ***Fitzwilliam Museum*** *(zoom couleur B3, **69**)* **:** Trumpington St, face au n° 33. ☎ 33-29-00. • www.fitzmuseum.cam.ac.uk • Ouvert du mardi au samedi de 10 h à 17 h et le dimanche de 14 h 15 à 17 h. Gratuit. Important musée fondé en 1816 grâce aux dons du VIIe vicomte Fitzwilliam, qui laissa de très belles antiquités égyptiennes, romaines, chinoises... Collection exceptionnelle des meilleurs peintres anglais (Turner, Constable...). Et aussi des dizaines d'œuvres majeures des plus grands peintres français (Cézanne, Pissarro, Degas, Picasso, Gauguin...). Un petit musée dont la collection est d'importance internationale.

🏛🏛 ***Kettle's Yard*** *(plan couleur général, A1)* **:** Castle St. ☎ 35-21-24. • www.kettlesyard.co.uk • On y visite gratuitement la galerie (ouverte du mardi au dimanche de 11 h 30 à 17 h) et la maison (ouverte du mardi au dimanche de 14 h à 16 h). La galerie présente de belles expositions temporaires. Quant à la maison, elle appartenait à Jim Ede, un amoureux des beaux-arts, qui acheta au cours de sa vie des œuvres d'artistes alors peu connus. Considérant que l'art devait être accessible à tous, il avait l'habitude d'ouvrir sa maison aux étudiants de Cambridge et même de leur prêter des œuvres. Ce système de prêt existe encore aujourd'hui et les étudiants

« empruntent » des toiles de renom de temps à autre, le tout basé sur une simple relation de confiance ! Il ne s'agit pas de Picasso, mais quand même. La demeure est restée telle qu'elle était à l'époque. Aucun objet n'a été déplacé et l'emplacement de chacun n'est pas anodin ; les objets et les œuvres d'art s'interpellent et se répondent les uns les autres... Sonnez la cloche pour que l'on vous ouvre. Pas plus de 10 visiteurs à la fois, pour conserver le calme et la sérénité du lieu.

Botanic Garden *(plan couleur général, B3)* **:** Bateman St. ☎ 33-62-65. • www.botanic.cam.ac.uk • Ouvre tous les jours à 10 h et ferme à la tombée de la nuit. Fermé à Noël. Entrée : 2,50 £ (3,70 €). Plusieurs hectares de verdure à proximité de la gare. Plus de 8000 espèces d'arbres et de plantes et une serre tropicale qui vaut le détour.

Great St Mary's Church *(zoom couleur B2)* **:** Market Place. Sur la place du marché. Du haut de la tour de l'église, vue sur une bonne partie des collèges et plus particulièrement sur la chapelle de King's College. Payant et même un peu cher.

Plusieurs autres musées spécialisés, comme le ***Country Folk Museum,*** le ***Museum of Archeology,*** etc.

À faire

➢ ***Punting sur la rivière :*** il s'agit d'une balade sur un bateau à fond plat *(punt).* C'est en réalité la grande attraction du coin. Les loueurs abusent d'ailleurs un peu question prix, alors n'hésitez pas à faire jouer la concurrence. Le côté touristique – passage obligé – nuit au côté charmant et romantique. À l'aide d'une grande perche, on pousse au fond de l'eau pour faire avancer la barque effilée. Conseil pour ne pas tomber à l'eau : si la perche reste coincée dans la boue, lâchez-la puis récupérez-la en pagayant. Éloignez-vous des rives et des autres *punts* ! Vous pouvez soit louer un *punt* à l'heure (12 £, soit 17,80 €) pour 6 personnes, soit louer un *punt* avec « chauffeur » à 10 £ par personne (14,80 €). Tour de 45 mn. On conseille de louer son propre *punt,* c'est bien plus drôle et bien moins cher. Plusieurs compagnies se partagent le marché. *Scudamore's (zoom couleur B2 et A3,* ***2****).* ☎ 35-97-50. Location de *punts* à Magdalene Bridge, au niveau de Henry's Bar et à Mill Lane à côté du Silver St Bridge. Également la *Granta Punting Company,* Mill Pond, Newham Rd *(zoom couleur A3,* ***4****).* ☎ 30-18-45. Moins cher que le concurrent.
Deux itinéraires :
➢ *les backs :* le plus remarquable, puisqu'il passe derrière les *colleges* les plus intéressants... d'où son nom. Attention, l'été, grande affluence. Arriver tôt pour réserver. Le long du canal se trouvent les monuments les plus connus : on passe sous 7 ponts dont le *pont aux Soupirs,* le pont de bois, le pont de fer.
➢ *Vers Grantchester :* ce parcours moins connu permet de rallier le charmant petit village de Grantchester (voir « Où prendre le thé dans les environs ? »). La rivière coule dans une campagne fort agréable. L'idéal pour pique-niquer.

Fête

– ***The May Balls :*** littéralement « les bals de mai » (comme nous espérons que vous l'avez compris, sinon votre maman a très bien fait de vous envoyer en Angleterre). Ce sont les fêtes organisées par chaque *college* après les examens. Elles se tenaient originellement au mois de mai, d'où leur nom. Selon leurs moyens, les collèges font un May Ball chaque année ou tous les

2 ou 3 ans. Les plus fameux sont ceux de Clare, de St John's, de Jesus et de Trinity. Il faut connaître un étudiant pour avoir le droit de payer le prix fort (entre 80 et 140 £, soit entre 118,40 et 207,20 € : gloups !) et avoir pensé à prendre son smoking ou sa robe de soirée. Mais ceux qui arriveront à se glisser dans l'une de ces fêtes en garderont longtemps un souvenir ému. C'est grandiose. Trinity College, qui ne lésine pas sur les moyens, plante dans le parc qui le borde pas moins de 6 tentes gigantesques dans lesquelles se succèdent jusqu'à l'aube une trentaine de groupes, des shows, des jeux... Et pour le prix élevé de l'entrée, le champagne est à volonté, ainsi que les nourritures les plus diverses, du hamburger au petit dej' du matin. Plusieurs feux d'artifice, 3 000 personnes de plus en plus joyeuses, une vraie fête.

Deux particularités amusantes : un jeu mémorable consiste à tenter l'impossible pour ne pas payer. Toute la nuit, des volontaires parcourent les buissons pour tenter de déloger les resquilleurs. La rivière Cam, qui traverse plusieurs *colleges*, est sillonnée de bateaux qui portent des grappes d'indésirables tentant de débarquer. C'est presque aussi drôle que la fête officielle.

Autre chose encore est la photo des *survivors* (les survivants) qui ont traversé toutes les épreuves de la nuit et se regroupent pour immortaliser l'instant. À Jesus, où tout est plus chic et sélect, les *survivors* louent un charter pour aller prendre le petit dej' à Paris !

➤ DANS LES ENVIRONS DE CAMBRIDGE

Imperial War Museum : à **Duxford.** ☎ 83-50-00. • www.iwm.org.uk • Au sud de Cambridge, en bordure de l'autoroute M11 (sortie 10). Bus gratuit de Cambridge au départ du *Crowne Plaza Hotel* sur Downing St et de la gare ferroviaire de mi-mars à fin octobre (30 mn de trajet). Ouvert de 10 h à 18 h (16 h en hiver). Entrée : 10 £ (14,8 €).

Superbe musée de l'Air, installé sur une base d'aviation dont l'histoire remonte à la guerre 1914-1918. De nombreux shows aériens s'y déroulent tout au long de l'année. Pour les fondus d'aviation, un vrai bonheur de collectionneur : plus de 180 machines volantes, depuis les coucous biplans des temps héroïques jusqu'au Concorde (oui, oui, on peut le visiter !), en passant par les Spitfires de la bataille d'Angleterre (salle de contrôle des d'opérations aériennes 1940-1945), les Mustangs P 51 américains, les premiers jets (Météor, Sabre, Hunter), le bombardier nucléaire *Victor,* les avions embarqués de la Navy...

Un hangar dessiné par Norman Foster lui-même abrite le musée de l'Air américain et des petits musées annexes évoquent les guerres oubliées du Sud-Est asiatique, la bataille d'Angleterre et l'histoire des blindés. Le tout est très complet et remarquablement mis en valeur. On y passe facilement une journée.

HOUGHTON

Petit village d'une grande beauté près de Huntingdon, à l'ouest de Cambridge. Départs fréquents de la gare routière de Cambridge avec les bus Go Whippet ligne 1A ; compter 35 mn de voyage. Plusieurs maisons ont encore un toit de chaume. On peut louer de petites embarcations pour se balader sur l'eau. Nombreuses promenades à pied dans la campagne. Bref, ce coin mérite vraiment le détour, bien plus qu'un tas d'endroits injustement plus célèbres.

PETERBOROUGH

113000 hab. IND. TÉL. : 01733

Ville située à 59 km de Cambridge. Un départ par heure entre 8 h et 15 h depuis Drummer St à Cambridge avec la compagnie *Stagecoach* (bus X5). Célèbre pour sa cathédrale romane à 3 porches arqués et pour son festival de *country music* au mois d'août, à l'occasion du *Bank Holiday*. Si vous êtes dans le coin à cette époque, allez-y, ça en vaut la peine.

ELY

9000 hab. IND. TÉL. : 01353

À 28 km au nord de Cambridge, une petite ville sur la rivière Great Ouse, qui possède une des plus belles cathédrales d'Angleterre. Bus X7 et X9 de la compagnie *Stagecoach* au départ de Drummer St ; 1 départ par heure entre 8 h et 18 h ; 45 mn de trajet.

À voir

La cathédrale : ☎ 66-77-35. • www.cathedral.ely.anglican.org • Ouverte tous les jours de 7 h à 19 h en été et de 7 h 30 à 18 h hors saison (17 h le dimanche). Entrée : 5 £ (7,40 €). Dédiée à la Sainte Trinité, elle offre un catalogue complet de tous les styles architecturaux du XIe au XVIe siècle. Elle est surnommée « la nef des marécages » parce que sa tour octogonale centrale émerge de l'horizon au milieu des *fens,* ces marécages asséchés par des ingénieurs hollandais au XVIIe siècle. La large voûte normande contient 200 statues, hélas décapitées lors de la Réforme. Dans le chœur, de superbes stalles sculptées et un musée du Vitrail.

LE NORD DE L'ANGLETERRE

Traçons une ligne vers le nord-est en partant de Bristol : au sud, l'argent, les propriétaires, les jolis *cottages,* la santé, la culture, les loyers les plus chers ; au nord, les industries salissantes, les vols, les terres infertiles, les maisons inconfortables tassées les unes sur les autres, les votes travaillistes. C'est très très schématique, mais c'est la division qui se précise si le gouvernement n'y prend pas garde. En tout cas, on enregistre un net mouvement de la population vers le Sud-Est, au risque de faire basculer l'île.

Les traditions restent plus fortes au nord (le pays de Galles fait bien partie du nord de la ligne). L'histoire y est riche : les propriétaires des manufactures inventaient l'économie libérale entre Birmingham, Leeds et Manchester, au XVIIIe siècle, tandis que les petits artisans apprenaient la lecture, le chartisme, la politique et la liberté. Les écrivains du Nord ne le renient pas : D. H. Lawrence, au début du XXe siècle, évolue dans un monde semi-pastoral, semi-industriel, où le héros à vélo part des habitations des mineurs pour courtiser sa belle dans une ferme idyllique.

Ce monde est encore présent : du centre de Sheffield, cité de l'acier, on aperçoit les champs. Le prolétariat anglais ne s'est-il jamais urbanisé ? Au nord, on trouve encore plus de ces jardins loués à la sortie des villes, des canards, des lapins et des pigeons élevés à la maison comme on le faisait à la ferme. Les terrils et les champs de blé se mélangent harmonieusement.

Le Nord, c'est un état d'esprit : courage et bonne humeur. Et pour eux, le changement, ce ne serait pas de ressembler au Sud qui leur paraît pasteurisé.

Enfin, un très bon site Internet pour vous aider dans vos recherches • www.visitenc.com •

CHESTER

80 000 hab. — IND. TÉL. : 01244

Déjà à l'époque romaine, les navires de haute mer avaient l'habitude de jeter l'ancre dans le port de Chester. Une situation de monopole renforcée par la suite, en raison de la valeur stratégique de cette ville de garnison à la frontière du pays de Galles et de son statut de capitale régionale. Mais c'était compter sans les caprices de Dame Nature... À partir du XVe siècle, la rivière s'ensabla progressivement jusqu'à interdire le port aux grosses unités. Il fallut céder la place aux villes de la côte comme Liverpool, considérée jusqu'alors comme une dépendance de Chester. Les désastreux choix politiques formulés pendant la guerre civile achevèrent de ruiner la cité. Après avoir balayé les troupes de Charles Ier, les parlementaires assiégèrent Chester en 1645 jusqu'à ce que les habitants affamés se rendent sans condition. Chester occupe aujourd'hui un rôle de second plan, mais ses remparts médiévaux intacts, ses belles maisons à colombages et ses fameuses *rows* en font l'une des cités les plus pittoresques d'Angleterre. Un endroit hors norme, comme le démontre cette loi toujours en vigueur, même si elle n'est sans doute pas appliquée à la lettre : tout habitant de Chester a le droit de décocher une flèche au niveau des jambes s'il croise 2 Gallois ensemble un samedi soir après 21 h, eu égard à leur statut d'ennemi barbare ne sachant se contrôler après avoir bu... Un seul regret : le nombre croissant de touristes.

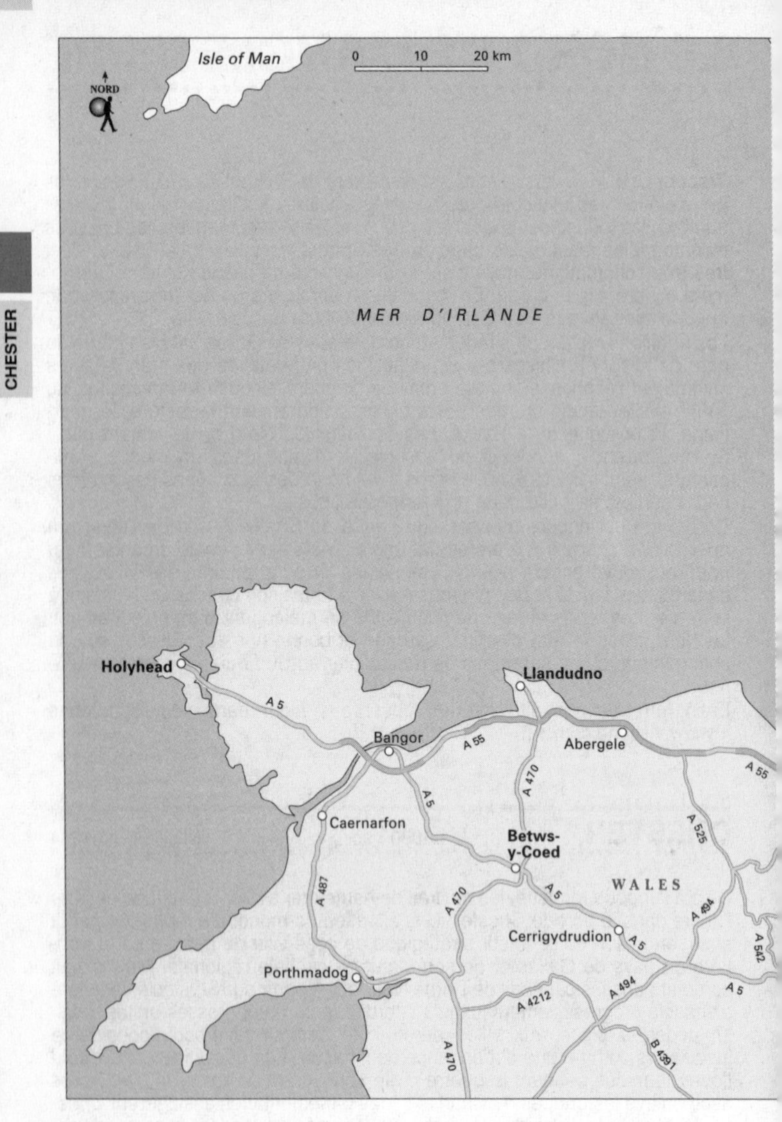

Comment y aller ?

➢ Par la M56 depuis Manchester, sortie 15, ou emprunter le tunnel de Wallasey depuis Liverpool pour rejoindre la M53. La suivre jusqu'à la sortie 12. Également 1 train par heure depuis Manchester (1 h 30 de trajet) ; 3 par jour depuis Londres (2 h 30 de trajet) ; 1 à 2 par heure depuis Liverpool (45 mn).

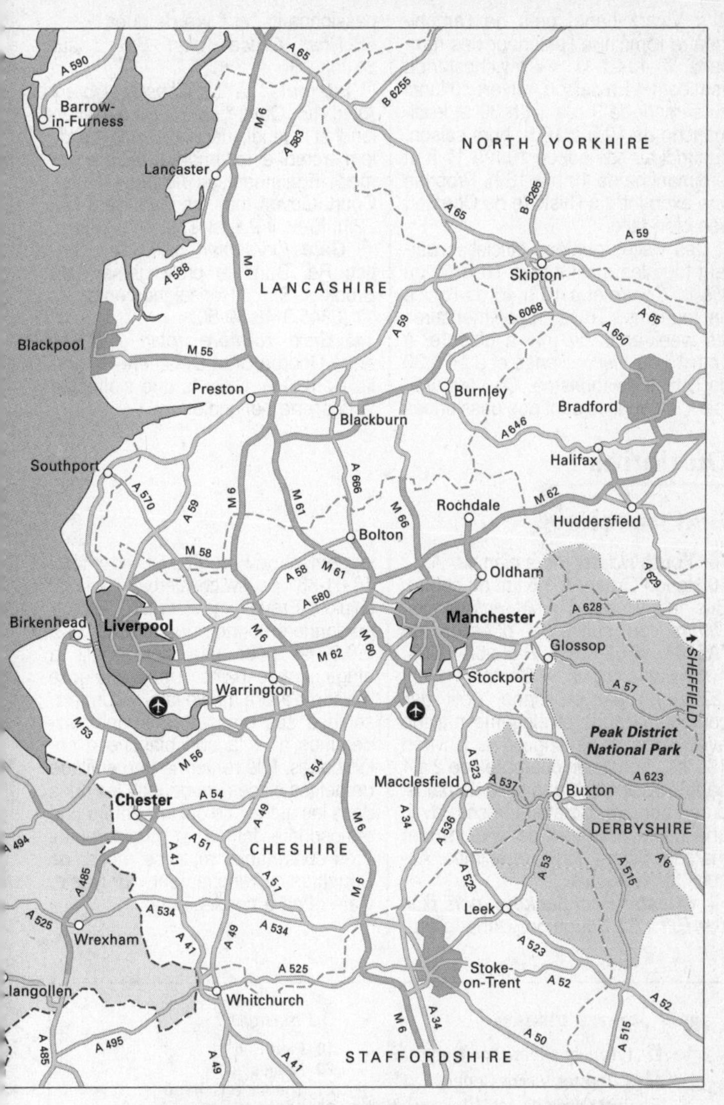

LE NORD DE L'ANGLETERRE, VERS LIVERPOOL

Adresses utiles

🛈 ***Tourist Information Centre*** *(plan A2, 1)* **:** Town Hall, Northgate St. En saison, ouvert du lundi au samedi de 9 h à 17 h 30 et le dimanche de 10 h à 16 h ; hors saison, ouvert du lundi au samedi de 10 h à 17 h, fermé le dimanche. Équipe très efficace et sympathique. Fait également les réservations de bus.

🛈 ***Chester Visitor Centre*** *(plan B2,*

2) : Vicars Lane, près de l'amphithéâtre romain, à l'extérieur des remparts. ☎ 40-21-11. • www.chestertourism.com • En saison, ouvert du lundi au samedi de 9 h à 17 h 30 et le dimanche de 10 h à 16 h; hors saison, du lundi au samedi de 10 h à 17 h et le dimanche de 10 h à 16 h. Propose une expo-intro à l'histoire de Chester, très bien faite.

– Des visites guidées officielles partent tous les matins vers 10 h 30 du *Visitor Centre* et à 10 h 45 de l'office de tourisme. Tours supplémentaires les week-ends de mai à octobre, à 14 h 15 du *Visitor Centre* et à 14 h 30 de l'office de tourisme. Ça vaut vraiment le coup, ce sont des passionnés passionnants, et il y a de quoi.

✉ ***Post Office*** *(plan B2) :* sur St John St.

@ ***Internet*** *:* à la *Chester Library (plan A2).* Ouvert de 9 h 30 à 19 h le lundi et le jeudi, jusqu'à 17 h le mardi, le mercredi et le vendredi, 16 h le samedi. Également au *I-Station,* Rufus Court. Ouvert tous les jours de 8 h à 22 h. Prévoir 2 £ (3 €) la demi-heure.

Gare *(hors plan par B1) :* Station Rd. Dans le prolongement de Brook St. Renseignements : ☎ (08457) 48-49-50.

Gare routière *(plan A-B1) :* entre George St et Delamere St, sortie Northgate. C'est là que s'effectue la desserte nationale.

Où dormir ?

Bon marché

Youth Hostel *(hors plan par A3) :* 40 Hough Green. À 1,5 km du centre. Bus n° 7 du *Tourist Information Centre,* ou suivre la direction de l'A5104. ☎ 68-00-56. Fax : 68-12-04. • www.yha.org.uk • Compter 15 £ (22,20 €) par personne, petit dej' compris. Grande et élégante maison avec jardin et parking privé. Environ 130 lits, répartis en chambres de 2 à 4 parfois équipées d'une salle de bains, ou en dortoirs. Cafétéria le soir, avec une petite sélection de snacks bon marché. Salons toujours animés. Accueil fort agréable.

Chester Backpackers *(hors plan par B2) :* 67 Boughton. Dans le prolongement de Foregate St. ☎ et fax : 40-01-85. • www.chesterbackpackers.co.uk • Prévoir 13 £ (19,20 €) par personne en dortoir de 8 lits, ou 34 £ (50,30 €) pour une double (lit à étages) avec bains. Dans une jolie maison d'allure médiévale, reconnaissable à ses grosses lanternes suspendues à la façade blanche à colombages. Elle renferme une enfilade de petites pièces imbriquées les unes dans les autres, ce qui lui confère une atmosphère intime et chaleureuse. Très confortable, mais se méfier de Boughton, franchement bruyante. Café offert à nos lecteurs.

Adresses utiles

- **1** Tourist Information Centre
- **2** Chester Visitor Centre
- ✉ Post Office
- Gare ferroviaire
- Gare routière

Où dormir ?

- **10** Pied Bull
- **11** Chester Town House
- **12** Grosvenor Place
- **13** Castle House

Où manger ?

- **10** Pied Bull
- **20** Hatties
- **21** The Olde Cottage
- **22** Albion Inn
- **23** Telford's Warehouse

Où boire un verre le soir ?

- **20** Alexander's Jazz Theatre
- **23** Telford's Warehouse

À voir. À faire

- **30** Cathédrale
- **31** Grosvenor Museum

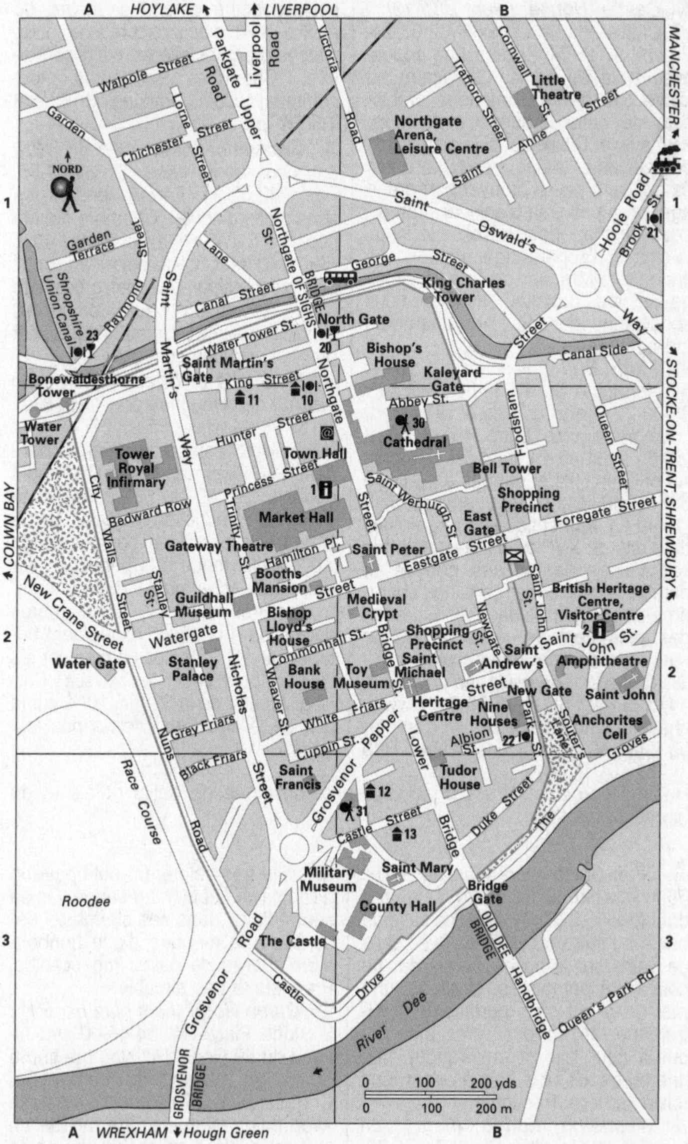

A HOYLAKE LIVERPOOL B
MANCHESTER
STOCKE-ON-TRENT, SHREWBURY
COLWN BAY
A WREXHAM Hough Green B
NORD
Walpole Street
Parkgate Road
Upper Liverpool Road
Victoria Road
Cornwall St.
Trafford Street
Little Theatre
Anne Street
Northgate Arena, Leisure Centre
Garden
Lorne Street
Chichester Street
Saint Oswald's Way
Hoole Road
Brook St.
Garden Terrace
Raymond Street
Shropshire Union Canal
Lane
Northgate St.
George Street
Saint Martin's Way
BRIDGE OF SIGHS
King Charles Tower
Canal Street
Water Tower St.
North Gate
Canal Side
Bishop's House
Saint Martin's Gate
King Street
Kaleyard Gate
Bonewaldesthorne Tower
Water Tower
Abbey St.
Frodsham Street
Queen Street
Hunter Street
Northgate Street
Cathedral
Tower Royal Infirmary
Town Hall
Princess Street
Bell Tower
City Walls
Saint Werburgh St.
Shopping Precinct
Bedward Row
Trinity St.
Market Hall
East Gate
Foregate Street
Gateway Theatre
Hamilton Pl.
Saint Peter
Eastgate Street
Booths Mansion
Stanley St.
Street
New Crane Street
Guildhall Museum
Medieval Crypt
Saint John St.
British Heritage Centre, Visitor Centre
Bishop Lloyd's House
Watergate Street
Shopping Precinct
Newgate St.
Saint John St.
Commonhall St.
Saint Michael
Saint Andrew's
Amphitheatre
Water Gate
Stanley Palace
Bridge St.
Bank House
Toy Museum
Nicholas Street
Weaver St.
Street
New Gate
Saint John
White Friars
Heritage Centre
Nine Houses
Park St.
Souter's Lane
Anchorites Cell
Grey Friars
Pepper
Albion St.
Nuns Road
Cuppin St.
Groves
Black Friars
Lower Bridge
Race Course
Saint Francis
Grosvenor
Tudor House
Duke Street
The
Castle Street
Saint Mary
Military Museum
Bridge Gate
Roodee
County Hall
OLD DEE BRIDGE
The Castle
Grosvenor Road
Castle Drive
Handbridge
Queen's Park Rd
River Dee
GROSVENOR BRIDGE
0 100 200 yds
0 100 200 m
1 2 3

CHESTER

Prix moyens

🏠 ***Castle House*** *(plan B3, **13**)* **:** 23 Castle St. ☎ et fax : 35-03-54. Prévoir 50 £ (74 €) pour une double avec salle de bains. La façade ne laisse pas deviner l'intérieur tarabiscoté de cette chouette maison du XVIe siècle. D'ailleurs, si la disposition des pièces et les poutres apparentes ne suffisent pas à prouver son grand âge, on a pris soin d'enlever un morceau de crépi pour dévoiler le vieux torchis et l'appareillage de bois. La charmante Mrs Marl se fera un plaisir de tout vous raconter... avant de vous céder l'une de ses jolies chambres fort confortables.

🏠 ***Pied Bull*** *(plan A1-2, **10**)* **:** 57 Northgate St. ☎ 32-58-29. Fax : 35-03-22. Selon la taille et le confort, chambre double entre 45 et 55 £ (66,60 et 81,40 €), petit dej' compris. Au pub, snacks et entrées à partir de 3 £ (4,40 €), plats à environ 7 £ (10,40 €). Authentique auberge-relais de poste du XVIe siècle, aux plafonds bas veinés de grosses poutres et meublé à l'ancienne (certaines chambres avec lits à baldaquin). Entretien des plus corrects. À table, bonne nourriture de pub. Bon accueil.

🏠 ***Chester Town House*** *(plan A2, **11**)* **:** 23 King St. ☎ 35-00-21. • www.chestertownhouse.co.uk • Compter 55 £ (81,40 €) pour une double. Une porte anodine défend ce havre de paix du XVIIe siècle décoré avec goût, discrètement installé en plein centre-ville. Chambres souriantes, tout comme l'accueil. Parking (1 £, soit 1,50 €, par jour).

🏠 ***Grosvenor Place*** *(plan B3, **12**)* **:** 2-4 Grosvenor Place. ☎ 32-44-55. Fax : 40-02-25. Fermé pendant les fêtes de fin d'année. Chambre double pour 50 £ (74 €) avec bains, 40 £ (59,20 €) sans. Légèrement en retrait de l'axe principal, une maison de ville sans prétention aux chambres simples mais correctes. Intéressant pour sa situation centrale.

🏠 ***Mitchell's of Chester*** *(hors plan par A3)* **:** 28 Hough Green, CH4 8JQ. ☎ 67-90-04. Fax : 65-95-67. • www.mitchellsofchester.com • Fermé pendant les fêtes de Noël. Chambres doubles de 56 à 62 £ (82,90 à 91,80 €) ; réduction à partir de la 3e nuit. Belle maison bourgeoise du XIXe siècle, tenue à la perfection par un couple charmant. Parties communes très cossues, et chambres douillettes à la déco typiquement britannique. N'hésitez pas à pousser les bibelots pour caser les valises ! Parking. À partir de la 3e nuit, 10 % sur le prix de la chambre offert à nos lecteurs.

Hoole Rd *(plan B1)* est principalement constituée de petits hôtels et de *guesthouses*.

🏠 ***Glen-Garth*** *(hors plan par B1)* **:** 59 Hoole Rd. ☎ 31-02-60. Chambre double à 55 £ (81,40 €) avec salle de bains *en-suite*, 50 £ (74 €) avec salle de bains sur le palier. Tenue par un couple de personnes retraitées, une maison plutôt chic, parfaitement entretenue, et où vous serez bien accueilli (leur fille vit en France). Les chambres les plus calmes sont bien sûr à l'arrière. Parking.

🏠 ***Westleigh Lodge*** *(hors plan par B1)* **:** 6 Hamilton St. ☎ 31-71-78. À 10 mn du rond-point de St Oswald's Way, une rue sur la droite perpendiculaire à Hoole Rd. Chambres doubles de 45 à 50 £ (66,60 à 74 €), selon la durée. Dans une rue résidentielle très calme, un petit pavillon à l'anglaise fort bien aménagé. On se sent à l'aise dans ses chambres décorées à la manière d'une bonbonnière. Salles de bains impeccables. Propriétaire très aimable.

🏠 ***Glann Hotel*** *(hors plan par B1)* **:** 2 Stone Place. ☎ 34-48-00. Au niveau du 59 Hoole Rd, une rue sur la droite en venant du centre-ville. Compter 52 £ (77 €) pour une double avec bains. Derrière une façade un tantinet austère se cache une petite *guesthouse* à l'atmosphère conviviale. Chambres confortables et bien tenues, très calmes en raison de la situation stratégique du *Glann* au fond d'un cul-de-sac. Parking.

Où dormir dans les environs ?

Camping

⛺ ***Birch Bank Farm :*** Stamford Lane, à Christleton. ☎ 33-52-33. Fermé hors saison. À environ 5 km à l'est de Chester, dans un joli village. Agréable petit camping à la ferme et au calme. Beau bloc sanitaire. Proprios sympas. Conseillé de réserver en été.

Où manger ?

🍽 ***Hatties*** *(plan A1, **20**)* ***:*** Rufus Court. Petits plats autour de 3 ou 4 £ (4,40 ou 5,90 €). Ferme à 17 h. Un petit salon de thé très cosy, aux murs lambrissés jusqu'à mi-hauteur puis de couleur vert pomme. Tenu par une équipe de cordons bleus souriante, qui prépare à la commande toutes sortes de bonnes choses sucrées ou salées. Mention spéciale pour les soupes maison !

🍽 ***Pied Bull*** *(plan A1-2, **10**)* ***:*** 57 Northgate St. Voir « Où dormir ? ».

🍽 ***Telford's Warehouse*** *(plan A1, **23**)* ***:*** Tower Wharf. En bas de Canal St, un peu en dehors du centre. ☎ 39-00-90. Un ancien entrepôt joliment réhabilité, flanqué de grandes baies vitrées et d'une super terrasse au bord du canal. Cuisine assez bon marché, copieuse et sans prétention. Concert rock le samedi soir et dancing dans la salle basse, qui drainent pour l'occasion une clientèle nettement plus jeune qu'en journée. Entrée alors payante mais réduction étudiants. Ambiance chaude et décontractée. Si le temps le permet, faites un tour au bord du canal, et jetez un œil au minichantier naval sous le hangar.

🍽 ***The Olde Cottage*** *(plan B1, **21**)* ***:*** 38 Brook St. ☎ 32-40-65. Servent jusqu'à 20 h du lundi au vendredi, uniquement le midi le week-end. Plats autour de 4 £ (5,90 €). Une jolie maison d'angle à colombages, où l'on propose une carte de plats typiquement anglais de bonne tenue. Billard pour la digestion.

🍽 ***Albion Inn*** *(plan B2, **22**)* ***:*** Albion St. À l'angle de Park St. ☎ 34-03-45. Servent jusqu'à 20 h. Fermé le mardi et le mercredi soir. Un pub chaleureux, où un bon feu de cheminée chasse la grisaille des mauvais jours. Réputé pour ses plats traditionnels bien ficelés et ses bières bien tirées. Malheureusement pour les familles, les mineurs ne sont pas admis.

🍽 ***Cathedral Refectory :*** cadre superbe, entouré de vitraux, pour étancher sa soif.

Où boire un verre le soir ?

🍸 ***Telford's Warehouse*** *(plan A1, **23**)* ***:*** voir « Où manger ? ».

🍸 ***Alexander's Jazz Theatre*** *(plan A1, **20**)* ***:*** Rufus Court. ☎ 34-00-05. Au fond d'une petite cour, dans une impasse qui part de Northgate St, près de la porte. Ouvert du lundi au samedi de 11 h à minuit et le dimanche de 12 h à 22 h 30. Café, bar, spectacles de musique, concerts divers et variés le soir. Sélection de tapas.

À voir. À faire

Gare aux petits pseudo-musées pas forcément bon marché et toujours accompagnés d'une grosse boutique.

👤👤👤 ***The rows :*** au cœur de la ville, dans le secteur de *St Peter (plan B2).* Galeries commerçantes couvertes, aménagées à la hauteur du 1er étage dans de hautes maisons à colombages. C'est unique en Angleterre, ça date du Moyen Âge, et on n'a pas encore d'explication quant à la raison exacte de leur développement. Aujourd'hui, ce sont toujours des magasins, les mêmes que dans un centre commercial moderne.

La cathédrale *(plan B2,* ***30****)* **:** cet édifice de style gothique massif vaut surtout par la conservation remarquable de l'ensemble de ses bâtiments : cloître, réfectoire, abbatiale, salle capitulaire, etc. Très beau travail d'ébénisterie sur les stalles du chœur. Un petit coup de gueule tout de même : le mercantilisme anglican atteint ici des sommets, à l'image de la ville peut-être. Pas de droit d'entrée, mais une forte pression culpabilisante exercée par des cerbères déguisés en *Gospel Singers,* passage obligé par la boutique, troncs partout, etc. Laissez-vous éventuellement délester de quelques *pounds* à la cafétéria aménagée dans l'ancien réfectoire.

➢ **Promenade sur les remparts :** tour complet et points de vue permettant de mieux comprendre l'histoire de Chester. D'origine romaine, les remparts ont été élevés et renforcés au Moyen Âge, mais pas assez pour résister à Guillaume le Conquérant. Si vous trouvez les *Wishing Steps* (marches), montez-les, descendez-les et remontez-les une 2e fois sans respirer et faites un vœu « sentimental ».

Grosvenor Museum *(plan B3,* ***31****)* **:** 27 Grosvenor St. ☎ 40-20-08. Ouvert du lundi au samedi de 10 h à 17 h et le dimanche de 13 h à 16 h. Entrée gratuite. Musée un peu fourre-tout mais ludique et bien conçu. On y aborde différents thèmes comme l'histoire de la ville pendant l'occupation romaine, l'étude de la faune du Cheshire, ou encore l'évolution de l'argenterie... Plus vivante, la reconstitution d'une maison georgienne sur 3 niveaux, comme si vous y étiez.

➢ **Promenade en bateau :** à l'angle sud-est des remparts a été aménagée une belle promenade *(The Groves),* où se trouve l'embarcadère des excursions sur la rivière : *Bithell Boats,* ☎ 32-53-94.

– Dans les environs, quelques *plages* avec de magnifiques dunes.

LIVERPOOL

540 000 hab. IND. TÉL. : 0151

Pour le plan de Liverpool, voir le cahier couleur.

Les clichés ont la vie dure ! Liverpool traîne à tort une image d'enfant terrible, dont les docks tentaculaires noircissant les rivages de la Mersey traduisent le déclin industriel. Il faut reconnaître que le petit port fondé en 1207 a fait du chemin. À l'époque, on se contentait d'y embarquer les troupes pour l'Irlande. Mais l'ensablement inexorable de l'estuaire de Chester a fait la fortune de Liverpool, qui alignait à la fin du XVIIIe siècle 7 km d'entrepôts. Le commerce triangulaire et le transport juteux de millions d'émigrants au tournant du XXe siècle renforcèrent sa suprématie maritime, jusqu'à ce que la crise économique la frappe de plein fouet, engendrant de dramatiques désordres sociaux. Mais aujourd'hui, Liverpool tente de redresser la tête. Elle fait preuve d'un véritable dynamisme culturel, à l'image de la réhabilitation progressive de bâtiments industriels comme ceux d'Albert Dock, elle sera capitale européenne de la Culture en 2008 et son club de foot (avec ses entraîneurs français) lui donne une dimension internationale. Mais ce sont ses habitants qui laissent le meilleur souvenir. Les *Liverpudlian,* ou encore *Scouse,* sont de très bons vivants dont la gaieté, la vivacité et le sens de l'humour devraient vous dérider une fois surmontée la difficulté de compréhension. Des tas d'histoires drôles courent sur leur compte. Essayez de vous en faire raconter quelques-unes lors de vos rencontres dans les pubs.

LE *BEAT* DES BEATLES

Toutefois, Liverpool figure principalement sur la carte grâce aux Beatles, sans conteste la principale attraction touristique de la ville. Il y a même une *Beatle Week* vers la 3e semaine d'août, et on y vient du monde entier (ne comptez pas y voir les vrais Beatles). L'histoire commence en 1957, lorsque deux *Liverpudlians* post-adolescents, John et Paul, se rencontrent et commencent à gratter la guitare. Arrivent rapidement Pete, George et Stuart. Immédiatement quelque chose se passe, qui relève de la chimie, voire de l'alchimie ! Et comme une équipe de chercheurs en blouse blanche mène à bien une expérience et révolutionne l'histoire de la science, les Beatles ont révolutionné la *pop music.* À la différence près que nos apprentis rockers ne cherchaient rien d'autre qu'un passe-temps. La suite, vous la connaissez : cet irrésistible *beat* né dans une cave ébranle les sous-sols de Liverpool. Tellement puissant qu'il traverse l'asphalte, remonte le long des jeunes jambes, fait tomber les socquettes blanches et vibrer les semelles de crêpe. Liverpool swingue, et la planète suit. Tous les continents sont conquis par la *Beatlemania,* et partout où passent les *Fab Four,* les plus sages collégiens deviennent hystériques.
En 1970, année de leur divorce, bien avant l'ère du disque laser, ils affichent 500 millions d'albums vendus. Une trentaine d'années plus tard, le scarabée fait toujours recette. Cela dit, il ne reste pas grand-chose du décor de la légende. Méfiez-vous des produits, musées et attractions « Beatles », nous avons été franchement déçus.

Adresses utiles

Tourist Information Centre *(plan couleur C2, 1)* **:** Queen Square Centre, Liverpool L1 1RG. ☎ 709-51-11. Fax : 708-02-04. • www.visitliverpool.com • ou • www.merseyside.org.uk • Ouvert du lundi au samedi de 9 h (10 h le mardi) à 17 h 30 et le dimanche de 10 h 30 à 16 h 30 ; les jours fériés, de 10 h à 17 h. Il existe une annexe dans Albert Dock, à l'Atlantic Pavilion *(plan couleur B2, **2**).* ☎ 709-51-11. Ouvert tous les jours de 10 h à 17 h 30. Personnel affable et compétent.

Poste *(plan couleur B1)* **:** Whitechapel.

Internet *(plan couleur C1)* **:** à la *library.* Compter 2 £ (3 €) l'heure.

Gare *(plan couleur C1)* **:** Lime St. ☎ (08457) 48-49-50. Pour les grandes lignes et les trains *Merseyrail* (Birkenhead, environs de Liverpool et Manchester).

National Express Coaches *(plan couleur C1)* **:** Norton St ; en haut de Lime St. ☎ (08705) 80-80-80.

Parking : fidèle à la tradition anglaise, Liverpool s'est dotée de parkings centraux mais hors de prix ! Mais il y a une faille... Les parcs de stationnement déployés au sud d'Albert Dock (ne pas confondre avec la poignée d'emplacements aux pieds de l'office de tourisme) sont gratuits !

Où dormir ?

Peu de *B & B,* grande ville oblige, et aucun camping dans les parages. En revanche, de nombreux hôtels font parfois des offres intéressantes, notamment pour les chambres doubles. Renseignez-vous à l'office de tourisme.

Bon marché

Embassie Youth Hostel *(hors plan couleur par D2, **11**)* **:** 1 Falkner Square, L87N4. Située dans le prolongement de Canning St, elle-même précédée par Upper Duke St. ☎ 707-10-89. Fax : 707-82-89. • www.em

bassie.com • Compter 13,50 £ (20 €) la 1re nuit par personne, puis 12,50 £ (18,50 €). Occupe l'ancienne ambassade du Venezuela, une maison avenante plantée au bord d'un square calme et verdoyant. Cuisine à disposition et une soixantaine de lits répartis en 3 dortoirs (il n'y a que 2 chambres), difficile d'échapper à sa joyeuse atmosphère fraternelle. Plus efficace et moins cher qu'un stage de langue! Un petit dej' et 10 % sur le prix de la chambre offerts à nos lecteurs sur présentation du *Guide du routard.*

International Inn *(plan couleur D2, **15**) :* 4 South Hunter St. ☎ 709-81-35. • www.internationalinn.co.uk • Dortoir pour 15 £ (22,20 €), ou 18 £ (26,60 €) par personne pour une double, petit dej' compris. La perle du quartier étudiant, nichée dans une ruelle tranquille. Ils ont dû intégrer M. Propre à leur équipe! AJ récente et fonctionnelle, avec des chambres d'une capacité de 2 à 10 personnes (pour un total d'une centaine de places). Elles comprennent une literie neuve, un parquet chaleureux et disposent d'une salle de bains impeccable. En prime, une carte magnétique pour les oiseaux de nuit! Accueil très sympa. Café et thé offerts à nos lecteurs, en guise de bienvenue.

Liverpool's Youth Hostel *(hors plan couleur par B2, **12**) :* Wapping, L1 8EE. ☎ (08707) 70-59-24. Fax : (08707) 70-59-25. • www.yha.org.uk • À 5 mn à pied au sud d'Albert Dock, sur la gauche. Selon le confort de la chambre, compter de 17 à 20 £ (25,20 à 29,60 €) par personne, petit dej' compris. Une AJ récente, isolée au bord de l'un des principaux axes de la ville. Par conséquent, le cadre n'a rien de folichon, mais les prestations justifient une halte : chambres fonctionnelles nickel (de 2 à 6 lits) avec salle de bains, salle de restaurant, accès Internet et parking. Juste à côté, un chouette pub de quartier pour étancher les soifs intempestives, le *Baltic Fleet.*

Liverpool YMCA *(plan couleur C2, **13**) :* 56-60 Mount Pleasant. Très central. ☎ 709-95-16. Fax : 708-01-41. La *single* à 17 £ (25,20 €), la double à 32 £ (47,40 €) et la triple à 45 £ (66,60 €), petit dej' compris. Un tantinet austère. Une bonne centaine de lits répartis dans différentes chambres basiques.

Prix moyens

The Lord Nelson Hotel *(plan couleur C1, **14**) :* Lord Nelson St, L3 5PD. ☎ 709-43-62. Fax : 707-13-21. • www.thelordnelsonhotel.com • Double avec ou sans salle de bains de 42 à 48 £ (62,20 à 71 €), petit dej' compris. Solidement amarrée derrière la gare routière, cette solide bâtisse blanche n'aurait pas déplu à l'amiral (Nelson!). Les chambres ont tout de la cabine, à la fois étroites et confortables, et la salle de restaurant sobre mais accueillante tient du carré! Agréable et sans prétention.

Aachen Hotel *(plan couleur C2, **10**) :* 89-91 Mount Pleasant, L3 5TB. ☎ 709-34-77. Fax : 709-11-26 ou 709-36-33. • www.aachenhotel.co.uk • Très central. Chambres doubles de 46 à 60 £ (68,10 à 88,80 €). Demi-pension possible. Fermé pendant les fêtes de fin d'année. Non, non! L'endroit n'est pas un attrape-touristes, malgré les nombreuses banderoles publicitaires qui servent de façade. Bonnes prestations, accueil sympa et entretien très correct. Établissement tout simple où l'on prend rapidement ses habitudes. Petit dej' ou 10 % sur le prix de la chambre offert à nos lecteurs.

Où manger?

Bon marché

Richie's Butty Bar *(plan couleur B2, **21**) :* 77 Paradise St. ☎ 709-24-22. En face du *Moat House Hotel* en allant aux docks. Ouvert tous les

jours de 5 h du matin (!) à 15 h 30 environ. Voici l'un des derniers endroits authentiques près des docks (c'est pas pour rien qu'ils ouvrent à 5 plombes du mat'). Et comme le docker a souvent aussi grand appétit que petit revenu, il trouve dans cette gargote graisseuse, en plus d'un accueil chaleureux, une nourriture simple et généreuse à prix doux. Hamburgers, *cooked breakfast,* salades, sandwichs, etc. Déco dans le genre « ma friteuse a pris feu ». On choisit et paie au comptoir, et les serveuses annoncent les commandes. Avec l'accent et le brouhaha, à vous de reconnaître la vôtre ! Souvenir impérissable et odeur tenace.
– Les routards en manque de *noodles,* canards laqués ou rouleaux de printemps iront flâner du côté de Nelson St. Défendu par une porte monumentale dans la plus pure tradition asiatique, le ***Chinatown*** de Liverpool *(plan couleur C2, **27**)* aligne suffisamment d'établissements pour satisfaire tous les goûts et toutes les bourses.

LIVERPOOL

Prix moyens

🍴 ***Number Seven Café*** *(plan couleur D2, **26**) :* 15 Falkner St. ☎ 709-96-33. Ouvert de 8 h (10 h le samedi) à 17 h. Fermé le dimanche. Petits plats autour de 3 £ (4,40 €) ; compter environ 7 £ (10,40 €) pour les plus consistants. Avec une épicerie fine dont les derniers rayons débordent dans la cuisine, ce ne sont pas les ingrédients qui manquent pour mitonner chaque jour différentes spécialités. Du coup, les habitués s'attablent à toute heure pour savourer une soupe, un sandwich, ou un *chicken pie,* selon leur appétit et l'humeur du chef. Atmosphère reposante.

🍴 ***The Everyman Bistro*** *(plan couleur D2, **20**) :* 9 Hope St, L18 3EA. ☎ 708-95-45. Ouvert de midi à minuit, jusqu'à 1 h le jeudi, 2 h les vendredi et samedi. Fermé le dimanche. Plats de 3 à 9 £ (4,40 à 13,30 €). Installé dans le sous-sol du théâtre du même nom, endroit très populaire qui propose des spectacles d'avant-garde. Plats classiques ou végétariens, suivis d'excellents desserts à déguster dans une salle aux lignes sobres et modernes. Les grandes tablées laissent peu de place à l'intimité, mais on y fait de bonnes rencontres. Également réputé pour son choix de vins et de cocktails.

🍴 ***Café Tate Gallery*** *(plan couleur A2, **25**) :* Albert Dock. ☎ 709-70-97. Ouvert de 10 h à 18 h. Fermé le dimanche. Un bar de musée à la déco dépouillée. C'est d'ici que l'orange des colonnes chante le plus harmonieusement avec l'architecture ancienne. De la mezzanine, la vue devient cadrée comme une photo d'art, et l'on y prend toute la mesure de la réfection du dock. Petite restauration soignée, service agréable. Typiques gâteaux anglais.

🍴 ***Vernon Arms*** *(plan couleur B1, **23**) :* 69 Dale St. À l'angle de Vernon St. ☎ 236-45-25. Servent jusqu'à 19 h 30. Plats principaux de 4 à 8 £ (5,90 à 11,80 €). Les secrets d'une bonne recette : une déco sans prétention qui fleure bon la tradition, une petite carte proposant quelques spécialités de bon aloi et une sélection de bonnes bières. Du coup, les cols blancs côtoient sans vergogne une clientèle de voisinage, le tout dans une atmosphère bonhomme.

🍴 ***The Pilgrim*** *(plan couleur D2, **22**) :* 34 Pilgrim St. Dans la rue face à la cathédrale anglicane. Servent jusqu'à 16 h. Formules *breakfast* de 2 à 3 £ (3 à 4,40 €), plats autour de 4 £ (5,90 €). Sympathique pub de quartier dissimulé au sous-sol d'une maison anodine. Pas très lumineux, mais cadre rustique agréable, plus proche de la taverne à matelots que du relais de pèlerinage !

Où boire un verre ? Les pubs

Une visite à Liverpool passe obligatoirement par ses pubs, endroits absolument extraordinaires par le décor mais aussi l'ambiance. Les plus beaux datent de la fin de l'ère victorienne, façonnés par les artisans talentueux congédiés pendant la crise des chantiers navals. Certaines de leurs réalisations relèvent tout bonnement du chef-d'œuvre !

🍸 ***The Central*** *(plan couleur C2, **40**)* **:** Ranelagh St. Aussi appelé *The Central Commercial Hotel.* Une véritable institution, dont l'intérieur a été conçu en 1907 par le décorateur William Thomas : cheminées en marbre et boiseries sculptées encadrent avec panache un bar ruisselant de cuivre. Une petite mise en condition avant de pénétrer dans ce qui s'appelle encore pompeusement *The Heritage Suite,* un grand salon coiffé d'une coupole en vitrail. C'est franchement grandiose, et pour le prix d'une bière ! Sert aussi des repas entre 11 h 30 et 15 h.

🍸 ***The Florin and Firkin – Crown Hotel*** *(plan couleur C1, **42**)* **:** Lime St, à l'angle de Parker Elliot St. Encore une relique, qui se distingue par sa façade de granit noir empesée et ses fenêtres en saillie aux vitres en verre taillé. Pour les nostalgiques du style édouardien ! Impeccable pour une étape.

🍸 ***The Philharmonic Pub*** *(plan couleur D2, **43**)* **:** 36 Hope St. L'un des plus beaux pubs de Grande-Bretagne, conçu au début du XXe siècle par William Thomas et réalisé par les anciens artisans des chantiers navals moribonds. Les plus petits recoins ont été travaillés et décorés, depuis les toilettes des messieurs jusqu'au *Grand Lounge,* une ancienne salle de billard aujourd'hui reconvertie en salle de concerts (généralement en fin de semaine). Ne pas rater la symphonie des couleurs orchestrée par les vitraux, boiseries sculptées, cuivres brillants et autres carreaux de faïence ! Seul inconvénient du *Phil* : toujours très bondé, surtout le soir. D'ailleurs, un des grands regrets de Lennon fut de ne plus pouvoir y boire un verre quand les Beatles devinrent trop célèbres.

🍸 ***Ye Cracke*** *(plan couleur D2, **45**)* **:** 13 Rice St. Dans une ruelle perpendiculaire à Hope St. C'est là que John Lennon (encore lui) fut arrêté une fois pour avoir fait la grenouille sur les tables. Quelques décennies plus tard, ce pub très vivant continue d'attirer une forte clientèle d'étudiants. Bonne sélection de bières, renouvelée chaque semaine. Agréable jardin en été.

🍸 ***Barcelona Tapa's Bar*** *(plan couleur C2, **44**)* **:** 35 Renshaw St. ☎ 709-44-35. À l'angle de Newing. On nous avait dit que Gaudí n'était jamais sorti d'Espagne, permettez-nous d'en douter. Longue façade que le pape de l'Art nouveau catalan n'aurait pas reniée. Délire de ferronnerie, couleurs chaudes et formes voluptueuses. Un cadre vraiment très chouette. Tapas moyennes, mais ambiance méritant le détour.

Où sortir ? Où danser ?

Le secteur de ***Mathew Street Cavern Quarter*** *(plan couleur B1, **32**),* entre North John et White Chapel, concentre une bonne partie de l'animation nocturne. On y trouve notamment une réplique de la ***Cavern,*** boîte légendaire où se produisirent les Beatles à leurs débuts. Ce n'est pas exactement une pépinière de jeunes talents comme on pourrait l'imaginer, mais plutôt une attraction de plus. Aujourd'hui, toute la rue est vouée à la Beatlemania : boutiques de souvenirs et de disques, galerie marchande, pubs et restos... Le tout est très commercial, mais on peut y passer un bon moment. Quelques adresses en vrac : *Lennon's Pub, Cavern Pub, Cavern Club, Abbey Rd,* etc. Et le *Cream* est une boîte de grande renommée. On y vient, paraît-il, depuis Londres. Sinon, la fameuse ***Slater Street*** draine une large part de la clientèle estudiantine. Essayer notamment le ***Jacaranda*** *(plan couleur C2, **41**),* autre bar fréquenté en son temps par les Beatles.

À voir

Liverpool est sans doute la seule ville au monde à posséder 2 cathédrales construites au XXe siècle, même si 8 siècles d'architecture les séparent.

The Anglican Cathedral *(hors plan couleur par D2,* ***31****)* **:** à l'angle d'Upper Duke St et de Hope St. Ouverte de 8 h à 18 h. Accès gratuit mais montée payante pour la tour (dernier ticket vendu à 15 h 30) : 2 £ (3 €). Pourtant consacrée en 1978, la plus vaste église anglicane du monde arbore un style gothique des plus traditionnels. On a du mal à croire qu'au XXe siècle on ait eu encore besoin d'affirmer la puissance de Dieu en élevant un bâtiment aux proportions aussi gigantesques. La visite de la nef constitue une expérience assez hors du commun, mêlant différents sentiments contradictoires : l'admiration, la crainte et l'impression d'écrasement. Les chiffres parlent d'eux-mêmes : 55 m sous voûtes, une tour culminant à 100 m et un carillon de 31 tonnes ! Au bout des 200 m de la nef, à gauche, un escalier vous conduira à la chapelle de la Vierge, aux dimensions d'une bonne cathédrale. À l'intérieur, splendide retable et, discrètement placée à gauche de l'autel, une Vierge sculptée du céramiste Giovanni della Robbia (XVe siècle). Montez absolument dans la tour, pour voir l'envers bétonné du décor, les entrailles de la bête. D'ascenseurs en boyaux et escaliers, vous arriverez sans trop d'efforts au plus beau belvédère de Liverpool. Vue à 360 degrés, les photographes apprécieront. En redescendant, faites une station dans l'un des triforiums, moins pour l'exposition d'habits sacerdotaux et objets de culte que pour la vue vertigineuse sur le chœur et les grandes orgues (10 000 tuyaux).

Metropolitan Cathedral of Christ the King *(plan couleur D2,* ***30****)* **:** ouverte tous les jours de 7 h 30 à 18 h ; accès gratuit. Voisine mais sûrement pas copine, la cathédrale catholique se démarque en tout de sa grande sœur anglicane. Il faut dire que le projet grandiose retenu en 1933 a dû être abandonné après la guerre, faute de crédit, et que la reprise des travaux n'eut lieu qu'en 1962 ! Le résultat est extraordinaire. Difficile de rester indifférent face à ce sanctuaire de 90 m de haut, à mi-chemin entre le silo à grains et la centrale nucléaire. En revanche, dès que l'on pénètre dans la nef-cocon, on est surpris par l'atmosphère intime qu'a su donner l'architecte à ce volume, et l'on entame naturellement le tour de la nef circulaire. Chacune des chapelles a été traitée par un artiste différent, avec une grande liberté. Le chemin de croix en bronze de Sean Rice est particulièrement remarquable. Visiter la crypte, témoin du projet originel de l'architecte Luytens, de style plus classique, célèbre pour la porte circulaire d'une de ses chapelles. Les *Liverpudlians* la surnomment affectueusement « Paddy's Wigwam » car elle est fréquentée surtout par les Irlandais et descendants d'Irlandais.

The Walker Art Gallery *(plan couleur C1,* ***35****)* **:** William Brown St. ☎ 478-41-99. Ouverte du lundi au samedi de 10 h à 17 h et le dimanche de 12 h à 17 h. Entrée gratuite. Du nom du mécène qui a financé la mise en place de ce musée (c'était en fait le maire de Liverpool). Nichée dans un imposant bâtiment néoclassique, cette galerie abrite une collection de peinture européenne d'une surprenante richesse. En plus des peintres flamands et hollandais, dont Rubens et Rembrandt sont les plus beaux fleurons, ou des talentueux élèves de l'école italienne comme Martini, le musée présente un panorama complet de la peinture anglaise. Une excellente occasion de saisir les filiations entre les différentes chapelles, et les influences qu'elles subissent. Également de nombreuses expositions temporaires.

The Merseyside Maritime Museum *(plan couleur A2,* ***37****)* **:** Albert Dock. ☎ 478-44-99. Ouvert tous les jours sauf fériés, de 10 h à 17 h. Entrée gratuite. Un immense musée qui donne une idée extrêmement précise de la puissance maritime de la ville.

Ne pas se laisser rebuter par la première section, consacrée aux douanes. On a déclaré forfait au bout de 5 mn.

En revanche, préparer les mouchoirs pour les 2 expositions du sous-sol. La première évoque le calvaire enduré par les millions d'émigrants européens, en majorité Irlandais, qui ont transité à Liverpool entre 1830 et 1930 avant d'embarquer pour le Nouveau Monde. La reconstitution des conditions de vie pendant la traversée est particulièrement saisissante... La seconde s'intéresse à l'esclavage, autre source de profit pour un port de cette envergure... Très pédagogique. Les étages abritent les sections purement maritimes : belles collections de maquettes, expositions sur la qualité des aménagements à bord des paquebots (ne manquez pas de regarder par la fenêtre l'ancien siège de la défunte *White Star*, armateur du *Titanic*, et celui de son concurrent de toujours, la *Cunard*), vaste section consacrée à la *Royal Navy* et à son courage pendant la *bataille de l'Atlantique*. Bref, il y en a pour tous les goûts.

Après les musées, une balade sur les **docks** s'impose ; visite de la maison du capitaine du port, de l'atelier du tonnelier. L'atelier a été remis en état de marche.

The Tate Gallery *(plan couleur A2,* ***34****)* **:** également dans le complexe de l'Albert Dock. ☎ 702-74-00. • www.tate.org.uk • Ouvert de 10 h à 18 h. Fermé le lundi, sauf fériés. Entrée gratuite, payante pour les expos temporaires du 4ᵉ étage (4 £, soit 5,90 €). Antenne de sa grande sœur londonienne (la famille Tate était originaire de Liverpool), en plus moderne et délurée (au bon sens du terme). Le 1ᵉʳ étage est un rapide panorama de l'art anglais du XXᵉ siècle. Sinon, nombreuses expos tournantes souvent intéressantes.

The Beatles Story Experience *(plan couleur B2,* ***33****)* **:** Albert Dock. ☎ 709-19-63. Ouvert tous les jours de 10 h à 18 h (17 h de novembre à février). Entrée : 8 £ (11,80 €) ; réductions. Profitant du flot de touristes que draine la *Beatlemania*, ce « musée » retrace la saga des *Fab Four* avec précision et abondance. Très ludique, il entraîne les visiteurs dans une balade dans le temps depuis l'après-guerre jusqu'aux années 1980. De nombreuses reconstitutions émaillent le parcours, comme *The Cavern* ou le studio *Abbey Road*, redonnant vie à l'atmosphère trépidante de l'époque. Très divertissant. Un seul inconvénient : c'est vraiment très cher.

Histoire de bien presser le citron, Liverpool propose toutes sortes d'attractions autour du thème des Beatles, comme ***The Beatles Magical Mystery Tour***, une balade terne et coûteuse dans la proche banlieue, ou la visite des très ordinaires maisons de Paul Mc Cartney et de John Lennon. Pour les Beatlesmaniaques !

Paddy's Market **:** Great Homer St. Excentré. Prendre Scotland Rd et, après l'entrée des tunnels côté Liverpool, guetter un endroit plein de foule. Situé dans un quartier moderne qui a très nettement souffert de la crise. Si vous êtes là le samedi matin, à ne pas rater ! Officiellement, il s'appelle *St Martin's Market*, mais en réalité on ne le connaît que sous le nom de Paddy's Market, autre évocation de la forte présence irlandaise à Liverpool (*paddy* = irlandais en argot). On s'y bouscule, on y trouve de tout... de la nourriture, des fleurs, des livres d'occasion, des fripes, etc. Au fait, *Scotland Road* fut la rue où s'est créée la légende de Liverpool, tout vrai *Liverpudlian* est né à Scotland Road. Il n'en reste pas grand-chose ! Beaucoup de maisons et de pubs des années 1900 ont été détruits ; ce qui a été construit à la place est aussi en voie de destruction... Faites marcher votre imagination pour retrouver la vie de cette artère !

Heritage Market *(hors plan couleur par A1)* **:** au Stanley Dock, à la limite de Regent Rd et Waterloo Rd. Le dimanche, de 9 h à 16 h environ. Marché aux puces et forain. Vous avez vu l'Albert Dock, il faut voir le Stanley Dock. Pour chiner, mais surtout pour admirer cet extraordinaire ensemble de bâtiments à l'abandon. Témoin du naufrage de l'industrie liverpudlienne, figé dans le souvenir de sa puissance.

Liverpool Football Club : Anfield Rd. ☎ 260-66-77. Prendre Scotland Rd, puis la direction de Walton ; après, c'est fléché. Visite tous les jours sauf les jours de match, de 10 h à 17 h. Entrée : 8,50 £ (12,60 €) ; réductions. Le ticket comprend la visite des vestiaires, un tour du stade et l'accès au tout nouveau musée consacré à la gloire d'un des clubs de foot les plus célèbres d'Europe. Pour assister à un match (expérience mémorable), il faut obligatoirement réserver 26 jours à l'avance au ☎ 220-23-45. Apprenez la chanson *You'll Never Walk Alone,* puis vibrez les larmes aux yeux lorsque ce chant émouvant sera poussé par 40 000 personnes. Les jours de match, la compagnie de transport en commun *Merseytravel* met en place un service spécial de bus : les *Soccerbus.*

➤ DANS LES ENVIRONS DE LIVERPOOL

Historic Warships : Eastfloat Dock, Dock Rd, ***Birkenhead.*** Accessible par le tunnel de Wallasey. ☎ 650-15-73. • www.warships.freeserve.co.uk • Bus nº 1 ou 10A à la Woodside and Seacombe Ferry Terminals. Ouvert tous les jours de 10 h à 16 h en mars et de septembre à décembre, jusqu'à 17 h d'avril à août. Entrée : 5,50 £ (8,10 €) ; réductions. Sur les docks de Birkenhead, de l'autre côté de l'estuaire de la Mersey, un musée en plein air à mi-chemin entre le cimetière marin et le musée. Vous y verrez des sous-marins allemands, anglais, et tous les bateaux qui ont fait la gloire de la *Royal Navy.*

Chester : voir ce chapitre. Ça n'a rien à voir avec Liverpool. Ça fait plutôt décor d'opérette, avec façades proprettes et pavés lustrés, mais quel ensemble remarquablement préservé ! Essayez d'y passer la journée.

Port Sunlight : prendre le train-métro à Lime St et descendre à la station Port Sunlight. Sinon, accessible par la M53 depuis le tunnel de Wallasey, sortie 4. Port Sunlight abrite les usines *Lever,* où l'on fabrique le savon du même nom. Vers 1860, Mr Lever, en patron avisé et très social, décida que ses employés avaient droit à un peu de bien-être et à des conditions de vie correctes. Il décida d'acquérir un bout de terrain où l'on construirait son usine, plus les maisons de ses employés. Il fit appel à l'architecte William Owen qui réalisa ce village où l'on n'a pas lésiné sur la qualité de la construction ni de l'espace. Tout fut fait avec goût ; les maisons sont construites selon différents styles : avec colombages, en brique, etc.
Ce fut l'un des premiers villages industriels utopiques de l'époque. Plus tard, Mr Cadbury l'imita et construisit Bournville, près de Birmingham, et J. Rowntree fonda New Earswick près de York.

The Lady Lever Art Gallery : à Port Sunlight. ☎ 478-41-36. Ouvert du lundi au samedi de 10 h à 17 h et le dimanche de 12 h à 17 h. Entrée et audioguide en anglais gratuits. Lady Lever fut une grande bienfaitrice, tout comme son mari ! Et son fils Lord Leverhulme fonda ce musée en souvenir d'elle. On y trouve de tout : des meubles magnifiques, des porcelaines chinoises de différentes époques, des Wedgwood bien anglais, des tapisseries des Gobelins, des souvenirs de Napoléon, dont son masque mortuaire, et une vaste exposition de peinture britannique. Bref, un musée sans véritable unité mais plein de charme.

MANCHESTER

405 000 hab. IND. TÉL. : 0161

Le premier nom de Manchester serait Mancunium, et daterait de l'époque où le général romain Cnaeus Julius Agricola (Agricola tout court pour les intimes) décida d'y établir ses troupes. C'était au Ier siècle, en 79 exactement.

C'est aujourd'hui une ville importante, le cœur d'une immense conurbation déployée sur des dizaines de miles. Son développement date des XVIIIe et XIXe siècles, période marquée par le florissant commerce avec les colonies. Le creusement du canal qui rejoint l'embouchure de la Mersey, Liverpool et la mer d'Irlande, et la construction de la première gare au monde, la Liverpool Road Station, y sont bien sûr pour beaucoup. Évidemment, la crise a frappé fort ici aussi, mais Manchester reste en quelque sorte la capitale du Nord après Londres. Les modes vestimentaires et musicales s'y succèdent à un rythme effréné. L'urbanisme sauvage pratiqué depuis des décennies devient une particularité de la ville. Une halte vraiment captivante, pour quelques jours ou au moins pour une nuit.
Pour circuler, vous prendrez le *Metrolink* qui, comme son nom ne l'indique pas, est en fait un réseau de tramways très efficace.

Adresses utiles

i ***Visitor Information Centre :*** Lloyd St, Town Hall Extension. ☎ 234-31-57. Fax : 236-99-00. • www.destinationmanchester.com • Ouvert du lundi au samedi de 10 h à 17 h 30 et le dimanche de 10 h 30 à 16 h 30. Vraiment bien documenté. Assure les réservations d'hôtel (service payant). Très bon accueil. Se procurer la revue *CITYlife* pour tout savoir sur la vie culturelle de la ville. Programme intéressant de visites guidées de la ville dans la brochure *Manchester Tours and Walks,* avec des thèmes aussi variés que Chinatown, l'influence irlandaise, les canaux sous-terrains, etc.

✈ ***Aéroport :*** l'aéroport de Manchester, à 12 miles au sud du centre-ville, est le plus grand du pays après Heathrow. ☎ 489-30-00 (renseignements sur les vols). Vols quotidiens pour Paris, Bruxelles ou Genève. Le principal office de tourisme, situé Terminal 1, est ouvert chaque jour de 10 h à 18 h. On rejoint aisément le centre-ville en train, plus rapide et aussi cher que le bus : départs fréquents 24 h/24.

@ ***Internet :*** *Easyeverything,* St Ann's Square. Face au Royal Exchange Theatre. Selon la période, compter environ 1 £ (1,50 €) l'heure. Des centaines d'ordinateurs accessibles à toute heure.

Où dormir ?

Bon marché

Youth Hostel : Potato Wharf, Castlefield M3 4NB. ☎ 839-99-60. Fax : 835-20-54. • www.yhamanchester.org.uk • Tout à côté du musée des Sciences et de l'Industrie. Compter 19,50 £ (28,90 €) en dortoir de 4 ou 6 lits, et 43 £ (63,60 €) pour une double, petit dej' compris. Malgré un environnement urbain au charme discutable, cette AJ récente dispose d'équipements impeccables et de chambres nickel. Large panoplie de prestations. Réduction de 10 % sur le prix de la chambre sur présentation du *Guide du routard.*

Manchester Backpackers Hostel : 64 Cromwell Rd. ☎ 865-92-96. Dans une rue perpendiculaire à la Edge Lane où se situe la Stretford Station (arrêt du *Metrolink*). Prévoir 13 £ (19,20 €) en dortoir (6 lits), ou 40 £ (59,20 €) pour une double. Tarifs dégressifs pour plusieurs nuits. Excentré mais accessible en transports en commun, un minuscule pavillon reconverti en simili-AJ, retiré dans une rue résidentielle tranquille. L'organisation comme le rangement relèvent du joyeux foutoir, mais atmosphère conviviale. Très peu de lits.

Prix moyens

🏠 ***Mitre Hotel :*** Cathedral Gates, M3 1SW. ☎ 834-41-28. Fax : 839-16-46. • themitrehotel.co.uk • Compter 59 £ (87,30 €) pour une double, sans le petit dej'. Le voisinage de la cathédrale lui serait-il monté à la tête ? Jusqu'à voler la coiffe de l'évêque ? Mais les chambres n'ont rien d'une cellule, bien qu'un poil petites, et occupent une situation stratégique au cœur de Manchester.

Où manger ?

Toutes les cuisines du monde. Procurez-vous le *Food and Drink Guide,* disponible à l'office de tourisme et à l'AJ.

Bon marché

|●| ***Sinclair's Oyster Bar :*** 2 Cathedral Gate, M3 1SW. ☎ 834-04-30. À côté de la cathédrale. Servent tous les jours jusqu'à 20 h. Sandwichs et panini autour de 4 £ (5,90 €), plats à partir de 6 £ (8,90 €). Un pub bien vivant, au décor et à l'atmosphère presque ouatés. Boiseries, moquettes épaisses dans toutes les petites salles, sur 2 niveaux. On choisit et commande au comptoir, puis on va se mettre à table avec une grosse cuillère en bois sur laquelle est inscrit le numéro de table. Les plats arrivent sous cloche, souvent des spécialités à base d'huîtres, cuites ou crues. Délicieux.

|●| ***Sam's Chop House :*** Chapel St. Perpendiculaire à Cross St, face à St Ann St. ☎ 834-32-10. Sert jusqu'à 21 h 30. Sélection de sandwichs autour de 6 £ (8,90 €), ou plats principaux pour 10 £ (14,80 €) environ. Ils sont nombreux à avoir trouvé le chemin de ce pub cossu discrètement installé en sous-sol. Certains soirs, il faut souquer ferme dans la marée humaine avant de harponner un morceau de comptoir. Les amateurs de petits plats s'attablent de part et d'autre des grosses cheminées, tandis que les gourmets se réfugient dans l'élégante salle de restaurant. Après tout, c'est sa cuisine traditionnelle bien réalisée qui fait sa réputation !

Où sortir ? Où danser ?

Deux secteurs en centre-ville remportent les suffrages des noctambules : les pubs sympas d'***Oxford Street*** attirent principalement une clientèle étudiante et tapageuse, tandis que les restos et bars branchés de ***Canal Street*** regroupent notamment la communauté gay de Manchester.

♫ ***The Jilly's Music Box :*** 65 Oxford St. Sur la gauche après Portland St. Pour les plus jeunes de nos lecteurs. C'est très simple, lorsque vous commencez à sentir un mélange d'eaux de toilette, que vous voyez une file de jeunes sur leur trente-et-un, vous êtes arrivé. Les filles en robe dos nu et talons hauts quelle que soit la température, les garçons bien peignés et apprêtés, tous prêts pour aller danser.

♩ ***Revolution :*** 90-94 Oxford St. ☎ 236-74-70. Ouvert jusqu'à 1 h, 2 h le vendredi et le samedi. D'emblée, la déco chaleureuse et l'ambiance tamisée comblent d'aise les plus rétifs. Si les cocktails explosifs achèvent de délier les langues, c'est plus pour alimenter les potins que pour élire le prochain soviet. Bref, ce n'est pas ici qu'on fera la révolution !

À voir

The Museum of Science and Industry : Liverpool Rd, Castlefield M3 4FP. ☎ 832-18-30. • www.msim.org.uk • Ouvert tous les jours de 10 h à 17 h. Entrée gratuite (sauf pour les expos temporaires). Installé dans l'une des plus vieilles gares du monde, un musée tentaculaire qui nécessite quasi une journée de visite pour tout voir et tout comprendre. À commencer par l'industrie textile, tellement importante dans le développement de Manchester. On aborde les différentes techniques utilisées du champ de coton à la chemise ! Puis, en changeant de pavillon, on change de thématique, et les sujets sont abordés avec le même regard et le même sens du détail. Le gaz, de l'extraction aux diverses utilisations, l'électricité et ses modes de production, ses applications, avec ici à l'appui une vraie turbine électrique, des compteurs Geiger, etc.
La promenade continue sur plusieurs hectares, avec une collection d'avions et d'hélicoptères, ou encore l'impressionnant hall des locomotives à vapeur, des automobiles et bicyclettes anciennes. Autant de joyaux amoureusement entretenus et méticuleusement époussetés.

Manchester Art Gallery : Mosley St ; à l'angle de Princess St, face à St Peter's Square. ☎ 235-88-88. • www.manchestergalleries.org • Ouverte du mardi au dimanche de 10 h à 17 h. Entrée et audioguide gratuits. Après une longue période de travaux, la galerie a rouvert ses portes en 2002, augmentée d'un bâtiment moderne de métal et de verre. Elle abrite par conséquent l'une des plus vastes collections d'art d'Angleterre, regroupant des artistes du XVIIIe siècle comme Gainsborough, les œuvres des préraphaélites Rossetti ou Millais, ou encore une section consacrée à l'art anglais au XXe siècle, représenté notamment par Francis Bacon. Également des expos temporaires. De quoi passer un chouette après-midi !

The Manchester United Football club et Old Trafford : à Old Trafford. ☎ 868-86-31. • www.manutd.com • Ouvert tous les jours de 9 h 30 à 17 h. Entrée : 8 £ (11,80 €) pour le musée et la visite du stade. Le club de foot le plus riche du monde s'est doté d'un stade ultramoderne d'une capacité de 55000 spectateurs, le *theatre of dreams,* avec musée, boutique grande comme un supermarché et un bar. Visites guidées.

The John Rylands Library : 150 Deangate. ☎ 834-53-43. Ouvert du lundi au vendredi de 10 h à 17 h 30 et le samedi de 10 h à 13 h. Entrée libre. Une bibliothèque de rêve dans un splendide bâtiment néogothique qui a ouvert ses portes pour la première fois le 1er janvier 1900. Ça donne envie d'aller à la fac ! Petite exposition d'ouvrages anciens. Remarquer le *Pèlerinage de Breydenbach,* le premier guide de voyage imprimé. Un routard de la première heure !

The Lowry : Pier 8 Salford Quays. ☎ 876-20-00. • www.thelowry.com • Prendre le *Metrolink* jusqu'à Broadway. Ouvert de 11 h à 17 h (19 h 30 le week-end). Entrée gratuite. Un nouveau temple dédié à l'art, dont les lignes audacieuses et les couleurs chatoyantes se détachent sur les bassins des anciens docks. Abrite de nombreuses expos temporaires, souvent de très bon niveau, et programme régulièrement toutes sortes de concerts et de pièces de théâtre.

L'OUEST DU YORKSHIRE, VERS LEEDS

HAWORTH

IND. TÉL. : 01535

Située à l'ouest de Leeds, à 50 km au nord-ouest de Manchester. Bus jusqu'à Keighley, puis authentique train à vapeur (☎ 64-52-14). Ce village sévère, cramponné à une colline battue par les vents, eut le privilège de

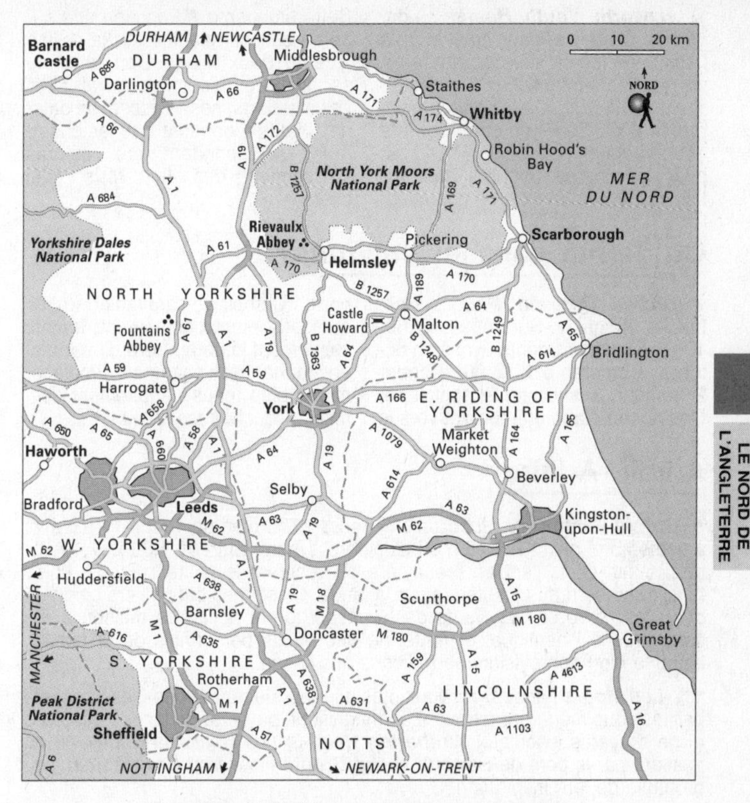

L'OUEST DU YORKSHIRE, VERS LEEDS

compter parmi ses habitants les fameuses sœurs Brontë. Si vous avez la chance de la visiter par temps maussade, vous y retrouverez l'ambiance triste et morose décrite dans leurs célèbres romans. Ça ne manque pas de charme !

Adresse utile

Syndicat d'initiative : à côté de l'église. • www.visithaworth.com • Ouvert tous les jours de 9 h à 17 h 30. Nombreuses brocantes pour les chineurs invétérés.

Où dormir ?

Apothecary Guesthouse **:** 86 Main St. ☎ et fax : 64-36-42. • apot@sisley86.freeserve.co.uk • En face de l'église. Double pour 45 £ (66,60 €), petit dej' compris. Une jolie maisonnette de caractère insérée dans la rue principale. Chambres très confortables et accueillantes, dont les fenêtres ouvrent sur le village ou les *Moors (landes)*. Accueil cordial.

Haworth Youth Hostel : Longlands Drive, perpendiculaire à la Less Lane (où se situe la gare ferroviaire). ☎ 64-22-34. Fax : 64-30-23. • www.yha.org.uk • Compter environ 14 £ (20,70 €) en dortoir de 8 à 14 personnes, ou 32 £ (47,40 €) pour une double, petit dej' compris. La vie de château se démocratise ! Cette étonnante AJ occupe une superbe bâtisse, plantée sur la colline face au vieux village. Bon, si on ne se lasse pas d'admirer le hall avec ses moulures, ses vitraux et sa galerie, il faut reconnaître que les chambres correspondent aux critères fonctionnels des AJ. Mais quel cadre !

Où dormir dans les environs ?

Brontë Caravan Park : Halifax Rd, Keighley. Sur l'A629. ☎ 69-17-46. Ouvert de début avril à fin octobre. Compter 6 £ (8,90 €) pour 2 personnes avec tente et voiture. Une bonne étape en montant vers le nord. Camping caravanier, avec quelques emplacements de tentes, idéalement situé au bord d'un lac et environné de champs. Emplacements bien tenus parfaitement délimités. Douches payantes.

À voir. À faire

Brontë Parsonage Museum : ☎ 64-23-23. Ouvert de 10 h à 17 h d'avril à septembre, de 11 h à 16 h 30 d'octobre à mars. Entrée : 4,80 £ (7,10 €) ; réductions. Dans l'ancien presbytère où vécurent le pasteur Brontë et sa famille, au bord du cimetière et de la lande. C'est dans cet univers poignant que *Jane Eyre* et *Les Hauts de Hurlevent* furent écrits. La maison a été conservée à l'identique, et renferme des objets personnels de la famille. Librairie bien approvisionnée (éditions anciennes...).

Les Moors *(landes)* : si vous êtes amateur de randonnées, des sentiers balisés vous mèneront à travers un magnifique paysage de landes désolées et de bruyères jusqu'aux ***Wuthering Heights*** *(les Hauts de Hurlevent)* en passant par le pont de Haworth et ***the Brontë Falls and Brontë Seat,*** lieu probable de leur inspiration.

LE YORKSHIRE

York, bien sûr, mais aussi 2 parcs nationaux, le tout bordé par une jolie côte fort peu développée.

SHEFFIELD

536 000 hab. IND. TÉL. : 0114

Sans le succès du film *The Full Monty,* sorti en 1997, Sheffield resterait au plus profond des oubliettes touristiques. La 4e ville d'Angleterre fait pourtant de gros efforts pour améliorer son image de marque : investissements conséquents dans le domaine culturel, avec l'organisation régulière d'expositions plus ou moins prestigieuses, développement des infrastructures sportives, comme cette ahurissante station de ski entièrement artificielle, embellissement du centre-ville... Sans compter sur la nombreuse population estudiantine qui électrise les rues le soir venu ! D'ailleurs, la réputation des boîtes de Sheffield a largement dépassé les frontières du Comté, et attire tous les noctambules du Nord de l'Île. Cela dit, on ne s'y éternisera pas.

Adresse utile

🅸 *Office de tourisme :* Tudor Square, derrière le Town Hall. Ouvert de 9 h 30 à 17 h 15 (16 h 15 le samedi). Fermé le dimanche.

Où dormir ? Où manger ?

Le point noir : aucune AJ et aucun *B & B* en centre-ville !

⌂ |●| ***The Rutland Arms :*** 86 Brown St. ☎ 272-90-03. Moins de 40 £ (59,20 €) pour une double, petit dej' compris. Dans un pub traditionnel accueillant, une poignée de chambres simples mais convenables. Cuisine classique sans surprise.

|●| ***Sheik's :*** 274 Glossop Rd. ☎ 275-05-55. Prévoir de 15 à 20 £ (22,20 à 29,60 €). C'est ici que le tout-Sheffield vient se régaler de spécialités libanaises et de crus méditerranéens dans une atmosphère intime. Excellent accueil et service tout sourire.

|●| ***La pizza volante :*** 255 Glossop Rd. ☎ 273-90-56. Pizzas de 6 à 7 £ (8,90 à 10,40 €). Après avoir défié les lois de l'apesanteur entre les mains du pizzaïolo, les pizzas bien garnies atterrissent fumantes et croustillantes dans vos assiettes ! Clientèle jeune et détendue.

Où sortir ?

Sur Glossop Rd, West St et sa parallèle Division St, pas mal de pubs et endroits branchés, surtout fréquentés par les étudiants de la faculté et l'École polytechnique voisines. Nous avons retenu le ***Revolution Pub,*** à l'angle de Mappin St et de Glossop Rd, et ***The Frog and Parrot,*** un pub très vivant sur Division St.

À voir

☞ ***Graves Art Gallery :*** Surrey St, S1 1XZ. ☎ 273-51-58. Ouvert du mardi au samedi de 10 h à 17 h. Entrée gratuite. Intéressante collection réunissant quelques œuvres mineures de grands noms de la peinture.

☞☞ ***Millennium Galleries :*** Arundel Gate (en face de l'office de tourisme). ☎ 278-26-00. Ouvert de 10 h (11 h le dimanche) à 17 h. Un vaste vaisseau de métal et de verre qui accueille régulièrement d'intéressantes expositions temporaires (4 £, soit 5,90 €).

YORK

123 000 hab. IND. TÉL. : 01904

Une ville de musées et de... touristes. Il faut dire que York sait mettre en valeur sa riche histoire ! Fondée en 71 par les Romains, elle prit rapidement du galon, jusqu'à devenir la capitale de la province sous le nom d'Eboracum. Constantin, futur fondateur de Constantinople, y fut proclamé empereur pendant une campagne militaire contre les Pictes. Puis York devint la base chrétienne du nord du pays, sous les Saxons. Vient ensuite la période viking, révélée par la découverte de tout un village, Jorvik. Ce qui se traduit aujourd'hui par un musée et un festival viking au mois de février, suivi d'un deuxième dans les premiers jours de mai. Le Moyen Âge, qu'on retrouve dans l'architecture et l'urbanisme, consacra York comme une importante ville commerciale, la seconde après Londres, véritable capitale du Nord. La révolution industrielle eut lieu ici aussi, mais ce sont ses voisins immédiats qui ont véritablement explosé, déplaçant le centre de gravité économique vers le Sud et l'Ouest en ménageant par conséquent York. Alors promenez-vous dans le quartier des *shambles,* un bel exemple de restauration « modérée » qui a laissé tout son charme aux vieilles maisons déformées par les siècles.

Adresses utiles

Tourist Information Centres : De Grey Rooms *(plan B1),* Exhibition Square. Également à la gare *(plan A2).* ☎ 62-17-56. • www.visityork.org • Ouvert du lundi au samedi de 9 h à 17 h et le dimanche de 10 h à 16 h. Font bureau de change et effectuent vos réservations de logement, moyennant une commission.

Post Office *(plan B2)* **:** 22 Lendal.

Internet **:** à *Internet Exchange (plan B1),* 13 Stonegate. Ouvert de 9 h à 18 h, le dimanche de 11 h à 18 h. Prévoir 3 £ (4,40 €) l'heure. Également *The Gateway (plan C1),* 26 Swinegate. Ouvert du lundi au mercredi de 10 h à 20 h, jusqu'à 23 h du jeudi au samedi, de 12 h à 16 h le dimanche. Compter 3 £ (4,40 €) l'heure. *Happy hour* de 19 h à 20 h.

Gare *(plan A2)* **:** Station Rd, dans le prolongement de Lendal Bridge. ☎ (08457) 48-49-50.

Terminal de bus *(plan B2)* **:** Rougier St.

Où dormir ?

Camping

Rowntree Caravan Park *(hors plan par C3,* ***15****)* **:** sur Terry Avenue (accessible par la Clementhorpe). ☎ 65-89-97. Compter 15 £ (22,20 €) pour un camping-car, environ 11 £ (16,30 €) pour une tente et 2 personnes. Un camping tranquille d'une centaine d'emplacements, idéalement situé à proximité du centre-ville, au bord de la river Ouse. Parfait si vous débarquez en caravane ou en camping-car, auquel cas il faut réserver. Sinon, de la place pour 6 tentes seulement, et c'est « premier arrivé premier servi » (on ne peut pas réserver).

Bon marché

York Backpackers *(plan A2,* ***12****)* **:** 88-90 Micklegate. ☎ 62-77-20. Fax : 33-93-50. • www.yorkbackpackers.mcmail.com • Prévoir environ 14 £ (20,70 €) en dortoir de 8 à 20 lits, ou 17 £ (25,20 €) par personne pour une chambre de 4, petit dej' compris. Douches et sanitaires communs. Dans une maison georgienne qui se donne des airs de grande dame, une chouette AJ indépendante vivante et fraternelle. Bien située, bonnes prestations (Internet...), chambres basiques mais bien tenues... bref, le bon plan !

York Youth Hostel *(plan B3,* ***10****)* **:** 11 Bishophill Senior. ☎ 62-59-04. Fax : 61-24-94. • www.yorkyouthhotel.com • Prévoir de 10 à 13 £ (14,80 à 19,20 €) en dortoir, ou de 15 à 20 £ (22,20 à 29,60 €) pour une double, petit dej' non compris. Douches et sanitaires communs. Dans une petite rue centrale très calme. Dédale médiéval de couloirs et d'escaliers, bien dans l'esprit de York. Un peu rustique, avec les douches à côté de la cuisine et les chambres à l'étage. Très bon entretien et atmosphère conviviale.

🏠 ***Youth Hostel*** *(hors plan par A1,* ***11****) :* Haverford, Water End, Clifton. Suivre Bootham St, prolongée par Clifton Rd. Water End est indiquée sur la gauche. ☎ 65-31-47. Fax : 65-12-30. • www.yha.org.uk • Compter 15 £ (22,20 €) en dortoir de 4 à 8 lits, et 34 £ (50,30 €) pour une double, petit dej' inclus. À 20 mn du centre-ville (à pied), l'AJ officielle du secteur remplit parfaitement son contrat : charme discutable, mais fonctionnelle et bien tenue. Du coup, elle ne désemplit pas ! Une boisson offerte à nos lecteurs sur présentation du *Guide du routard.*

Prix moyens

🏠 ***The Masons Arms*** *(plan C3,* ***20****) :* 6 Fishergate. ☎ 64-60-46. Fax : 63-58-94. Prévoir 50 £ (74 €) pour une double, sans petit dej'. Un petit pub de quartier hors les murs, qui dispose d'une poignée de chambres calmes et simples donnant sur l'arrière. Sans prétention.

🏠 ***Alcuin Lodge*** *(plan A1,* ***14****) :* 15 Sycamore Place. ☎ 63-22-22. • alcuinlodg@aol.com • Prévoir de 50 à 55 £ (74 à 81,40 €) pour une double avec ou sans bains. Dépaysement garanti : maison de brique typique, chambres à la déco surchargée, breakfast traditionnel. Bref, *so british* ! Bon accueil.

🏠 ***The Sycamore*** *(plan A1,* ***13****) :* 19 Sycamore Place. ☎ et fax : 62-47-12. • thesycamore@talk21.com • Double avec ou sans salle de bains de 46 à 60 £ (68,10 à 88,80 €). Vu l'animation de ce quartier résidentiel... les grasses matinées ne courent aucun danger ! Chambres douillettes bien tenues. Accueil familial.

🏠 ***Ascot House*** *(hors plan par D1,* ***16****) :* 80 East Parade. Dans le prolongement de Layerthorpe. ☎ 42-68-26. Fax : 43-10-77. • j&k@ascothouse-york.demon.co.uk • Double avec bains autour de 55 £ (81,40 €). Cette maison victorienne très cossue mérite réellement les 15 mn de marche pour la rejoindre depuis la cathédrale. Salon et salle à manger coquets, escalier agrémenté de vitraux, chambres confortables joliment décorées. Un vrai cocon ! Parking privé (appréciable dans une ville anglaise).

Où manger ?

🍴 ***The Masons Arms*** *(plan C3,* ***20****) :* 6 Fishergate. ☎ 64-60-46. Plats entre 6 et 9 £ (8,90 et 13,30 €). Une des meilleures adresses de la ville, nichée

Adresses utiles

- Tourist Information Centres
- Post Office
- Gare ferroviaire
- Gare routière
- Internet

Où dormir ?

- **10** York Youth Hostel
- **11** Youth Hostel
- **12** York Backpackers
- **13** The Sycamore
- **14** Alcuin Lodge
- **15** Rowntree Caravan Park
- **16** Ascot House
- **20** The Masons Arms

Où manger ?

- **20** The Masons Arms
- **21** The Hogshead
- **22** Betty's Tea-Room

Où boire un verre ?

- **20** The Masons Arms
- **21** The Hogshead
- **30** The Black Swan
- **31** King's Arms

Où sortir ?

- **40** Mac Millan's
- **41** Nexus
- **42** Edward's

À voir

- **50** York Brewery

A 1237 A19 Clifton

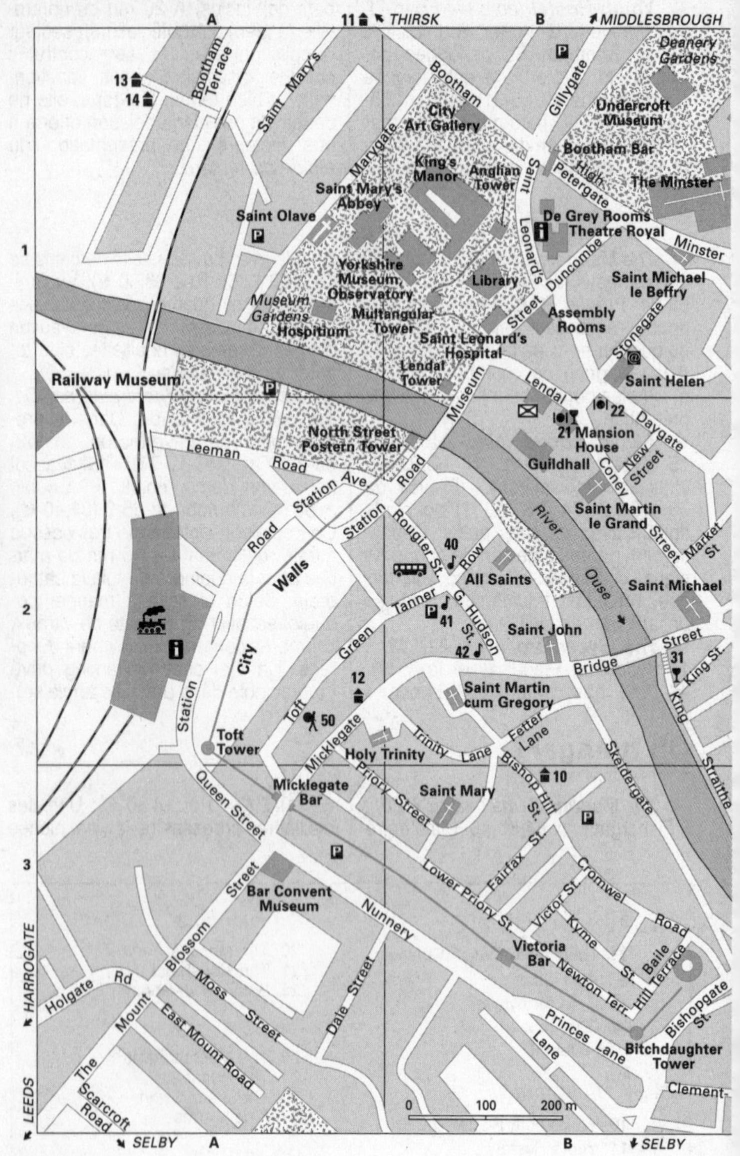

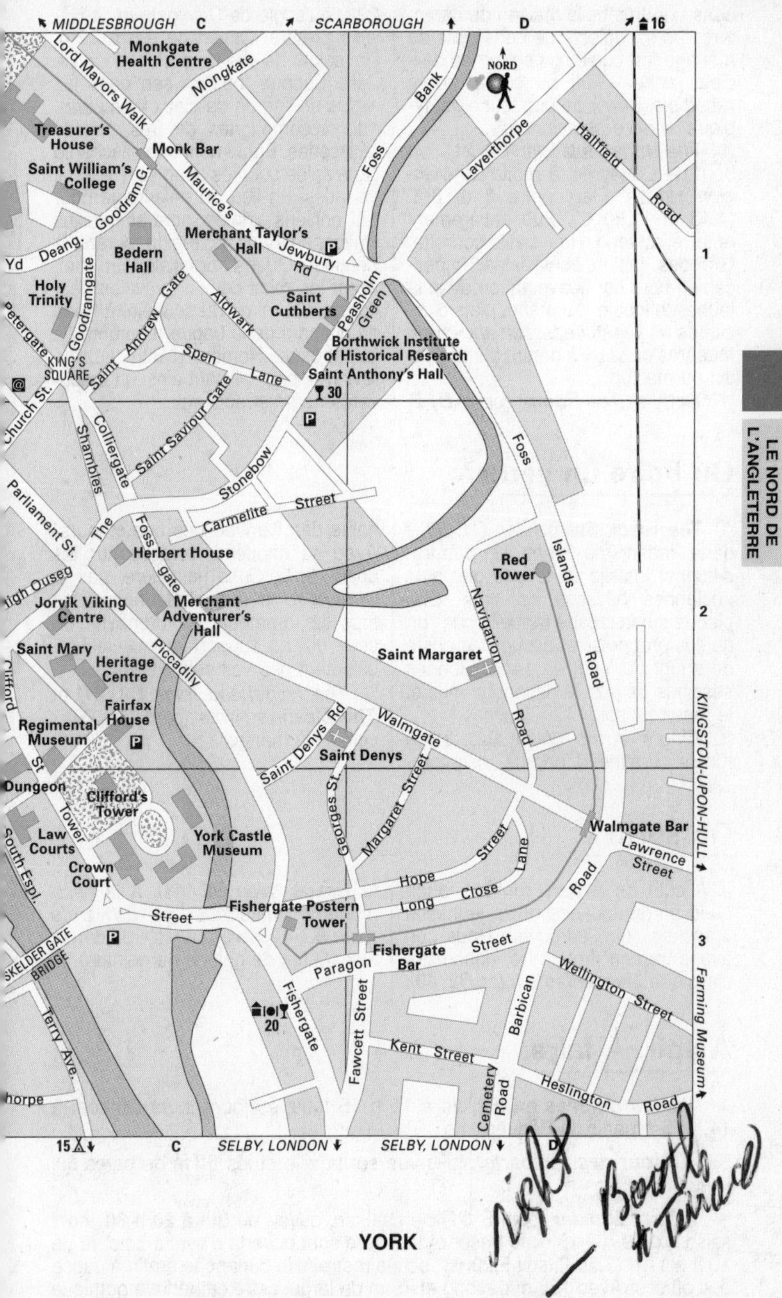
MIDDLESBROUGH
C
SCARBOROUGH
D
16
NORD
Monkgate Health Centre
Lord Mayors Walk
Mongkate
Treasurer's House
Monk Bar
Saint William's College
Goodram G.
Maurice's
Foss Bank
Layerthorpe
Hallfield Road
Merchant Taylor's Hall
Jewbury Rd
Bedern Hall
Deang.
Holy Trinity
Goodramgate
Saint Andrew Gate
Aldwark
Saint Cuthberts
Peasholm Green
Borthwick Institute of Historical Research
Saint Anthony's Hall
30
Spen Lane
KING'S SQUARE
Petergate
Church St.
Shambles
Colliergate
Saint Saviour Gate
Stonebow
Foss
Carmelite Street
Parliament St.
The
Foss gate
Herbert House
Red Tower
Islands
Jorvik Viking Centre
Merchant Adventurer's Hall
Navigation Road
Saint Mary
Heritage Centre
Piccadilly
Saint Margaret
Road
Fairfax House
Regimental Museum
Saint Denys Rd
Walmgate
Saint Denys
Dungeon
Clifford's Tower
Tower
Georges St.
Margaret Street
Walmgate Bar
Law Courts
York Castle Museum
Street
Lane
Lawrence Street
Crown Court
Hope
Close
Road
South Espl.
Street
Fishergate Postern Tower
Long
SKELDER GATE BRIDGE
Fishergate Bar
Street
Paragon
Wellington Street
Fishergate
20
Fawcett Street
Barbican
Terry Ave.
Kent Street
Cemetery Road
Heslington Road
1
2
3
KINGSTON-UPON-HULL
Farming Museum
15
C
SELBY, LONDON
SELBY, LONDON
D

YORK

dans une très belle maison de caractère. On s'y délecte de bons plats de ménage fort copieux, comme ce délicieux agneau rôti ou cet excellent *rabbit pie.* Décor de pub tout à fait typique, service attentionné.

|●| ***The Hogshead*** *(plan B2,* ***21****)* **:** au bout de Coney St, à droite de *Mansion House.* Plats entre 3 et 8 £ (4,40 et 11,80 €). Pub entièrement enterré, au fond d'une petite courette. Grandes tables conviviales, impeccables pour lier conversation avec la jeunesse locale. Au menu, plats classiques ou végétariens, *fish and chips,* tous très copieux à défaut d'être subtils ou maison.

|●| ***Betty's Tea-Room*** *(plan B1-2,* ***22****)* **:** à l'angle de Davygate et St Helen's Square. Ouvert de 9 h à 21 h. Un salon de thé très chic de style Belle Époque, où l'on sert dans les règles de l'art de délicieux thés parfumés accompagnés de très bonnes pâtisseries. Également une alléchante carte salée pour les affamés. L'endroit est aussi un lieu de pèlerinage pour les anciens pilotes nord-américains stationnés dans la région durant la Seconde Guerre mondiale. En effet, avant les raids ceux-ci gravaient leur nom sur le miroir du sous-sol à l'aide du diamant de la bague empruntée à la patronne. Nombre d'entre eux ne revinrent pas, laissant ainsi un émouvant et dernier souvenir.

Où boire un verre?

🍸 ***The Black Swan*** *(plan C1,* ***30****)* **:** dans Peasholme Green. Un pub traditionnel installé dans une des plus anciennes bâtisses de York. Une plaque sur la façade rappelle que l'un de ses propriétaires occupait le poste de shérif de York en 1402! Bonnes sessions de jazz le dimanche midi et le mercredi soir.

🍸 ***King's Arms*** *(plan B2,* ***31****)* **:** King's Straithe. L'endroit incontournable dès l'arrivée des beaux jours! Avec sa chouette terrasse sur les quais de la *Ouse* (la rivière, pas la musique), ce pub chaleureux attire tous les amateurs de bronzette ou ceux qui ne supportent plus le harcèlement des voitures. Estival.

🍸 ***The Hogshead*** *(plan B2,* ***21****)* et ***The Masons Arms*** *(plan C3,* ***20****)* **:** voir « Où manger? ».

Où sortir?

♪ À côté de la gare routière, quelques boîtes lookées où la jeunesse branchée se retrouve. Nous en avons retenu trois : le désormais classique ***Mac Millan's*** *(plan B2,* ***40****),* le ***Nexus*** *(plan B2,* ***41****),* à la déco moderne métallique, et ***Edward's*** *(plan B2,* ***42****),* avec sa piste de danse aux allures de galerie de peinture.

À voir. À faire

➢ ***Visites guidées*** en anglais à 10 h 15 tous les jours toute l'année, à 14 h 15 à partir de Pâques.

⁂⁂ ***Le tour des remparts*** **:** jolie vue sur la ville et les 5 km de parcs qui l'entourent.

⁂⁂⁂ ***York Minster*** *(plan B-C1)* **:** en saison, ouvert de 9 h à 20 h 30; hors saison, de 9 h à 18 h; le trésor et la crypte sont ouverts d'avril à octobre de 10 h à 17 h (3,50 £, soit 5,20 €); accès restreint le dimanche matin à cause des offices. Avec 158 m de long et 75 m de large, cette cathédrale gothique dédiée à saint Pierre compte parmi les plus vastes édifices de l'Europe médiévale. Elle représente à elle seule un musée du vitrail ancien. La Grande Verrière Est (vers 1405), aussi vaste qu'un court de tennis, est la plus grande d'Angleterre. Cinq autres groupes de vitraux parfaitement conservés donnent un aperçu du savoir-faire des artisans verriers des XIIIe et XIVe siècles. Bien sûr, luminosité exceptionnelle pour mieux apprécier l'architecture flamboyante et le mobilier, dont un splendide jubé du XVe siècle, véritable dentelle de pierre figurant les rois d'Angleterre depuis Guillaume le Conquérant. Dans la salle capitulaire (à payer en sus) octogonale, détailler les modillons des nombreuses stalles, tous différents et reflets saisissants de l'imaginaire médiéval. Plusieurs incendies ont menacé la cathédrale ; le dernier, en 1984, a failli lui être fatal. Contournez-la pour voir les vieux bâtiments de *St William's College*. Bien rénové.

*** The Shambles** *(plan C1-2)* **:** ancien quartier des bouchers dans le centre. Ruelles étroites et maisons à colombages. En bas, un marché sympathique, *Newgate Market,* du mardi au samedi. Malheureusement, le quartier a été envahi, comme souvent, par de nombreux commerçants, marchands de souvenirs et camelots en tout genre.

Clifford's Tower *(plan C3)* **:** en face du *Castle Museum.* D'avril à juin et en septembre, ouvert de 10 h à 18 h ; en juillet et août, de 9 h 30 à 19 h ; d'octobre à mars, de 10 h à 16 h. Entrée : 2,10 £ (3,10 €). Une tour du XIIIe siècle érigée sur l'emplacement du donjon en bois de Guillaume le Conquérant, détruit par un incendie en 1190. Intéressant pour la vue depuis le chemin de ronde.

Le village viking *(plan C2)* **:** Coppergate. ☎ 64-32-11. • www.vikingjorvik.com • Dans le centre. Ouvert tous les jours, de 9 h à 17 h 30 en été, de 10 h à 16 h 30 hors saison. Entrée : 7,20 £ (10,70 €). Parfois 1 h d'attente en été. À la fin des années 1970, des excavations mettaient au jour par hasard une partie du village viking de Jorvik. Profitant de l'aubaine, les archéologues reconstituèrent deux rues, telles qu'un voyageur aurait pu les découvrir en 975. On y retrouve les maisons, les artisans au travail, les sonorités et les senteurs de l'époque. Dans une salle attenante est exposée une partie du produit des fouilles : bijoux, chaussures, cadenas, etc. Amusant, original et instructif.

York Castle Museum *(plan C3)* **:** ouvert tous les jours de 9 h 30 à 17 h (16 h 30 d'octobre à mars). ☎ 66-02-80. • www.yorkcastlemuseum.org.uk • Entrée : 6 £ (8,90 €) ; réductions. Superbe musée de la vie quotidienne, installé dans les anciennes prisons. Ses diverses collections abordent des thèmes aussi variés que l'évolution de l'uniforme militaire, des appareils de cuisine ou de la vie rurale, mais le clou du spectacle demeure les reconstitutions extraordinaires de *Kirkgate* et de *Half Moon Court.* On a recréé à la perfection l'atmosphère victorienne et édouardienne de ces 2 rues, avec leurs boutiques et leurs chalands (100 000 objets d'époque mis en scène). Adultes et enfants ne s'y ennuieront pas une minute.

National Railway Museum *(plan A1)* **:** Leeman Rd, derrière la gare. ☎ 62-12-61. • www.nrm.org.uk • Ouvert tous les jours de 10 h à 18 h. Entrée gratuite. L'histoire du chemin de fer anglais grandeur nature ! De part et d'autre de la route, 2 immenses hangars abritent une collection impressionnante de superbes locomotives, voire de trains complets. On y croise des machines de légendes comme la *Mallard,* connue pour avoir dépassé la barre des 200 km/h en 1938, ou les trains royaux qui doivent à leur luxe inouï le surnom de « palais sur roues ». Magique.

Treasurer's House *(plan C1)* **:** derrière la cathédrale. Ouvert de mi-mars à fin octobre, tous les jours sauf le vendredi de 11 h à 16 h 30. Vaste maison restaurée au XVIIe siècle. Autrefois y habitait le Treasurer de York Minster. Contient des meubles magnifiques de différentes époques. Salle vidéo.

York Brewery *(plan A2, 50)* : 12 Toft Green. ☎ 62-11-62. • www.yorkbrew.demon.co.uk • Visite du lundi au samedi à 12 h 30, 14 h, 15 h 30 et 17 h. Entrée : 4,50 £ (6,70 €). Dans cette microbrasserie du XIXe siècle, une poignée de passionnés tente et réussit la performance de produire à l'ancienne et de commercialiser une bière de qualité. C'est donc une vraie unité de production que vous visiterez, accompagné par l'un des membres de l'équipe. Parcours coloré, commenté en anglais (avec accent), très vivant. Comprise dans le prix de la visite, la dégustation d'une des 5 bières produites sur place ; gare aux visites du matin, la pinte à jeun peut s'avérer redoutable !

➤ DANS LES ENVIRONS DE YORK

Castle Howard : à 25 km au nord-est d'York par l'A64. ☎ (01653) 64-83-33. • www.castlehoward.co.uk • En train : gare de Malton, puis tentez le stop, assez facile. Ouvert tous les jours de mi-février à fin octobre, de 10 h pour les jardins, 11 h pour le château, à 16 h, heure de la dernière admission. Entrée : 9,50 £ (14,10 €) ; réductions. Possibilité de ne visiter que les jardins : 6,50 £ (9,60 €). Conçu et en partie réalisé au XVIIIe siècle par Vanbrugh, cet impressionnant château de style baroque anglais déploie ses ailes au cœur d'un parc non moins admirable. Difficile de résister aux charmes du mausolée de Hawksmoor ou au temple des Quatre Vents, dont les élégantes colonnades dominent de belles pièces d'eau. Bâtisseurs mais également collectionneurs, les Howard ont rapporté de voyage quantité d'œuvres d'art. La visite des appartements réserve par conséquent de belles surprises, comme des toiles de maîtres italiens, 2 peintures de Holbein, ou des porcelaines de Meissen. Un des plus grands domaines d'Angleterre.

Fountains Abbey : à environ 50 km de York, au nord de Harrogate. Ouvert de 10 h à 18 h d'avril à septembre, jusqu'à 16 h le reste de l'année. • www.fountainsabbey.org.uk • Entrée : 5,50 £ (8,10 €) ; réductions. En 1132, quelques moines bénédictins déçus quittèrent York pour fonder Fountains Abbey. Deux ans plus tard, ils vinrent grossir les rangs de saint Bernard, séduits par la discipline et l'austérité de son nouvel ordre monastique. Pour un temps... L'enrichissement rapide de la communauté s'accordait mal avec les impératifs de sobriété cisterciens. Par conséquent, dès la mort de saint Bernard, on put observer un relâchement progressif de la doctrine. Au XVIe siècle, lorsque Henri VIII ordonna la dissolution de toutes les abbayes, Fountains Abbey n'avait plus rien de commun avec les simples bâtiments construits par les fondateurs. Les impressionnants vestiges visibles aujourd'hui permettent d'imaginer la richesse fabuleuse de l'abbaye. Avec un cellarium voûté de 90 m (quartier des frères convers) et une puissante tour de style gothique perpendiculaire, Fountains Abbey forme aujourd'hui l'ensemble monastique le plus complet d'Angleterre. Elle est également rattachée à *Studley Royal,* magnifique parc conçu en 1720 par un riche politicien à scandales.

SCARBOROUGH

36000 hab. IND. TÉL. : 01723

Grande station thermo-balnéaire avec 2 immenses plages de sable (on peut s'y baigner). Elles sont séparées par le promontoire rocheux du château et ont chacune leur personnalité propre : South Bay fait plus ville, avec le *spa,* les jeux de foire et le port de pêcheurs ; tandis que North Bay conviendra plus aux familles (piscine, toboggan aquatique, minigolf, etc.). Vers le centre, parking obligatoire à prix prohibitif, comme trop souvent en Angleterre.

Disons tout de même qu'en saison c'est une véritable fourmilière, et que hors saison c'est joyeux comme une chanson de Cabrel (que l'on aime bien). En un mot comme en cent, mieux vaut rejoindre Whitby ou Robin Hood's Bay. Office de tourisme situé Pavilion Square (près de la gare), Valley Bridge Road, face au Theatre in the Round. Ouvert toute l'année. Fermé le dimanche en hiver.

YORKSHIRE DALES NATIONAL PARK

Le paradis vu par un Anglais. Les Yorkshire Dales n'ont pourtant rien de maritime, au beau milieu des Penines, la colonne vertébrale de l'Angleterre qui sépare effectivement l'est de l'ouest. Ce sont plutôt des collines, vertes bien entendu, où broutent des moutons à l'abri des murets de pierre et de nombreux grands arbres. Plein de balades possibles et plus de monde qu'on ne pourrait le penser. Mais tout va bien, les ovidés demeurent majoritaires. À noter que les Dales du Nord forment un tout autre paysage, constitué de hautes landes sans aucun arbre et où l'herbe est remplacée par la bruyère. Bref, c'est le désert à l'anglaise. Impressionnant.

Adresse utile

i ***Tourist Information Centre :*** Station Yard, Hawes, North Yorkshire. ☎ (01969) 66-74-50. De Pâques à novembre, ouvert tous les jours de 10 h à 17 h ; en hiver, horaires différents.

NORTH YORK MOORS NATIONAL PARK

Coincé entre Middlesborough et Scarborough, ce parc national de 1 432 km^2 renferme un florilège de paysages à la beauté sauvage. Les sentiers traversent de vastes étendues de landes recouvertes de bruyères, royaumes des moutons, avant de plonger vers la mer bordée de falaises vertigineuses. Ébouriffant ! Emprunter notamment le ***Cleveland Way,*** une longue boucle autour du parc avec une section sur le bord de mer vraiment chouette, la *Heritage Coast.*

Un excellent service de bus dépose et prend régulièrement les nombreux marcheurs tout au long des différentes routes. Pratique et économique. Se procurer la dernière brochure des *Moorsbus.* Sinon, le *North York Moors Railway* constitue une excellente alternative, avec sa locomotive à vapeur qui entraîne d'antiques wagons entre Grosmont et Pickering : ☎ (01751) 47-25-08.

Adresses utiles

i ***Tourist Information :*** infos sur le site • www.visitthemoors.co.uk • À part ça, nombreux bureaux disséminés dans le parc. Contacter notamment *The Moors Centre,* à proximité de Danby. ☎ (01287) 66-06-54. En janvier et février, ouvert le week-end ; d'avril à octobre, tous les jours de 10 h à 15 h ; en mars, novembre et décembre, tous les jours de 11 h à 16 h.

■ ***Hôpital :*** à Malton. ☎ (01653) 69-30-41. Pour les randonneurs imprudents !

Où dormir ?

Boggle Hole Youth Hostel : Mill Beck, Flyingthorpe, Whitby. À environ 3 miles au sud de Robin Hood's Bay, suivre la direction *Boggle Hole* depuis l'A171. ☎ (08707) 70-57-04. Fax : (08707) 70-57-05. • www.yha.org.uk • Compter moins de 14 £ (20,70 €) en chambre de 2 à 8 lits, petit dej' compris. À moins de posséder un engin amphibie, il faut impérativement laisser son véhicule en haut du chemin qui plonge vers la mer. L'AJ apparaît bientôt entre 2 falaises, au-dessus d'une jolie crique de galets. Avec un tel cadre et un excellent niveau de confort, la réservation s'impose...

Osmotherley Youth Hostel : Cote Ghyll, Osmotherley, Northallerton. À environ 0,5 mile au nord du village. ☎ (08707) 70-59-82. • www.yha.org.uk • Ouvert tous les jours de mars à octobre, uniquement le week-end de novembre à février. Compter moins de 14 £ (20,70 €) par personne, petit dej' compris. Il n'y a plus de meunier depuis longtemps, mais on dort toujours aussi bien dans ce moulin reconverti en AJ ! Chambres doubles pour la plupart, ou quelques dortoirs de 6 à 10 lits.

Scarborough Youth Hostel : Burniston Rd. En arrivant du centre-ville, juste après le Sea Life Centre, sur la gauche après le petit pont de brique. ☎ (08707) 70-60-22. Fax : (08707) 70-60-23. • www.yha.org.uk • Ouvert à partir de mi-avril. Compter moins de 14 £ (20,70 €) par personne, petit dej' compris. L'Angleterre a-t-elle renoncé à moudre son grain ? En tout cas, les voyageurs ne sont pas roulés dans la farine. Ils profitent d'un chouette cadre, avec ce moulin tout blanc au bord d'une petite rivière, et de chambres-dortoirs propres. Cuisine à disposition. Préparation également de *packed lunches* pour les randonneurs du Cleveland Way, qui passe à quelques mètres.

Où manger ?

The Hare Inn : Scawton, Thirsk. À 5 mn en voiture de Rievaulx Abbey, à la sortie du village de Scawton. ☎ 59-72-89. Fermé le lundi. Repas entre 10 et 20 £ (14,80 et 29,60 €). Typique pub anglais à la décoration surchargée. Atmosphère chaleureuse au coin du poêle, et une étonnante collection de cravates coupées au-dessus du bar. À table, une cuisine anglaise au plus proche du terroir, sans influence continentale aucune. Le chef cuisine avec des produits locaux et ça se sent. Même le beurre a un parfum mémorable ! Sans aucun doute, l'adresse gastronomique de la région.

À voir

Rievaulx Abbey : 2 miles à l'ouest de Helmsley. ☎ (01439) 79-82-28. Ouvert tous les jours, de 10 h à 18 h d'avril à septembre, jusqu'à 16 h d'octobre à mars. Entrée : 4 £ (5,90 €) ; réductions. Audioguide gratuit. Révolté par la décadence des bénédictins, Robert de Molesme créa en 1098 l'ordre des cisterciens, fondé sur le principe de la pauvreté, de la simplicité et de la discipline, le tout, bien entendu, séparé du monde extérieur et fonctionnant en complète autarcie. Pour ne pas avoir à dépendre d'une main-d'œuvre extérieure, mais tout en se ménageant du temps spirituel, on développa le principe des frères convers, des religieux d'origine modeste employés aux tâches domestiques. La recette eut beaucoup de succès et l'ordre bourguignon essaima rapidement à travers toute l'Europe. Rievaulx fut le premier site anglais investi, en 1132. Mais peu à peu l'abbaye délaissa les pieux principes d'austérité pour des occupations matérielles moins louables, comme la

spéculation sur la laine. Le conflit de Henry VIII avec Rome et son auto-proclamation comme chef de l'Église anglaise sonna le glas de toutes les abbayes du pays.
Aujourd'hui, on peut admirer des ruines superbes dans un très beau paysage vallonné et boisé. Le site de l'abbaye même, envahi de gazon et sans toits, donne une autre dimension spirituelle au lieu, où l'on communie avec le ciel et la nature, avec le chant des oiseaux pour accompagnement musical. Exposition très intéressante sur la vie monacale.

HELMSLEY

IND. TÉL. : 01439

Bien paisible village au cœur d'une campagne romantique à souhait. Une halte bien agréable, pour quelques heures, une journée ou plus, si l'envie vous prend de partir sur les sentiers de randonnée.

Adresse utile

Tourist Information Centre : dans le Town Hall, sur Market Place. ☎ 77-01-73. En saison, ouvert tous les jours jusqu'à 17 h 30 ; hors saison, jusqu'à 16 h.

Où dormir ?

Helmsley Youth Hostel : Carlton Lane. En arrivant de Pickering par l'A170 (Bondgate), tourner à droite face à la station-service ; la *Youth Hostel* est à l'angle sur la gauche. À 5 mn de la place du village. ☎ (08707) 70-58-60. • www.yha.org.uk • Ouvert d'avril à novembre. Compter moins de 14 £ (20,70 €) en chambre de 4 à 10 lits, petit dej' compris. Dans un petit bâtiment moderne propret et accueillant. Calme.

À voir

Duncombe Park : ☎ 77-02-13. • www.duncombepark.com • Jardins ouverts de mi-avril à fin octobre de 11 h à 17 h 30 ; visites guidées de la maison toutes les heures de 12 h 30 à 15 h 30. Fermé le vendredi et le samedi. Entrée : 6,50 £ (9,60 €) ; réductions. Encore une bien belle propriété de style baroque, construite au début du XVIIIe siècle et remaniée un siècle plus tard à la suite d'un incendie. Ce n'est pas aussi délirant que Castle Howard mais c'est tout de même, comment dire, assez... coquet !

WHITBY

13000 hab. IND. TÉL. : 01947

À 75 km au nord-est de York. Une petite ville en 2 parties, la plus charmante étant son port de pêche, encore très actif. Rien à voir avec un décor d'opérette, mais des chaluts colorés, des entrepôts odorants et des marins gouailleurs. Un vrai port, quoi ! La légende raconte qu'ici débarqua Dracula. C'est aussi le port d'embarquement du capitaine Cook, qui a d'ailleurs été apprenti chez un armateur local en 1728-1729. La maison, située Grape Lane, se visite d'avril à octobre. Dans la vieille ville, à flanc de colline, étonnante concentration de maisonnettes du XVIIe siècle et d'églises dans les ruelles en pente. Ne pas rater la Church St, truffée de restos dont les salles donnent sur la rivière. Et puis sur le plateau, c'est le royaume de l'hôtellerie de bord de mer : vieux palaces, belles maisons et petites pensions.

Adresse utile

Office de tourisme : sur Langbourne Rd. Ouvert tous les jours jusqu'à 18 h l'été, 16 h 30 hors saison.

Où dormir ?

Youth Hostel : face à St Mary's Parish Church. Du port, il vous faudra gravir 199 marches. ☎ (08707) 70-60-88. Fax : (08707) 70-60-89. • www.yha.org.uk • Prévoir environ 14 £ (20,70 €) par personne, petit dej' compris. Dans une bâtisse ancienne de plain-pied, majestueusement étendue sur la crête de la colline. On comprend pourquoi le site était occupé par un poste de guet romain : la vue depuis les chambres mérite à elle seule la grimpette ! Bien tenu.

Harbour Grange : Spital Bridge. Dans le prolongement de Church St, au sud du bourg. ☎ 60-08-17. • www.whitbybackpackers.co.uk • Compter 9 £ (13,30 €) sans le petit dej'. À 5 mn du vieux pont, une sorte de petit entrepôt reconverti en AJ de poche. Environnement de docks en fin de parcours, mais les équipements sont récents et les chambres nickel. Accueil très gentil.

À voir

Whitby Abbey : Green Lane. ☎ 60-35-68. Ouvert tous les jours de 10 h à 18 h (16 h d'octobre à mars). Entrée : 4,50 £ (6,70 €). Whitby est célèbre pour les ruines de son abbaye du XIIIe siècle dominant la vieille ville et le port. Exposée aux 4 vents, presque en bord de falaise, elle a été abandonnée au XVIe siècle après le schisme anglican. Ses pierres ont servi à la construction d'une église plus modeste, St Mary's Parish Church, à seulement quelques mètres à l'extérieur du site. Autour de celle-ci, vous goûterez au romantisme anglais en déambulant parmi les tombes moussues et rongées par le sel marin. Les rires des mouettes et leurs fantasques arabesques complètent à merveille le tableau. Un de nos cimetières favoris.

➤ DANS LES ENVIRONS DE WHITBY

Staithes : tout petit port encaissé au nord de Whitby. Séjour plaisant.

Robin Hood's Bay : au sud de Whitby. Malgré le nom, rien à voir avec Robin des Bois. La partie haute du village est une miniature de toutes les stations balnéaires anglaises. Mais c'est le port, en bas d'une descente vertigineuse (à vue de nez, plus de 35 %, attention les jours de verglas), qui nous a vraiment enthousiasmés. Réfugié au fond d'une minuscule crique, comme un village de poupée exposé à la rudesse des éléments, avec ses maisons se poussant du coude pour ne pas être la première à tomber à l'eau. Précision d'importance : la partie basse est interdite aux voitures, et la réservation plus que nécessaire pour y dormir.

Où dormir ? Où manger ?

Raven House B & B : Victoria Terrace, YO22 4RJ. Derrière le *Victoria Hotel*. ☎ (01947) 88-01-97. • duncalfe@devonhouserhb.freeserve.co.uk • Prévoir environ 40 £ (59,20 €) pour une double. Réserver absolument une chambre avec vue sur la côte et les falaises, pour des levers et couchers de soleil inoubliables. C'est beau par tous les temps. Déco des chambres dans des couleurs acidulées et marines. Entretien parfait et bon accueil de Jane Duncalfe et de sa famille.

IOI ***Old Bakery :*** dans Chapel St, une ruelle perpendiculaire à la rue principale du vieux port. Un petit salon de thé croquignolet en encorbellement au-dessus d'un cours d'eau. Cuisine familiale généreuse, propre à ragaillardir n'importe quel randonneur !

DURHAM

38 000 hab. IND. TÉL. : 0191

Au sud de Newcastle-upon-Tyne, sur la route de l'Écosse, la capitale historique du nord-est de l'Angleterre et du comté du même nom est une ville épiscopale et universitaire. Perchée sur un escarpement rocheux, enlacée par les méandres de la Wear, la vieille ville recèle l'un des joyaux architecturaux de Grande-Bretagne : sa très massive cathédrale romane.

Adresses utiles

Tourist Information Centre : Millennium Place, derrière Market Place. ☎ 384-37-20. • www.durhamcity.gov.uk • Ouvert du lundi au samedi de 9 h à 17 h et le dimanche de 11 h à 16 h. Documentation abondante et affichage des possibilités d'hébergement.

@ ***Internet :*** à la *Durham Library*, sur Millennium Place. Ouvert du lundi au vendredi de 9 h 30 à 19 h et le samedi de 9 h 30 à 17 h. Pratique... et gratuit.

Gare : à 10 mn à pied du vieux centre via North Rd et Framwellgate Bridge. ☎ (08457) 48-49-50.

Où dormir ?

Pourquoi pas au ***château*** ? ☎ 374-38-63. • www.durhamcastle.com • Compter environ 50 £ (74 €) pour une double. Le château abrite les étudiants de l'université, dont il fait d'ailleurs partie, et offre ainsi quelque 80 chambres en *B & B* lors des vacances de Pâques (un mois) et bien sûr de juin à septembre inclus. Ce n'est pas du luxe, mais les repas (petit dej' et dîner sur demande) se prennent dans la grande salle à manger.

The Anchorage : 25 Langley Rd. ☎ 386-23-23. • www.theanchorage.co.uk • Du centre, suivre la direction de County Hall, puis longer ce dernier en direction de Newton Hall ; au 2e rond-point, peint sur le sol, tourner à droite jusqu'à l'église St Bedes, tourner encore à droite et prendre la rue aussitôt à gauche ; Langley Rd est à 100 m à droite. Prévoir 45 £ (66,60 €) pour une double avec bains. Un vrai logement chez l'habitant, à 100 lieues des *B & B* standardisés. Accueil sincère et chaleureux : attention, on n'hésite pas à corriger vos petites fautes de grammaire ! Calme, très confortable, et petit dej' *home made* fort goûteux.

Où manger ?

IOI ***Almshouses :*** Palace Green. Ouvert de 9 h à 17 h. Cafétéria chicos idéalement située entre le château et la cathédrale. Nourriture goûteuse et créative. Une mention spéciale aux potages.

I●I ***Vennel's*** : Saddler's Yard, 69 Stappler St. On y accède par un étroit passage face à la *Cooperative Bank,* à l'angle de High St. Déjeuner seulement. Une petite salle joliment décorée où l'on dévore avec application de bons plats de ménage. Souvent plein.

I●I ***Shaheen's Indian Bistro*** : 48 North Bayley. ☎ 386-09-60. Fermé le lundi. Plats principaux de 5 à 9 £ (7,40 à 13,30 €). En Angleterre, ce sont souvent les restos étrangers qui tiennent le haut du pavé... et le confortable *Shaheen* ne déroge pas à la règle ! Ses spécialités traditionnelles riches en saveurs ont conquis Durham depuis longtemps. Et vous ?

Où boire un verre ?

Suivez (ou évitez, c'est selon) les étudiants, pourvoyeurs naturels d'ambiance.

🍸 ***Hogshead*** : 58 Saddler St. Sa bière bien tirée abreuve une clientèle à la bonne humeur communicative. Très vivant les soirs de match.

À voir

De ***Prebends Bridge,*** pont datant de 1777, magnifique vue sur la cathédrale (peinte par Turner) et, par ***Framwellgate Bridge,*** piéton, montée vers *Market Place* et la vieille ville. De là, grimpette vers le château et la cathédrale par Saddler St et Owen Gate.

Le château : ☎ 374-38-00. Théoriquement, visites guidées de 10 h à 12 h 30 et de 14 h à 16 h 30 pendant les vacances, ou le lundi, le mercredi, le samedi et le dimanche de 14 h à 16 h. Entrée : 3 £ (4,40 €). Maintes fois modifié par les comtes-évêques, il fait partie de l'université depuis 1832. Cuisines, grande salle, donjon et chapelle romane aux sombres colonnes ornées de chapiteaux grimaçants. Dans la chapelle du XVIe siècle, cherchez le cochon joueur de cornemuse !

La cathédrale : ouvert toute l'année, du lundi au samedi de 9 h 30 à 18 h (20 h de mai à septembre) et le dimanche de 9 h 30 à 17 h. • www.durhamcathedral.co.uk • Entrée gratuite, mais annexes payantes. Considérée par certains comme la plus belle construction romane du monde. À peine 40 ans furent nécessaires pour son édification à la fin du XIe siècle, et c'est ce qui fait son unité architecturale. On y accède par la porte nord, où un heurtoir à tête de lion permettait aux criminels de réclamer asile à l'évêque. Elle sert aujourd'hui de décor à des films comme *Robin des Bois* ou *Harry Potter.*

– Sobriété et majesté pleine d'équilibre caractérisent la *nef* : les énormes piliers présentent une alternance originale de décors en spirales, chevrons et losanges. Lors de sa construction, la cathédrale de Durham innova par l'emploi de voûtes ogivales à arêtes et par des arcs-boutants entre chaque baie du triforium. En cela, elle annonce Amiens et Beauvais.

– À droite de l'entrée, la *chapelle de Galilée,* perchée au bord du ravin, contient encore des peintures murales du XIIe siècle et le tombeau du respectable Bède, le premier historien anglais, mort en 735. Les colonnettes de cette chapelle ne sont pas sans rappeler l'architecture mauresque.

– À l'opposé de la nef, derrière le jubé, le *tombeau de saint Cuthbert,* le plus grand saint du nord de l'Angleterre, décédé en 687 et dont le corps n'était toujours pas décomposé en 1104, lorsqu'il fut enchâssé derrière l'autel ! La statue de l'angle est celle du saint en question, qui porte la tête de saint Oswald, enterré avec lui.

– *La chapelle des Neuf Autels,* édifiée au XIIIe siècle, suscite l'admiration par l'abaissement de son sol destiné à donner de l'élan vertical aux fenêtres à lancette en gothique primitif.

– Dans le transept, à la voûte exceptionnellement haute, *horloge astronomique* du XVe siècle et, à droite, accès à la *tour* (2 £, soit 3 €) où vous pourrez compter patiemment 325 marches avant de pouvoir reprendre votre souffle. Le panorama, bien entendu, vaut l'effort.
– Les bâtiments monastiques, groupés autour du cloître, abritent le *Trésor* de la cathédrale (entrée : 2 £, soit 3 €) : reliquaires, manuscrits enluminés, pièces d'orfèvrerie et sarcophage. Dans le *dortoir des moines,* sous les armatures de bois du plafond, juxtaposition étonnante de la bibliothèque et d'un musée de pierres gravées et sarcophages de la période saxonne.

BARNARD CASTLE

IND. TÉL. : 01833

À 25 km à l'ouest de Darlington. Une agréable bourgade de province, étendue aux pieds des ruines imposantes d'un château normand du XIIe siècle. C'est toutefois le Bowes Museum qui fait aujourd'hui la réputation de la ville. En 1869, Joséphine et John Bowes firent construire un vaste château à la française, conçu uniquement pour accueillir leurs collections d'art. Surprenant.

Adresse utile

Tourist Information Centre : Flatts Rd. ☎ 69-09-09. L'été, ouvert tous les jours de 9 h 30 à 17 h 30 ; hors saison, du lundi au samedi de 11 h à 16 h.

Où dormir ?

Homelands : 85 Galgate. ☎ 63-87-57. Et ***Greta House :*** 89 Galgate. ☎ 63-11-93. Compter de 45 à 50 £ (66,60 à 74 €) pour une double. Deux *B & B* cossus, décorés avec goût. Chambres très agréables. Bon accueil.

À voir

Bowes Museum : ☎ 69-06-06. Ouvert tous les jours de 11 h à 17 h. Entrée : 6 £ (8,90 €). Impressionnante collection d'art des écoles européennes, ainsi que mobilier anglais et français de différents styles.

Raby Castle : à 1,5 mile de Staindrop, sur l'A688. ☎ 66-02-02. De juillet à septembre, ouvert tous les après-midi sauf le samedi, à partir de 13 h ; en mai et juin, seulement le mercredi et le dimanche ; le reste de l'année, ouvert uniquement lors des ponts. Entrée : 6 £ (8,90 €) ; réductions. Un beau château du XIVe siècle, où les partisans de Marie Stuart fomentèrent en 1569 un complot contre la reine Élisabeth (cela s'est très mal terminé). Intérieurs richement décorés de mobiliers précieux et d'œuvres d'art.

THE LAKE DISTRICT

Cette région doit sa célébrité à de splendides paysages parfaitement bien préservés, ses forêts et ses moutons, mais aussi aux nombreux poètes et écrivains illustres qui y ont habité ou simplement séjourné : Wordsworth (le plus grand d'entre eux, le chef de file de la poésie romantique anglaise), Coleridge, de Quincey, ou encore Ruskin, le redécouvreur de Venise et de l'art gothique européen au XIXe siècle.

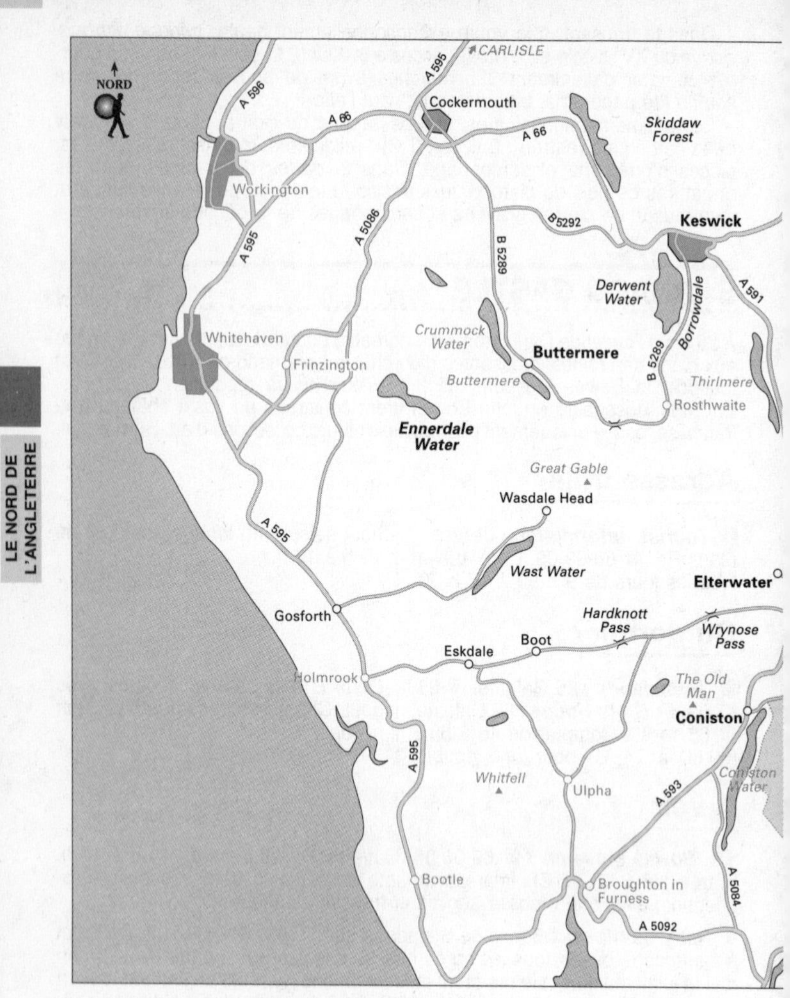

La région des Lacs est un lieu privilégié de vacances pour les Britanniques amoureux de nature presque sauvage et de randonnées pédestres. Résultat, la contrée est très fréquentée en été. En revanche, mai, juin, septembre et octobre sont des mois plus calmes pour apprécier l'endroit. Mais ne rêvez pas, les beaux week-ends et les vacances sont toujours chargés. On conseille donc de visiter la région en octobre-novembre, quand les feuilles changent de couleur ; cependant, en avril-mai, quand rhododendrons ou jonquilles sont en fleurs, la palette des couleurs est tout aussi étonnante.
Les randonnées sont innombrables : au bord des lacs, sur l'eau, à pied dans les montagnes et même à VTT *(mountain bike)*. Les balades y sont très bien organisées et balisées, et vous ne risquez pas de vous perdre. Les mon-

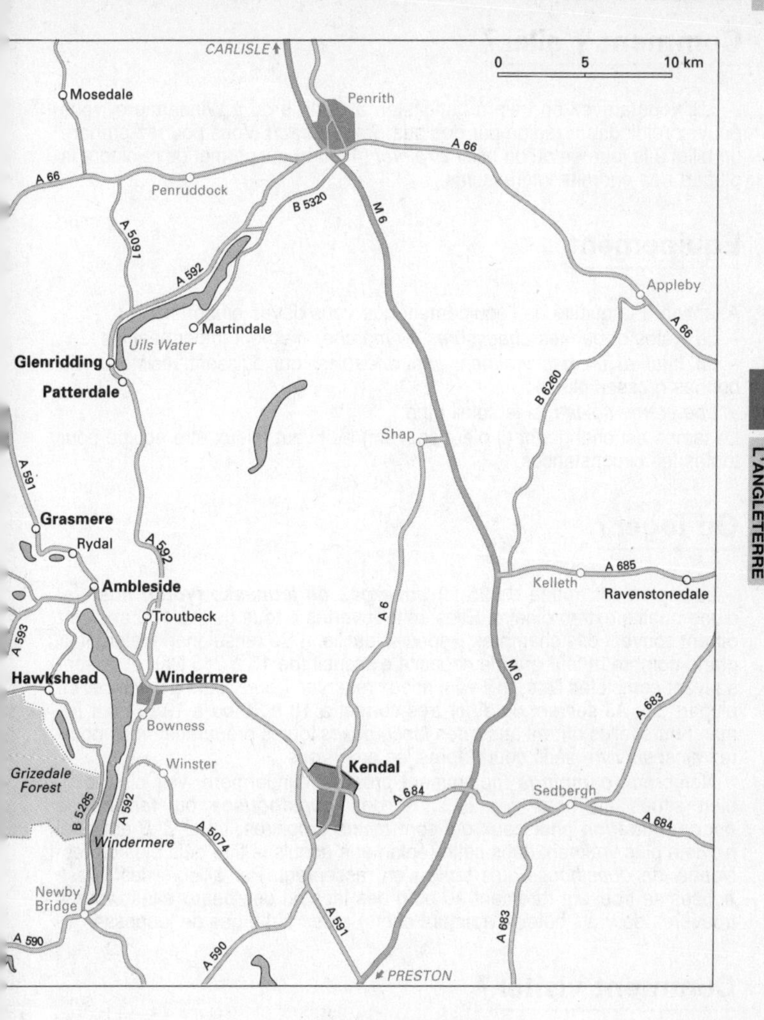

THE LAKE DISTRICT

tagnes culminent à 1 050 m *(Scafell Pikes),* et grimper sur l'une d'elles ne relève jamais de l'exploit. Cependant, pour vous y retrouver, nous vous conseillons d'acheter les cartes qui conviennent selon la région que vous explorez. Penser à consulter la météo car les orages sont violents et les abris rares dans la région. L'autre aspect marquant du Lake District est la forte population de riches retraités « yachtisés », « jaguarisés » ou « rollsroycisés » y possédant de somptueuses propriétés. Ça a parfois des relents franchement monégasques, vous voilà prévenu. Si vous voyagez en voiture, choisissez la carte *Ordnance Survey, Lake District & Cumbria.* Vous y trouverez indiqués les auberges de jeunesse, les terrains de camping et les endroits intéressants. Infos générales sur le site : • www.lake-district.gov.uk •

Comment y aller ?

➢ Si vous arrivez en train à Lancaster, à Carlisle ou à Windermere, vous pouvez rejoindre la région par des bus *Stage Coach.* Vous pourrez prendre un billet à la journée ou un billet *Explorer* (4 jours) qui permet de rejoindre la plupart des endroits intéressants.

Équipement

Attention à la qualité de l'équipement que vous devez emporter :
– de vraies et bonnes *chaussures de marche,* vraiment imperméables ;
– *un haut et un bas vraiment imperméables,* qui puissent résister à de bonnes grosses pluies ;
– *une crème solaire,* si le soleil tape.
Le temps est changeant (il pleut souvent) et il vaut mieux être équipé pour toutes les circonstances.

Où loger ?

– La région est truffée de 25 (!) ***auberges de jeunesse (youth hostels)*** d'une qualité extraordinaire. Elles sont ouvertes à tous de 1 à 100 ans... et offrent souvent des chambres « spécial famille ». Se renseigner. Malgré leur grand nombre et leur grande capacité d'accueil (de 16 à 245 lits), elles sont souvent complètes l'été, et il vaut mieux réserver 1 ou 2 jours à l'avance. La plupart des AJ servent un dîner très correct à 18 h 30 ou à 19 h. Pour les marcheurs, elles offrent aussi des *lunch-boxes* toutes préparées ; vous pourrez ainsi survivre sans courir après les provisions.
– Nombreux ***campings*** (notamment près de Windermere, voir plus loin), bien situés au bord des lacs, et des ***guesthouses*** ou ***farmhouse accommodation*** pour ceux qui sont moins grégaires. Le *B & B* artisanal n'existe plus vraiment dans cette région et a acquis le titre déjà plus professionnel de *guesthouse.* Les tarifs s'en ressentent. Par ailleurs, les *guesthouses* se trouvent rarement au bord des lacs ou des beaux sites ; vous y trouverez de vrais hôtels (vraiment chers) et les auberges de jeunesse.

Comment visiter ?

Le meilleur moyen pour découvrir la région est soit de s'installer quelques jours dans une AJ et, à partir de là, marcher (Wastwater ou Buttermere, par exemple, offrent une très grande sélection de randonnées), soit marcher d'une AJ à l'autre.
S'il revenait maintenant, il est vraisemblable que Wordsworth reconnaîtrait sa région, maintenue à l'identique par les conservateurs du *National Trust,* qui ont racheté forêts, fermes, landes, maisons, et se veulent les gardiens des paysages. Grâce au *National Trust,* l'activité agricole traditionnelle de la région, l'élevage du mouton (la seule chose qui « pousse » ici), a pu être conservée, et le tourisme a pu être développé en harmonie avec l'élevage. Vous aurez tout loisir, lors de vos randonnées, d'admirer l'ingéniosité des moyens (échelles, marches, barrières coulissantes, etc.) qui permettent la cohabitation des moutons et des marcheurs.

KENDAL

24 000 hab. IND. TÉL. : 01539

La porte d'entrée du Lake District offre l'image d'un bourg de province prospère, benoîtement installé sur les rives de la rivière Kent. On n'y séjourne pas vraiment, mais on profite de ses commerces pléthoriques pour remplir les sacs à dos en prévision des randonnées. Quelques musées régionaux pour ceux qui auraient trop d'ampoules aux pieds : le ***Museum of Lakeland Life*** et l'***Abbot Hall Art Gallery.*** Fermés le dimanche, et de fin décembre à mi-février. Prévoir 4,50 £ (6,60 €) pour les 2. Le premier abrite un intéressant musée d'histoire locale, le second une collection de peintures de G. Romney, artiste né à Kendal, et différentes expositions temporaires.

Adresses et infos utiles

Tourist Information Centre : Town Hall, Highgate. ☎ 72-57-58. • www.kendaltown.org.uk • Ouvert du lundi au samedi de 9 h à 18 h (17 h l'hiver) et le dimanche de 10 h à 17 h (fermé en janvier et février).

Hôpital : urgences au *Westmorland General Hospital,* Burton Rd. À la sortie sud de la ville, sur l'A65 en direction de Kirkby Lonsdale. ☎ 73-22-88.

Internet : à la *Kendal Library* (fermé le dimanche), sur Stricklandgate, ou au café *Dot* (ouvert tous les jours) situé dans le *Westmorland Shopping Centre* (accessible depuis Market Place). Compter 3 £ (4,40 €) l'heure.

Bus Station : Station Corner Beezon Rd. ☎ 72-21-43. Renseignements pour les bus.

– ***Marché :*** les mercredi et samedi.

Où dormir ? Où manger ?

Youth Hostel : 118 Highgate, LA9 4HE. ☎ (08707) 70-58-92. Fax : (08707) 70-58-93. • www.yha.org.uk • Dans le centre-ville. Ouvert tous les jours pendant l'été, uniquement le week-end en hiver. Réception ouverte de 7 h 30 à 10 h et de 17 h à 23 h. Nuitée à environ 14 £ (20,70 €), petit dej' compris. Belle vieille maison georgienne dans une ancienne brasserie, équipée d'une cinquantaine de lits. Tout confort et tout propre.

Farrer's Coffee-House : 13 Strickland Gate. Dans la rue principale, entre l'office de tourisme et Market Place. Ouvert jusqu'à 16 h 30. Fermé le dimanche. Précédée par une antique devanture noire, cette vénérable maison spécialisée dans le thé et le café ne désemplit pas depuis 1660. Très beau cadre. Plats simples, mélanges originaux et savoureux. Bons gâteaux comme le fameux *Mint Cake,* la grande fierté de Kendal.

Où dormir dans les environs ?

Ashes Lane : Staveley, Kendal. À 3-4 miles de Kendal en direction de Windermere. Bien indiqué depuis l'A591. ☎ 82-11-19. Fax : 82-12-82. • vans@asheslanepark.freeserve.co.uk • Prévoir environ 10 £ (14,80 €) pour 2 avec tente et voiture. Un vaste camping parfaitement tenu, dans un environnement boisé agréable. Sanitaires récents.

WINDERMERE

7 000 hab. IND. TÉL. : 015394

Au XIXe siècle, la construction du chemin de fer a métamorphosé ce paisible village de montagne en un pôle touristique de premier plan. Les villas ont poussé comme des champignons, jusqu'à absorber entièrement le bourg voisin de Bowness-on-Windermere. Aujourd'hui, 13 000 bateaux à moteur y sont inscrits ; ce qui gâche énormément le calme du lac. Wordsworth déjà, à son époque, s'était opposé à l'idée d'un bateau à vapeur sur son cher lac... alors, s'il savait le malheur qui s'y est abattu, il passerait à l'acte et les « coulerait à coups de boulets de canon ».

➢ Le bus n° 599 relie Windermere à *Bowness* (arrêt au bord du lac, en face de la jetée).

Adresses utiles

Tourist Information Centre : Victoria St, à côté de la gare. ☎ 464-99. Ouvert de 9 h à 17 h (19 h 30 en été).

Gare : Victoria St. De là, on peut attraper pendant l'été la navette gratuite *YHA* qui dessert les auberges de jeunesse du secteur.

Où dormir ?

Camping

Park Cliffe Caravan Camping Estate : Birks Rd. Au sud de Bowness, sur l'A592. ☎ 313-44. Fax : 319-71. • www.parkcliffe.co.uk • Prévoir de 10 à 14 £ (14,80 à 20,70 €) pour 2 avec tente et voiture, un poil plus cher pour les caravanes. Au bout d'un petit chemin tortueux, un beau terrain de 200 places environ, isolé dans les collines. Propre et tranquille.

Vraiment bon marché

Lake District Backpackers Lodge : High St, à Windermere. Au fond d'une courette, à proximité de l'OT, de la gare et de l'arrêt de bus. ☎ et fax : 463-74. • www.lakedistrictbackpackers.co.uk • Nuitée à 12,50 £ (18,50 €) par personne, petit dej' compris. Peu de places, donc réserver à l'avance. Cette mignonne petite maison dans le cœur du village a récemment été rénovée. Dortoir et chambres de poche, mais on s'y fait vite des amis ! Accueil très chaleureux, avec beaucoup de tuyaux sur la région. Location de vélos, cuisine à dispo, accès Internet...

Un peu plus chic

The Fairfield : Brantfell Rd, LA23. Sur les hauteurs de Bowness-on-Windermere. ☎ et fax : 465-65. • www.the-fairfield.co.uk • Selon la saison, doubles de 56 à 68 £ (82,90 à 100,60 €), petit dej' compris. Ça grimpe sec pour aller chez Liz et Tony, mais on y trouve le calme et une ambiance à mi-chemin entre le petit hôtel et la pension de famille. D'ailleurs, les chambres arborent une jolie déco à fleurs, tandis que le petit dej' fleure bon les produits du terroir. Reposant.

Nombreux ***B & B*** sur Oak St, rue calme et tranquille.

Où dormir dans les environs ?

Camping

Limefitt Park : à proximité de Troutbeck, au nord de Windermere. ☎ 323-00. Fax : 328-48. • www.limefitt.co.uk • Sortir de Windermere par l'A592, direction Glenridding et Penrith. Prévoir de 10 à 15 £ (14,80 à 22,20 €) pour 2 avec tente et voiture. Prix spéciaux pour les voyageurs légèrement équipés (canadiennes). Camping opulent niché dans un très beau vallon, au bord de la rivière Trout. Emplacement pour caravanes et tentes. Excellentes prestations, sanitaires bien tenus.

Bon marché

Youth Hostel : High Cross, Bridge Lane, Troutbeck LA23 1LA. ☎ (015394) 435-43. Fax : (015394) 471-65. • www.yha.org.uk • Au sud du village. Depuis Windermere, prendre l'A591 en direction d'Ambleside, puis la 1re route à droite après le croisement avec l'A592. Fermé en janvier. Formule *B & B* à 15 £ (22,20 €) environ. Une vraie retraite. Postée sur la colline comme une vigie, cette grosse bâtisse profite d'une belle vue sur la vallée et d'une totale tranquillité en raison de son isolement. À défaut d'être jolie, elle dispose de chambres confortables et bien tenues. Atmosphère familiale.

Où manger ? Où boire un verre ?

Bistro Jackson's : face à Brantfell Rd, entre St Martin Place et Kendall Rd. ☎ 462-64. Menu à 13 £ (19,20 €), ou compter environ 20 £ (29,60 €) à la carte. Bon compromis entre le bistrot chic, le bar à vin et le restaurant traditionnel. Salle sur 2 niveaux, dont une belle cave idéale pour les dîners en amoureux. Cuisine bien maîtrisée.

Lamplighter Bar : sur High St, à deux pas de l'OT de Windermere. Plats principaux de 8 à 10 £ (11,80 à 14,80 €). Un bar accueillant, apprécié pour ses en-cas copieux. Quelques plats plus élaborés, comme des huîtres et du saumon frais. Concerts fréquents.

Porthole : 3 Ash St, à Bowness. Dans une ruelle piétonne en retrait de la rue principale. Compter environ 20 £ (29,60 €) pour un repas complet. Une petite *trattoria* à l'atmosphère intime, où l'on se délecte de spécialités italiennes très bien réalisées.

Mac Ginty's Irish Pub : sur Church St, à Bowness, dans le même bâtiment que l'hôtel *The Royal*. Un pub irlandais typique, qui décoince un peu le quartier. Petite terrasse agréable le soir, face à St Martin Church. Guinness bien tirée, même sous la pression ! Concerts folks chaque week-end.

À voir

Prendre le bateau qui permet de faire le tour du lac. Se rendre à l'embarcadère de Bowness.

Steam Boat Museum : Rayrigg Rd. ☎ 455-65. Accès à partir de l'A591. Ouvert de Pâques au 31 octobre, de 10 h à 17 h. Entrée : 3,50 £ (5,20 €) ; réductions. Musée des bateaux à vapeur utilisés sur le Windermere depuis le XIXe siècle.

The World of Beatrix Potter Attraction : the Old Laundry, à l'entrée de Bowness-on-Windermere. ☎ et fax : 884-44. • www.hop-skip-jump.com • Ouvert tous les jours de 10 h à 16 h 30 (17 h 30 d'avril à septembre). Entrée : 3,75 £ (5,60 €) ; réductions. Reconstitution en 3 dimensions de l'univers de la célèbre illustratrice pour enfants. Très bien pour les petits.

➤ DANS LES ENVIRONS DE WINDERMERE

Troutbeck : route A592. Très joli village classé dans les collines, fermes des XVIIe et XVIIIe siècles. L'été, la ferme-musée ***Townend*** ouvre ses portes de 13 h à 16 h 30 (fermé le lundi et le samedi). Collections d'outils et de meubles.

Aller boire à ***The Queen's Head Inn,*** sur le bord de l'A592, très vieux pub où se déroule traditionnellement, tous les ans, une fête liée à la chasse.

AMBLESIDE

IND. TÉL. : 015394

Un bon camp de base pour les randonneurs. Non dénuée de charme, la vieille ville regroupe autour de l'église une poignée de belles maisons du XVIIIe siècle, comme la célèbre ***Bridge House*** à califourchon sur la rivière. Nombreux commerçants, et quelques bonnes adresses pour reprendre des forces entre 2 balades.

Adresses et infos utiles

Tourist Information Centres : sur Market Cross, à l'angle de North Rd. ☎ 325-82. Fax : 349-01. Ouvert de 9 h à 17 h. Autre centre à Waterhead, plus près du lac. ☎ 327-29. Ouvert de Pâques à octobre. Bon accueil.

Scottscafé : Waterhead. ☎ 320-14. Location de *mountain bikes* (VTT). Réduction pour les membres des AJ.

– ***Marché :*** le mercredi. Ville alors très animée.

Où dormir ?

Youth Hostel : Waterhead, LA22 0UE. ☎ (08707) 70-56-72. Fax : (08707) 70-56-73. • www.yha.org.uk • À l'entrée du bourg en arrivant de Windermere. Formule *B & B* à 17,50 £ (25,90 €). Situation absolument exceptionnelle pour cet ancien hôtel de caractère au bord du lac, d'une capacité de 250 lits environ. Quelques chambres spécialement aménagées pour les familles. Assez bruyant l'été, en raison de nombreux groupes scolaires. Bonnes prestations et chouette resto panoramique.

The Unicorn Inn : voir « Où manger ? Où boire un verre ? ».

Low Wray Campsite : depuis Ambleside, emprunter la route de Hawkshead, puis suivre la direction de Low Wray. ☎ 328-10. • rlwcamp@smtp.ntrust.org.uk • Ouvert de Pâques à fin octobre. Prévoir environ 10 £ (14,80 €) pour 2 avec tente et voiture. Atmosphère pastorale pour ce beau terrain déroulé au bord du lac, avec les moutons comme seuls voisins. Tenu par un jeune couple fort charmant.

Où manger ? Où boire un verre ?

The Unicorn Inn : North Rd, LA22 9DT. ☎ 332-16. Dans la ruelle derrière l'office de tourisme, de l'autre côté du petit pont. Ouvert tous les jours en saison. Plats autour de 8 £ (11,80 €). Pub chaleureux vieux de 3 siècles, le plus ancien d'Ambleside. Accueil familial, un rien rustique, donc bienvenu dans cette région où les courbettes sont fréquentes. Bonne nourriture de pub, comme le solide *stew* (ragoût) ou le copieux *ploughman plate* (assiette du cultivateur, avec fromages, *pickles,* salade, etc.). Également quelques chambres simples et bien tenues. Concerts le jeudi.

Sheila's Cottage : The Slack, LA22 9DQ. ☎ 330-79. Dans une ruelle perpendiculaire à Market Place.

Servent jusqu'à 20 h 30 (21 h le week-end). Plats principaux de 10 à 15 £ (14,80 à 22,20 €). Déco bien léchée, avec du bois blond, une cheminée et des murs de pierre. Cuisine anglaise recherchée, mais aussi un appétissant choix d'en-cas, salades et gâteaux, évidemment. Et quels gâteaux ! Le *sticky toffee-pudding* mérite un bon 19 sur 20. Service prévenant.

Où manger ? Où boire un verre dans les environs ?

🍽 🍸 ***The Drunken Duck Inn :*** Barngates, Hawkshead LA22 0NG. À 3 miles d'Ambleside, en direction de Hawkshead. ☎ 363-47. Servent jusqu'à 21 h. Prévoir de 20 à 25 £ (29,60 à 37 €) pour un repas. Depuis 1997, cet élégant pub de campagne brasse ses propres bières. De la plus légère à la plus forte : la *Cracker Ale,* la *Tag Lag* et la *Chesters' Strong and Ugly.* Accompagne à merveille une excellente cuisine traditionnelle (gibier en saison), à déguster auprès de la cheminée ou en terrasse.

➤ *DANS LES ENVIRONS D'AMBLESIDE*

★ ***Rydal :*** hameau qui doit sa réputation au fait que *Wordsworth* y vécut avec sa famille de 1813 jusqu'à sa mort, en 1850. Très belle maison entourée d'un grand jardin au-dessus de l'église, avec vue sur le lac Rydalwater.

GRASMERE

IND. TÉL. : 015394

Autre grand lieu de pèlerinage pour les admirateurs de *Wordsworth.* C'est là que se trouve *Dove Cottage,* où il vécut de 1799 à 1813 et où il écrivit la plupart de ses grands poèmes, dont *Le Prélude.* À noter qu'il n'aimait pas s'asseoir pour les écrire. Il les dictait à sa sœur Dorothy ou à sa femme Mary, ou alors il faisait un brouillon et leur laissait le soin de le mettre au propre. Il est enterré avec ses proches dans le cimetière du village. À côté de leurs tombes, celle de Coleridge.

Adresse utile

ℹ ***Tourist Information Centre :*** Redbank Rd. À côté de l'église. ☎ 352-45. En saison, ouvert tous les jours de 9 h 30 à 17 h 30 ; hors saison, du vendredi au dimanche de 10 h à 16 h 30. Renseignements pour les bus.

Où dormir ?

Bon marché

🏠 ***Youth Hostel :*** Butterlip How ; sur Easedale Rd, à 200 m du village. ☎ (08707) 70-58-36. Fax : (08707) 70-58-37. • www.yha.org.uk • Prévoir 17,50 £ (25,90 €), petit dej' compris. Très belle maison victorienne de 130 lits environ, isolée au milieu d'un très joli parc. Chambres de 2 à 6 personnes bien tenues. Accueil très agréable.

Grasmere Hostel : à environ 1 mile au nord de Grasmere, sur l'A591 en direction de Keswick. À droite après le pub *Travellers Rest*. ☎ 350-55. Fax : 357-33. • www.grasmerehostel.co.uk • Compter 14,50 £ (21,50 €) par personne. Pas de petit dej', mais cuisine à disposition. Tenue par un jeune couple très gentil, cette minuscule AJ indépendante occupe une jolie maison traditionnelle au pied des montagnes. Avec 5 chambres seulement, on est plus proche d'un logement chez l'habitant que de l'hôtellerie industrielle ! Café ou thé offert sur présentation du *Guide du routard*.

Prix moyens

Titteringdales : Pye Lane. ☎ 354-39. • titteringdales@grasmere.net • Au bout du village. Chambres doubles de 50 à 55 £ (74 à 81,40 €). Un petit *B & B* familial, qui n'a pas encore été perverti par la standardisation dont souffrent nombre de ses homologues. Confortable et sans prétention.

Où manger ?

Rowan Tree : derrière l'église, après le pont. Servent jusqu'à 21 h. Plats de 6 à 9 £ (8,90 à 13,30 €). Dans une jolie maison de pierre, flanquée d'une agréable terrasse au-dessus de la rivière. Nourriture plutôt végétarienne, de qualité.

The Dove Cottage : en arrivant d'Ambleside, à droite avant d'entrer dans le bourg. À côté de la maison de Wordsworth. Servent jusqu'à 21 h l'été, 17 h l'hiver. Fermé le lundi l'été, également le dimanche l'hiver. Plats de 5 à 7 £ (7,40 à 10,40 €). Salle à manger confortable et jolie. Très bonnes salades et spécialités végétariennes, ou un beau choix de gâteaux délicieux à l'heure du thé.

Sarah Nelson's Grasmere Gingerbread : derrière l'église, au bord du cimetière. Ouvert de 9 h 30 (12 h 30 le dimanche) à 16 h 30. Pour acheter du pain d'épice local, particulièrement réputé. Recette secrète, conservée pieusement.

À voir. À faire

The Dove Cottage and Wordsworth Museum : à l'entrée du village en arrivant d'Ambleside. ☎ 355-44. • www.wordsworth.org.uk • Ouvert de 9 h 30 à 17 h 30. Fermé en janvier. Entrée : moins de 6 £ (8,90 €) ; réductions. Visite guidée chaque demi-heure. Commencer par la visite du musée. La vie et l'œuvre de Wordsworth sont longuement expliquées. On peut entendre quelques-uns de ses poèmes. La clé de son œuvre semble résider dans le fait que, ayant perdu ses parents très tôt (il avait 9 et 13 ans quand sa mère, puis son père disparurent), il trouva dans la nature avoisinante refuge et consolation. Ses poèmes abondent en descriptions de la nature, mais évoquent aussi la vie des gens simples qu'il rencontrait lors de ses promenades. Dans le musée et le *cottage*, nombreux objets personnels et ses manuscrits, évidemment ! Tous ces objets le rendent presque vivant. En 1843, la reine Victoria lui décerna le titre de *Poet Laureate*. Il mourut en 1850.

DANS LES ENVIRONS DE GRASMERE

Easedale Tarn : prendre la route d'Easedale jusqu'au bout ; puis suivre les indications. En 1 h 30, on est au bord de ce petit lac de montagne complètement isolé. Certains s'y baignent, d'autres y campent, bien que le *National Trust* l'interdise. Possibilité de passer de l'autre côté de la montagne pour aller jusqu'à l'AJ d'Elterwater, ou revenir et escalader *Helm Crag* (suivre les panneaux). Au loin se dessinent les *Langdale Pikes* (environ 800 m). Prendre le chemin qui part en face du loueur de bateaux sur le bord du lac. Longue randonnée. Ne vous lancez en aucun cas à l'assaut de ces monts sans carte.

ELTERWATER

IND. TÉL. : 015394

Très joli village de montagne dans la vallée, où se rencontrent la rivière Langdale et la rivière Brathay. De grosses maisons en pierre.

Où dormir ?

Youth Hostel : High Close, Loughrigg. Dans le hameau de Langdale (ne pas confondre avec Little Langdale). Depuis Ambleside, prendre l'A593 en direction de Coniston, puis suivre les panneaux YHA (le dernier est une pierre blanche). ☎ (08707) 70-59-08. Fax : (08707) 70-59-09. • www.yha.org.uk • Ouvert d'avril à octobre. Prévoir 16 £ (23,70 €) en chambres de 3 à 14 lits, petit dej' compris. Très beau bâtiment 1900 bercé par le chant des oiseaux, à cent lieues de l'agitation des lacs. Agréable galerie pour jouir du panorama sur la vallée Brathay. Excellent accueil et literie honorable.

Youth Hostel : Elterwater. Au bout du village après le pont. ☎ (08707) 70-58-16. Fax : (08707) 70-58-17. • www.yha.org.uk • Ouvert tous les jours l'été, fermetures fréquentes l'hiver. Moins de 14 £ (20,70 €) par personne, petit dej' compris. Ancien bâtiment de ferme simplement mais confortablement aménagé. Une quarantaine de lits.

Où manger ? Où boire un verre ?

Britannia Inn : LA22 9HP. Au cœur d'Elterwater. ☎ 372-10. Servent jusqu'à 21 h 30. Plats de 8 à 10 £ (11,80 à 14,80 €). Pub-restaurant où se retrouvent les marcheurs et les gourmets (ce sont parfois les mêmes). Excellente cuisine locale qui parfume à la ronde, comme le fameux agneau de pays, ou de bons gibiers en sauce. Cadre chic et intime, tables bien dressées et très bon service. Clientèle un peu snob.

Wainwright's Inn : à Chapelstile, le hameau accolé à Elterwater. À 10 mn à pied en suivant le *public footpath* de l'autre côté de la rivière. ☎ 380-88. Servent jusqu'à 21 h. Plats autour de 10 £ (14,80 €). Cuisine de pub, avec de grosses *jacket potatoes,* des salades, des sandwichs, des *chilis* et de bonnes grillades. Au mur, exposition d'objets ayant servi à la mine qui est juste au-dessus.

À voir. À faire

➢ Nombreuses *promenades* le long des rivières.

Aller voir la cascade **Dungeon Force** et, de là, escalader **Langdale Pike.** Attention, la montée jusqu'au sommet est plutôt raide (bonnes chaussures, carte et imperméable).

CONISTON

IND. TÉL. : 015394

Gros bourg au pied d'une montagne nommée *The Old Man of Coniston.* L'endroit tire sa réputation du fait que John Ruskin habitait à Brantwood, de l'autre côté du lac, et est enterré dans le cimetière local.

Adresse utile

ℹ *Tourist Information Centre :* sur le parking principal. ☎ 415-33. Ouvert de 9 h 30 à 17 h 30 d'avril à octobre et de 10 h à 15 h 30 de novembre à mars.

Où dormir ?

Campings

⛺ *Coniston Hall Farm :* à la sortie sud du village, en direction de Broughton. ☎ 412-23. Ouvert de Pâques à fin octobre. Prévoir 10 £ (14,80 €) pour 2 avec tente et voiture. Isolé au bord du lac, ce vaste camping réservé aux tentes (plus de 250 emplacements) jouxte une ferme massive, dont les énormes cheminées n'ont rien à envier à celle d'un haut-fourneau. Bon, il faut un peu bousculer la basse-cour pour se ménager une place, mais ça fait partie du charme !

⛺ *Park Coppice :* au sud de Coniston, sur l'A593 en direction de Broughton. ☎ 415-55. Ouvert l'été. Énorme camping principalement pour caravanes, avec une poignée d'emplacements pour tentes. En contrebas de la route, dans un environnement boisé.

Vraiment bon marché

⌂ *Youth Hostel :* Holly How, Far End, LA21 8DD. ☎ (08707) 70-57-70. Fax : (08707) 70-57-71. • www.yha.org.uk • À l'entrée de Coniston en arrivant d'Ambleside, sur la droite. Formule *B & B* autour de 14 £ (20,70 €). Belle demeure du XIXe siècle (60 lits), plantée au pied d'une montagne escarpée et précédée par un charmant jardin. Tout confort, à l'image de son salon très cosy où flambe à l'occasion un bon feu de cheminée. Bon accueil. Pas mal de groupes.

⌂ *Youth Hostel :* Coppermines House LA21 8HP. Suivre la petite route qui longe le *Black Bull Hotel,* perpendiculaire à la Yewdale Rd. ☎ et fax : (08707) 70-57-72. Prévoir 14 £ (20,70 €), petit dej' compris. Inaccessible en voiture, cet ancien logement de mineurs constitue une étape de choix pour les randonneurs. Un tantinet rustique, mais cadre magnifique. Nombre de places limité (moins de 30 lits).

Où manger ? Où boire un verre ?

The Black Bull Hotel : Yewdale Rd. Au centre du bourg, à l'intersection des routes pour Hawkshead, Ambleside et Broughton. Servent jusqu'à 21 h. Plats autour de 10 £ (14,80 €), sandwichs pour environ 5 £ (7,40 €). Pub classique aux plafonds bas veinés de grosses poutres, où se retrouvent habituellement les marcheurs. Cuisine de terroir, roborative. Petite terrasse.

Jumping Jenny : près de la Brantwood House. Mêmes horaires que le musée (forcément !). Une jolie maisonnette aux volets verts, flanquée d'une terrasse géniale avec vue plongeante sur le lac. Nourriture de qualité, gâteaux délicieux.

À voir. À faire

Brantwood House : ☎ 413-96. • www.brantwood.org.uk • Ouvert tous les jours de 11 h à 16 h 30 (17 h 30 de mi-mars à mi-novembre). Entrée : 5,50 £ (8,10 €) ; réductions. La maison où vécut et mourut John Ruskin (né

en 1819, mort en 1900) se situe de l'autre côté du lac. On peut la rejoindre par la route ou, de manière plus plaisante, en prenant le bateau victorien *Gondola.* Prévoir 3 £ (4,40 €) le ticket aller-retour. John Ruskin est un grand intellectuel du XIXe siècle, qui, nous dit-on, influença par ses écrits de nombreuses personnalités à travers le monde : Gandhi, Proust, Tolstoï... C'était un humaniste et un moraliste, avec des idées avancées pour l'époque sur l'éducation populaire. Il fit d'abord des études de minéralogie et de biologie, et vous verrez une partie de sa collection de coquillages, très bien répertoriés ; il fut l'ami de Charles Darwin. Mais Ruskin est surtout connu pour avoir longuement expliqué et étudié l'architecture gothique (dessins d'Amiens, de Beauvais, etc.), et avoir fait redécouvrir Venise à travers son livre le plus célèbre, *Les Pierres de Venise* (Éd. Hermann). La maison est couverte de dessins d'architecture et de paysages. Une fois installé définitivement à Brantwood après 1870, Ruskin relança l'industrie de la dentelle et de la broderie avec du lin produit localement. Quelques exemples de broderie sont présentés, mais vous ne pourrez pas en acheter, car rien n'est en vente. C'est pour le plaisir... Ça prend des heures à faire, et donc ça n'a pas de prix.
Dans une dépendance à côté de la maison, expos temporaires, et une exposition dédiée à Wainwright, l'homme qui marcha dans toute la région. Il écrivit et illustra des livres de marche extrêmement précis. Au-dessus de la maison, charmant jardin en terrasses aux ambiances multiples.

➢ Escalade du *Old Man of Coniston* (environ 900 m). Prévoir une bonne carte et un équipement adéquat. Surtout, bien suivre le chemin.

HAWKSHEAD

IND. TÉL. : 015394

Un très joli village traditionnel, dont les ruelles pavées enserrent une église typique du XVe siècle. Entre 1779 et 1787, sa petite école eut le privilège de compter parmi ses élèves... William Wordsworth, encore lui ! Les amoureux d'histoires enfantines et d'animaux ne rateront pas Near Sawrey, à 2 miles, où Beatrix Potter écrivit la plupart de ses contes dans la ferme Hilltop, maintenant transformée en musée. On peut également en profiter pour se balader dans la magnifique Grizedale Forest, qui abrite une faune et une flore riches et variées. Possibilité d'y louer des *mountain bikes* (VTT).

Où dormir ?

Youth Hostel : Esthwaite Lodge. À 1,5 km au sud de Hawkshead. ☎ 0870-770-58-56. Fax : 0870-770-58-57. • www.yha.org.uk • Compter environ 15 £ (22,20 €) en dortoir, petit dej' compris. Ancien manoir rénové avec beaucoup de goût, flanqué de très beaux jardins ombragés. Si les chambres se révèlent nettement plus fonctionnelles, leur confort compense l'absence de moulures ! Accueille pas mal de groupes.

Howe Farm : à 1 km au sud de Hawkshead. ☎ 363-45. Prévoir 42 £ (62,20 €) pour une double, petit dej' compris. Une petite ferme accrochée à flanc de colline, dont la déco intérieure coquette et chaleureuse contraste avec la façade rustique. Chambres très confortables, avec vue sur la vallée. Mais le must demeure le *breakfast* maison préparé avec les produits de la ferme. Un florilège de saveurs !

D'ELTERWATER À WASDALE HEAD

Après la verdure et la douceur des paysages, on découvre des espaces de pierre et d'éboulis beaucoup plus sauvages, des vallées très isolées.

WRYNOSE PASS

Premier col. La route sinue dans la vallée, des murs l'enserrent complètement de chaque côté. Au bout, ça grimpe assez dur pour déboucher sur Hardknott Pass. Tout du long, des endroits pour s'arrêter et laisser passer les autres voitures, mais aussi pour admirer le paysage.

HARDKNOTT PASS

La route fut construite par les Romains et n'a pas été redessinée depuis. La descente dans la vallée est assez époustouflante. On a l'impression qu'on va aller se cogner dans les pierres qui ferment la route, les virages sont difficiles à négocier ; les pentes ont entre 25 et 30 % de dénivelée. Bref, ça ressemble terriblement à des montagnes russes. Ouf ! On est à nouveau dans la vallée. Coup d'œil à l'ancien fort romain. Admirez l'épaisseur et la hauteur des murs ; heureusement, la main-d'œuvre n'était pas chère ! Vue sur les monts Sca et, au loin, Scafell Pike, la plus haute montagne d'Angleterre (environ 1 000 m...). Si vous êtes allergique aux moutons, c'est là qu'il faut aller. Pas un brin d'herbe au sommet, donc pas de moutons, mais des cailloux et du lichen. Par temps clair, de là-haut, vous apercevrez la vallée de Wast, à vos pieds évidemment, puis, au-delà, Ennerdale et enfin la mer !

Où dormir ? Où manger ?

Youth Hostel : Eskdale-Boot. Juste après la Hardknott Pass, en direction de Boot. ☎ (08707) 70-58-24. Fax : (08707) 70-58-25. • www.yha.org.uk • Prévoir moins de 14 £ (20,70 €), petit dej' compris. Dans un bâtiment récent qui respecte le style architectural de la région. Isolé en pleine nature, mais sa cinquantaine de lits ne suffit pas toujours à satisfaire la demande. Réserver, ou gros risque de devoir dormir à la belle étoile !

Woolpack Inn : juste après Hardknott Pass, en direction de Boot, à 200 m de l'AJ. Cuisine familiale préparée avec des produits frais. Du coup, prévoir un peu d'attente lorsque la salle est envahie de randonneurs.

À voir

Boot, village où l'on peut visiter un vieux moulin. Un chemin part du village et mène vers les monts Sca, ce qui permet de rejoindre de l'autre côté de la montagne le bout du lac Wast Water.

LE LAC WAST WATER

Très encaissé au fond de la vallée, ce magnifique lac est le plus profond de la région. Paysage sauvage et impressionnant, qui donne l'impression d'un vaste désert de rocailles et de landes. Des couleurs extraordinaires au coucher du soleil.

Où dormir ? Où manger ? Où boire un verre ?

Wasdale Campsite : au bout du lac. ☎ (019467) 262-20. • rwascp@smtp.ntrust.org.uk • Ouvert toute l'année. Compter moins de 10 £ (14,80 €) pour 2 avec tente et voiture. Appartient au *National Trust.* Un terrain réservé aux tentes dans un site sublime. Même les plus austères deviennent romantiques ! Équipements limités et rudimentaires.

🏠 ***Youth Hostel Wastwater :*** Wasdale, CA20 1ET. ☎ (08707) 70-60-82. Fax : (08707) 70-60-83. • www.yha.org.uk • Prévoir moins de 14 £ (20,70 €), petit dej' compris. Très beau manoir du XIXe siècle, défendu par une solide porte médiévale agrémentée d'un heurtoir et d'un blason. Ses salons cossus procurent une sensation immédiate de bien-être, tandis que ses bancs disséminés le long du lac invitent à la méditation. Bref, une AJ à particule... mais la chevalière n'est pas exigée !

🏠 🍽 🍷 ***The Screes Inn :*** à Nether Wasdale. ☎ et fax : (019467) 262-62. • www.thescreesinnwasdale.com • Chambre double autour de 55 £ (81,40 €), petit dej' compris. Maison basse typique du XVIIIe siècle à façade chaulée. Intérieur chaleureux et rustique, à l'image du patron. Bonne cuisine de pub.

🍷 ***Wasdale Head Inn et Ritson's Bar :*** au pied des montagnes, à Wasdale Head. Les randonneurs s'y retrouvent naturellement (il faut reconnaître qu'il n'y a guère le choix) pour se raconter leurs exploits et étancher leur soif à la bière. Si vous préférez des boissons plus douces, la ferme au coin de la boutique sert thé et gâteaux.

À voir. À faire

– Alors que vous serez tranquillement assis à boire votre thé, vous aurez peut-être la chance d'apercevoir des gens du coin s'entraîner à l'un des sports locaux, le ***fell running,*** qui consiste à descendre la pente de la montagne en courant le plus vite possible, en ligne droite évidemment (un peu comme la « ramasse » dans les Alpes françaises). On en a le souffle coupé pour eux. Il y a une compétition à Grasmere le jeudi le plus proche du 20 août. Renseignez-vous dans les bureaux de tourisme. Cette journée inclut aussi des épreuves de lutte et des présentations de chiens de chasse (lévriers). La chasse aux renards se pratique ici à l'automne et en hiver.

– La vallée au bout de ce lac est littéralement hérissée de murs, qui forment un ***labyrinthe*** extraordinaire. De là, on aperçoit des sentiers qui partent dans la montagne. Au milieu des murs, la plus petite chapelle d'Angleterre.

🏠 À l'angle du *Ritson's Bar,* un sentier mène à Black Sail Pass et rejoint la plus petite ***AJ*** du coin (moins de 20 lits) et la plus rustique. Confort rudimentaire. Plutôt un refuge qu'une auberge, c'est un ancien abri de bergers, à la limite de la forêt.

➢ De là, toujours à pied, vous pouvez prendre Scarth Gap Pass et déboucher sur Buttermere.

➢ À partir de Wasdale Head, possibilité d'escalader Great Gable, Green Gable. Mais gare aux éboulis !

ENTRE BOOT ET WASDALE

ESKDALE

Paysage beaucoup plus doux et boisé. Les amoureux de petits trains à l'ancienne prendront celui qui les mènera à Ravenglass à travers toute la vallée, ou s'arrêteront en chemin. Les sportifs feront à peu près le même trajet avec des *mountain bikes* (VTT).

➢ Belle balade jusqu'à ***Devoke Water,*** lac de montagne calme et tranquille au milieu d'une lande plutôt sinistre. D'Eskdale Green, prendre la route de

Ulpha, jusqu'à un chemin de cavaliers sur la droite dans la direction de Waberthwaite. Laissez votre voiture et rendez-vous à pied au lac. De la route, très belles envolées sur les monts Sca toujours aussi nus ! D'autres iront à la cascade ***Stanley Force.***

➢ En voiture, aller jusqu'à Ulpha, puis ***Stoneside Hill*** et retour sur Eskdale Green. ***Ulpha Fell*** est très sauvage, la lande s'étend à perte de vue. Des moutons, des moutons, encore des moutons.

ENNERDALE WATER ET BUTTERMERE

En voiture, on arrive par Ennerdale Bridge. Le lac Ennerdale se trouve au bout d'un chemin très encaissé et dans la verdure. Le sentier Nine Beck Walk part de Bownes Knot et permet d'en faire le tour. Très beaux points de vue sur le lac.

Où dormir ?

☗ ***Youth Hostel :*** Cat Crag, Ennerdale (Gillerthwaite). À 2 km du bout du lac. ☎ (08707) 70-58-20. Fax : (08707) 70-58-21. Compter environ 14 £ (20,70 €) par personne, petit dej' compris. Ancienne maison forestière reconvertie simplement mais confortablement. Attention, elle ne dispose que d'une trentaine de lits. De là, on peut marcher pour se rendre à Buttermere par Red Pike.

BUTTERMERE

Le village lui-même (quelques maisons éparpillées) s'étend dans la vallée entre les lacs de Crummock Water et Buttermere. De nombreux chemins partent de cet endroit stratégique, soit vers Whiteless Pike et Crag Hill soit, de l'autre côté des lacs, vers Scale Force (l'à-pic de la cascade est impressionnant, le volume d'eau l'est moins) et Red Pike.

Où dormir ?

☗ ***King George VI Memorial Hostel :*** sur la route de Honister Pass, à la sortie de Buttermere. ☎ (08707) 70-57-36. Fax : (08707) 70-57-37. • www.yha.org.uk • Prévoir 15 £ (22,20 €) en dortoir, 34 £ (50,30 €) pour une double, petit dej' compris. Belle AJ de montagne, dont les solides murs de pierre surplombent le lac de Buttermere. Fonctionnelle mais confortable. Environ 70 lits.

☗ ***Wood House Cottage :*** sur la B5289 en arrivant de Cockermouth, à faible distance du village. ☎ (017687) 702-08. Fax : (017687) 702-41. • www.wdhse.co.uk • Ouvert de mi-février à mi-novembre. Compter de 74 à 80 £ (109,50 à 118,40 €) pour une double, petit dej' compris. Difficile de résister au cadre romantique de cette belle demeure. Isolée dans un bois dont les dernières franges ombragent le lac de Crummock Water, elle dresse sa façade chaulée face aux flancs escarpés de Red Pike. Intérieur décoré avec goût, et chambres confortables pourvues de meubles de style. Idéal pour un voyage de noces ! Possibilité également de louer une maison rustique pour 6 personnes (tarifs avantageux).

Où manger?

The Bridge Hotel : au centre du village, au bord de la rivière. Bons plats locaux, comme le *hot pot* (sorte de ragoût de bœuf avec divers légumes) et le *black pudding* (boudin). Bon appétit! Après une bonne marche, il faut bien cela pour se sentir prêt à repartir.

DE BUTTERMERE À KESWICK

HONISTER PASS, BORROWDALE ET DERWENT WATER

Après le lac Buttermere, la route s'engage dans la vallée de Honister, frangée de montagnes arides et d'éboulis; la dernière section monte brutalement vers le col, Honister Pass, qu'on franchit entre un mur d'ardoise élevé par les anciens ouvriers de la carrière d'ardoise (cf. « À voir »); on redescend sur Borrowdale.
De Honister Pass, suivre les sentiers qui mènent à Great Gable et à Dale Head. On choisit sa direction; mais attention, il faut être équipé correctement (chaussures, carte, imperméable). On peut se retrouver sous la pluie ou dans les nuages! Le haut des montagnes s'étend à perte de vue et on peut y passer de bons moments en solitaire, loin du monde mais jamais loin d'un mouton.

Où dormir?

Camping : sur le bord de la rivière Derwent. Rudimentaire (uniquement de l'eau froide), mais très joli.

Youth Hostel : Borrowdale, Longthwaite. ☎ (08707) 70-57-06. Fax : (08707) 70-57-07. • www.yha.org.uk • En venant de Keswick, après Rosthwaite, prendre à droite le petit chemin entre la haie et le mur, passer le charmant petit pont de pierre. Compter environ 14 £ (20,70 €) par personne, petit dej' compris. AJ récente moins montagnarde, sur le bord de la rivière Derwent. Environ 90 lits. Tout confort et tous services habituels. Pas mal de groupes.

Youth Hostel Derwentwater : Barrow House, Borrowdale, Keswick CA12 5UR. À 2 miles au sud de Keswick, sur la B5289. ☎ (017687) 77-246. Fax : (017687) 77-396. • www.yha.org.uk • Prévoir 15 £ (22,20 €) en dortoir, petit dej' compris. Occupe un beau manoir planté sur une hauteur surplombant le lac. Certes, les parties communes comme les chambres arborent une déco minimaliste, mais une photo-souvenir de l'imposante façade à bow-windows fera pâlir d'envie vos amis! Réservation conseillée (environ 90 lits). Cuisine à disposition, laverie... Possibilité de faire du canoë sur le lac.

À voir. À faire

Watendlath : hameau isolé, coupé du monde et du temps, composé de fermes et de bergeries, très protégé par le *National Trust*. Au bord d'un lac de montagne.

Honister Slate Mine : Honister Pass, Borrowdale CA12 5XN. Sur la B5289 entre Borrowdale et Buttermere. ☎ (017687) 77-230. Visites guidées tous les jours à 10 h 30, 12 h 30 et 15 h 30 (tours supplémentaires à 14 h et

17 h l'été). Entrée : 7 £ (10,40 €). Visite un peu physique et passionnante, en anglais. Dans un environnement minéral, presque lunaire. Équipé d'un casque, on attaque par une petite grimpette d'un bon mile pour atteindre la galerie à proprement parler, puis on pénètre dans le ventre de la montagne. En ressortant, on sait tout, ou presque, sur la splendide ardoise verte qui fait la fierté des mineurs. Une ardoise haut de gamme, extrêmement chère car difficile à extraire.

➢ À pied, partir de *Rosthwaite.* Passer le pont et suivre l'ancien chemin cavalier qui permettait de se rendre à Watendlath, à gauche de Hazel Bank. Compter de 2 à 3 h de marche. Dénivelé de l'ordre de 300 m. Après cette rude grimpette, vous vous arrêterez au *Caffle House Tea-Room,* dans une bergerie, car vous aurez bien mérité les gâteaux que l'on y sert.
On peut aussi y aller en voiture. Le vieux pont en pierre, *Ashness Bridge,* est l'un des ponts les plus photographiés de la région, avec le lac Derwent en arrière-plan et les monts Skiddaw. Quelle belle carte postale ! On se sent heureux dans ce paysage tranquille.

Avant d'arriver à Keswick, admirez le ***lac Derwent*** dans la verdure. Paysage alentour très boisé.

KESWICK

IND. TÉL. : 017687

Grosse bourgade de montagne, sur le bord du lac Derwent, sillonnée par une agréable rue commerçante truffée de pubs. On y déniche le ***Cars of the Stars Motor Museum*** (tous les jours de 10 h à 17 h) et le ***Pencil Museum*** (tous les jours de 9 h 30 à 16 h), 2 petits musées pas incontournables mais utiles les jours de pluie. Pour ceux qui ont toujours rêvé de rencontrer la Batmobile, ou qui se passionnent pour les techniques de fabrication des crayons...

Adresses utiles

Tourist Information Centre : Moot Hall, Market Square. ☎ 726-45. • www.keswick.org • Ouvert tous les jours de 9 h 30 à 18 h l'été, jusqu'à 16 h 30 l'hiver. Renseignements sur les bus. Très bon accueil. Équipe dynamique et compétente.
Internet : dans les locaux de la poste, à l'étage. Ouvert du lundi au vendredi de 9 h à 17 h 30 et le samedi de 9 h à 13 h. Prévoir 3 £ (4,40 €) l'heure.
■ ***Hôpital :*** Crosthwaite Rd. À la sortie nord du bourg, en direction de l'A591 et de l'A66. ☎ 720-12. Pour les randonneurs téméraires.
Bus Terminal : au magasin *Parkers DIY,* 3 Bank St. Véritable carrefour des axes nord-sud et est-ouest.
■ ***George Fisher :*** sur Lake Rd, au centre-ville. ☎ 721-78. Ouvert tous les jours jusqu'à 17 h 30 (16 h 30 le dimanche). Immense magasin où l'on peut se procurer tout le matériel de randonnée et de camping. Location de chaussures de marche pour les têtes en l'air.

Où dormir ?

Youth Hostel : Station Rd. ☎ (08707) 70-58-94. Fax : (08707) 70-58-95. • www.yha.org.uk. • À 300 m de Market Place, juste avant le pont. Compter 15 £ (22,20 €) en chambres de 4, petit dej' compris. AJ toute simple dissimulée au bord de la rivière, à l'écart de l'agitation du centre-ville. Ce n'est pas le grand luxe, mais les parties communes comme les chambres offrent l'essentiel et l'atmosphère est conviviale.

🏠 ***Parkfield Guesthouse :*** The Heads, Keswick CA12 5ES. ☎ 723-28. • www.parkfieldkeswick.com • À 2 mn du centre-ville, dans une rue qui débouche sur Heads Rd au niveau du parking. Prévoir 54 £ (79,90 €) pour une double. Dans une maisonnette reconnaissable à ses gouttières vertes, une poignée de chambres coquettes tenues à la perfection par la souriante Susan Berry. Petit salon confortable à la déco bien léchée.

🏠 Nombreux ***B & B*** sur Eskin St.

Où manger ?

|●| ***Bryson's Tea-Room :*** 40 Main St. Ouvert de 9 h à 17 h. Salon de thé chic à l'ancienne. Après la vie rustique dans les montagnes, nouveau contact fort agréable avec la civilisation la plus traditionnelle. On y mange, mais on peut aussi acheter des pains d'épice, cakes, etc., qui donneront des forces dans les montagnes.

|●| ***The Dog and Gun :*** au début de Lake Rd, à côté de *Barclays Bank.* ☎ 734-63. Servent en continu de 12 h à 21 h. Plats de 6 à 10 £ (8,90 à 14,80 €). Un pub classique pour une cuisine traditionnelle qui tient au corps.

|●| ***The George Hotel :*** dans St John St, rue qui prolonge Market Place. Servent jusqu'à 21 h (21 h 30 le vendredi et le samedi). Fermé le dimanche. Plats de 6 à 10 £ (8,90 à 14,80 €), sandwichs autour de 4 £ (5,90 €). C'est le plus vieux pub de la ville, et ses murs en portent les traces. Vieilles cheminées autour desquelles il est agréable de s'entasser.

À faire

➢ Prendre le bateau qui fait le ***tour du lac.*** S'arrêter à *Hawes End* et faire le tour du lac à pied. Reprendre le bateau à la jetée qui correspond à *Lodore Swiss Hotel.* On passe près d'anciennes mines à Brandlehow. De là, très beaux points de vue sur les rochers des *Borrowdale Fells,* qui forment d'excellents terrains de jeux pour les grimpeurs, entre autres *Shepherd's Crag.*

👁👁 ***Friar's Crag :*** beaucoup plus facile à atteindre, au-delà de la jetée sur le bord du lac. Lieu de pèlerinage pour plusieurs raisons : c'est de là que, au XVIIe siècle, partaient les religieux qui voulaient recevoir la bénédiction de saint Herbert, le saint local, qui vivait au milieu du lac, sur son île, Saint Herbert's Island. D'autre part, John Ruskin affirmait que la vue sur le lac et les rives de l'autre côté est sublime. Alors ?

👁👁 ***Skiddaw Man :*** les courageux se lanceront à l'ascension de cette montagne (environ 1 000 m) depuis Keswick, direction Latrigg Walk au début. Traverser la rivière Greta, passer derrière le musée. Attention, ne pas rater la bifurcation Latrigg Summit-Skiddaw Man, mais après, c'est de la marche dans des paysages plutôt désolés. De là-haut, belle vue sur le lac et les montagnes Helvellyn.
Pour les paresseux, il existe un moyen de tricher et de garer sa voiture au nord de Latrigg, au bout du chemin Gate Rd, en passant par Applethwaite et Underscar. Ça raccourcit beaucoup... mais c'est un peu dommage !

➤ *DANS LES ENVIRONS DE KESWICK*

👁👁 ***Castlerigg Stone Circle :*** prendre la route A591 ou l'A66 dans Keswick. Les pierres levées se trouvent au bord de la route High Fieldside et d'une ferme, Goosewell Farm, juste à la sortie de Keswick. Ces pierres levées (une trentaine), qui datent de l'âge du bronze, sont posées en cercle dans la verdure. Assez impressionnant.

Deux *campings* à Castlerigg.

Mosedale : sortir de Keswick par l'A66, puis prendre en direction de Mungrisdale. Très joli hameau avec de grosses maisons en pierre. Prendre la route qui suit la rivière Caldew. Beaux points de vue sur les monts Carrock, connus pour leurs anciennes mines. Grande variété de pierres volcaniques à ramasser, pour les amateurs de minéraux. Paysage sauvage et désolé.

Cockermouth : grosse bourgade familiale à la frontière du Lake District. On n'y séjourne pas vraiment, mais on s'y arrête quelques heures le temps de visiter la maison natale de ***Wordsworth*** (ouverte en semaine de 10 h 30 à 16 h 30, d'avril à octobre seulement ; entrée à 3,50 £, soit 5,20 €). Quelques meubles d'époque et une poignée de documents pour les insatiables...

➢ Balades à pied vers ***Bowscale Tarn*** ou ***Skiddaw Forest*** (bonnes chaussures, carte et imperméable).

GLENRIDDING ET PATTERDALE

Comment y aller ?

➢ ***En voiture :*** quitter Keswick par l'A66 en direction de Penrith, puis prendre l'A5091 vers Glenridding et Patterdale.

Adresse et infos utiles

Tourist Information Centre : sur le parking de Glenridding. ☎ (017684) 824-14. Ouvert de 9 h à 18 h l'été, de 9 h 30 à 15 h 30 hors saison. Exposition intéressante sur le fonctionnement de la mine, du temps de son exploitation.

Internet : à la *Ratchers Tavern.*

Arrêt des bus à Glenridding et à Patterdale.

Où dormir ?

Youth Hostel : Helvellyn, Greenside-Glenridding. Accessible en voiture à partir de la route qui longe le parking de l'OT. ☎ (08707) 70-58-62. Fax : (08707) 70-58-63. • www.yha.org.uk • Prévoir environ 15 £ (22,20 €) par personne, petit dej' compris. Occupe l'ancienne résidence du directeur de la mine, une jolie maison de montagne perchée au-dessus du village. Atmosphère de refuge, avec sa courette pavée de gros galets et le torrent qui gargouille à ses pieds. Environ 60 lits. Simple mais confortable.

Youth Hostel Goldrill House : sur le bord de la route, à la sortie sud de Patterdale. ☎ (08707) 70-59-86. Fax : (08707) 70-59-87. • www.yha.org.uk • Nuitée autour de 15 £ (22,20 €), petit dej' compris. L'architecte a probablement voulu se démarquer : difficile de confondre son gros bunker blanc avec la bergerie du coin ! Du coup, le *National Trust* doit avoir du mal à s'en remettre, mais cette AJ moderne offre de nombreuses prestations et un excellent niveau de confort.

Gill Side Caravan Campingsite : à Glenridding, au-dessus du village (suivre la route qui longe le parking de l'OT). ☎ (017684) 823-46. • www.gillsidecaravanandcampingsite.co.uk •

Compter 10 £ (14,80 €) pour 2 avec tente et voiture. Un tantinet rustique, le *Gill Side* se contente d'une soixantaine d'emplacements simples regroupés au bord de la rivière. Équipements minimum, mais possibilité d'aller chercher les œufs et le lait à la ferme pour le petit dej'. Un camping bio !

Où manger ? Où boire un verre ?

À Glenridding

|●| ***The Ratchers Tavern :*** en bas de l'hôtel. Servent en continu de 12 h à 22 h. Bons plats de terroir sans fioritures, idéal pour se remettre des efforts de la journée.

|●| 🍷 ***The Traveller's Rest :*** sur la route qui longe le parking de l'OT, au bout du village. Servent tous les jours midi et soir. Un pub confortable et chaleureux au pied des sentiers, arrêt naturel des grimpeurs qui ont faim et soif...

À Patterdale

|●| ***The White Lion Inn :*** au centre du hameau, dans une maison blanche élancée dressée face à la vallée. Le soir, ambiance agréable et plats de bonne qualité. Le midi, nourriture très simplifiée (les grimpeurs n'y sont pas !).

Balades dans les environs

➢ À partir de Glenridding, découvrir la chaîne des ***monts Helvellyn :*** Lower Man (environ 1 000 m), Red Tarn, Grisedale Forest et Grisedale Tarn. De fait, les courageux peuvent marcher à partir de l'une des deux AJ du coin jusqu'à celle de Grasmere (*Youth Hostel* de Butterlip How) en prenant le sentier qui suit Grisedale Beck, puis contourne Grisedale Tarn et descend sur Grasmere par *The Old Pack Horse Road.* Bifurquer dans *Grisedale Hause* (*hause :* lieu de croisement de différents chemins). Carte, chaussures et imperméable.

➢ À partir de Patterdale, traverser la rivière et marcher vers ***Martindale.*** Belle randonnée jusqu'à ***Angle Tarn,*** lac de montagne qu'on découvre après 1 h 30 de marche. D'abord, ça grimpe plutôt raide ; bientôt, derrière soi, on n'aperçoit plus le lac, le sentier atteint une sorte de plateau, se poursuit pendant un certain temps et, enfin, au détour d'un tournant, le lac est là. Vous rencontrerez peut-être des pêcheurs avec leur matériel sur le sentier, n'hésitez pas à les suivre, ils s'y rendent. À partir de là, continuez le sentier vers *Dale Head.*
De Patterdale, après avoir traversé la rivière, on trouve aussi le chemin sur la droite qui va vers ***Hartsop.***

➢ En voiture, le long de l'A5091, s'arrêter à *Gowbarrow Park* et à partir de là, aller voir la ***cascade Aira Force*** qui se trouve plus bas. Endroit excessivement bien aménagé ; points de vue formidables sur la gorge, grâce aux ponts construits ici et là qui permettent d'admirer le travail de la nature. Gorge très étroite, chute d'eau d'autant plus puissante et bruyante. Wordsworth fit cette même promenade en compagnie d'un daim. Au pied de cette cascade, restaurez-vous à ***Aira Force Tea-Rooms,*** salon tenu par des membres du *National Trust.* Si vous avez encore des forces, promenez-vous au-dessus dans la montagne, d'où l'on a de très beaux points de vue sur le lac.

Puis rendez-vous à ***Pooley Bridge*** et faites le tour du lac vers Sandwick (prononcez « Sannick ») – où vous vous retrouverez au bord du lac – ou vers Martindale.

MARTINDALE

La route est entre deux murs de pierre, et au bout prendre un sentier à travers les fougères qui mène à Patterdale par la montagne, mais être équipé ! Visiter ***St Martin's Church*** dans cette vallée, construite au XVIe siècle, en pierre, comme les fermes de la vallée. Ensemble très isolé qui s'étend sur plusieurs kilomètres et dégage une grande impression de quiétude.
De Patterdale à Windermere ou Ambleside, on passe par Kirkstone Pass. N'oubliez pas de vous arrêter à *The Queen's Head Inn* pour vous désaltérer avant de visiter Troutbeck (voir plus haut).

LE MUR D'HADRIEN

Cette zone frontière a souvent été disputée, tantôt sous possession écossaise, tantôt sous domination anglaise. C'est aujourd'hui un coin absolument pacifique, et on ne dénote a priori rien de spécial, à part peut-être le sentiment, chez les gens du coin, d'être beaucoup plus près des métropoles écossaises qu'anglaises, et ce d'autant plus que Londres semble bien souvent les oublier. S'ensuit donc, si l'on creuse un peu, un esprit frontalier quelque peu surprenant dans un pays qui se veut d'abord île, où les seules frontières sont maritimes. Mais il est vrai que l'Écosse est effectivement un autre pays, *but that's another story.*
En tout cas, les Romains s'en étaient rendu compte et ont construit un mur (déjà) coupant littéralement l'île sur 117 km, de mer à mer, afin de protéger la frontière nord de leur empire. Les impressionnantes sections visibles aujourd'hui font désormais partie du territoire anglais.

CARLISLE

72 000 hab. IND. TÉL. : 01228

L'histoire de Carlisle se résume à une succession de conflits avec les clans écossais et les Border Reivers, des bandes de pillards très mobiles particulièrement redoutables. Du coup, l'ancienne Luguvallium a abrité une garnison depuis l'époque romaine jusqu'au XXe siècle ! Mais aujourd'hui, Carlisle a troqué son uniforme militaire pour celui d'une respectable bourgade de province, qui tient à mettre en avant sa culture frontalière et son accès privilégié au mur d'Hadrien.

Adresses utiles

- ***Carlisle Visitor Centre :*** Old Town Hall, Greenmarket. ☎ 62-56-00. Fax : 62-56-04. • www.carlislesborderlands.co.uk • De mars à octobre, ouvert du lundi au samedi de 9 h 30 à 17 h (17 h 30 en juin, 18 h en juillet et août), plus le dimanche de début avril à fin août, de 10 h 30 à 16 h ; de novembre à février, ouvert de 10 h à 16 h. Équipe volontaire. Des visites guidées de Carlisle sont proposées, ainsi que des excursions au mur d'Hadrien.
- ***Internet :*** à la *Library*, au 1er étage du *Lanes Shopping Centre*. Ouvert du lundi au vendredi de 9 h 30 à 19 h et le samedi de 9 h 30 à 16 h. Prévoir 2 £ (3 €) l'heure.
- ***Gare :*** Citadel Station. ☎ 51-54-39 ou (08457) 48-49-50.
- ***Gare routière :*** Earl Lane.
– *National Express :* ☎ (0990) 80-80-80.

Où dormir ?

Camping

⛺ ***Dalston Hall Caravan Park :*** Dalston Rd, sur la B5299 au sud de Carlisle. ☎ 571-01-65. Ouvert en saison. À 5 mn de voiture ou de bus du centre-ville, un camping tiré à 4 épingles en bordure d'un golf.

De bon marché à prix moyens

🏠 ***Craighead :*** 6 Hartington Place, CA1 1HL. ☎ 59-67-67. Fax : 59-38-01. Dans une rue perpendiculaire à Warwick Rd. Prévoir de 36 à 44 £ (53,30 à 65,10 €) pour une double. Une agréable maison victorienne reconnaissable au faux puits devant. Déco intérieure bien léchée, dans les tons rouges, et chambres confortables. Tenu par une très gentille dame.

🏠 ***Langleigh Guesthouse :*** 6 Howard Place. ☎ et fax : 53-04-40. • www.langleighhouse.co.uk • Dans une rue perpendiculaire à Warwick Rd. Double de 40 à 50 £ (59,20 à 74 €). Retirée dans une rue résidentielle paisible, cette jolie maison dispose d'une poignée de chambres spacieuses particulièrement confortables. Certaines d'entre elles bénéficient même d'une cheminée ! Une halte reposante...

🏠 ***Ivy House :*** 101 Warwick Rd. ☎ et fax : 53-04-32. • ivyhouse@amserve.com • Compter de 36 à 40 £ (53,30 à 59,20 €) pour une double, avec ou sans salle de bains. Avec 3 chambres doubles (pas de simples), on est sûr de ne pas faire trop longtemps la queue pour le petit dej' ! Un *B & B* vraiment très chouette et bien décoré. N'accepte pas les cartes de paiment.

🏠 ***Cornerways Guesthouse :*** 107 Warwick Rd. ☎ 52-17-33. Fermé pour les fêtes de fin d'année. Compter de 36 à 44 £ (53,30 à 65,10 €) pour une double, avec ou sans salle de bains. Un *B & B* qui se prend un peu pour un hôtel, hélas en y perdant de sa convivialité. Très bon entretien, chambres spacieuses. Accueil serviable. Une adresse calme. Café ou thé offert à nos fidèles lecteurs.

Où manger ?

Prix moyens

🍴 ***Watts Coffee-Shop :*** 11 Bank St. ☎ 52-15-45. Ouvert du lundi au samedi de 8 h 30 à 16 h 30. Une épicerie-salon de thé à l'ancienne, au cadre rétro à souhait. Pour le déjeuner, ça se bouscule au portillon car on y mange de bons gâteaux, des salades et des petits plats du jour sans prétention mais tout à fait appétissants. Au rayon épicerie fine, de bons *toffees,* un grand choix de thés, cafés et marmelades, etc. Accueil charmant.

🍴 ***Cecil's Treat :*** 36 Cecil St. Au pied du bâtiment *Transport & General Workers Union.* ☎ 51-48-68. Ouvert du mercredi au samedi. Service toute la journée. Plats de 6 à 10 £ (8,90 à 14,80 €). Petit restaurant semi-enterré, dont la clientèle de voisinage apprécie les omelettes nourrissantes et les *baked potatoes* goûteuses.

🍴 ***Prior's Kitchen Restaurant :*** à la cathédrale, sur Castle St. Ouvert du lundi au samedi de 9 h 45 à 16 h. Plats de 6 à 8 £ (8,90 à 11,80 €). Propose une sélection de sandwichs, *scones* salés et sucrés, petits plats mitonnés au vin comme les aimaient les abbés. On a bien aimé le bœuf médiéval et le *monk's fish crumble* (*crumble* à la lotte). Le tout dans un décor... d'époque.

🍴 ***Gianni's :*** 3 Cecil St. ☎ 52-10-93. Fermé les dimanche et lundi.

Repas de 10 à 15 £ (14,80 à 22,20 €). Un petit coin d'Italie chaleureux comme tout, où l'on savoure de bons *minestrones* et de délicieuses pizzas. Décoration très kitsch, avec photos du pays, gondole en plastique, guirlandes et plein de fanions d'équipes de foot transalpines. *Happy hour* entre 17 h 30 et 19 h.

Où boire un verre?

The Balogo : à l'angle de Warwick Rd et Lowther St. Flanqué de vastes baies vitrées, ce bar moderne aux allures d'aquarium concentre une bonne part de la jeunesse de Carlisle. Le week-end, il faut jouer furieusement des coudes pour espérer atteindre le comptoir. Atmosphère débridée.

À voir. À faire

Carlisle Castle : en bordure nord-ouest de la ville. ☎ 59-19-22. Ouvert toute l'année; d'avril à septembre, de 10 h à 18 h; en octobre, de 10 h à 17 h; de novembre à mars, de 10 h à 16 h. Entrée : 3,80 £ (5,60 €). Fondée en 1092 par les Normands, cette forteresse massive servit tour à tour de prison et de caserne jusqu'au XXe siècle. Marie Stuart fut même détenue quelques mois en 1568 dans l'une de ses tours (aujourd'hui démolie). Petite expo sur l'insurrection jacobite dans le donjon, et musée militaire dans les bâtiments attenants.

Tullie House : Castle St. ☎ 53-47-81. Ouvert tous les jours de 10 h à 17 h (16 h de début novembre à fin mars). Entrée : 5 £ (7,40 €) ; réductions. Un vaste musée un peu fourre-tout, où la section minéralogique grignote celle consacrée à la vie quotidienne, tandis que la collection sur la faune et la flore joue des coudes avec l'excellente exposition sur l'histoire de la région... depuis la préhistoire jusqu'à nos jours! Cela paraît ambitieux, mais le résultat est ludique et pédagogique. Également des expos temporaires. Dans la cour intérieure, ne pas rater la véritable *Tullie House,* inchangée depuis le XVIIe siècle.

La cathédrale : Castle St. Ouvert toute l'année de 7 h 45 à 18 h, jusqu'à 20 h l'été. Accès libre. La cathédrale de Carlisle se démarque de ses consœurs anglaises par son histoire riche en péripéties. En 1122, Henri Ier jeta son dévolu sur une collégiale du XIe siècle, dans le dessein de la hisser au rang de cathédrale en 1133. Comme de juste, les nouveaux évêques n'eurent de cesse d'embellir leur gagne-pain, profitant des incendies pour modifier à leur convenance le sanctuaire d'origine. Dernier acte pendant la guerre civile, lorsque les Écossais escamotèrent 6 travées de la nef pour remonter les murailles de la ville. Toutefois, cet étonnant patchwork architectural recèle quelques belles surprises. Le plafond médiéval de 1360, pimpant suite à sa restauration, donne une idée plus juste de l'utilisation de la polychromie dans les édifices religieux au Moyen Âge. Noter également le travail délicat des sculptures des stalles. On dit aussi que la cathédrale serait hantée par de vieux moines qui traînent dans Sandy's Passage, dans les hauteurs du bâtiment.

LE MUR D'HADRIEN

En 122 apr. J.-C., l'empereur Hadrien ordonna la construction d'une muraille pour protéger l'Empire des incursions barbares. Il fallut environ 6 ans aux 20000 légionnaires, probablement aidés par une main-d'œuvre locale, pour achever ce colosse de 117 km, étiré de la côte ouest (de Solway Firth) à la côte est (Newcastle et l'embouchure de la rivière Tyne). Plus qu'un mur de 3 m d'épaisseur sur 5 à 7 m de hauteur, c'est une véritable fortification, englobant un fossé de 10 m de large et 3 m de profondeur (côté ennemi). Il y a aussi une route parallèle au mur, elle-même flanquée d'un fossé plus étroit et cerné de 2 monticules de terre de près de 3 m sur 6 (côté romain). En outre, tous les *miles* romains se trouvait un *milescastle* en pierre, petit « fort-passage » avec 2 portes, ainsi que des baraques où logeaient les soldats. Le tout était coiffé d'une tourelle. Et entre chaque *milescastle,* 2 autres tourelles. Les soldats qui montaient la garde pouvaient ainsi se voir. Le mur n'existe plus dans son intégralité, mais certaines sections sont très bien conservées et d'autant plus spectaculaires qu'elles épousent à merveille le relief.

Comment s'y rendre ? Comment y circuler ?

➢ ***En voiture :*** l'A69 relie Carlisle à Newcastle de façon plus ou moins parallèle au mur (difficile de faire mieux que les Romains lorsqu'il s'agit de joindre deux points par une ligne droite). Cependant, au niveau de Greenhead, on peut emprunter l'ancienne voie romaine (Military Rd, ou B6318) qui longe le mur jusqu'aux environs de Newcastle.

➢ ***En bus :*** il existe un *Hadrian's Wall Bus,* opérationnel de mi-mai à fin septembre, qui dessert tous les sites historiques. Se renseigner aux différents offices de tourisme. Sinon, emprunter les compagnies régulières en service toute l'année. Infos au ☎ (08706) 08-26-08 ou sur le site • www.jplanner.org.uk •

➢ ***En train :*** environ 1 train par heure de Carlisle à Newcastle (et fort logiquement, l'inverse est également vrai). Trajet total d'environ 1 h 15. Les trains s'arrêtent à des gares telles que Haltwhistle, offrant de bons accès au cœur du mur.

➢ ***À pied :*** on peut marcher le long du mur ou de son tracé, sur l'essentiel de sa longueur, mais attention, des détours s'imposeront s'il traverse des propriétés privées ne tolérant pas les visiteurs ou ne voulant que des visiteurs payants. Pas de problèmes entre Greenhead et Chesters ; ça tombe bien, c'est la partie la plus spectaculaire.

Adresses utiles

Munissez-vous d'une carte détaillée, notamment si vous êtes à pied et que vous voulez vous y rendre depuis les gares ferroviaires.

ℹ ***Tourist Information Centres :*** • www.hadrianswallcountry.org •

– *À Haltwhistle :* à la gare ferroviaire. ☎ (01434) 32-20-02. L'été, ouvert de 9 h 30 à 13 h et de 14 h à 17 h 30, à partir de 13 h 30 le dimanche. Hors saison, ouvert de 9 h 30 à 12 h et de 13 h à 15 h 30, fermé le mercredi et le dimanche.

– *À Once Brewed :* sur la B6318. ☎ (01434) 34-43-96. Ouvert tous les jours de fin mars à fin octobre, de 9 h 30 à 17 h (17 h 30 en juin, juillet et août) ; uniquement le week-end le reste de l'année. Un modèle du genre pour la qualité de l'accueil, l'amabilité et l'efficacité. Chapeau bas ! C'est également le centre pour le Northumberland National Park.

– *À Hexham :* Wentworth Car Park. ☎ (01434) 65-22-20. Ouvert toute l'année du lundi au samedi de 9 h à 17 h (18 h l'été), le dimanche uniquement de Pâques à fin octobre.

Où dormir ?

Campings

⛺ ***Winshields Campsite :*** Winshields Farm, au nord de Bardon Mill. Au bord de la B6318, et par conséquent du mur. ☎ (01434) 34-42-43. Ouvert d'avril à octobre. Prévoir un maximum de 8 £ (11,80 €) pour 2 avec tente et voiture. Un minuscule camping à la ferme (à peine 30 emplacements), où les moutons tondent la pelouse et fertilisent la terre en attendant l'arrivée des campeurs. Très nature.

⩓ ***Roam-N-Rest Caravan Park :*** Raylton House, dans le village de Greenhead. ☎ (01697) 74-72-13. Ouvert de mars à octobre. Prévoir un maximum de 8 £ (11,80 €) pour 2 avec tente et voiture. Douches en sus. Si, si, ce jardin privatif bien tondu est un vrai camping homologué ! L'avantage, c'est qu'avec un total d'une quinzaine d'emplacements, on connaît rapidement ses voisins.

⩓ ***Burnfoot Park Village :*** au sud d'Haltwhistle. Depuis l'A69 (ne pas entrer dans Haltwhistle), prendre la direction de Alston et suivre les panneaux. ☎ (01434) 32-01-06. Ouvert de mars à octobre. Compter environ de 10,50 à 13 £ (15,50 à 19,20 €) pour 2 avec tente et voiture. Un camping de taille moyenne (environ 50 emplacements), niché au creux d'une vallée paisible, avec une petite rivière et des fermes en toile de fond. Propre.

Vraiment bon marché

Greenhead Youth Hostel : dans le village de Greenhead. ☎ (016977) 474-01. • www.yha.org.uk • Réception à partir de 13 h. Nuitée autour de 14 £ (20,70 €), petit dej' compris. Dans une ancienne chapelle, où le billard a remplacé depuis longtemps l'autel. Environ 40 lits en chambres-dortoirs simples de 6 à 8 lits. La salle d'eau mériterait quelques douches supplémentaires. Repas du soir et casse-croûte pour la journée. Chouette jardin de curé pour l'apéro.

Once Brewed Youth Hostel : Military Rd, au nord de Bardon Mill, accolée à l'OT. ☎ (01434) 34-43-60. Fax : (01434) 34-40-45. • www.yha.org.uk • Ouvert de février à novembre. Réception à partir de 13 h. Prévoir environ 14 £ (20,70 €), petit dej' compris. Charme discutable : on loge dans de vastes baraquements aux allures de caserne, qui rappellent le bon temps du mur d'Hadrien ! Comprend moins de 80 lits, répartis en dortoirs de 4 à 8 personnes. Attention, affiche souvent complet.

Prix moyens

Abbey Bridge Inn : peu avant Lanercost, à quelques miles au nord-est de Brampton. ☎ (016977) 22-24. Fax : (016977) 421-84. • www.abbeybridge.co.uk • Prévoir environ 52 £ (77 €) pour une double, petit dej' compris. Si l'on en croit la rumeur, cette belle auberge sise au bord de la rivière Irthing accueille des hôtes depuis 170 ans ! C'est dire si l'on maîtrise le sujet : une poignée de chambres proprettes et confortables, des salles rustiques à souhait pour les repas, et le sourire des proprios en prime.

Vallum Lodge : sur la Military Rd (la B6318), au niveau de Once Brewed. ☎ (01434) 34-42-48. Fax : (01434) 34-44-88. • www.vallumlodge.ntb.org.uk • Double avec ou sans salle de bains de 44 à 56 £ (65,10 à 82,90 €), petit dej' compris. Peu de charme mais idéalement situé, au pied du mur. Une poignée de chambres agréables combinant différents niveaux de confort. Bien choisir sa chambre : la B6318 est très empruntée en haute saison.

The Manor House Hotel : Main St, Haltwhistle. ☎ (01434) 32-25-88. Compter environ 44 £ (65,10 €) pour une double, petit dej' compris. Un grand pub-hôtel de village. Chambres basiques mais correctes.

Où manger ?

Il existe plusieurs *inns* à Haltwhistle mais aussi quelques-unes le long de la Military Rd. ***The Manor House Hotel*** est, ici encore, un pari sûr (voir « Où dormir ? »).

À voir

☆☆☆ ***Le fort romain et le musée de Housesteads :*** ☎ (01434) 34-43-63. Ouvert de 10 h à 18 h d'avril à septembre, jusqu'à 17 h en octobre, 16 h le reste de l'année. Entrée : 3 £ (4,40 €). Si le musée lilliputien ne présente aucun intérêt, le site de Housesteads demeure l'étape incontournable du mur d'Hadrien. Sur un site superbe de 2 ha, les vestiges impressionnants d'un des forts les mieux conservés illustrent parfaitement la vie d'une garnison et l'ingéniosité des Romains.

☆ ***Le fort romain de Birdoswald :*** petite expo ouverte uniquement de début mars à fin octobre, de 10 h 30 à 17 h, mais site accessible toute l'année. Entrée : 3 £ (4,40 €). Si vous ne disposez que de peu de temps et si vous ne voulez pas vous éloigner de la M6, vous trouverez ici quelques intéressants vestiges du système de défense frontalier romain, y compris une section du mur. Un peu maigre toutefois...

☆☆ ***Le musée de l'Armée romaine :*** à 1 km au nord-est de Greenhead, sur la B6318. ☎ (016977) 474-85. Ouvert de mi-février à mi-novembre, tous les jours à partir de 10 h. Entrée : 3,30 £ (4,90 €). Tout ce qu'il faut savoir sur la vie des soldats romains vivant à proximité du mur d'Hadrien. À noter qu'ils n'étaient que rarement romains, mais plutôt des « légions étrangères » des Gaules et des Saxons. Audiovisuel de 15 mn très bien réalisé, qui présente d'habiles reconstitutions en images de synthèse des fortifications. Ludique.

☆☆ ***Sewingshields Milecastle :*** section spectaculaire du mur offrant des vues imprenables, à 2,5 km à l'est de Housesteads. Ouverture permanente et visite gratuite.

☆ ***La tour de Branton :*** c'est l'une des tours les mieux conservées du mur. Ouverture permanente et visite gratuite.

☆☆ ***Le fort romain et le musée de Chesters :*** ouvert de 9 h 30 à 18 h d'avril à septembre, de 10 h à 17 h en octobre, jusqu'à 16 h le reste de l'année. ☎ (01434) 68-13-79. Entrée : 3,20 £ (4,70 €). Il s'agit des ruines d'un grand fort de cavalerie et de thermes ; également un musée regroupant une très importante collection de pierres, souvent sculptées, trouvées le long du mur.

☆☆ ***Vindolanda :*** ouvert en février et mars de 10 h à 16 h, d'avril à octobre de 10 h à 17 h 30 et en novembre de 10 h à 16 h. Fermé en décembre et janvier. Entrée : 4,10 £ (6,10 €). Un vaste site, qui regroupe les fondations d'un fort et du village où vivaient les femmes des soldats, leurs esclaves et les commerçants, ainsi qu'une reconstitution grandeur nature d'un pan de mur flanqué de tours. Musée intéressant.

NEWCASTLE-UPON-TYNE

200 000 hab. IND. TÉL. : 0191

Une ville qu'on peut aimer simplement à travers ses habitants : les chaleureux *Geordies.* Ceux-ci portent généralement les couleurs du culte local, le Newcastle United Football Club, maillot rayé noir et blanc, d'où leur surnom de *Magpies* (comme la *pie*). Le stade est d'ailleurs situé en plein cœur de la ville, au milieu des rues commerçantes et des nombreuses galeries commerciales. Pratiquement toute la ville est un mélange désordonné d'immeubles anciens et de bâtiments modernes sauf la belle Grey St, qui affiche un imposant style georgien du début du XIXe siècle (à cette époque, la ville était un port de commerce florissant). En profiter pour jeter un œil sur *Central Arcade,* un joli passage couvert coincé entre Grey, Market et Grainger St.

Les habitants parlent avec un fort accent, proche de l'écossais. À part le foot, ils aiment faire la fête, et Newcastle est réputé dans tout le pays pour ses chaudes soirées où la Newcastle Brown Ale (dite *Newkay Brown*), la Guinness locale, coule à flots. Parmi eux, un enfant du pays qui a fait une jolie carrière : Mark Knopfler, le leader de *Dire Straits.*

Comment y aller?

➢ ***Par la route :*** Newcastle est sur l'A1, l'axe principal nord-sud de l'est du pays.
➢ ***En train :*** Newcastle est sur la ligne Londres-Édimbourg. ☎ 08457-48-49-50.
➢ ***En avion :*** l'aéroport international, à 10 km du centre, accueille des vols quotidiens d'*Air France*. Renseignements : ☎ 286-09-66. L'aéroport est relié au centre-ville par le métro : départs toutes les 7 à 15 mn, de 6 h à 23 h environ. Prévoir 25 mn. Prix : 1,20 £ (1,80 €).
➢ ***En bateau :*** le port est relié à l'Europe du Nord. *Fjord Line :* ☎ 296-13-13. *DFDS Seaways :* ☎ 0900-333-000 ou 111.

Adresses et infos utiles

🛈 ***Tourist Information Centres*** *(plan B2, 1)* **:** 132 Grainger St. ☎ 277-80-00. Fax : 277-80-09. Ouvert du lundi au samedi de 9 h 30 à 17 h 30 (19 h 30 le jeudi); ouvert le dimanche de juin à fin septembre et pendant les congés, de 10 h à 16 h. Autre bureau dans la gare ferroviaire *(plan A3, 2)*, ouvert du lundi au samedi de 9 h 30 (9 h le samedi) à 17 h. Efficace et attentif.
✉ ***Post Office*** *(plan B2)* **:** bureau principal sur Mosley St.
@ ***Internet Exchange*** *(plan B2)* **:** à l'angle de Market St et du passage *Central Arcade*. Ouvert du lundi au vendredi de 9 h 30 à 20 h, le samedi de 10 h à 20 h et le dimanche de 11 h à 18 h. Compter 2 £ (3 €) l'heure.
🚌 ***Terminal de bus*** *(plan A2)* **:** à l'angle de Gallowgate et Corporation St.
🚂 ***Gare*** *(plan A3)* **:** Neville St. ☎ (08457) 48-49-50. Trains fréquents pour Londres, York, Carlisle, Glasgow et Édimbourg.
– ***M comme Métro :*** le métro de Newcastle est pratique et efficace. Ses quelques stations couvrent les points clés, de 5 h 30-6 h à environ minuit. Ticket journalier avec trajets illimités pour 3 £, soit 4,40 € (utilisable à partir de 9 h; avant, tarifs plus élevés).

Où dormir?

Bon marché

Le sympathique quartier de Jesmond est à 2 stations du centre et concentre un grand nombre de petits hôtels et de *B & B.*

🏠 ***Youth Hostel :*** 107 Jesmond Rd (l'A1058), Jesmond. ☎ 281-25-70. Fax : 281-87-79. • www.yha.org.uk • Ⓜ Jesmond. À 300 m du métro. Autour de 15 £ (22,20 €), petit dej' compris. Une grande bâtisse toute simple, un peu excentrée, équipée d'une soixantaine de lits répartis en chambres de 4, 6 ou 8. Également une petite poignée de doubles (réserver). En revanche, l'A1058 ne favorise pas franchement les grasses mat'...
🏠 ***University of Northumbria :*** Campus Halls of Residence, Coach Lane. ☎ 227-40-24. Fax : 227-31-97.

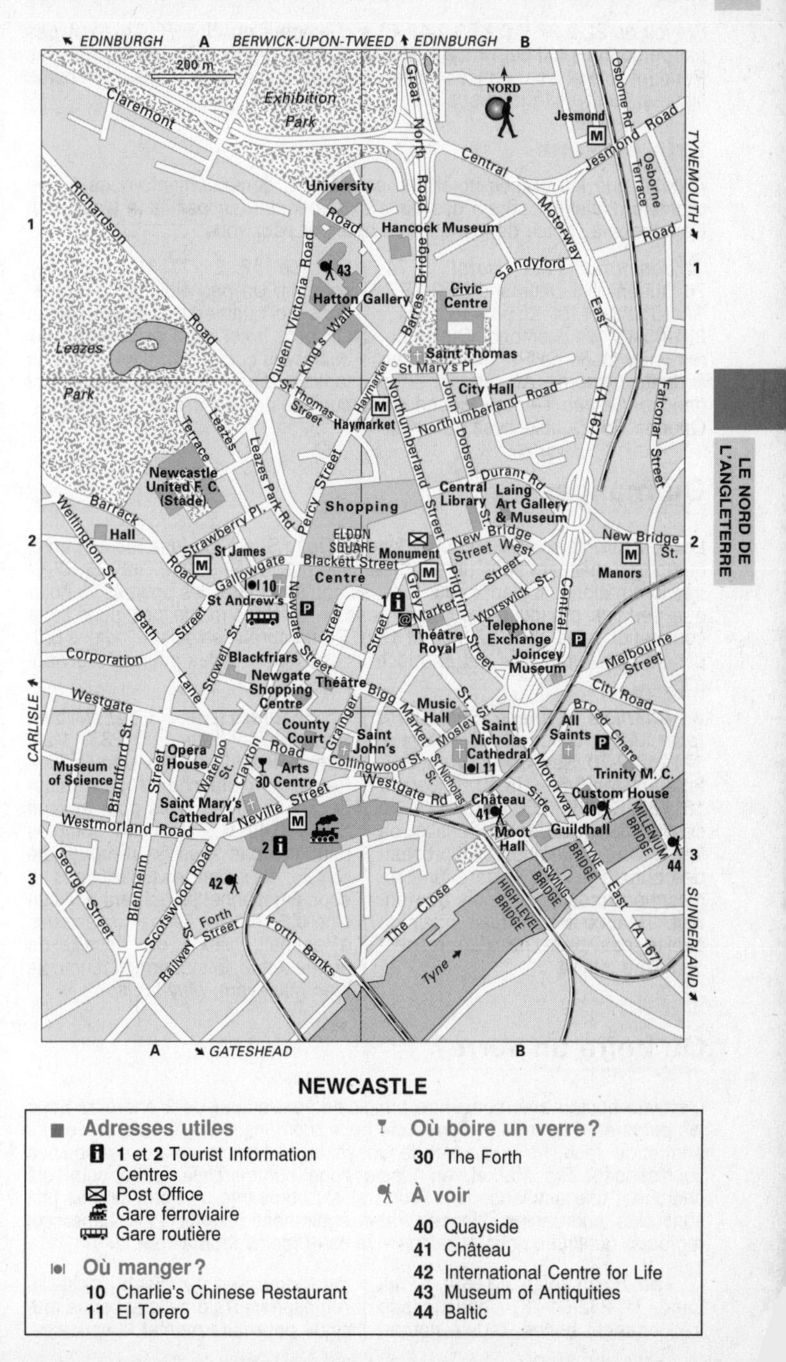

NEWCASTLE

Adresses utiles
- 1 et 2 Tourist Information Centres
- Post Office
- Gare ferroviaire
- Gare routière

Où manger ?
- 10 Charlie's Chinese Restaurant
- 11 El Torero

Où boire un verre ?
- 30 The Forth

À voir
- 40 Quayside
- 41 Château
- 42 International Centre for Life
- 43 Museum of Antiquities
- 44 Baltic

Prévoir de 22 à 27 £ (32,60 à 40 €) par personne, petit dej' non compris. Pendant l'été et les vacances universitaires, l'université loue ses 300 (!) chambres en *B & B*. Ce n'est pas du plus grand raffinement, mais les campus sont bien situés et entourés de verdure.

Prix moyens

À noter que les grands hôtels du centre-ville, généralement voués à une clientèle d'affaires, offrent des tarifs extrêmement compétitifs le week-end. Demandez à l'office de tourisme de réserver pour vous.

Jesmond Park Hotel : 74-76 Queens Rd, Jesmond NE2 2PR. ☎ 281-28-21 et 281-19-13. Fax : 281-05-15. Ⓜ Jesmond. Du métro, remonter Osborne Rd, puis prendre à droite Osborne Avenue; la 1re à gauche, Gowan Terrace, donne sur Queens Rd. Double avec bains autour de 52 £ (77 €), petit dej' compris. Un peu éloigné du centre, dans un quartier résidentiel calme. Un petit hôtel sans prétention, aux chambres confortables à la déco un tantinet fanée. Salon agréable. Accueil des plus corrects.

Où manger?

Les restaurants se concentrent le long de Dean St et Side (une rue en pente, qui tourne, passant sous un pont), dans le prolongement de Grey St. C'est très international, il y en a pour tous les goûts et toutes les bourses. À noter que certains pratiquent le *happy hour* en soirée : moitié prix pour toute commande prise entre 17 h 30 et 19 h. De nombreux chinois et indiens proposent des formules « eat as much as you like » à des tarifs très économiques.

Charlie's Chinese Restaurant *(plan A2, **10**)* : 41 Gallowgate. ☎ 221-22-70. Sert jusqu'à 23 h. Buffet à environ 5,50 £ (8,10 €) jusqu'à 18 h 30, 6,50 £ (9,60 €) au-delà. La cantine pékinoise de Newcastle, où les *Geordies* de tout poil profitent des buffets à volonté dans une atmosphère brouillonne mais bon enfant. Beaucoup de débit, mais la qualité des plats ne s'en ressent pas. Une affaire.

El Torero *(plan B3, **11**)* : Milburn House, The Side. ☎ 233-11-22. Servent le midi et le soir jusqu'à 23 h. Fermé le dimanche. *Tapas* autour de 3 £ (4,40 €), plats pour environ 7 £ (10,40 €). Nous ne sommes peut-être pas sous les remparts de Séville, mais Carmen n'aurait pas un choc émotionnel en goûtant à la cuisine d'*El Torero*. Tapas hispaniques à souhait, paella ou *bacallà* de bonne tenue, le tout arrosé d'un rioja bien gouleyant. *Muy bonito !*

Où boire un verre?

L'activité nocturne se concentre principalement autour de 2 endroits. Sous les ponts et le long de la Tyne, une belle promenade a été aménagée, qui permet de découvrir le quartier de Quayside, où l'on trouvera une ambiance sophistiquée. Big Market, en pleine zone commerciale, attire ceux qui cherchent une ambiance plus jeune et plus bruyante. À Percy St, les prix sont plus abordables. Ne pas rater également l'étroite Pink Lane, qui regroupe quelques pubs et restos vivants et moins tape-à-l'œil.

The Forth *(plan A3, **30**)* : Pink Lane. ☎ 232-64-78. Chouette pub fréquemment bondé, réputé notamment pour ses excellents cocktails. Atmosphère fraternelle et bonne musique pour faire monter la sauce.

À voir. À faire

Quayside *(plan B3, **40**)* **:** pour sa perspective sur l'armada de ponts qui traversent la Tyne.

Le château *(plan B3, **41**)* **:** St Nicholas St. Ouvert tous les jours de 9 h 30 à 16 h 30 (17 h 30 en saison). Entrée : 1,50 £ (2,20 €) ; réductions. Au XIIe siècle, Henri II fit construire un château à la place du New Castle, un premier fort bâti en 1080 par Robert Courteheuse. L'urbanisation n'a épargné que le donjon, qui abrite aujourd'hui quelques collections historiques.

Museum of Antiquities *(plan A1, **43**)* **:** Newcastle University. Ouvert du lundi au samedi de 10 h à 17 h. Entrée gratuite. Un petit musée clair et accueillant, principalement consacré à la période romaine : maquettes du mur d'Hadrien, quelques beaux bijoux délicatement ciselés, ou encore une reconstitution d'un temple de Mithra avec des pierres originales.

Baltic *(plan B3, **44**)* **:** Gateshead Quays. ☎ 478-18-10. • www.balticmill.com • Ouvert du lundi au samedi de 10 h à 19 h (22 h le jeudi) et le dimanche de 10 h à 17 h. Entrée gratuite. À l'instar du papillon après l'épreuve de la chrysalide, la réhabilitation de cet odieux silo à grains a donné naissance à l'un des plus grands centres d'art contemporain d'Europe. Il totalise plus de 3000 m², entièrement consacrés aux expositions temporaires. Se renseigner sur le programme. Restaurant panoramique (fermé le dimanche soir) au dernier étage.

Laing Art Gallery *(plan B2)* **:** Higham Place. ☎ 232-77-34. Ouvert du lundi au samedi de 10 h à 17 h et le dimanche à partir de 14 h. Entrée gratuite. Abrite différentes expositions temporaires, ainsi qu'une intéressante collection de peintures d'artistes anglais du XVIIIe siècle, comme Gainsborough, ou des préraphaélites comme Edward Burne-Jones.

International Centre for Life *(plan A3, **42**)* **:** à l'arrière de la gare centrale. ☎ 243-82-10. • www.centreforlife.co.uk • Ouvert du lundi au samedi de 10 h à 18 h et le dimanche de 11 h à 18 h. Entrée : 7 £ (10,40 €) ; réductions. Un espace génial bourré de technologies d'avant-garde, destiné à approfondir les sciences du corps et de la vie : biologie, bioéthique et génétique. Toutes sortes de stands interactifs jalonnent la visite, comme des jeux vidéos, des tests de logique, ou un cinéma dynamique ayant pour thème le monde des dinosaures. Les enfants ne s'y ennuieront pas une minute !

Fête

– **Hoppings :** la dernière semaine de juin. La plus grande fête foraine d'Europe. Coïncide avec *Raceweek,* consacrée aux courses de chevaux. Et pourquoi pas faire d'une pierre deux coups pour dépenser toutes ses économies ?

LE NORTHUMBERLAND

Petit coin oublié d'Angleterre, à la pointe nord-est du pays. C'est beau, c'est sauvage, ça a des airs d'Écosse, et ça a d'ailleurs été écossais. Il y a beaucoup de beaux châteaux le long de cette côte superbe. Notons la présence d'Alnwick Castle, fief de Harry Potter (voir plus loin).

BERWICK-UPON-TWEED

12800 hab. IND. TÉL. : 01289

Au XIVe siècle, les Anglais s'emparèrent de cette petite ville écossaise fort prospère, qui changera par la suite 14 fois de propriétaires. Paradoxalement,

Berwick fait aujourd'hui figure de ville oubliée de l'Angleterre. Rien d'étonnant à cela, car elle se sent toujours très écossaise. Pour preuve : son équipe de foot joue dans le championnat d'Écosse.
Une anecdote insolite : la ville est toujours officiellement en guerre contre la France ! En 1739, l'Angleterre, le pays de Galles et l'Irlande déclarèrent la guerre à la France. Berwick y fut associée. La paix fut signée en 1747, au cours d'un traité réunissant les différentes forces en présence. Mais voilà : Berwick fut oubliée et n'assista pas au tour de table. Du coup, la ville ne signa jamais officiellement la paix avec l'Hexagone.
Enfin, sachez que le tweed, utilisé pour faire de belles vestes en laine indémodables, ne provient pas du tout d'ici mais d'îles situées à l'ouest de l'Écosse.

Adresses utiles

i ***Tourist Information Centre :*** 106 Marygate. ☎ 33-07-33. Fax : 33-04-48. • www.berwickonline.org.uk • De Pâques à juin, ouvert tous les jours de 10 h à 18 h ; de juillet à septembre, jusqu'à 19 h ; le reste de l'année, ouvert du lundi au samedi jusqu'à 16 h.

✉ ***Post Office :*** High St, Marygate.

Où dormir ?

🏠 ***Berwick Backpackers :*** 56-58 Bridge St. ☎ 33-14-81. • bkbackpacker@aol.com • Compter 10 £ (14,80 €) par personne, en dortoir de 4 à 6 lits. Une maisonnette simple au confort des plus sommaires mais correct, retirée dans la partie basse de la vieille ville. Pour les matelots accommodants ou les routards au long cours.

🏠 ***Mansergh House :*** 86 Church St. ☎ et fax : 30-22-97. Double pour 46 £ (68,10 €), petit dej' inclus. Une jolie maison de ville, tenue par un couple charmant et germanophone (pour ceux qui se sentiraient plus à l'aise dans la langue de Goethe !). Chambres calmes et confortables, avec TV. Plusieurs menus au petit dej' (saumon fumé, végétarien...).

Où dormir dans les environs ?

🏠 ***Ladythorne House :*** à Cheswick, à 5 mn au sud de Berwick. ☎ 38-73-82. Fax : 38-70-73. • www.ladythorneguesthouse.freeserve.co.uk • Compter de 35 à 40 £ (51,80 à 59,20 €) pour une double. Restaurée par un couple dynamique, cette belle demeure georgienne isolée en pleine campagne a retrouvé l'éclat de 1721. Chambres coquettes et spacieuses, salons TV à disposition, très confortables. Accueil exemplaire, à l'image du petit dej' copieux où trône la fameuse spécialité écossaise : le *haggis* !

Où manger ?

|●| ***The Cobbled Yard Hotel :*** 40 Walkergate. ☎ 30-84-07. • www.cobbledyardhotel.com • Servent tous les jours jusqu'à 22 h. Plats autour de 4 £ (5,90 €). Bon, ce n'est pas franchement de la gastronomie de haute volée, mais les plats solides comme le *Northumbrian Hot Pot* s'en tirent avec les honneurs. Et puis, la petite salle accueillante a le mérite de combler d'aise les convives...

À voir

👓 ***Les remparts :*** Berwick est l'une des rares villes de Grande-Bretagne à avoir conservé l'intégralité de ses remparts. Ils étaient destinés à la protéger au nord des attaques écossaises mais aussi d'une garnison française, alliée de Mary Stuart. Du côté de la mer, la ville craignait le débarquement des armadas françaises ou espagnoles. Ironiquement, ces remparts n'ont jamais servi après leur édification par Élisabeth Ire en 1558-1570. L'architecte italien avait pourtant réalisé des plans révolutionnaires : la construction d'énormes remblais aux grandes propriétés d'absorption, au lieu des traditionnels murs de pierre, peu efficaces contre des canons de plus en plus puissants. Le château n'existe plus : les pierres qui le composaient ont servi, au début du XVIIIe siècle, à construire le pont du chemin de fer qui traverse la Tweed.

Town Hall Tower : noter son intéressante conception multi-usages : mairie, marché couvert, prison et, tout en haut, phare. Astucieux ! De Pâques à fin septembre, visites guidées en semaine à 10 h 30 et 14 h (1,50 £, soit 2,20 €).

➤ DANS LES ENVIRONS DE BERWICK

Holy Island : île seulement à marée haute, accessible en voiture à marée basse (avant de vous aventurer dans l'île, vérifiez les horaires des marées affichés par les autorités à l'entrée de la route). Cet austère bout de terre battu par les vents et la tempête a pourtant séduit le fameux saint Cuthbert, qui s'y retira au VIIe siècle dans la paix et la solitude. Les ruines d'un monastère témoignent de cette lointaine époque.
L'île eut aussi une vocation militaire : cela s'explique par sa position stratégique, véritable mirador le long de cette côte éventée. On y trouve donc un château sur son piton rocheux visible tout le long de la côte (accès payant, ouvert l'après-midi de Pâques à octobre).
Holy Island offre en outre de nombreuses balades sur des plages sauvages, où l'on peut parfois se retrouver seul avec le vent et face à la mer du Nord.

Bamburgh Castle : ouvert de Pâques à octobre, de 11 h à 17 h. Visite payante. Château aussi spectaculaire par son allure et sa grandeur (et quelle allure !) que par son site remarquable : il est flanqué d'une plage superbe, côté est, et d'une pelouse gigantesque et magnifique, comme seuls savent le faire les Anglais, sur le côté ouest. Se visite en partie.

ALNWICK (prononcer « Annick ») IND. TÉL. : 01665

Alnwick attirera avant tout l'amateur de châteaux. La noble bâtisse a servi de décor au film *Robin des Bois,* avec Kevin Costner, et plus récemment à *Harry Potter,* et est habitée par un duc dont la famille en est propriétaire depuis toujours (littéralement).
Sinon, c'est une petite ville aux maisons en pierre de taille, agréable pour une courte étape.

Adresses utiles

Tourist Information Centre : The Shambles, 1 Market St. ☎ 51-06-65. • www.alnwick.gov.uk • En saison, ouvert tous les jours de 9 h à 17 h (18 h 30 l'été, sauf le dimanche : 17 h) ; hors saison, ouvert du lundi au samedi de 9 h 30 à 16 h, fermé le dimanche.

Post Office : en face de l'office de tourisme.

Où dormir ?

The Teapot : 8 Bondgate Without, NE66 1PP. ☎ 60-44-73. Compter de 40 à 44 £ (59,20 à 65,10 €) pour une double, avec salle de bains privée ou commune. Un *B & B* douillet aux allures de bonbonnière, où

LE NORD DE L'ANGLETERRE

la charmante hôtesse partage son temps entre les joies de la cuisine et sa collection de théières. Après avoir fait le ménage parmi les bibelots pour poser sa valise, les chambres s'avèrent franchement confortables et accueillantes.

Rooftops : 14 Blakelaw Rd. ☎ 60-42-01. Prévoir 39 £ (57,70 €) pour 2. Une seule chambre, mais quel confort ! La salle de bains est, à elle toute seule, plus grande que certaines chambres d'hôtel. Et Mme Blair s'assurera que vous n'avez pas de petite faim sur le coup des 11 h.

Norfolk : 41 Blakelaw Rd. ☎ 60-28-92. Compter 46 £ (68,10 €) pour une double. Dans une rue calme, une maison récente confortable et bien tenue. Chambres agréablement meublées, petit salon TV à disposition.

Où manger ?

Le choix est plus grand pendant la journée, où l'on trouvera des salons de thé chaleureux comme le ***Copperfields*** (en face de l'OT), dont les gâteaux parfumés attirent le chaland jusqu'à 16 h. En soirée, quelques pubs offrent des snacks corrects.

À voir

Le château : ouvert de début avril à fin octobre, de 11 h à 17 h. Fermé le vendredi. • www.alnwickcastle.com • Entrée : 7,50 £ (11,10 €). Vaste et superbe forteresse médiévale, d'où le duc de Northumberland, 12e du nom en droite ligne depuis 1303, gère son énorme patrimoine. Possibilité de prendre un ticket combiné avec l'accès aux jardins (10 £, soit 14,80 €), pour les fans de cascades domptées et de pergolas colorées.

Percy Column : cette colonne de 25 m, près de Bondgate Without, fut érigée par les fermiers du duc en son honneur, lorsque celui-ci baissa les impôts de 25 % au temps de la guerre contre Napoléon. On dit que lorsqu'il vit ce que pouvaient financer ses paysans, il rehaussa dare-dare leurs taxes !

Barter Books : Alnwick Station. ☎ 60-48-88. Ouvert tous les jours de 9 h à 17 h (19 h le jeudi). Face à la mystérieuse Percy Column, cette gare reconvertie est l'une des plus grandes et certainement des plus chouettes librairies de livres d'occasion d'Angleterre. Différents coins lecture, avec bon feu de cheminée et machine à café à dispo.

➤ DANS LES ENVIRONS D'ALNWICK

Warkworth Castle : à Warkworth. Ouvert de 10 h à 18 h de début avril à fin septembre, jusqu'à 17 h en octobre, 16 h le reste de l'année (fermé à l'heure du déjeuner en hiver). Entrée : 2,60 £ (3,80 €) ; réductions. Ce très beau château perché au-dessus de la rivière Coquet donne une idée de la puissance des ducs de Northumberland. On a du mal à imaginer qu'il ne s'agissait là que d'une résidence secondaire ! Le donjon du XIVe siècle, quasi intact, a été conçu comme un ouvrage de défense, mais également comme un lieu de confort et de plaisir. On savait vivre, à l'époque !

LE PAYS DE GALLES

Vous avez bien fait de choisir cette destination un peu hors des sentiers battus, vous n'en serez qu'agréablement surpris. Au programme, de très belles plages de sable, des montagnes, une multitude de châteaux forts et beaucoup de moutons (4 pour 1 habitant !). Le nord est littéralement dominé par le Snowdon (*Yr Wyddfa* en gallois), 1 085 m, point culminant des *monts Cambrians,* très vieilles montagnes parsemées de lacs, chutes d'eau, forêts, plateaux dénudés, qui donnent cet aspect sauvage et si particulier à ce pays. Les randonneurs (et les autres !) trouveront aussi leur bonheur au sud, sur les falaises sauvages du *Pembrokeshire Coast* ou dans le célèbre parc du *Brecon Beacons.* Ne manquez pas non plus *Cardiff,* capitale dynamique et fief du rugby. À l'image des Bretons, les Gallois sont fiers de leur culture et si, comme le prince Charles (de Galles !), vous faites un effort pour baragouiner quelques mots dans la langue du pays, à coup sûr, vous ne craindrez plus les *red dragons* !

COMMENT SE RENDRE AU PAYS DE GALLES ?

En avion

De Paris et Bruxelles, la compagnie *British Airways* organise plusieurs vols quotidiens à destination de l'aéroport international de Cardiff. Voir aussi les aéroports de Bristol et de Manchester, les plus proches du pays de Galles et bien desservis en train.

En voiture

Pas de problème. Des routes nationales (A...) et autoroutes (M4) relient le pays de Galles à l'Angleterre. Au fait, vous le saviez peut-être déjà ou vous le devinerez très vite, ON ROULE À GAUCHE. *Attention :* la plupart des parkings sont payants même le dimanche, y compris dans les villages les plus reculés. Munissez-vous d'une bonne carte routière détaillée et préparez un budget conséquent car ça relève parfois de l'extorsion.

En train, de Londres

➢ *Vers le nord :* par Euston Station. Correspondance à Birmingham New St pour Shrewsbury, Newtown, Aberystwyth. Plusieurs départs par jour pour la région côtière du nord du pays de Galles.
➢ *Vers le sud et l'ouest :* par Paddington Station. Des trains directs quotidiens pour Newport, Cardiff, Swansea, Carmarthen et Abergavenny.

UN PEU D'HISTOIRE

Le pays de Galles est rattaché à la Couronne d'Angleterre depuis 1284. Ce fut le roi Édouard Ier qui fit plier le peuple gallois après avoir vaincu Llywelynap Gruffudd et son frère Dafydd, le dernier prince de Galles. Pour assurer son autorité, il construisit plusieurs forteresses aux points stratégiques du pays de Galles – châteaux qu'on peut visiter aujourd'hui. Il installa aussi des marchands et des hommes de loi qui lui étaient fidèles dans plusieurs villes, au détriment des habitants du cru, ce qui affermit définitivement son pouvoir.

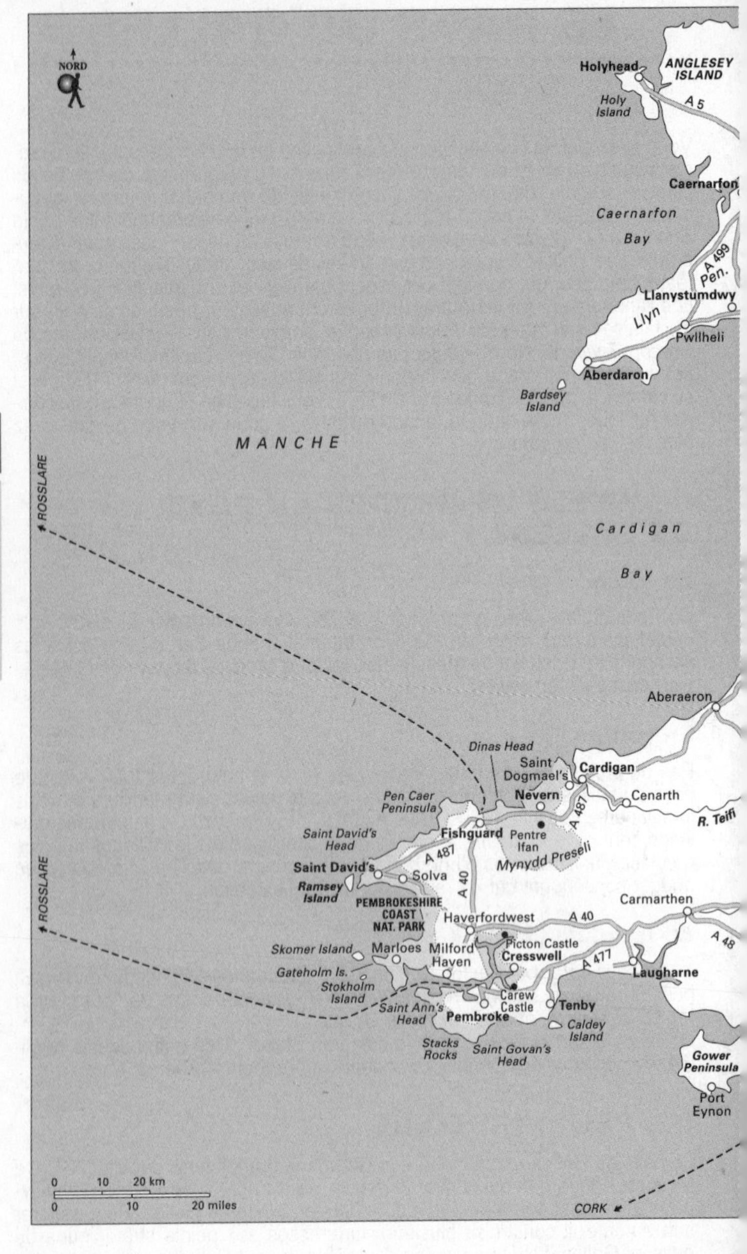
NORD
Holyhead
ANGLESEY ISLAND
Holy Island
A 5
Caernarfon
Caernarfon Bay
A 499
Pen.
Llanystumdwy
Llyn
Pwllheli
Aberdaron
Bardsey Island
MANCHE
ROSSLARE
Cardigan Bay
Aberaeron
Dinas Head
Saint Dogmael's
Cardigan
Nevern
Cenarth
Pen Caer Peninsula
A 487
R. Teifi
Saint David's Head
Fishguard
Pentre Ifan
A 487
Mynydd Preseli
Saint David's
Solva
A 40
Ramsey Island
PEMBROKESHIRE COAST NAT. PARK
Carmarthen
ROSSLARE
Haverfordwest
A 40
A 48
Skomer Island
Marloes
Milford Haven
Picton Castle
Cresswell
A 477
Gateholm Is.
Laugharne
Stokholm Island
Carew Castle
Tenby
Saint Ann's Head
Pembroke
Caldey Island
Stacks Rocks
Saint Govan's Head
Gower Peninsula
Port Eynon
0 10 20 km
0 10 20 miles
CORK

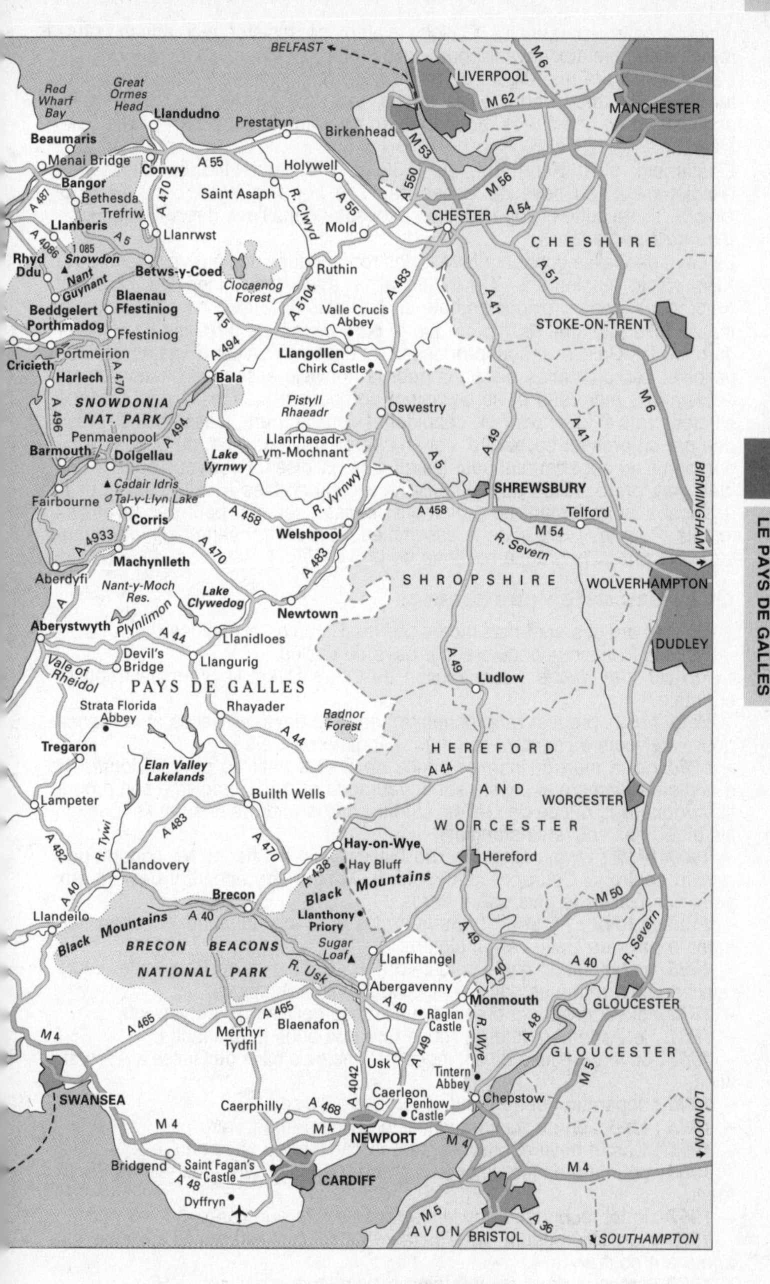

LE PAYS DE GALLES

Jusqu'à cette époque, les Gallois avaient su résister aux envahisseurs romains comme aux envahisseurs saxons. Le roi Offa, roi saxon du VIIIe siècle, fit construire une digue, un mur *(dyke)* pour maintenir ceux-ci sur leur territoire. On trouve encore les traces, tout le long de la frontière gallo-anglaise, et un chemin de randonnée en perpétue le souvenir : *Offa's Dyke Path.*

Finalement, c'est Henri VIII, en 1536 et 1542, qui officialisa l'union de l'Angleterre et du pays de Galles par *The Laws in Wales Acts (Acts of Union).* Toute cette histoire est bien expliquée dans l'une des salles du *château de Caernarfon.*

Le pays de Galles connut la faveur des romantiques de l'ère victorienne. Au XIXe siècle également, il s'industrialisa avec les mines de charbon. Aujourd'hui, cette province compte un peu plus de 3 millions d'habitants.

Il aura fallu attendre 1997 pour que le parti travailliste organise un référendum, où les Gallois se sont prononcés à 50,3 % en faveur d'une assemblée galloise. Les premières élections pour la nouvelle assemblée nationale ont eu lieu le 6 mai 1999 et se déroulent dorénavant tous les 4 ans. Chaque électeur vote 2 fois : pour un candidat et pour un parti. L'assemblée, présidée par un premier secrétaire, est en charge de la gestion, du budget et du personnel du département pour les affaires galloises. Pour vous donner une idée, ses prérogatives sont globalement comparables à celle d'un conseil régional. Contrairement au parlement écossais, elle ne peut pas lever des impôts. Pour les Gallois, cette assemblée représente néanmoins une avancée vers une plus grande politique de proximité.

Quelques dates marquantes

– ***62 :*** les druides sont massacrés par les Romains à Anglesey.
– ***78 :*** les Romains conquièrent le pays de Galles.
– ***Fin du VIIIe siècle :*** construction du Offa's Dyke, la première frontière orientale.
– ***Vers 1160 :*** premier rapprochement entre le pays de Galles et la France pour lutter contre l'ennemi commun, l'Angleterre. Déjà !
– ***1284 :*** à la mort du dernier prince de Galles natif du pays, Édouard Ier d'Angleterre intègre le pays à son royaume et en 1301 proclame son propre fils, Édouard II, prince de Galles. Un titre que prendront désormais tous les fils aînés des souverains anglais.
– ***1400-1415 :*** Owain Glyn Dwr de Galles, allié à Charles VI, conduit une révolte contre la Couronne d'Angleterre. Malgré son échec, il devient aux yeux des Gallois le plus grand héros.
– ***1536 et 1542 :*** 1res et 2es *Laws in Wales Acts,* lois qui annexent définitivement le pays de Galles à l'Angleterre.
– ***1865 :*** implantation d'une colonie de 163 Gallois (!) en Patagonie. Leurs descendants, bilingues gallois-espagnol, y vivent toujours.
– ***1872 :*** ouverture de la première université galloise à Aberystwyth.
– ***1881 :*** le Parlement interdit l'ouverture des pubs le dimanche.
– ***1907 :*** ouverture de la Bibliothèque nationale du pays de Galles à Aberystwyth.
– ***1920 :*** séparation entre l'État et l'Église galloise.
– ***1925 :*** fondation du parti nationaliste gallois Plaid Cymru.
– ***1955 :*** Cardiff devient officiellement la capitale du pays de Galles.
– ***1966 :*** pour la première fois, un membre du Plaid Cymru est élu au Parlement.
– ***1967 :*** la loi reconnaît le gallois au même titre que l'anglais.
– ***1979 :*** un référendum sur l'instauration d'une assemblée galloise est rejeté à 4 contre 1.
– ***1982 :*** création de la chaîne télévisée en langue galloise, S4C.
– ***1988 :*** le gallois devient matière obligatoire à l'école, dans les régions où la langue est parlée majoritairement.

– ***1993 :*** deuxième loi sur la langue, qui remplace celle de 1967 et renforce le statut du gallois dans son application. Ce dernier doit être traité à égalité avec l'anglais, dans le secteur public.
– ***1996 :*** tous les pubs du pays de Galles ouvrent désormais le dimanche.
– ***1997 :*** le référendum sur la création d'une assemblée galloise est voté à 50,3 %.
– ***1999 :*** premières élections à l'assemblée nationale. Le pays de Galles accueille la finale de la Coupe du monde de Rugby.
– ***2003 :*** le parti travailliste remporte massivement les élections à l'assemblée nationale galloise.

LE PAYS DE GALLES À L'ORIGINE DE LA BRETAGNE

C'est une très vieille histoire, liée à la mer. Elle rappelle que les origines de la Bretagne remontent en majeure partie à un grand mouvement migratoire issu du pays de Galles (ainsi que de Cornouailles et un peu d'Irlande).
Tout a commencé vers le Ve siècle apr. J.-C. À l'époque, l'île de Bretagne (l'actuelle Grande-Bretagne) est essentiellement peuplée de Bretons. Les dernières légions de l'Empire romain, incapables de résister aux pressions des « Barbares » qui s'exercent sur les immenses frontières de l'Empire, refluent, laissant la voie libre aux Pictes et aux Scots (au nord) et aux Angles, Jutes et Saxons à l'est. Peu à peu, les envahisseurs repoussent les Bretons dans les régions montagneuses de Cambrie (ancien nom du pays de Galles), de Cornwall (Cornouailles, où s'illustra le légendaire roi Arthur), ou dans le Devon (Domnonée). Beaucoup préfèrent s'enfuir en franchissant la « mer Bretonne » (la Manche) pour se réfugier en Armorique (l'actuelle presqu'île de Bretagne, en France), où les clans se reforment. Cette grande migration a duré de 450 jusqu'à 720 environ. Chrétiens, débarqués en Armorique, ils baptisent « Petite Bretagne » cette nouvelle terre à la pointe de l'Europe occidentale, en souvenir du pays qu'ils ont laissé derrière eux. Réflexe naturel chez des émigrés convertis au christianisme : en Bretagne, ils créent les premiers monastères, construisent des ermitages, fondent des paroisses, en leur donnant les mêmes noms qu'en Galles. De là vient la similitude frappante entre les actuels noms de lieux bretons et gallois. Autre preuve de ces liens millénaires : beaucoup de noms de communes du pays de Galles commencent, comme en Bretagne, par la particule « Llan », « Tre » ou « Aber ». En revanche, pour la prononciation, rien à voir.
Pour maintenir à l'époque le flambeau religieux, on fit venir l'élite spirituelle des monastères gallois. De nombreux moines baroudeurs deviendront ainsi les saints les plus célèbres de Bretagne et des fondateurs de villes : David (le saint patron du pays de Galles), Samson (« Samzun » en breton), Malo (qui fonda la ville de Saint-Malo), Brieuc (Saint-Brieuc), Guirec (qui a donné son nom à Perros-Guirec). Sans oublier d'autres moines aventuriers : Gwenolé, Tugdual (un des 7 saints fondateurs d'évêchés bretons), Goueznou, Illtud (découvreur de l'aber), Goneri, Gildas (Gweltaz), Méen, Thelo (au pays de Galles, on compte 25 *Llandeilo*).
Ces *boat-people* du Ve siècle parlaient tous la même langue, le brittonique. En raison de l'évolution linguistique, un Breton d'aujourd'hui comprendra à peine la langue galloise alors qu'un Gallois pourra saisir le sens d'une phrase bretonne.

LANGUE GALLOISE

Au fil des siècles et malgré l'imposition de l'anglais comme unique langue officielle en 1536, le gallois a su résister à son envahissant voisin. Fait amusant qui symbolise bien l'amour entre les 2 peuples : *Cymrû,* nom gallois du pays, signifie « compatriotes » alors que *Wales* vient de l'anglais *wealhas,* étranger. Dans le même ordre d'idée, l'anglais *that's welsh to me* veut dire « je ne comprends pas ».

Aujourd'hui, 20 % de la population parle le gallois et le chiffre s'élève à 80 % dans certaines régions du nord et de l'ouest. La langue n'a de cesse d'être valorisée : légalement, par la loi de 1993 qui stipule l'égalité dans le secteur public entre l'anglais et le gallois, et dans la vie quotidienne, emballages, publicité, factures et administration judiciaire, par exemple, devant être rédigés dans les 2 langues. L'assemblée nationale est bilingue depuis sa création. De plus, l'éducation se fait en gallois jusqu'au bac dans certaines régions et les médias fleurissent : les radios ont commencé à émettre uniquement en gallois dans les années 1970 et la première chaîne de télévision européenne en langue minoritaire, S4C, a été créée en 1982. Depuis, son succès ne s'est pas démenti. Bien sûr, il reste encore beaucoup à faire pour promouvoir la langue. Elle fait partie de l'identité des Gallois et, surtout, contribue à les distinguer de l'Angleterre.

Rappelons que le gallois n'est ni un patois ni un dialecte de l'anglais (inutile de rendre vos hôtes susceptibles !). C'est une langue d'origine celte, comme le breton, avec qui le gallois partage d'ailleurs des similitudes : *bara* (pain), *gwyn* (blanc), *pen* (tête), *du* (noir), *merch* (fille), *mam* (mère), ainsi qu'une syntaxe et une grammaire identiques. Plus étonnant, le gallois se rapproche par certains aspects du français. On y distingue par exemple le « tu » et le « vous », le masculin du féminin, ce qui n'est pas le cas de l'anglais. On dit *mur, un, pont* (« t » sonore), *pûr, mil* (1 000), *ffenestr*. En revanche, il n'existe pas de *j, k, q, v, x* ou *z* dans l'alphabet. Toutes les lettres se prononcent... certaines un peu plus difficilement que d'autres. Par exemple, le *c* toujours comme le *k* en français, le *ch* est l'équivalent du *c'h* breton ou du *ach* allemand. Le *dd* correspond au *th* anglais dans *with, ff* équivaut tout simplement à notre *f,* tandis que le *f* gallois se dit *v*. Le *g* est toujours dur comme en anglais *garden* et *ng* comme dans *parking*. Tout va bien !

Le *w* (ou) est considéré comme une voyelle, ce qui facilite tout de même la prononciation de certains mots, comme *cwrw* (la bière), imprononçable sans cet indice. Juste pour le plaisir, sachez que le *ll* existerait uniquement chez les Inuits du Groenland, quelques peuples indigènes d'Afrique du Sud et les Gallois. Mode d'emploi : prenez un air inspiré et concentré, placez votre langue contre les dents du fond et soufflez doucement. Recommencez. Mais le clou, ce sont les mutations. Certaines lettres, placées dans des conditions particulières (par exemple après une préposition) changent. Le *b* devient soit *f,* soit *m,* le *d* peut se transformer en *dd* ou *n,* etc.

Note encourageante : tous les habitants du pays de Galles parlent l'anglais. Au début, vous serez seulement un peu dérouté par l'accent de certaines régions (du sud notamment), mais très vite, vous devriez vous y habituer.

Quelques mots et expressions utiles

bonjour (le matin)	*bore da (BORé dâ)*
bonjour (l'après-midi)	*p'nawn da (pnaoun dâ)*
bonsoir	*noswaith dda (NOSouaïeth dhâ)*
bonne nuit	*nos da*
ça va	*s'mae (smaïe)*
au revoir	*hwyl fawr ('houïl vaour)*
s'il vous plaît	*os gwelwch chi'n dda (os GOUELourr rrîn dhâ)*
merci beaucoup	*diolch yn fawr (diolr en vaour)*
santé !	*iechyd da ! (IERrid dâ !)*
bienvenue	*croeso (KROYsso)*
pays de Galles	*Cymru (KOEMri)*

bienvenue au pays de Galles	*croeso i Gymru (KROYsso i GOEMri)*
château	*castell (KAHstechl)*
église	*eglwys/llan (Eglouisse/chlan)*
pont	*pont (pontt)*
ville	*tre(f) (tre(v)*
maison	*ty (tî)*

Cours de gallois

En France

■ ***Siôn Williams*** (correspondant du *CYD Île-de-France*) **:** 2, rue de Mirbel, 75005 Paris. ☎ 01-43-37-29-75 ou 06-13-10-52-15. Ⓜ Place-Monge.

Au pays de Galles

■ ***Tourist Information Centre de Cardiff* :** 16 Wood St. ☎ (02920) 22-72-81. Fax : 23-91-62. • www.visitcardiff.info • Pour connaître les bonnes adresses.

■ ***WLB/BIG* :** 5-7 Heol Fair, Caerdydd (Cardiff) CF2 4AT. ☎ (02920) 20-70-8000.

LES *EISTEDDFODAU*

Chez les Gallois, la tradition orale est préservée, elle semble remonter au temps des druides. La reine Élisabeth Ire, face à la prolifération de ces vagabonds chantants, voulut mettre de l'ordre et institua de grandes réunions appelées *eisteddfodau,* où les bardes, conteurs, chanteurs, ménestrels, etc., se produisaient « officiellement ». Ces festivals existent toujours et attirent beaucoup de monde. Ne les ratez pas si vous passez par là.

La première *eisteddfod* (prononcer « istedhvod ») daterait de 1176 et se serait déroulée à Cardigan Castle (Castell Aberteifi). Mais il faut attendre 1861 pour que la fête devienne un événement national et annuel, aujourd'hui connu sous le nom de *Royal National Eisteddfod of Wales (Eisteddfod Genedlaethol Brenhinol Cymru).* ☎ (02920) 76-37-77. Il s'agit du plus grand festival de ce type en Europe. Et pour cause, tout est déclamé en gallois et rien qu'en gallois. Que les non-initiés se rassurent, des traductions, notamment en français, sont prévues. Il a lieu début août, alternativement dans le nord et le sud du pays.

Contrairement au premier, l'*International Musical Eisteddfod* n'est pas le plus prestigieux, mais c'est le plus connu. Il se déroule à Llangollen, tous les ans, début juillet. Il attire des ménestrels et chanteurs de tous les pays du monde. • www.international-eisteddfod.co.uk • D'autres festivals moins importants ont lieu dans d'autres villes.

LES CHŒURS D'HOMMES

Par ailleurs, chaque village (ou presque) possède un chœur d'hommes, *Male Voice Choir,* dont les répétitions sont ouvertes au public. Procurez-vous ces différentes listes au *Tourist Information Centre* de Cardiff. Le plus connu de ces chœurs est le *Treorchy Male Voice Choir.* Il se réunit le mardi et le jeudi à 19 h 30, à Treorchy Primary School, Glyneoli Rd, Treorchy. Attention, pas de représentation en août. Se renseigner auprès de Mr Islwyn Morgan, ☎ (01443) 43-58-52. Treorchy se trouve dans la vallée de la Rhondda, en bus ou en voiture sur l'A4601 (à 40 km de Cardiff ou à 48 km de Swansea), ou en train (à 30 mn) de Cardiff.

LE RUGBY : UN SPORT DE VOYOUS JOUÉ PAR DES SEIGNEURS

Au pays de Galles, le rugby est beaucoup plus qu'un sport, c'est une véritable religion (surtout au sud). Là-bas, les joueurs de l'équipe nationale, les fameux « dragons rouges », sont considérés comme des demi-dieux, incarnant l'esprit d'un peuple combatif, volontaire et courageux. La religion a son temple, et la plupart des Gallois font, au moins une fois dans leur vie, leur pèlerinage dans les arènes du mythique *Arms Park* qui a été entièrement rénové pour la Coupe du monde 1999 et rebaptisé *Millenium Stadium*. Car c'est ici, au cœur de ce stade légendaire, que se disputent les rencontres du tournoi des Six Nations qui opposent la France, l'Angleterre, l'Écosse, l'Irlande, l'Italie et le pays de Galles.

LES MONUMENTS HISTORIQUES

L'organisation *Welsh Historic Monuments (Cadw)* propose, pour chaque région, des brochures *Castles and Historic Places* signalant les monuments à voir et donnant un bref résumé et une photo pour chacun d'eux. Procurez-les-vous dans les offices de tourisme. Le *National Trust* produit ses propres brochures pour les endroits dont il est responsable. Vous les trouverez aussi dans les offices de tourisme.

LES CARTES

Pour circuler au pays de Galles, il vous faudra une bonne carte, plus détaillée : la Michelin de Grande-Bretagne (par exemple) ! Nous avons fonctionné simultanément avec :
– A.Z. – *South Wales* – Road Map ;
– A.Z. – *North Wales* – Road Map.
Ces 2 cartes, donnant les noms en anglais et en gallois, signalent les beaux paysages et les endroits à visiter.
Ou encore, avec :
– *Ordnance Survey :* Routemaster 7, Wales et West Midlands (échelle : 1/250 000). Avantage de cette carte : elle présente l'ensemble du pays de Galles en une seule carte, avec le même type de détails que les précédentes. Elle offre comme détails supplémentaires un petit triangle pour repérer les auberges de jeunesse, une tente et caravane pour les campings. À vous de choisir... cartes en main !
– Si vous désirez faire une randonnée, il faudra vous procurer les *Ordnance Survey Maps,* équivalentes à nos cartes d'état-major. Dans chaque ville ou auberge de jeunesse, vous trouverez celle qui convient au trajet que vous avez choisi.
– La carte Michelin n° 403 manque de précision pour trouver certaines adresses.

TRANSPORTS

➢ ***En train et en bus :*** voir aussi dans les généralités en début de guide la rubrique « Transports ». Le train est privatisé en Grande-Bretagne et on peut dire, selon l'avis de beaucoup, que c'est un beau bazar (retards, confort incertain, etc.). Pour les courageux, armez-vous de patience et affichez le flegme local de circonstance. La *Conwy Valley Line* permet de découvrir l'intérieur du pays. La *Cambrian Coast Line* longe la côte. Côté bus, *National Welsh* et *National Express* couvrent l'ensemble du pays. *Crosville Motor Services* fonctionne au nord et au centre, *South Wales Transport* au sud ; sans compter les bus et les cars locaux qui vont d'une ville à l'autre. *Traws Cam-*

bria va du nord au sud. Il existe une formule très intéressante combinant trains et bus : le *Freedom of Wales Flexipass.* Plusieurs déclinaisons : 8 ou 15 jours à travers tout le pays, également *Flexipass* moins cher pour le nord ou le sud uniquement. Réductions pour les enfants de 5 à 15 ans (en deçà, c'est gratuit) ainsi que pour les retraités. Donne aussi accès à des réductions sur bon nombre d'attractions. ☎ 0870-608-26-08. • www.walesflexipass.co.uk •

➢ ***En vieille loco :*** dans le nord, certains petits trains à locomotive à vapeur et à voie étroite ont été conservés et fonctionnent pour le plaisir des touristes. Si vous êtes un fan de ces petits trains, possibilité d'acheter un forfait pour en profiter au maximum sans se ruiner : *The Great Little Trains of Wales.*

HÉBERGEMENT

– Les ***campings*** (notamment à la ferme) sont nombreux et souvent bien situés et bien équipés; mais l'humidité ambiante peut gâcher votre nuit. Il est souvent possible de planter sa tente sur le terrain de l'AJ et de profiter de ses équipements (cuisine et salle de bains). Toujours demander la permission.

– Nombreuses ***auberges de jeunesse,*** souvent très bien équipées. Cependant, le pays de Galles est un endroit de vacances recherché, et il est préférable de réserver chaque fois que vous le pouvez, d'autant plus que les auberges de jeunesse ne sont ouvertes que le week-end hors saison. Excellent rapport qualité-prix. Bon à savoir : la plupart des auberges sont maintenant équipées d'Internet; pratique pour donner des nouvelles et pour réserver. Site général : • www.yha.org.uk • On y trouve la plupart du temps de quoi s'acheter à manger; mais on peut aussi tout simplement se faire servir le dîner du soir ou le petit dej' pour un prix très compétitif.

– Comme partout ailleurs, le pays est parsemé de ***B & B.*** Nous avons préféré les *Farmhouses B & B,* c'est-à-dire ceux situés dans les fermes en pleine campagne. L'accueil y est très sympathique. Leur défaut : ils sont éloignés des villes et villages et pas toujours très faciles à trouver.

– ***Auberges de charme « Wales Great Little Places » :*** sous ce label, une cinquantaine d'adresses d'étapes de bon confort chez l'habitant (type *guesthouse*) dans un registre de prix partant de 50 £ (74 €) la chambre. Possibilité de repas le soir. Souvent dans des lieux originaux comme un phare, une tour, un vignoble avec une situation favorisée et toujours un accueil personnalisé. Pour obtenir la brochure ou réserver : ☎ (0044) 1686 66-80-30. Fax : (0044) 1686 66-80-29. • www.wales.little-places.co.uk •

– Dans tous les offices de tourisme, possibilité de réserver un *B & B* par téléphone ou par écrit. Cela vous coûtera 10 % du prix de la première nuit. Intéressant et pratique

– ***Alimentation :*** pour acheter de la nourriture, sachez que les supermarchés ne sont pas très répandus. En revanche, dans la plupart des villes et villages, les supérettes ***Spar,*** bien approvisionnées, proposent de larges horaires d'ouverture : tous les jours de 7 h à 23 h. C'est bien pratique pour les retardataires et les têtes en l'air.

LA VALLÉE DE LA WYE

De Londres ou de Bristol, autoroute M4, puis route A466, direction Chepstow, Monmouth. Cette route longe la rivière Wye, située à l'extrême sud-est du pays de Galles et égayée par de nombreux cygnes qui s'y ébattent tranquillement et avec volupté (au fait, saviez-vous que la plupart des cygnes de Grande-Bretagne sont propriété de la Couronne ?).

MONMOUTH (TREFYNWY) 12500 hab. IND. TÉL. : 01600

Monmouth, parce qu'elle est située au confluent de la Monnow et de la Wye, fut pendant des siècles un centre commercial très important. Il en reste de beaux souvenirs architecturaux, ainsi qu'une atmosphère vivante et agréable. Dans cette ville restée commerçante se tient un marché aux bestiaux le lundi, qui attire les gens des environs et les touristes aussi curieux qu'ignorants, pour la plupart... Le spectacle est donc dans les 2 camps ! C'est ici que naquit en 1877 Charles S. Rolls, l'un des 2 fondateurs de la célèbre firme automobile.

Adresses utiles

- ***Tourist Information Centre :*** Shire Hall, Agincourt Square. ☎ 71-38-99. • www.monmouth.org.uk • Ouvert de 10 h à 16 h (17 h 30 en été).
- ***Post Office :*** 27 Monnow St. ☎ 77-21-35. Au fond d'un magasin de journaux.

Où dormir ?

Campings

- ***Monmouth Caravan Park :*** Southfield, Rockfield Rd, Monmouth. ☎ 71-47-45. Fax : 71-66-90. À deux pas de la ville et du Offa's Dyke Path, vers l'est. On peut y planter sa tente (comme son nom ne l'indique pas) pour 7,50 à 10 £ (11,10 à 14,80 €). Un super accueil. Ambiance pépère.
- ***Glen Trothy Park :*** Mitchell Troy, Monmouth, NP25 4BD. ☎ 71-22-95. • www.glentrothy.co.uk • À 3 km au sud-est. Fléché depuis le centre. Ouvert de mars à octobre. Compter environ 7 à 9 £ (10,40 à 13,30 €) pour 2 avec une tente. C'est une immense prairie aménagée et fleurie. Un regret toutefois : au chant des oiseaux se mêlent quelque peu les bruits du flux circulatoire, moins bucoliques.

Où manger ? Où boire un verre ?

- ***The Punch House :*** en plein centre. ☎ 71-38-55. Pour manger, ouvert de 11 h à 21 h. On y boit, *of course !* On y mange aussi des *bar meals...* passables mais copieux pour moins de 8 £ (11,80 €). Refait à neuf, c'est toujours l'un des pubs favoris des Monmouthiens. C'est bon signe.
- ***The Queen's Head Inn :*** St James St. ☎ 71-27-67. Ouvert de 11 h à 14 h 30 (sauf lundi) et de 18 h à 23 h 30. Compter environ 7 £ (10,40 €) pour 2 plats. Lors de la guerre civile de 1648, Olivier Cromwell se cacha dans la cave de ce pub pendant plus de 3 jours et faillit y être assassiné !

À voir. À faire

- ***The Nelson Museum :*** dans la rue principale. ☎ 71-03-60. Ouvert de 10 h à 13 h et de 14 h à 17 h. Fermé le dimanche matin. Présente des objets ayant appartenu à l'amiral, dont son épée !... À notre avis, à 1 £ (1,50 €) l'entrée, ce n'est pas une étape indispensable, à moins d'être de la famille (gratuit) !

Monnow Bridge Gate : à la sortie est de la ville, au-delà du marché, vieux pont fortifié du XIIIe siècle, le seul de son genre en Grande-Bretagne.

➢ **Pêcher la truite et le saumon :** pêcher est déjà compliqué, pêcher le saumon encore plus. Beaucoup de restrictions. Alors mieux vaut bien se renseigner auprès de *Monmouth and District Angling Society*, 2 Elm Drive, à Monmouth. ☎ 71-38-21.

➤ DANS LES ENVIRONS DE MONMOUTH

Tintern Abbey : abbaye cistercienne en ruine à une dizaine de kilomètres au sud. Ouvre à 9 h 30 (11 h le dimanche en hiver) ; ferme à 18 h en été, 17 h en avril, mai et octobre et 16 h le reste de l'année. Dernière entrée : 30 mn avant la fermeture. Parfois des événements spéciaux (sons et lumière...). Entrée : 2,50 £ (3,70 €) ; réductions.
Très belles ruines gothiques aux perspectives remarquables et imposantes, au bord de la rivière. L'abbaye fut construite entre les XIIe et XIIIe siècles sur une relique de saint David, puis elle dut être abandonnée en 1536 par les moines en raison d'une loi votée sous Henri VIII (qui voulait récupérer les biens de l'Église), selon laquelle toute abbaye ayant un revenu annuel de moins de 200 £ (296 €) devait être dissoute. Le site, popularisé par le poète Wordsworth, qui s'y rendit en juillet 1798, puis redécouvert par un grand voyageur anglais, R.-C. Hoare, au XIXe siècle, fut enfin immortalisé par Turner. Les poètes romantiques aimaient ce site et cette région, plus tranquilles que le reste de l'Europe qui faisait rage, et ils la comparaient volontiers à la Suisse. On s'y rendait alors en bateau, car la rivière Wye était encore navigable. L'une de nos étapes préférées au pays de Galles.

➢ **Offa's Dyke Path :** chemin de randonnée qui suit l'ancienne digue aménagée par Offa, roi saxon (757-796). Le chemin commence à Chepstow, passe par Tintern, Monmouth, Welshpool, Llangollen et se termine à Prestatyn. Là, il suit la rivière Wye. Il est très boisé et ne présente pas de difficulté. L'*Offa's Dyke Association* publie des listes d'hébergement et des cartes détaillées. ☎ (01547) 52-87-53.

Symond's Yat Rock (160 m) **:** à 18 km au nord. Crête d'où l'on peut admirer un panorama superbe. Y aller tôt le matin et observer à la jumelle les nids des faucons pèlerins. Dans la vallée, plein de sports possibles, du kayak à la grimpette.

Le musée des Labyrinthes : dans **Jubilee Park** à Symond's Yat West, près du village de Ross-on-Wye. ☎ 89-03-60. • www.mazes.co.uk • Suivre l'A40 en direction de Ross-on-Wye. Ouvert tous les jours de 10 h à 17 h en été ; horaires plus restreints le reste de l'année. Entrée : 2,50 £ (3,70 €) ; réductions. Pour tout savoir sur cette forme de jardins paysagers, qui est l'une des spécialités des jardiniers britanniques. Attention, seuls les femmes et les enfants sont secourus !

LE PARC NATIONAL DES BRECON BEACONS MOUNTAINS

Promenez-vous dans ce parc de 1 330 km² aux portes de l'Angleterre et bordé au nord par Hay-on-Wye, à l'ouest par Llandeilo, au sud par Merthyr Tydfil et à l'est par Abergavenny. Paysages de bruyère dénudés qui raviront les âmes solitaires, de collines et de prairies où les moutons paissent paisiblement, de fermes éparpillées dans la vallée. Altitude entre 500 et 800 m (des records ici). Au programme : de la marche (c'est rarement difficile), de la lecture à Hay-on-Wye, la capitale mondiale du livre d'occasion, mais aussi de nombreuses grottes et galeries souterraines que l'on peut visiter et surtout un petit air sauvage qui n'est pas pour nous déplaire.

Adresses utiles

■ ***Mountain Centre :*** Libanus, sur la route A470, à environ 10 km au sud-ouest de Brecon. ☎ (01874) 62-33-66. • www.brecon-beacons.com • Ouvert tous les jours de 9 h 30 à 16 h 30 (18 h les beaux jours). Tous les renseignements et les cartes sur les balades, point de départ de nombreuses randonnées.

■ ***Spéléologie :*** *Cambrian Caving Council* à Swansea. ☎ (01639) 84-95-19.

Où dormir ?

⌂ ***Youth Hostel Llwyn-y-Celyn :*** Libanus. ☎ (01874) 62-42-61. Fax : 62-59-16. • llwynycelyn@yha.org.uk • Ancienne ferme à 11 km au sud de Brecon (A470), au cœur du parc. Ouvert tous les jours d'avril à août ; fermé certains jours le reste de l'année (se renseigner). Compter environ 10 £ (14,80 €) en dortoir et entre 27 et 35 £ (40 et 51,80 €) en chambre double. Certaines très simples, d'autres dominant la vallée. Réserver. Point de départ ou d'arrivée de balades.

⌂ ***Hobo Backpackers :*** Plays-y-Gwely, Morgan St, Tredegar. ☎ (01495) 71-84-22. • www.hobo-backpackers.co.uk • Au sud du parc, sur l'A465, en plein centre de Tredegar. Ouvert toute l'année. Environ 12 £ (17,80 €) la nuit. Bâtiment récent où les voyageurs à vélo sont chouchoutés. Une trentaine de lits répartis en dortoirs mixtes. Demandez-leur conseil, ils connaissent plein de bons plans balades dans le parc !

À voir

👁👁 ***The National Showcaves Centre :*** Dan-yr-Ogof. ☎ (01639) 73-08-21. • www.showcaves.co.uk • Près d'Abercraf et de la sortie 45 de l'autoroute M4 Carmarthen-Cardiff. Ouvert d'avril à octobre et aux vacances scolaires, à partir de 10 h. Entrée : 8,80 £ (13 €) ; réductions. Des grottes spectaculaires découvertes en 1912 par les frères Morgan. Reconstitutions pédagogiques et cascades. On peut même s'y marier ! Dehors, ambiance *Jurassik Park* avec une bonne cinquantaine de dinosaures grandeur nature disséminés ici ou là. Attention aux ichtyosaures, ils ont de grandes dents pour mieux vous manger. D'autres attractions, resto, camping, etc.

HAY-ON-WYE (Y GELLI)

1 450 hab. IND. TÉL. : 01497

Un homme un peu fou et excentrique déclara, le 1er avril 1977, l'indépendance de Hay-on-Wye et s'en proclama souverain. Cela eut le mérite de faire parler un peu partout de ce petit village en déclin du nord-ouest de Monmouth (de l'autre côté des Black Mountains). Richard Booth, roi d'opérette, voulait que celui-ci vive par lui-même, avec son propre génie. Il y apporta des livres dissidents, développant les thèses d'une nouvelle voie, antipensée unique (une lutte à l'instar du roquefort au lait cru contre le cheddar *MacDonald* pasteurisé, genre pot de terre face au pot de fer, etc.). Ainsi se créa la première cité du livre, qui fit par la suite des émules sur le continent.
Amoureux de livres en tout genre, votre Mecque est donc ici ! À ce jour, la ville compte 1 450 habitants et une trentaine de librairies... Cette particularité attire

des amateurs du monde entier dans cette adorable petite bourgade fortifiée où il fait bon traîner... d'autant plus que les magasins y sont ouverts tard.

Adresse utile

Tourist Information Centre : Oxford Rd, Car Park. ☎ 82-01-44. • www.hay-on-wye.co.uk • Ouvert de 10 h à 17 h ou de 11 h à 16 h selon saison. Si c'est fermé, les photos de *B & B* sont exposées sur la vitrine.

Où dormir ?

Oxford Cottage : Oxford St (la rue de l'OT). ☎ 82-00-08. • www.oxfordcottage.co.uk • Ouvert toute l'année. Dans les 40 £ (59,20 €) pour une chambre *standard.* Superbe maison décorée avec légèreté. La particularité : personne pour vous accueillir ! Un téléphone permet d'appeler les propriétaires, ils vous diront où se trouve la clé (nous on sait !). Rien que pour la baignoire, ça vaut le coup d'y passer la nuit. Et le matin, chacun fait sa tambouille, il y a tout ce qu'il faut dans le frigo. Thé ou café à tout moment.

Rest For The Tired : 6 Broad St. ☎ 82-05-50. • www.restforthetired.co.uk • Près de l'horloge centrale. Ouvert toute l'année. Chambres tout confort à 40 £ (59,20 €). Charmante maison à colombages. Le rez-de-chaussée fait librairie et brocante. Le proprio loue 3 petites chambres sous les toits. Attention la tête, c'est bas de plafond ! Alors que partout en *Cymru,* on peut compter les moutons pour s'endormir, ici, mieux vaut prendre un bon bouquin à l'étage du dessous.

Où dormir dans les environs ?

The Old Post Office : Llanigon. ☎ 82-00-08. • www.oldpost-office.co.uk • À côté de l'église de ce petit village noyé dans les arbres et les fleurs, à 3 km environ, direction Brecon. Ouvert toute l'année. De 36 à 56 £ (53,30 à 82,90 €) la chambre double, selon la position de la salle de bains. Cartes de paiement refusées. La propriétaire de cette ancienne poste du XVIIe siècle a su faire de ce lieu un véritable petit bijou. Les vieux planchers sont bancals mais absolument magnifiques, et la déco d'un raffinement rare. La chambre mansardée du haut *(attic)* fait partie de ces endroits qu'on n'a plus envie de quitter, avec la vue sur les montagnes noires. *Breakfast* végétarien, pour les saturés du bacon. Une adresse géniale !

Hawkswood Farm : de Hay, prendre la B4348 en direction de Ross (vers l'est) ; la ferme se trouve à 2 km environ. ☎ et fax : 82-03-08. • megan.morrissey@talk21.com • Compter de 40 à 48 £ (59,20 à 71 €). Riche et grande ferme avec moutons et odeur de vieille aristocratie britannique. La maison est superbe, les chambres sont immenses et confortables. Au petit dej', jus d'orange servi dans des verres en cristal ! Mrs Morrissey, la propriétaire, n'accepte ni enfants de moins de 5 ans, ni chiens, ni fumeurs... L'accueil est néanmoins sympathique et, si vous appartenez au bon créneau, c'est un endroit assez extraordinaire.

Où manger ? Où boire un verre ?

The Granary : Broad St. ☎ 82-07-90. Ouvert de 10 h à 18 h. En moyenne, 8 £ (11,80 €) pour un plat. Vaste pièce rustique avec poutres, murs chaulés, bouquets séchés suspendus au plafond et grands tableaux noirs indiquant les menus. Un comptoir ancien en bois fait office de self-service où l'on choisit des plats préparés et goûteux. Cuisine saine et cadre très sympa. C'est aussi excellent pour un goûter. La meilleure adresse du genre dans la région, assez chère malgré tout.

|●| ***The Old Black Lion :*** Lion St. ☎ 82-08-41. • www.oldblacklion.co.uk • Ouvert matin, midi et soir jusqu'à 21 h 30. Menu autour de 20 £ (29,60 €). Moquette épaisse et banquettes rouges confortables, jolies tables faites de vieux pieds de machines à coudre et de plateaux délavés, collection d'hameçons multicolores au mur... L'adresse la plus courue du village, cosy à souhait ! Chambres de caractère dans le bâtiment principal à partir de 80 £ (118,40 €). Cromwell et Bill Clinton y ont séjourné.

À voir

👁👁 Les librairies fleurissent le long de Castle St et de Lion St. Il y en a trop ! L'homme qui a transformé cette ville paisible du pays de Galles en centre mondial du livre d'occasion est installé à Hay Castle, qu'il fait reconstruire lentement et où il garde ses livres les plus précieux et les plus rares. Il n'ouvre sa porte que rarement et seulement à des visiteurs importants. Cependant, on peut le rencontrer dans l'une de ses librairies, ***Richard Booth's Bookshop,*** 44 Lion St. ☎ 82-03-22. Le personnage est fascinant, l'endroit obsédant.

👁👁 ***Hay Cinema Bookshop :*** Castle St, à l'entrée du village, côté Brecon. ☎ 82-00-71. Ouvert du lundi au samedi de 9 h à 19 h et le dimanche de 11 h 30 à 17 h 30. L'ancien cinéma a été transformé en librairie de livres d'occasion. Il y en a sur 4 niveaux.

👁👁 ***Honesty Bookshop :*** Castle St. Une librairie en plein air, dans une partie des jardins du château. Ici, entrée libre et pas de vendeurs... Si un bouquin vous intéresse, vous l'embarquez sans oublier de mettre dans une grande tirelire 0,30 £ (0,40 €) pour un livre de poche, 0,50 £ (0,70 €) pour un livre relié... Sympa, non ?

Festival

– ***Festival de la Littérature :*** fin mai, tous les ans. ☎ 82-12-17. • www.hayfestival.co.uk •

LLANTHONY PRIORY

IND. TÉL. : 01873

À 15 km au sud-est d'Hay-on-Wye. De ce superbe prieuré en ruine se dégage une magie mystique, unique au pays de Galles, qui exprime merveilleusement bien ce que certains religieux du XIIe siècle ont pu souhaiter de solitude et d'austérité. Aujourd'hui encore, les pierres rouges émergeant de ce vert lumineux des Black Mountains nous plongent dans un état de sérénité assez extraordinaire. Rien à voir avec ces châteaux normands guerriers, gris et sévères, que l'on rencontre un peu partout dans le coin. Ici, tout est invitation à la méditation et au recueillement... un vrai délice !

Comment s'y rendre par le chemin des écoliers ?

➢ ***En voiture :*** depuis Hay, par une minuscule petite route menant à Abergavenny. Depuis Monmouth, direction Abergavenny ; sur la route, on peut s'arrêter et visiter les ruines de *Raglan Castle :* vieux château fortifié en ruine, imposant par sa taille. À Abergavenny, *musée d'Histoire locale,* typique, qui regroupe costumes, cuisine, ustensiles ménagers, etc. Chouette festival de musique en juillet, avec jazz, folk, musique irlandaise et même créole ! Après Abergavenny, prendre la route A465, puis, sur la gauche à quelques centaines de mètres, tourner vers Llanfihangel Crucorney et Stanton. Petite route merveilleuse à une seule voie ; on passe devant l'un des plus vieux pubs du pays de Galles et on se dirige vers Llanthony Priory, au cœur des Black Mountains.

Où dormir ?

Psycodlyn Farm : à 3 miles du centre-ville d'Abergavenny, sur l'A40 en direction de Brecon. ☎ 85-32-71. • www.pyscodlyncaravanpark.com • Compter 6 £ (8,90 €) la nuit pour 2 avec une tente. 60 emplacements pour caravanes et tentes. Laverie.

Youth Hostel : Capel-y-ffin, Abergavenny. ☎ 89-06-50. • www.yha.org.uk • Ouvert toute l'année. Ancienne ferme entre Llanthony et Hay, à environ 7 km au nord du prieuré. Perdue dans les montagnes, au bord de la superbe petite route. Réservez ! Attention : pas de transports publics pour s'y rendre. Ouvert tous les jours en été ; le reste de l'année, se renseigner. Prévoir dans les 9 £ (13,30 €). Le restaurant propose des repas à partir de 5 £ (7,40 €). Assez confortable mais pas très grande. Possibilité d'y planter sa tente et de faire du cheval. Possibilité également de canoter sur la rivière, avec des petits passages de rapides bien sympas. Un café offert sur présentation du *Guide du routard.*

Abbey Hotel : Llanfihangel Crucorney. ☎ 89-04-87. • llanthonypriory@supanet.com • Ouvert tous les jours en été, uniquement le week-end hors saison. Réserver absolument. Environ 50 £ (74 €). Aménagé dans une partie restaurée du prieuré. Escalier normand en colimaçon qui dessert 4 chambres meublées de lits à baldaquin. Une seule salle de bains. Prix un peu plus élevé le week-end. L'endroit a beaucoup de charme. Calme assuré. On peut se contenter d'y dîner : truite et saumon garantis du coin. Dans la salle à manger, beaux vieux meubles et murs décorés de très belles porcelaines.

À voir. À faire

➢ ***Balade en poney :*** s'adresser au *Grange Pony Trekking Centre* à Capel-y-ffin (pas loin de la *Youth Hostel*), à 10 miles (16 km) de Llanfihangel Crucorney. ☎ 89-02-15.

➢ À partir du prieuré, nombreuses ***balades à pied dans les Black Mountains.*** Paysage de plus en plus dépouillé jusqu'au plateau. Celui-ci est complètement dénudé et offre une très belle vue sur la rivière Wye en contrebas et sur les Brecon Beacons.

The Big Pit : à Blaenafon, sur l'A4043. ☎ (01495) 79-03-11. • www.nmgw.ac.uk/bigpit • Ouvert de mars à novembre de 9 h 30 à 17 h. Entrée gratuite. Visites souterraines de 10 h à 15 h 30. Une ancienne mine avec visite orchestrée par les anciens mineurs eux-mêmes, à 300 m de profondeur. Des outils, des objets et tout pour comprendre comment est extrait le charbon.

BRECON (ABERHONDDU)

8 000 hab. IND. TÉL. : 01874

Ville de montagne, centre du parc national des Brecon Beacons Mountains et, surtout, point de base des marcheurs.

Adresses utiles

i ***Tourist Information Centre :*** Cattle Market Car Park, Brecon. ☎ 62-24-85. Ouvert tous les jours en haute saison, de 9 h 30 à 17 h (15 h 30 le dimanche).

■ ***Bikes and Hikes :*** *The Elms,* Y Lwyfen, 10 The Struet, Brecon. ☎ 61-00-71. • www.bikesandhikes.co.uk • Pas loin de l'office de tourisme. Ouvert toute l'année. Location de vélos et organisation de circuits cyclistes ou pédestres. Très bien organisés. Propose également une poignée de chambres doubles ainsi qu'un dortoir de 6 pour environ 12,50 £ (18,50 €).

Où dormir ? Où manger ?

Pencelli Castle Caravan and Camping : Park, Pencelli, Brecon. ☎ 66-54-51. Fax : 66-54-52. • pencelli.castle@virgin.net • À environ 5 km au sud-est, par la B4558. Ouvert toute l'année. Environ 11 £ (16,30 €) pour 2. Camping à la ferme qui fait l'unanimité. Grand terrain, environnement idéal, bâtiment sanitaire extra propre. Balades à proximité. Très bon accueil.

Tai'r Heol : Ystradfellte, Aberdare. Glyn Neath ☎ (0870) 770-06-106. • www.yha.org.uk • À 1 mile au sud, sur une petite route, à l'écart de l'A4059, une petite AJ flanquée de ses 2 annexes. Compter 9 £ (13,30 €) par personne. Ouvert tous les jours en juillet et août ; le reste de l'année, se renseigner. Confort assez simple. Loin des boutiques ! Prévoyez quelques provisions. Proche de chutes et de cascades qui attirent de nombreux promeneurs. Région verte et boisée.

The Three Horse Shoes : 47 Orchard St. ☎ 62-28-74. Ouvert midi et soir. Pour 2 plats, il vous faudra débourser un peu moins de 10 £ (14,80 €). Ambiance feutrée au milieu des briques rouges, entre les chiens et les chats. Un bar-resto fourre-tout comme on les aime.

CARDIFF

À voir. À faire

Brecknock Museum and Art Gallery : Captain's Walk. ☎ 62-41-21. • brecknock.museum@powys.gov.uk • Ouvert en saison touristique seulement, du lundi au vendredi de 10 h à 17 h, le samedi de 10 h à 13 h et de 14 h à 17 h, et le dimanche de 12 h à 17 h. Entrée : 1 £ (1,50 €) ; réductions. Très anglais par sa variété, mais intéressant. En revanche, on évitera le Musée militaire.

Montez jusqu'à la ***cathédrale :*** ☎ 62-38-57. Ouvert de 8 h 30 à 18 h. Magnifique chœur de pierre sculpté, cimetière, jardin, cloître, *heritage centre,* cafet', etc.

CARDIFF ET SA RÉGION

CARDIFF (CAERDYDD)

315 000 hab. IND. TÉL. : 02920

Capitale officielle du pays de Galles, depuis 1955 seulement ! Cardiff s'est enrichi au XIXe siècle grâce à l'exportation du charbon. L'activité du port et des docks a été développée par la famille Bute. Cette même famille

reconstruisit, à la fin du XIXe siècle, le château de Cardiff et l'aménagea en y mélangeant toutes sortes de styles. Aujourd'hui, le rayonnement de la ville est incontestable et Cardiff ambitionne de devenir l'une des plus belles cités maritimes d'Europe. Pour réaliser ce projet, la ville a entrepris une vaste rénovation de ses docks, Cardiff Bay.
Depuis quelque temps, Cardiff s'affirme. Elle n'est plus cette ville moyenne de Grande-Bretagne, elle devient capitale d'une nation. Le changement est visible partout ; la ville est devenue jeune et attirante. Si vous êtes fou du ballon ovale, ne manquez pas de faire un pèlerinage à Arms Park (maintenant Millenium Stadium), haut lieu des exploits des équipes des tournois des Six Nations.

Adresses et infos utiles

Tourist Information Centre *(zoom A4)* **:** The Old Library, The Hayes. ☎ 22-72-81. Fax : 38-38-60. • www.visitcardiff.info • Ouvert du lundi au samedi de 9 h (10 h le mardi) à 17 h et le dimanche de 10 h à 14 h. Infos sur la ville et le reste du pays, y compris en français.
Post Office *(zoom A3)* **:** The Hayes, sur Hill St. Ouvert du lundi au vendredi de 9 h à 17 h 30 et le samedi jusqu'à 12 h 30.
Gare centrale *(zoom A4)* **:** Central Station. ☎ (08457) 48-49-50.
Station de bus *(zoom A4)* **:** Central Station. ☎ (08705) 80-80-80. • www.nationalexpress.co.uk • Départ des lignes de bus nationales.
***Aéroport de Cardiff* :** à une vingtaine de kilomètres au sud-ouest, vers Rhoose. ☎ (01446) 71-11-11. • www.cial.co.uk • Bus nº 91 pour s'y rendre. Vols pour Paris, Dublin, Cork, Bruxelles, l'Écosse et les îles Anglo-Normandes.
Cardiff Bus *(zoom A4, 1)* **:** Wood St, St David's House. ☎ (08706) 08-26-08. • www.cardiff

CARDIFF

Adresses utiles

- Tourist Information Centre
- Post Office
- Gare centrale
- Gare routière
- 1 Cardiff Bus
- Coffee Republic

Où dormir ?

- 10 The Big Sleep Hotel
- 11 The Town House
- 12 The Crowndale B & B
- 13 Angel Hotel
- 15 Cardiff Caravan Park
- 16 Cardiff Youth Hostel Ty Croeso
- 17 Cardiff Backpackers
- 18 Cardiff Hotel
- 19 Lynx Hotel
- 20 Preste Gaarden

Où manger ?

- 21 77 Diner
- 22 The Armless Dragon Restaurant
- 23 La Brasserie
- 24 The Taurus Steakhouse
- 25 Café Minuet
- 26 The Celtic Cauldron
- 55 The Market Café

Où boire un verre ?

- 30 Dempsey's
- 31 The Old Arcade
- 32 The Slug and the Lettuce
- 33 The Trader's Tavern
- 34 The Prince of Wales
- 47 The Conway

Où sortir ? Où écouter de la musique ?

- 40 The Philharmonic
- 41 The Exit Club
- 42 Sam's Bar
- 44 Kiwi's
- 45 Clwb Ifor Bach

À voir

- 50 Cardiff Castle
- 51 The National Museum and Galleries of Wales
- 53 Millenium Stadium

Shopping

- 54 Jacob's Antique Market

Loisirs

- 52 Sherman
- 55 Chapter Arts Centre

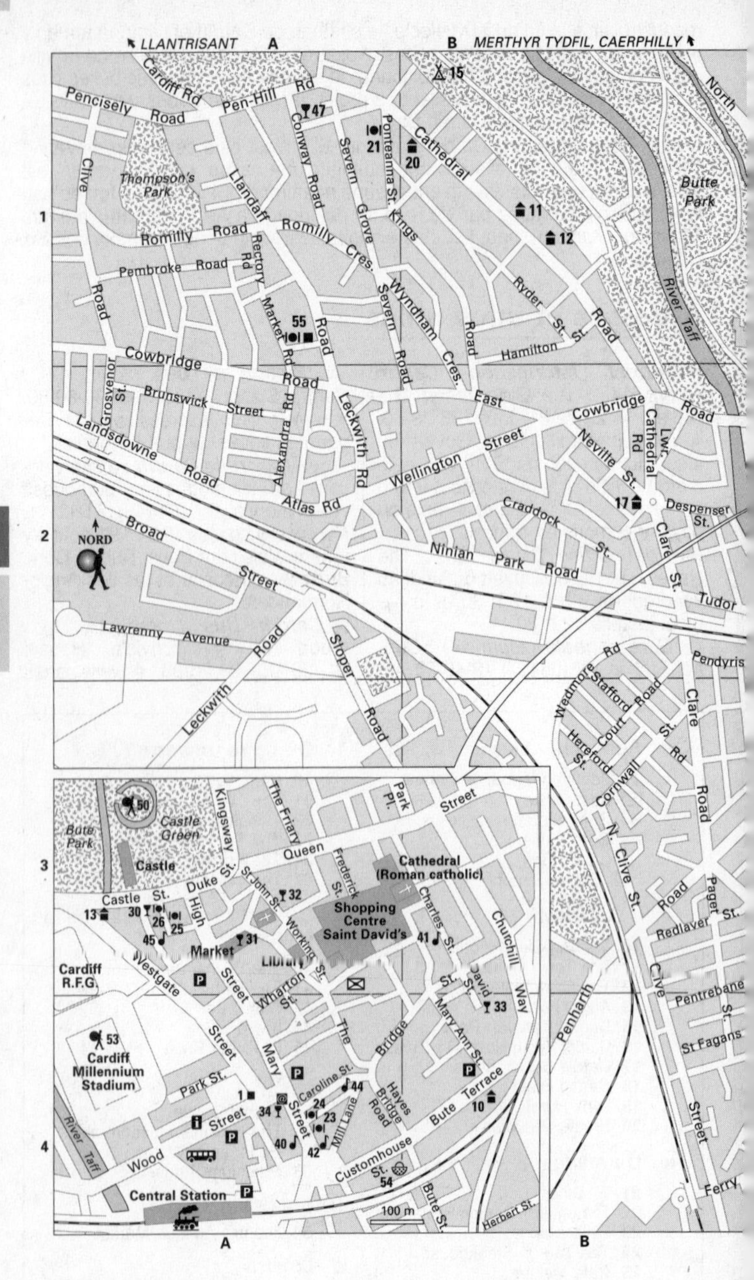

LLANTRISANT
A
B
MERTHYR TYDFIL, CAERPHILLY
Cardiff Rd
Pencisely Road
Pen-Hill Rd
Conway Road
Severn Grove
Pontcanna St.
Cathedral
Kings Road
North
Butte Park
River Taff
Thompson's Park
Clive Road
Llandaff Road
Romilly Road
Romilly Cres.
Pembroke Road
Rectory Rd
Market Rd
Severn Road
Wyndham Cres.
Ryder St.
Hamilton St.
Cowbridge Road
Grosvenor St.
Brunswick Street
Alexandra Rd
Leckwith Rd
Cowbridge Road East
Lwr. Cathedral Rd
Neville St.
Landsdowne Road
Wellington Street
Atlas Rd
Craddock St.
Despenser St.
Broad Street
NORD
Ninian Park Road
Clare St.
Tudor
Lawrenny Avenue
Leckwith Road
Sloper Road
Pendyris
Wedmore Rd
Stafford Road
Court Rd
Hereford St.
Cornwall St.
Clare Road
Kingsway
The Friary
Park Pl.
Street
Castle Green
Bute Park
Castle
Queen
Frederick St.
Cathedral (Roman catholic)
Duke St.
St John St.
Castle St.
High
Shopping Centre Saint David's
Charles St.
Churchill Way
N. Clive St.
Paget St.
Redlaver
Market
Library
Working St.
Westgate Street
Wharton St.
St. David St.
Cardiff R.F.G.
Mary Ann St.
Penharth Road
Clive Street
Pentrebane St.
St Fagans
Cardiff Millennium Stadium
Park St.
Mary Street
The Bridge
Caroline St.
Mill Lane
Hayes Bridge Road
Bute Terrace
Street
River Taff
Wood Street
Customhouse St.
Bute St.
Central Station
100 m
Herbert St.
Ferry
1
2
3
4
11
12
13
15
17
20
21
23
24
25
26
30
31
32
33
34
40
41
42
44
45
47
50
53
54
55
10
CARDIFF

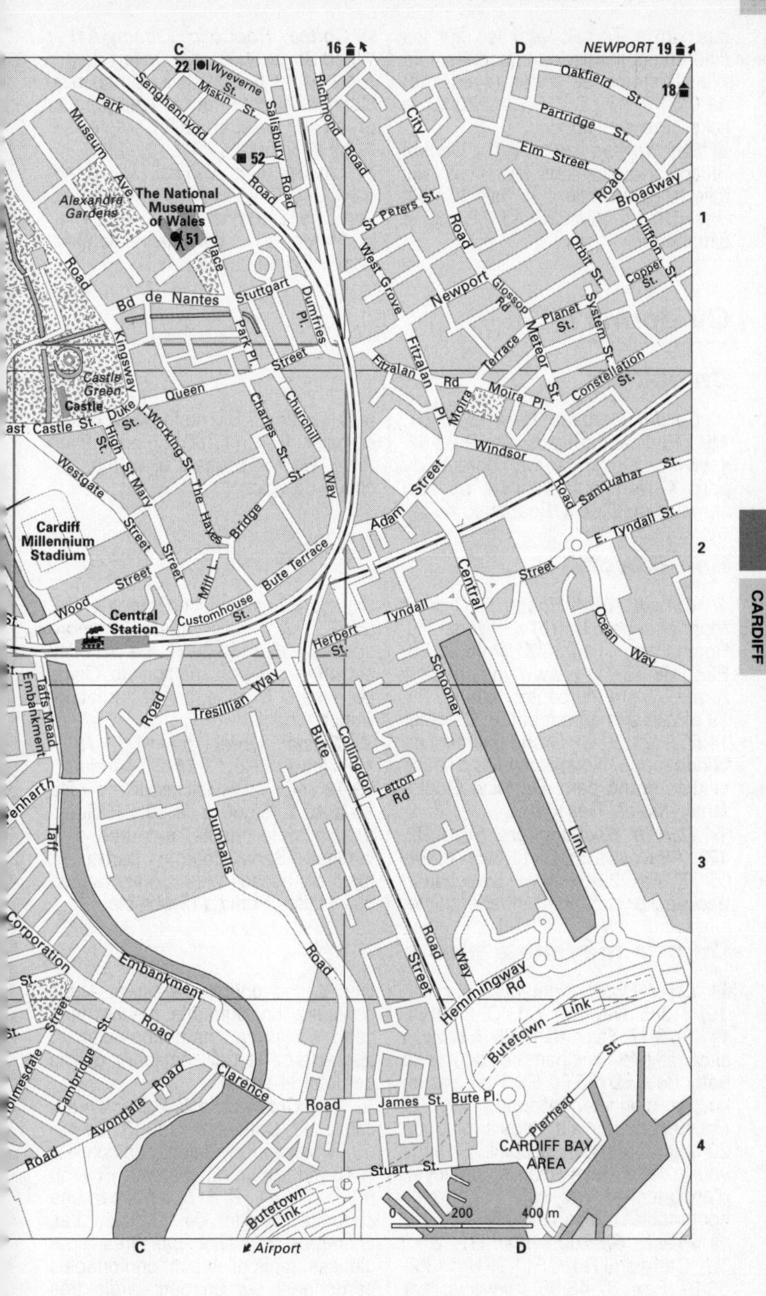

C
16
D
NEWPORT 19
22
Wyeverne St.
Miskin St.
Senghennydd Road
Salisbury Road
Richmond Road
City Road
Oakfield St.
18
Partridge St.
Elm Street
Park
Museum Ave.
Alexandra Gardens
The National Museum of Wales
51
52
Place
Road
Broadway
Clifton St.
Orbit St.
Copper St.
System St.
St Peters St.
West Grove
Newport Road
Glossop Rd
Planet St.
Meteor St.
Terrace
Constellation St.
Bd de Nantes
Stuttgart
Dumfries Pl.
Park Pl.
Kingsway
Castle Green
Castle
Queen Street
Fitzalan Rd
Fitzalan Pl.
Moira
Moira Pl.
Windsor Road
East Castle St.
Duke St.
High St.
Working St.
Charles St.
Churchill Way
Westgate
St Mary Street
The Hayes
Bridge
Adam Street
Sanquahar St.
E. Tyndall St.
Cardiff Millennium Stadium
Mill L.
Bute Terrace
Central
Street
Wood Street
Central Station
Customhouse St.
Tyndall
Herbert St.
Schooner
Ocean Way
Taffs Mead Embankment
Tresillian Way
Road
Bute
Collingdon
Letton Rd
Penarth
Taff
Dumballs Road
Link
Corporation
St.
Embankment Road
Street
Cambridge St.
Holmesdale
Road
Way
Hemmingway Rd
Butetown Link
Clarence Road
James St.
Bute Pl.
St.
Pierhead
Avondale Road
CARDIFF BAY AREA
Stuart St.
Butetown Link
0
200
400 m
1
2
3
4
C
Airport
D
CARDIFF

CARDIFF

bus.com • Toutes les infos sur les différentes lignes qui quadrillent la ville. Système de zones (4 en tout) de 0,60 à 1,50 £ (0,90 à 2,20 €) le ticket. Prévoir l'appoint.

■ ***Bay Xpress*** *(zoom A4)* **:** Central Station. Navette tous les 10 mn qui relie le centre-ville à la baie (Cardiff Bay). De 7 h 30 à 22 h 45 (22 h 30 le dimanche).

@ ***Coffee Republic*** *(zoom A4)* **:** Wood St. ☎ 39-50-47. Ouvert de 8 h à 18 h (10 h à 16 h le dimanche). Connexion Internet à l'étage. On prend son ticket en bas. Compter 3 £ (4,40 €) l'heure.

■ ***Laverie*** *(hors plan par D1)* **:** *Fabricare,* 240 City Rd. ☎ 49-17-51. Ouvert de 9 h (10 h le dimanche) à 17 h.

■ ***Météo*** **:** • www.onlineweather.com • On ne sait jamais...

Où dormir ?

Camping

⛺ ***Cardiff Caravan Park*** *(plan B1,* ***15****)* **:** Pontcanna Fields. ☎ 39-83-62. • www.cardiff.gov.uk • En bordure du parc. Ouvert toute l'année. Le seul camping de Cardiff. Beaucoup de caravanes donc. S'il reste de la place, compter 12 £ (17,80 €) pour 2 en tente. Endroit plaisant et calme. Location de vélos.

Bon marché

CARDIFF

🏠 ***Cardiff Youth Hostel Ty Croeso*** *(hors plan par D1,* ***16****)* **:** 2 Wedal Rd, Roath Park, CF14 3QX. ☎ 46-23-03. Fax : 46-45-71. • www.yha.org.uk • Assez éloigné du centre. Bus n°s 28, 29 et 29B à la gare routière. Compter 14,50 £ (21,50 €). Grand bâtiment de brique rouge, bien placé près d'un lac et d'un grand parc. Dortoirs. Quatre *family rooms.* Réserver.

🏠 ***Cardiff Backpackers*** *(plan B2,* ***17****)* **:** 98 Neville St, CF11 6LS. ☎ 34-55-77. Fax 23-04-04. • www.cardiffbackpacker.com • AJ indépendante. Situation centrale. Lit en dortoir à 15 £ (22,20 €), mais aussi chambre double à 36 £ (53,30 €). Le petit dej' est offert sur présentation du *Guide du routard.* Cuisine, bar et barbecue. Super accueil.

🏠 ***Cardiff Hotel*** *(plan D1,* ***18****)* **:** 138 Newport Rd, CF24 IDJ. ☎ et fax : 49-19-64. • www.visitcardiff.info • De 36 à 40 £ (53,30 à 59,20 €). *Guesthouse* toute simple, entourée d'un jardinet. Sans charme particulier, mais un accueil plus méditerranéen que british. Parking disponible.

De prix moyens à plus chic

🏠 ***Lynx Hotel*** *(hors plan par D1,* ***19****)* **:** 385 Newport Rd, CF24 IRN. ☎ 49-78-17. Fax : 45-12-56. • www.visitcardiff.info • Chambre double à partir de 47 £ (69,60 €). Tenu par un couple d'origine italienne, Tony et Francesca, anglais depuis plus de 20 ans. Très bon accueil. Si vous voulez leur faire plaisir, prévoyez d'apporter du vrai café. Chambres confortables. Bons repas le soir.

🏠 ***Preste Gaarden*** *(plan B1,* ***20****)* **:** 181 Cathedral Rd, CF11 9PN. ☎ 22-86-07. Fax : 37-48-05. • www.visitcardiff.info • Compter 48 £ (71 €). Dix jolies chambres ; les simples sont petites et les doubles *en-suite.* Vous passerez un agréable séjour dans cette maison au nom norvégien et apprécierez le petit déjeuner gallois de John et Sarah.

🏠 ***The Crowndale B & B*** *(plan B1,* ***12****)* **:** 58 Cathedral Rd. ☎ 34-40-60. • www.crowndalebandb.co.uk • À 10 mn à pied du château. Environ 50 £ (74 €). *B & B* tenu par une chouette famille de Gallois. Les chambres ne sont pas très spacieuses, mais elles sont confortables et donnent sur un petit jardin très coquet, avec un banc entouré de fleurs.

☗ ***The Town House*** *(plan B1, **11**)* **:** 70 Cathedral Rd, CF11 9LL. ☎ 23-93-99. Fax : 22-32-14. • www.thetownhousecardiff.co.uk • Ouvert toute l'année. A partir de 55 £ (81,40 €) la chambre avec TV. Un *B & B* très classe, entouré d'une haie bien taillée. Il y règne une ambiance sophistiquée et *british* : papier peint avec des tasses de thé, et salon-véranda. réduction de 10 % à nos lecteurs sur présentation du *Guide du routard.*

☗ ***The Big Sleep Hotel*** *(zoom B4, **10**)* **:** Bute Terrace. Tout près de la gare. ☎ 63-63-63. Fax : 63-63-64. Ouvert toute l'année. Chambres doubles de 45 à 135 £ (66,60 à 199,80 €). Dans un ancien immeuble du British Gas, complètement rénové, un hôtel moderne au design 1970's très confortable. Ici, le Formica est roi et la lumière franche et directe. Quelques chambres un peu criardes.

Très chic

☗ ***Angel Hotel*** *(zoom A3, **13**)* **:** Castle St, CF10 IQZ. ☎ 64-92-00. Fax : 22-59-80. • www.paramounthotels.co.uk • En face du château. À partir de 88 £ (130,20 €) ; tarifs intéressants le week-end. Ce superbe hôtel victorien, construit en 1883, est une petite merveille. On peut se contenter d'aller prendre un verre au bar, en n'oubliant pas de jeter un coup d'œil, au passage, au lustre suspendu dans le hall.

Où dormir dans les environs ?

☗ ***West Usk Lighthouse*** **:** Lighthouse Rd, St Brides Wentloog, Newport. ☎ (01633) 81-01-26. • www.wesusklighthouse.co.uk • Entre Cardiff et Newport. Compter bien 95 £ (140,60 €) pour une double. Hélas, il ne reste pas grand-chose de ce phare transformé en *guesthouse,* si ce n'est la vue sur la mer et les embruns... Vivifiant, quand même ! Pour les stressés, une chambre remplie d'eau avec isolation sensorielle et musique. Café offert aux porteurs du *Guide du routard.*

Où manger ?

Bon marché

|●| ***Café Minuet*** *(zoom A3, **25**)* **:** Castle Arcade. ☎ 34-17-94. Ouvert le midi seulement. Compter autour de 5 £ (7,40 €) le plat. À coup sûr, un des meilleurs rapports qualité-prix de la ville. Un petit boui-boui où l'on vient savourer une cuisine fraîche et agréable, au son de la musique classique. Pour ceux qui ne sont pas sensibles au cadre pourtant charmant, on peut y acheter des sandwichs à emporter.

|●| ***The Market Café*** *(plan A1, **55**)* **:** Chapter Arts Centre, Market Rd. Plats pour moins de 4 £ (5,90 €). Cuisine simple et bon marché à prix record. Centre culturel très actif où se retrouvent les étudiants de Cardiff. Mangez-y un morceau avant d'aller voir une exposition ou un film.

|●| ***The Celtic Cauldron*** *(zoom A3, **26**)* **:** 47-49 Castle Arcade. ☎ 38-71-85. Environ 5 £ (7,40 €) pour un plat simple. On mange ici gallois à bon compte. Musique et cadre de circonstance, c'est assez touristique. Quant à la cuisine, elle ne casse pas trois pattes à un canard, mais c'est original et bon marché. *Welsh rarebit, carrot cake...*

Prix moyens

|●| ***77 Diner*** *(plan A1, **21**)* **:** 77 Pontcanna St. ☎ 34-46-28. Ouvert midi et soir. Fermé le lundi midi. Plats de 5 à 10 £ (7,40 à 14,80 €). Bons *burgers* et plats végétariens. Pour un plan *American dinner* avec Marilyn et

James Dean et l'univers *Easy Rider* en toile de fond.

🍽 ***The Armless Dragon Restaurant*** *(plan C1,* ***22****) :* 97 Wyeverne Rd. ☎ 38-23-57. Grande devanture rouge. Fermé les samedi midi et dimanche. Le midi, formule 3 plats autour de 10 £ (14,80 €) ; sinon, plus cher à la carte. Ici, le poisson se mange frais et la carte change tous les jours selon les humeurs du patron. La cuisine est typiquement galloise mais inspirée d'autres horizons. LA référence locale.

🍽 ***La Brasserie*** *(zoom A4,* ***23****) :* 60-62 St Mary St. ☎ 23-41-34. Fermé le dimanche soir, ainsi que pendant les fêtes de Noël. Très bon resto mais pas donné : de 10 à 15 £ (14,80 à 22,20 €) pour un plat ; préférez donc la formule le midi à 6 £ (8,90 €). Cadre rustique à souhait, tout en bois, avec des cruches en porcelaine accrochées aux poutres et de la sciure au plancher. Le concept est amusant : on choisit ce que l'on mange comme au marché, puis on regarde les cuisiniers s'activer à la préparation du plat.

🍽 ***The Taurus Steakhouse*** *(zoom A4,* ***24****) :* 55 St Mary St. ☎ 39-62-00. Ouvert tous les jours à partir de 19 h. Plats de 8 à 16 £ (11,80 à 23,70 €). Pour ceux qui ont faim en pleine nuit, c'est l'un des rares restos ouverts. Énorme salle sur deux étages. Toutes sortes de viandes sur le gril. Pas fabuleux pour le prix. Bonne ambiance le week-end.

Où boire un verre ?

CARDIFF

L'odeur, parfois assez forte selon la direction du vent, provient de la brasserie *Brains,* installée dans la ville. Elle possède plusieurs pubs qui distribuent sa bière, vraiment excellente. La plupart des pubs ouvrent au minimum de 11 h à 23 h (ferment plus tard en fin de semaine).

🍷 ***The Conway*** *(plan A1,* ***47****) :* Conway Rd. ☎ 23-27-97. Dans une rue qui part de Cathedral Rd, près du parc Llandaff Fields. Fief des journalistes gallois. Ça boit sec et ça parle le gallois. Si vous êtes en train d'apprendre, c'est l'endroit idéal. Le serveur est un routard sympathique qui peut aussi vous faire à manger bon et pour pas cher.

🍷 ***The Prince Of Wales*** *(zoom A4,* ***34****) :* St Mary St. ☎ 64-44-49. Un truc énorme dans un ancien théâtre avec étages, balcons, pont suspendu et on en passe. Si vous ne venez pas pour boire, venez au moins pour voir.

🍷 ***The Old Arcade*** *(zoom A3,* ***31****) :* Church St. ☎ 23-17-40. Près de St John's Church. Décoré de maillots de rugby encadrés avec amour et de photos de boxeurs... Sportif donc, bras musclés tatoués et bière à gogo. Si vous rêvez de dentelle et de crinoline, ce n'est pas là qu'il faut aller passer la soirée !

🍷 ***Dempsey's*** *(zoom A3,* ***30****) :* 15 Castle St. ☎ 23-92-53. Un bar irlandais bien connu pour sa Guinness, son ambiance électrique et ses concerts.

🍷 ***The Trader's Tavern*** *(zoom B4,* ***33****) :* David St. ☎ 23-87-95. Fermé le dimanche. Bar anglais fréquenté par des étudiants gallois et service assuré par des Portugaises.

🍷 ***The Slug and the Lettuce*** *(zoom A3,* ***32****) :* 2-3 Working St. ☎ 34-16-16. Bar *modern style,* plus porté sur le vin que sur la bière. La déco minimaliste rompt avec le style chargé des pubs du coin. On se croirait à New York. Pour les lendemains de fête...

Où sortir ? Où écouter de la musique ?

♪ ***Kiwi's*** *(zoom A4,* ***44****) :* 19-27 Wyndham Arcade. ☎ 22-98-76. C'est le pub-boîte de la troisième mi-temps pour les équipes de rugby ou de hockey. Après chaque match, ambiance et gros muscles garantis ; il ne vous reste qu'à faire votre trou et à survivre.

♩ ***Clwb Ifor Bach*** *(zoom A3, **45**)* **:** 11 Womanby St. ☎ 23-21-99. Ouvert de 21 h à 2 h, voire 4 h. Prix différents selon la soirée (souvent 3 £, soit 4,40 €). Le week-end, c'est le club des Galloises et Gallois galloïsant; les nuits sont heureuses et animées. En semaine, les soirées à thème sont plus étudiantes, avec quelques groupes live. C'est un des seuls clubs où l'on fait la queue avant d'entrer, et pourtant, c'est grand !

♩ ***The Philharmonic*** *(zoom A4, **40**)* **:** 76-77 St Mary St. ☎ 23-06-78. Ouvert tous les jours jusqu'à tard. L'une des boîtes les plus fréquentées de Cardiff. Énorme comptoir en enfilade. Si la musique change d'un étage à l'autre, elle reste très commerciale. Y aller surtout pour écouter les concerts au sous-sol où se déroulent des compétitions de DJs.

♩ ***The Exit Club*** *(zoom B3, **41**)* **:** 48 Charles St. ☎ 64-01-02. Ouvre tard tous les jours. En moyenne, 2,50 £ (3,70 €) l'entrée. Pub-boîte où se retrouve la communauté gay de Cardiff. Piste de danse au sous-sol pour soirées thématiques.

♩ ***Sam's Bar*** *(zoom A4, **42**)* **:** 63 St Mary St. ☎ 34-51-89. Ouvert tous les jours jusqu'à 2 h (au bas mot !). Entrée payante le week-end. Mi-pub, mi-boîte, cet endroit, toujours bondé, est très prisé par les étudiants, plus jeunes ici qu'ailleurs. Un miroir géant surplombe la scène de concert où l'on vient écouter les copains chanter des standards du rock anglais. À l'étage, on fait salon.

À voir

♜♜ ***Cardiff Castle*** *(zoom A3, **50**)* **:** Castle St. ☎ 87-81-00. • www.cardiffcastle.com • Ouvert tous les jours ; de mars à octobre, de 9 h 30 à 18 h ; de novembre à février, de 9 h 30 à 16 h 30. Dernière admission 1 h avant la fermeture. Entrée : de 2,90 à 5,80 £ (4,30 à 8,60 €) selon la longueur de la visite ; réductions. En plein travaux lors de notre passage. Mettez dans un immense shaker un reste de fort romain, un château normand médiéval, une tranche de style gothique victorien, une pointe de folie mauresque, des fresques mythologiques... Secouez fort pour bien mélanger et faites en sorte qu'on n'y retrouve plus ses petits dans tous ces styles et époques... Et vous obtiendrez le château de Cardiff ! En effet, pendant 1 900 ans, les différents occupants y sont allés de leurs fantaisie et créativité. Au XIXe siècle, à la demande du marquis de Bute, l'architecte William Burges y mit la touche finale en ne mégotant pas sur les détails et en en faisant, peut-être, l'édifice le plus dingue de l'ère victorienne. Les amateurs de délires apprécieront.

♜♜ ***The National Museum and Galleries of Wales*** *(plan C1, **51**)* **:** dans Cathay's Park. ☎ 39-79-51. • www.nmgw.ac.uk • Ouvert du mardi au dimanche de 10 h à 17 h. Gratuit. Au rez-de-chaussée : une galerie sur l'évolution et la formation des paysages gallois et un inventaire de la faune et la flore actuelles. C'est bien mis en scène, grâce à des vidéos interactives pour petits et grands. Au 1er étage : galeries de peinture ; anglaise d'une part, avec des paysages de Constable et de Turner, française d'autre part (l'école de Barbizon et les impressionnistes sont fort bien représentés), sans compter des œuvres plus contemporaines. Des nouvelles galeries ont été ouvertes et présentent des œuvres de Monet, Rodin, Renoir, Cézanne, Bacon. Dans quelques salles, on retrouve des vestiges celtes parfois impressionnants. Musée qui mérite le détour. Son parc public est agréable.

♜♜♜ ***Millenium Stadium*** *(zoom A4, **53**)* **:** ☎ 82-22-28. • www.cardiff-stadium.co.uk • Ouvert du lundi au samedi de 10 h à 18 h (17 h le dimanche). Entrée : 5 £ (7,40 €). Réductions. Il trône là, immense, au cœur de la ville, en face du château. Entièrement refait à l'occasion de la Coupe du monde 1999, sur l'ancien stade de l'Arms Park, sa surface a été doublée. Visite de 1 h : speech dans les vestiaires, passage dans le fameux tunnel (on a le palpitant qui accélère), green que l'on foule. Il ne manque que le public. Heureusement, des haut-parleurs diffusent les célèbres chœurs des supporters locaux. Dans les tribunes, vous apercevrez peut-être le couple de faucons chargé de chasser les pigeons. Ils sont fous, ces Gallois !

Cardiff Bay (plan D4) : Cardiff se reconstruit un nouveau centre sur les ruines de son passé industriel. L'ancien quartier peu engageant et pollué des docks devient progressivement un quartier chic pour l'habitation et un lieu de loisir, vitrine technologique et culturelle du pays de Galles.

➢ On vous propose une balade pour découvrir cet incroyable quartier : en partant de l'*Atlantic Wharf Leisure Village,* descendez vers le *Cardiff Bay Visitor Centre* en forme de tube, au bout de la péninsule. Maquette du port et plan explicite de toutes les attractions. Puis rejoignez *Techniquest* en longeant, dans l'ordre, l'église norvégienne, l'assemblée nationale galloise, *Mermaid Quay* ainsi que le *Butetown History and Arts Centre.* Autres alternatives : les bateaux pour faire le tour de la baie, rejoindre le Millenium Stadium ou visiter l'incroyable barrage. Les plus patients attendront le coucher de soleil ; quand les lumières s'allument, c'est splendide.

Shopping

Cardiff est une ville de shopping. Aux grands centres commerciaux, préférez les arcades, lumineuses et protégées, en musardant devant les petites boutiques adorables où l'on découvre artisanat et jeunes créateurs. C'est moins cher qu'à Londres et il y a moins de monde. Pour les amateurs de marchés, celui de Cardiff est en plein centre et donne un bon aperçu des mœurs culinaires locales *(zoom A3).*

Jacob's Antique Market *(zoom A-B4,* ***54****) :* West Canal Wharf, à 5 mn à pied de la gare ; à droite en sortant, puis sous le pont de chemin de fer, le marché est logé sur plusieurs étages dans une grande bâtisse rouge. Ouvert du jeudi au samedi de 9 h 30 à 17 h. Porcelaines, meubles, anciens articles de sport, uniformes, costumes militaires et civils, vêtements d'occasion.

Chouette café ***Off Rails*** au 1er étage, baguettes fourrées et petit dej'.

Loisirs

■ ***Chapter Arts Centre*** *(plan A1,* ***55****) :* Market Rd. ☎ 30-44-00. • www.chapter.org • Centre culturel vivant qui présente des expositions, des spectacles vidéo, des films d'art et d'essai, de la danse, du théâtre, du jazz... Bref, il se passe toujours quelque chose dans cette ancienne école transformée en centre culturel.

■ ***Sherman*** *(plan C1,* ***52****) :* Senghennydd Rd. Près de l'université. Un autre centre culturel, 2 salles de théâtre, cinéma...

– ***Chœurs d'hommes gallois :*** répétitions généralement ouvertes au public. Se renseigner à l'office de tourisme. Essayer notamment *Whitchurch Male Voice Choir,* Pennline Rd, Whitchurch. ☎ (029) 21-91-00. Répétitions les lundi et mercredi à 19 h 15.

➢ DANS LES ENVIRONS DE CARDIFF

Museum of Welsh Life : à ***St Fagan's,*** à quelques kilomètres, sur la route A4232. ☎ 57-35-00. • www.nmgw.ac.uk • Bus nos 320 et 32. Ouvert de 10 h à 17 h. Gratuit. Musée des Arts et Traditions populaires du pays de

Galles. Tous les objets de la vie quotidienne. Dans le parc ont été transportés, reconstruits, meublés tous les types de maisons que l'on trouve au pays de Galles. Chaque *cottage* est prétexte à une rencontre : le surveillant se transforme en conteur passionné qui vous transmet un savoir spécifique (travail du tonnelier, du forgeron, du meunier, etc.). Endroit très agréable pour une journée de promenade dans le passé. Ce village n'a rien de figé, la maison du XXIe siècle y a d'ailleurs sa place... Excellente introduction à la vie et aux traditions galloises. On peut manger ou pique-niquer sur place.

Castell Coch : à 8 km au nord de Cardiff, sur l'A470. ☎ 81-01-01. • www.cadw.wales.gov.uk • Le bus no 26 y conduit. Ouvert tous les jours ; de juin à septembre, de 9 h 30 à 18 h ; ferme plus tôt le reste de l'année. Entrée : 3 £ (4,40 €) ; réductions. Château gigantesque en grès rouge, sur le haut d'une colline. Il fut reconstruit au XIXe siècle par le couple infernal du château de Cardiff, à savoir le marquis de Bute et l'architecte « Billy » Burges, dans le style médiéval cher à leur cœur. On dit même que l'usage de l'opium aurait favorisé leur inspiration délirante. Un must : la chambre de Lady Bute avec son lit d'or. L'ensemble mérite la visite, surtout si l'on est sensible à la féerie, au flamboyant et à l'outrance.

Caerleon (Caerllion) : à environ 25 km au nord-est de Cardiff, après Newport. Petit village endormi sur un site romain qui mérite un détour. Isca était le nom donné à cette base de la légion romaine établie en 75 apr. J.-C. Il en reste plusieurs traces, dont un amphithéâtre de 5 000 places et les fondations des quartiers de la légion. Un musée moderne a été construit à partir des ruines des thermes et témoigne de la douce vie quotidienne des garnisons ! ☎ (01633) 42-25-18. • www.cadw.wales.gov.uk • Ouvert tous les jours. Entrée : 2,50 £ (3,70 €) ; réductions.

Caerphilly (Caerffili) : sur la route A470. ☎ (02920) 88-31-43. • www.cadw.wales.gov.uk • Bus no 26. Ouvert de 9 h 30 à 18 h en été, horaires plus restreints l'hiver. Entrée : 3 £ (4,40 €) ; réductions. Forteresse des XIIe et XIIIe siècles, construite sur le modèle d'Aigues-Mortes, où les croisés embarquaient pour la Palestine. La 2e forteresse d'Europe par sa taille après Windsor, toujours entourée de son fossé. Massive et imprenable, sans aucun doute ! La tour, à demi abattue par Cromwell, et aujourd'hui bien penchée, est célèbre. Audioguides payants en français.

The Courthouse : Cardiff Rd. ☎ 88-81-20. Pub-restaurant installé dans une maison du XIVe siècle. Belles cheminées. On peut goûter au fromage maison, en admirant la forteresse de l'autre côté du fossé qui l'entoure.

LA PÉNINSULE DE GOWER

Cette région tout au sud est l'un des plus beaux sites naturels de Grande-Bretagne. Un sentier longe la côte en surplombant parfois des falaises impressionnantes. En chemin, on rencontre oiseaux multicolores, villages adorables, grandes plages de sable ou petites criques intimes et, même, quelques châteaux normands en ruine. Pour les moins sportifs, les petites routes sont aussi très agréables, mais il faut se munir d'une bonne carte routière détaillée. Routes aussi très encombrées en été et, vu leur étroitesse, déconseillées aux cyclistes et aux marcheurs.

SWANSEA (ABERTAWE)

232 000 hab. IND. TÉL. : 01792

Deuxième ville du pays de Galles, très grand centre industriel depuis le XVIe siècle (charbon, étain, cuivre, raffineries de pétrole aujourd'hui), Swansea est aussi la porte d'accès à la péninsule de Gower, du nom de cet évêque du XIVe siècle, qui occupa longuement le siège de saint David. Swansea abrite en plein centre 3 des plus remarquables jardins botaniques du pays de Galles. C'est aussi la ville natale de Dylan Thomas, grand poète gallois (1914-1953). Si son nom n'évoque rien, celui de Bob Dylan vous rappelle quelque chose... Ce dernier emprunta le nom de son poète favori.

Adresses utiles

Tourist Information Centre *(plan B2)* **:** Plymouth St. ☎ 46-83-21. Fax : 46-46-02. • www.swansea.co.uk • Ouvert de 9 h 30 à 17 h 30. Le plus souvent, fermé le dimanche.

Post Office : King's Way.

Où dormir ?

Mirador Guesthouse *(hors plan par A1)* **:** 14 Mirador Crescent. ☎ 46-69-76. • mirador@btconnect.com • À 5 mn du centre en voiture, vers l'ouest. Ouvert toute l'année. Le nom est peu accueillant et pour 25 £ (37 €) on s'attend au pire, c'est pourtant tout le contraire. Petit coin charmant et tranquille. Les friands de moquettes chamarrées seront comblés ! Pour les végétariens, petit dej' spécial sur commande. TV et théière électrique dans chaque chambre.

Oystercatcher Hotel *(plan A3, 10)* **:** 386 Oystermouth Rd, SA1 3 UL. ☎ 45-65-74. Ouvert toute l'année. De 40 à 48 £ (59,20 à 71 €) la nuit. Majoration de 5 % si l'on règle avec une carte de paiement. L'intérêt principal, c'est bien sûr les chambres donnant sur la mer. D'accord, il y a le bruit des voitures sur le boulevard et le confort n'est pas folichon, mais quelle vue ! Fait aussi resto.

Pantycelyn Hotel *(plan A3, 11)* **:** Seafront, SA1 3UL. ☎ et fax : 65-13-25. • www.pantycelyn.com • Nombreuses chambres *en-suite* à 45 £ (66,60 €), réparties sur 5 étages. Confortable. C'est un peu grand et cela n'a pas le charme des *B & B.* Préférer les chambres du haut, entre ciel et mer.

Où manger ?

The Market *(plan C2, 21)* **:** en plein centre, un marché très vivant et très animé (le plus grand du pays de Galles). Pour ceux qui ont l'intention de pique-niquer, on peut s'y procurer de bons produits locaux (fromage et poisson).

The Pumphouse *(plan C3, 20)* **:** dans le nouveau quartier du bord de mer, The Marina. ☎ 65-10-80. Ouvert de 12 h à 22 h (23 h les vendredi et samedi, 21 h le dimanche). Compter pas moins de 14 £ (20,70 €) pour un repas complet. Cet ancien bâtiment a été transformé avec goût. Le bar donne sur la marina et le resto sur le port. Très agréable. Au programme, des produits de la mer, à choisir de préférence aux viandes, assez médiocres.

The New Capriccio *(plan A2, 22)* **:** à côté de Crown Court et du 89 St Helen's Rd. ☎ 64-88-04. Ouvert du mardi au samedi de 18 h 30 à 22 h 30. Prévoir entre 8 et 16 £ (11,80 et 23,70 €) pour un plat prin-

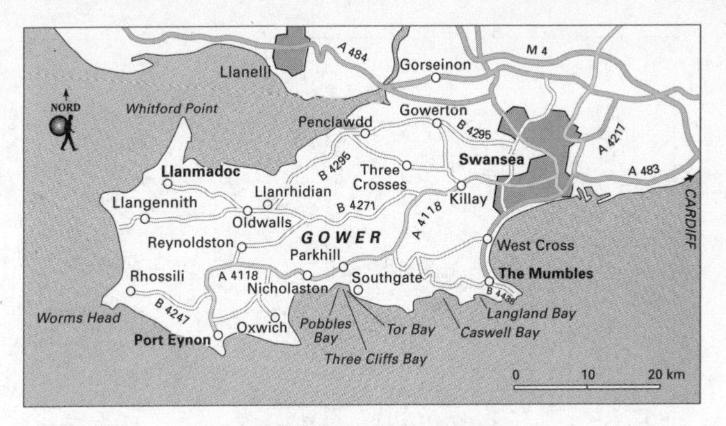

LA PÉNINSULE DE GOWER

cipal. Large choix de poisson à la sauce italienne. La cuisine est assez élaborée et appréciée par les locaux.

The West Cross Inn : 43 Mumbles Rd. ☎ 40-11-43. À quelques kilomètres au sud-ouest, sur la route de West Cross à Mumbles, sur votre gauche. Ouvert tous les jours midi et soir. Plats extrêmement copieux pour environ 7 £ (10,40 €). C'est un grand et beau relais donnant sur la baie. On peut manger dans la véranda ou dans le jardin. Le poisson du *fish & chips* doit être une espèce cousine de la baleine, vu la taille. Un endroit très plaisant, où il fait bon s'arrêter.

Où boire un verre ? Où sortir ?

The Singleton (*plan B2,* **30**) **:** 1-2 Dillwyn St. ☎ 65-59-87. Vieux pub du début du XXe siècle, avec de superbes cheminées et un petit coin théâtre où se produisent des groupes de musiciens, souvent bons, chaque samedi vers 21 h. Atmosphère détendue et joviale.

Builder's Arms (*plan B2,* **31**) **:** 36 Oxford St. ☎ 47-61-89. Pub exagérément rénové, dommage. Mais on n'y mange pas trop mal et les bières y sont excellentes. Clientèle de quartier.

Waterside (*plan C3,* **32**) **:** 18 Anchor Court, Victoria Quay. ☎ 64-85-55. Ouvert tous les jours de 12 h à 2 h en semaine, 4 h le week-end. *Burgers* à 3 £ (4,40 €), l'été seulement. Grand bar tout en verrière qui court sur 2 étages. Cadre très design et coloré. Fait aussi night-club et organise des soirées *drag-queens* les mercredi et dimanche.

The Queen's Hotel (*plan C2,* **33**) **:** Gloucester Place. ☎ 64-34-60. Comme son nom ne l'indique pas, c'est un vieux pub gallois niché dans une rue du port. Ambiance marine bien locale, avec des tableaux de bateaux sur tous les murs.

Garibaldi (*plan B2,* **34**) **:** Western St. ☎ 64-17-82. Un pub popu comme on les aime, à l'accueil viril et chaleureux, notre coup de cœur à Swansea. Ici, on boit sa bière avec de vrais Gallois, amateurs de jeux de fléchettes et fins parieurs de courses de chevaux. Chaude ambiance assurée.

No Sign Bar (*plan C2,* **40**) **:** 56 Wind St. ☎ 45-63-00. Le plus ancien pub de la ville : 1837. La déco d'origine et l'ameublement magnifiquement restauré donnent beaucoup de charme à l'endroit. Niveau clientèle, beaucoup de monde, de tous les styles et de tous les âges. C'est pour ce genre d'endroit sans barrières que vous êtes venu ici. À voir et à boire absolument.

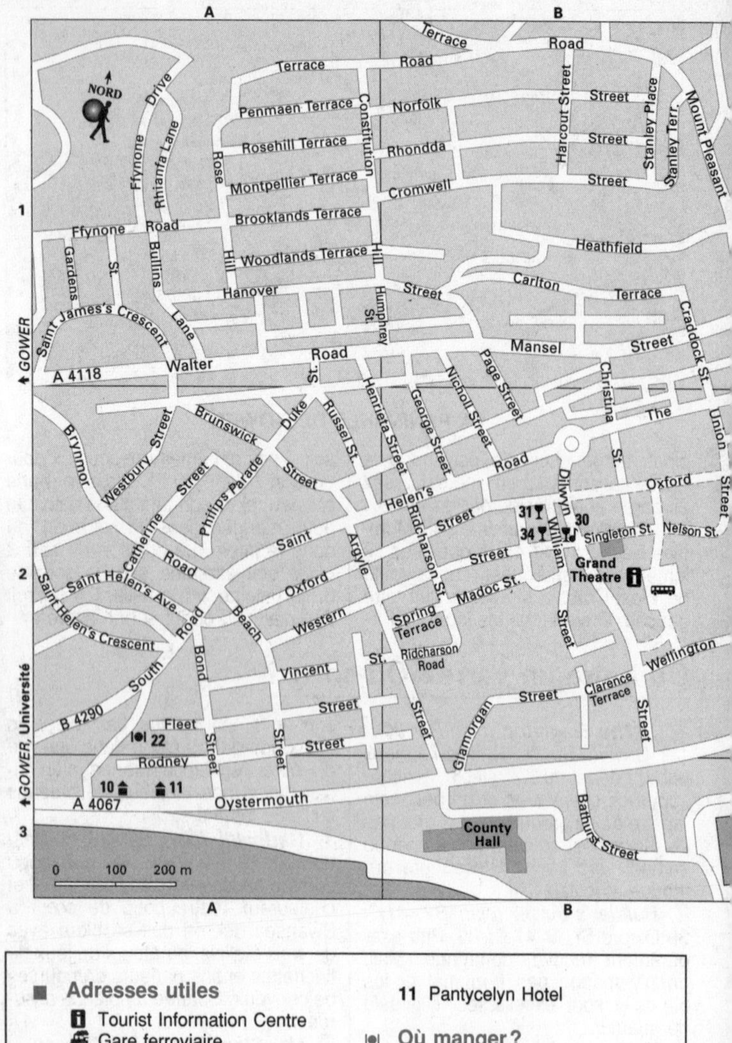

Adresses utiles

- Tourist Information Centre
- Gare ferroviaire
- Gare routière

Où dormir ?

- **10** Oystercatcher Hotel
- **11** Pantycelyn Hotel

Où manger ?

- **20** The Pumphouse
- **21** The Market
- **22** The New Capriccio

À voir

The Maritime and Industrial Museum *(plan C3, **50**)* **:** Museum Square, Maritime Quarter. ☎ 65-03-51. Fax : 65-42-00. Annoncé comme le musée phare de la région consacré à l'histoire de Swansea, il devrait rouvrir ses portes en 2005. On en trépigne d'impatience...

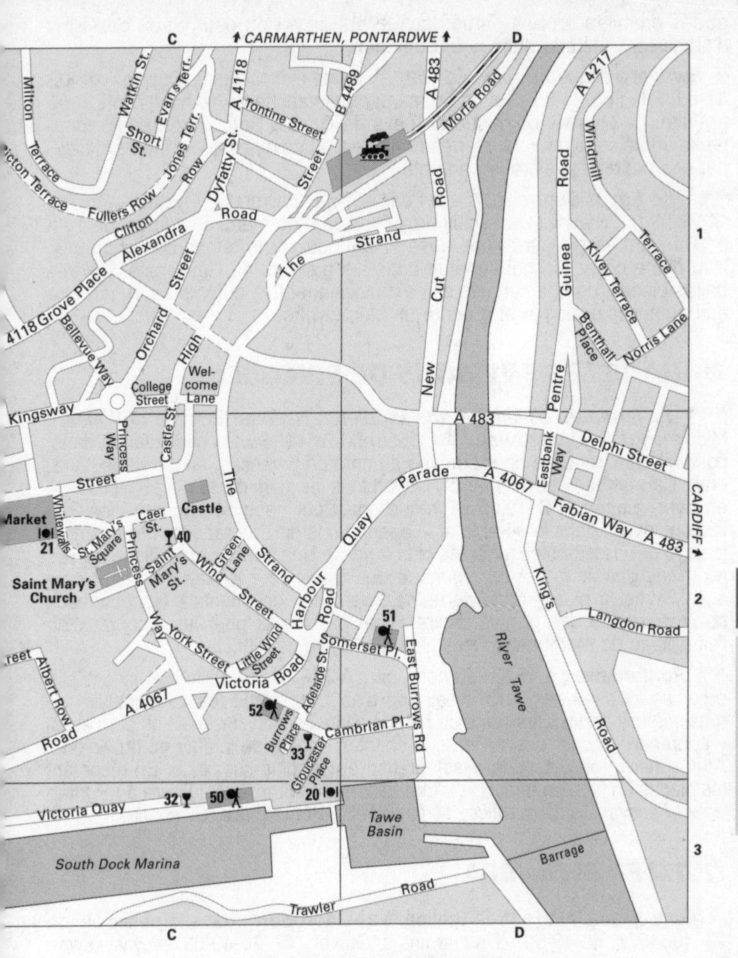

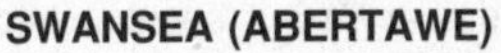
SWANSEA (ABERTAWE)

Où boire un verre ? Où sortir ?

- **30** The Singleton
- **31** Builder's Arms
- **32** Waterside
- **33** The Queen's Hotel
- **34** Garibaldi
- **40** No Sign Bar

À voir

- **50** Maritime and Industrial Museum
- **51** Dylan Thomas Centre
- **52** Swansea Museum

***The Dylan Thomas Centre** (plan D2, **51**) :* Somerset Place. ☎ 46-39-80. • www.dylanthomas.org • Ouvert du mardi au dimanche de 10 h à 16 h 30. Bâtiment rénové et transformé en centre culturel. Flâner dans la librairie très fournie ou assister à une lecture. Une salle est entièrement consacrée à la vie et à l'œuvre de Dylan Thomas. On y trouve, entre autres, ses manuscrits et ses premiers articles parus dans la presse, et on peut y voir des films d'archives. Cafétéria dans la bibliothèque.

Swansea Museum *(plan C2, 52)* : Victoria Rd, Maritime Quarter. ☎ 65-37-63. Fax : 65-25-85. Ouvert du mardi au dimanche de 10 h à 17 h. Entrée gratuite. Le plus vieux musée du pays de Galles. Rempli de trésors étonnants, momie égyptienne, pierres romaines, porcelaines anciennes. Un cabinet des curiosités ravira les enfants.

The Egypt Centre *(hors plan par A3)* : à l'université, Oystermouth Rd. ☎ 29-59-60. • www.swan.ac.uk/egypt • Ouvert du mardi au samedi de 10 h à 16 h. Entrée gratuite. Petit musée inattendu sur le temps des pharaons, issu d'une collection qui végétait dans les greniers de l'université. De très belles pièces, dont le cercueil d'une musicienne. Les enfants apprendront à embaumer une momie et à écrire un hiéroglyphe.

➤ DANS LES ENVIRONS DE SWANSEA

Le jardin du Millénaire (the Middleton National Botanic of Wales) : Middleton Hall, ***Llanarthney.*** ☎ (01558) 66-71-49. • www.middletongardens.com • À une trentaine de kilomètres au nord de Swansea, en retrait de l'A48, entre Carmarthen et Crosshands. Ouvert tous les jours de 10 h à 18 h (16 h 30 en hiver). Entrée : 7 £ (10,40 €) ; réductions. Pour inaugurer l'an 2000, les Gallois ont investi dans le durable et le beau : un jardin, qui rappelle étrangement le pays des Télétubbies (pour les plus érudits). Une densité magnifique du vert au milieu des arbres et du chamarré des fleurs. Une touche de technologie aussi, avec la plus grande serre d'Europe, qui, en orientant les panneaux solaires, recrée des climats divers. À ne pas louper pour les amoureux de l'effeuillage de marguerites. Restaurant et office de tourisme.

Pontardawe : à 15 km au nord, par l'A4067. Cette petite ville industrielle organise tous les ans, le 3e week-end d'août, un grand festival populaire de musique folk de tous les coins du monde. Danses bien sûr, mais on peut aussi y apprendre à jouer des cuillères, à chanter, à jouer de la flûte ou du violon... Atmosphère très détendue. Restauration et camping sur place. En réservant les places en juin, on bénéficie d'une remise d'environ 25 %. Écrire à : *Pontardawe Festival Ltd,* Box Office, 14 Church St, Pontardawe, Swansea.

QUITTER SWANSEA

Gare *(plan D1)* : High St Station. ☎ (08457) 48-49-50. Des trains toutes les heures pour Londres Paddington, via Bristol.

Gare routière *(plan B2)* : Quadrant Bus Station. ☎ (08706) 08-26-08. Des bus pour quasi toutes les destinations, dont Londres et la péninsule de Gower.

✈ ***Aéroport*** : dans la péninsule de Gower. ☎ 20-40-63. • www.swanseaairport.com • Vols pour Dublin, Cork et Jersey. Voir aussi à Cardiff International Airport.

■ ***Stena Sealink*** : réservations, ☎ 45-61-16. • www.swansea-cork.ie • Liaisons toute l'année avec Cork, en Irlande.

THE MUMBLES (MWBWLS)

IND. TÉL. : 01792

Station balnéaire agréable, connue pour ses pubs. Dylan Thomas les aurait tous fréquentés. Le week-end, pendant la période scolaire, ils sont envahis par les étudiants de Swansea qui font le « Mumbles mile », une quinzaine de pubs concentrés sur un mile. La station est, par ailleurs, dominée par *Oystermouth Castle,* joli château roman du XIIIe siècle.

Adresse utile

🅸 ***Tourist Information Centre :*** 2 Dunns Lane. ☎ 36-13-02. Fax : 36-33-92. Ouvert en saison seulement.

Où dormir ?

Toutes nos adresses se situent sur le front de mer.

🏠 ***Rock Villa Guesthouse :*** 1 George Bank, SA3 4EQ. ☎ 36-67-94. • www.users.tinyworld.co.uk/rockvilla • Côté Pier. Fermé à Noël. De 48 à 50 £ (71 à 74 €). Chambres agréables et tout confort. La salle de bains à l'étage est superbe, l'accueil aimable. Réduction de 2 £ (3 €), lors de la réservation, avec le *Guide du routard.*

🏠 ***The Coast House :*** 708 Mumbles Rd, SA3 4EH. ☎ 36-87-02. • thecoasthouse@aol.com • Côté Pier. Fermé en novembre et décembre. Chambres à partir de 48 £ (71 €). Chambres avec bow-window, donnant sur la baie de Swansea. Clair et agréable.

🏠 ***Shoreline Hotel :*** 648 Mumbles Rd. ☎ 36-62-33. • www.shorelinehotel.co.uk • Ouvert toute l'année. De 55 à 60 £ (81,40 à 88,80 €). C'est tout neuf et pas excessif. Une douzaine de chambres dans un cadre agréable et bien tenu, toutes avec douches et TV. Certaines donnent sur la mer mais sont un peu plus chères. Restaurant.

Plus chic

🏠 ***Alexandra House :*** 366 Mumbles Rd, SA3 5TN. ☎ 40-64-06. Fax : 40-56-05. • www.alexandra-house.com • Côté Swansea. Ouvert toute l'année. Compter de 50 à 70 £ (74 à 103,60 €). Dans une magnifique maison du front de mer, Christine vous accueille chaleureusement, ravie de vous montrer une chambre fraîche et fleurie. La vue sur la baie fera le reste, et vous serez conquis.

Où manger ?

|●| ***The Treasure :*** 29-33 Newton Rd. ☎ 36-13-45. Ouvert du lundi au samedi de 9 h 30 à 17 h 30 (21 h 30 en été). La formule 2 plats pour 6 £ (8,90 €) est avantageuse. C'est une véritable caverne d'Ali Baba, où l'on peut acheter tout ce que l'on veut, des parfums à la vaisselle ! Côté resto, on fait soi-même sa salade composée et on peut déguster d'excellents gâteaux maison. Au fond du bâtiment, un atelier de création expose des travaux d'artistes, potiers, bijoutiers, sculpteurs.

|●| ***Megna Indian Cuisine :*** 728 Mumbles Rd. ☎ 36-19-91. Côté Pier. Ouvert tous les jours de 18 h à 22 h. À partir de 8 £ (11,80 €) pour un repas complet. Resto indien remarquable. Vue sur la mer, plantes et fleurs artificielles agrémentées de lumières vertes et bleues... on s'y croirait ! À ne pas rater si vous aimez la cuisine indienne.

|●| ***Patrick's with rooms :*** 638 Mumbles Rd, SA3 4EA. ☎ 36-01-99. • www.patrickswithrooms.com • Restaurant ouvert midi et soir. Fermé le dimanche soir. Congés annuels 2 semaines en janvier, ainsi que les 3 premières semaines de septembre. Menus à partir de 8,50 £ (12,60 €). À la carte autour de 27 £ (40 €) le soir. Les plats sont recherchés et l'accueil enjoué. Cadre frais et agréable, lambris clairs, nappes en tissu, moquette. On y croise d'appétissants plateaux de fromages. Fait aussi hôtel.

À voir. À faire

➢ ***Belles promenades sur les falaises :*** depuis les Mumbles, suivre la route B4438 qui conduit tout droit jusqu'au point de départ. Le sentier suit les plus jolies plages de la région, dont celle de *Langland Bay,* très prisée des surfeurs. Continuez jusqu'à *Caswell Bay.*

➢ D'autres promenades sont à faire entre *Southgate* et *Oxwich,* sur la côte. Là aussi, falaises grandioses, plages et dunes gigantesques. Laissez la voiture à Southgate et marchez le long des falaises jusqu'au site de *Three Cliffs Bay,* l'un des plus beaux coins du pays de Galles.

➤ DANS LES ENVIRONS DES MUMBLES

Gower Heritage Centre : Park Mill. ☎ (01792) 37-12-06. • gower_heritage_centre@compuserve.com • À mi-chemin entre Swansea et Port Eynon, sur l'A4118. Ouvert tous les jours de 10 h à 17 h (16 h l'hiver). Entrée : 3 £ (4,40 €) ; réductions. Curieux agencement d'ateliers d'artisanat, alimentés par un vieux moulin à eau d'origine française et toujours en activité. Plein d'attractions pour les enfants, des animaux à caresser ou à chevaucher. Également une mine de conseils pour les balades dans le coin (on peut se procurer des itinéraires gratuitement ou se faire guider). *Tea-room.*

PORT EYNON *(PORTH EINON ; IND. TÉL. : 01792)*

À 25 km de Swansea, au bout d'une route de campagne qui traverse la péninsule, d'où l'on a quelques trouées vers la mer, grande plage protégée par une dune et village de carte postale.

Où dormir ?

Camping Carreglwyd : Leys Cottage, Port Eynon, SA3 1NL. ☎ 39-07-95. • www.porteynon.com • Situé pas loin de la plage, dans plusieurs prés séparés par des haies et protégés du vent. Ouvert toute l'année. Compter 12 £ (17,80 €) la nuit. Boutique. Accueil poli sans plus. Le cadre est agréable.

Youth Hostel The Old Lifeboat House : Port Eynon, en allant vers la plage, au bord de l'eau. ☎ (08707) 70-59-98. Fax : (08707) 70-59-99. • www.yha.org.uk • Ouvert de Pâques à fin octobre. Un peu plus de 10 £ (14,80 €). Vieux bâtiment qui a été rénové et agrandi. La salle de séjour et les dortoirs offrent une vue panoramique magnifique. Malheureusement, AJ assez mal tenue. Dommage, car l'environnement vaut le coup.

The Abbey B & B : The Abbey, Port Eynon. ☎ 39-03-19. En face de l'église. De 40 à 50 £ (59,20 à 74 €). Ouvert d'avril à septembre. Tenu par Mrs Carole Jones. Trois chambres. Très joli cadre. Souvent complet. Un café offert sur présentation du *Guide du routard.*

Où manger ? Où boire un verre ?

The Ship Inn : à côté de l'office de tourisme. ☎ 39-02-04. Des plats à 5 £ (7,40 €). Vieux pub local où habitants du village et touristes font bon ménage.

Captain's Table : petite gargote sur la plage. Ouvert matin, midi et soir, qu'il pleuve ou qu'il vente (ou les deux !). Guère plus de 2 £ (3 €) pour un *fish & chips,* presque un record ! Des tables descendent à l'extérieur : on peut voir la mer et philosopher sur l'existence précaire du poisson que l'on mange.

À faire

➢ ***Rhossili :*** un chemin qui suit la crête des falaises mène de Port Eynon à Rhossili Worms Head, à l'extrémité ouest de la péninsule. Très beaux points de vue. On y croise d'anciennes caches utilisées par les pirates pour planquer leurs butins. Les falaises de la pointe de Rhossili sont maintenant entretenues et préservées par le *National Trust.* Endroit d'observation des oiseaux de mer. N'oubliez pas vos jumelles et votre petite laine (il y a du vent !).

LLANMADOC *(LLANMADOS ; IND. TÉL. : 01792)*

Au nord-ouest de la péninsule. Petit village planté au milieu d'une lande vallonnée et très colorée, dominant un magnifique marais maritime à la faune et à la flore particulières.

Où dormir ?

Tallizmand : à gauche en venant du *Brittania Inn.* ☎ 38-63-73. Fermé à Noël. Chambre double à partir de 45 £ (66,60 €). Charmant *B & B* sur les hauteurs. Trois chambres confortables avec salle de bains et vue sur le jardin. La proprio est très sympa et vous indiquera les meilleures balades à faire dans le coin. Repas possible.

Où manger ?

Brittania Inn : ☎ 38-66-24. On peut y manger à partir de 5 £ (7,40 €). Pub très sympa, typiquement gallois, avec un plafond bas pour ambiance chaude. À l'extérieur, c'est champêtre, une arche de Noé farfelue avec toutes sortes d'animaux plus ou moins surprenants et souvent drôles. Les cochons chinois, par exemple, sont irrésistibles ! Halte obligatoire pour les enfants. On peut aussi y dormir, mais les chambres sont assez chères.

PEMBROKESHIRE COAST NATIONAL PARK (PARC CENEDLAETHOL ARFORDIR PENFRO)

Vous vous trouvez maintenant dans un parc national qui commence à Amroth et se termine à Cardigan (Aberteifi). Un chemin de randonnée suit la côte sur l'ensemble du parc national, à partir de Tenby ou de Cardigan. Les monts boisés de Preseli, au nord, représentent l'un des points forts du témoignage de la préhistoire au pays de Galles, avec quelques menhirs intéressants. Enfin, les îles de Ramsey (Ynys Dewi), Skomer, Skokholm et Grassholm sont connues pour leurs colonies d'oiseaux et de phoques gris, celle de Caldey pour son abbaye cistercienne. Procurez-vous dans les offices de tourisme le *Coast to Coast,* journal gratuit et les brochures destinées aux routards à fauteuil (elles sont très bien faites).

LAUGHARNE (TALACHARN)

IND. TÉL. : 01994

Entre Carmarthen (Caerfyrddin) et Tenby (Dinbych-y-Pysgod), au bout de la route A4066. Laugharne (prononcez « Laarn ») est une petite ville pleine de charme, où Dylan Thomas écrivit la plus grande partie de son œuvre dans un ancien garage transformé en bureau, qui dominait l'estuaire des fleuves Taf et Tywi. Il habitait dans une maison en contrebas de son bureau, *The Boathouse* (cf. « À voir »).

Où dormir ?

The Castle House : Market Lane, SA33 4SA. ☎ et fax : 42-76-16. • www.laugharne.co.uk • Ouvert toute l'année. Très grande bâtisse rose juste à côté du château. Chambres doubles à 70 £ (103,60 €). Trois grandes chambres superbes et confortables. Si vous voulez voir le lever du soleil sur la mer ou le jardin, demandez la confortable chambre bleue. Excellent accueil.

Où manger ? Où boire un verre ?

The Stable Door Restaurant and Wine Bar : Market Lane. ☎ 42-77-77. Fermé du lundi au mercredi en hiver. Menu complet entre 14,50 et 24 £ (21,50 et 35,50 €). Vieille étable transformée en restaurant de bonne qualité à un prix raisonnable. On y boit du vin au verre, on peut commander une bouteille (assez cher). Les plats sont indiqués sur un grand tableau derrière le bar ; c'est là qu'on passe sa commande. Service détendu et souriant.

Brown's Hotel : fréquenté par des locaux. Pub où Dylan Thomas a passé de longs moments. Au fond de la salle, on peut boire un verre à la table du poète (elle n'est pas trop usée ; pourtant, elle a dû en voir !). Des photos évoquent son souvenir. Tom, le patron, petit chauve à lunettes drôle et cynique, l'a bien connu et il a plein d'anecdotes amusantes à raconter. Profitez-en pour goûter la *Buckley beer,* de la plus vieille brasserie du pays de Galles.

À voir

The Boathouse : à 10 mn de marche vers le fond de l'estuaire. ☎ 42-74-20. En saison, ouvert de 10 h à 17 h 30 ; hors saison, de 10 h 30 à 15 h 30. Entrée : environ 3 £ (4,40 €). La maison et le bureau de l'écrivain Dylan Thomas. Son émouvant bureau dans un garage aménagé est resté dans l'état où il l'a laissé en 1953. Admirez la vue qu'il avait de sa fenêtre et laissez venir votre inspiration.

Le vieux village : contemplez les maisons des XVIIe et XVIIIe siècles, les ruines du vieux château (XIIe siècle) au bord de la mer, le Guildhall du XVe siècle. La balade côtière réserve la surprise d'une petite aire de pique-nique fort plaisante.

TENBY (DINBYCH-Y-PYSGOD)

5000 hab.

IND. TÉL. : 01834

Ancienne ville fortifiée présente sur toutes les cartes postales. Le port est niché au pied d'un promontoire rocheux, la station balnéaire s'étend le long de 2 larges plages. S'il fait beau, vous ne serez pas tout seul. Restaurants, attractions attrape-nigauds, bref, l'attirail habituel d'une station très touristique, capable du meilleur comme du pire.

Adresses utiles

Tourist Information Centre : The Croft. ☎ 84-24-02. • www.visitpembrokeshire.com • Surplombant la plage nord. Ouvert tous les jours, sauf le dimanche en hiver.

Gare : Warren St. ☎ (08457) 48-49-50. Six trains par jour pour Londres-Paddington, via Swansea et Cardiff.

Où dormir ?

Youth Hostel : Manorbier. ☎ (08707) 70-59-54. Fax : (08707) 70-59-55. • www.yha.org.uk • Entre Tenby et Pembroke sur l'A4139 (à 7 km environ). Gare à 4 km. Ouvert de mars à octobre. Environ 11,50 £ (17 €) par personne. Très confortable. Cadre superbe, ou presque, le ministère de la Défense ayant installé à deux pas de là une base militaire ; ambiance *Chapeau melon et bottes de cuir* !

Gwynne House : Bridge St, SA70 7BU. ☎ 84-28-62. Sur le port, du côté de la chapelle. Nuit entre 50 et 70 £ (74 et 103,60 €). Très beau *B & B.* Sur place, on trouve toutes les infos pour pratiquer des activités maritimes : balades en mer, pêche, planche à voile.

Castle View Hotel : The Norton. ☎ et fax : 84-26-66. Au niveau de l'office de tourisme. Une douzaine de chambres, dont 2 donnent sur la mer, entre 50 et 60 £ (74 et 88,80 €). Monsieur Hulot aurait pu y passer ses vacances. Gros fauteuils bleus dans le salon. On adore la vue ! Un café offert sur présentation du *Guide du routard.*

Où manger ?

The Coach and Horses : Upper Frog St. ☎ 84-27-04. Ouvert midi et soir. Repas à partir de 6,50 £ (9,60 €). Derrière une façade orange, le plus vieux resto et le plus sympa de la ville. On y mange pas trop mal et on y boit de l'absinthe (chut... c'est interdit !). C'est très copieux, alors pour ceux qui suivent un régime, pensez plutôt aux sandwichs. À tout moment, on s'attend à voir s'arrêter une diligence devant la porte...

The Plantagenet House : Quay Hill. ☎ 84-23-50. Ouvert midi et soir, uniquement le week-end en hiver. À l'intérieur des remparts, près de Tudor Merchant's House. Plats de 13 à 22 £ (19,20 à 32,60 €). Une des plus vieilles maisons de Tenby, mais de très beaux restes, meubles et bibelots, atmosphère charmante et cuisine délicieuse. Prix déraisonnables, même compte tenu du cadre exceptionnel. Important : faites un tour aux toilettes, surtout si vous êtes une *lady* !

La Cave : Upper Frog St. ☎ 84-30-38. Ouvert midi et soir. Cuisine simple et fraîche de 8 à 15 £ (11,80 à 22,20 €), beaucoup de poisson grillé agrémenté d'un filet de citron. Un autre bel endroit pour un repas accompagné d'un p'tit verre de vin, pour les nostalgiques ou les fatigués de la bière.

|●| ***The Mews Bistro :*** Upper Frog St. ☎ 84-40-68. Ouvert le soir uniquement. Compter de 13 à 15 £ (19,20 à 22,20 €) pour un plat. Au fond d'une arcade, une adresse appréciée des gens du coin. On y sert de belles cuisses d'agneau ou du poisson bien frais, dans un cadre verdoyant.

Où boire un verre ?

🍷 ***The Royal Gate House Hotel :*** North Beach. ☎ 84-22-55. Le bar de cet hôtel assez luxe vaut le détour. Très confortable. On vous sert la Guinness avec beaucoup de délicatesse et de prévenance.

À voir

Se promener dans la ville, à l'intérieur des remparts du XIIIe siècle.

★ ***Tudor Merchant's House :*** propriété du *National Trust*. Entrée : 2 £ (3 €). Maison d'une famille de marchands du XVe siècle.

★ ***St Catherine's Island :*** le fort construit sur cette île fut terminé en 1869. Censé défendre le pays contre Napoléon.

★ ***St Julian's Chapel :*** chapelle de pêcheurs nichée dans un coin du port. C'est celle des cartes postales.

★★ ***Caldey Island (Ynys Byr) :*** embarquement depuis les quais, juste en face de la chapelle. Départ tous les jours de Pâques à octobre, sauf le dimanche, toutes les 30 mn entre 9 h 30 et 17 h ; plusieurs compagnies. Billet : 7 £ (10,40 €) ; réductions. Sur cette petite île se trouve une *abbaye* du début du XIIe siècle, occupée par des moines cisterciens spécialisés dans la fabrication de parfums. À côté, une église celtique du IXe siècle et un prieuré du XIIIe.

★★ ***Tenby Museum and Art Gallery :*** Castle Hill. ☎ 84-28-09. Ouvert de 10 h à 17 h, tous les jours d'avril à décembre, fermé le week-end de janvier à mars. Entrée : 2 £ (3 €) ; réductions. Une collection de pièces archéologiques et géologiques. Une histoire de la mer et des légendes locales. Le musée fait aussi galerie d'art, une bonne occasion de découvrir les talents d'artistes régionaux.

CRESSWL

IND. TÉL. : 01646

Au cœur du parc national, c'est un village retiré au fond de l'aber (l'embouchure), entre Tenby et Pembroke. Peu de maisons mais un charme certain.

Où dormir ? Où manger ?

🏠 |●| ***The Cresswell House :*** Cresswell Quai. ☎ 65-14-35. • www.cresswellhouse.co.uk • Ouvert toute l'année. De 50 à 60 £ (74 à 88,80 €). De l'extérieur, la maison ne paie pas de mine, mais Phil et Rhian ont dû courir toutes les brocantes pour arriver à un pareil résultat. Rien n'a été oublié, même le canard pour la baignoire en fonte. C'est calme, on se sent bien, on regarde la marée aller et venir. Le matin, le pain de poisson (eh si !) vous mettra dans une forme olympique. Possibilité de consommer au dîner la production maison.

Où boire un verre ?

The Cressilly Arms : Cresswell Quay. Juste en face du *B & B,* le petit pub local. Des villages aux alentours, jeunes comme vieux s'y retrouvent dans la bonne humeur. Les bonjours fusent et après quelques bières au tonneau, ça chante. Le poêle en fonte est très beau mais ne sert à rien. Pour ceux qui aiment les atmosphères où tout le monde se connaît et festoie, le paradis pourrait être ici !

PEMBROKE (PENFRO)

IND. TÉL. : 01646

Jolie ville ancienne fortifiée, à 20 km à l'ouest de Tenby, dominée par un château du XIIe siècle.

➢ De Pembroke Dock, au moins 2 traversées quotidiennes (dont une la nuit) pour *Rosslare,* en Irlande, avec Irish Ferries. ☎ (08705) 13-42-52. • www.irishferries.com •

Adresse utile

Tourist Information Centre : Commons Rd. ☎ 62-23-88. Ouvert de Pâques à octobre, de 10 h à 17 h 30.

Où dormir ? Où manger ? Où boire un verre ?

Beech House : 78 Main St, SA71 4HH. ☎ et fax : 68-37-40. Fermé en novembre. Compter 32 £ (47,40 €) pour 2 ; 5 £ (7,40 €) pour les 5-18 ans. Gratuit pour les enfants de moins de 5 ans. Un des *B & B* les plus somptueux et les moins chers que nous connaissions. Belle maison bleu-gris recouverte de glycines, confortable et richement décorée. Dans le salon, billard à disposition. Dans certaines chambres, lit à baldaquin. De plus, l'hôtesse est charmante... le rêve, quoi !

The Old King's Arms Hotel : 13 Main St. ☎ 68-36-11. Près du château. Ouvert tous les jours de 12 h à 14 h 30 et de 19 h à 22 h 30. Plats au pub à partir de 6,50 £ (9,60 €) ; nettement plus cher au restaurant. Pub paisible et sans histoire. À l'arrière, une salle superbe, décorée de chaudrons et d'une batterie de casseroles en cuivre. On y sert une vraie cuisine élaborée, dans une ambiance bourgeoisie de province. Service de grande classe en sus, très plaisant et inattendu.

Waterman's Arms : après le pont, près du château. ☎ 68-27-18. Ouvert midi et soir. Fermé les lundi et mardi en hiver. Plats du jour entre 6 et 10 £ (8,90 et 14,80 €). Pub sans atmosphère particulière mais très agréable en raison de sa situation au bord du fleuve et de sa vue sur le château et les cygnes.

À voir

Pembroke Castle : ☎ 68-45-85. • www.pembrokecastle.co.uk • Ouvert tous les jours ; d'avril à septembre de 9 h 30 à 18 h, en octobre et mars de 10 h à 17 h, de novembre à février de 10 h à 16 h. Entrée : 3 £

(4,40 €) ; réductions. Forteresse au bord de l'eau, construite sur le site d'un château en bois à partir de 1207, démantelée par Cromwell en 1648, puis restaurée à partir de 1928. C'est un vrai plaisir aujourd'hui de se perdre dans le dédale des salles remises en état. Le château vit la naissance d'Harri Tudor, devenu roi en 1485 sous le titre d'Henri VII après avoir vaincu Richard III. Guides en français sur demande.

Pembroke Antiques Centre : Wesley Chapel, Main St (à l'opposé du château). ☎ 68-70-17. Ouvert du lundi au samedi de 10 h à 17 h. Entrée libre. Brocante surréaliste dans une ancienne église méthodiste fermée depuis 1963. L'endroit a conservé ses vitraux d'origine. Il y règne une atmosphère quasi mystique ! On se balade sur 2 niveaux entre des fauteuils années 1930, des piles de vieille vaisselle anglaise, des tapis d'Orient, des plaques émaillées, des dinosaures en polystyrène... De quoi s'occuper un moment à l'heure de la messe !

➤ DANS LES ENVIRONS DE PEMBROKE

Carew Castle (Castell Caeriw) : à 5 km à l'est, sur l'A477. ☎ (01646) 65-17-82. • www.carewcastle.com • Ouvert en été, de 10 h à 17 h. Entrée : 2,80 £ (4,10 €) ; réductions. Surprenante ruine de château du XIIIe siècle. À côté, ***Carew Cross,*** la plus belle croix celtique du pays, érigée en 1035. Le soir, le lieu est plein de magie. Belle balade au milieu des moutons et des corbeaux pour voir la croix, le château et un moulin alimenté à l'énergie marémotrice.

DE PEMBROKE À SAINT DAVID'S

Les courageux pourront suivre la côte par le chemin de randonnée qui longe celle-ci. Très belle balade. Beaucoup de petits villages charmants en route, comme celui de *Little Haven.* En voiture, le trajet est également superbe. De certains points, on peut apercevoir des loutres, des hérons et d'autres oiseaux.

Où dormir ?

Youth Hostel : Broad Haven, Haverfordwest. ☎ (08707) 70-57-28. • www.yha.co.uk • Au bord de la plage. Ouvert d'avril à novembre. De 11,50 à 13,50 £ (17 à 20 €) par personne. Possibilité de pension complète. Grande auberge moderne et propre. Pratique pour les randonneurs.

Beaucoup plus chic

The Druidstone Hotel : sur la minuscule route entre Broad Haven et Nolton. ☎ (01437) 78-12-21. Fax : (01437) 78-11-33. • www.druidstone.co.uk • À Druidstone Haven, suivre les flèches. Ouvert toute l'année. Fermé le dimanche soir. De 76,10 à 123,70 £ (112,60 à 183,10 €) selon la vue, petit dej' inclus. Grand bâtiment en pierre niché dans un creux de la falaise et qui domine la mer. L'emplacement est extraordinaire. Le chemin côtier passe par derrière. Un autre chemin mène de l'hôtel à la plage. Vous pouvez vous y arrêter pour prendre une boisson et un snack au bar ou vous offrir un vrai repas. Les tables près des fenêtres offrent une vue imprenable. Dommage qu'il commence un peu à tomber en ruine, avec un mobilier vétuste, tandis que les prix suivent la tendance inverse.

SAINT DAVID'S (*TYDDEWI ; IND. TÉL. : 01437*)

La plus petite ville du pays de Galles (1 700 habitants) doit son nom au saint patron du pays de Galles. En son honneur a été construite, aux XIIe et XIIIe siècles, une magnifique cathédrale que l'on peut encore admirer aujourd'hui, nichée dans la verdure au fond d'un vallon.

Adresse utile

Tourist Information Centre : The Grove. ☎ 72-03-92. Fax : 72-00-99. • www.pembrokeshirecoast.org.uk • En été, ouvert tous les jours de 9 h 30 à 17 h 30 ; hors saison, du lundi au samedi de 10 h à 16 h.

Où dormir ?

Nombreux ***campings*** dans le coin. Attention, accueil parfois discutable.

Youth Hostel : Llaethdy, Whitesands, St David's. ☎ (08707) 70-60-42. • www.yha.org.uk • À 3 km de St David's, du côté de Whitesand Bay. Du centre-ville, prendre la direction « Fishguard » et à la sortie de la ville, prendre à gauche en direction du golf de Whitesand Bay. Suivre le fléchage. Le chemin côtier passe derrière. Ancienne ferme perdue au pied de Carn Llidi. Les femmes sont logées dans l'ancienne étable, les hommes dans l'ancienne écurie. Il est possible d'y planter sa tente. Beaucoup de randonneurs. Presque plus facile de trouver l'endroit par le chemin côtier que par la route. Plage de sable au loin.

Ty'r Wennol : Quickwell Hill, St David's, SA62 6PD. ☎ 72-04-06. À 500 m de la ville. Ouvert toute l'année. Compter 40 £ (59,20 €). Agréable vieille maison en pierre, en suivant le chemin des écoliers, à côté du cimetière... Tranquillité assurée et vue superbe sur la cathédrale. Mrs Gail Caines précise que sa déco est signée Laura Ashley !

Où manger ? Où boire un verre ?

The Farmer's Arms : Goat St, St David's. ☎ 72-03-28. Plats de 4,50 à 8 £ (6,70 à 11,80 €). Dans le centre. Ouvert toute l'année, midi et soir. Le seul vrai pub du village. La froideur des murs en pierre ne trouble pas l'atmosphère chaudement galloise. Plusieurs niveaux, coins et recoins pour trouver le sien.

The Sampler : 17 Nun St, St David's. ☎ 72-07-57. Ouverte du lundi au mercredi et le samedi de 10 h 30 à 17 h, et dimanche à partir de midi. Fermé de novembre à mars. Savoureux sandwichs chauds ou froids pour environ 3 £ (4,40 €). Le chef vous servira ses soupes et gâteaux maison, ou ses fromages du pays. En retrait des rues les plus touristiques, agréable petit salon de thé. Pour les randonneurs, ils peuvent même préparer un panier repas. Un café offert sur présentation du *Guide du routard.*

– Se procurer aussi du fromage fait localement : *Caerfai.*

À voir. À faire

La cathédrale St David's : The Close. ☎ 72-01-99. Ouverte du lundi au samedi de 8 h à 18 h et le dimanche de 12 h 45 à 17 h 45. Donation conseillée. Visites guidées en réservant au ☎ 72-06-91. Sans doute l'édifice religieux le plus visité du pays de Galles. Site prestigieux réputé pour ses magnifiques plafonds en chêne ciselé. La nef est de style roman ; le transept et le chœur, de style gothique, datent du XIIIe siècle. Haut lieu de pèlerinage pendant presque 14 siècles. Le pape Calixtus II, en fin mathématicien, déclara même en 1124 que 3 pèlerinages à St David's équivalaient à un Jérusalem. Pratique pour les routards fainéants ! Plus simplement, ne manquez pas les nombreux concerts qui s'y tiennent ; festival de chœurs d'hommes gallois en août.

The Bishop's Palace : sur le site de la cathédrale. ☎ (08000) 74-31-21. • www.cadw.wales.gov.uk • Ouvert tous les jours à partir de 9 h 30 (10 h en hiver, voire 11 h le dimanche). Entrée : 2,50 £ (3,70 €) ; réductions. Palais des évêques construit par l'un d'eux, Gower, aux XIIIe et XIVe siècles. En ruine maintenant, mais une promenade dans les murs rend bien compte de la grandeur de cet évêché.

Ramsey Island *(Ynys Dewi, l'île de David)* : réserve d'oiseaux et de phoques gris. Possibilité d'organiser une balade en bateau autour de cette île. Plusieurs compagnies. On vous conseille ***Thousand Islands exhibition*** (dépend de la Ligue pour la protection des oiseaux britannique), Cross Square, St David's. ☎ 72-16-86 ou (0800) 16-36-21 (gratuit). Compter 15 £ (22,20 €) pour accoster et 3 £ (4,40 €) le droit d'entrée. On peut se contenter du tour de l'île sans accoster. Le départ se fait à St Justinian deux fois par jour, sauf le vendredi, en été. Les bateaux vont vite, style « on se fait peur », et on arrive trempé (et comme on n'est pas sous les tropiques, ce n'est pas forcément plaisant !).

St Non's Chapel : à 20 mn à pied de la cathédrale. Ruines d'une église dédiée à la mère de saint David. À côté des ruines de la chapelle, source qui fut un lieu de pèlerinage, car censée guérir les infirmes. De là, on rejoint le chemin côtier. Promenade très agréable sur la falaise qui domine la mer en contrebas.

À voir dans les environs

Solva : adorable petit port de pêche encaissé, juste avant d'arriver à St David's par l'est. La falaise dessine un « S » à cet endroit et protège ce qui fut un grand port aux XVIIIe et XIXe siècles. Il en reste de jolis petits *cottages* de pêcheurs bigarrés (on peut y dormir) et des pubs hauts en couleur. Paradis des randonneurs ; les petits sentiers longeant la côte sont de toute beauté. Possibilité de tours en mer. Se renseigner au port.

DE SAINT DAVID'S À FISHGUARD

Les courageux suivront le chemin côtier et s'arrêteront dans les auberges de jeunesse sur le bord de celui-ci. Dans tous les cas, réservez, car de nombreux randonneurs ont la même idée.

Où dormir ?

Youth Hostel Trefin : 11 Ffordd-yr-Afon, Trevine. ☎ (08702) 41-23-14. • www.yha.org.uk • Compter 9 £ (13,30 €) selon le nombre. Au milieu du village de Trevine, installée dans l'ancienne école, elle n'a pas le charme des AJ du bord de mer. Confort rudimentaire. Pas de repas possible, prenez vos précautions.

Pwll Deri Youth Hostel : Catell Mawr, Tref Asser, Goodwick. ☎ 89-13-85. • www.yha.org.uk • En voiture, suivez les indications « St Nicholas », puis « Pwll Deri ». N'hésitez pas à prendre une route marquée « No through Road », et à nouveau suivez les triangles verts ! Ouvert d'avril à octobre. Compter 9 £ (13,30 €) par personne. Dans une ancienne maison individuelle transformée en AJ, vue magnifique sur la baie, confort rudimentaire. Possibilité de camping sur une pente.
Le château surplombant Pwll Deri Bay, bien caché dans la falaise, se trouve sur le chemin côtier.

FISHGUARD (*ABERGWAUN; IND. TÉL. : 01348*)

Ville en 3 parties. Tout d'abord Goodwick, le port de grande eau dans la baie où trône un bateau de la Sealink qui assure une liaison avec l'Irlande. Le « centre-ville » autour de Market Square sur les hauteurs et le petit port de pêcheurs, Lower Fishguard sont, quant à eux, cachés de l'autre côté de la colline. Il existe des navettes de bus entre ces différents quartiers toutes les 30 mn à chaque débarquement de ferry. Ne manquez pas le festival de musique traditionnelle si vous passez par là le dernier week-end de mai.

Adresses utiles

ℹ ***Tourist Information Centre*** **:** Town Hall, Market Square. ☎ 87-34-84. En été, tous les jours de 10 h à 17 h 30; hors saison, de 10 h à 16 h, fermé le dimanche. Également le ***Fishguard Harbour TIC*** (à la sortie des ferries, dans l'*Ocean Lab*). ☎ 87-20-37. • www.visitwales.gov.uk • Ouvert tous les jours de 10 h à 17 h en été, 16 h en hiver. Cybercafé.

Où dormir?

⌂ ***Cri'r Wylan*** **:** Pen Wallis, Fishguard. ☎ 87-33-98. De Market Square, prendre la 1re à droite quand on va vers le nord. Fermé pour Noël. Chambres à 44 £ (65,10 €). Accepte les arrivées tardives mais pas les cartes de paiement. Un peu éloigné du centre mais calme et dans un fort joli cadre. Un café offert sur présentation du *Guide du routard.*

⌂ ***Hamilton Backpackers Lodge*** **:** 21-23 Hamilton St, Fishguard SA6 5 9HL. ☎ 87-47-97. • www.fishguard-backpackers.com • À deux pas de Market Square. Ouvert toute l'année. De 12 à 30 £ (17,80 à 44,40 €), *breakfast* inclus. Petits dortoirs et chambres doubles bien décorés, dans une vieille maison en pierre. Proprio sympa et tout fier de son nouveau sauna. Et les projets ne manquent pas! Conseillé de réserver.

⌂ ***The Beach House*** **:** Goodwick Bay, Fishguard. ☎ 87-20-85. Fax : 87-54-91. Au-dessus du terminal des ferries (on ne peut pas faire plus proche!). Quelques chambres pas chères : 30 £ (44,40 €) pour 2. De la moquette partout, même autour de la baignoire.

Où manger? Où boire un verre?

🍴 🍷 ***The Royal Oak Inn*** **:** Market Square. ☎ 87-25-14. De 7 à 13 £ (10,40 à 19,20 €) pour un plat chaud. Pub dans un joli relais de poste du XVe siècle, qui est entré dans l'histoire en 1797. C'est ici que fut signé le dernier traité de paix entre la France et la Grande-Bretagne. En effet, des soldats tricolores ayant fait ici une halte pour se désaltérer finirent ronds comme des billes. Les femmes du village donnèrent l'alerte et se mobilisèrent pour arrêter les envahisseurs. Jemima Nicholas captura à elle seule pas moins de 14 soldats et devint, du même coup, l'héroïne de cette journée. On retrouve dans ce pub la cloche qui lui servit à donner l'alerte. On peut aussi voir la table sur laquelle fut signé le traité, mais il est impossible d'y manger ses *fish & chips*!

🍴 ***The Corner Café*** **:** à l'un des angles de Market Square. Ouvert l'été uniquement. Resto atypique en arrière-boutique d'une épicerie-boulangerie déjà bien alléchante. Décor simpliste. Les poissons du jour accompagnés d'un ribambelle de fruits exotiques présentés artistiquement font un vrai tabac. Passez plus tôt pour réserver.

À voir. À faire

➢ Prendre le bateau pour ***Rosslare*** en Irlande. *Stenaline* (☎ 08705-70-70-70. • www.stenaline.com •) propose même des voyages aller-retour dans la journée. Deux traversées en ferry par jour, en 3 h 30. Quatre à 5 traversées par jour en 1 h 50 en catamaran (le *Stena Lynx*).

➢ Se promener parmi les cottages de pêcheurs de ***Lower Fishguard,*** des XVIIe et XVIIIe siècles. Certains sont transformés en boutiques d'artisanat local.

👁👁 ***Les monts Preseli :*** les fanas du chemin côtier peuvent continuer celui-ci jusqu'à Cardigan (Aberteifi). Les monts Preseli offrent des paysages de collines et un autre type de promenade, fort agréable aussi. Les monts Preseli font toujours partie du parc national, et c'est là que vous pouvez voir des menhirs. Au fait, les pierres qui constituent Stonehenge proviennent de cette région, mais on ne sait pas comment elles ont été transportées, sûrement par des fées.

À voir dans les environs

👁👁👁 ***Cwm-yr-Eglwys :*** à quelques kilomètres, sur la route Fishguard-Cardigan (A487). À la sortie de Dinas sur la gauche, petite route encaissée qui descend vers la mer. Hameau aux maisons blanches. Pour se rendre sur la plage, traverser un cimetière qui entoure les ruines d'une ancienne église celtique du XIIe siècle, détruite par un orage en 1859 et dont il ne reste que le clocher. L'ensemble est étrange et très émouvant, havre de paix et de tranquillité.

NEVERN *(NYFER)*

Village dans la verdure, en marge de l'A487, entre Fishguard et Cardigan. Célèbre pour son église, sa croix celtique et son abbaye bénédictine du XIe siècle.

À voir

👁👁 ***St Brynach's Church :*** l'église date du XVe siècle et possède à l'intérieur, sur le rebord des 2 fenêtres du transept sud, une pierre avec une inscription ogham, branche irlandaise du celte, qui remonte vraisemblablement au Ve siècle apr. J.-C. ; également une croix faite d'entrelacs inhabituels, très ancienne, de date inconnue. À l'extérieur, croix celtique sculptée différemment des 4 côtés, datant du Xe ou du XIe siècle. Remarquable. Voir aussi l'allée d'ifs. Les « saignements » du deuxième sur la droite face à l'église attirent pas mal de pèlerins. Devant l'église, un pas-de-mule ; il n'en reste plus beaucoup d'exemplaires au pays de Galles. Évoque le temps où les gens venaient à l'église à cheval.

👁 ***The Pilgrim's Cross :*** dans les collines, à 500 m de l'église par un petit chemin menant aux vagues restes d'un château, une croix très particulière qui ressort de la roche (difficile à trouver). Ancien lieu de pèlerinage entre St Dogmael's et St David's. Au pied de la croix, la roche est usée par les pèlerins qui s'y agenouillaient. Quant à la croix elle-même, elle relève du miracle : on ne sait pas comment elle est apparue, elle n'a pas été sculptée par l'homme, nous a-t-on confié.

Siambr Gladdu Pentre Ifan : dolmen à 3,5 km de l'autre côté de l'A487. Monument funéraire au milieu des champs : une grande pierre en équilibre sur trois pierres d'un côté, une de l'autre, date de la période néolithique entre 4000 et 2000 av. J.-C.

CARDIGAN (ABER TEIFI ; IND. TÉL. : 01239)

Petite ville tranquille de 6000 habitants, réputée pour son marché et dominée par son château du XIe siècle. Pas grand-chose à faire, mais l'on peut toujours choisir l'endroit comme camp de base (surtout l'été) pour visiter la région. Jadis l'un des ports les plus florissants de Grande-Bretagne ; on estime, qu'en 1815, 315 voiliers y avaient leur port d'attache et ce fut l'un des principaux lieux d'émigration vers la terre promise américaine.

Adresse utile

Tourist Information Centre : Theatr Mwldan, Bath House Rd. ☎ 61-32-30. Fax : 62-65-66. • cardigantic@ceredigion.gov.uk • Ouvert de 10 h à 17 h. Fermé le dimanche en hiver.

Où dormir ?

Youth Hostel : Sea View, Poppit Sands, Cardigan. ☎ (08707) 70-59-960. • www.yha.org.uk • À 7 km, au-delà de St Dogmael's, sur le bord du chemin côtier, dans la colline au-dessus de Poppit Sands. Ouvert seulement en été. Compter 10,25 £ (15,20 €) par personne. Dortoirs de 6, 8 ou 12 lits. Assez confortable, mais surtout extraordinairement situé : très belle vue sur l'ensemble de la baie. On peut y planter sa tente. Le gardien de cette AJ n'aime pas les groupes, alors inscrivez-vous individuellement ou par tout petits groupes. Il est féru d'histoire celte et peut être passionnant.

Où manger ? Où boire un verre ?

– *The Market :* au milieu de la grand-rue. Le matin, vous pouvez y acheter des produits locaux pour pique-niquer.

The Eagle Inn : Castle St. ☎ 61-20-46. De l'autre côté du vieux pont. Fermé le dimanche en hiver. À partir de 5,50 £ (8,10 €) pour des plats locaux. Pub-resto à chaude ambiance. Les habitués pratiquent le tir à la corde. Les photos de ces costauds en plein effort ne donnent guère envie de les provoquer au bras de fer. Pour les âmes sensibles, quelques poèmes sont affichés à côté du bar.

Cardigan Arms : 3 College Row. ☎ 61-49-69. En face du marché. Un *fish & chips* pratique (pour les grosses faims), accueillant et sympa.

The Commercial Hotel : 15 Pendre St. Un pub gallois qui fait collection de masques africains, si, ça existe, la preuve !

À voir dans les environs

St Dogmael's : abbaye du XIe siècle en ruine, à 1,5 km à l'ouest de Cardigan, direction Poppit Sands. Le village qui l'entoure a été en partie construit avec les pierres de l'ancienne abbaye. Dans l'église se trouve une pierre

(VIe siècle) qui a permis de comprendre l'écriture ogham, car elle porte des traces d'inscriptions en ogham et en latin. Cette pierre a été retrouvée par hasard dans les ruines d'un vieux pont ! Mais vous aurez du mal à voir quoi que ce soit, car elle est assez mal mise en valeur. Si l'église est fermée, le vicaire vous prêtera aimablement la clé et vous racontera toute cette histoire.

Cenarth : petit village bucolique, au bord de la rivière Teifi, à une douzaine de kilomètres au sud-est de Cardigan sur l'A484. C'est ici que vous pourrez découvrir cette drôle de petite embarcation, le *coracle,* qui sert à pêcher la truite et le saumon. À l'extérieur du pub, le *White Hart,* datant du XVIe siècle, est accroché un de ces mini-bateaux faits en cuir et en bois souple. Avec un peu de chance, vous y rencontrerez aussi Ronald Davies, qui est le dernier à les fabriquer.

EN REMONTANT VERS LE NORD

Vous quittez le pays de Galles du Sud et la mer pour attaquer les monts Cambrians qui vont mener au nord vers le Snowdon. À partir de là, les gens parlent le gallois entre eux systématiquement, mais ils s'adresseront à vous en anglais sans difficulté, et avec le sourire.

DE CARDIGAN À ABERYSTWYTH

TREGARON *(IND. TÉL. : 01974)*

Sur l'A485, petite ville de marché aux bestiaux en alternance avec Lampeter (Llanbeck Pont Steffan), 1 mardi sur 2. Des moutons principalement. Tous les paysans du coin se retrouvent dans une joyeuse ambiance. Les tourbières de Tregaron et les environs sont réputés pour la diversité de la faune. Il y a tellement de faisans et de coqs de bruyère qu'il faut mettre les chasseurs du coin sous tranquillisants. On vient surtout pour les espèces rares comme le milan royal, rapace en voie de réimplantation (sûr, vous en verrez), le putois (qui n'a toujours pas d'ami) et la vipère noire. C'est l'endroit idéal pour les amoureux de paysages et de nature. Pour compléter la ménagerie, on nous a raconté qu'à Tregaron serait enterré un... éléphant ! C'est le moment de se faire des copains au pub pour connaître le fin mot de l'histoire.

Adresses utiles

Renseignements sur le marché :

Lampeter Information Office : ☎ (01570) 42-22-06. Ouvert de 10 h à 17 h 30.

Tregaron Tourist Information Centre : ☎ 29-82-48. Ouvert l'été uniquement.

Où dormir à Tregaron et dans les environs ?

Youth Hostel : Blaencaron, Tregaron. ☎ (08702) 41-23-14. • www.yha.org.uk • Juste avant la sortie nord de Tregaron, sur la B4343, indiqué sur la droite, à 3 km. Compter 8 £ (11,80 €). Ancienne école très simple et sans confort, pour vrais routards, perdue au milieu de la campagne. Des sacs de couchage sont à disposition. Renseignements à la ferme 1 km avant, *Glan Yr Afon Isaf.*

Youth Hostel : Dolgoch. ☎ (08702) 41-23-14. • www.yha.org.uk • À 10 km, sur la route panoramique entre Tregaron et Abergwesyn, au niveau d'un petit pont. Chemin à l'écart de la route, difficilement carrossable. Ancienne ferme transformée en auberge ; on l'aperçoit de la route ; ne vous inquiétez pas, c'est normal, il n'y a rien autour. À partir de 7 £ (10,40 €) par personne. Confort rudimentaire : on est plus proche du refuge de montagne que de l'auberge.

Bryncastell Farmhouse : Llanfair Rd, Lampeter, SA48 8JY. ☎ (01570) 42-24-47. À une vingtaine de kilomètres au sud-ouest, par l'A485. À la sortie sud de Lampeter, prendre à gauche avant le pont. C'est à 1,5 km. Ouvert toute l'année. Prévoir 40 £ (59,20 €) pour une *standard.* Dans le genre plus-gallois-tu-meurs, on n'a pas trouvé mieux. Accueil extra en *welsh,* des agneaux dans le pré qui attendent leur heure, collection de *love spoons* au mur (on vous expliquera), petit dej' dans la vaisselle de Portmeirion (voir « Dans les environs de Porthmadog »). Et en bonne druidesse celte, Betty a hérité de son grand-père un don de sourcière. Qui dit mieux ?

Où manger ? Où boire un verre ?

Talbot Hotel : The Square, Tregaron. ☎ 29-82-08. On y mange pour 12 £ (17,80 €) en moyenne. Un vieux pub du XIIIe siècle, avec de très belles dalles en ardoise, où se retrouvent les gens du coin. Ça parle le gallois dans tous les sens, l'ambiance est merveilleuse et la nourriture inventive. Bref, un pub comme on les aime. Le patron, Graham, est un protestataire, il organise des débats. De plus, il est très sympa et sait comment organiser vos randos ou vos parties de pêche. Huit chambres avec jacuzzi dans la salle de bains. Entre 42 et 55 £ (62,20 et 81,40 €). Réduction de 10 % sur le prix de la chambre sur présentation du *Guide du routard.*

À voir dans les environs

Strata Florida Abbey (Abaty Ystrad Fflur) : à 10 km au nord, à l'écart de la route B4343. Près de Pontrhydfendigaid. Ouvert de mai à septembre, de 10 h à 17 h. Entrée : 1,70 £ (2,50 €). Accès gratuit au parc le reste de l'année. Ruines d'une ancienne abbaye cistercienne, fondée au XIIe siècle et qui fut un grand centre intellectuel et culturel gallois. Le porche est le seul morceau de l'abbaye encore debout, imposant. L'exposition à l'intérieur permet de faire le lien avec la vie locale et les autres abbayes cisterciennes du monde.

Llyn Teifi : à 12 km au nord, après Pontrhydfendigaid. Sur la route B4343, à l'angle du pub *Cross Inn,* prenez la route qui ne mène nulle part et admirez le paysage lunaire qui s'offre à vous. C'est sauvage et désolé à souhait. Par beau temps clair, on aperçoit le Snowdon et Aberystwyth.

Elan Valley ou la route des réservoirs : prendre la route panoramique, direction Abergwesyn, Beulah (B4358), Rhayader (A470), Elan Village (B4518). Puis retour par la B4343 au nord. Paysages assez désolés, pentes entre 10 et 25 %, des moutons partout. Du côté des réservoirs, le paysage est boisé. Les digues et barrages qui forment les réservoirs datent du début du XXe siècle (1904) et ont été réalisés pour alimenter la ville de Birmingham en eau : quelques-unes des fermes inondées de la vallée ont été transportées à *The Museum of Welsh Life, St Fagan's.* L'ensemble de cette région est très peu peuplé et offre peu de *B & B* ou d'endroits où se restaurer mais beaucoup de lieux où pique-niquer ; prévoyez donc des provisions. Cette vallée est aussi une vaste réserve d'animaux sauvages, et il n'est pas rare d'apercevoir des rapaces et même des serpents.

ABERYSTWYTH

32000 hab. (dont un quart d'étudiants)
IND. TÉL. : 01970

Quasi congénitalement imprononçable par un palais français normal, mais vous pouvez toujours essayer, sans prendre trop d'élan pour ne pas rater la fin... donc, tranquillement, tentez quelque chose comme « aberestouith ». Ce chef-lieu de comté à mi-chemin entre le nord et le sud du pays de Galles possède un imposant château du XIIIe siècle mais tient sa gloire de son importante bibliothèque galloise et anglaise. Grande ville universitaire, on y rencontre beaucoup d'étudiants mais aussi pas mal de touristes, puisque c'est également une station balnéaire.

Adresses utiles

Tourist Information Centre *(plan A2)* **:** à l'angle de Terrace Rd et de Bath St. ☎ 61-21-25. Fax : 62-65-66. Ouvert tous les jours de 10 h à 18 h en été, du lundi au samedi de 10 h à 17 h hors saison. Accueil en français et de grande efficacité.

✉ **Post Office** *(plan A2)* **:** 8 Great Darkgate St.

Gare *(plan B2)* **:** Alexandra Rd. ☎ (08457) 48-49-50. Une dizaine de départs quotidiens pour Londres (avec un changement). Compter 4 h 30.

Bus Station *(plan B2)* **:** Alexandra Rd. ☎ (08706) 08-26-08. Plusieurs départs par jour vers Dolgellau, Aberaeron, Cardigan et Cardiff.

■ **Siop y Pethe** *(librairie celtique ; plan A-B2,* ***1****)* **:** à l'angle de North Parade et de Terrace Rd. Tout sur l'âme et la culture celtes, dictionnaires, guides touristiques, recueils de contes, livres pour enfants.

LE PAYS DE GALLES

Où dormir ?

Camping Aberystwyth Holiday Village *(hors plan par A3,* ***12****)* **:** Penparcau Rd, Aberystwyth. ☎ 62-42-11. • www.aberystwythholidays.co.uk • En direction de la marina, juste après le pont à 500 m en suivant la route. Ouvert de Pâques à octobre. Compter 10,50 £ (15,50 €) pour planter votre tente. Cafétéria, laverie, piscine, salle de billard. Tout le confort dans un cadre semi-urbain au milieu de bungalows pas folichons. Sanitaires douteux et étriqués.

Maes-y-Mor *(plan A2,* ***11****)* **:** 25 Bath St, Aberystwyth, SY23 2NN. ☎ 63-92-70. Dans le centre. Ouvert toute l'année. Environ 30 £ (44,40 €) pour 2. Compromis entre l'AJ et le *B & B.* Une petite dizaine de chambres doubles *standard* et sans charme, propres et modernes. Le petit dej' est en sus. Un avantage : pour laver son linge, la *laundry* est au rez-de-chaussée. Un café offert à nos lecteurs.

Yr Hafod *(plan A3,* ***10****)* **:** 1 South Marine Terrace. ☎ 61-75-79. Fax 63-68-35. • johnyrhafod@aol.com • Sur la promenade. Fermé pour les fêtes de fin d'année. De 46 à 60 £ (68,10 à 88,80 €) pour 2. *Guesthouse* agréable. Café et thé à volonté, tout comme la vue sur la mer. Les routards de passage apprécieront.

Tycam Farm : Capel Bangor. ☎ 88-06-62. • www.smoothhound.

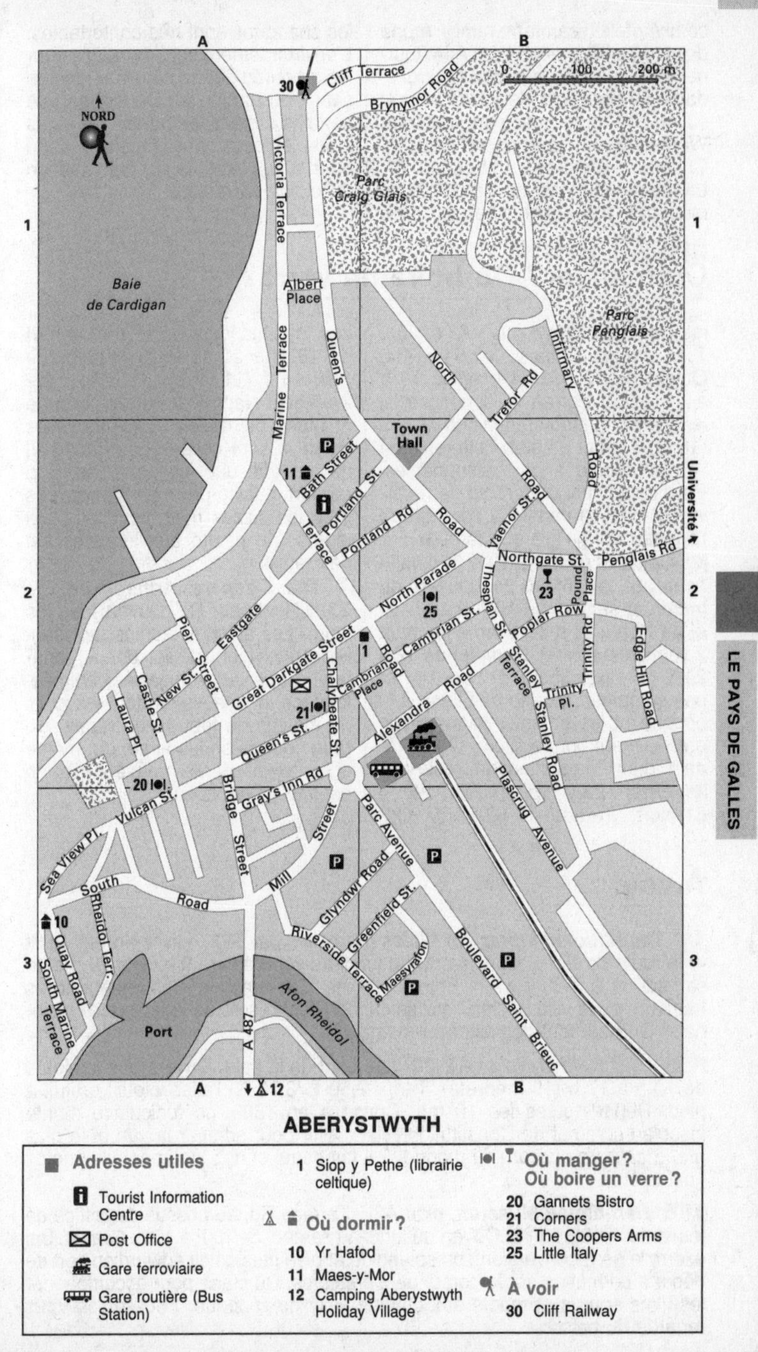
NORD
0 100 200 m
A
B
1
2
3
Baie de Cardigan
Parc Craig Glais
Parc Penglais
Cliff Terrace
Brynymor Road
Victoria Terrace
Albert Place
Queen's
Marine Terrace
North Road
Trefor Rd
Infirmary Road
Town Hall
Bath Street
Portland St.
Portland Rd
Terrace
Road
Vaenor St.
Northgate St.
Penglais Rd
Université
Pound Place
North Parade
Thespian St.
Poplar Row
Trinity Rd
Edge Hill Road
Eastgate
Pier Street
New St.
Castle St.
Laura Pl.
Great Darkgate Street
Chalybeate St.
Cambrian Place
Cambrian St.
Road
Stanley Terrace
Trinity Pl.
Stanley Road
Queen's St.
Alexandra Road
Gray's Inn Rd
Vulcan St.
Bridge Street
Sea View Pl.
South Road
Mill Street
Parc Avenue
Plascrug Avenue
Glyndwr Road
Greenfield St.
Rheidol Terr.
Quay Road
South Marine Terrace
Riverside Terrace
Maesyrafon
Boulevard Saint Brieuc
Port
A 487
Afon Rheidol
1
10
11
12
20
21
23
25
30
P
ABERYSTWYTH
Adresses utiles
Tourist Information Centre
Post Office
Gare ferroviaire
Gare routière (Bus Station)
1 Siop y Pethe (librairie celtique)
Où dormir ?
10 Yr Hafod
11 Maes-y-Mor
12 Camping Aberystwyth Holiday Village
Où manger ? Où boire un verre ?
20 Gannets Bistro
21 Corners
23 The Coopers Arms
25 Little Italy
À voir
30 Cliff Railway
LE PAYS DE GALLES

co.uk/hotels/tycamfarm.html • À une dizaine de kilomètres par l'A44, tourner à Capel Bangor sur la droite, dans la direction de Cwmrheidol ; suivre la route jusqu'au panneau Workshop et tourner à gauche. Chambres *en-suite* à 45 £ (66,60 €). La ferme, qui fait de l'élevage de moutons, n'a aucun charme, mais les chambres sont très confortables. L'environnement est un paradis pour les amoureux de la nature et des oiseaux en particulier. Dommage que certains soient empaillés et sous globe, en déco dans la maison ! Café offert à nos lecteurs sur présentation du *Guide du routard*.

Où manger ? Où boire un verre ?

Gannets Bistro *(plan A2-3, **20**)* : 7 St James Square. ☎ 61-71-64. Ouvert de 12 h à 14 h et de 18 h à 21 h 30. Fermé le dimanche et le mardi. Compter environ 11 £ (16,30 €) pour un plat. Petit resto où l'on se régale à prix raisonnables. Pour cela, il est préférable de réserver. Goûter le canard à l'orange ou l'agneau rôti gallois et... fameux.

Corners *(plan A2, **21**)* : 21 Chalybeate St. ☎ 61-10-24. Ouvert du mardi au samedi de 10 h à 14 h 30 et de 19 h à 21 h 30. Fermé pendant 2 semaines à Noël. Compter de 12 à 24 £ (17,80 à 35,50 €) pour un repas complet. La carte met l'eau à la bouche et les gâteaux faits maison ont vraiment bonne allure. On se régale, quoi ! Mais attention, réservez.

Little Italy *(plan B2, **25**)* : 51 North Parade. ☎ 62-57-07. Ouvert tous les jours de 12 h à 14 h et de 18 h à 22 h. Plats à partir de 7,50 £ (11,10 €). L'Italie sur 2 étages. Nappes à carreaux rouge et blanc de rigueur. Les nouvelles du pays sont collées au plafond ! Il ne manque que les gondoles. Bon rapport qualité-prix. Ne venez pas pour les pizzas mais pour les plats légers : le risotto aux légumes est délicieux.

The Coopers Arms *(plan B2, **23**)* : Northgate Rd. Ouvert tous les jours. Les affiches jaunies tapissant les murs voient défiler depuis longtemps une faune bigarrée, animée, loquace et joyeuse, surtout les jours de matchs de foot ou de rugby. Un rade comme on les aime, où, même si l'on vient pour la première fois, on est vite un habitué.

À voir

The National Library of Wales *(hors plan par B2)* : suivre Northgate St et la route de Penglais. Ouverte du lundi au vendredi de 9 h 30 à 18 h et le samedi de 9 h 30 à 17 h. Entrée gratuite. Gigantesque monument sur les hauteurs de la ville. À l'intérieur se cachent les trésors de la littérature nationale. On peut tout consulter sur demande.

Cliff Railway *(plan A1, **30**)* : au bout de la baie. Ouvert tous les jours de 10 h à 17 h (18 h en été). Tarif : 2,50 £ (3,70 €) l'aller-retour ; gratuit à pied. Départ toutes les 10 mn. Construit en 1896, ce funiculaire monte jusqu'au sommet de Constitution Hill. Y aller pour admirer la vue et le plus grand *camera obscura* du monde. S'il fait beau, sortez les appareils photos (justement).

Ceredigion Museum *(plan A2)* : Terrace Rd, au-dessus de l'office de tourisme. ☎ 63-30-88. Ouvert du lundi au samedi de 10 h à 17 h. Gratuit. Bel exemple de reconversion : un splendide ancien music-hall edwardien sert de décor à ce musée sur le comté de *Ceredigion*. Du piano pour accompagner les films sourds et muets aux corsets sexy de l'époque. Souriez, on vous regarde du balcon.

➤ DANS LES ENVIRONS D'ABERYSTWYTH

Devil's Bridge (Pont ar Fynach) : d'Aberystwyth, prendre le petit train à vapeur, *Vale of Rheidol Railway,* qui part de la gare. ☎ 62-58-19. • www.rheidolrailway.co.uk • D'avril à octobre, 2 à 4 départs par jour. Compter 11,50 £ (17 €) l'aller-retour ; gratuit pour ceux qui ont la carte *Inter-Rail* ou *Britrail Pass.* On peut aussi y aller par la route (A4120). Trois petits ponts superposés ont été construits à l'endroit où la rivière se transforme en cascade : le plus haut en fer, juste au-dessous un pont en pierre ; le troisième, le *pont du Diable,* fut érigé par les moines au XIIe siècle. Ne traînez pas trop si vous voulez être à l'heure pour reprendre le train.

MACHYNLLETH

2000 hab. IND. TÉL. : 01654

Petite ville au croisement des routes A487 et A489, dans la superbe vallée de Dyfi.

Adresses utiles

Tourist Information Centre : Canolfan Owain Glyndwr. ☎ 70-24-01. Fax : 70-36-75. Ouvert de 9 h 30 à 17 h (16 h 30 le dimanche).

Gare : ☎ (08457) 48-49-50. Possibilité de se rendre à London Euston (via Birmingham) ou de rejoindre Aberystwyth. Dix départs quotidiens dans les deux sens.

Bus Station : Old Station Yard. ☎ 70-22-39. Vers Tywyn, Corris, Dolgellau, Aberystwyth.

Où dormir dans les environs ?

Llwyngwern Farm : à environ 5 km sur l'A487, direction Dolgellau, à côté du Centre national pour la Technologie alternative. ☎ 70-24-92. Ouvert d'avril à octobre. Compter 7,50 £ (11,10 €) pour 2. Camping tenu par une Française. Dommage que l'ensemble soit vétuste.

Canolfan Youth Hostel : Penrallt, Old School, Corris. ☎ et fax : (08707) 70-57-78. • www.yha.org.uk • À 9 km au nord, par l'A487. Ouvert presque toute l'année. Moins de 10 £ (14,80 €). Confortable et agréable. Le plus beau bâtiment de cet ancien petit village minier, lauréat du tourisme vert. Michael, le proprio, milite dans les associations celtes et écolos : il trie les déchets, gère l'énergie, discute culture celte... Ambiance *roots* garantie, génial pour les routards, mais *no smoking.*

Dolgelynen : Dolgelynen, Machynlleth. ☎ 70-20-26. • www.dolgelynenfarmhouse.co.uk • À 4 km. Direction Dollgellau (A487) ; tourner à gauche sur l'A493 ; rouler sur 1 km et prendre à gauche à la pancarte « Dolgelynen » : la maison est au bout du chemin de terre, sur un monticule. Ouvert de Pâques à octobre. À partir de 42 £ (62,20 €). Accueil en gallois dans un cadre d'exception (intérieur comme extérieur).

Mathafarn : Llanwrin, SY20 8QJ. ☎ et fax : (01650) 51-12-26. À environ 8 km. Prendre l'A489 et rouler jusqu'au panneau « Llanwrin » ; là, tourner à gauche. Chambre double à 46 £ (68,10 €). Cartes de paiement refusées. Coquette maison en pierre du XVIe siècle, recouverte de lierre. Calme absolu, déco précieuse et british. Grandes chambres avec salle de bains, superbes. Henry VII y aurait séjourné.

À voir

Rien de bien spectaculaire, si ce n'est une assez jolie ***tour-horloge*** datant de 1873 et quelques belles vieilles demeures du XVIe siècle.

Celtica : Aberystwyth Rd, Machynlleth. ☎ 70-27-02. Fax : 70-36-04. • www.celticawales.com • À la sortie de la ville, sur l'A487. Ouvert tous les jours de 10 h à 18 h (dernière admission à 16 h 40). Entrée : environ 5 £ (7,40 €) ; réductions. Musée abrité où l'on passera facilement 2 h. Il relate l'histoire des Celtes à travers leurs légendes, mythes, musiques et langues. Une visite où l'on apprend beaucoup sur cette culture : les Celtes portaient la moustache, utilisaient un gel blanchissant pour la chevelure, cultivaient le cannabis et l'opium ! On pénètre dans un village celte. Chaque personnage se raconte. Une machine permet d'écouter chaque dialecte encore existant en comptant jusqu'à 20 (amusant). Le système de casque à infrarouge (en français) rend la visite vivante et instructive. Plein de lumières et bien réalisé, c'est un musée qui passionnera les 7 à 77 ans. Docs en breton pour les irréductibles.

➤ *DANS LES ENVIRONS DE MACHYNLLETH*

Vers le nord, par l'A487

Le Centre national pour la Technologie alternative : à environ 5 km. ☎ 70-59-50. Fax : 70-27-82. • www.cat.org.uk • Bus n°s 32, 34 et 35 depuis Machynlleth. Ouvert tous les jours à partir de 10 h. Un peu cher pour les pollueurs : 7 £ (10,40 €) ; réductions et demi-tarif si l'on vient à pied ou à vélo. La préservation, l'écologie et l'autonomie sont les préoccupations de ce centre. Dans une ancienne carrière d'ardoise, une expérience approfondie de l'existence alternative et de la préservation de l'énergie a lieu actuellement. Collection intéressante d'aérogénérateurs (les moulins à vent, pour ceux qui ne sont pas encore branchés), de cellules solaires et de jardins potagers naturels. De quoi faire plaisir à Reiser (qu'on adorait). Des attractions pour les petits ou comment explorer la vie souterraine de la « Mole Hole » (tanière de la taupe), ainsi que des expériences sur l'énergie solaire et marine. Passionnant, très constructif. N'oubliez pas de manger sur place et de goûter aux différentes infusions (pissenlit, orge...).

Corris : joli petit village sombre, à environ 9 km, constitué de maisons en pierre grise avec toits en ardoise.

King Arthur's Labyrinth : Corris. ☎ 76-15-84. • www.kingarthurslabyrinth.com • À environ 10 km. Ouvert d'avril à novembre, de 10 h à 17 h. Entrée : 5 £ (7,40 €) pour visiter les grottes et 3,60 £ (5,30 €) pour le *Bard's quest* ; réductions. Retour aux temps ténébreux des invasions saxonnes et des bardes, sur les traces du roi Arthur. Balade en bateau sur une rivière souterraine, dans un dédale de tunnels, de grottes et de cascades, avec des reconstitutions en son et lumière. Frissons garantis (dans tous les sens du terme). À la surface, pour les claustrophobes (et les autres), partez à la découverte des légendes celtes. Au fait, il paraît que la fameuse épée serait cachée dans la région.

Vers le sud

Furnace : vieille forge du XIXe siècle, à 9 km par l'A487, alimentée par une immense roue à eau, juste en face d'une cascade.

➢ ***The Artist's Valley :*** chemin ou petite route qui longe la rivière depuis Furnace. Promenade très agréable.

Le petit train de Talyllyn : Wharf Station, Tywyn. Au nord-ouest de Machynlleth. ☎ 71-04-72. Fax : 71-17-55. • www.talyllyn.co.uk • À 25 km, au bord de la mer, par l'A493. D'avril à octobre, 2 à 8 départs quotidiens de 10 h à 16 h. Tarif aller-retour : 9,50 £ (14,10 €) ; réductions. Arrivée à Nant

Gwernol, pas loin de la B4405, point de départ de promenades dans les montagnes et les chutes d'eau. Les petits trains, autrefois utilisés pour transporter le minerai, sont nombreux au pays de Galles. Celui-ci traverse une région merveilleuse. Une armée de doux dingues entretient cette rutilante locomotive. Ces 10,5 km, que vous ferez sur des sièges inconfortables, seront un excellent souvenir. À toute petite allure (2 h 30 en tout).

DOLGELLAU

2300 hab. IND. TÉL. : 01341

Petite ville sombre tout en granit gris et ardoise, sur le bord de la Mawddach. Jumelée avec Guérande. Le mouvement des *Quakers* y trouve ses origines. Plusieurs boutiques pour trekkeurs, puisqu'on est à la porte du Snowdonia, région magnifique. Ville connue pour son inénarrable festival de musique celtique en juillet, qui attire plus de 20000 fans. ☎ (01650) 53-15-01. • www.sesiwnfawr.com •

Adresse utile

ℹ ***Tourist Information Centre :*** Eldon Square. ☎ 42-28-88. En été, ouvert de 10 h à 18 h ; hors saison, ouvert de 10 h à 17 h, fermé les mardi et mercredi. Très actif, propose toutes les balades possibles.

Où dormir à Dolgellau et dans les environs ?

⛺ ***Tanyfron :*** Aran Rd. ☎ 42-26-38. Fax : 42-12-51. • www.tanyfron.co.uk • Fermé en janvier et en décembre. À deux pas du village et des commerces, idéal pour randonner. Terrain de camping très bien aménagé pour 10 à 12 £ (14,80 à 17,80 €). Le proprio propose aussi quelques chambres plutôt sympa en *B & B,* si vous craignez l'humidité, pour 40 à 45 £ (59,20 à 66,60 €). Cadre agréable.

🏠 ***Kings Hostel :*** Tywyn Rd. ☎ (08707) 70-54-00. Fax : (08707) 70-54-01. • www.yha.org.uk • À environ 9 km, vers l'ouest (A493), prendre une petite route tortueuse qui monte et qui descend dans la forêt. Ambiance contes d'Andersen. C'est à 1,5 km. Ouvert d'avril à août. Compter 10,25 £ (15,20 €). À l'arrivée, belle récompense : 2 bâtiments en pierre du pays, dans un environnement sauvage à souhait. Ça sent l'humus. On ne serait pas étonné qu'un ogre vous ouvre la porte. Fait aussi camping.

🏠 ***Graig-Wen House :*** Arthog, LL39 1BQ. ☎ 25-04-82. Fax : 25-09-00. • www.graig-wen.supanet.com • Sur la route de Fairbourne (A493), à 8 km. Camping de mars à octobre, pour 5 £ (7,40 €) à 2. *B & B* toute l'année de 36 à 40 £ (53,30 à 59,20 €). Ancienne ferme qui surplombe l'estuaire, tenue par 2 doux rêveurs. Déco bric-à-brac. La Vierge Marie et Bouddha trônent ensemble dans le salon. La véranda est une vraie jungle (les salles de bains aussi d'ailleurs). Bucolique et simple. Plein d'oiseaux dans le jardin. On recommande vivement !

Où manger dans les environs ?

Chic

🍴 ***Bontddu Hall :*** Bontddu, entre Barmouth et Dolgellau. ☎ 43-06-61. Fax : 43-02-84. Fermé l'hiver. Prévoir à partir de 20 £ (29,60 €) pour un repas. Voilà ce qu'il convient d'appeler un lieu mythique dans un cadre d'exception ! Lloyd George, Chamberlain, Churchill, des monstres sacrés de la vie politique britannique ont séjourné dans cette ancienne maison bourgeoise (1873) de style victorien. Évidemment, dormir dans le lit à baldaquin de Churchill n'est pas à la portée de toutes les bourses. On se contentera du bar où la cuisine est raffinée.

George III Hotel : Penmaenpool. ☎ 42-25-25. À 3,5 km, sur la route de Tyrwyn (A493). Bar ouvert midi et soir (des plats chauds à moins de 10 £, soit 14,80 €). Resto le soir uniquement (beaucoup plus cher). Bonne cuisine, spécialités de gibier et poisson. Vue sympa sur le fleuve, le pont traditionnel et les montagnes. Un petit extra bien agréable.

BARMOUTH (ABERMAW)

2 300 hab. IND. TÉL. : 01341

La route vers Barmouth est très belle, tour à tour désolée, souriante et boisée. Avec ses maisons en ardoise, cette jolie station balnéaire construite sur la colline domine l'estuaire de la Mawddach. Sa vieille tour servait de cachot aux poivrots, le temps qu'ils dessaoulent, et comptait 2 parties : une pour les hommes et une pour les femmes. Comme quoi !

Adresses utiles

Tourist Information Centre : The Old Library. Station Rd, en face de la gare. ☎ 28-07-87. Ouvert en été.

Gare : trains réguliers jusqu'à Porthmadog ou Aberystwyth. ☎ (08457) 48-49-50.

Où dormir ?

De nombreux ***campings,*** plus ou moins accueillants et près de la mer, entre Barmouth et Harlech.

Wavecrest Hotel : 8 Marine Parade, LL42 1NA. ☎ et fax : 28-03-30. • www.lokalink.co.uk/wavecrest • En bord de mer. Fermé en hiver. De 44 à 66 £ (65,10 à 97,70 €) selon la vue. Décoration simple et fraîche, très agréable. Tout est fait pour le confort des pensionnaires. Il faut absolument y dîner (voir « Où manger ? »). En deux mots, une adresse merveilleuse. Sur présentation du *Guide du routard,* 10 % de réduction sur le prix des chambres pour les lecteurs qui restent plus d'un jour.

The Gables : Mynach Rd, LL42 1RL. ☎ 28-05-53. Sur les hauteurs, à la sortie du village, vers Harlech. À 8 mn du centre-ville à pied. Ouvert de février à novembre. Compter 46 £ (68,10 €). Grande et belle maison confortable, avec de grandes baies vitrées et vue sur la mer. Toutes les chambres sont spacieuses. Réserver à l'avance. On offre le café à nos aimables lecteurs.

De belles chambres chic également au ***Ty'r Graig Castle Hotel*** (voir « Où manger ? »).

Où manger ? Où boire un verre ?

Wavecrest : ce n'est pas un restaurant mais un *B & B* (voir « Où dormir ? ») où l'on mange merveilleusement bien. Repas complet pour 16 £ (23,70 €). Shalegh fait divinement la cuisine, avec une inventivité débordante. À vrai dire, c'est notre meilleur souvenir gastronomique du pays de Galles ! Son mari s'occupe des alcools et peut vous proposer toutes sortes de whiskies excellents. Il faut impérativement passer un coup de fil avant pour réserver son couvert.

|●| ***Coffee-shop and Delicatessen :*** 33 High St, LL42 1DW. ☎ 28-11-62. À côté de la poste. Ouvert de 9 h 30 à 17 h. Des plats chauds pour guère plus de 5 £ (7,40 €). *Tea-room* bien typique avec une jolie vitrine Art déco, pour un plan quiches et bons gâteaux en attendant que la pluie passe. Clientèle féminine de tous les âges. On peut acheter des produits maison : un pot de marmelade dans la valise, ça vous dit ?

|●| ***The Last Inn :*** sur le port, à l'entrée du village, côté sud. ☎ 28-05-30. Ouvert de 12 h à 15 h et de 19 h à 21 h en été ; horaires variables en hiver. On peut manger pour moins de 10 £ (14,80 €). Ambiance marine très sympa, des poissons rouges nagent au fond d'une fontaine intérieure alimentée par l'eau des montagnes.

Plus chic

|●| 🍸 ***Resto du Ty'r Graig Castle Hotel :*** Llanaber Rd, à 1 km, en allant vers Harlech. ☎ 28-04-70. Fax : 28-12-60. • www.tyr-graig-castle.co.uk • Compter 84 £ (124,30 €) pour dormir. Menus de 18 à 30 £ (26,60 à 44,40 €). Cette vieille demeure du XIXe siècle surplombant la mer ne paie pas de mine de l'extérieur, mais il faut franchir la porte pour comprendre : style victorien, riches boiseries, vitraux... une petite merveille ! Y aller au moins pour boire un thé, rien que pour le plaisir des yeux.

À faire

➢ Chercher le chemin qui monte au-dessus de la colline et admirer le panorama. Il mène au premier terrain acheté par le légendaire *National Trust* en 1896. De là, très belle vue sur l'ensemble des montagnes environnantes et sur la baie.

➢ Très belle balade en traversant l'estuaire jusqu'à Arthog. Longer à pied la voie du magnifique pont de chemin de fer en bois (payant l'été). Autre possibilité : emprunter le ferry qui s'arrête à Penrhyn Point. De là, train miniature à vapeur qui rejoint Fairbourne. Ceux qui connaissent *Le petit train Thomas* seront ravis. Ticket combiné ferry-train possible. ☎ 25-03-62. • www.fairbourne-railway.co.uk •

HARLECH

1 200 hab. IND. TÉL. : 01766

Jolie ville en bord de mer, dominée par un château du XIIIe siècle dans un paysage de dunes. Il paraîtrait même qu'un microclimat flotterait au-dessus de cette agréable petite bourgade... À vérifier ! Carrières d'ardoises à visiter, si vous ne l'avez pas déjà fait ailleurs.

Adresse utile

ℹ ***Tourist Information Centre :*** High St. ☎ 78-06-58. Ouvert de Pâques à septembre.

Où dormir ?

🏠 ***Arundel :*** High St. ☎ 78-06-37. Compter 30 £ (44,40 €). Dans une maison moderne. Éric est un champion local de fléchettes et ses trophées trônent fièrement sur les étagères du salon. Seulement 3 chambres, simples et très propres. La vue sur le château et sur la mer est extraordinaire, et en plus, c'est presque donné.

Où manger ? Où boire un verre ?

|●| 🍷 ***The Plas :*** High St. ☎ 78-02-04. Fermé le lundi en hiver. Repas à partir de 8 £ (11,80 €). Dans une verrière remplie de plantes ou sur la terrasse, on prend un thé en regardant les dunes et la mer... Des plus plaisants ! Quelques chambres en projet également. La demeure a appartenu à la famille de Denys Finch Hatton, un routard qui a tracé les premières pistes du Kenya dans les années 1920 (rappelez-vous, c'est Robert Redford dans *Out of Africa* !).

|●| ***Bwtri Bach :*** High St. ☎ 78-03-73. Un *delicatessen, coffee-shop.* Tout pour le pique-nique : jambons, saucissons, fromages du coin. Possibilité de savourer de merveilleux *scones* à la confiture.

À voir

Le château : ouvert tous les jours ; en avril, mai et octobre, de 9 h 30 à 17 h ; de juin à septembre, de 9 h 30 à 18 h ; de novembre à mars, de 9 h 30 à 16 h. ☎ 78-05-52. • www.cadw.wales.gov.uk • Entrée : 3 £ (4,40 €) ; réductions. Entre 1283 et 1289, près de 1 000 hommes ont construit ce château fort sur un piton rocheux, à la demande du roi anglais Édouard Ier qui voulait implanter son pouvoir au pays de Galles. Au fil des siècles, il sera le théâtre de nombreuses manœuvres militaires. Entrez dans le château du côté de la mer, c'est encore plus impressionnant (l'été seulement).

LE NORD DU PAYS DE GALLES

Région montagneuse superbe, dominée par le *Snowdon* (Yr Wyddfa ; « le grand tumulus » en gallois), culminant à 1 085 m. Lacs, forêts, glaciers, mines d'or, de cuivre et d'argent, carrières d'ardoise rendent les paysages particulièrement variés et spectaculaires. Un autre paradis pour marcheurs et amoureux de la nature.

PORTHMADOG

3 000 hab. IND. TÉL. : 01766

Petite ville à l'entrée de la péninsule de Llyn, qui s'est développée au XIXe siècle autour de son port, d'où l'on transportait les ardoises et le cuivre extraits du Snowdon. La ville ne présente pas d'intérêt particulier, mais elle permet de rayonner facilement vers les immenses plages alentour ou vers le parc du Snowdonia.

Adresses utiles

Tourist Information Centre : Y Ganolfan, High St. ☎ 51-29-81. Ouvert de 10 h à 17 h. Fermé le mercredi en basse saison.

Gare : à la sortie de la ville, direction Caernarfon. ☎ (08457) 48-49-50. Départs quotidiens en direction de Machynlleth et de Pwllheli.

Où dormir dans les environs?

Pas mal d'adresses à l'ouest. Prendre la direction du *golf centre.*

⛺ ***Campings :*** direction Black Rock et Morfa Bychan. On conseille le *Tyddyn Adi Camping,* Morfa Bychan. ☎ 51-29-33. • www.tyddynadi.co.uk • À 4 km de Porthmadog. Ouvert toute l'année. Compter 9 £ (13,30 €). Géré par un rude gaillard à l'accent gallois plus qu'appuyé. On dort au milieu des moutons.

Snowdon Backpackers : Church St, Tremadog. ☎ 51-53-54. Fax : 51-53-64. • www.snowdonlodge.co.uk • À 1,5 km au nord. À 12,50 £ (18,50 €) avec le petit dej', pas de quoi se priver. La maison natale du colonel Lawrence d'Arabie (1888-1935) est aujourd'hui une AJ toute neuve, confortable et bien tenue par une équipe sympa. C'est un repaire de trekkeurs et, *a fortiori,* un très bon lieu pour échanger des conseils avisés entre passionnés de rando. Location de vélos.

Bron Afon B & B : Borth-y-gest. ☎ 51-39-18. • www.bronafon.co.uk • À 4 km, au bout du village, dans la rue qui monte. À partir de 50 £ (74 €). Bow-window face à la mer, vue splendide. Calme, impeccable et accueillant. Demandez la chambre rose ou sa jumelle, pour la vue. Non-fumeurs.

Où manger? Où boire un verre?

The Ship : 14 Lombard St. ☎ 51-29-90. Dans une rue qui part du vieux port. Ouvert de 12 h à 17 h pour manger. Plats chauds à partir de 5 £ (7,40 €). Ici, on boit sa bière avec les gens du coin. L'atmosphère est haute en couleur. Le patron est un bon vivant qui adore l'équipe française de rugby. Du coin de l'œil, ne manquez pas de suivre les parties de dominos entre habitués, ça vaut le détour!

Yr Hen Fecws Bistro : 16 Lombard St. ☎ 51-46-25. Dans le coin du vieux port. Ouvert tous les jours de 18 h à 22 h. De 15 à 22 £ (22,20 à 32,60 €) pour un repas complet. Un resto très apprécié des locaux, installé dans les murs en schiste d'une belle maison du XIXe siècle. Dans l'assiette, de bonnes spécialités de la mer, bien sûr.

À voir. À faire

Rheilfford Ffestiniog Railway : Harbour Station. ☎ 51-23-40. • www.festrail.co.uk • Départs toute l'année à partir de 9 h 10 (10 h 20 en hiver). Retour vers 17 h. Aller-retour : compter 14 £ (20,70 €); réductions. Autrefois connu comme le *boozer's special* (« le rapide du poivrot »), ce petit train à vapeur était la providence des alcooliques. Pas moyen d'y trouver une place le dimanche, l'endroit étant l'un des rares autorisés à vendre de l'alcool. Aujourd'hui, les choses ont un peu changé... mais on peut toujours prendre un verre à bord! Paysage très joli jusqu'à Blaenau Ffestiniog. Même sans être un passionné de chemin de fer, on ne peut que tomber amoureux de ces petits bijoux. Si ça vous tente, on cherche des volontaires pour continuer à faire vivre ces vieilles locos... Il suffit de proposer sa candidature et de préparer un savon super décapant! Train du même genre à la gare côté Tremadog, mais parcours de 1,5 km uniquement.

➤ *DANS LES ENVIRONS DE PORTHMADOG*

PORTMEIRION

À 3 km au sud-est. ☎ 77-00-00. Fax : 77-13-31. • www.portmeirion-village.com • Ouvert tous les jours de 9 h 30 à 17 h 30. Entrée : 5,50 £

(8,10 €) ; réductions. On peut s'y rendre en train depuis Porthmadog ; arrêt à Minford et petite marche de 20 mn. Bus nº 98 en été. Ce village farfelu d'opérette est la concrétisation d'un bon délire de l'architecte sir Clough Williams-Ellis, qui racheta en 1925 un petit village de pêcheurs situé au fond d'une baie merveilleuse. Il y construisit un tas de bâtiments de toutes les époques, de tous les styles, plus surprenants les uns que les autres. Ainsi voisinent panthéon, campanile baroque, énorme bouddha en pleine méditation... et autres bizarreries. C'est ici que fut tourné, dans les années 1960, le célébrissime feuilleton télé *Le Prisonnier,* avec Patrick McGoohan. L'appartement nº 6 a été transformé en magasin de souvenirs de la série télé, où l'on peut, bien sûr, adhérer au fan-club (des milliers de membres dans le monde entier). Les amoureux de services à thé seront comblés : dans un autre magasin, à l'entrée, on trouve de la célèbre porcelaine naturaliste de Portmeirion à prix réduits. Le vieux manoir et quelques bâtiments sont aujourd'hui des hôtels. On peut loger 3 nuits pour un week-end ou 4 jours en semaine, et c'est un émerveillement garanti.

LLANYSTUMDWY

Dans la péninsule de Llyn, traverser Cricieth (voir le château) et Pwllheli (l'un des marchés gallois les plus populaires chaque mercredi). Llanystumdwy, le long de l'A497, doit sa célébrité à Lloyd George qui y fut élevé et y est enterré.

Lloyd George Museum : ☎ et fax : 52-20-71. Ouvert de Pâques à octobre, horaires variables. Entrée : 3 £ (4,40 €) ; réductions. La carrière politique de David Lloyd George y est retracée ; ce fut un grand réformateur, initiateur des premières réformes sociales qui conduisirent au *Welfare State* (État-providence). Il fut ministre de la Guerre pendant la Première Guerre mondiale, puis Premier ministre jusqu'en 1922. C'est lui qui signa le traité de paix pour la Grande-Bretagne en 1919 à Versailles. Brillant orateur, ami de Winston Churchill. C'est le plus grand homme politique que le pays de Galles ait connu.

ABERDARON *(IND. TÉL. : 01758)*

À l'extrême ouest de la péninsule se trouve ce hameau de pêcheurs. Tout mignon, il fut le point de départ de pèlerinages allant sur l'île de Bardsey (Enlli) juste en face, l'île aux 20000 saints (rien que ça !).

Où dormir ? Où manger ?

Brynmor Guesthouse : ☎ 76-03-44. Compter 40 £ (59,20 €) en formule classique, 64 £ (94,70 €) en demi-pension. Un très joli *B & B,* situé sur les hauteurs du hameau. La proprio est très sympa ; n'hésitez pas à lui demander une chambre au dernier étage.

Y Gegin Fawr *(The Great Kitchen !)* **:** ☎ 76-03-59. Ouvert en haute saison. On peut se restaurer de la pêche du jour, entre 5 et 12 £ (7,40 et 17,80 €). Petit salon de thé proposant d'excellentes pâtisseries dans un décor de dentelle et de porcelaine chinoise. Les pèlerins se restauraient ici avant d'embarquer.

À faire

Aujourd'hui, l'***île de Bardsey*** est une réserve d'oiseaux, que l'on peut visiter (prévoir plusieurs jours). Les traversées sont peu fréquentes et irrégulières en raison des courants très forts. Compter 18,50 £ (27,40 €) ; réduc-

tions. Renseignements auprès du *Bardsey Island Trust* (à Aberdaron même) près du restaurant *Y Gegin Fawr.*
– Suivre la route depuis *Brynmor Guesthouse* jusqu'à la pointe et admirer la vue. Au loin, les jours de beau temps, on aperçoit le phare de l'île de Bardsey.

LA PARTIE CENTRALE DU SNOWDONIA NATIONAL PARK (PARC GENEDLAETHOL ERYRI)

À ne pas manquer. Si vous aimez la varappe, la nature, les anciennes mines reconverties en musées, les randos... vous serez servi. Le problème de l'eau ne se pose pas, il y a des sources en pagaille mais aussi beaucoup de touristes. Les paysages sont de toute beauté; tantôt noirs, tourmentés et lunaires, tantôt lacustres et verdoyants. Dans cette région, on trouve quelques *bunk houses,* sortes de refuges où l'on peut dormir à condition d'avoir son propre sac de couchage, mais aussi des AJ perchées dans la montagne, des campings en bord de rivière, des pubs où l'on ne parle que gallois... Procurez-vous les journaux gratuits, *Snowdonia Star* et *Snowdonia.* Plein d'idées sympas pour découvrir les environs.
Le ***mont Snowdon,*** point culminant du pays de Galles et de l'Angleterre (1 085 m), a connu bien des déboires. Menacé de mise en vente (du moins en grande partie) en 1999, il a été sauvé grâce à l'acteur hollywoodien *sir Anthony Hopkins* qui a déboursé la modique somme de 1 000 000 £ (1 480 000 €). Mais, récemment, celui-ci a pris la nationalité américaine, reniant son origine galloise. Dur à digérer, une sourde colère gronde...

LLANBERIS *(IND. TÉL. : 01286)*

En bordure de deux jolis lacs et au pied du mont Snowdon, à 13 km à l'est de Caernafon. Un village qui ne vit que pour la grimpette et les promenades en bateau. On y trouve un musée de l'ardoise.

Adresses utiles

Tourist Information Centre : 41A High St. ☎ 87-07-65. Fax : 87-19-24. • www.gwynedd.gov.uk • Ouvert tous les jours de 10 h à 18 h en été, les vendredi, samedi, dimanche et mercredi de 11 h à 16 h hors saison. Sérieux et avenant, très bien documenté sur toutes les balades et excursions à faire dans la région.

Météo Snowdonia : ☎ (09068) 500-449.

Où dormir ? Où manger ? Où boire un verre ?

Youth Hostel : Llwyn Celyn, Llanberis. ☎ (08707) 70-59-28. • www.yha.org.uk • Dans la petite route qui monte au niveau du Spar. Compter environ 10 £ (14,80 €) la nuit. Grande maison à 1 km au-dessus du village, cachée par les sapins et encerclée par les montagnes. Confortable. Fait aussi camping. Réserver absolument !

The Heights Hotel : High St. Grand hôtel, dortoirs de 12 à 15 £ (17,80 à 22,20 €) et *B & B* à 45 £ (66,60 €) pour 2. Fait aussi bar, restaurant et salon de thé (repas complet à moins de 10 £, soit 14,80 €).

Plusieurs salles, dont une verrière circulaire très agréable. C'est le salon où l'on cause de ses derniers exploits... Dans la cave, un mur d'escalade pour les mises à l'épreuve.

🍽 🍸 ***Pete's Eats :*** 40 High St. ☎ 87-01-17. • www.petes-eats.co.uk • Ouvert tous les jours de 8 h à 20 h. Fermé pour les fêtes de Noël. Pour 4,80 £ (7,10 €), on se remplit le ventre. Un café-resto tout bleu roi, construit en un jour ! On aime son ambiance chalet de montagne avec des photos de marcheurs en plein exploit, placardées sur les murs. La bouffe généreuse et sans complexe nourrit son montagnard ! À l'étage, infos gratuites sur la région et douche à disposition (serviettes et savon fournis). Accès Internet.

À faire

🚂 À la sortie sud-est de la ville, sur la route A4086, se trouve la gare de départ du célèbre ***train du mont Snowdon.*** Il est tracté par une petite locomotive à vapeur qui date de 1896. Le trajet est long de 8 km et dure 2 h 30. Cependant, le nombre de touristes qui veulent prendre ce train oblige à réserver : ☎ (08704) 58-00-33. Fax : (01286) 87-25-18. • www.snowdonrailway.co.uk • Des départs toutes les demi-heures de 9 h à 17 h de mai à octobre. Prévoir 14 £ (20,70 €) l'aller-retour ; réductions. Pas donné quand même.

➢ On vous conseille la marche ; 6 chemins plus ou moins faciles, très bien fléchés, montent au Snowdon :
- *Watkin Path :* à partir de Nant Gwynant.
- *Llanberis Path :* à partir de Llanberis.
- *Snowdon Ranger Path :* à partir de Llyn Cwellyn.
- *Rhyd Ddu path :* à partir de Rhyd Ddu.
- *Pyg Track :* à partir de Pen-y-Pass.
- *Miners' Track :* à partir de Pen-y-Pass, le plus facile ! Une vraie route...

Si vous décidez de monter par un chemin et de descendre par un autre, un système de bus Sherpa vous ramènera à votre point de départ. Ce n'est jamais vraiment difficile. Prévoir entre 5 h et 7 h aller-retour. Les contrastes sont superbes entre les parois noires des carrières d'ardoise et le vert quasi fluorescent des monts où paissent les moutons, le tout parsemé de lacs.

NANT GWYNANT (IND. TÉL. : 01286)

Entre Llanberis et Beddgelert, sur les routes A4086 et A498. Pas de village ici, simplement des paysages remarquables, un col *(Llanberis Pass),* des routes en surplomb, quelques adresses extraordinaires et le point de départ de randonnées.

Où dormir ? Où manger ?

🏠 🍽 ***Youth Hostel Pen-y-Pass :*** ☎ (08707) 70-59-90. • www.yha.org.uk • Au *Llanberis pass* (A4086), sur la ligne de bus n° 96. Ouvert d'avril à octobre et en fonction de la météo le reste de l'année. Environ 11,50 £ (17 €). La plus haute AJ du pays de Galles, au pied du chemin des Mineurs *(Miners' Track).* Très demandé, et, malgré ses 84 couchages, mieux vaut réserver. Également un resto (ouvert de 8 h 30 à 18 h) pour les grosses faims de retour d'excursion. Loue du matériel de marche.

🏠 ***Youth Hostel Bryn Gwynant :*** Nant Gwynant. ☎ (08707) 70-57-32. Fax : 89-04-79. • www.yha.org.uk • Sur l'A498. C'est environ 10 £ (14,80 €) plein pot, et dégressif selon la formule. Grande maison en pierre, magnifique, isolée, dans un site montagneux absolument grandiose, avec vue sur un lac. Des chambres de 2 à 8 lits.

Pen-y-Gwryd : ☎ 87-02-11. • www.pyg.co.uk • À l'embranchement de l'A4086 et de l'A498. Fermé de novembre à décembre et ouvert uniquement le week-end en janvier et février. Environ 5 £ (7,40 €) pour un *lunch,* 20 £ (29,60 €) pour un menu le soir (réserver). Cartes de paiement refusées. Un endroit assez exceptionnel, à l'atmosphère montagnarde. Au début du XXe siècle, c'était l'unique lieu de rendez-vous des varappeurs et marcheurs, qui venaient parfois de Paris pour se rencontrer. On vous trouvait toujours un petit coin pour déplier votre sac de couchage. Aujourd'hui, on mange et on boit auprès du feu, sous des godillots suspendus au plafond, entouré de photos de montagnes et autographes de champions, tels que les vainqueurs de l'Everest qui se sont entraînés ici avant leur victorieuse ascension. C'est aussi un hôtel, de 56 à 68 £ (82,90 à 100,60 €) la chambre double, avec un lavabo dans chaque chambre et une extraordinaire salle de bains, à ne manquer sous aucun prétexte ! Sauna et piscine avec de l'eau naturelle.

BETWS-Y-COED *(IND. TÉL. : 01690)*

Tout pour le promeneur, au nord-est du parc ! Énormément de monde, mais dès qu'on suit une balade d'au moins 1 h, surtout si elle est un peu en grimpette, on se retrouve seul avec les moutons. C'est sympa, même aux Swallow Falls, cascades très près et donc très familiales. Au retour, les salons de thé rivalisent de bonnes idées pour vous réchauffer car on est un peu en altitude. À la gare, on peut prendre un petit train reliant Llandudno à Blaenau Ffestiniog. S'y trouvent aussi un petit musée du train et un grand *Motor Museum.*

Adresses utiles

Tourist Information Centre : Old Stables. ☎ 71-04-26. Fax : 71-06-65. • www.betws-y-coed.co.uk • Ouvert de 9 h 30 à 16 h 30 (pause à midi) hors saison, de 10 h à 18 h en été. Très bien documenté, avec de grandes cartes et des photos permettant de choisir ses balades.

Gare : au moins 5 trains par jour remontent vers le nord jusqu'à Llandudno.

Bus : le n° 96 conduit à Llanberis ou à Porthmadog (via Beddgelert).

Où dormir ?

Beaucoup de choix, notamment 2 campings (le *Riverside Caravan and Camping Park* se trouve en plein centre). Côté *B & B,* bien comparer les prix, certains poussent un peu trop les « bornes des limites ».

Tyn-Y-Bryn Guesthouse : Tyn-y-Bryn, Betws-y-Coed. ☎ 71-02-73. Après le pont central, tourner à gauche. Ouvert quasi toute l'année. De 20 à 23 £ (29,60 à 34 €). Grande bâtisse en granit avec un large balcon et une grande verrière. Bercé par le chant des oiseaux, le jardin est un appel à la flânerie et, ce qui ne gâche rien, les proprios sont prompts à la discussion. Demandez les chambres nos 1, 2 ou 3 pour la perspective. Apéritif maison ou café offert sur présentation du *Guide du routard.*

Tan Dinas : Tan Dinas, Betws-y-Coed. ☎ 71-06-35. Fax : 71-08-15. • www.ukworld.net/tandinas • À 1 km, sur les hauteurs (traverser le pont central et prendre à gauche). Compter

44 à 50 £ selon la vue (65,10 à 74 €). Belle vue chlorophyllienne ! Réfrigérateur dans toutes les chambres. Demander à en voir plusieurs, car elles sont assez inégales. Un peu cher, comme partout dans ce village. Fumeurs interdits.

Maes Gwyn Farm : Pentrefoelas, Betws-y-Coed. ☎ 77-06-68. À 13 km. Prendre la direction de Pentrefoelas, puis la B5113 vers Nebo ; la maison est sur la gauche. Ouvert de Pâques à octobre. Compter 36 £ (53,30 €). Une vieille ferme isolée, loin de la cohue touristique de Betws-y-Coed. Une authentique ferme galloise avec ses vaches, ses moutons et son *border collie.* Tout confort.

Où manger ? Où boire un verre ?

Ty Gwyn : Betws-y-Coed. ☎ 71-03-83. À la sortie du village, direction Pentrefoelas, après un joli pont (à admirer au passage). On peut manger rapide, midi et soir, pour environ 5 £ (7,40 €) une salade ou, pour les gourmands, un vrai repas autour de 20 £ (29,60 €). Un des pubs-restaurants les plus charmants que nous connaissions. De quoi s'occuper la vue pendant un bon moment ! Un foisonnement de meubles, de bibelots et surtout de magnifiques porcelaines anciennes. Un vrai musée. Réputé pour sa *seafood.* Également des chambres décorées dans le même style, à partir de 36 £ (53,30 €).

À voir. À faire

The Ugly House : entre Capel Curig et Betws-y-Coed, à 3,5 km. ☎ 72-02-87. Ouvert en été de 9 h 30 à 17 h 30. Entrée : 1 £ (1,50 €) ; gratuit pour les enfants. L'intérieur ne vaut pas le coup, mais arrêtez-vous pour observer cette maison digne d'*Elephant Man,* faite de grosses pierres posées dans tous les sens et d'aspect difforme. Tout s'explique, la maison a été construite en une nuit par 2 hommes au XVe siècle.

➢ ***Randos guidées*** autour de Betws-y-Coed. ☎ (01514) 88-00-52. De Pâques à mi-août, du jeudi au dimanche. Plusieurs itinéraires de 9 à 13 km que Robin et Josie Hamlett (rien à voir avec le fantôme, on vous rassure) connaissent comme leur poche. Compter 3,50 £ (5,20 €) par personne. Réserver impérativement.

BALA *(Y BALA ; IND. TÉL. : 01678)*

Petite ville peu intéressante à l'extrémité du lac de Bala, lui-même à l'extrémité est du *Snowdonia National Park,* sur l'A494. Se résume à une rue principale et à de nombreux pubs.

Adresse utile

Tourist Information Centre : Penllyn, Pensarn Rd. ☎ 52-10-21. Ouvert de 10 h à 17 h 30.

Où dormir ?

Campings

Pen Y Bont : Llangynog Rd. ☎ 52-05-49. Fax : 52-00-06. Un chouïa au-dessus de 10 £ (14,80 €) par tente. Un camping à deux pas du lac en sortant de la ville sur la même route, tenu par un jeune couple accueillant. Tout est net. Une ambiance conviviale entre planchistes et kayakistes, le soir. Plus pour les jeunes et ceux qui veulent faire des rencontres.

Pen-y-Garth Camping : ☎ et fax : 52-04-85. De Bala, prendre la B4391 puis, à 2 km, la B4393. Le site est à l'écart de la ville, en pleine nature. Environ 10 £ (14,80 €) par tente. Propreté correcte.

Prix moyens

Fronddern Private Hotel : ☎ 52-03-01. Prendre la direction du lac. Tout de suite à la sortie du village, tourner à droite vers le golf et continuer jusqu'en haut de la colline. Chambres doubles de 27 à 50 £ (40 à 74 €). Grande maison blanche, confortable, dominant le lac et le village de Bala.

Où manger ? Où boire un verre ?

Ce n'est pas pour la gastronomie que vous viendrez en ville ! On vous conseille ces 2 adresses parce qu'il n'y a rien d'autre.

The White Lion Royal Hotel : 61 High St. ☎ 52-03-14. Ouvert de 9 h à 23 h. Une taverne typique, avec ses poissons séchés encadrés. C'est là que se retrouvent les fanas de voile après une journée sur le lac. Du laisser-aller dans le service et la tenue.

The Bull's Head : 78 High St. ☎ 52-04-38. Ouvert de 12 h à 22 h 30. Un peu dans le même genre que le précédent, les poissons en moins...

À voir

Le lac de Bala (Llyn Tegid), le plus grand lac naturel du pays de Galles, mais surtout prendre la route B4393 qui mène au ***lac Vyrnwy,*** un peu plus au sud. Entouré d'une grande forêt, il vaut vraiment le coup d'œil. De plus, il offre à bon prix la possibilité de pêcher. Vous pouvez louer, à l'hôtel au bord du lac, une barque et le matériel pour tout l'après-midi. Ici, on pêche à la mouche. Un vieux pêcheur nous a confié que le plus facile pour attraper du poisson était de jeter la ligne dans une zone de 10 m au bord du lac. Les non-pêcheurs feront une magnifique balade sans difficultés. Pour louer la barque et le matériel de pêche, téléphonez à Llanwddyn : ☎ (01691) 87-06-92.

Arrêtez-vous pour prendre un pot ou manger au ***Lake Vyrnwy Hotel :*** ☎ (01691) 87-06-92. Merveilleux et luxueux endroit qui domine le lac. On a envie de s'y poser. D'ailleurs, il propose des tarifs spéciaux de pension qui ne sont pas inintéressants : *Awaybreaks.* Ça reste cher... mais on est tenté de se laisser séduire.

Llanrhaeadr-ym-Mochnant : entre Lake Vyrnwy et Oswestry, jolie cascade dans un cadre bucolique. Un très beau coin de balades et de pique-niques. Les environs servirent de décor au tournage du film *L'Anglais qui gravit une colline, mais descendit d'une montagne,* avec Hugh Grant dans le rôle principal.

Tanypistyll : au pied de la cascade. ☎ (01691) 78-03-92. De 9 h à 18 h. Propose des repas et d'excellents *scones* pour le thé. Prévoir entre 5,40 et 6,40 £ (8 et 9,50 €). Également possibilité d'y dormir, avec bruit de fond non-stop, évidemment.

Llanfor : à moins de 1 km au nord de Bala, sur l'A494. Au XIXe siècle, Richard John Lloyd Price, seigneur du manoir, grand joueur et bon vivant, était en train de perdre sa fortune. Les dettes s'accumulant et les années passant, il commença à se soucier de sa fin. Un noble enterré dans la fosse commune : quelle honte tout de même pour sa lignée ! Le jour de la grande course hippique, il tenta sa dernière chance et misa tout sur son propre cheval, Bendigo. Ce fidèle ami franchit le premier la ligne d'arrivée, sauvant ainsi l'honneur de son maître. Ce dernier fit ériger à la mémoire de son cheval le tombeau que l'on peut voir dans le petit cimetière, derrière l'église.

BLAENAU FFESTINIOG *(IND. TÉL. : 01766)*

Petite ville grise, perchée dans la montagne sur l'A470, connue pour ses mines d'ardoise *(slate caverns)* situées à 1 km au nord de l'agglomération. La visite de l'une de ces exploitations permet de découvrir un aspect essentiel du pays de Galles : la rudesse et l'âpreté des conditions de vie et de travail, dans cette région où l'exploitation du sous-sol a été l'une des principales activités économiques.

Où dormir ? Où manger dans le coin ?

Cae'r Blaidd Country House : Llan Festiniog. ☎ et fax : 76-27-65. • www.caerblaidd.fsnet.co.uk • À 3 km. Chambre double à 70 £ (103,60 €). Possibilité de repas pour environ 16,50 £ (24,40 €). Du hall d'entrée en passant par le salon et les chambres, toutes les pièces sont simplement immenses et le cadre est magnifique. Méfiez-vous du patron, avec son air de petit moustachu drôle et inoffensif : il a enseigné les arts martiaux pendant 10 ans. Eh oui, le sabre japonais de la salle à manger ne sert pas qu'à la déco ! C'est un alpiniste invétéré, son adresse est tout indiquée pour les pros du piolet et de la spéléo.

À voir

Llechwedd Slate Caverns : Blaenau Ffestiniog. ☎ 83-03-06. Fax : 83-12-60. • www.llechwedd.co.uk • Ouvert tous les jours de 10 h à 16 h 15 (17 h 15 en été). Un peu chérot : 8 £ (11,80 €) pour une animation, 12 £ (17,80 €) les 2. Deux types de découverte, petit train ou ascenseur, qui s'enfoncent dans la profondeur de la mine. Préférez *Deep Mine Incline.* Les claustrophobes apprécieront particulièrement la courte descente ! Une fois arrivé dans la mine, on assiste à une émouvante rétrospective sonore, mise en valeur par un jeu de lumière très bien fait, guidant les visiteurs dans une dizaine de galeries. Demander la version française.

BEDDGELERT *(IND. TÉL. : 01766)*

À l'ouest du Snowdonia National Park, ce petit bourg, charmant avec son pont en pierre, est traversé par la rivière Colwyn. Une jolie légende s'y rattache : Gelert était le lévrier d'un prince du XIIIe siècle. Celui-ci, partant à la chasse, confia son enfant à la garde de Gelert. À son retour, il trouva le berceau vide et remarqua que le lévrier avait le museau souillé de sang. Croyant qu'il avait dévoré le bébé, le prince transperça le chien de son épée ; mais aussitôt après, il se rendit compte de sa méprise, en découvrant l'enfant sain et sauf, endormi dans un coin de la pièce, avec, à ses côtés, le cadavre d'un jeune loup égorgé par Gelert. Cependant, le monticule de pierres élevé, dit-on, à la mémoire du chien, n'a aucun caractère historique. Il fut réalisé seulement au XIXe siècle, à l'initiative de l'hôtelier local désireux d'attirer les touristes !

Où dormir ? Où manger ?

⛺ ***Beddgelert Caravan and Camping Site*** : Beddgelert. ☎ 89-02-88. À 1,5 km, sur l'A4085 vers Caernarfon. Fermé en novembre et décembre. Compter de 7 à 10,50 £ (10,40 à 15,50 €). C'est un magnifique camping en bordure de la forêt et traversé par moult ruisseaux. Beaucoup de balades passent par ici, le village est à 20 mn à pied en longeant la rivière. Tout confort : emplacements arasés, des tables un peu partout, etc. Vélos à louer. Accueil et environnement adorables, un bonheur de campeur !

🏠 |●| ***The Prince Llewelyn Hotel*** : Beddgelert, au niveau du pont. ☎ 89-02-42. Ouvert tous les jours de 12 h à 14 h et de 18 h à 20 h 30. Moins de 5 £ (7,40 €) pour un plat chaud. Ambiance toute montagnarde dans ce bar-resto plein de trekkeurs. Possibilité de commander son pique-nique le midi. Quelques chambres aussi pour environ 50 £ (74 €). Un bon endroit pour se rencarder sur les balades et échanger ses impressions.

RHYD DDU *(IND. TÉL. : 01286)*

À peine un village sur l'A4085 entre Beddgelert et Caernarfon, mais le point de départ du Snowdon Ranger Path.

Où dormir ? Où manger ?

🏠 ***Youth Hostel Snowdon Ranger*** : Rhydd Ddu, Caernarfon. ☎ (08707) 70-60-38. • www.yha.org.uk • Entre Caernarfon et Rhydd Ddu, au bord du magnifique lac Llyn Cwellyn, au début du Snowdon Ranger Path. Réservez absolument ou plantez votre tente au bord du lac.

🏠 |●| ***Castell Cidwm Hotel*** : Betws Garmon, Carenarfon, LL54 7YT. ☎ 65-02-43. Fax : 65-00-97. À l'extrémité nord du lac Llyn Cwellyn. Fermé en janvier. Compter 70 £ (103,60 €). Repas 4 plats à 20 £ (29,60 €) le soir, sinon à la carte (snack pas cher). Une magnifique demeure, au bord du lac. Les chambres, largement vitrées, ont une vue panoramique, sur celui-ci. C'est d'une beauté rare et exquise. Possibilité de pêcher ou de faire des balades sur le lac. Si vous ne pouvez pas y séjourner, contentez-vous d'y manger, un petit luxe géant ! Quelques tables ont vue sur le lac. Réduction de 10 % sur le prix des chambres d'octobre à février sur présentation du *Guide du routard* (en réservant).

CAERNARFON

10 000 hab. IND. TÉL. : 01286

Petite ville au pied de la péninsule d'Anglesey, très agréable, célèbre pour son imposant château où s'est déroulé le sacre du fiston Charles comme prince du pays de Galles par sa maman. Le trône de l'événement est toujours là, pas très confortable d'ailleurs (sale métier !). Si l'on en croit la tradition, le premier prince de Galles anglais aurait obtenu la reconnaissance de ce titre grâce à un astucieux stratagème de son père, Édouard Ier. Celui-ci avait promis aux chefs gallois de leur accorder, en échange de leur allégeance, un prince qui soit né au pays de Galles et qui ne parlât pas l'anglais. Il tint sa promesse en leur présentant son fils qui, âgé de quelques semaines, ne parlait ni l'anglais... ni le gallois !

Adresses utiles

Tourist Information Centre *(plan A2)* **:** Oriel Pendeitsh, Castle St. ☎ 67-22-32. • www.gwynedd.gov.uk • En face de l'entrée principale du château. Ouvert de 10 h à 18 h (16 h 30 en hiver).

Post Office *(plan A2)* **:** Castle Square.

Où dormir ?

Cdw Cadnant Valley Caravan Park *(plan B1, **12**)* **:** Llanberis Rd, Caernerfon. ☎ 67-31-96. Fax : 67-59-41. Proche du centre, sur l'A4086. En pleine saison, 12 £ (17,80 €) la nuit. Sanitaires très propres et douches chaudes gratuites. Cadre boisé et très agréable.

Totters Hostel *(plan A1, **11**)* **:** 2 High St. ☎ 67-29-63. • www.applemaps.co.uk/totters • À deux pas du château. Compter 11 £ (16,30 €) par personne avec le petit dej'. Une grande maison avec petits dortoirs ! Garçons et filles sont séparés. Accueil cool et sympa.

Caer Menai *(plan A1, **10**)* **:** 15 Church St. ☎ et fax : 67-26-12. • www.caermenai.co.uk • À 2 mn du château. Compter 50 £ (74 €). Dans une ancienne école, qui ressemble aujourd'hui à toutes les autres maisons de la rue. La maison est très belle et les chambres toutes *en-suite*. Confortable et propre, mais la déco n'est pas toujours du meilleur goût ! D'octobre à mars, réduction de 10 % sur présentation du *Guide du routard* à la réservation.

Où manger ? Où boire un verre ?

The Black Buoy Inn *(plan A1, **20**)* **:** Northgate St. ☎ 67-36-04. Ouvert de 11 h (12 h le dimanche) à 21 h. Carte exhaustive : de 5 à 10 £ (7,40 à 14,80 €) le plat. Deux entrées, 2 enseignes différentes. On adore ce vieux pub du XVIe siècle, avec son coin bar cosy à souhait. Tout y est fait pour qu'on s'y écroule pendant des heures ! Cheminée, fauteuils et banquettes en bois sculpté, murs en pierre apparente... La salle de restaurant à côté est également très agréable et on y mange bien pour pas trop cher.

The Albert Inn *(plan A2, **21**)* **:** 10 Segontium Terrace. ☎ 67-65-67. Repas en été seulement, de 5 à 10 £ (7,40 à 14,80 €). Ambiance assurée : quelques groupes de musique traditionnelle ou rock se produisent le dimanche en alternance. Pensez aussi à jeter un œil à l'impressionnante collection de théières.

Courtenay's Bistro *(plan A2, **22**)* **:** 9 Segontium Terrace. ☎ 67-72-90. Ouvert du mardi au samedi midi et soir, sauf les mardi soir et mercredi soir en hiver. Menus 3 plats à 14 £ (20,70 €). Un petit resto qui ne paie pas de mine, mais considéré comme le meilleur de la ville, proposant un large choix de fromages locaux. Penser à réserver, car c'est souvent complet. Attention, la retraite des proprios étant proche, téléphonez avant pour vous assurer de leur présence.

Stones Bistro *(plan A1, **23**)* **:** 4 Hole-In-The-Wall St. ☎ 67-11-52. Resto ouvert du mardi au samedi de 18 h jusqu'à tard. Fermé les dimanche et lundi, ainsi que pour les fêtes de Noël. Entrée, plat, dessert :

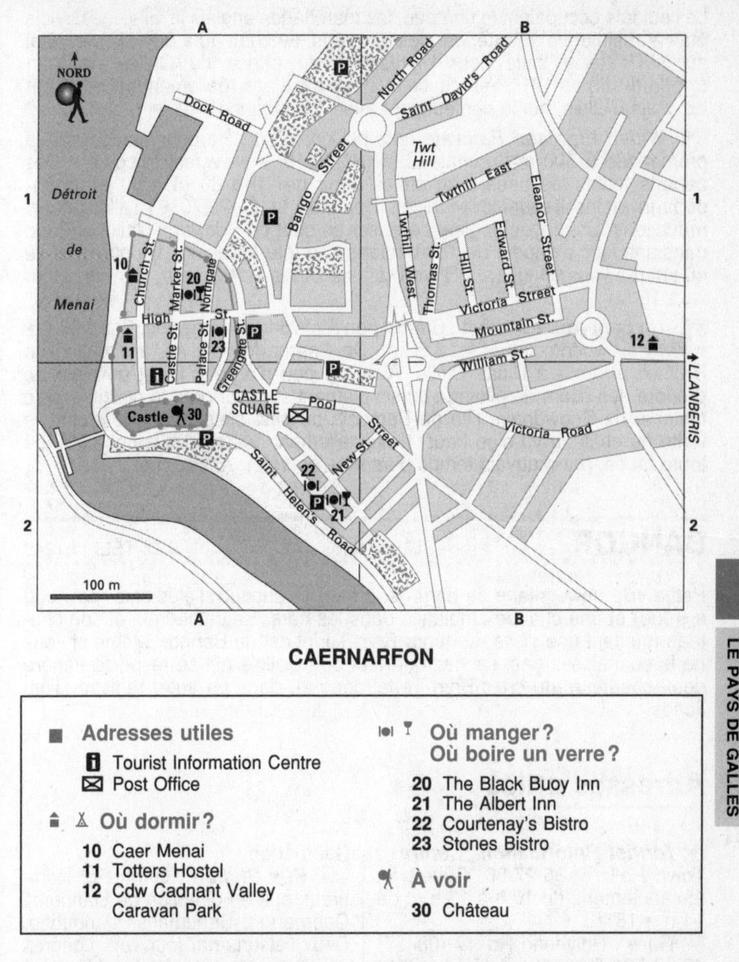

CAERNARFON

à partir de 9 £ (13,30 €). On entre par la cuisine et on sait déjà que ce sera bien. Cuisine anglaise d'inspiration continentale, c'est bien présenté et copieux. La carte des desserts donne l'eau à la bouche. Souvent plein.

À voir. À faire

Le château *(plan A2, **30**)* **:** ☎ 67-76-17. Ouvre tous les jours à 9 h 30 (11 h le dimanche en hiver) ; ferme à 18 h de juin à septembre, 17 h en avril, mai et octobre, 16 h de novembre à mars. Entrée : 4,50 £ (6,70 €) ; réductions. Audiovisuel en français de 20 mn. C'est pour lui que vous êtes là. Un des châteaux les plus visités du royaume ! Il a été construit à partir de 1283 par Édouard Ier (roi anglais qui a vaincu le dernier vrai prince de Galles), qui a aussi fait édifier les remparts de la ville sur le modèle des bastides à l'instar des villes gasconnes (comme Libourne).

Les soldats occupaient le château, les marchands anglais la ville, les Gallois étaient maintenus à l'extérieur des remparts. Le château a été remis en état au XIXe siècle, puis pour l'investiture du prince de Galles (le futur Édouard VIII) en 1911. Au fait, ce château n'est pas réellement apprécié par les vrais Gallois, qui le contemplent avec répugnance !

Welsh Highland Railway *(hors plan par B2)* **:** Harbour Station, sur la promenade à 500 m du château. ☎ 67-70-18. • www.festrail.co.uk • Des départs toutes les heures en été, à partir de 10 h 30 (8 h 50 en août) ; départs moins fréquents en hiver. Compter 14 £ (20,70 €) l'aller-retour ; réductions. Un moyen original de visiter un bout du Snowdon National Park, dans une loco à vapeur de 1870, retapée pour le Millenium. Un parcours de 40 km qui vous conduira à Rhyd Ddu, via Dinas et Wanfawr. Dernier retour vers 16 h.

Un petit tour en avion : Caernarfon Air World, Caernarfon. ☎ 83-08-00. • www.air-world.co.uk • À 13,5 km. De Caernarfon, suivre la direction de Pwllheli et sortir à Dinas Dinlle. Avec un peu d'argent, il est possible de prendre des cours de pilotage ou simplement survoler pour le plaisir le parc national de Snowdonia, l'île de Barsdey, ou plus simplement de s'offrir la visite du château vu d'en haut ! Émerveillement assuré par temps clair (de toute façon, par mauvais temps personne ne vole). Assez cher.

BANGOR

12500 hab. IND. TÉL. : 01248

Petite ville universitaire au bord de la mer. Beaucoup d'étudiants (de 7000 à 8000) et une chaude ambiance dans les bars. Sa cathédrale et son château méritent une visite. Le ténor Bryn Terfel est de Bangor. Même si vous ne le connaissez pas, sachez que tout bon Gallois qui se respecte vénère deux chanteurs du cru : Bryn Terfel donc et, dans un autre registre, Tom Jones.

Adresses utiles

Tourist Information Centre : Town Hall. ☎ 35-27-86. Ouvert en été seulement, de 10 h à 13 h et de 14 h à 18 h.

Gare : Holyhead Rd. ☎ (08457) 48-49-50. Trains pour Holyhead et l'Angleterre. Pas de liaison avec Caernarfon.

Bus Station : Garth Rd. Nombreux bus en direction de Llanberis, Caernarfon, Beaumaris, Llandudno. Deux liaisons par jour vers Londres avec la compagnie *National Express* (n° 545).

Où dormir ? Où manger ?

Dinas Farm Camping : à 4,5 km de la ville, en marge de l'A5, vers Betws-y-Coed. ☎ 36-42-27. Fermé en hiver. Compter 6 £ (8,90 €) la nuit. Au bord de la rivière, confort très, très rudimentaire. Le passage à la réception, coincée entre une étable et une vieille cabine de téléphone défoncée, vaut le détour !

Bangor Youth Hostel : Tan-y-Bryn. ☎ 35-35-16. Fax : 37-11-76. • www.yha.org.uk • Ancien manoir à la sortie de la ville. On y accède par un chemin de terre qui donne sur l'A5 juste avant la bifurcation pour Maesgeirchen, venant du centre. Aux alentours de 11,50 £ (17 €) par personne. Billard, resto, Internet.

🏠 🍽 ***Goetre Isaf Farmhouse :*** Caernarfon Rd, LL57 4DB. ☎ et fax : 36-45-41. • www.fredw.com • À 3 km à l'ouest de Bangor, à la sortie 10 de l'A4087. Chambres doubles de 35 à 45 £ (51,80 à 66,60 €). Vieille chaumière du XVIIIe siècle cachée derrière les arbres. Fred et Alison savent recevoir. N'hésitez pas à dîner sur place. Comptez environ 13 £ (19,20 €) et laissez-vous convaincre par les soupes et les tartes maison, surtout celle aux fruits des bois. Très bien et vraiment pas cher. On peut payer en euros.

🍽 Côté restos, tout ce qu'il faut dans High St (au-dessus de la cathédrale). On trouve aussi bien des adresses italiennes que des pubs des plus sympas. Au ***O'Sheas Bar*** notamment, un bar... irlandais 100 % pur jus, on boit en musique et c'est un peu la Saint-Patrick tous les soirs.

À voir

★★★ ***Penrhyn Castle :*** à l'entrée de la ville, au niveau de l'A55. ☎ 35-30-84. • www.nationaltrust.org.uk • Ouvert d'avril à octobre jusqu'à 17 h ; château à partir de 12 h (11 h en juillet et août) ; jardins à partir de 11 h (10 h en juillet et août). Entrée : 7 £ (10,40 €) ; réductions. Gigantesque pastiche de château médiéval qui a seulement 150 ans d'existence et coûta la somme fantastique pour l'époque de 500 000 £ (740 000 €) à lord Pennant. Celui-ci s'était considérablement enrichi grâce à l'exploitation des carrières d'ardoise dans la région. D'ailleurs, l'ardoise a été utilisée pour la décoration intérieure ! Tout un lit est fait avec ce matériau (il pèse plus de 1 tonne !), et un billard aussi. Également une importante collection de poupées, un musée du train, quelques tableaux, dont des Rembrandt et Gainsborough, et un superbe jardin victorien.

★ ***Le Musée municipal :*** face à la cathédrale. Ouvert du mardi au vendredi de 12 h 30 à 16 h 30 et le samedi de 10 h 30 à 16 h 30. Entrée gratuite. Art celtique, mobilier gallois de différentes époques, costumes anciens, vaisselle, etc.

L'ÎLE D'ANGLESEY (YNYS MÔN) IND. TÉL. : 01248

Un sentier de randonnée fait le tour de cette île située dans la mer d'Irlande. Un moyen idéal pour admirer falaises, estuaires, longues plages de sable (les plus belles étant Red Wharf Bay à l'est, Llanddwyn Bay au sud et Dulas Bay au nord-est), sites préhistoriques, châteaux cachés, etc. De quoi s'émerveiller à chaque pas. Deux ponts la relient à la terre ferme : *Menai Suspension Bridge,* pont suspendu construit en 1826, et *Britannia Bridge,* réalisé en 1850 et reconstruit au début des années 1970 suite à un incendie. Si vous passez par là mi-août, ne manquez pas la grande foire aux bestiaux de Gwalchmai. Partir tôt, car ça bouchonne dur. Béliers à 3 ou 4 cornes, vaches de toutes races, défilé de mode, stands de toutes sortes de comités, etc. Voici nos petits coins préférés, du sud au nord :

LLANFAIRPWLLGWYNGYLLGOGERYCHWYRNDRO-BWLLLLANTYSILIOGOGOGOCH

Ce petit village situé à l'entrée de l'île n'a rien de particulier, si ce n'est qu'il doit sa célébrité, vous vous en doutez, à son nom, le plus long d'Europe. À l'appellation primitive de Llanfairpwll, un tailleur fantaisiste qui ne faisait pas dans la dentelle aurait ajouté, au XIXe siècle, la bagatelle de 46 lettres (ou 41 en gallois) qui signifient : Sainte-Marie-sur-l'Étang-des-Noisetiers-Blancs-près-du-Tourbillon-Rapide-de-la-Grotte-Rouge-de-Saint-Tysilio. Imprononçable pour quiconque, excepté les Gallois, ce nom s'abrège (heureusement) en Llanfair PG. Il est inscrit intégralement sur le fronton de la gare et sur les façades de quelques boutiques. Pensez à y poster vos cartes.

BEAUMARIS

Coquette petite station balnéaire, face aux montagnes du Snowdonia. Son château du XVIIIe siècle attire du monde, à juste titre. De Bangor, bus nº 56.

Où manger ? Où boire un verre ?

🍽 🍸 ***Ye Olde Bull's Head Inn :*** Castle St. ☎ 81-03-29. Brasserie midi et soir à partir de 15 £ (22,20 €) le menu. Resto deux fois plus cher le soir, fermé le dimanche. Le plus vieux pub de la ville, où l'on peut admirer la plus grande porte des îles Britanniques (dans la cour !), de superbes chaises et fauteuils, ainsi qu'une collection d'armes anciennes, sabres, pistolets, armures. Très agréable d'y passer un moment en compagnie d'une *Draught Bass*. Belle salle de restaurant dans une grande véranda. Les plats sont légers et fins.

🍽 🍸 ***The Liverpool Hotel :*** Castle St. ☎ 81-03-62. Ouvert tous les jours de 12 h à 21 h 30. Large choix de plats et de salades de 7 à 12 £ (10,40 à 17,80 €). *The Admiral's Tavern* est dédiée à Nelson, et les salles sont découpées selon un schéma de navire. Quelques menus du *Queen Elizabeth II* affichés. Vous enrichirez votre vocabulaire marin tout en vous restaurant.

🍽 🍸 ***The Bulkeley Arms Hotel :*** 19 Castle St. ☎ 81-04-15. Prendre un dernier verre dans cet endroit luxueux, tout en velours rouge. On y organise régulièrement des expos de peinture.

À voir

🍴🍴 ***Beaumaris Castle :*** ☎ 81-03-61. En été, ouvert de 9 h 30 à 18 h ; horaires plus restreints le reste de l'année. Entrée : 3 £ (4,40 €) ; réductions. Possibilité de visite en français (guide payant). Encore un château construit par Édouard Ier, vers 1295. Il est composé de 2 enceintes renforcées par des tours, la seconde, à l'extérieur, étant doublée par un fossé. Les navires venant de la mer pouvaient accéder à la douve du château grâce à un chenal (un peu dans le genre Port-Grimaud, si vous voyez !).

🍴🍴 ***Beaumaris Gaol :*** ☎ 81-09-21. Ouvert en haute saison de 10 h 30 à 17 h. Comme au Monopoly, il faut payer pour aller en prison : environ 3 £ (4,40 €), torture en sus. On pénètre dans le monde si bien décrit par Dickens. Prison construite au XIXe siècle. Elle fut, à l'époque, considérée comme un modèle du genre : hommes et femmes séparés, cellules individuelles ; droit de visite régulière d'un prêtre ou d'un médecin. En outre, les prisonniers prenaient des kilos, car ils étaient bien nourris. Pas étonnant qu'à l'extérieur ils aient volé de la nourriture, car ils y crevaient littéralement de faim. Visite très impressionnante, les objets de torture et piloris exposés là donnent des frissons ! Eh oui, tout n'était pas rose !

🍴🍴 ***Penmon Priory :*** à 5 km au nord-est. Péage pour les voitures à l'entrée. Ruines d'un prieuré augustin du XIIIe siècle, avec pas-de-mule devant. Juste à côté : pigeonnier du XVIIe siècle. Très beau bâtiment carré.

🍴🍴🍴 ***Puffin Island (Ynys Seiriol) :*** tours d'une heure (sans accoster) depuis le port de Beaumaris. On y voit des phoques et des pingouins tordas. Si vous voulez pêcher là-bas, renseignez-vous à Beaumaris Pier : ☎ 81-02-51.

À voir dans les environs

Oriel Ynys Môn : Rhosmeirch, Llangefni. ☎ 72-44-44. • www.anglesey.gov.uk • En plein cœur de l'île, en marge de l'A55 et à environ 15 km de Beaumaris. Ouvert du mardi au dimanche, de 10 h 30 à 17 h. Entrée : 2,50 £ (3,70 €) ; réductions. Bonne introduction à Anglesey. *Exhibition centre* sur l'histoire (sites préhistoriques, passage en revue des 133 naufrages aux abords de l'île), les druides et les légendes celtiques, la vie sauvage (émouvant hommage à Tunnicliffe, un naturaliste local), etc. Également un musée d'art (expos temporaires). Cafétéria. À coup sûr, vous y entendrez parler le gallois.

HOLY ISLAND (CAERGYBI)

Une autre île, tout au bout d'Anglesey, qui abrite une flopée de jolies criques et plages (Treadur bay, Rhoscolyn...). À Holyhead, on peut prendre des ferries pour Dublin. Avant d'embarquer, visitez donc l'église de St Cybi's, ses vitraux de l'école préraphaélite valent le coup d'œil.

Adresses utiles

- ***Holyhead Tourist Information Centre :*** au terminal des ferries. ☎ (01407) 76-26-22. Ouvert toute l'année de 8 h 30 à 18 h. Très efficace.
- ***Ferries pour Dublin :*** avec *Irish Ferries.* ☎ (0990) 17-17-17. • www.irishferries.com • Et *Stena Line.* ☎ (08705) 70-70-70. • www.stenaline.com • Plusieurs liaisons par jour. Compter 1 h 45 à 3 h 15.
- ***Gare :*** ☎ (08456) 04-05-00. Guichet au terminal des ferries. Trois départs quotidiens pour Londres en direct, 1 pour Cardiff.

Où dormir ? Où manger ?

- ***Silver Bay Holiday Park :*** Pentre Gwyddel, Rhoscolyn, Holyhead. ☎ (01407) 86-08-60. À quelques kilomètres au sud de Holy Island. Ouvert quasi toute l'année. De 6 à 12 £ (8,90 à 17,80 €). Grand espace pour les tentes, en bord de mer (avec accès privé à une plage de sable). Magasin d'appoint.
- ***The Anchorage Hotel :*** Four Miles Bridge, Valley. ☎ 74-01-68. Sur la B4545 de Valley à Treaddur. Au pub, repas midi et soir de 5 à 10 £ (7,40 à 14,80 €) ; au resto, compter en moyenne 15 £ (22,20 €) pour un plat principal. Mélange des genres, ventilos au plafond, grosse moquette à fleurs, papier peint jaunâtre et lanternes aux murs. Clientèle bigarrée, ici tout le monde discute avec tout le monde. Se contenter d'y manger un morceau ou un homard, et surtout ne pas y dormir ! Le prix des chambres ne le vaut pas.

À faire

Se promener autour du ***phare de South Stack :*** à 5 km, à la pointe de l'île. Le mieux est de s'y rendre soit au lever, soit au coucher du soleil, sauf si vous tenez à tout prix à visiter le phare (ouvert de 10 h 30 à 17 h 30, entrée payante de Pâques à septembre). La vue sur la mer d'Irlande est envoûtante. Bienvenue au paradis des amoureux, des rêveurs solitaires et des... macareux moines. C'est une réserve naturelle de premier ordre !

CONWY

13 000 hab. IND. TÉL. : 01492

À l'abri de ses murailles et de son château, voici l'une des plus jolies villes médiévales que l'on connaisse, abritée dans une baie de rêve et dotée d'une nouvelle *marina*. On y trouve pêle-mêle des musées consacrés aux moules, aux théières et aux papillons.

Adresses utiles

Tourist Information Centre : à l'entrée principale du château. ☎ 59-22-48. • conwy.tic@virgin.net • Ouvert de 9 h 30 à 18 h en été, jusqu'à 16 h ou 17 h hors saison.

Gare : Rosehill St. ☎ (08457) 48-49-50. Trains quotidiens en direction de Bangor, Holyhead et Llandudno. Faire signe au contrôleur pour que le train s'arrête à Conwy !

Bus : ☎ (08706) 08-26-08. En direction de Bangor, Llanrwst et Llandudno.

Où dormir ? Où manger ? Où boire un verre ?

Conwy Youth Hostel : Larkhill, Sychnant Pass Rd, Conwy. ☎ (08707) 70-57-74. Fax : (08707) 70-57-75. • www.yha.org.uk • À deux pas du centre. Compter 13,40 £ (19,80 €) par personne en chambre de 4 et 11,50 £ (17 €) en double. Une AJ moderne et colorée. Sans charme particulier mais très confortable. Déco Vasarely amusante. Belle vue sur la ville et l'estuaire. Thé ou café offert sur présentation du *Guide du routard*.

Clemence : Castle St, Conwy. ☎ 59-32-48. Ferme tôt en hiver. Repas entre 5 et 10 £ (7,40 et 14,80 €). Grande salle tout en longueur ressemblant à un buffet de gare. Rien de bien raffiné à se mettre sous la dent, mais beaucoup de choix, et correct pour un prix modéré.

The Galleon : High St. Le meilleur *fish & chips* du pays de Galles, paraît-il, primé en 1997. Il ne reste plus qu'à essayer pour vérifier...

The Groes Inn : Tyn-y-Groes. À 4 km de Conwy dans la direction de Betws-y-Coed (B5106). ☎ 65-05-45. Ouvert tous les jours. Serait-ce le premier pub du pays de Galles ? Il semble en tout cas que ce soit le premier licencié (1573). L'antériorité se paie. L'hôtel, avec sa vue sur la *Conwy Valley*, vous coûtera la peau du dos pour dormir (à partir de 90 £, soit 133,20 €), y manger votre chapeau (25 £, soit 37 €), y boire seulement un tube d'aspirine (2 £, soit 3 €) si vous abusez. Ambiance typique à coups de *pints*.

À voir. À faire

Le château : horaires de l'office de tourisme. Entrée : 3,50 £ (5,20 €) ; réductions. Construit entre 1283 et 1287 sur ordre du roi Édouard Ier, il est considéré comme l'un des plus grands châteaux forts d'Europe. Comme son nom ne le laisse pas deviner, c'est un Savoyard, James de Saint George, qui en fut le maître maçon. Comme si cette forteresse colossale renforcée par 8 tours circulaires n'était pas suffisamment sécurisante, il a fait bâtir des murs sur 1 300 m tout autour de la ville... On n'est jamais trop protégé ! Du haut des tourelles du château, la vue est magnifique.

The Smallest House in Great Britain : située sur le Cob, un quai aménagé au XIXe siècle. ☎ 59-34-84. Ouvert de Pâques à octobre. En trée modique. Cette véritable maison de poupée du XIVe siècle a été habitée jusqu'en 1900. Elle est réputée pour être la plus petite de Grande-Bretagne. Ameublement de l'époque victorienne. À vrai dire, il n'y a pas grand-chose à l'intérieur, la maison n'étant effectivement pas bien grande.

Telford's Bridge : très joli pont suspendu, construit au XIXe siècle par l'ingénieur Telford. Belle perspective sur le château. Accessible en haute saison de 10 h à 17 h. Entrée : 1,10 £ (1,60 €).

Plas Mawr : High St. ☎ 58-01-67. Ouvert d'avril à octobre, du mardi au dimanche de 9 h 30 à 17 h. Entrée : 4,60 £ (6,80 €) ; réductions. Petit palais élisabéthain construit entre 1557 et 1580 par Robert Wynne. Ses initiales apparaissent souvent sur les plâtres décorés des différentes pièces. Très beaux meubles d'époque. L'une des pièces serait hantée. Le fantôme errerait dans l'une des cheminées.

Belles promenades à effectuer près de Conwy dans la Conwy Valley. On a un pied dans le nord du *Snowdonia National Park.*

LLANDUDNO

26 000 hab. IND. TÉL. : 01492

Station balnéaire victorienne au nord de la baie de Conwy, typique de la fin du XIXe siècle avec sa longue promenade bordée d'hôtels et son joli Pier. Sa galerie d'art contemporain de très bon niveau dénote un peu avec l'ambiance rétro générale. Mieux vaut ne pas y séjourner en été, car c'est bondé (ses voisines Colwyn Bay et Ros-on-Sea sont plus tranquilles), mais c'est la seule ville à la ronde où l'on trouve des grands magasins, *Marks & Spencer* par exemple. La plage de l'ouest (Westshore) s'enorgueillit de posséder une statue du lapin blanc d'*Alice au pays des merveilles* de Lewis Caroll. On y aperçoit d'ailleurs le *Gorgarth Abbey Hotel* où la vraie Alice passa ses vacances.

Adresses utiles

Tourist Information Centre : 1-2 Chapel St. ☎ 87-64-13. • www.llandudno-tourism.co.uk • Ouvert toute l'année. Fermé le dimanche en hiver.

Gare : Augusta St. ☎ (08457) 48-49-50. Trains pour Chester, Manchester, Bangor et Holyhead.

Où dormir ?

The Lindens Hotel : 10 Church Walks, Llandudno. ☎ et fax : 87-76-84. • www.lindenshotel.co.uk • Fermé en janvier. Au pied du Great Orme. À partir de 51,70 £ (76,50 €) pour une chambre normale, 62,60 £ (92,60 €) pour une grande chambre avec grand lit. Une vaste maison de coin, très lumineuse. C'est bien tenu et fort plaisant. Boisson offerte à l'arrivée aux lecteurs du *Guide du routard.*

Où manger (un gros gâteau à la crème) ?

Sandbach Café : 78A Moystin St, Llandudno. ☎ 87-65-22. En plein centre (dans la rue de *Marks & Spencer*). Ouvert tous les jours, le midi seulement. Compter autour de 5 £ (7,40 €) pour un plat. Petite vitrine aux chocolats aguichants. La salle est à l'étage, fréquentée par des amoureuses du *tea-time*. On se croirait à l'époque de Victoria, ambiance douceâtre. Admirez les gâteaux sous leurs cloches. C'est fait maison et on en reprendrait bien une part.

Clare's : Mostyn St, Llandudno. ☎ 87-67-11. Dans le centre, partie commerciale. Ouvert du lundi au samedi de 9 h 30 à 16 h 30. En moyenne, 4 £ (5,90 €) pour un plat. À l'étage d'un magasin de vêtements pour s'habiller comme la reine. C'est le royaume des pastels. Ascenseur à la parisienne pour se rendre au *tea-room,* où vous attendent d'adorables serveuses à cheveux blancs et tabliers à collerette. Il faut le vivre une fois !

Le Gatte : 22A-24 Mostyn Ave, Craig-y-Don, Llandudno. ☎ 87-78-41. À l'est, un peu à l'écart du centre-ville. Ouvert toute l'année de 10 h à 18 h. Environ 7 £ (10,40 €) le plat. Un café dans le plus pur style victorien, élégant et raffiné. On aime les fauteuils en osier et la clientèle de *ladies* en goguette. À l'étage, salles intimistes. Calme et paisible, à prix routards.

À voir

Great Orme Country Park : un sommet d'où l'on jouit sans doute de la plus belle vue sur la ville (on la voit sur toutes les cartes postales), à l'extrémité nord-ouest de la baie. Une fois en haut, le panorama est magnifique et l'on trouve une mine de cuivre, un *Visitor Centre* et un *Summit Complex* (tout un programme). Plusieurs moyens pour y aller :

➢ *Tramway :* départ dans Church Walks. ☎ 57-52-75. • www.greatorme-tramway.com • Ouvert d'avril à octobre de 10 h à 18 h. Compter 4 £ (5,90 €) l'aller-retour ; réductions. L'ascension en tramway (construit en 1902) rappelle San Francisco.

➢ *Cable Car :* le plus long téléphérique britannique. Le prendre à Happy Valley Gardens, juste derrière le Pier. ☎ 87-72-05.

➢ *En voiture :* droit de passage de 2 £ (3 €) par véhicule.

– Les plus courageux peuvent aussi faire la grimpette à pied : rude !

Festival

Victorian Extravaganza : durant le 1er week-end férié en mai. Tout le monde descend dans la rue, habillé comme à l'époque victorienne. Voitures à cheval, ombrelles et chapeaux haut de forme.

➢ DANS LES ENVIRONS DE LLANDUDNO

Bodnant Gardens : à 13 km au sud de Llandudno, sur l'A470. ☎ (01492) 65-04-60. Ouvert de mi-mars à fin octobre de 10 h à 17 h. Entrée : 15,50 £ (22,90 €). Quelque 135 ha de verdure, 85 ha ouverts au public, autour de l'habitation de Lord et Lady Abeconway. Amoureux des jardins, cet endroit est pour vous ! Jardin sauvage, fleurs d'ornementation, roses de toutes les couleurs, pièces d'eau, voici un écrin naturel splendide. À ne pas manquer !

DU NORD AU SUD, DE PART ET D'AUTRE DE LA « FRONTIÈRE ANGLAISE »

LLANGOLLEN

3 000 hab. IND. TÉL. : 01978

Petite ville de 3 000 habitants et 24 pubs (!), qui doit sa renommée à son festival de danses, musiques et costumes, *The International Musical Eisteddfod,* créé en 1947, et qui a lieu en juillet (c'est là qu'a commencé Pavarotti).

La ville est également célèbre pour son pont du XIIe siècle (une des Sept Merveilles du pays de Galles) et sa vallée, qui s'étend le long de l'A5. C'est aussi la ville natale du professeur Blake, héros de B.D. de E. P. Jacobs.

Adresse utile

■ ***Tourist Information Centre :*** Town Hall. ☎ 86-08-28. • www.llangollen.org.uk • Ouvert de 10 h à 18 h pour les beaux jours, de 9 h 30 à 17 h hors saison.

Où dormir ?

Attention, tout est bondé pendant le festival (début juillet).

■ ***Youth Hostel Tyndwr Hall :*** Tyndwr Rd. ☎ (08707) 70-59-32. Fax : (08707) 70-59-33. • llangollen@yha.org.uk • À l'extérieur de la ville, direction Shrewsbury. Prix variables selon la quantité de lits, compter moins de 10 £ (14,80 €). Extraordinaire maison victorienne du XVIIe siècle, château en brique avec façade à la normande, dans la verdure, encastré dans la montagne. Un peu délabré malgré tout et un tantinet lugubre et humide. Réservez pendant le festival. Repaire de kayakistes et d'amoureux de la nature. Proprios très sympas. On peut y dîner.

■ ***Cloud Hill :*** Pentre, Chirk. ☎ 77-33-59. À 6 km de Llangollen, sur la route de Shrewsbury. Ouvert toute l'année, tous les jours. À partir de 22 £ par personne (32,60 €) selon la saison. Cartes de paiement refusées. Parking gratuit. Un curieux chalet sur pilotis dans un coin de verdure, tenu par un architecte très sympa. Sa femme parle un peu le français.

■ ***Plas Offa Farm :*** Whithurst, Chirk. ☎ 77-37-60. En face du *Cloud Hill,* de l'autre côté de la route. Tarifs similaires. Charmante ferme du XVIIe siècle habitée par une famille passionnée par les chevaux de course.

Où manger ? Où boire un verre ?

|●| ***Gales :*** 18 Bridge St. ☎ 86-00-89. Ouvert de 12 h à 14 h et de 18 h à 22 h. Fermé le dimanche. Fermé pour les fêtes de fin d'année. Repas complet aux alentours de 15 £ (22,20 €). Boiseries, cheminée, atmosphère chaleureuse et, au menu, du poulet au miel, du faisan fumé, du jambon sucré, de bons petits vins, etc. Bref, que du plaisir ! Fait aussi *B & B* : chambres à 55 £ (81,40 €).

|●| ***Maxines :*** 17 Castle St. ☎ 86-19-63. Ouvert de 9 h à 17 h 30. Niveau nourriture, moins de 5 £ (7,40 €), mais ce n'est pas génial. En plein centre. Avec sa vieille façade jaune, ce resto propose depuis toujours une foire aux livres permanente. C'est un plaisir de monter à l'étage mettre son nez dans les milliers de bouquins entassés. Seule condition : prendre son temps avant de décrocher la perle.

|●| 🍷 ***Jenny Jones :*** Abbey Rd. ☎ 86-06-53. Près de l'hôpital. Ouvert de 11 h à 15 h et de 19 h à 23 h. Repas de 5 à 12 £ (7,40 à 17,80 €). Un grand bar avec mezzanine et resto à l'étage. Soirées jazz et *country music* quasi tous les soirs. Très sympa.

À voir. À faire

➢ ***Llangollen Wharf :*** balade de 45 mn sur un petit bateau tiré par un cheval, le long du canal allant à Pentrefelin. ☎ 86-07-02. Ce n'est pas excessif : 3,50 £ (5,20 €) pour les adultes ; réductions. Il est également possible de combiner ce petit tour en bateau avec un autre en train à vapeur. Un vrai moment de paix, que vous ne regretterez pas.

La gare : ☎ 86-09-79 (bureau) ou 86-09-51 (boîte vocale). Elle est ancienne et charmante, au bord de la rivière. De là, on peut prendre l'un de ces merveilleux petits trains à vapeur qui traversent des paysages magnifiques le long de la vallée de la Dee. Le train se rend à *Carrog Station,* point de départ pour de vertes échappées. Premier départ vers 11 h, dernier retour vers 17 h. Avant de prendre place dans l'un des vieux wagons, avancez jusqu'à la locomotive et admirez les cheminots s'activer devant les fourneaux et faire brûler le charbon à l'ancienne.

Horseshoe Pass : sur la route de Ruthin (A542), à 7 km. Vue superbe sur les collines et vallées environnantes.

Valle Crucis Abbey : à l'ouest de Llangollen par la B5103. Très belles ruines d'une abbaye cistercienne du XIIIe siècle, dans un fort joli cadre.

Glyndyfrdwy : à 7,5 km par l'A5. Vous ne rêvez pas, on trouve là une maison couverte de papillons multicolores confectionnés par Eos Griffiths. Ils ont fait la réputation internationale de leur inventeur et des émules dans tout le pays de Galles. On peut visiter son atelier. Ouvert toute l'année. Il paraîtrait qu'il s'est mis aux coccinelles. Allons bon...

SHREWSBURY

58000 hab. IND. TÉL. : 01743

Cette ancienne capitale des Powies est la ville natale de Charles Darwin, le papa de la théorie de l'évolution. Un musée lui est consacré. Porte du pays de Galles du côté anglais, Shrewsbury est une ville agréable, située sur une boucle de la Severn. Dans la vieille ville, il reste encore de très anciennes maisons à colombages et à encorbellement, extrêmement pittoresques.
Une idée originale : l'office de tourisme du Shropshire, ce comté anglais situé aux portes du pays de Galles, propose aux touristes se déplaçant en voiture d'aller prendre le thé dans un presbytère de village... avec le pasteur et sa femme. Le Shropshire est connu pour ses petits villages perdus dans la campagne, ses vieilles fermes, ses bourgs moyenâgeux et... le charme de ses vieux presbytères. Une participation aux frais de 5,20 £ (7,70 €) vous sera demandée. Cet argent n'ira pas dans les poches du pasteur, mais sera versé pour la restauration des chapelles et l'amélioration de la vie des plus défavorisés. Pour réserver, c'est très simple : il vous suffit de téléphoner à l'office de tourisme de Shrewsbury, qui prendra date pour vous avec le pasteur de l'église la plus proche du lieu de votre convenance. Quant au *tea,* il s'agit d'un véritable thé anglais avec toasts, *scones, muffins,* crème, confiture...

Info utile

Tourist Information Centre : ☎ 35-07-61.

Où dormir ?

Youth Hostel : The Woodlands Abbey Foregate. ☎ 36-01-79. À 10 mn à pied d'English Bridge. Grande maison victorienne confortable.

WELSHPOOL (Y TRALLWNG) 5000 hab. IND. TÉL. : 01686

Petite ville qui fut un centre important pour le commerce de la laine. Grande et belle rue médiévale. Voir, par exemple, la boutique *The Prentice Traders* dans High St. Bons pubs et restos sur cette même rue. Pour se loger, mieux vaut aller trouver son bonheur dans les environs, du côté de *Berriew,* par exemple.

Adresse utile

i ***Tourist Information Centre :*** Vicarage Garden, Church St. ☎ 55-20-43.

Où dormir ? Où manger dans les environs ?

⌂ |●| ***Lower Trelydan Farmhouse :*** Guisfield, SY21 9PH. ☎ et fax : 55-31-05. • www.lowertrelydan.com • Situé à 6 km de Welshpool au nord. Prendre l'A490, puis à 5 km à droite vers Guisfield ; à l'entrée du village, au panneau de ralentissement, tourner à droite et continuer le chemin jusqu'au bout. Après tous ces efforts, vous aurez droit à une vieille ferme rustique du XVIe siècle, joliment mise en valeur. Compter 26 £ (38,50 €) par personne. Dîner à 13 £ (19,20 €). Une bonne odeur d'encaustique, un plancher et des murs irréguliers, un charme incroyable.

À voir

Powis Castle : à 1 km au sud de Welshpool, magnifique château en grès rouge, érigé sur une colline. ☎ 55-43-36. Ouvert de 11 h à 17 h. Fermé les mardi et mercredi. Entrée : 8,40 £ (12,40 €) ; réductions. Sa construction a débuté au XIIIe siècle, mais ce qu'on en voit date du XVIIIe. À l'intérieur : très belles décorations, cheminées, meubles (une table à porto), tapisseries, etc. Plus un musée, constitué d'objets ramenés d'Inde par l'un des ancêtres, *Clive of India* (1754-1839) : meubles en ivoire, lit de voyage, armes, objets décorés de pierres précieuses, etc. Enfin, de merveilleux jardins en terrasses au pied du château.

➤ *DANS LES ENVIRONS DE WELSHPOOL*

Berriew : adorable et minuscule village aux maisons blanches à colombages, à 8 km de Welshpool. Un vrai décor de théâtre.

⌂ ***Trefnant Hall Farm :*** Berriew. ☎ 64-02-62. • freespace.virgin.net/jane.trefnant • Suivez la petite route qui longe Powis Castle sur 3 km. Compter 44 £ (65,10 €) la chambre double. Cartes de paiement refusées. Toutes les chambres sont tournées vers le sud avec une vue magnifique. Perchée sur une colline, cette ferme construite en 1742 est une pure merveille. À la tombée du jour, asseyez-vous sur le banc, devant la maison, et admirez. Un café offert sur présentation du *Guide du routard.*

🍷 Les pubs ***Lion*** et ***Talbot,*** de part et d'autre du canal, se partagent la clientèle.

NEWTOWN (Y DRENEWYDD) 9000 hab. IND. TÉL. : 01686

Ancien centre de filatures de laine. A vu naître et mourir Robert Owen (1771-1858). Né pauvre, celui-ci s'enrichit grâce aux manufactures de coton de Manchester. Patron philanthrope, il développa un grand centre industriel socialement en avance à Lanark en Écosse, près de Glasgow. Il se battit pour reculer l'âge (de 10 à 12 ans) auquel les enfants devaient travailler, et rendit l'instruction obligatoire pour ses ouvriers; il créa les premières écoles maternelles. Bref, ce fut un réformateur. Puis Robert Owen alla fonder une communauté de vie et de travail aux États-Unis et s'y ruina. Il revint en Grande-Bretagne où il créa et développa le système de la coopérative; à nouveau, il fit faillite. Ce personnage essaya de vivre à la hauteur de ses idées. Son souvenir est évoqué dans le ***Robert Owen Museum,*** situé dans le bâtiment Midwales Motorways, sur Broad St Memorial, en face de la *Barclays Bank.*

➤ *DANS LES ENVIRONS DE NEWTOWN*

Llyn Clywedog Reservoir : à 21 km de Newtown, le plus grand barrage de Grande-Bretagne. Sur le lac, on pratique toutes sortes de sports nautiques.

Tourist Information Centre : 54 Longbridge St, Llanidloes. ☎ 41-26-05. Fax : 41-38-84.

LUDLOW 9000 hab. IND. TÉL. : 01584

Une jolie ville sur la frontière, côté anglais, considérée aux XVIe et XVIIe siècles comme capitale du pays de Galles. Les principaux atouts de cet endroit paisible sont un étonnant château, des maisons à colombages et le marché. C'est aussi la seule ville de Grande-Bretagne qui, après Londres, peut s'enorgueillir de 3 restaurants réputés, étoilés par un de nos confrères gastronomiques.

Adresse utile

Tourist Information Centre : Castle St. ☎ 87-50-53. En saison, ouvert tous les jours de 10 h à 17 h; hors saison, ouvert du lundi au samedi de 10 h 30 à 17 h, fermé le dimanche.

Où dormir? Où manger?

The Wheatsheaf Inn : Lower Broad St. ☎ 87-29-80. Fax : 87-79-80. Compter 20 £ (29,60 €) la nuit par personne. Plat de cuisine familiale à 6 £ (8,90 €). Un bon accueil dans cette belle maison de coin du XVIIe siècle. C'est à la fois un pub, un restaurant où la formule des viandes grillées découpées sous vos yeux remporte un franc succès, et un hôtel de charme. Quelques belles chambres à l'étage bien décorées.

Si elle est libre, demandez la n° 2, c'est la seule qui bénéficie d'une perspective extérieure.

Ye Olde Bull Ring Tavern : 44 The Bull Ring. ☎ 87-23-11. Cuisine savoureuse autour de 5 £ (7,40 €) l'assiette. C'est un pub traditionnel. On y mange de bons plats du jour. Rien à voir avec les grands restaurants classés, mais on y passe volontiers un bon moment.

À voir

Ludlow Castle : Castle St (on s'en serait douté !). ☎ 87-33-55. • www.ludlowcastle.com • Entrée : 3,50 £ (5,20 €) pour les adultes et 1,50 £ (2,20 €) pour les enfants. Le château de la fin du XIe siècle n'a plus toutes ses dents. Il manque le toit, mais l'atmosphère est toujours intacte : à la fois étrange et mystérieuse. On imagine bien la vie qui se déroulait ici. Promenez-vous, déambulez dans les anciennes salles, muni d'un dépliant en français (0,50 £, soit moins de 1 €), et admirez les panoramas sur la campagne environnante.

m'man, p'pa,
'faut pô
laisser
faire !
HANDICAP
INTERNATIONAL
titeuf "totem" de nos 20 ans

BULLETIN D'INSCRIPTION

NOM : M. Mme Melle

PRENOM :

DATE DE NAISSANCE :

ADRESSE PERSONNELLE :

CODE POSTAL : TEL.

VILLE :

DESTINATION PRINCIPALE ....

Calculer exactement votre tarif en SEMAINES selon la durée de votre voyage :

7 JOURS DU CALENDRIER = 1 SEMAINE

Pour un Long Voyage (2 mois...), demandez le ***PLAN MARCO POLO***

COTISATION FORFAITAIRE 2004-2005

VOYAGE DU AU = SEMAINES

Prix spécial « *JEUNES* » (3 à 40 ans) : **20 € x** = €

De 41 à 60 ans (et – de 3 ans) : **30 € x** = €

De 61 à 65 ans : **40 € x** = €

Tarif "**SPECIAL FAMILLES**" 4 personnes et plus : **Nous consulter au 01 44 63 51 00**

Chèque à l'ordre de ROUTARD ASSISTANCE – ***A.V.I. International***
28, rue de Mogador – 75009 PARIS – FRANCE - Tél. 3260 AVI (0,15e / minute)
Métro : Trinité – Chaussée d'Antin / RER : Auber – Fax : 01 42 80 41 57

ou Carte bancaire : Visa ☐ Mastercard ☐ Amex ☐

N° de carte :

Date d'expiration : Signature

Je déclare être en bonne santé, et savoir que les maladies ou accidents antérieurs à mon inscription ne sont pas assurés.

Signature :

Information : www.routard.com / Tél : 3260 AVI (0,15€ / minute)
Souscription en ligne : www.avi-international.com

Faites des copies de cette page pour assurer vos compagnons de voyage.

INDEX GÉNÉRAL

Remarque : **Londres fait l'objet d'un guide à part.**

– D –

– I-J-K –

– L –

– N –

– O –

– P –

– S –

– V-W –